D E N T A L M A T E R I A L S

8th Edition

치과재료학
Dental Materials

한국치과재료학교수협의회

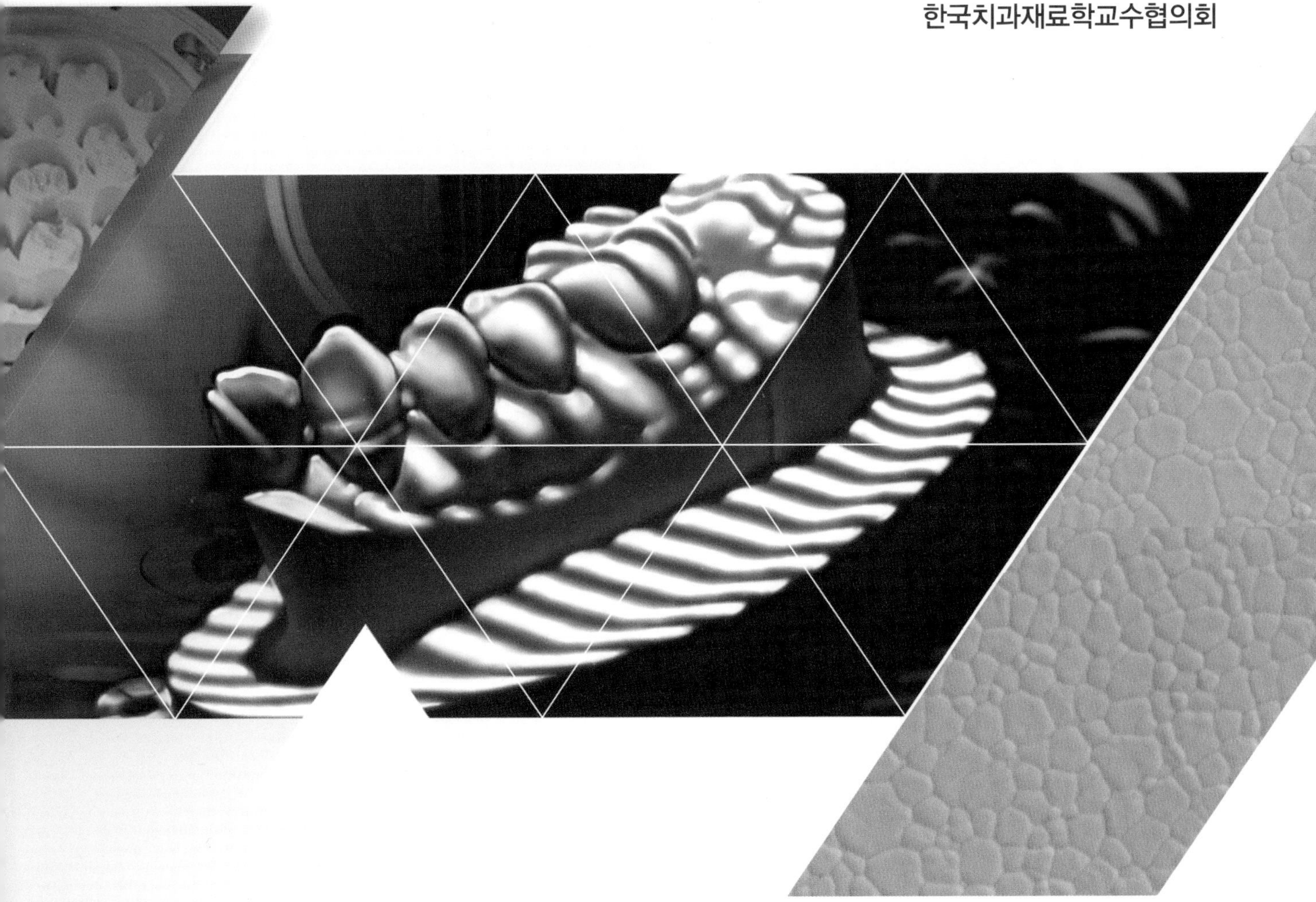

치과재료학 8th ed.
Dental Materials 8th ed.

첫 째 판 1쇄 발행	1995년 4월 10일
둘 째 판 1쇄 발행	1998년 2월 28일
셋 째 판 1쇄 발행	2001년 2월 24일
셋 째 판 2쇄 발행	2003년 1월 20일
셋 째 판 3쇄 발행	2004년 6월 30일
넷 째 판 1쇄 발행	2006년 2월 25일
다섯째판 1쇄 발행	2008년 3월 21일
여섯째판 1쇄 발행	2011년 3월 21일
일곱째판 1쇄 발행	2015년 3월 20일
여덟째판 1쇄 발행	2020년 2월 28일
여덟째판 2쇄 발행	2023년 2월 24일

지 은 이 한국치과재료학교수협의회
발 행 인 장주연
출 판 기 획 한수인
책 임 편 집 이경은
표 지 디 자 인 김재욱
내 지 디 자 인 주은미
일 러 스 트 유학영
발 행 처 군자출판사
등록 제 4-139호(1991. 6. 24)
본사 (10881) **파주출판단지** 경기도 파주시 회동길 338(서패동 474-1)
전화 (031) 943-1888 팩스 (031) 955-9545
홈페이지 | www.koonja.co.kr

ISBN 979-11-5955-539-8
정가 80,000원

저자진
AUTHORS

• **저자진**(가나다순)

고 영 무	조선대학교	**송 호 준**	전남대학교
권 용 훈	부산대학교	**안 진 수**	서울대학교
권 일 근	경희대학교	**오 승 한**	원광대학교
권 재 성	연세대학교	**양 형 철**	서울대학교
권 태 엽	경북대학교	**이 민 호**	전북대학교
김 광 만	연세대학교	**이 상 훈**	서울대학교
김 병 훈	조선대학교	**이 정 환**	단국대학교
김 해 원	단국대학교	**이 중 배**	강릉원주대학교
박 영 준	전남대학교	**이 해 형**	단국대학교
박 찬 호	경북대학교	**임 범 순**	서울대학교
배 지 명	원광대학교	**임 호 남**	경희대학교
배 태 성	전북대학교	**정 신 혜**	서울대학교
설 효 정	부산대학교	**최 한 철**	조선대학교

머리말

PREFACE

Dental Materials

치과재료학은 치의학 고유의 학문분야로 치과의사와 치과의료 종사자에게 오랫동안 치의학에서 사용하는 거의 모든 재료에 대한 지식을 전달해왔다. 임상 치의학에서는 금속, 세라믹, 폴리머와 이들의 복합재료까지 매우 다양한 재료들이 직접/간접 수복물로 제작되어 사용되고 있다. 따라서 재료의 물리적, 화학적, 생물학적 특성뿐 아니라 이들의 조작과 취급에 따른 특성의 변화와 임상에서의 연계성까지 파악해야 한다. 이 책은 1995년 국내에서 처음 군자출판사에 의하여 출판된 이래 오늘에 이르기까지 그간 한국 치과재료학의 중심 교과서로 자리매김해 왔다. 그러나 최근 치의학의 발전과 소재와 과학기술의 급격한 진보로 치과재료학에서도 과거의 재료와 기술이 빠르게 낡은 것이 되어가며 패러다임의 변화가 발생하고 있다. 이에 따라 새로운 치과의료기기와 이에 따른 새로운 소재들이 교과서보다 빠르게 소개되고 있는 상황이다. 그렇지만 금속을 위시한 일부 전통적 치과 재료들도 여전히 사용되고 있어, 과거와 현재의 치과재료에 대한 정리를 통해 다가올 미래의 변혁에 대비해야 한다.

이에 본 8판 치과재료학에서는 새롭게 칼라 사진과 그림을 추가하고 기존의 챕터를 부분별로 묶어, Part I 에서는 치과재료학, Part II 에서는 치과재료의 구조 및 기초재료학, Part III 에서는 인상/모형재 및 왁스/매몰재/치과주조법의 치기공재료, Part IV 에서는 복합레진과 치아접착, 치과용 시멘트, 아말감 등의 직접 수복재료, Part V 에서는 간접 수복재로서 금속과 세라믹, 폴리머 보철·수복 재료와 이들의 디지털 제작 시스템, Part VI 에서는 임플란트 및 조직공학, Part VII 에서는 그 외 임상치의학 재료와 기구를 다루고 있다. 내용에 있어서도 부족한 부분을 시대에 맞게 보강하려고 많은 노력을 기울였다. 그럼에도 저자들은 아직 미진한 부분들이 다수 존재하며 계속 수정 보완이 필요함을 자인하지 않을 수 없다. 이점에 있어서는 독자들로부터의 많은 지적과 조언을 기대하며 앞으로 계속 노력해 나갈 것을 다짐하고 있다.

본 개정판이 나오기까지 저술에 적극적으로 참여해주신 전국의 대한치과재료학 교수협의회 교수님들과 특히 편찬위원으로 활동해주신 각 대학 교수님들(권일근, 김광만, 박영준, 배지명, 배태성, 설효정, 안진수, 오승한, 이정환, 정신혜, 최한철)께 진심으로 감사드린다. 또한 본 개정판의 작업이 과중함에도 변함없이 좋은 책이 되도록 힘써 주신 군자출판사 임직원 여러분께도 커다란 사의를 표한다.

2020년 2월

대한치과재료학 교수협의회 편집위원장 이 해 형

Contents

Dental Materials

PART V 간접 수복재료 339

PART VI 임플란트 및 조직공학 453

PART VII 임상치의학 재료 및 기구 493

PART

I

서론

01. 치과재료학

치과재료학 01

학/습/목/표

❶ 치과재료의 역사적 사용 흐름을 안다.
❷ 치과재료의 선택 과정을 이해한다.
❸ 치과의료기기의 허가와 평가과정을 파악한다.

1. 치과재료학이란?

치과재료학이란 치의학 전반에서 사용되는 다양한 재료를 연구하는 학문으로 재료의 조성, 특성, 취급과 공정에 따른 변화와, 구강 내에서 재료-생체 또는 재료-재료 간 상호반응을 연구하는 학문이다. 치과재료학의 축적된 지식은 올바른 치과재료의 선택을 돕는 정확한 정보를 제공하며 새로운 치과재료의 개발에 이바지한다.

치과의사, 치기공사 및 치위생사는 매일 각종 재료의 취급에 많은 시간을 보내고 있으며, 여러 가지 다양한 치과 치료의 성패는 각 상황에 적합한 치과재료의 선택과 정확한 조작 여부에 따라 좌우된다고 하여도 과언이 아니다. 과거부터 현재까지 사용되고 있는 재료의 유형은 금속(metals), 세라믹(ceramics), 폴리머(polymers)에서부터 복합재료(composite materials)까지 매우 다양하며 이것들은 각종 직 · 간접 치과 보철 · 수복물로 제작되어 환자에게 사용하고 있다(그림 1-1).

제작된 치과 보철 · 수복물은 구강 내에 지속적으로 존재하게 되므로 치과재료는 구강 내의 열악한 환경에 견딜 수 있어야 정상적 기능을 할 수 있다. 구강 내에서는 급격한 온도와 산도의 변화를 겪어야 하며 과도한 저작압에 따른 응력(stress) 발생, 반복적 저작압에 의한 피로현상 등은 재료의 내구성에 영향을 줄 수 있다. 정상적인 구강 내의 온도는 입을 열거나 닫을 때에 따라서 32~37℃

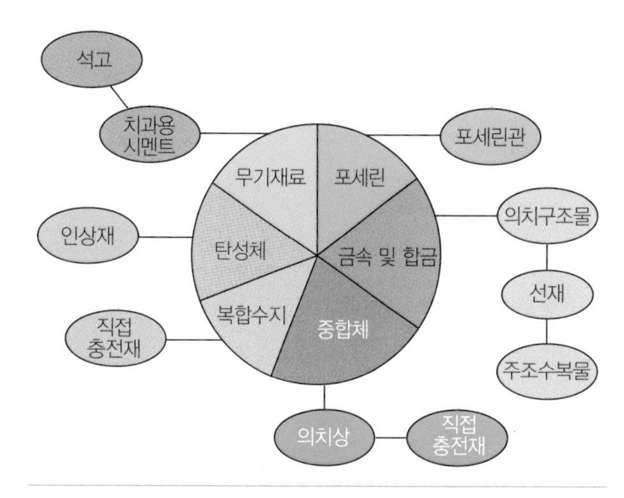

그림 1-1. 치과에서 사용되는 다양한 재료 및 응용범위

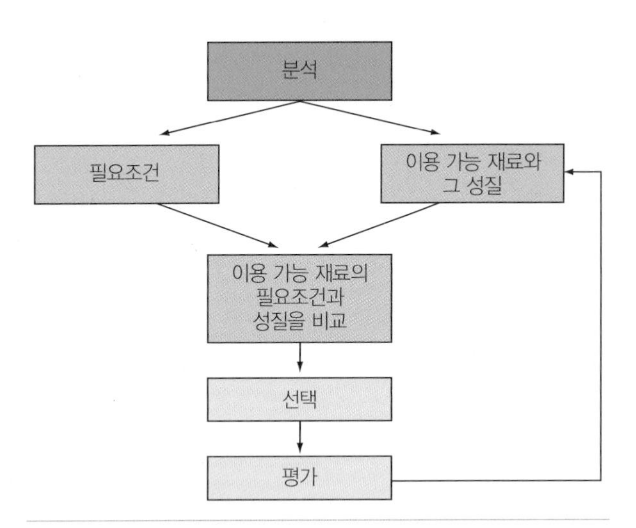

그림 1-2. 치과재료의 선택과정

사이인데, 차거나 뜨거운 식음료를 섭취하는 경우 치과재료는 0~80℃까지 심한 온도 변화를 겪어야 한다. 구강 내의 pH는 4~8.5이나 산성의 과일주스를 마시는 경우 pH 2, 알칼리성의 약제를 복용하는 경우 pH 11로, 큰 변화를 보일 수 있다. 저작에 의한 하중의 경우에도 치아나 수복재 면적 1 mm²당 수백 N에 달할 정도로 높은 응력이 재료에 반복적으로 가해질 수 있다. 따라서 치과재료를 다루는 치과의사 및 관련 종사자는 재료의 성능과 한계에 대하여 잘 알고 있어야 한다.

치과임상에서 재료 선택의 과정은 다음과 같은 순서를 따르는 것이 바람직하다(그림 1-2).

① 임상 상황의 분석
② 필요조건에 관한 고찰
③ 사용 가능한 재료와 성능에 대한 고찰
④ 최종선택

치과재료의 선택은 치과 수복물의 수명에 중대한 영향을 미치기 때문에 많은 경험을 가진 임상가들도 다음의 순서로 재료를 선택한다.

- **임상 상황의 분석** : 부정확한 판단이 수복물이나 장치의 실패를 가져올 수 있기 때문에 재료 선택에 필요한 상황의 분석은 대단히 중요하다. 예를 들면, 충전재를 선택할 때에는 해당 치아의 수복 부위가 '어느 정도의 응력이 가해지는가?', '심미적 장애가 없는가?', '와동이 낮거나 깊은가?' 등을 고려해야만 한다. 이와 같이 많은 요인들이 재료 선택 전에 확인되어야만 하는 것이다.

- **필요조건에 관한 고찰** : 철저한 상황분석이 끝난 후에는 이에 부합되는 요건을 충족시킬 수 있는 재료에 관한 필요조건을 작성한다. 예를 들면, 치아색과 조화되고 파절되지 않으면서 높은 응력에 견딜 수 있는 재료를 결정한다. 어떤 수복물은 잇솔, 대합치아나 재료에 의해 마모될 수 있으며, 이런 경우에 사용될 수복재는 마모에 대한 저항성을 가져야 한다. 이렇게 해당 치아의 수복 부위에 필요한 이상적인 성질들을 수립한다.

- **이용 가능한 재료와 그 성질에 대한 고찰** : 환자를 진료할 때 직면한 문제가 이전과 유사한 상황이라면 그간의 경험에 의해 현존하는 재료 중에서 합리적으로 선택하게 된다. 그러나 좀 더 광범위하고 특수한 경우, 대체재료나 새로 개발된 재료들이 해결방법이 될 수도 있다는 사실을 고려해야만 한다. 임상가가 새로운 제품을 사용하는 데 있어 그것이 적절한 방법에 의해 안전하다고 판명되기 전까지는 사용에 보수적인 태도를 보이는 것도 좋지만 항상 새로운 재료에 접근하려는 태도를 가지는 것이 중요하다.

- **최종 선택** : 이용 가능한 재료의 성질과 필요조건을 비교한 후에는 주어진 제품 중에서 선택의 폭을 좁히는 것이 가능하다. 최종 제품의 선택에서 치과의사의 입장에서 볼 때 가끔은 개인적인 선호도에 의해 결정될 수 있다. 그러나 취급의 용이성, 유용성, 가격 등과 같은 경제적 요인도 선택과정에서 하나의 중요한 역할을 한다.

2. 치과재료의 평가

최근 치과의료산업의 눈부신 발전에 따라 이용 가능한 치과의료기기 및 첨단 재료가 범람하고 있다. 따라서 치과의사들은 충분히 검증받지 못한 부적합한 제품 및 재료들의 홍수 속에서 적절한 것을 선별할 수 있어야 한다. 치과재료는 다른 의료기기와 마찬가지로 유통하기 전에 각각의 엄격한 표준규격시험을 통과해야 하며, 또한 제조업자들은 재료들에 대한 철저한 검사 및 품질보증계획을 수립해야만 한다.

- **표준규격** : 미국 또는 국제기관에 의한 수많은 표준규격시험 방법들이 매우 효과적으로 시행되고 있다. 이러한 규격들에는 제품의 시험방법, 결과의 계산방법 및 최소허용기준 값이 상세히 나타나 있다. 이러한 규격들이 중요한 역할을 하지만 항상 완벽한 검증을 할 수 있는 것은 아니다. 시행되는 시험방법들 중에는 때로 재료사용에 결정적인 사항들이 결여될 수도 있다. 예를 들면, 많은 치과재료들이 실제적으로 피로현상에 의해 파절되고 있으나 피로시험을 규정한 규격은 드물다. 현재 미국에서는 미국립표준연구소(American National Standards Institution)/미국치과의사협회(American Dental Association)규격을 사용하고 있으며, 협회 내의 과학위원회(Council on Scientific Affairs)가 규격을 개발하고 규격에 부합되는 제품을 인증하고 있다. 또한 미국치과의사협회 과학위원회는 미국립표준연구소의 방향에 따라 표준을 공식화하는 표준인증위원회(Accredited Standards Commitee, ASC) MD156을 행정적으로 후원하고 있다. 미국치과의사협회규격으로는 1930년에 치과용 아말감합금이 최초로 수록되었으며, 현재 103종의 규격이 채택되었고 30여 종류가 개발 중에 있다. 최근의 규격과 수정안은 미국치과의사협회지(Journal of the American Dental Association)에 수록되어 있다. 국제표준규격을 위해서 국제치과연맹(Federa-tion Dentaire Internationale, FDI)과 국제표준화기구(International Organization for Standardization, ISO)에서 1963년부터 계획을 수립하여 진행 중에 있다. ISO는 비정부기구로서 세계 80개국 이상의 나라에서 온 국립표준기구로 구성되어 있으며, 현재 ISO 위원회인 TC106-Dentistry에서 치과재료에 대한 용어와 시험방법을 표준화하고 치과재료, 기구, 장치 및 장비의 규격을 제정하는 작업을 하고 있다. 우리나라에서는 미국치과의사협회의 규격을 원용하여 대한치과의사협회규격을 제정하여 사용하고 있으며, 한편으로는 대한치과재료학회를 중심으로 ISO TC106 위원회에 참가해서 치과 기자재의 한국표준화사업을 수행하고 있다. 일반적으로 치과재료와 같은 의료기기들은 실험실 평가와 임상시험 평가를 거쳐 허가를 받게 된다.

- **실험실 평가** : 표준규격에 이용되기도 하는 실험실 시험은 재료의 임상적 적합성과 기능성의 예측에 하나의 척도가 될 수 있다. 예를 들어, 충전재에서 대단히 중요한 성질이 되는 화학적 내구성은 특정 용액 속에서 실시하는 용해도 시험으로 평가할 수 있다. 또 한 예로, 정중선을 따라 일어나는 상악 레진 의치상의 파절은 주로 굽힘응력에 의하여 발생한다. 따라서 의치상재료에 있어서는 압축시험(compression test)보다는 굽힘시험(flexural test)이 더 중요한 의미를 갖게 된다. 이와 같이 재료의 유형에 따라 다양한 실험실 시험이 필요하다.

- **임상실험** : 실험실에서의 시험은 재료에 관한 중요하고 유용한 자료를 주지만, 최종 시험은 엄격하게 시행되는 임상실험 및 임상가의 판단에 의해 이루어진다. 많은 재료들이 실험실에서는 좋은 결과를 얻었으나 실제 임상에서 사용한 후에야 비로소 결함이 발견되기도 한다. 따라서 대다수의 제조업자들은 신제품을 일반 개원의에게 판매하기 전에 허가나 홍보 목적으로 대학이나 병원에서 광범위한 임상실험을 시행하고 있다.

최근 치과의료기기의 발전에 따라 의료기기의 중요 분야로 자리 잡고 있으며, 국내에서도 모든 치과의료기기는 관련법에 명시된 등급에 따라 한국 식품의약품안전처(KFDA)의 허가, 신고 과정을 거쳐야 한다(그림 1-3).

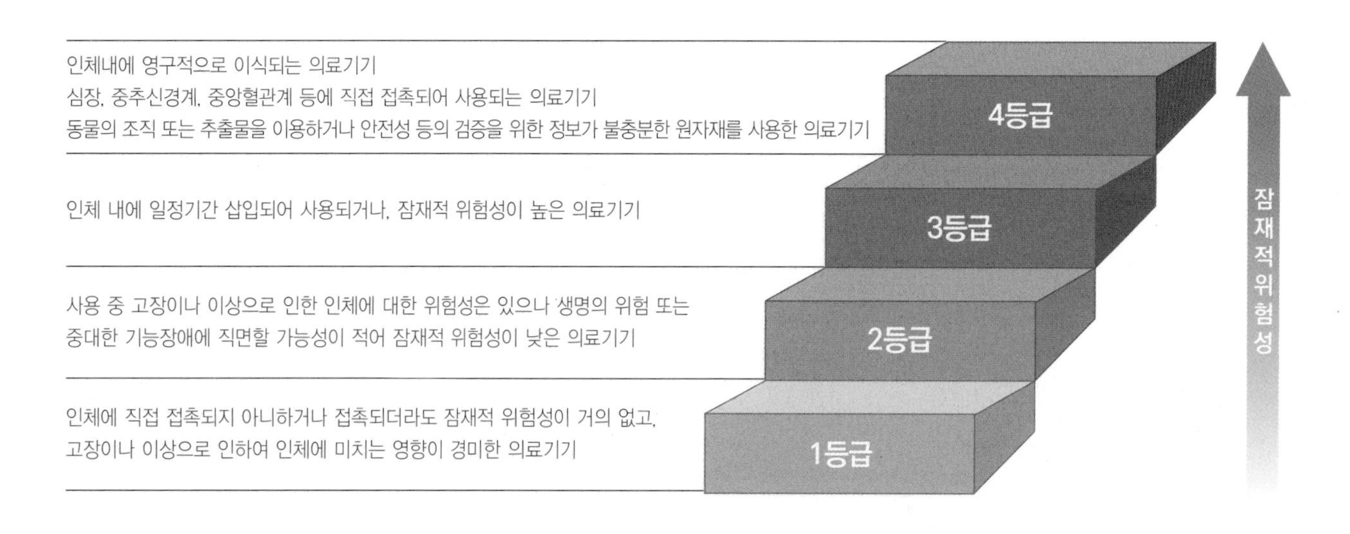

인체내에 영구적으로 이식되는 의료기기
심장, 중추신경계, 중앙혈관계 등에 직접 접촉되어 사용되는 의료기기
동물의 조직 또는 추출물을 이용하거나 안전성 등의 검증을 위한 정보가 불충분한 원자재를 사용한 의료기기
4등급
인체 내에 일정기간 삽입되어 사용되거나, 잠재적 위험성이 높은 의료기기
3등급
사용 중 고장이나 이상으로 인한 인체에 대한 위험성은 있으나 생명의 위험 또는 중대한 기능장애에 직면할 가능성이 적어 잠재적 위험성이 낮은 의료기기
2등급
인체에 직접 접촉되지 아니하거나 접촉되더라도 잠재적 위험성이 거의 없고, 고장이나 이상으로 인하여 인체에 미치는 영향이 경미한 의료기기
1등급
잠재적 위험성

그림 1-3. 의료기기는 사용 목적과 사용 시 인체에 미치는 잠재적 위해성의 정도에 따라 4개의 등급으로 분류

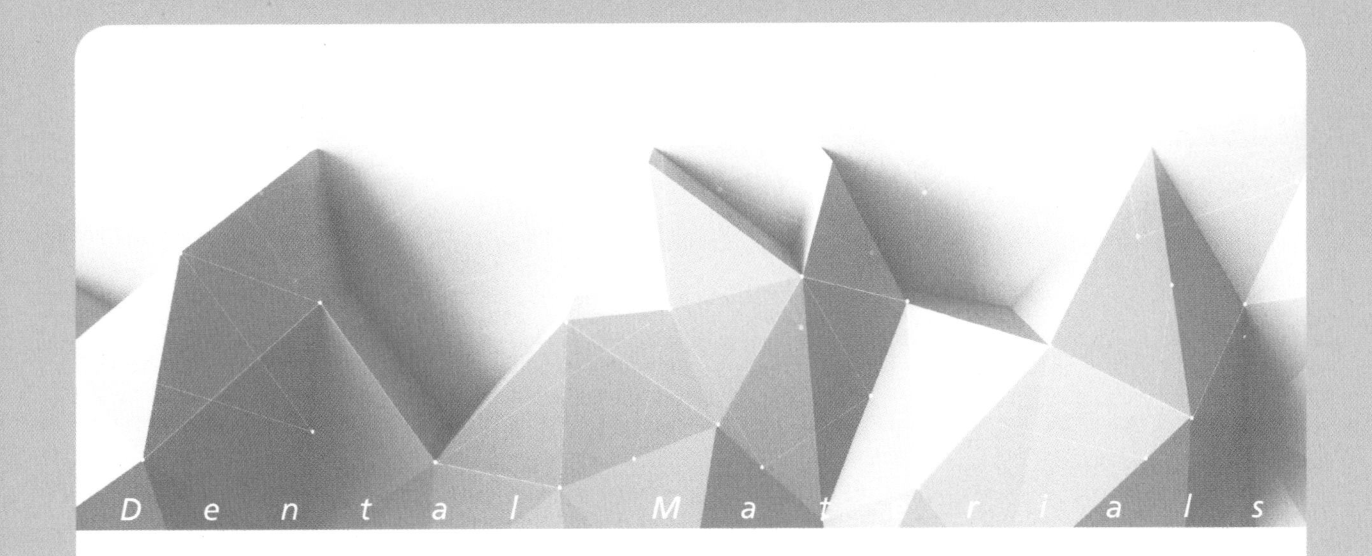

PART

II

재료의 구조와 성질

02. 물질의 구조와 표면 특성

03. 일반적 성질

04. 기계적 성질

05. 생물학적 성질

06. 금속/세라믹/폴리머의 기초

물질의 구조와 표면 특성 02

학/습/목/표

❶ 각 결합의 특성과 해당되는 치과재료에 대하여 이해한다.
❷ 표면장력, 젖음성, 접촉각과의 관계에 대하여 이해하고 적용할 수 있다.
❸ 접착과 응집에 물질의 표면 특성을 응용하여 생각할 수 있다.

1. 원자 및 분자간의 결합

물질의 성질은 그 물질을 구성하는 원자의 종류는 물론 원자 및 분자간의 결합 특성에 따라서 크게 좌우된다. 따라서 치과재료로 사용되는 많은 물질들에서 나타나는 다양한 성질 역시 결합 특성과 밀접한 관련성을 갖는다. 원자 및 분자간의 결합은 원자 내 전자 궤도의 특징, 쌍극자 구조 유무 등에 따라서 여러 유형으로 나타나며 다양한 크기의 결합력과 결합 에너지를 갖는다.

1) 결합력과 결합 에너지

원자는 모든 물질의 기본 단위로서 양성자와 중성자를 포함하는 원자핵과 전자로 구성된다. 전자는 원자핵 주변에서 가능한 한 낮은 에너지를 유지하기 위해서 양자수에 따라서 낮은 에너지 준위를 갖는 궤도부터 채워지며 원자핵으로부터 가장 바깥 궤도에 위치하는 원자가전자(valence electron)는 원자의 성질에 있어서 매우 중요한 역할을 한다. 즉 완전히 채워지지 않은 전자 궤도를 갖는 원자는 원자가전자를 방출, 흡수 또는 공유함으로써 불활성 원소와 같은 안정된 상태를 유지하려는 경향을 띠며 이는 원자간의 결합 또는 화학 반응을 일으키는 힘이 된다.

원자 또는 분자간의 결합의 안정성은 결합력 또는 결합 에너지로 나타낼 수 있다. 그림 2-1은 두 원자가 결합에 참여하는 경우에 그 거리에 따른 결합력과 결합 에너지의 변화 경향을 보여준다. 두 원자간의 거리가 멀리 떨어져 있는 경우에는 서로 영향을 미치지 않으나 가까워지면서 반응에 의한 인력(attractive force) 또는 반발력(repulsive force)이 작용하게 된다. 즉 거리가 가까워질수록 인력이 증가하지만 두 원자의 바깥 궤도에 위치하는 전자가 중첩되기 시작하면서 반대로 반발력도 증가하게 된다. 결과적으로 두 원자간에 미치는 결합력은 식 2-1과 같이 서로 방향이 반대인 인력과 반발력의 합으로 표시된다. 결합 에너지는 결합을 이루고 있는 원자를 완전히 분리시키는데 필요한 에너지로서 식 2-2와 같이 결합력을 거리에 따라서 적분한 값과 같다.

$$F = F_A + F_R \qquad 2\text{-}1$$

$$E_{tot} = \int_t^w F_A\,dr + \int_t^w F_R\,dr = E_A + E_R \qquad 2\text{-}2$$

F_A와 F_R는 각각 인력과 반발력, 그리고 E_A와 E_R는 적분으로 구해진 에너지 값을 나타낸다.

그림 2-1의 결합력 곡선은 물질의 여러 기계적 성질을 반영한다. 원자간의 인력과 반발력의 합이 0이 되는 거리 r_0는 원자 상호간에 힘의 균형을 이루는 위치로서 이 지점에서 접선의 기울기가 큰 물질일수록 탄성계수, 즉 물리적인 변형에 저항하는 강성도도 크다. 그 밖에 결합력 곡선에서 최고점은 물질의 파괴에 필요한 힘인 이론 강도 δ_m을 나타내며 r_0을 중심으로 좌우의 경사도 차이는 각각 반발력과 인력에 대한 저항성의 차이를 나타낸다.

한편 그림 2-1의 결합 에너지 곡선은 원자 상호간에 힘의 균형을 이루는 거리 r_0에서 최저점에 이른다. 이 지점에서 두 원자간의 결합은 안정된 상태를 유지하지만 외부로부터 가해지는 열에너지 등에 의해서 영향을 받게 된다. 따라서 열팽창계수와 용융점 등과 같은 열에 의한 물질의 변화 특성은 결합 에너지 곡선에서 최저점의 위치 및 형태와 관련된다. 물질에 열이 가해지면 최저점을 벗어나 진동하게 되고 그 진동의 폭은 주어진 에너지 값에서 곡선의 좌우 폭과 일치한다. 따라서 곡선의 폭이 넓고 최저점을 중심으로 좌우 대칭성이 약할수록 진동의 불균형도 커져서 열팽창이 커지게 된다. 물질에 더욱 높은 열이 가해지면 원자간의 결합이 약화되어 용융 상태에 이른다. 이 때 최저점의 위치가 낮을수록 용융을 위해서 높은 열에너지가 필요하며 용융점이 높아지게 된다.

이와 같은 설명은 2원자간의 단순한 결합을 가정한 것으로서 실제로 다수의 원자들이 3차원적으로 결합하고 있는 물질에서는 한 원자에 대해서 주변의 원자들이 복합적으로 영향을 미치게 된다. 그러나 각 원자를 기준으로 그에 미치는 결합력 및 결합 에너지에 대해서는 유사한 해석이 가능하다.

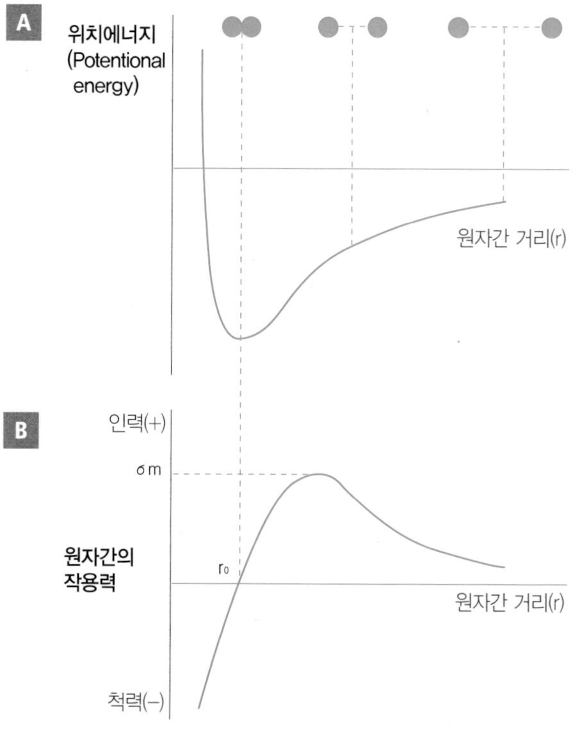

그림 2-1. 두 원자간의 거리에 따른 A 결합 에너지와 B 결합력

2) 1차 결합과 2차 결합

1차 결합(primary bonding)은 원자간에 일어나는 결합

표 2-1. 화학적 결합의 종류와 결합 에너지

분류	결합 형태		결합 에너지(kcal/mol)
1차 결합	이온 결합		70~350
	공유 결합		50~200
	금속 결합		27~83
2차 결합	수소 결합	O-H---O	6~7
		C-H---O	2~3
		O-H---N	4~7
		N-H---O	2~3
		N-H---N	~6
	기타 쌍극자 결합		0.01~2

으로서 전자 궤도의 특징에 따라서 그 유형이 결정된다. 1차 결합은 일반적으로 이온 결합, 공유 결합, 금속 결합 등 크게 3가지로 분류된다. 1차 결합에 비해서 약하기는 하지만 분자간의 결합을 유지시켜 주는 2차 결합(secondary bonding) 역시 물질을 구성하는 결합의 일종이다. 표 2-1은 이들 결합 유형에 따른 결합 에너지 값을 열거한 것이다.

(1) 이온 결합

이온 결합(ionic bonding)은 주로 금속과 비금속 원소 간에 형성된다. 즉 그림 2-2에서와 같이 전기음성도(electronegativity)가 상대적으로 낮은 금속 원자의 원자가전자가 쉽게 분리되어 비금속 원자에 전달되면 결과적으로 두 원자 모두가 이온 상태에서 안정된 전자 배열을 하게 되고 상호간의 정전기적인 힘에 의해서 결합하게 된다. 이온 결합은 반대 전하를 띤 이온 간의 방향성 없는 3차원적 결합으로서 결합 에너지는 결합하는 이온의 종류에 따라서 다르나 대체로 높은 편이다. 세라믹 물질의 주된 결합 형태로서 대부분 용융점이 높고 경도와 취성이 크며 전기전도성을 띠지 않는다. 이온 결합을 하는 물질의 상당수는 이온 결합과 공유 결합의 성질을 복합적으로 갖는 경우가 많으며 원자간의 전기음성도 차이가 클수록 이온 결합의 성질이 강해진다.

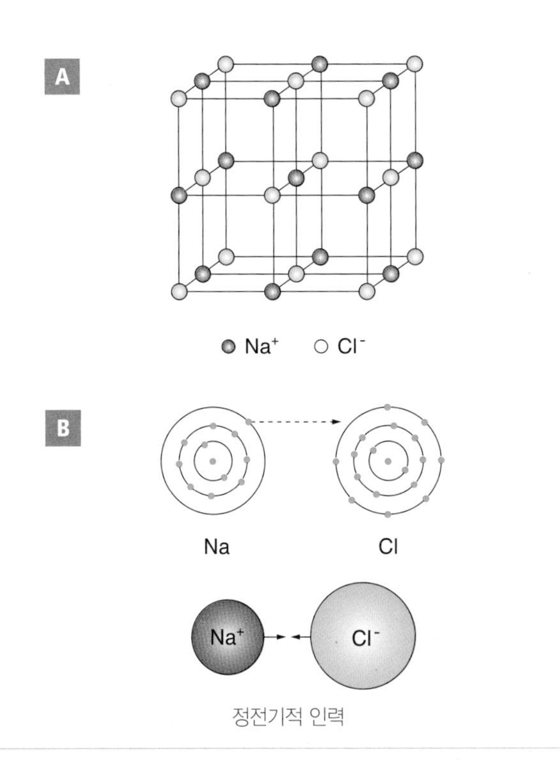

그림 2-2. 이온 결합의 예
A NaCl 단위격자, **B** Na와 Cl 원자의 이온화와 이온 결합

(2) 공유 결합

공유 결합(covalent bonding)은 그림 2-3과 같이 두 원자가 서로 원자가전자를 제공하여 공유함으로써 안정된 전자 배열을 갖는 결합 유형이다. 따라서 이론상 수소를 제외한 원자는 다른 원자와 N개까지 공유 결합이 가능하다(N=8-원자가전자의 수). 이온 결합과 달리 결합에 참여하는 원자가 완전히 이온화되지는 않지만 전기음성도의 차이에 의해서 어느 정도 전하의 비대칭성이 발생할 수 있으며, 이 경우에는 극성 공유 결합(polar covalent bonding)으로 분류된다. 탄소 또는 질소 등의 결합에서 흔히 볼 수 있듯이 2원자가 각각 2개와 3개의 전자를 제공하여 공유하는 경우에는 이중(double) 결합과 삼중(triple) 결합이 형성되기도 한다. H_2O, CH_4 등과 같이 비교적 전기음성도의 차이가 적은 원소들로 구성된 물질, H_2, Cl_2, C, Si 등과 같이 단일 원소로 구성되거나 GaAs, SiC 등과 같

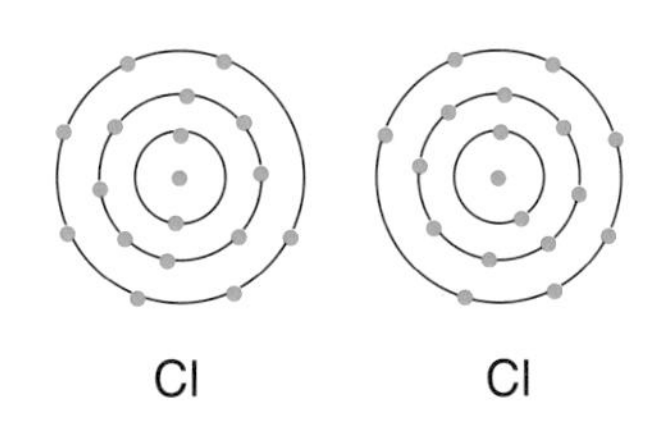

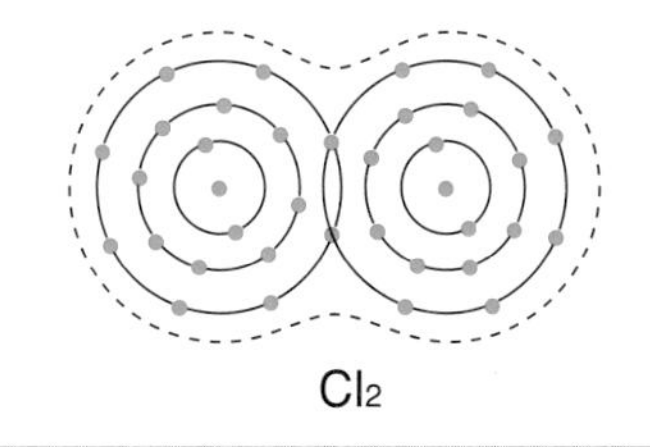

그림 2-3. 공유 결합의 예 Cl_2의 비극성 공유 결합

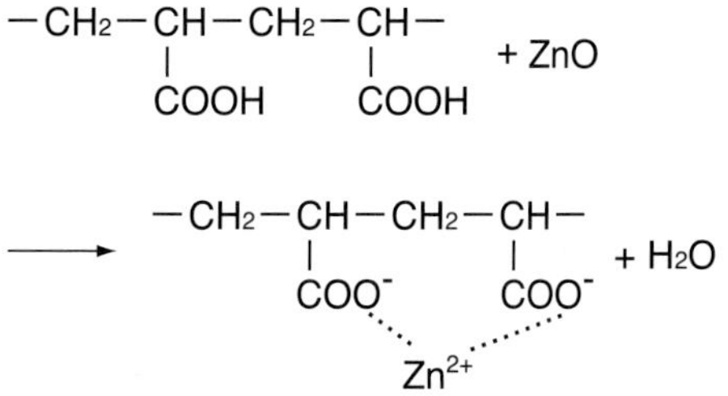

$$-CH_2-\underset{\displaystyle COOH}{\underset{|}{CH}}-CH_2-\underset{\displaystyle COOH}{\underset{|}{CH}}- \;+\; ZnO$$

$$\longrightarrow \; -CH_2-\underset{\displaystyle COO^-}{\underset{|}{CH}}-CH_2-\underset{\displaystyle COO^-}{\underset{|}{CH}}- \;+\; H_2O$$

$$Zn^{2+}$$

그림 2-4. 킬레이트 화합물의 예 카르복실레이트 시멘트의 경화 반응

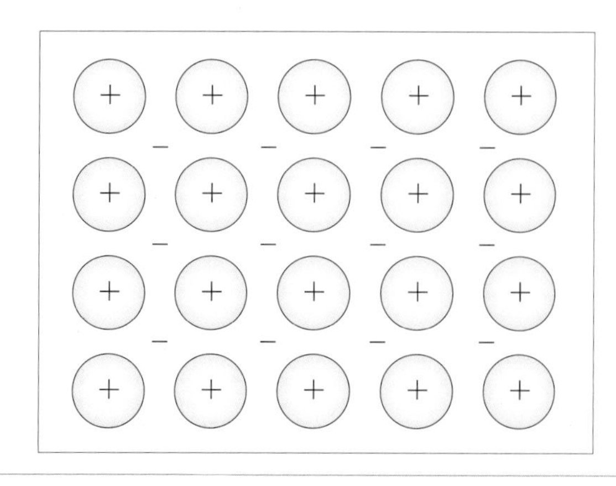

그림 2-5. 금속 결합 구조 규칙적으로 배열된 금속 이온과 그 주변의 자유전자

이 주기율표의 우측에 위치한 원소들로 구성된 비금속 물질, 그리고 탄소의 사슬 구조(chain structure)를 갖는 다양한 고분자 물질의 주된 결합 형태이다. 결합 에너지는 물질에 따라서 큰 차이를 보이며 대부분 전기전도성을 띠지 않는다.

한편 배위 결합(coordinate covalent bonding)은 공유 결합과 유사하지만, 한 원자가 일방적으로 원자가전자를 제공하고 다른 한 원자는 전자를 제공하지 않은 상태에서 결합에 참여하는 경우이다. 이 같이 전자를 제공하지 않고 배위 결합에 참여하는 원자를 포함하는 분자나 이온을 리간드(ligand) 또는 배위자라고 한다. 배위 결합은 다양한 종류의 착화합물(complex compound)을 형성하며 그림 2-4와 같이 1개의 리간드가 한 원자와 여러 위치에서 배위 결합을 하는 경우에는 매우 복잡한 킬레이트 화합물(chelate compound)을 형성하기도 한다.

(3) 금속 결합

모든 금속 원자는 1개 이상의 원자가전자를 포함하며, 그 전자는 원자에 강하게 소속되어 있기보다는 물질 전체를 비교적 자유롭게 움직이는 자유전자(free electron)로서 존재한다. 결과적으로 금속 원자는 그림 2-5와 같이 음전하를 띤 자유전자 무리 속에 양이온으로서 존재하게 된다. 금속 결합(metallic bonding)은 이 같이 금속 이온과 자유전자간의 방향성 없는 정전기적 결합으로서 모든 금속 및 합금에서 관찰되는 결합 유형이다. 많은 수의 자유전자로 인하여 높은 전기 및 열 전도성을 띠며 입사한 광양자 에너지 대부분이 표면에서 흡수 재방출되므로 불투명성과 특유의 반사 광택을 나타낸다. 결합 에너지는 다른 1차 결합에 비해서 비교적 작은 편이다.

(4) 분자간의 결합

분자간의 2차 결합은 원자 또는 분자의 쌍극자 구조로부터 기인한다. 즉 전하의 비대칭성으로 인하여 음전하와 양전하 부분을 동시에 갖고 있는 상태에서 한 쌍극자의 음전하 부분이 다른 쌍극자의 양전하 부분과 정전기적으로 결합하는 경우에 발생한다. 1차 결합에 비해서 결합 에너지가 낮으므로 1차 결합과 중복되어 나타나는 경우에는 거의 무시되기도 한다.

쌍극자는 일시적으로 전하의 비대칭성이 유도된 유도 쌍극자(induced dipole)와 분자 구조상 음전하 부분과 양전하 부분이 분리된 영구 쌍극자(permanent dipole)로 구분된다. 예로서 He, Ne, Ar 등과 같은 불활성 기체, 그리고 H_2, N_2, Cl_2 등과 같이 단일 원소간의 공유 결합으로 구성되어 있는 기체는 비극성임에도 불구하고 그림 2-6과 같이 원자핵 주변 전자 궤도의 대칭성이 일시적으로 약해져서 소위 임시 유도 쌍극자(fluctuating induced dipole)가

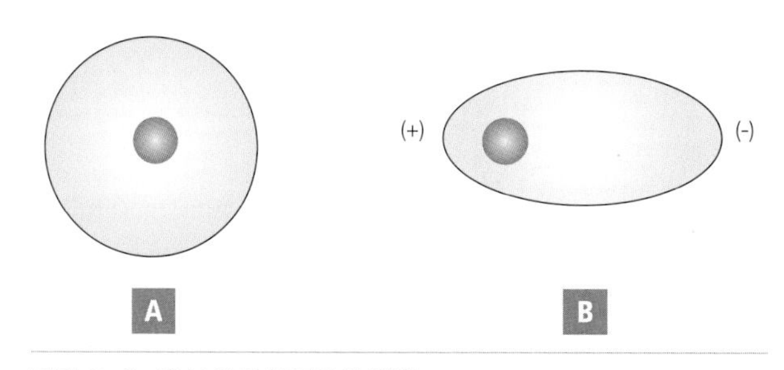

그림 2-6. 임시 유도 쌍극자의 원리
A 전자 궤도가 대칭을 이루고 있는 경우, B 전자 궤도에 비대칭성이 발생한 경우

형성됨으로써 액화가 가능해진다. 한편 HF, HCl, H_2O 등과 같은 극성 분자는 영구 쌍극자를 형성하여 그들 상호간에 결합하거나 주변의 비극성 분자에 일시적인 유도 쌍극자를 형성하기도 한다.

쌍극자간의 결합은 반데르발스(van der Waals) 결합으로 명명되며 영구 쌍극자간의 결합은 유도 쌍극자에 의한 결합에 비해서 훨씬 높은 결합 에너지를 갖는다. 특히 수소를 포함한 영구 쌍극자간의 결합은 수소 결합으로 분류되며 2차 결합 중에서 가장 높은 결합 에너지를 가진다. 예로서 수소 결합을 하는 물의 비등점은 100℃로서 같은 족 원소의 화합물인 H_2S의 비등점인 -61℃에 비하면 매우 높게 나타난다. 물 분자의 강한 영구 쌍극자는 그림 2-7과 같이 전기음성도 차이가 큰 수소 원자와 산소 원자간에 형성되는 2개의 극성 공유 결합, 그리고 이들 상호간에 이루는 각도에서 기인한다.

2. 물질의 구조

모든 물질은 원자 또는 이온으로 구성되며 그들 간의 다양한 결합을 통해서 집단 구조를 형성한다. 분자는 1차 결합에 의해서 형성된 원자군으로서 물질의 성질을 나타내는 기본 단위이다. 고체 물질은 이들 분자가 다시 2차 결합에 의해서 연결되거나 또는 전체가 1차 결합에 의해서 연결됨으로써 고체 특유의 성질, 즉 일정한 형태와 부피, 그리고 강성을 유지한다. 따라서 온도가 증가하면 1차 결합 또는 2차 결합이 약화되어 액체, 기체로의 상변태가 가능해진다.

1) 고체 물질

고체 물질은 고체 특유의 성질을 부여하는 결합 특성에 따라서 이온성 또는 공유성 고체, 금속성 고체, 분자성 고체 등으로 분류할 수 있다. 이온 결합을 하는 물질 대부분

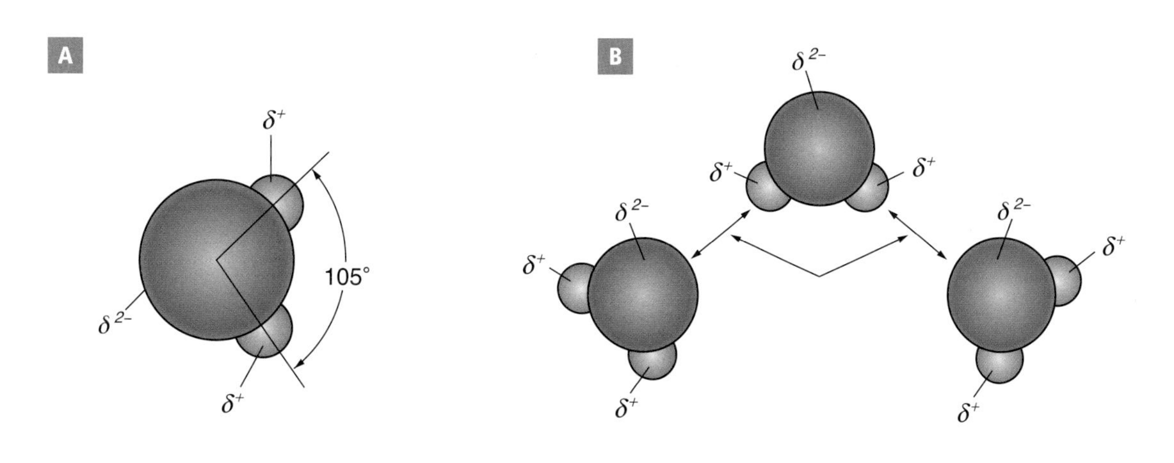

그림 2-7. 영구 쌍극자 A 물 분자의 구조, B 물 분자간의 수소 결합

은 어느 정도 공유 결합의 특성도 갖고 있기 때문에 이온성 고체와 공유성 고체를 명확히 구분하는 것은 매우 어렵다. 그러나 다이아몬드, 흑연 등과 같이 순수한 공유 결합의 망상 구조(network structure)로 구성된 고체는 별도로 공유성 망상 고체(covalent network solid)로 분류하기도 한다.

한편 분자성 고체는 얼음, 사슬형 고분자 물질 등과 같이 일차 결합에 의해서 형성된 분자가 다시 약한 2차 결합에 의해서 연결된 물질이다. 따라서 온도가 상승하면 고체의 성질을 유지하던 2차 결합이 약화되면서 비교적 낮은 온도에서 연화된다. 특히 치과재료로 널리 사용되는 사슬형 고분자 물질의 경우에는 분자의 크기 및 구조, 곁사슬(side chain)의 종류 등이 연화 온도뿐 아니라 연화 후에도 점성 등의 물성에 큰 영향을 미친다.

2) 결정질과 비결정질

고체 물질은 원자 배열의 규칙성 여부에 따라서 결정질(crystalline structure)과 비결정질(non-crystalline 또는 amorphous structure)로 구분된다. 결정질은 넓은 범위에 걸쳐서 원자 배열이 주기적으로 반복되는 구조로서 용융 상태로부터 응고되는 과정에서 내부 에너지를 낮추려는 경향 때문에 스스로 규칙성을 띠게 된다. 반면에 비결정질은 내부 구조가 상대적으로 복잡하거나 응고 속도가 너무 빨라서 규칙적인 배열을 하지 못하는 경우에 형성된다. 따라서 동일한 물질이라도 응고 속도 등의 조건에 따라서 결정질 여부가 결정되기도 한다.

재료의 종류별로 볼 때 금속 이온들이 방향성 없이 단순한 금속 결합을 하는 금속의 경우에 대부분 쉽게 결정성을 띠지만, 그림 2-8과 같이 음이온과 양이온들 간에 이온 결합을 하거나 다양한 원자들이 공유 결합을 하는 세라믹과 고분자의 경우에는 그렇지 못하다. 특히 고분자는 크고 복잡한 분자 구조 때문에 응고 시에 대부분 비결정성 또는 부분 결정성을 띠게 된다. 실리카의 경우에 결정질과 비결정질 모두 1개의 실리콘과 4개의 산소 이온으로 구성된 4면체 구조를 기본으로 하지만 넓은 범위에서는 규칙성에 큰 차이를 나타낸다.

단위격자(unit cell)는 결정질에서 반복되는 배열의 기본 단위로서 축 길이와 축간 각 등으로 표시되는 격자 상

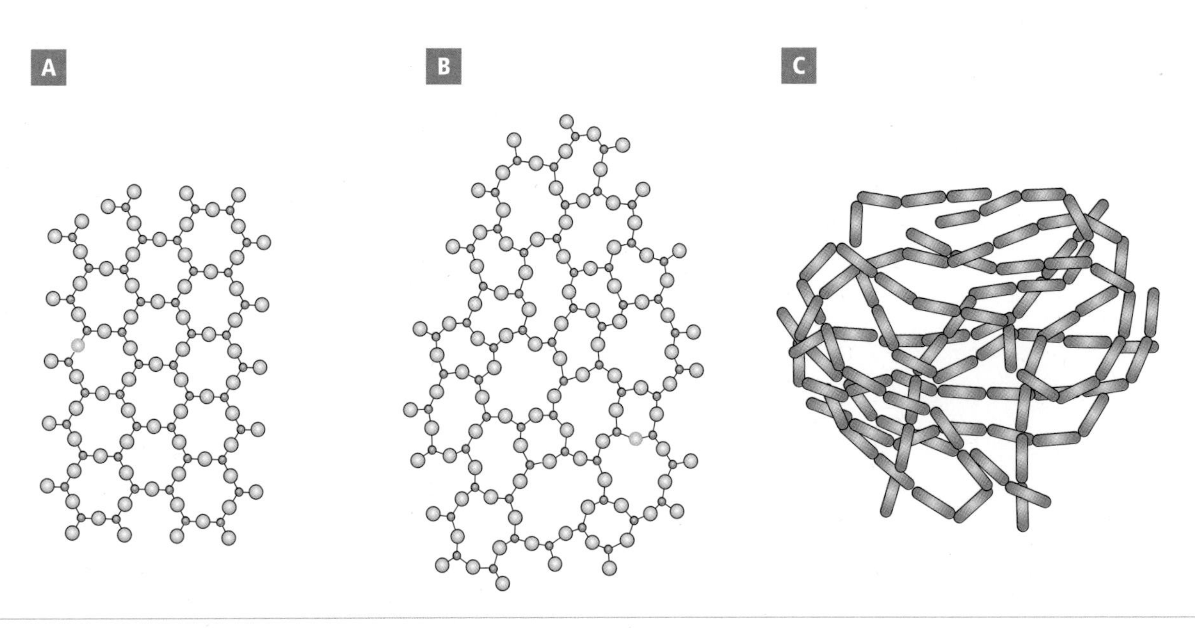

그림 2-8. 세라믹 및 고분자 물질의 결정성 A 결정질 실리카, B 비결정질 실리카, C 비결정질 사슬형 고분자

표 2-2. **결정계, 결정축계, Bravais 격자**

결정계	결정축계	격자 상수	Bravais 격자
입방(cubic)	입방	a = b = c $\alpha = \beta = \gamma = 90^\circ$	단순, 체심, 면심
육방(hexagonal)	육방	a = b ≠ c $\alpha = \beta = 90^\circ\ \gamma = 120^\circ$	단순
삼방(trigonal 또는 rhombohedral)	삼방	a = b = c $\alpha = \beta = \gamma \neq 90^\circ$	단순
정방(tetragonal)	정방	a = b ≠ c $\alpha = \beta = \gamma = 90^\circ$	단순, 체심
사방(orthorhombic)	사방	a ≠ b ≠ c $\alpha = \beta = \gamma = 90^\circ$	단순, 체심, 저심, 면심
단사(monoclinic)	단사	a ≠ b ≠ c $\alpha = \beta = 90^\circ,\ \gamma \neq 90^\circ$	단순, 저심
삼사(triclinic)	삼사	a ≠ b ≠ c $\alpha \neq \beta \neq \gamma \neq 90^\circ$	단순

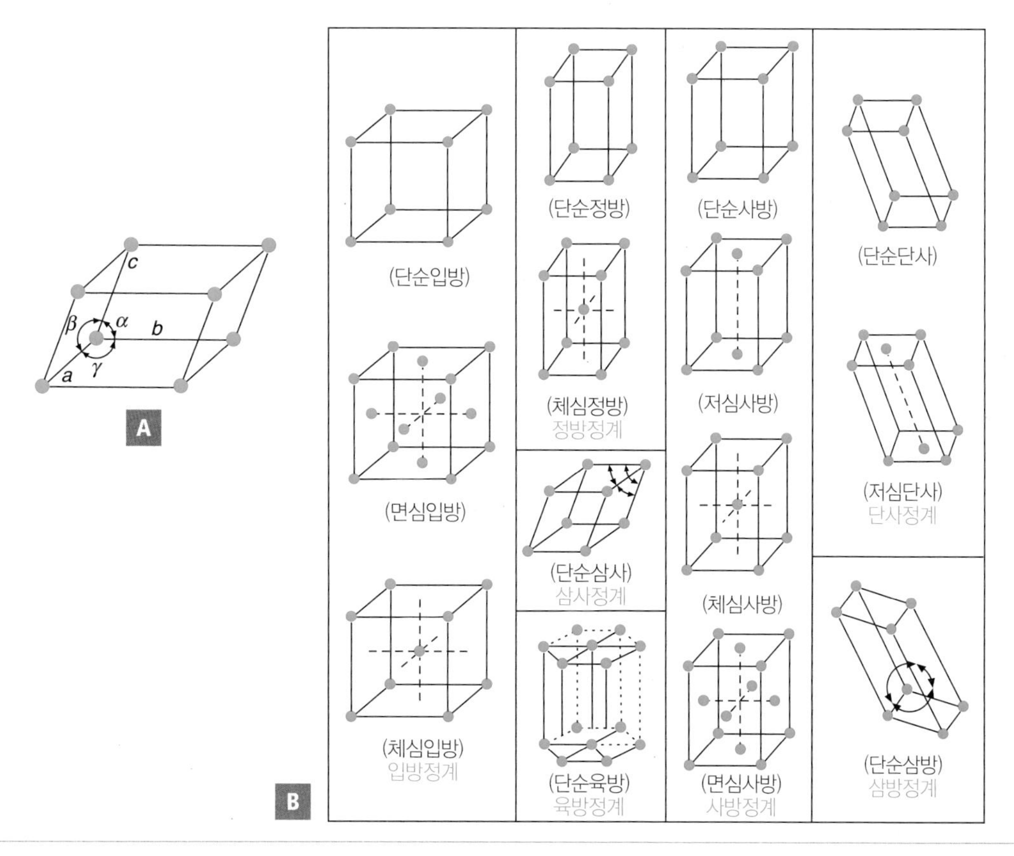

그림 2-9. Bravais에 의한 단위 격자 A 격자 상수, B 결정계 7종과 단위 격자 14종

수(lattice parameter)에 의해서 그 형태가 규정된다. 그 밖에 원자 충진율(atomic packing factor), 즉 단위격자를 채우고 있는 원자의 부피 비율과 1개의 원자 주변에 배열된 원자의 배위수(coordination number) 등도 단위격자를 나타내는 방법이다. 표 2-2와 그림 2-9는 각각 결정계(crystal system) 별로 단위격자의 특징과 Bravais에 의한 단위격자의 분류를 나타낸 것이다. 금속은 대부분 입방정계(cubic system)에 속하는 체심입방(body-centered cubic, BCC), 면심입방(face-centered cubic, FCC), 또는 육방정계(hexagonal system)에 속하는 육방조밀(hexagonal closed-packed, HCP)의 단위격자를 갖는다.

3. 표면 특성

고체의 표면은 3차원적으로 결합된 원자 배열이 끝나는 부분이며, 내부와는 크게 다른 물리적 화학적 성질을 갖는다. 즉 연결이 단절된 상태에서 높은 에너지로 인하여 외부의 접촉 물질과 결합하거나 스스로 변형하려는 경향을 나타낸다. 따라서 신선한 표면 상태를 그대로 유지하기 위해서는 적어도 10^{-9} Torr 이상의 높은 진공이 필요하다. 고체의 이러한 표면 특성은 표면에 국한되기보다는 수 층 또는 수십 층의 원자 깊이까지 점진적인 조성과 성질 변화를 나타내며 이어지는 것이 일반적이다. 예로서 그림 2-10과 같이 신선한 금속이 공기 중에 노출되면 단시간 내에 표면에 산화층이 형성되는데, 그 두께는 금, 백금 등 귀금속의 경우에 수 Å 이하이지만 임플란트용 티타늄의 경우에는 수십 내지 수백 Å에 이르기도 한다.

따라서 고체 물질의 표면에서 일어나는 반응은 단순히 그 물질에서의 반응이기 보다는 외부의 다른 원자 또는 분자와 결합하거나 변형된 표면층에서의 반응이다. 치과재료에 있어서 표면층의 성질은 표면에서의 젖음성, 내식성, 내마모성 및 심미성 등에 다양하게 영향을 줄 수 있다. 특히 임플란트와 같이 체내에 직접 매식되는 경우에는 생체 조직과의 계면에서 세포 부착성 등과 같은 생체적합성(biocompatibility)을 좌우하는 변수로 작용하기도 한다. 예로서 교정용 장치에 사용되는 스테인리스강의 경우에 약 18% 포함된 크롬 성분은 표면에 치밀한 산화층을 형성하여 높은 내식성을 부여한다. 또한 임플란트 재료로 사용되는 티타늄 역시 표면에 형성된 산화층이 내식성은 물론 생체적합성 향상에도 크게 기여하는 것으로 알려져 있다.

1) 흡착

기체 또는 액체가 높은 에너지의 액체 또는 고체 표면에 접촉하게 되면 물리적 또는 화학적인 결합을 통해서 에너지를 낮추게 된다. 흡착(adsorption)은 이같이 서로 다른 상의 물질들이 접촉하고 있을 때 그 계면에서 원자 또는 분자 단위의 결합이 일어나는 현상이다. 즉 상의 구

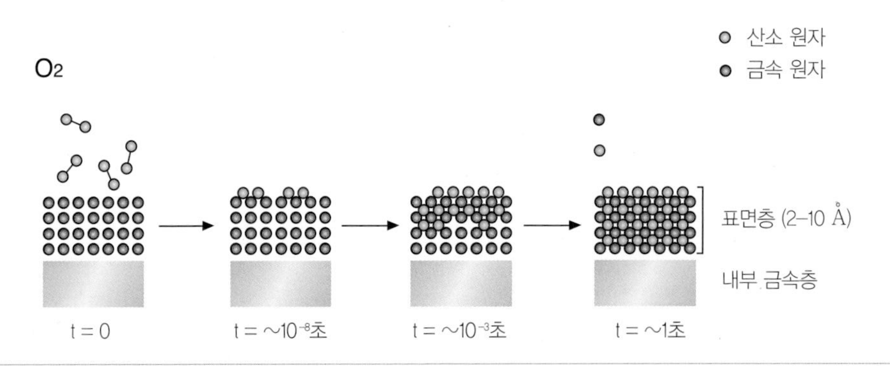

그림 2-10. 공기 중에서 티타늄 산화층의 형성 과정

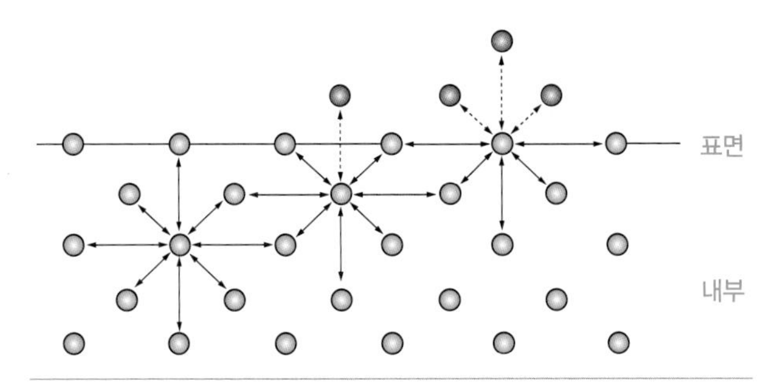

그림 2-11. 액체의 표면 에너지

성 성분이 결합력에 의해서 계면에 축적 또는 배열되는 현상으로써 한쪽 방향으로 스며들거나 확산이 일어나는 흡수(absorption)와는 구분된다. 물리적 흡착은 비교적 결합력이 약한 편으로 가역적으로 일어나는 경우가 많으나 화학적 흡착은 일종의 화합물을 형성하는 화학 반응으로 결합력도 강하다.

액체가 고체와 접촉하고 있는 경우에 흡착성은 곧 젖음성(wettability)과 관련된다. 예로서 특정 재료가 물에 의한 젖음성을 나타내는 경우에 그 표면에 물 분자의 흡착이 일어나는 것으로 볼 수 있다. 여러 치과재료 중에서 금속류는 상대적으로 낮은 표면 에너지를 갖는 왁스류나 고분자류에 비해서 높은 흡착도를 나타낸다.

2) 표면 장력과 접촉각

그림 2-11과 같이 액체의 표면은 외부로의 연결이 단절된 상태에서 높은 에너지를 띠며, 이는 표면을 수축시켜서 최소화하려는 장력의 형태로 나타난다. 즉 표면 장력은 표면을 구성하고 있는 분자간의 인력에 의해서 발생하며 다른 상과 접촉 시에 그 거동에 큰 영향을 미친다. 표면 장력은 표면을 단위 면적 증가시키는데 필요한 에너지 또는 단위 면적당 표면 에너지로 정의되며 일반적으로 dynes/cm의 단위로 표시된다. 표 2-3에는 몇 가지 물질의 표면 장력을 열거하였다.

표면 장력은 다음 2가지 요인에 영향을 받는다. 첫째 요인은 온도이며, 모든 액체는 온도가 상승할수록 표면 장력이 감소한다. 순수한 물의 경우에 온도가 25℃에서 50℃로 상승하면 표면 장력이 72에서 68 dynes/cm로 하락한다. 둘째 요인은 불순물이며, 액체에 포함된 불순물은 소량으로도 표면 장력을 저하시키는 효과가 있다. 특히 세척제 성분은 그림 2-12와 같이 계면 활성제(surfactant)로서 액체-기체 계면에 집중적으로 배열됨으로써 표면 장력에 큰 영향을 미친다. 액체의 표면 장력 감소는 대부분 분자간의 응집력(cohesive force) 감소에서 기인하는 것으로 고체 표면에서의 퍼짐성을 증가시켜 젖음성 향상에 기여한다. 실제로 보철 수복물의 주조 시에 온도를 용융점 이상으로 올리는 방법으로 용융 금속의 표면 장력을 저하시켜서 미세부에 대한 재현성을 높일 수 있다. 그러나 이 경우에는 온도 상승에 따른 용융 금속의 과도한 산

표 2-3. 주요 물질의 표면 장력

물질	측정 온도(℃)	표면 장력(dynes/cm)
에틸 알코올	20	22
벤젠	20	29
물	20	72.8
수은	15	487
납	327	452
아연	419	758
철	1,500	950
동	1,131	1,103
금	1,120	1,128

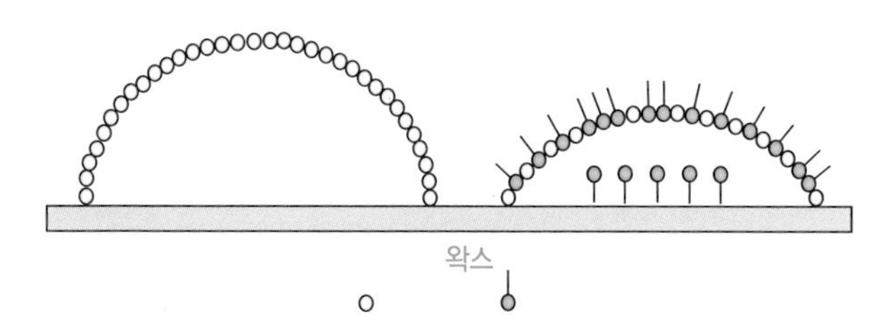

그림 2-12. 표면 장력에 대한 계면 활성제의 영향 계면에 집중 배열되어 표면 장력이 감소된 상태

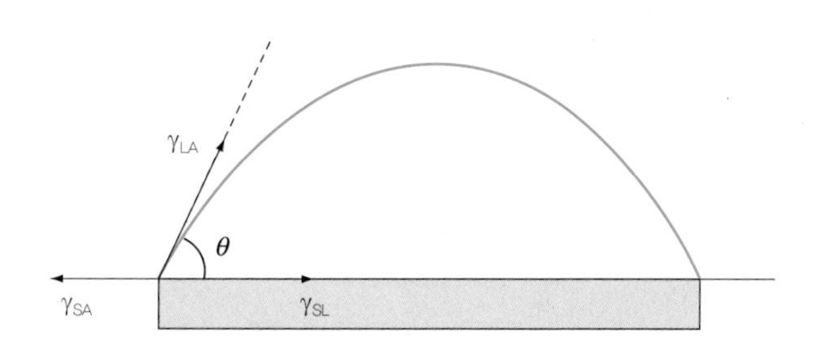

그림 2-13. 접촉각과 표면 에너지 θ는 접촉각, γSL, γSA, γLA는 각각 고체-액체, 고체-기체, 액체-기체간의 표면 장력

화 등에 대한 세심한 주의가 필요하다. 그 밖에 납형의 매몰 과정에서 납형 표면에 계면 활성제를 도포하여 매몰재 혼합물의 젖음성을 향상시키기도 한다.

접촉각(contact angle)은 고체상에 위치한 액체가 고체와의 접촉부에서 이루는 각도이며, 표면 화학 분야에서 중요한 측정 대상이다. 그림 2-13과 같이 액체가 고체 위에서 완전히 퍼지지 않고 방울 형태를 띠는 경우에 접촉하고 있는 상들 간에는 식 2-3과 같은 평형 관계가 성립한다.

$$\gamma_{SL} - \gamma_{SA} + \gamma_{LA} \cos\theta = 0 \qquad \text{2-3}$$

θ는 접촉각, γ_{SL}, γ_{SA}, γ_{LA}는 각각 고체-액체, 고체-기체, 액체-기체간의 표면 장력 또는 표면 에너지를 나타낸다.

접촉각은 고체 표면에 대한 액체의 젖음성을 반영하는 척도로서 접촉각이 0°에 가까워지면 액체가 고체 표면에 넓게 퍼지면서 완전한 젖음성을 갖게 된다. 반면에 접촉각이 90°를 넘으면 방울 상태로는 쉽게 이동하지만 젖음성이 낮아서 넓게 퍼지거나 모세관 또는 다공성 구조 안으로 스며들기 어렵게 된다. 예로서 보철 수복물의 납착 시에 용융된 납의 접촉각이 작으면 대상물 표면에서 쉽게 퍼지고 미세한 틈에 스며들어서 정밀한 납착이 가능해진다. 또한 아말감의 원료가 되는 합금은 표면의 산화층 때문에 수은의 접촉각이 크게 나타나지만 혼합 과정에서 기계적인 마찰에 의해서 산화층이 제거됨에 따라서 접촉각이 작아지고 젖음성도 향상된다. 표 2-4는 몇 가지 재료에 대한 물의 접촉각을 열거한 것으로 재료에 따라서 큰 차이를 보인다.

접촉각은 측정 방법이 용이하여 고체 또는 액체의 표면 특성을 나타내는 척도로 널리 사용되어 왔다. 그 대부분은 고체 표면에 대한 액체의 젖음성을 정성적으로 나타내거나 비교하는 것이 목적이었지만 보다 정량적인 방법으로 표면 특성과 관련시키려는 노력도 계속되어 왔다. 예로서 Zisman은 한 가지 물질에 대한 동종의 여러 액체의 접촉각을 측정함으로써 고체의 표면 특성과 관련된 에너지 값을 계산하였다. 그에 따르면 그림 2-14와 같이 X축을 각 액체의 표면 장력, Y축을 접촉각의 코사인 값으로 하여 그래프로 나타내면 각 점은 거의 직선상에 배열되고

표 2-4. 고체 표면에서 물의 접촉각(27°)

고체	접촉각(°)
아크릴계 고분자	74
테플론	110
유리	14
아말감	77
아크릴계 레진 충전재	38
컴포짓트 레진 충전재	51

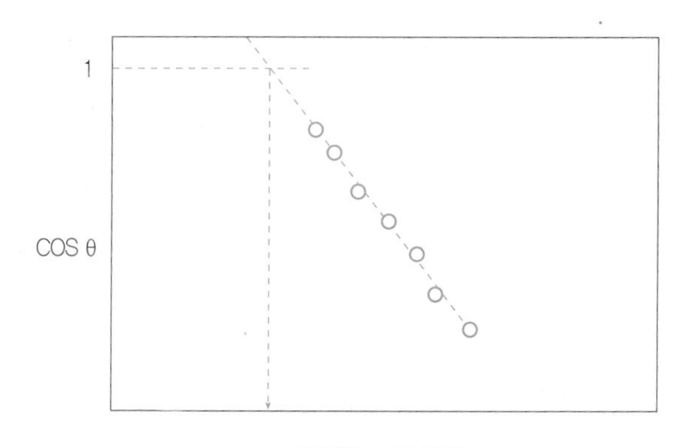

그림 2-14. Zisman 방법에 의한 임계 표면 장력 산출

이 직선을 cos θ가 1이 되는 지점까지 연장하여 교점을 구하면 소위 임계 표면 장력(critical surface tension)이 구해진다. 이는 고체 표면에서 완전한 젖음성을 갖는 가상 액체의 표면 장력으로 고체 표면의 분자 구조 및 결합 유형과 관련된 값이다.

3) 모세관 현상

모세관 현상(capillary rise)은 액체가 자발적으로 모세관 내부에 침투하는 현상이며, 좁은 간격의 고체 틈에서 나타나는 일반적인 거동이다. 실제로 보철 수복물과 치아 조직 간에는 많은 틈이 존재하고 모세관 현상에 의해서 타액이 침투하게 된다. 모세관 내에서 액체의 이동은 고체 표면에 대한 액체의 젖음성과 표면 장력에 의해서 일어나며, 특히 원형 모세관의 경우에는 다음 식 2-4와 같은 관계가 성립한다.

$$\triangle P = \frac{2\gamma_{LA}\cos\theta}{r} \quad (2\text{-}4)$$

△P는 액체의 이동을 일으키는 압력 차, γ_{LA}는 액체의 표면 장력, θ는 접촉각, r은 모세관의 반경을 나타낸다. 따라서 접촉각이 90° 미만이면 액체가 이동하여 모세관 현상이 일어나며 이때 액체의 이동 거리는 접촉각, 액체의 표면 장력, 그리고 모세관의 간격 등에 의해서 복합적으로 영향을 받는다.

치아의 수복 과정에서는 접착력 향상 등의 목적으로 모세관 현상을 이용하기도 한다. 예로서 치면 열구와 산 부식으로 생성된 법랑질 표면의 요철 구조 등은 모두 일종의 모세관으로서 액상 수복재의 완전한 침투에 의해서 높은 접착력이 부여된다. 한편 의치의 경우에 그림 2-15와 같이 타액이 모세관 외부와 연결되지 않고 고립되어 있는 소위 고립 모세관(isolated capillary) 현상은 연조직 표면에서의 유지력에 도움이 된다. 즉 고립 모세관 현상을 나타내고 있는 상태에서 인위적으로 모세관의 간격을 늘리기 위해서는 그에 저항하는 크기의 힘을 필요로 한다. 물론 모세관 현상 외에도 타액의 점성, 의치와 연조직 간의 타액 층 두께 등도 의치의 유지력에 영향을 미치는 요인이다. 한편 모세관 현상은 수복물과 치아 조직 간의 누출 현상 등 바람직하지 못한 결과를 가져오기도 하는데, 특히 고립 모세관 현상은 박테리아의 성장에 유리한 조건을 제공하는 것으로 알려져 있다.

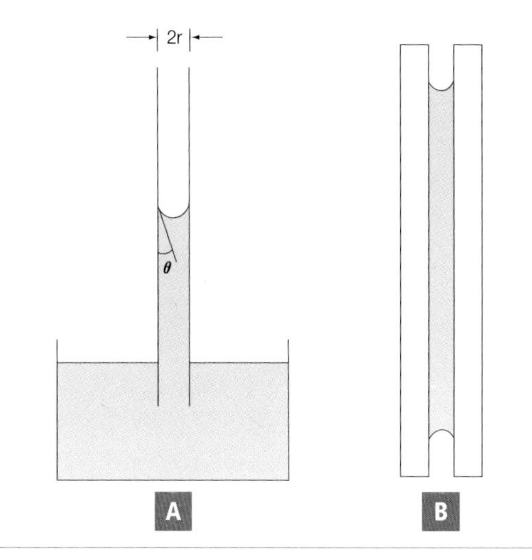

그림 2-15. 모세관 현상 A 모세관, B 고립 모세관

4. 접착

접착(adhesion)이란 두 가지 이상의 재료를 표면에서 원자 또는 분자간의 결합을 통해서 일체화하는 과정을 총칭하는 용어이다. 따라서 광범위하게는 고분자 접착제(adhesive) 또는 시멘트(cement)류에 의한 접착뿐 아니라 납착 또는 용접에 의한 금속 간의 접합도 포함될 수 있으나 대부분의 경우에는 전자를 의미한다. 치과 분야에서도 보철 수복물을 제작하고 적용하는 과정에 다양한 접착 기술이 사용되고 있다.

1) 접착의 원리

접착에 의한 두 물질 간의 결합은 다음의 원리에 의해서 일어난다. 첫째는 계면에서의 접착력으로서 화학적 또는 기계적 결합에서 기인한다. 화학적 결합은 접착제(adhesive)와 피착체 표면(adherend surface) 간에 일어나는 원자 또는 분자 규모의 결합으로서 주로 반데르발스 결합 또는 수소 결합과 같은 2차 결합을 하는 것으로 알려져 있으나 이온 결합 또는 공유 결합과 같은 1차 결합을 하는 경우에는 더 강한 결합력이 얻어지게 된다. 한편 기계적 결합은 접착제가 피착체 표면의 요철 구조와 맞물리거나 다공성 구조 등에 침투하여 발생되는 유지력에 의존하는 결합이며, 치과 분야에서는 합착이라는 용어를 사용한다. 치과에서 임상적으로 이루어지는 접착은 대부분 화학적 결합과 기계적 결합의 복합적인 성격을 띤다.

둘째는 접착이 완료된 후 나타나는 접착제 자체의 기계적 성질로서 고분자 접착제의 경우에 그 분자 구조 및 가교화 정도에 따른 내부 응집력 등에 의해서 결정된다. 강한 접착을 위해서는 접착제의 응집력이 피착체의 응집력에 근접하는 것이 바람직하지만, 그렇지 못한 경우에는 접착제 층의 두께를 최소화하고 계면에서의 접착력을 극대화시키는 것이 중요하다. 접착 강도는 그 밖에도 피착체의 기계적 성질, 접착면의 형태, 파괴 속도와 방향, 온도 등에 의해서도 영향을 받는다.

2) 접착면

효과적인 접착을 위해서는 우선적으로 액상 접착제와 피착체 간에 완전한 접착면이 형성되어야 한다. 접착 에너지는 접착면을 분리시키는데 필요한 최소의 에너지로서 접착의 안정성을 나타내는 척도로 사용된다. 예로서 접착을 위해서 피착체 표면에 액상 접착제를 도포하는 경우에 단위 면적당 접착 에너지를 간략하게 표시하면 식 2-5와 같다. 특히 액상 접착제가 피착체의 표면에서 일정한 접촉각을 갖는 경우에 식 2-3의 관계를 대입하면 식 2-6이 구해진다.

$$W_{SL} = \gamma_{SA} + \gamma_{LA} - \gamma_{SL} \quad (2\text{-}5)$$

$$= \gamma_{LA}(1 + \cos\theta) \quad (2\text{-}6)$$

W_{SL}은 단위 면적당 접착 에너지, γ_{SA}, γ_{LA}, γ_{SL}는 각각 피착체 표면, 접착제 표면, 피착체-접착제 계면에서의 에너지, θ는 접촉각을 나타낸다. 즉 접착 에너지는 접착에 의해서 일어나는 관련 상들의 표면 에너지 변화량과 같으며 결과적으로 접착제의 젖음성과도 관련되어 접촉각의 크기에 반영된다. 접착제의 젖음성은 접착제와 피착체 간의 완전한 접촉을 유도하여 결합력을 증가시키는데 필수적이며 접착제의 표면 장력이 낮을수록, 그리고 피착체의 표면 에너지가 높을수록 향상되는 경향을 보인다.

효과적인 접착을 위해서는 피착체 표면에서 접착제의

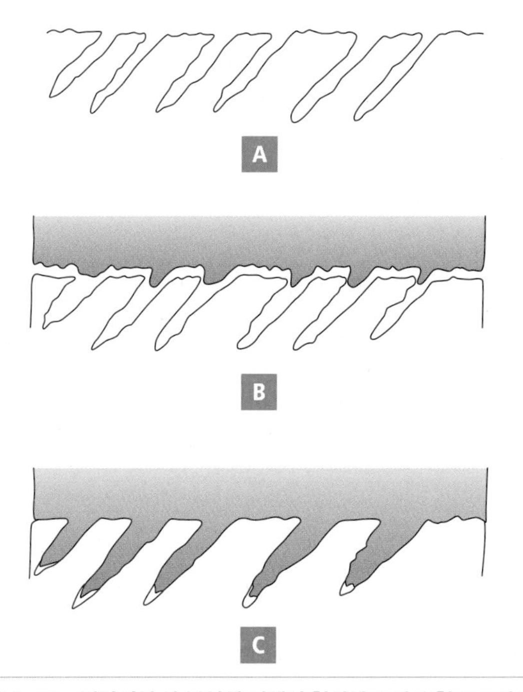

그림 2-16. 법랑질의 산 부식에 의해서 형성된 표면 요철 구조와 접착제의 침투에 의한 기계적 결합
A 부식 후, B 기계적 결합이 불충분한 경우, C 기계적 결합이 효과적으로 일어난 경우

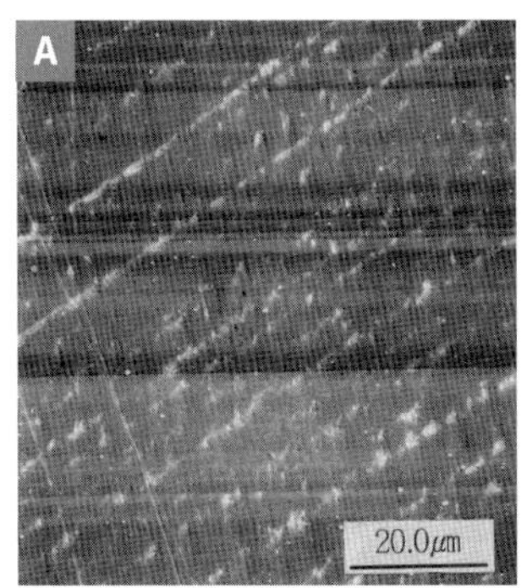

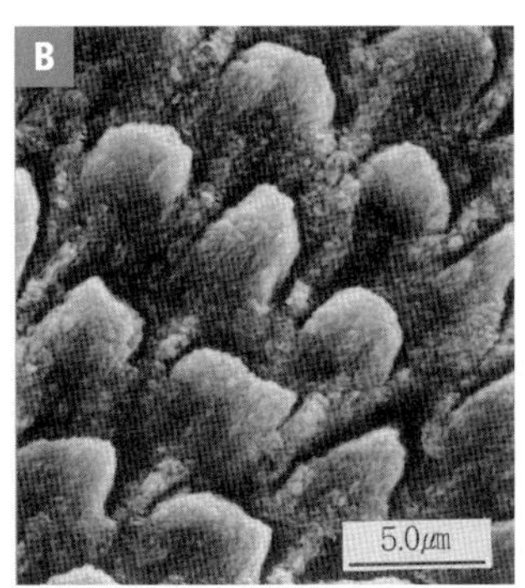

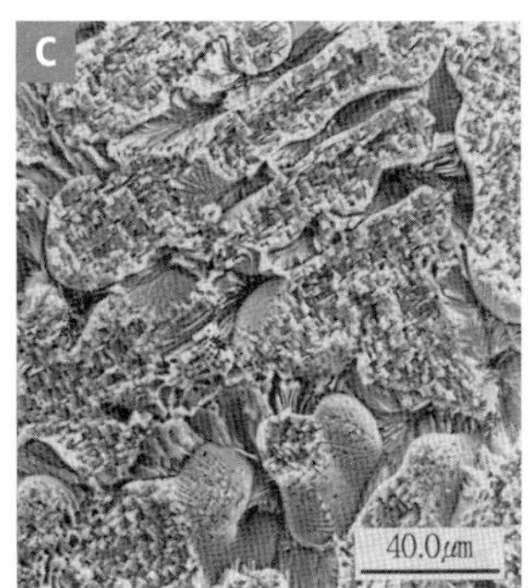

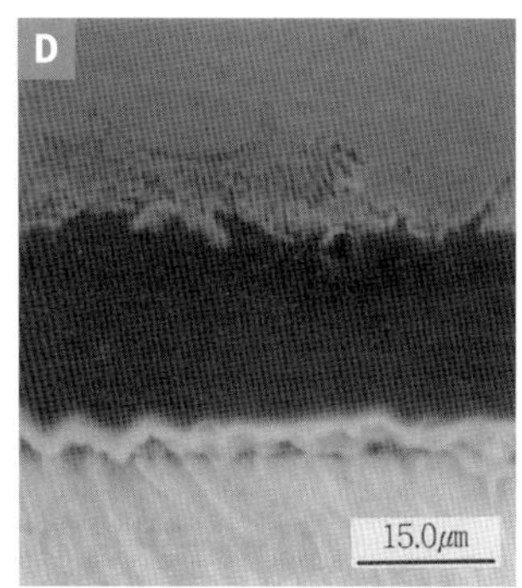

그림 2-17. Ni-Cr-Be 합금과 법랑질의 시멘트 합착 결과
A 기계적으로 연마한 합금 표면, **B** 인산 용액으로 부식시킨 법랑질 표면, **C** 황산 용액에서 전해 부식시킨 합금 표면, **D** 레진계 시멘트로 접착한 단면

흐름성 역시 중요하다. 높은 흐름성은 높은 젖음성뿐 아니라 낮은 점성에서 기인한다. 예로서 치과용 시멘트의 경우에 분액비를 낮춤으로써 점성의 저하에 따른 흐름성의 증가가 가능하다. 그러나 적정 범위를 벗어나는 분액비의 변화는 시멘트의 강도를 약화시킬 수 있으므로 주의가 필요하다.

한편 효과적인 접착을 유도하기 위한 방법으로 표면 처리가 병행되기도 한다. 표면 처리란 다양한 물리적 화학적 방법에 의해서 물질 고유의 표면 구조를 변화시키거나 특정 물질을 코팅하는 과정을 총칭하는 용어로서 일반적으로 표면적, 젖음성, 생체적합성, 내식성, 내마모성 등을 향상시키기 위한 목적으로 사용된다. 접착을 위한 표면처리의 예로서 치과에서는 치아 법랑질 조직에 레진 수복재를 접착하기 위해서 그림 2-16과 같이 인산 등의 산 부식 처리에 의한 미세 요철 구조를 형성하는 방법이 사용된다. 이 경우에 요철 구조는 피착체의 표면적을 증가시켜서 접착면을 확대시킬 뿐 아니라 그 깊이와 불균일성에 의해서 맞물림 등의 기계적 유지력을 제공한다. 이 때 표면 처리의 효과를 제대로 얻기 위해서는 접착제가 모세관 현상에 의해서 요철 구조 내부로 완전히 침투되어야 하며, 이를 위해서 젖음성과 흐름성을 개선하기 위한 처리가 선행되기도 한다. 접착을 위한 표면 처리의 또 다른 예로서 치과용 합금 재료와 치아 법랑질 사이의 시멘트 합착 과정을 그림 2-17에 나타내었다. 전해 부식된 합금의 표면과 산 부식에 의해서 탈회된 법랑질 표면 모두에 형성된 불규칙한 요철 구조 내부로 시멘트가 잘 침투되어 효과적인 기계적 결합을 하고 있음을 보여 준다.

3) 접착의 파괴

접착 부위에 접착의 강도를 초과하는 응력이 가해지게 되면 파괴가 일어나게 된다. 접착 부위에 직접적으로 가해지는 응력 외에도 열팽창계수의 차이, 접착제 응고 시의 부피 변화 등으로 발생하는 응력, 그리고 결합에 방해가 되는 불순물의 존재도 접착 강도를 약화시키는 주요 원인이 된다. 특히 구강 내에서 임상술식으로 접착이 진행되는 경우에 수분은 접착 강도에 매우 부정적인 영향을 미치게 된다.

접착의 파괴 현상은 그 형태에 따라서 다음 몇 가지로 분류된다. 즉 접착계면(interface)에서의 결합 실패에서 기인하는 접착 파괴(adhesive failure, 또는 계면 파괴), 접착제 내부 응집력의 한계에서 기인하는 응집 파괴(cohesive failure) 및 혼합 파괴(mixed failure) 등이 있으며 피착체 내부의 파괴에서 기인하는 응집 파괴도 있다. 피착체 내부에서 발생하는 응집 파괴는 방지하기 어렵지만 접착 파괴와 접착제 내부에서 발생하는 응집 파괴는 각각 피착체의 최적 표면 상태 유지와 적절한 접착제의 선택 등에 의해서 어느 정도 개선이 가능하다.

5. 치과재료의 분석기기

분석기기의 발전으로 치과재료의 연구에도 분석기기가 유용하게 사용되고 있다. 컴퓨터로 제어되는 분석기기를 이용하면 치과재료의 원자, 분자 및 구조적 특성에 대한 중요한 정보를 알 수 있으며, 치과재료와 생체 조직 간 계면에서 일어나는 현상도 관찰할 수 있다. 물질 표면의 형태, 구조적 특성 및 화학적 조성 등을 분석하면 표면에서 일어나는 반응에 대한 유용한 정보를 얻을 수 있다.

대부분의 고전적인 분석법은 앞에서 설명된 접촉각을 포함하여 주로 표면의 형태, 거칠기, 표면적, 흡착 특성 등을 분석하기 위한 목적으로 사용되어 왔지만, 그 이상의 표면 특성을 분석하기는 어려웠으며 특히 표면의 화학적 조성을 정량적으로 분석하는 데 한계가 있었다. 그러나 20세기 중반 이후부터는 첨단 분석 기술의 발달로 주사 전자 현미경(scanning electron microscope, SEM)은 물론 주사 탐침 현미경(scanning probe microscope, SPM), 공초점 레이저 주사 현미경(confocal laser scanning microscope, CLSM) 등에 의해서 표면의 형태와 구조적인 특성을 정밀하게 측정할 수 있게 되었다. 그 밖에 표면에서 다양한 종류의 빔(beam) 조사 및 방출 특성에 근거한 표면 분광학(surface spectroscopy)에 의해서 표면의 화학적 조성을 정확히 분석할 수 있게 되었다.

분석기기를 이용한 치과재료의 분석은 개인에 따른 오차를 최소화하여 객관적인 데이터를 얻을 수 있고, 미량 성분을 검출할 수 있으며, 특히 다른 성분과 혼재되어 있을 때에도 분석이 가능하다는 장점을 지니고 있다. 여기서는 치과재료를 연구하는 치과의사들에게 기기분석에 관한 기본 정보를 제공함으로써 하고자 하는 연구에 적합한 분석기기를 선택하고, 기기 관리자와 대화를 원활히 할 수 있도록 하고자 하는 것이 목적이다.

1) 분석기기의 선택

① 시료가 무엇인가? 무기물인가, 유기물인가?
② 어떤 성분의 분석을 원하는가? 무기물인가, 유기물인가?
③ 원하는 성분의 양은 얼마나 되나? 시료 중의 많은 성분인가, 미량성분인가?
④ 시료의 양은 얼마인가? 많이 구할 수 있는가, 미량밖에 없는가?
⑤ 많은 시료에 대해 같은 분석을 반복하는가, 시료마다 분석조건이 다른가?
⑥ 정성 분석을 원하나, 정량분석을 원하는가?
⑦ 요구되는 감도, 정밀도, 정확성은 어느 정도인가?

2) 주사 전자현미경(Scanning electron microscope, SEM)과 주사 탐침현미경(Scanning probe microscope, SPM)

고체 표면의 형태학적 특성을 분석하기 위해서 전통적으로 광학 현미경이 사용되어 왔으나 빛의 파장에 따라서 그 분해능이 제한될 수밖에 없었다. 따라서 빛 대신에 전자빔을 사용함으로써 해상도를 훨씬 높인 전자현미경이 널리 보급되어 왔다. 주사 전자현미경은 높은 에너지의 전자 빔으로 시편 표면을 주사하여 방출되는 2차 전자(secondary electron)와 후방 산란 전자(back-scattered electron)의 정보를 분석하는 장치이다. 방출되는 이차 전자의 강도는 표면의 형태에 따라서 달라지므로 이차 전자에 의해서 생성되는 전류를 측정함으로써 그림 2-18과 같이 표면의 형태에 대한 입체적인 영상을 얻을 수 있다. 한편 후방 산란 전자는 약간의 화학적인 정보를 제공하기도 하지만 정확한 분석을 위해서는 EDX 또는 WDX와 같은 보조 수단이 사용된다.

주사 전자현미경의 경우에 금속 시편은 문제가 없지만

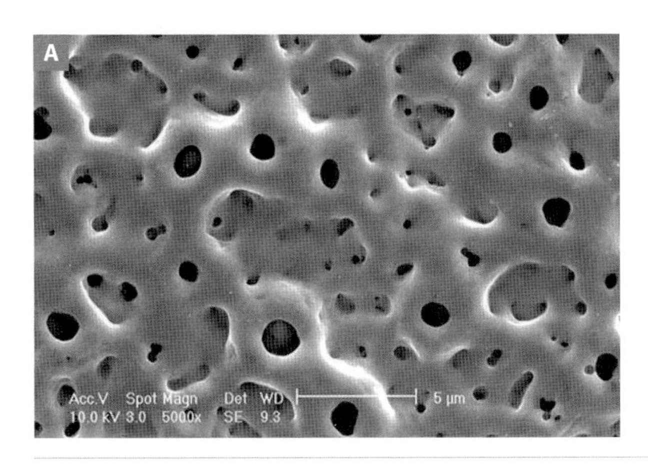

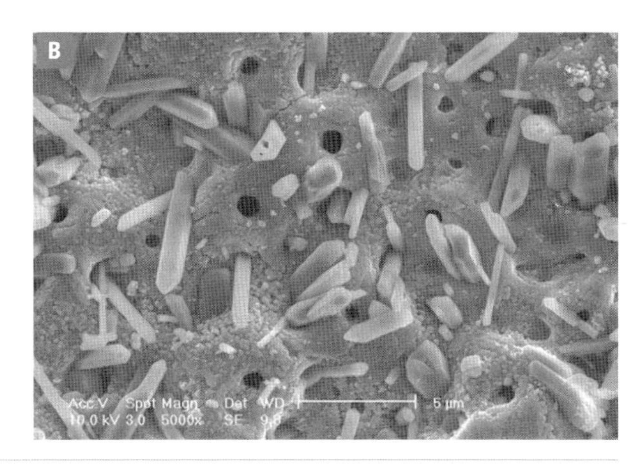

그림 2-18. 양극 산화 처리된 티타늄의 주사 전자 현미경 사진 A 양극 산화 처리 후, B 양극 산화 및 열수 처리 후(수산화 아파타이트 결정 생성)

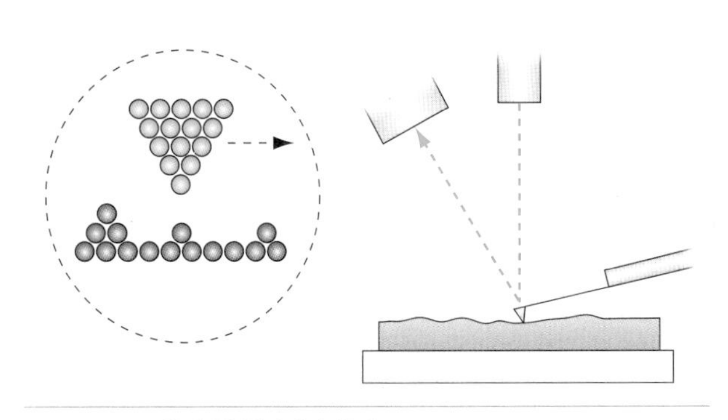

그림 2-19. 원자 힘 현미경의 원리

세라믹, 폴리머, 생물체 등과 같이 전기 전도성을 띠지 않는 시편은 음전하가 축적되지 않도록 표면에 전기 전도성 피막을 코팅해야 한다. 또한 기존의 장치는 고진공에서 가동되어 수분을 함유한 시편을 분석하기 어려웠으나 근래에는 비교적 저진공에서 생물학적 시편을 분석하는 장치도 개발되어 있다.

주사 탐침현미경은 날카로운 탐침을 사용하여 시편 표면을 원자 단위까지 주사하는 방식을 총칭하는 용어로서 탐침이 표면을 인식하는 원리에 따라서 다양한 종류가 개발되어 있다. 대표적으로 원자 힘 현미경(atomic force microscope, AFM)은 그림 2-19과 같이 외팔보(cantilever) 끝에 부착된 탐침과 소재 간의 원자 인력 및 척력을 측정함으로써 표면의 특성을 분석하는 장치로서 접촉식 또는 비접촉식 방식이 사용된다. 측정 방법의 특성상 측정의 정밀도는 탐침의 날카로운 정도와 물리적 특성에 따라서 크게 달라진다. 최적 조건에서는 단위 원자를 나타내는 삼차원적인 영상까지도 얻을 수 있으며 시편이 전기 전도성을 띨 필요가 없으므로 단백질, DNA 같은 생물학적 시편도 특별한 처리 없이 분석할 수 있다.

3) X-선 회절 분석법(X-ray diffractometer, XRD)

X-선 회절 분석은 결정 등의 결정의 배열과 구조를 측정하기 위한 분석 방법으로 재료 과학 분야에서 오래 전부터 사용되어 오던 대표적인 분석 방법이다. X-선을 결정에 조사하면 결정 격자면에서 반사하여 간섭이 일어나기 때문에, 그림 2-20에 나타낸 것처럼 식 2-7의 조건을 만족하는 방향의 회절선의 강도는 증가하지만, 다른 것은 상쇄되어 관찰되지 않는다.

$$2d \sin\theta = n\lambda \qquad (2\text{-}7)$$

파장 λ가 일정한 단색 X선을 조사하여 θ 를 관측하고,

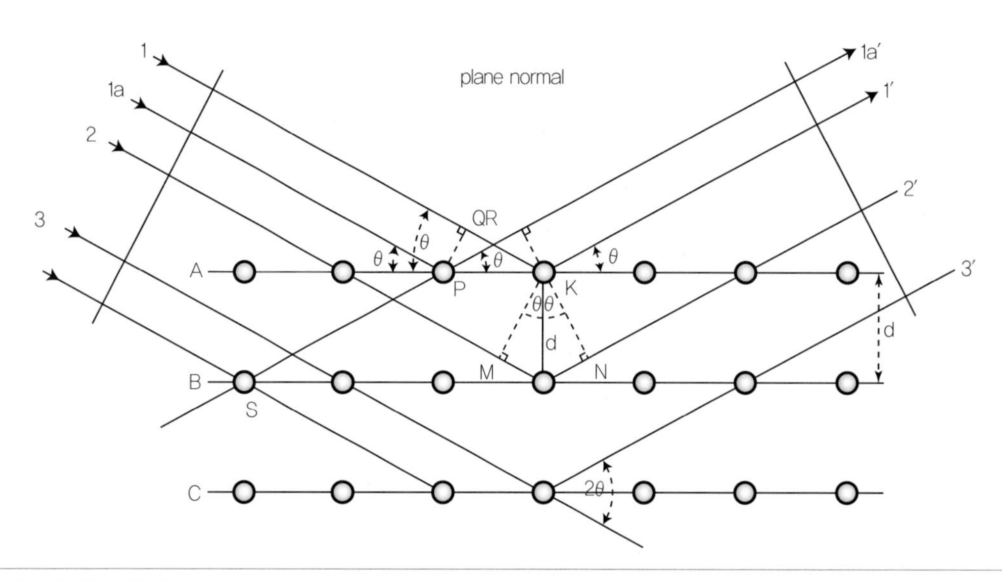

그림 2-20. 결정에 의한 X선 회절

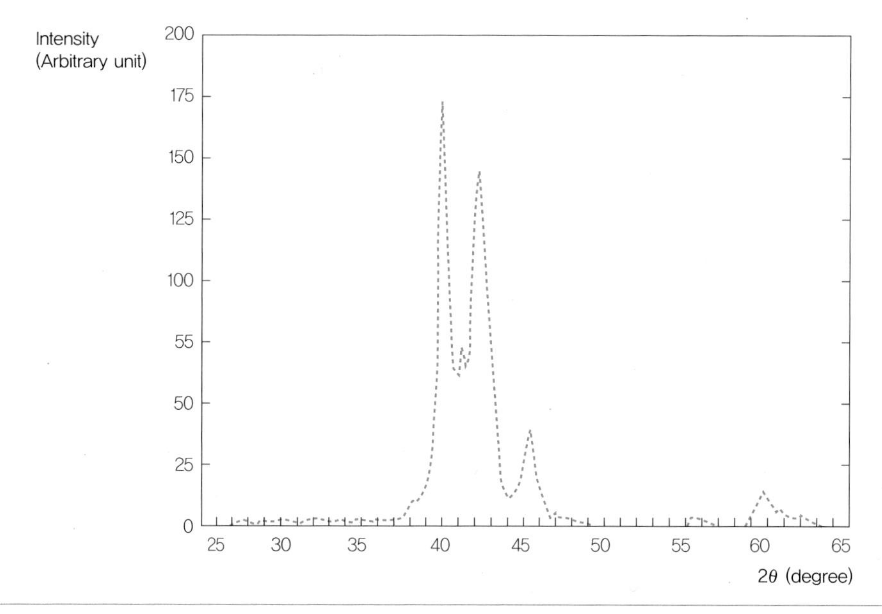

그림 2-21. Cu를 첨가한 Ni-Ti 합금의 X선 회절 피크

위의 식으로부터 면간격 d를 구한다. n은 서로 간섭하는 파장의 위상차로 n = 0, 1, 2, ... 의 경우를 각각 0차, 1차, 2차의 회절선이라 부른다. 실제 계산 시에는 시료의 반사차수는 모르기 때문에 n=1로 하여 d를 구한다. 면간격 d는 물질 고유의 값으로 미지의 시료에 대해 여러 개의 d와 이에 대응하는 회절 X-선의 강도를 관찰하면 정성분석을 할 수 있다.

사용 범위로는 ① 미지 물질의 정성: 시료 물질이 무엇인지 예상할 수 있을 때에는 시료의 X-선 회절 피크를 예상 물질과 비교하여 동일한가의 여부로 정성분석을 할 수 있다. 예상이 어려운 경우에도 Database 화일에서 측정 피크와 동일한 것을 검색하면 정성분석이 가능하다. ② 동질이상의 분별: 화학적 조성이 동일하지만 구조가 다른 동질이상을 구분할 수 있다. ③ 미지 물질의 구조 확인: 조성이 알려져 있고 단결정을 얻을 수 있는 경우에는 X-선 회절 강도로부터 화합물 중의 원자 위치를 알 수 있다. ④ 잔류 응력 측정: 회절 피크가 원래의 위치에서 옆으로 약간 이동하는 정도를 관찰하여 시료에 잔류하는 응력의 크기를 결정할 수 있다. ⑤ 결정 크기 측정: 회절 피크의 반가폭을 측정하여 시료의 결정 크기를 결정할 수 있다.

대표적인 archwire인 Cu를 첨가한 Ni-Ti 합금의 X-선 회절 피크를 그림 2-21에 나타내었다. 수평축의 회절각(2θ)에 대해 회절된 X-선의 강도를 수직축에 그려져 있다. Cu를 첨가한 Ni-Ti 합금에 존재하는 두 가지 상의 X-선 회절 피크는 International Center for Diffraction Data (ICDD)에서 발간한 표준 카드에서 찾을 수 있다. 오스테나이트와 마르텐사이트의 X-선 회절 피크가 ICDD 표준 18-899와 35-1281에 나와 있으므로, 어느 피크가 오스테나이트에 해당하고, 어떤 피크가 마르텐사이트에 해당하는지를 확인할 수 있다. XRD 피크의 형태는 결정 구조에 따라 결정된다. 철과 니켈처럼 동일한 결정 구조(면심입방구조)를 하고 있는 재료들은 격자 상수가 상이하여 피크의 위치(2θ)는 다르지만 동일한 피크 형태를 나타낸다.

XRD는 일반적으로 X-선 beam의 투과 깊이가 50 μm 이하이기 때문에 재료의 표면 분석 기술이다. 재료의 표면 구조는 내부와는 다르기 때문에 XRD 측정 결과를 해석할 때는 주의를 요한다. 따라서 표면을 제거하고 XRD를 측정하는 방법이 바람직하다.

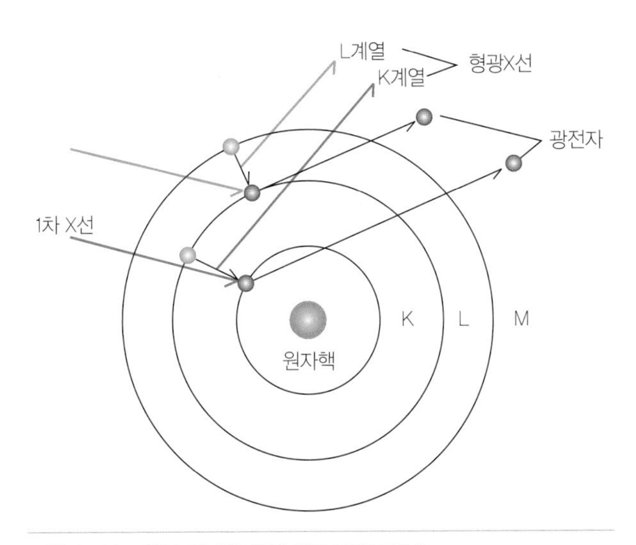

그림 2-22. 원자 여기에 의한 형광 X선의 방출

4) X-선 형광 분석법(X-ray fluorescence spectrometry, XRF)

X-선을 원자에 조사하면 궤도 안쪽의 전자들이 궤도밖으로 방출되면서 빈자리가 형성되며, 이러한 현상을 광전자 효과(photoelectric effect)라고 한다. 이렇게 여기된 원자는 안쪽의 빈자리를 채우기 위해서 바깥쪽의 전자들이 바닥상태로 전이하게 되며, 그림 2-22와 같이 형광 X-선을 방출하게 된다. 이러한 형광 X선의 에너지는 원자의 내부궤도의 전위차, 즉 원자 고유의 궤도 간 전이에너지와 동일하다.

사용범위로는 ① 정성 분석: 화합물, 혼합물이나 재료에 부착 및 흡착된 불순물 등의 성분을 알아낼 수 있다. ② 정량 분석: 재료에서 특정 원소의 함량을 측정할 수 있으며, 금속 재료의 표면에 형성된 산화물의 두께도 측정

표 2-5. 형광X선 분석기의 방식에 따른 특징 비교

성능	파장 분산형	에너지 분산형
검출 한계	수십 ppm	수 ppm
에너지 분산능	10 eV	150 eV
분석 원소	4 Be~92 U	11 Na~92 U
정성분석 속도	느림	빠름
정량 분석도	높음	낮음
다원소 동시 분석	어려움	쉬움
기기 유지 및 보수	용이	항시 냉각
용도	일반 분석	미량 분석

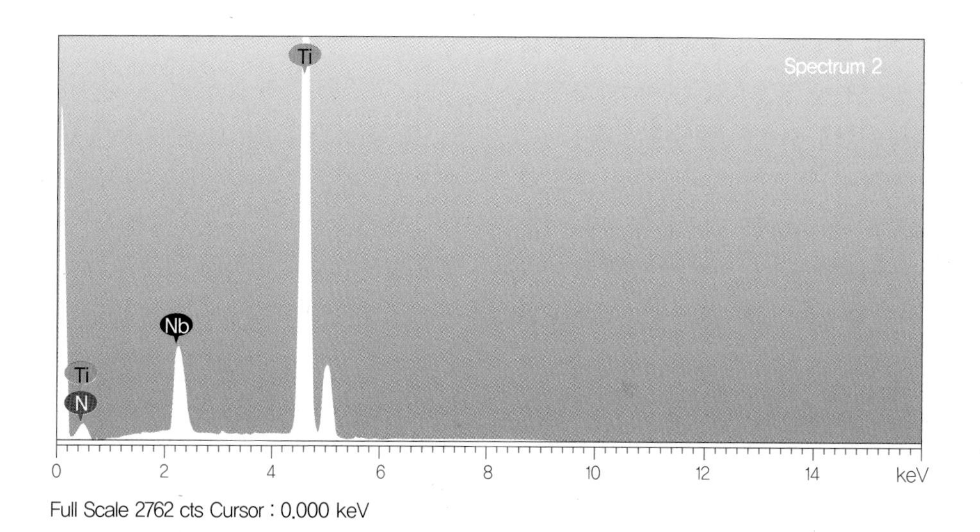

그림 2-23. Ti-40Nb의 표면에 TiN코팅된 시편의 에너지 분산형 형광 X선 스펙트럼

이 가능하다. 이 경우에는 이미 두께를 알고 있는 표준 시료가 필요하다. ③ 판정 분석: 각 원소의 X-선 스펙트럼 강도를 비교함으로써 시간 및 보관 상태에 따른 재료의 변화를 추정할 수 있다.

형광 X-선 분석기는 파장 분산형(wavelength dispersive X-ray spectrometer, WDS)과 에너지 분산형(energy dispersive X-ray spectrometer, EDS)으로 분류하며, 특성은 표 2-5에 나타내었다(그림 2-23).

5) X-선 광전자 분광법 (X-ray photoelectron spectroscopy, XPS)

X-선 광전자 분광법은 대표적인 표면 분광학적 분석법으로서 적용 특성상 ESCA (electron spectroscopy for chemical analysis)로 명명되기도 한다. 이 분석법은 1차 빔으로 X-선을 조사한 후 2차 빔으로 방출되는 전자를 분석하여 정보를 얻는 방법이다. 식 2-8과 같이 시편 표면에 단파장의 X-선을 조사하면 그 광양자 에너지에 의해서 이온화하면서 전자가 방출된다.

$$M + h\upsilon \rightarrow M^{+} + e^{-} \qquad 2\text{-}8$$

M, M^{+}는 각각 원자와 이온, hυ는 X선 광양자 에너지, e^{-}는 방출 전자를 나타낸다. 방출되는 전자의 운동 에너지는 X선의 에너지에서 전자의 결합 에너지와 분광기의 일함수(work function)를 뺀 값으로서 방출 전자의 운동 에너지를 측정하면 전자의 결합 에너지를 계산할 수 있다. 수소와 헬륨을 제외한 모든 원소는 고유의 결합 에너지를 갖는 핵 전자를 방출하므로 계산된 결합 에너지로부터 역으로 표면층의 원자에 대한 정보를 얻을 수 있다. 2차 빔으로 방출되는 전자의 깊이는 대부분 수십 Å 정도로써 표면층에 대한 선택적인 분석이 가능하다.

X-선 광전자 분광법에서는 그림 2-24와 같이 기록된 스펙트럼의 피크 위치로부터 원자의 종류는 물론 동일 원자 내의 전자 궤도까지도 식별이 가능하다. 이는 동일한 원소에서 궤도별로 전자가 갖는 결합 에너지가 다르기 때문이다. 이 분석법의 또 다른 특징은 원자의 결합 상태를 구분할 수 있다는 점이며, 화합물의 종류를 식별하는데 큰 도움이 된다. 즉 피크의 위치가 원자가 전자의 수, 다른 원자와의 결합 여부 및 결합 구조 등에 따라서 약간씩 달라진다. 시편은 특별한 처리없이 적용할 수 있지만 모

든 과정이 초고진공에서 진행되므로 원칙적으로 건조한 상태의 시편이 대상이며, 따라서 수분을 함유한 생물학적 시편은 분석하기 어렵다. 최신 장비에서는 냉각 동결된 습식 시편을 분석하기도 한다. X-선 광전자 분광기는 10^{-7}~10^{-8} mmHg의 고진공으로 측정하기 때문에 시료를 미리 충분히 건조하여 수분이나 휘발성 물질을 제거하여야 한다.

사용 범위로는 ① 원소 분석: 원자의 내각 전자 결합 에너지는 고유 값을 가지고 있기 때문에 구성 원소를 찾아낼 수 있다. 일반적으로 시료 중에 함유되어 있는 원소는 예측이 가능하기 때문에 원소 분석이 가능하다. 전혀 미지의 원소인 경우에는 유사한 결합 에너지를 갖고 있는 원소들이 있기 때문에 분석이 복잡해진다. ② 상태 분석: 원자의 화학 결합 상태에 바뀌면 결합 에너지가 크게는 수 eV 정도 변화하기 때문에 이러한 변화로부터 화학 결합 상태를 알 수 있다. 이와 같이 화학 결합 상태가 다르면 피크의 위치가 변하는 현상을 chemical shift라 한다. ③ 정량 분석: 피크의 면적비에 따라서 대략적인 정량분석이 가능하다. ④ Depth profiling: 이온 스퍼터링 등의 방법을 이용하여 시편의 표면으로부터 깊이에 따른 원소 및 상태분석을 행할 수 있다(그림 2-25).

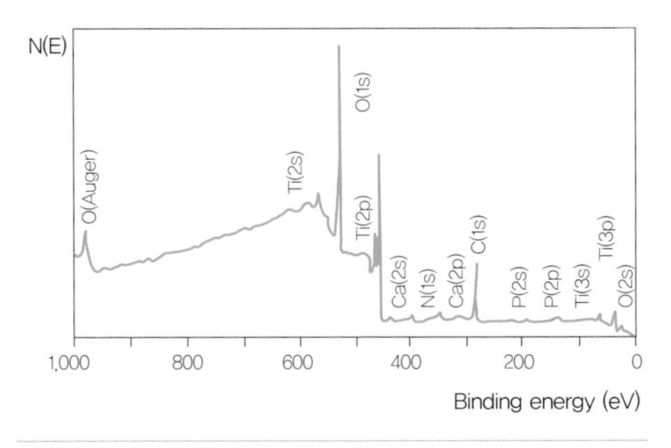

그림 2-24. 치과용 티타늄 임플란트 표면에 대한 X선 광전자 분광법 분석 결과

[Kasemo B, Lausma J(1988), Int J Oral and Maxillofac Implants 3: 253]

6) 적외선 분광법(Fourier transform infrared spectroscopy, FT-IR)

분자는 각각 고유의 진동을 하고 있다. 이와 같은 분자에 파장을 연속적으로 변화시켜 적외선을 조사하면 분자의 고유진동과 같은 주파수의 적외선이 흡수되어 분자의

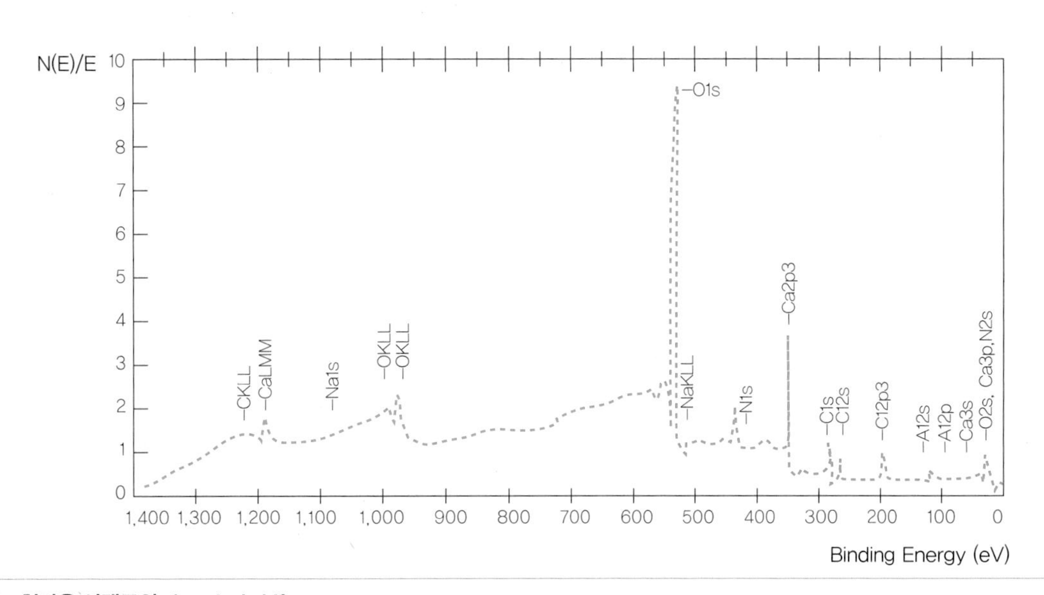

그림 2-25. 치과용 시멘트의 chemical shift

구조에 따른 스펙트럼이 얻어진다. 이 스펙트럼으로부터 분자의 구조를 해석하는 것을 적외선 분광법이라 한다. 일반적으로 4,000~400 cm^{-1} 범위에서 측정한다.

Fourier 변환 적외선 분광기는 고온의 세라믹 광원, KBr 분광기, 간섭계 및 He-Ne laser로 구성되어 있다. 검출기는 상온에서 작동하는 deuterated triglycine sulfate (DTGS) 또는 mercury cadmium telluride (MCT) 등을 사용하며, 액체 질소로 냉각하여야 한다. 일반적으로 적외선을 투과시켜 흡수 스펙트럼을 측정하나, 적외선을 투과하지 못하는 경우에는 특수한 반사 액세서리를 이용하여 표면의 흡수 스펙트럼을 측정하기도 한다. 이러한 반사 액세서리에는 재료의 반사 특성에 따라 specular reflectance와 diffusion reflectance를 측정할 수 있는 것들이 있다. Specular reflectance에서 빔은 입사각과 동일한 각도로 시편 표면에서 반사되며, Diffusion reflectance는 반사율이 감지할 수 없을 정도로 작거나, 시편의 표면이 매우 거칠어서 반사되는 각도가 일정하지 않을 경우에 효과적인 방법이다.

측정할 수 있는 시료는 ① 고체: 적외선을 통과하는 경우에는 투과법으로 흡수스펙트럼을 측정할 수 있으며, 적외선을 투과하지 못하는 경우에는 반사 액세서리를 이용하여 흡수 스펙트럼을 측정할 수 있다. ② 분말: 분말 시료인 경우에는 적외선 투과율이 우수한 KBr 분말과 통상 100~300:1로 혼합하여 펠렛을 제조한 다음 흡수 스펙트럼을 측정한다. 대개의 고체는 적외선을 투과하지 못하기 때문에 분쇄하여 이러한 분말법을 사용하게 되며, 가장 일반적으로 사용되는 측정 방법이다(그림 2-26). ③ 액체: 액체 시료는 전용 액체시료용기를 이용하여 측정이 가능하다. ④ 기체: 기체 시료도 적외석을 투과하는 용기에 담아 측정이 가능하다.

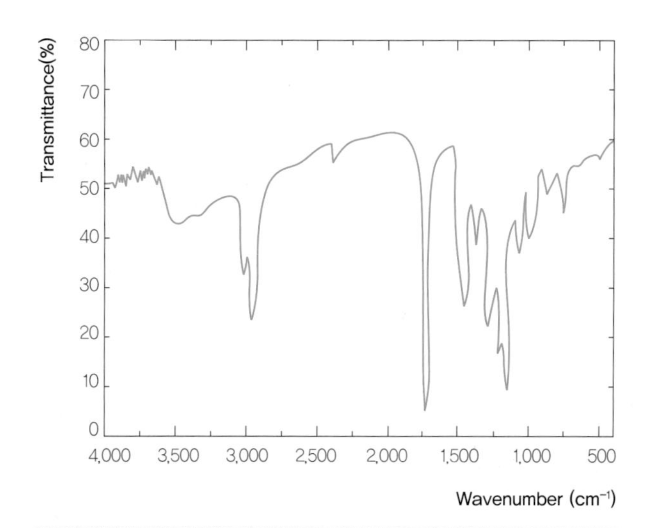

그림 2-26. 치과용 복합레진의 적외선 분광 스펙트럼

사용범위는 ① 정성 분석: 시료가 무엇인지 예상이 가능할 때는 표준 스펙트럼과 비교하여 확인할 수 있다. ② 구조 분석: 적외선 분광법으로 다중결합이나 관능기를 측정하여 분자구조를 결정할 수 있으나, 일반적으로 원소분석법 등의 다른 정보와 합쳐서 분석한다. ③ 정량 분석: 적외선 분광법으로 순도의 검정, 성분비의 측정, 반응속도의 측정 등이 가능하지만, 숙련을 요하기 때문에 일반적으로 다른 분석법으로 정량할 수 없는 경우에 행한다.

치과에서는 복합레진의 중합도를 측정하기 위하여 적외선 분광 스펙트럼을 이용한다. 광중합에 의해 복합레진의 지방족(Aliphatic) C=C 이중결합(흡수피크: 1637 cm^{-1})이 방향족(Aromatic) C⋯C 결합(흡수피크: 1608 cm^{-1})으로 변화되는데, 측정된 적외선 분광 스펙트럼에서 중합 전과 후의 C=C/C⋯C의 흡수 세기 비율을 비교하여 미중합된 잔류 탄소 이중결합의 정도(Degree of Conversion)를 결정한다.

7) 열분석법(Thermal analysis)

열분석은 온도를 일정한 속도로 증가시키면서 시료의 물성을 연속적으로 측정하는 방법이다. 즉, 시료의 물리화학적 성질이 어떤 정해진 온도에서 측정했을 때 측정된 성질이 온도에 따라 현저하게 변화하면 측정 시료에 대한 정보를 얻을 수 있다.

주요 열분석법으로 시료와 표준물질에 동일한 열량을 공급하면서 두물질간의 온도차를 측정하는 시차열분석법(Differential Thermal Analysis, DTA)과 시료와 표준물질이 동일한 온도를 유지하기 위해 공급되는 열량차를 측정하는 시차주사열량측정법(Differential Scanning Calorimeter, DSC) 등이 있다. 이외에도 온도에 따른 중량 변화를 측정하는 열중량측정법(Thermogravimetry, TG)이 있으며, 흔히 시차열분석기나 시차주사열량측정기는 열중량 측정을 동시에 수행할 수 있는 경우가 많으며, 요즘에는 시차열분석과 시차주사열량측정을 동시에 행할 수 있는 장비도 생산되고 있다. 시차열분석기(DTA) 및 시차주사열량측정기(DSC)에는 일반적으로 2개의 시료 용기가 있는데, 하나는 분석하고자 하는 시료를 담고, 다른 하나는 비활성 표준물질(Al_2O_3)을 담거나, 혹은 빈 용기 상태로 사용한다. 통상적으로는 5~10℃의 승온 속도로 가열하면서, 온도에 따른 에너지 차이(시차주사열량측정) 또는 온도 차이(시차열분석)를 측정한다(그림 2-27). 일반적으로 50 mg 이하의 적은 양의 분말로 열분석을 행할 수 있으며, 시료 용기에 들어갈 정도의 크기를 갖는 괴상 형태의 시편도 측정할 수 있다.

컴퓨터 소프트웨어의 발전으로, 시차주사열량측정 곡선에서 유리전이온도, 결정화 온도, 용융점 및 피크의 면적을 용이하게 얻을 수 있다. 시차주사열량측정은 상온 이하에서도 이루어지는데, 드라이아이스 또는 액체 질소를 이용하여 온도를 낮추며, 액체 질소를 이용할 경우에는 부수적인 액세서리를 필요로 한다.

시차열분석 및 시차주사열량측정은 일반적인 고분자 수지를 분석하는 데 가장 널리 사용되어 왔으며, 고분자가 유리 상태에서 고무상 상태로 변화되는 유리전이온도(Tg)는 두 상태에서의 열용량 차이 때문에 시차열분석 곡선에서 S자 형태의 곡선을 나타내기 때문에 S자형 곡선에서의 변곡점으로 결정된다. 고분자에서 결정이 형성되면 열에너지를 방출하기 때문에 결정화 과정은 시차열분석 곡선에서 발열 피크로서 나타난다. 고분자를 용융시키기 위해서는 추가적인 열에너지가 필요하며, 이러한 용융에너지는 흡열 피크로 나타난다. 시차주사열량측정기는 치아교정용으로 사용되는 Ni-Ti 합금에서 상전이를 연구하는 데 매우 유용하게 사용되며, 폴리우레탄 탄성체에서 발생하는 구조적인 변형을 연구하는 데도 많이 사용된다.

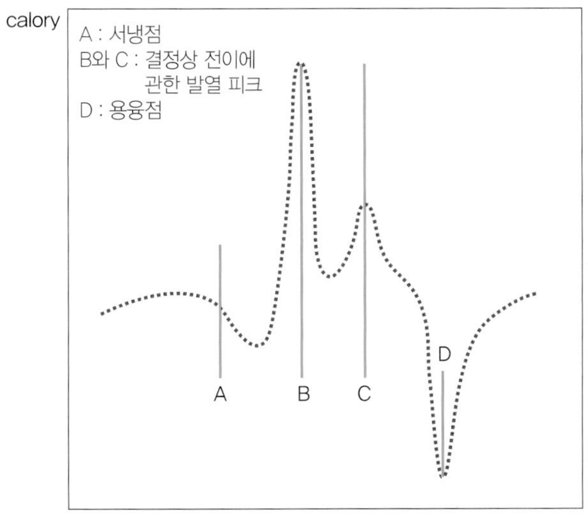

그림 2-27. 시차주사열량측정기

참고문헌

1. 최한철, 고영무(2005). 치과에서 응용될 수 있는 기기분석법, 조선대학교 출판부.
2. Adamson AW, Gast AP(1997). Physical Chemistry of Surfaces, 6th ed., Wiley Interscience.
3. Brunette DM, et al.(2001). Titanium in Medicine, 1st ed., Springer.
4. Callister WD Jr(2000). Materials Science and Engineering, An Introduction, 5th ed., John Wiley & Sons, Inc.
5. Dee KC, Puleo DA, Bizios R(2002). An Introduction to Tissue-Biomaterial Interactions, 1st ed., John Wiley & Sons, Inc.
6. Ebbing DD, Wrighton MS(1993). General Chemistry, 4th ed., Houghton Mifflin Company.
7. Moraes LG, Rocha RS, Menegazzo LM, de Araújo EB, Yukimito K, Moraes JC. Infrared spectroscopy: a tool for determination of the degree of conversion in dental composites. J Appl Oral Sci. 2008 Mar-Apr;16(2):145-9. doi: 10.1590/s1678-77572008000200012. PMID: 19089207; PMCID: PMC4327635.
8. Powers JM & Sakaguchi RL(2012). Craig's Restorative Dental Materials, 13th ed.
9. Skoog DA, Holler FJ, Nieman TA(1998). Principles of Instrumental Analysis, 5th ed., Saunders College Publishing.

일반적 성질

03

학/습/목/표

❶ 각 물리적 성질에 대한 의미와 치과적 적용에 대해서 이해한다.
❷ 전기, 화학적 부식에서 각 전지의 비교와 구강 내 환경에의 적용을 학습한다.
❸ 색의 요소와 측정방법, 색과 관련된 여러가지 현상과 개념에 대해서 이해한다.

현재까지 자연치를 완벽하게 대체할 수 있는 단일 치과재료는 없으며, 각각 나름대로의 장단점을 가지고 있는 금속, 세라믹, 고분자, 복합재료들이 치과재료들로 사용되고 있다. 치과 수복물이 사용되는 구강 내 환경은 서론에서 언급한 바와 같이 재료들에게 매우 불리한 환경이다. 치과재료는 이러한 환경에서 그 특성을 장기간 유지하면서 궁극적으로 목적하는 기능을 충분히 발휘할 수 있어야만 한다. 따라서 치과재료의 조작 과정에서 발생할 수 있는 문제점과 잠재적으로 발생될 수 있는 임상적 실패요인들을 충분히 검토하여 가장 적합한 치과재료를 선택해야 할 것이며, 이를 위하여 각 재료들이 갖는 일반적인 성질들을 먼저 이해할 필요가 있다. 본 장에서는 치과재료의 물리 · 화학적인 성질과 관련되는 일반적인 성질 중에 열적 성질, 콜로이드 성질, 광학적 성질, 전기적 성질, 용해와 흡수 및 부식에 관하여 기술하였다.

1. 열적 성질

1) 비열

비열(specific heat)은 어떤 물질 1 g의 온도를 1℃ 상승시키는데 필요한 열량으로 표시한다. 열량의 단위로는 칼로리(cal)가 이용되며, 1칼로리는 14.5℃의 물 1 g을 15.5℃로 1℃ 올리는데 필요한 열량으로 정의하고 있다. 비열은 단위 질량의 물체에서 그 물체의 온도를 1℃ 상승시키는데 필요한 열량으로 표시하므로, 필요한 총열량은 물체의 질량과 비열에 의존한다.

표 3-1은 몇 가지 재료의 비열을 나타낸 것으로, 액체가 고체에 비해 비열이 높고, 충전재료로 이용되는 금속들에 비해서 법랑질과 상아질의 비열이 높은 것을 알 수 있다. 금속의 용해와 주조과정에서 비열은 금속의 온도를 용융 온도까지 상승시키는데 필요한 열량을 계산하는데 있어서 중요한 의미를 갖는다.

표 3-1. 비열

재료	비열(cal/g · ℃)
물	1.000
법랑질	0.180
상아질	0.280
아크릴릭 레진	0.350
포세린	0.260
아말감	0.210
티타늄	0.120
금	0.031
은	0.056
동	0.092

표 3-2. 열전도율과 열확산율

재료	열전도율 (cal/cm · sec · ℃)	열확산율 (cm^2/sec)
물	0.0014	0.0014
법랑질	0.0022	0.0047
상아질	0.0015	0.0018~0.0026
인산아연 시멘트	0.0028	0.0029
아연화유지놀 시멘트	0.0011	0.0039
아크릴릭 레진	0.0005	0.0012
포세린	0.0025	0.0064
아말감	0.0550	0.0960
티타늄	0.0360	0.0727
금	0.7100	1.1900
은	1.0060	1.6700
동	0.9180	1.1400

2) 열전도율과 열확산율

만약 단면적이 A이고 길이가 l인 물체의 양끝의 온도 차가ΔT이고 온도가 시간에 따라 변하지 않을 때, t 시간 동안 이 물체를 통하여 전달된 열량 Q는 다음과 같은 식으로 나타낼 수 있다.

$$Q = KA\frac{\Delta T}{l}t \quad (3\text{-}1)$$

여기서, K는 어떤 물체의 열전달 정도를 나타내는 상수(단위: cal/cm · sec · ℃)이며 열전도율 또는 열전도도(thermal conductivity)라 한다. 열전도율이 큰 물체일수록 단위 시간 동안에 많은 양의 열을 전달할 수 있다.

열확산율(thermal diffusivity, H)은 물체의 온도가 시간에 따라 변화하는 경우 물체가 어떤 불균일한 온도로부터 평형상태에 접근하는 열전달 속도를 나타내며, 다음 식으로 표시된다.

$$H = \frac{K}{C_P \cdot \rho}\ (cm^2/sec) \quad (3\text{-}2)$$

여기에서, K는 열전도율(단위: cal/cm · sec · ℃), Cp는 정압 비열(cal/g · ℃), ρ는 밀도(g/cm^3)를 나타낸다.

표 3-2에 몇 가지 재료의 열전도율과 열확산율을 나타내었다. 식 3-2에서 알 수 있듯이 보편적으로 열전도율이 높을수록 열확산율도 높지만 재료들의 비열과 밀도의 차이 때문에 정비례하는 것은 아니다. 비열이 낮고 열전도율이 큰 금합금과 아말감과 같은 재료로 만들어진 치아수복물들은 법랑질에 비해 열확산율이 훨씬 더 크다. 따라서 구강 내에 차가운 음식물이 들어왔을 때 치아 수복물에 의하여 열이 효과적으로 차단되지 않고 바로 치수로 전달되어 열충격(thermal shock)에 의한 통증을 유발하기 쉽다. 따라서 와동(cavity)이 깊어 바닥과 치수 사이에 상아질 층이 너무 얇을 경우 단열베이스 층을 적당한 두께로 배치해 주는 것이 필요하다.

3) 열팽창계수

열팽창계수(coefficient of thermal expansion, α)는 온도

의 상승에 따라 나타나는 재료의 길이 변화 정도를 나타내는 값으로서, 다음 식과 같이 온도가 1℃ 상승할 때 재료의 길이 팽창률로 표시한다.

$$\alpha = \frac{\Delta l / \Delta T}{l_0} \ (℃^{-1}) \quad \text{3-3}$$

여기서, l_0는 재료의 처음 길이, Δl은 온도 변화가 ΔT일 때의 길이 변화를 나타낸다. 열팽창계수는 모든 온도 범위에서 항상 균일한 값을 갖는 것은 아니며, 고체상태에서보다 액체상태에서 더 큰 열팽창계수를 갖는다. 치과재료들의 열팽창계수 값들을 비교해 보면 고분자 재료, 아말감, 금합금, 치아 순으로 감소하며, 치과용 포세린과 같은 세라믹 재료들은 치아와 비슷하거나 더 작은 값들을 갖는다. 표 3-3에 몇 가지 재료들의 열팽창계수를 나타내었다.

치아 수복물을 제작하는 과정에서 자주 이용되는 다양한 열처리 공정과 이들이 배치되는 구강 내에서의 온도 변화 때문에 만족할만한 적합성을 갖는 수복물을 제조하고 유지하는데 있어서 열팽창 또는 열수축은 중요한 인자가 된다.

구강 내에 배치되는 충전재와 치질 사이에 열팽창계수가 큰 차이를 보이는 경우, 온도의 상승으로 인한 충전재의 팽창은 치아의 파절이나 만성적인 치수자극의 원인이 될 수 있다. 반대로 온도의 하강으로 인한 충전재의 수축은 접착계면에서 충전재와 치질 사이의 결합을 파괴시켜 미세누출(microleakage)을 초래할 수 있다. 따라서 충전재의 열팽창계수는 법랑질이나 상아질과 유사한 것이 바람직하다.

왁스나 레진과 같은 치과재료들은 열팽창계수 값이 대단히 크기 때문에, 이 재료들을 사용하는 작업실 환경의 온도 변화가 최종 수복물의 크기를 변화시킬 수 있으므로 세심한 주의가 필요하다.

치과용 금속과 세라믹 재료들의 열팽창계수 값은 고분자 재료들에 비하여 훨씬 더 작지만, 이 재료들은 치아 수복물로 제작되는 과정에서 수백도에 달하는 열처리 공정을 거치기 때문에, 각 재료들의 열팽창계수를 고려해야만 한다. 예를 들어 왁스소환법에 의한 주조방법을 이용하여 치과용 금속 수복물을 제작할 때, 냉각 시 나타나는 금속의 수축은 매몰재의 팽창을 이용하여 그 수축량을 보상해 준다. 또한 금속-세라믹관을 제작할 때 포세린에 비하여 열팽창 계수가 약간 더 큰(4% 정도) 금속합금을 사용함으로써 냉각 시 금속의 열수축에 기인한 잔류응력을 포세린에 제공하여 포세린을 강화시키는 역할을 한다. 그러나 포세린과 금속간의 열팽창계수가 큰 차이를 보이게 되면, 결합계면에 높은 전단응력이 발생하여 포세린에 인장응력으로 작용되면 포세린에 미세균열이 생성되거나 파절이 일어날 수 있다.

표 3-3. 열팽창계수

재료	열팽창계수($\times 10^{-6}$/℃)
법랑질	11.40
상아질	8.00
인산아연 시멘트	0.32
산화아연유지놀 시멘트	35.00
아크릴릭 레진	76~80
인레이 왁스	350~450
포세린	4~12
티타늄	8.36
아말감	22~28
금	14.20
은	19.20
동	16.50

2. 콜로이드 성질

콜로이드(colloid)는 Thomas Graham (1861)이 용액의 확산에 대한 연구에서 처음 기술한 용어로, 둘 이상의 상(phase)으로 이루어진 물질에서 적어도 한 상이 원자나 저분자보다는 큰 입자(10~1,000 Å)의 상태로 다른 상에 분산되어 있는 것을 말한다. 콜로이드 입자는 전하(electrical charge)나 표면에너지와 같은 물리적 성질을 갖고 있지만, 주된 특성은 입자의 미세한 정도에 의존한다.

작은 콜로이드 입자는 눈에 보이지는 않지만 빛이 통과하는 직각방향에서 관찰하면 입자들이 빛을 산란시키므로 빛의 진로를 관찰할 수 있다(Tyndall 효과). 콜로이드입자는 불규칙적인 영구운동을 계속하고 있는데, 이것은 분산매 분자와 콜로이드 입자가 서로 불균등하게 충돌하는 것에서 기인된 현상으로, 이 현상을 브라운(Brown) 운동이라 한다. 대부분의 콜로이드 입자는 전하를 띠므로 전류를 통해주면 한쪽 극으로 이동하여 침전이 일어나며, 연기를 제거하는 코트렐(Cottrell) 집진 장치나 고무의 석출은 이 현상을 응용한 것이다.

콜로이드는 기체, 액체 및 고체상태의 분산상(dispersed phase)이 다양한 조건에서 분산매에 분산되어 있는 것으로, 모든 물질은 적당한 조건 하에서 콜로이드 상태를 만들 수 있다. 치의학 분야에서는 치과용 석고의 내마모성을 개선할 목적으로 액속에 첨가하는 콜로이드 실리카, 인상재의 점도(viscosity) 및 강도(strength)와 같은 성질을 조절하는 무기 필러, 치과용기구의 고압멸균 소독과정(autoclave)에서 기구가 녹스는 것을 방지하기 위한 목적으로 분산시킨 기름방울, 매몰재의 납형(wax pattern)에 대한 젖음을 촉진하기 위한 분산제 등에 콜로이드계(colloidal system)가 응용되고 있다.

치과영역에서 자주 발견할 수 있는 콜로이드 계는 고체입자가 액체에 분산된 경우로서, 일반적으로 졸(sol)과 겔(gel)로 알려진 두 가지 상태로 존재한다. 졸(sol)은 분산질이 분산매에 분산되어 있는 점성이 있는 액체상태이고, 겔(gel)은 졸상태의 물질이 냉각이나 화학반응에 의해 젤리와 같은 반고체 상태로 굳어진 것으로, 콜로이드 입자의 얽혀진 구조 내에 액체가 삼투작용에 의해 침입상태로 함유되어 있다. 분산매가 물인 경우의 겔은 친수성(hydrophilic)을 나타내므로 물과 접촉할 때 물을 흡수하여 팽창을 보이지만, 반대로 건조한 공기 중에 방치하면 수분의 증발로 인해 수축이 일어난다. 졸과 겔 상태에서 분산매는 일반적으로 물이지만, 알코올과 같은 유기용매일 수도 있다. 분산매가 물인 경우를 하이드로졸(hydrosol) 또는 하이드로겔(hydrogel)이라 하고, 물 이외의 액체로 이루어진 계(system)를 리오졸(lyosol) 또는 리오겔(lyogel)이라 한다. 분산매가 물인 경우에는 보다 일반적인 용어로서 수성콜로이드(hydrocolloid)라는 말이 사용되기도 하며, 치의학 분야에서는 탄성 인상재로 이용되는 아가(agar)나 알지네이트(alginate)를 기술하는 용어로써 사용되고 있다.

어떤 액체 중에 다른 액체 입자가 콜로이드 입자나 이보다 큰 입자의 형태로 분산된 것을 콜로이드 유탁액(emulsion)이라 하며, 일반적으로 유탁액은 물속에 기름이 분산된 경우와 기름 속에 물이 분산된 경우와 같이 두 가지 형태로 존재한다. 순수한 액체의 기계적인 분산에 의한 유탁액은 불안정하여 액체방울이 합쳐지거나 서로 다른 층으로 분리되므로 분산의 안정화를 위해 유화제(emulsifier)를 첨가한다. 치과용 기구의 고압멸균 소독과정에서 물속에 기름방울을 분산시키면, 기구의 표면에 기름에 의한 보호막이 형성되어 부식과 변색이 억제된다.

3. 광학적 성질

1) 색

치과 수복재료는 손상된 조직의 기능적 회복을 위해 적절한 기계적 성질이 요구되지만, 또 다른 중요한 성질 중의 하나는 수복물의 외관을 자연치와 유사하게 회복시키는데 있다. 심미적 수복을 위해서는 치과의사와 기공사의 예술적인 능력이 요구되지만, 색에 대한 감각은 개인차가 크므로 과학적인 원리에 근거한 기본적인 지식이 필요하다.

그림 3-1에서와 같이 다양한 전자기파 중에 인간의 눈에 의하여 감지될 수 있는 파장의 빛을 가시광선이라고

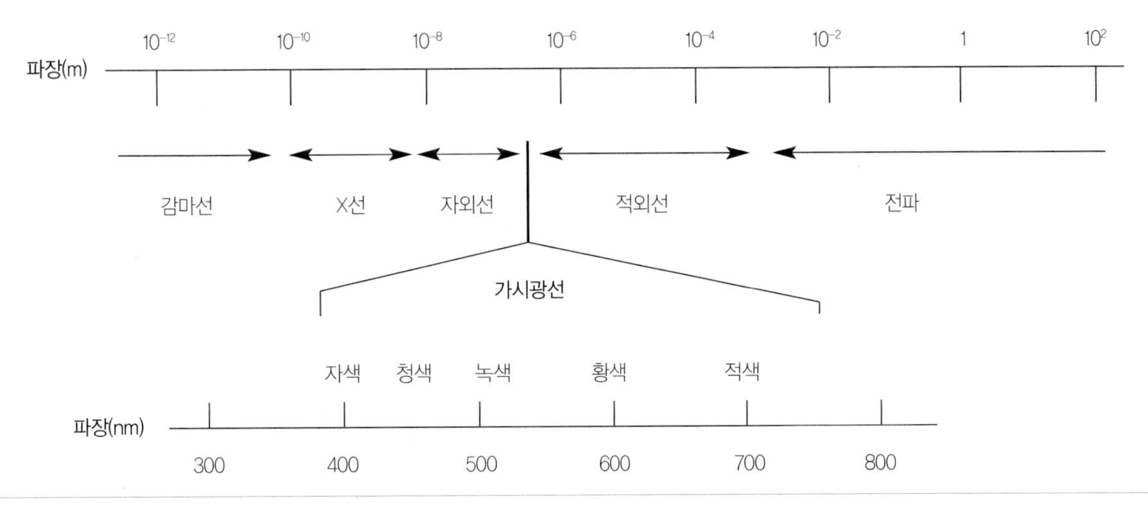

그림 3-1. 다양한 전자기파와 가시광선의 파장과의 관계

하고, 파장 영역은 380~780 nm이다. 이 빛이 물체에 조사되면 흡수, 반사, 투과가 일어나게 되며, 반사나 투과된 빛에 의하여 물체의 색이 나타나게 된다. 인간의 눈이 색을 인식할 때는 색상(hue), 명도(value 또는 lightness), 채도(chroma 또는 saturation)의 차이로 구별을 하며, 이 3가지 변수를 색의 3요소라고 한다. 색상은 물체의 색을 나타내는 변수로서 분광 스펙트럼 분포에서 지배적인 파장에 의하여 결정된다. 가시광선에 해당하는 각 파장은 고유의 색상을 갖지만 인간의 눈으로 볼 수 있는 모든 색은 중심파장이 각각 700.0 nm, 546.1 nm, 435.8 nm인 적색(Red), 녹색(Green), 청색(Blue)의 적절한 혼합에 의하여 만들어낼 수 있다. 명도는 색의 반사율, 즉 휘도의 차이를 나타내는 변수로서 명도가 높을수록 반사율이 높으므로 밝은 색을 띠게 된다. 채도는 색의 세기, 즉 포화된 정도를 나타내는 변수로서, 채도에 따라 색의 선명도가 차이를 보이게 된다.

2) 색의 측정과 표색계

물체의 색을 정의하고 측정하는 방법으로는 일반적으로 재료의 색을 표준 색상표와 육안으로 비교하는 가시적인 측정 방법과 분광광도계(spectrophotometer)나 색도계(colorimeter)와 같은 색분석 장치를 이용하는 방법이 있다. 분광광도계는 물체로부터 반사되거나 투과된 빛을 프리즘이나 회절격자를 이용하여 가시광선 전 영역을 파장별로 분산시킨 다음 각 파장의 세기를 측정하여 얻은 스펙트럼을 분석하여 색과 관련된 변수를 측정하는 장치이고, 색도계는 인간의 눈이 색을 인식하는 방법과 유사하게 적색, 녹색, 청색 3가지 칼라 센서를 이용하여 색상을 판별하는 장치이다.

색을 측정하는 것은 근본적으로 물체에 조사된 광원으로부터 반사나 투과된 빛을 분석하는 것이다. 따라서 광원의 분광분포가 변하면 물체의 색도 달라지기 때문에 정확하게 색을 측정하거나 판단하기 위해서는 기준이 되는광원이 필요하다. 색과 조명에 관련한 국제기구인 국제조명위원회(Commission of Internationale de I'Eclairage, CIE)는 초기에 표준광원 A, B, C를 다음과 같이 정의하였으며, 그 후 보다 자연광에 가까운 D광원을 추가하였다.

- **표준광원 A :** 색온도가 2854K인 가스를 주입한 텅스텐 전구에 해당하는 광원이다.
- **표준광원 B :** 색온도가 4874K인 대낮 태양의 직사

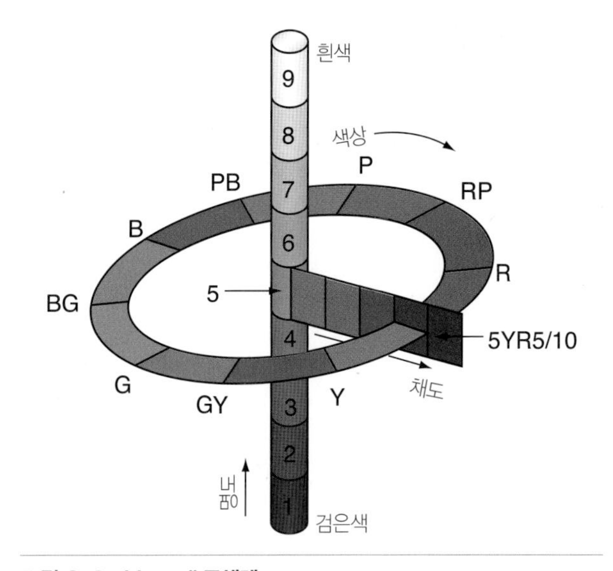

그림 3-2. Munsell 표색계

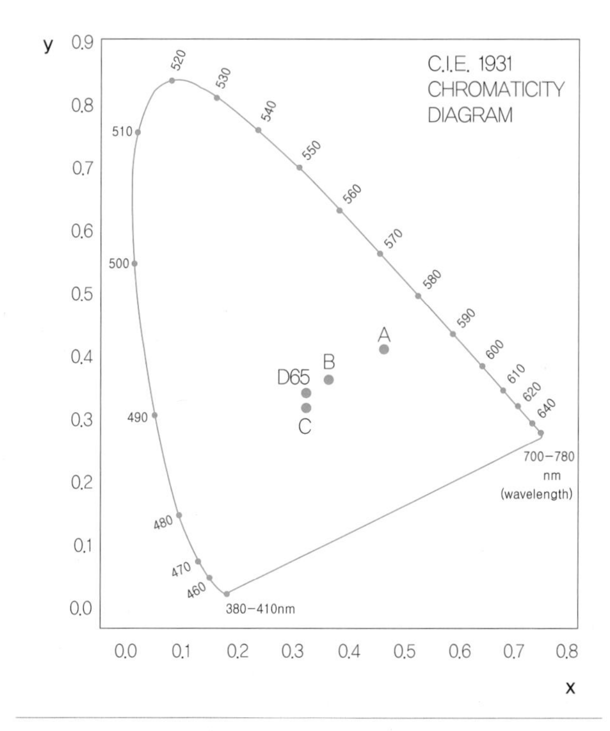

그림 3-3. CIE Yxy 색도도 A, B, C, D는 표준광원을 나타냄

광선에 해당하는 광원이다.

- **표준광원** C : 색온도가 6774K인 흐린 날의 평균 햇빛에 해당하는 광원으로서 자외선 영역의 파장을 포함하고 있지 않다.
- **표준광원** D : 자외선 영역의 파장을 포함하는 주광(day light)에 해당하는 광원으로 색온도가 6504K인 D65가 가장 널리 사용되고 있다.

여기서 색온도(color temperature)는 온도에 따라 빛을 방사하는 복사체를 이용하여 광원의 색을 정의하는 척도로서, 색온도의 증가에 따라 적색에서 백색 그리고 청색 계통으로 광원의 색이 변하게 된다.

색을 표시하는 체계를 표색계(color system)라고 하며, 물체의 색을 가시적인 방법으로 표시하는 대표적인 방법으로 Munsell 표색계를 들 수 있다. 이 방법은 물체의 색을 색상, 명도, 채도의 3속성에 따라 원통좌표계 상에 배열하는 방법이다. 그림 3-2에 나타난 것과 같이, 모든 색을 색상에 따라 원주 상에 규칙적으로 배열하고, 명도에 따라 중심축의 아래쪽에 어두운 검은색을, 위쪽에 밝은 흰색을 배열하며, 중심축으로부터 바깥쪽 방향으로 채도가 증가하도록 색을 배열하는 방법이다. 색상은 먼저 10가지 색상(R, YR, Y, GY, G, BG, B, PB, P, RP)으로 구분하고 다시 각 색상 사이를 1~10까지 10단계로 세분하여 표시한다. 명도는 이상적인 검은색과 흰색을 각각 0과 10으로 하고 그 사이를 9등분하여 표시하며, 채도는 중심의 무채색을 0으로 하고 채도가 높아질수록 1, 2, 3, … 등으로 숫자를 높여간다. 예를 들면, 5YR 5/10은 색상이 황색과 적색의 중간인 5YR이고, 명도가 백색과 흑색의 중간인 5이며, 채도가 10이라는 것을 의미한다.

물체의 색상은 물체가 놓여있는 주변 환경과 색을 감지하는 개인의 차이 때문에 보다 과학적으로 정량화시킬 필요가 있다. 물체의 색을 정량화된 수치로 표시하는 방법으로 국제조명위원회(CIE)가 추천한 CIE 표색계가 있다. CIE는 1931년 적색(R), 녹색(G), 청색(B) 3원색의 혼합으로 모든 색을 만들 수 있다는 RGB 표색계를 근거로 R, G, B를 좌표 변환하여 얻은 3자극치 X, Y, Z로 색을 지정하는 CIE XYZ 표색계를 개발하였다. 또한 이 3자

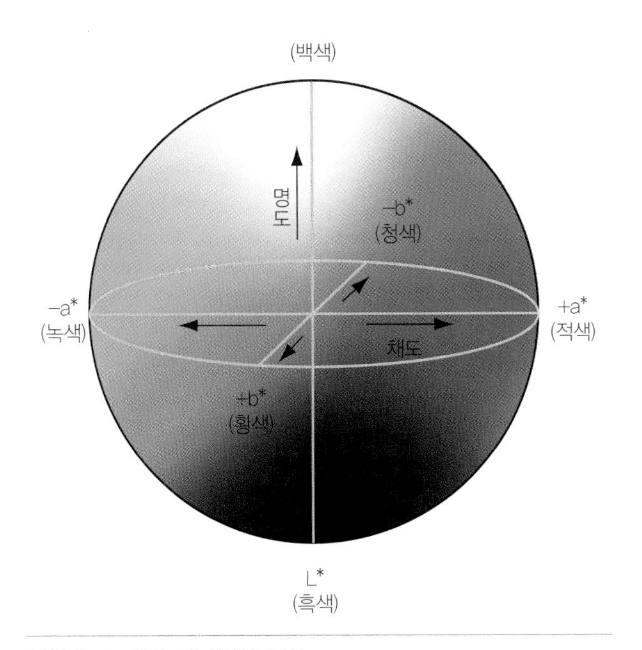

그림 3-4. CIE *L*a*b 색도도**
수직면에서 화살표 방향으로 명도가 증가하며, 수평면에서는 가장자리로 갈수록 채도가 증가한다.

극치를 2차원 평면에 시각화하기 위하여 그림 3-3과 같은 Yxy 색도도를 제안하였으며, 여기서 Y값(3자극치의 Y값과 동일)은 색의 밝기를 나타내고, x=X/(X+Y+Z), y=Y/(X+Y+Z) 값으로 각각 계산된다.

그러나 Yxy 색공간은 색의 밝기를 정확하게 표현할 수 없기 때문에, CIE는 1976년에 이 단점을 개선하여 CIE L*a*b* 표색계를 새롭게 제안하였으며, 현재 다양한 분야에서 세계적으로 가장 많이 사용된다. 이 표색계에서 L*는 색의 밝기를 나타내는 명도지수이며, a*와 b*는 채도지수로서, a*의 +측은 적색, -측은 녹색, b*의 +측은 황색, -측은 청색으로의 변이를 각각 나타낸다. 그림 3-4에 CIE L*a*b* 색도도가 나타나 있으며, 색의 배치 방법은 Munsell 표색계와 유사하게 수직면에서 위쪽 방향으로 올라갈수록 명도는 증가하며, 수평면에서는 가장자리로 갈수록 채도가 높아진다. CIE L*a*b* 색공간에서 물체들 사이의 미소한 색의 변화는 다음의 색차식을 이용하여 결정한다.

$$\Delta E^* = \sqrt{(\Delta L^*)^2 + (\Delta a^*)^2 + (\Delta b^*)^2} \quad 3\text{-}4$$

3) 색의 일치

심미적 치아 수복을 완성하기 위해서는 수복된 치아와 자연치와의 색의 일치가 필요하다. 육안으로 치아의 색상을 판별할 때 편리하게 사용되는 것은 치아가 가질 수 있는 색상과 명도에 따라 체계적으로 갖추어진 색조견본(shade guide)이다. 그러나 인간의 눈은 빛의 밝기가 약할 때 색에 대한 인지도가 떨어지고, 주변에 강한 배경색이 존재하거나 한 가지 색에 장시간 집중될 때 색을 다르게 판단하는 등 주변 환경과 개인적인 특성에 따라 물체의 색을 다르게 판단할 수 있다. 따라서 이러한 여러 가지 변수들과 무관하게 객관적이고 과학적으로 치아의 색을 측정하기 위하여 측색 장비를 이용하는 것이 가능하다. 최근에는 칼라 CCD의 발달과 광섬유의 도입으로 보다 편리하고 정밀하게 치아나 수복물의 색상을 측정할 수 있게 되었다. 그러나 측정 대상이 되는 치아나 수복물들의 모양이나 표면이 단순하지 않고, 전체적으로 균일한 색상만이 존재하는 것은 아니기 때문에 오히려 육안에 의한 판단보다도 잘못된 정보를 얻을 수도 있기 때문에 주의한다.

물체의 색은 외부광원으로부터 입사한 빛의 반사 특성에 따라 변화될 수 있다. 두 물체가 한 광원 아래에서는 색이 일치되어도 다른 광원 아래에서는 색이 일치하지 않을 수도 있다. 이것은 두 물체가 서로 다른 색 반사 곡선을 갖기 때문이며, 이와 같이 서로 다른 광원 아래에서 두 물체의 색일치도가 차이를 보이는 현상을 조건등색(metamerism)이라 한다. 색조견본을 이용하여 색을 일치시키고자 할 때는 적어도 두 가지의 다른 광원 아래에서 검사가 이루어져야 하며, 가능하다면 그 중의 한 광원은 자연광인 것이 좋다. 치과 진료소와 기공소의 조명이 차이를 보이는 경우에도 완성된 보철물 색의 일치에서 문제가 야기될 수 있으므로, 가능한 한 동일한 조명을 사용하는 것이 필요하다.

자연치아는 수은등, 무대조명, 태양광과 같이 근자외선을 포함하는 특정 광원 아래에서 청백색의 형광(fluorescence)을 나타낸다. 형광은 높은 에너지를 갖는, 즉 짧은 파장의 빛을 물체가 흡수하여 그보다 더 긴 파장의 빛을 복사하는 현상이다. 자연치에서 발휘되는 이러한 청백색의 형광은 치아에 생동감을 주기 때문에 수복물의 심미적인 면에서 중요한 특성 중의 하나이다. 전치부에 사용되는 수복 재료의 경우 심미성을 위하여 세라믹 치관이 주로 사용되고 있는데, 자연치와 같이 충분한 형광 특성이 부여되지 않는 경우 특정 광원 하에서는 자연치에 비해 둔하거나 어둡게 보여 비심미적이기 때문에 이 현상을 고려해야만 한다.

4) 반투명도

자연치를 재현하기 위해 고려되어야 하는 광학적 성질에는 색, 채도, 명도와 더불어 반투명도(translucency), 불투명도(opacity) 등이 있는데, 그 중에서도 반투명도의 역할이 매우 중요하다.

심미보철재료의 반투명도는 Translucency parameter (TP) 또는 Contrast ratio (CR)를 측정하여 구할 수 있다. TP값은 흰 배경과 검은 배경에서 물체의 각 색깔 차이를 계산하여 얻는다.

$$TP = \sqrt{(L_B^* - L_W^*)^2 + (a_B^* - a_W^*)^2 + (b_B^* - b_W^*)^2}$$

B: 검은 배경에서의 색 좌표

W: 흰 배경에서의 색 좌표.

TP값이 높을수록 반투명도(Translucency)가 높고 불투명도(Opacity)가 낮다.

Contrast ratio(CR)는 검은 배경과 흰 배경에서의 각각의 명도(Y)를 측정하여 비교하는 것이다.

$$CR = YB/YW$$

YB: 검은 배경에서의 명도, YW: 흰 배경에서의 명도

4. 전기적 성질

재료가 전기를 전도하는 성질은 전기전도도(electric conductivity) 또는 비저항(specific resistance)으로 표시할 수 있으며, 일반적으로 비저항이 널리 이용되고 있다. 일정온도에서 균일한 단면적을 갖는 물체의 전기저항은 시험체의 길이에 비례하고 단면적에 반비례한다.

$$R = \rho \frac{l}{A} (\Omega) \qquad 3\text{-}5$$

여기에서, R은 전기저항, ρ는 비저항, ℓ 은 길이, A는 단면적을 표시한다. 비저항은 재료의 성질에 의존하는 상수로, 전류가 단위체적의 재료를 통과하기 어려운 정도의 척도를 나타낸다. 일반적으로 비저항의 단위는 Ω · cm가 널리 사용되며, 길이가 1 cm, 단면적이 1 cm^2일 때 R=ρ의 관계가 성립한다. 전기전도도는 전류가 단위체적의 재료를 통과하기 쉬운 정도를 나타내며, 비저항의 역수로 표시한다.

전기저항의 변화는 열처리에 의한 합금의 내부구조를 연구하는데 이용되어 왔으며, 또한 전기자극 시 동통감지의 역치를 연구하고, 이온유동(ionic movement)에 의한 치아 내의 유체(fluid)의 이동을 연구하는데 있어서 중요한 역할을 한다.

그림 3-5는 몇 가지 재료의 비저항을 상대적인 크기에 따라 나열한 것이다. 양도체인 금속재료에서는 낮은 값을 갖지만, 절연체인 고분자 재료에서는 큰 값을 갖는 것을 볼 수 있다. 치아에서는 법랑질이 상아질보다 비저항이 크므로 낮은 전도율을 갖는 것을 알 수 있으며, 시멘

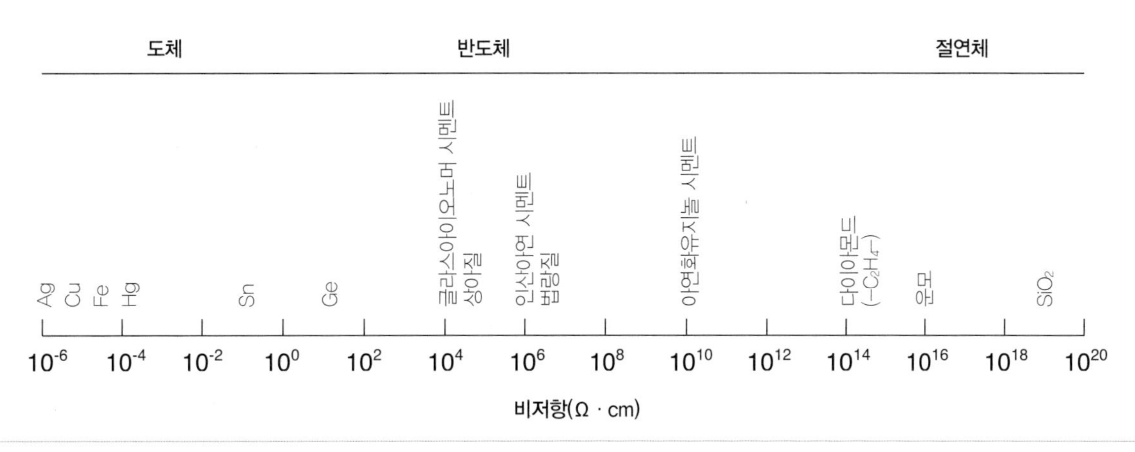

그림 3-5. 다양한 재료들의 비저항

트 중에서는 산화아연유지놀 시멘트가 높은 비저항을 가지므로 절연성이 뛰어남을 알 수 있다.

5. 용해와 흡수

용해(dissolution)는 치과영역에서는 재료의 구성성분의 일부가 타액 또는 체액에 의해 녹아서 용출되어 무게가 감소되는 현상을 나타내는 용어이다.

치과재료에서 용해성이 문제가 되는 대표적인 경우는 시멘트의 용해이다. 인산아연 시멘트의 경우 경화되지 않은 시멘트는 물론이고 경화된 시멘트도 수중에서 용해가 일어난다. 시멘트의 용해도는 경화 후에 수분과 접촉하는 시간이 늦어질수록, 또한 액에 대한 분말의 양이 많을수록 감소한다. 합착부에서 시멘트 라인이 두껍게 노출되면 시멘트의 용해로 인한 변연누출이나 2차 우식이 일어날 수도 있다. 또한 글라스아이오노머 시멘트의 경우 경화과정에서 수분과의 접촉이 일어나면 유리분말이 용해되어 생성된 규산의 겔화를 방해하므로 강도가 저하된다.

구강 내의 금속수복물에서 부식이 일어나면 금속이온의 용출과 더불어 수복물의 변색이나 파괴를 가져올 수 있다. 또한 부식과정에서 용출된 금속이 체내에 다량으로 누적되면 독성물질로 작용하여 생체기능상의 장해를 가져올 수도 있다.

흡수(absorption)는 고체나 액체의 표면에 흡착된 물질이 확산과 삼투에 의해 내부로 빨려 들어가는 현상으로, 치과영역에서는 수복재료의 내부로 구강액의 일부가 빨려 들어가는 현상을 일컫는 용어로 사용되고 있다. 물은 본질적으로 극성이 높기 때문에 여러 가지 물질 내로 쉽게 침투되며, 흡수는 물성의 저하, 변색, 팽윤에 의한 크기변화 및 변형 등을 초래한다.

6. 부식

1) 부식의 원리

부식(corrosion)이란 철이 녹슬어 분해되어 가는 것처럼 금속이 외부로부터의 화학적 작용에 의해 소모되어 가는 현상이다. 따라서 다양한 용도의 치과재료로 많이 사용되고 있는 금속에서 부식은 수복물의 수명과 관련되는 대단히 중요한 특성이다. 치과용 재료의 부식은 전기

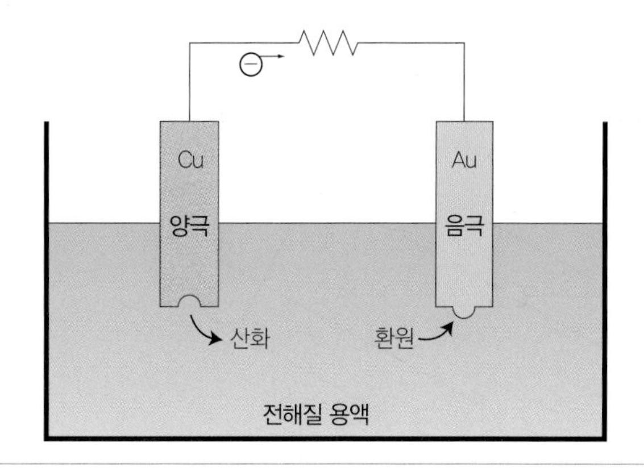

그림 3-6. 갈바니전지

표 3-4. 금속의 부식 반응과 전극전위

금속	부식 반응	전극전위*(V)	
금	$Au \rightleftharpoons Au^{3+}+3e$	+1.420	
백금	$Pt \rightleftharpoons Pt^{2+}+2e$	+1.200	
은	$Ag \rightleftharpoons Ag^{+}+e$	+0.800	
수은	$2Hg \rightleftharpoons Hg_2^{2+}+2e$	+0.790	noble 또는 cathodic
	$4OH^- \rightleftharpoons O_2+2H_2O+4e$	+0.401	
구리	$Cu \rightleftharpoons Cu^{2+}+2e$	+0.340	
수소	$H2 \rightleftharpoons 2H^{+}+2e$	0	
철(Fe^{3+})	$Fe \rightleftharpoons Fe^{3+}+3e$	-0.040	
니켈	$Ni \rightleftharpoons Ni^{2+}+2e$	-0.250	
코발트	$Co \rightleftharpoons Co^{2+}+2e$	-0.280	
철(Fe^{2+})	$Fe \rightleftharpoons Fe^{2+}+2e$	-0.440	
크롬	$Cr \rightleftharpoons Cr^{3+}+3e$	-0.740	active 또는 anodic
아연	$Zn \rightleftharpoons Zn^{2+}+2e$	-0.760	
티타늄	$Ti \rightleftharpoons Ti^{2+}+2e$	-1.600	
알루미늄	$Al \rightleftharpoons Al^{3+}+3e$	-1.670	
나트륨	$Na \rightleftharpoons Na^{+}+e$	-2.710	

※ 25℃에서 표준수소전극에 대한 전극전위

화학적 현상으로서, 금속에서 부식 현상이 일어나기 위해서는 전기화학적 전지(electrochemical cell)가 형성되어야 한다. 이 전지는 그림 3-6과 같이 양극(anode)과 음극(cathode) 그리고 전해질(electrolyte)로 구성되며, 양극과 음극이 전기적으로 접촉하여야 형성된다. 양극에서는 산화반응이 일어나며, 금속이온이 분해되어 용액 속으로 들어가는 '부식'이 발생한다.

$$M \rightarrow M^{+} + e^{-}$$

한편 음극에서는 양극에서 생성된 전자를 소모하는 환원반응이 일어나는데 금속원자의 형성, 수소가스 발생 또는 수산기 이온들이 형성될 수 있다.

$$M^{+} + e^{-} \rightarrow M^{o}$$
$$2H^{+} + 2e^{-} \rightarrow H_2 \uparrow$$
$$2H_2O + O_2 + 4e^{-} \rightarrow 4OH^{-}$$

이와 같이 2개의 다른 금속과 전해질로 구성되는 전지를 이종전극전지(dissimilar electrode cell)라고 하며, 이 기전에 의하여 발생하는 부식을 갈바닉 부식(galvanic corrosion)이라고 부른다. 어떤 금속이 양극으로서 작용하여 부식이 일어날 것인가는 금속의 기전력 서열(electromotive force series)에 의하여 결정된다. 기전력 서열이란 수용액 중에서 금속의 산화가능성이 낮은 정도에 따라 전위를 배열한 것으로, 수소보다 반응성이 높은 금속을 음의 전위(-), 수소보다 반응성이 낮은 금속을 양의 전위(+)로 표시하며, 저자에 따라서는 반대의 부호를 사용하기도 한다. 표 3-4는 다양한 금속의 기전력 서열을 나타낸 것으로, 이종전극전지에서 두 금속 중 전위가 낮은 금속이 양극으로 작용하여 부식이 발생한다. 양의 전위를 갖는 반응성이 낮은 안정한 금속을 귀금속(noble metal)이라 하고, 음의 전위를 갖는 반응성이 큰 금속을 비귀금속(base metal)이라 한다.

이러한 이종전극전지와는 다른 형태의 갈바닉 부식으로 그림 3-7에서와 같이 동일한 금속이 서로 다른 조성을 갖는 전해질 내에서 전기적인 접촉이 이루어질 때 부식이 발생하는 전지를 형성할 수 있는데, 이것을 농담전지

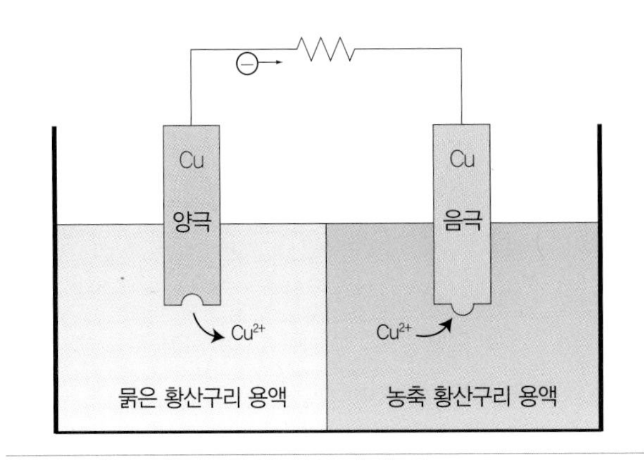

그림 3-7. 이온농담전지

(concentration corrosion)라고 한다. 산소농담전지는 대표적인 농담전지의 일례로서 동일한 금속이 접촉하고 있는 전해질 용액에서 산소농도의 차이가 있을 때 산소농도가 높은 영역은 음극으로, 산소농도가 낮은 영역은 양극으로 작용하여 양극에서 부식이 일어난다.

2) 치과용 금속의 부식

구강 내에서 금합금과 아말감과 같이 상이한 2개의 금속 수복물이 동시에 사용될 때 타액(saliva)이나 체액(body fluid)이 전해질로 작용함으로써 부식전지가 형성되며 갈바닉 부식이 발생되게 된다. 이러한 이종 금속들이 서로 마주칠 때 순간적으로 단락전류가 치수를 통하여 흐르면, 갈바닉 전류에 의한 통증을 유발할 수도 있다.

비록 수복용 금속으로 단일 합금이 사용되었다 할지라도 금속이 불순물을 포함하거나 다상계로 이루어져 조성의 차이를 보이는 경우 미세한 관점에서 보면 역시 이종전극전지를 형성하므로 부식이 발생하는 원인이 된다. 또한 합금의 응고과정에서 결정립계에는 고용되지 못한 이종의 원자나 용융상태에서 형성된 산화물 등이 모여서 최종적으로 응고가 일어난다. 따라서 중심부근과 경계부근에서 조성 및 구조의 차이가 존재하므로 결정입계 영역이 양극으로 작용하여 입계부식(inter-granular corrosion)이 일어날 수 있다.

구강 내에서 사용되는 금속성 치과 장치들은 합금의 냉간가공에 의한 영구변형으로 국부적인 잔류응력이 존재할 수 있으며, 반복적인 하중의 작용으로 또한 응력이 제공될 수 있다. 이 경우 동일한 금속에서 응력이 존재하지 않는 부위에 비하여 응력이 존재하는 부위가 양극으로 작용하는 전기화학적 전지가 형성됨으로써 금속의 응력부식(stress corrosion)이 초래될 수 있다. 특히 반복되는 응력(cyclic stress)과 부식 분위기가 결합해서 나타나는 금속의 파괴 현상을 부식피로(corrosion fatigue)라고 한다.

금속 수복물의 부적절한 표면 연마와 마무리에 의하여 생긴 틈(crevice)이나 공식(pitting) 부위 또는 변연부 등에 치태가 침착되어 산소농도가 차이를 보이는 경우, 산소농담전지가 형성되어 결함의 내부는 양극으로 작용하고 주위는 음극으로 작용하여 부식이 일어날 수 있다. 특히 공식은 좁고 깊은 영역에 부식이 집중되므로 부식이 빠르게 진행되어 수복물의 파괴를 일으킨다. 임플란트의 표면에서도 타액이나 체액이 매개되어 이와 같은 부식현상이 일어날 수 있다.

3) 치과용 금속의 부식 방지

금속 수복물의 부식을 방지하게 위해서는 앞 절에서 기술한 부식전지가 구강 내에서 형성되지 않도록 적절한 금속재료의 선택과 배치가 이루어져야 한다. 치과용 합금이 충분한 부식저항성을 갖도록 하기 위해서는 금, 백금, 팔라듐과 같은 귀금속의 양이 75% 이상 되게 한다. 은은 황화합물과 반응하여 황화은을 형성함으로써 변색의 원인이 되기 때문에, 은을 함유한 합금에는 황화은의 생성을 지연시키는 팔라듐을 첨가시킨다. 합금의 제조과정에서귀금속들이 이차상의 형성으로 이종금속전지가 형성되지 않도록 균일하게 분포되게 하기 위하여 균질화 처리가 필요하다.

금속 수복물들은 일반적으로 표면에너지가 높기 때문

에 음식물 찌꺼기, 화학약품, 박테리아 등이 쉽게 침착되어 막을 형성함으로써, 치태(plaque)와 치석(calculus)으로 발전된다. 이것들은 금속 수복물의 색상이나 광택을 변화시키는 변색(tarnish)을 초래하며, 이 변색은 앞에서 설명한 바와 같이 산소농담전지에 의한 부식초기 단계가 될 수 있다. 따라서 금속 수복물의 변색을 일으키는 물질이 표면에 부착되는 것을 최대한 방지하기 위하여 적절한 표면 연마와 마무리가 행해져야만 되며, 특히 금속 표면에 틈과 공식이 최소로 발생되도록 하여야 한다. 또한 음식물 찌꺼기들이 금속 수복물들 사이에 축적되지 않도록 구강을 항상 청결하게 유지하여야 한다.

철은 부식에 매우 취약한 금속이지만 크롬과 니켈이 첨가되어 합금화된 스테인리스강은 대단히 높은 부식 저항성을 갖는데, 이것은 스테인리스강이 부식 환경에 노출될 때 그 표면에 매우 얇고 투명하며 접착성이 우수한 크롬산화막(Cr_2O_3)층이 형성되기 때문이다. 이 표면 산화막은 기저금속이 외부 환경과 접촉하는 것을 차단하므로 부식반응속도를 크게 감소시키며, 기계적 또는 화학적인 요인에 의하여 일시적으로 파괴되더라도 파괴된 부위에 산화막이 곧바로 형성되어 회복되므로 기저금속에게 우수한 부식저항성을 제공한다. 이 현상을 부동태화(passivation)라고 하며 금속의 방식에서 중요한 역할을 한다. 치과 금속재료에서 또 하나의 부동태 산화막의 대표적인 예로서 임플란트 재료로 많이 사용되고 있는 티타늄 금속이다. 이 금속 또한 공기 중에 노출되는 즉시 수 nm 두께의 치밀하고 안정된 티타늄 산화막(TiO_2)을 형성하며, 이 부동태 산화막이 티타늄 금속의 높은 부식저항성과 생체적 합성을 제공해준다.

4) 부식저항성의 평가법

치과재료의 부식저항성을 평가하기 위한 방법은 ISO10271에 규정하고 있는 침적법과 전기화학적인 방

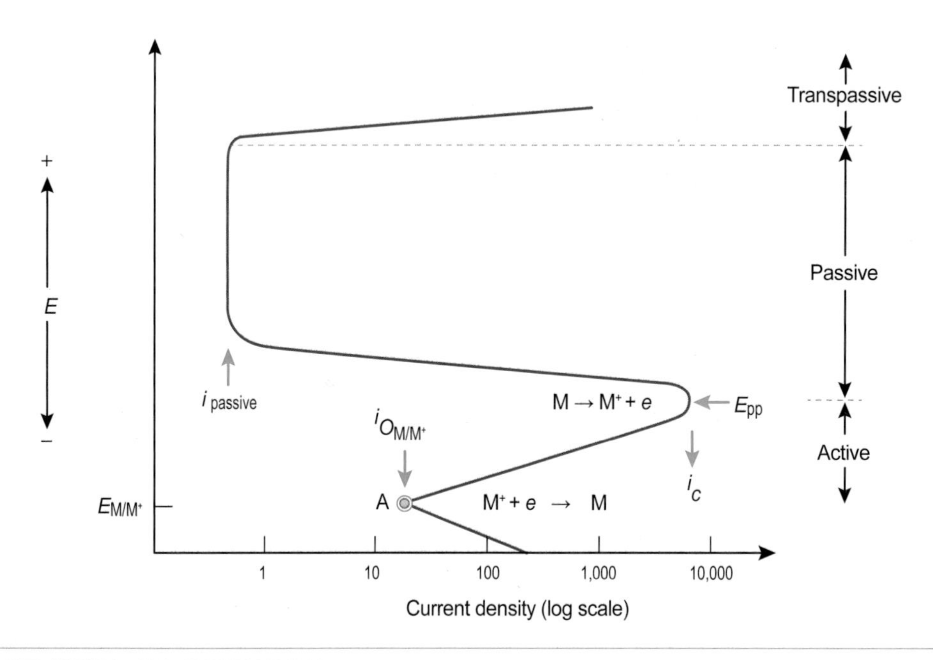

그림 3-8. 부동태를 형성하는 금속의 양극분극곡선

〈약어 및 용어 설명〉
Transpassive: 부동태 천이영역; Passive: 부동태 영역; Active: 활성태 영역; E: 전위 또는 전압(V);
Current density: 전류밀도 또는 부식속도(A) (log scale); E_{pp}: 초기 부동태 피막 형성 전위(전압); E_{M/M^+}: 부식 전위(전압);
$i_{passive}$: 부동태 전류밀도; i_C: 활성태 영역에서의 최대 전류밀도; i_{OM/M^+}: 부식 전류밀도.

법이 있다. 전기화학적인 방법 중에서도 동전위 분극시험은 치과용 합금의 부식거동을 평가하기 위해 사용되고 있으며 시험하고자 하는 치과용 합금을 작업전극, 보조전극 및 기준전극을 사용하여 전지를 구성하고 염소이온을 포함한 0.9% NaCl, Fusayama 용액, 링거 용액 또는 구강환경이나 생체용액을 모방한 전해액에서 시험을 행한다. 정전위장치를 사용하여 비한 음전위부터 귀한 양전위까지(-1000 mV부터 + 1000 mV까지) 0.6 V/hr의 전위 주사속도로 시험을 행하여 그림 3-8과 같은 전위-전류밀도의 분극곡선을 얻어서 각각의 부식 파라메타를 구하여 내식성을 평가하는 방식이다. 즉 그림 A점 이하에서는 음극반응, 그 이상에서는 양극반응을 나타낸다. 부동태피막을 형성하는 타이타늄합금이나 스테인리스강은 ipassive에서 일정한 전류밀도를 보임으로써 내식성이 우수한 부동태표면을 형성함을 보여준다. 낮은 전류밀도인 A점이 곡선들에 대한 접선들의 교차점에 의해서 얻어지며 이를 부식전위(Ecorr)와 부식전류밀도(icorr)로, 부동태 전압(Epp), 부동태피막의 파괴 전압(Eb) 및 부동태 천이전압으로 정의한다.

이러한 도표들은 동일한 전해질과 주사조건이 사용될 때, 두 치과용 합금들의 전임상(*in vitro*) 부식저항성을 비교하는데 사용된다. 그 외에 합금 시편을 부식시험용 젖산과 염화나트륨 수용액에 담가둔 후 용출된 원소들의 농도를 측정하여 평가한다. 부식의 평가는 침적시험과 동전위 분극 시험으로부터 얻은 결과를 이용하여 비교분석하여 할 수 있다.

참고문헌

1. 변재동, 박영구 등 공역(2001). 재료과학, 피어슨 에듀케이션 코리아.
2. 윤병하, 김대룡 공역(1991). 금속의 부식과 방식개론, 형설출판사.
3. 이동진, 최호상 공역(2002). 전기화학개론, 도서출판 아진.
4. 한국과학기술단체총연합회 편(2005). 과학기술대사전, 아카데미서적.
5. Anderson NJ(1972). Applied Dental Materials, Blackwell Scientific Publications.
6. Chu SJ, Devigus A, Mieleszko A(2004). Fundamentals of Color, Shade Matching and Communication in Esthetic Dentistry, Quintessence Publishing Co. Inc.
7. Helsen JA, Breme HJ(1998). Biomaterials Science and Engineering Series, Metals as Biomaterials, John Wiley & Sons.
8. Kenneth J. Anusavice(2013), Phillip's Science of Dental Materials 12th Ed., W.B. Saunders.
9. Leinfelder KF, Lemons JE(1988). Clinical Restorative Materials and Techniques, Lea & Febiger.
10. Powers JM & Sakaguchi RL(2012). Craig's Restorative Dental Materials, 13th ed.

기계적 성질

04

학/습/목/표

❶ 응력-변형률 곡선의 의미를 이해한다.
❷ 여러가지 기계적 특성을 구할 수 있고 상호 관련성을 이해할 수 있다.
❸ 재료의 파절에 미치는 결함의 영향과 피로 현상을 이해한다.
❹ 점탄성을 갖는 재료의 변형과 회복을 이해한다.

이 장에서는 치과재료의 파절 및 변형과 관련이 있는 응력, 변형률, 탄성률, 탄성변형, 소성변형 및 그 외 기계적 성질들에 관한 정의 및 그의 특성들을 결정하는데 필요한 시험방법들에 대해서 살펴보기로 한다.

1. 단위계

단위계(unit system)는 한국, 일본, 프랑스 등에서는 미터 단위계(meter system)를 사용하고 있지만, 영국, 미국 등에서는 푸트-파운드 단위계(foot-pound system)를 사용하고 있다. 각국에서 사용하는 단위계가 달라서 상호 교류에 많은 어려움이 있었으며, 이 때문에 전세계적으로 통용될 수 있는 기본 단위 7가지(m, kg, s, A, K, mol, cd)와 유도 단위로 구성된 국제표준단위계(SI 단위계)가 채택되었다. 중력단위계에서는 힘 또는 무게(F), 길이(L), 시간(T)을 기본단위로 하므로 FLT계(FLT system)라 하고, 절대단위계에서는 질량(M), 길이(L), 시간(T)을 기본단위로 하므로 MLT계(MLT system)라 한다.

- 중력단위와 절대단위 사이의 유용한 환산단위
  - ① 힘의 단위

    $1\ \text{kg} \cdot \text{f} = 1\ \text{kg} \times 9.806\ \text{m/s}^2 = 9.806\ \text{N}$

    $1\ \text{lb} \cdot \text{f} = 0.4536\ \text{kg} \times 9.806\ \text{m/s}^2 = 4.448\ \text{N}$

  - ② 응력과 압력의 단위

    $1\ \text{kg} \cdot \text{f/mm}^2 = 9.806\ \text{N}/(10^{-3}\ \text{m})^2 = 9.806 \times 10^6\ \text{N/m}^2(\text{Pa}) = 9.806\ \text{MPa}$

    $1\ \text{lb} \cdot \text{f/in}^2 = 4.448\ \text{N}/(0.0254\ \text{m})^2 = 6.894\ \text{kPa}$

2. 힘과 변형

힘(force)은 물체의 위치나 운동을 변화시키는 작용을 하며 크기와 방향성을 갖는다. 힘의 SI 단위는 Newton

(N)이다.

사람의 교합력의 크기는 사용할 치과재료의 기계적 성질을 고려하는데 있어서 중요한 요소 중 하나이다. 교합력을 측정하기 위해 압전소자(pressure transducer)나 변형률 게이지(strain gauge) 등을 사용하는 하중장치가 이용되고 있다. 이들을 이용하여 측정한 평균 교합력은 대략 제1대구치와 제2대구치에서 400~800 N, 소구치에서 300 N, 견치에서 200 N, 전치에서 150 N으로 보고된 바 있다. 교합력의 크기는 구치부에서 전치부로 가면서 그 크기가 감소하고, 일반적으로 성인 여자보다 성인 남자의 교합력이 약 90 N 더 높게 나타난다. 또한 자연치열의 교합력은 고정성 브릿지로 수복한 경우에 감소를 보이며, 국소의치나 총의치를 장착한 경우에는 더욱 큰 감소를 나타낸다. 제1대구치를 고정성 브릿지로 수복한 경우의 평균 교합력은 244 N, 반대측 자연치에서는 293 N으로 보고된 바 있다. 국소의치 장착 환자의 경우 65~235 N의 교합력을 발휘하는 것으로 알려졌으며, 총의치를 장착한 경우에는 구치부에서 약 100 N, 전치부에서 40 N으로 보고되어 자연치열에서의 교합력과 큰 차이를 보인다.

3. 응력과 변형률

물체에 외력이 작용하면 물체 내에는 작용한 외력과 크기가 같고 방향이 반대인 내력이 발생하며, 이것을 응력(stress)이라 하고 다음 식으로 표시된다. 따라서 응력의 단위는 힘(N)을 단위면적으로 나누어 표기되며 SI 단위로는 Pascal (1 Pa = 1 N/m² = MN/mm²)로 표시한다. 대부분의 치과용 재료는 1000 Pa이상이므 로 MPa로 표시한다.

$$\text{응력}(\sigma) = \frac{\text{하중}(P)}{\text{단면적}(A)} \quad \text{4-3}$$

물체에 외력이 작용할 때 발생하는 응력은 작용한 힘의 크기에 비례하고 단면적에 반비례하므로, 동일한 크기의 힘이 작용하더라도 단면적이 작을수록 큰 응력이 발생한다. 응력의 형태는 단면에 작용한 외력의 방향에 따라 수직응력(normal stress)과 전단응력(shear stress)으로 분류한다. 수직응력은 힘의 작용방향에 따라 물체를 잡아당겨 늘리려는 힘에 의한 인장응력(tensile stress)과 압축하는 힘에 의한 압축응력(compressive stress)이 있다(그림 4-1).

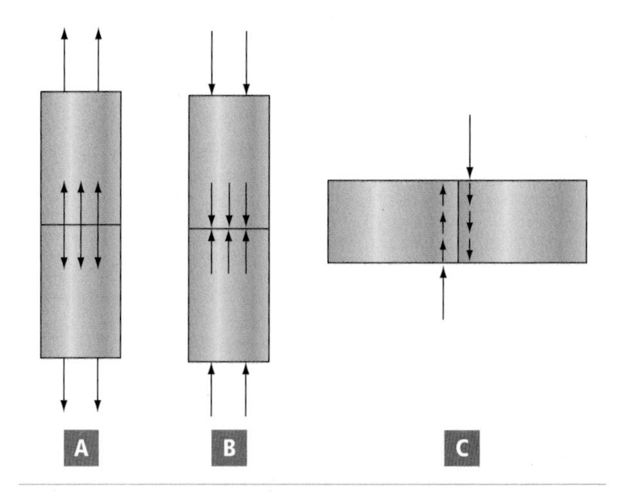

그림 4-1. 외력의 작용 방향에 따라 재료 내에 발생하는 응력의 형태
A 인장응력, B 압축응력, C 전단응력

외력이 작용할 때 재료 내의 각 점은 인장, 압축, 전단응력이 복합된 응력상태에 놓이게 되므로, 각 점을 지나는 무수한 면에 대한 응력의 크기는 각각 다른 값을 나타낸다. 그 가운데 어떤 특정한 면상에는 전단응력 성분은 없고 수직응력 성분만이 나타나게 되는데, 이 면을 주면(principal plane)이라 하고, 주면상의 수직응력 성분을 주응력(principal stress)이라 한다. 재료 내부의 어떤 점의 응력상태가 아무리 복잡하더라도 그 효과는 서로 직각을 이루는 3방향의 주응력의 조합으로 단순화할 수 있기 때문에 재료의 파괴특성 평가를 위해 주응력이 널리 이용되고 있다.

어떤 물체에 외력이 작용할 때 물체 내에는 그 외력에 비례하는 응력이 발생하고, 강체가 아닌 경우에 그 물체를 구성하는 각 분자 상호간의 위치 이동으로 인해 형상 및 크기가 변화한다. 동일한 응력이 작용한 경우에도 물체의 크기에 따라 변형이 다르게 나타나므로, 변형의 정도를 비교할 때 단위길이당의 변형으로 표시하여 비교하지 않으면 안 되며, 이것을 변형률(strain)이라 한다. 응력에서와 마찬가지로, 변형률도 길이의 신장 또는 단축을 나타내는 수직변형률(normal strain) 성분과 상대적 회전을 나타내는 전단변형률(shear strain) 성분이 있다.

$$\text{변형률}(\varepsilon) = \frac{\text{변형된 길이}(\delta)}{\text{물체의 처음 길이}(L)} \quad \text{4-4}$$

그림 4-2에서 볼 수 있는 것과 같이, 축방향의 인장응력이 작용할 때 하중의 작용 방향으로는 신장이 일어나지만, 직각 방향으로는 수축을 수반하므로 하중이 증가함에 따라 직각 방향의 폭이 줄어들게 된다. 반대로 압축응력이 작용할 때는 축 방향의 길이는 줄어들지만 직각 방향으로는 폭이 늘어난다. 대부분의 재료에서 축 방향의 변형률과 직각 방향의 변형률의 비는 탄성영역 내에서 일정한 값을 가지며, 이것을 프와송 비(Poisson's ratio)라 한다.

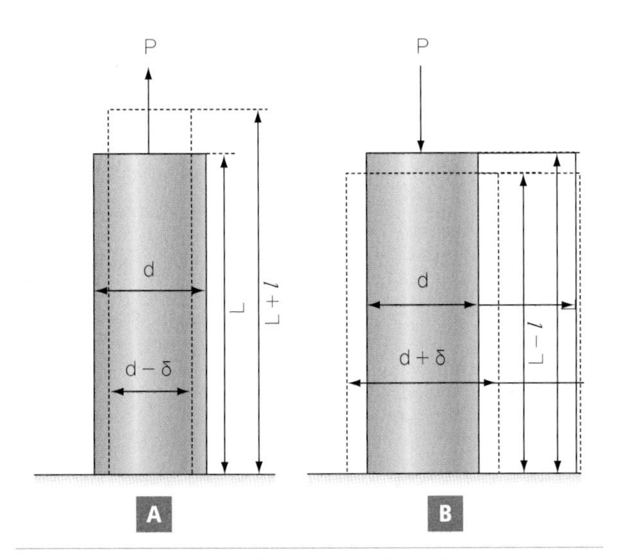

그림 4-2. 재료의 인장과 압축 시에 나타나는 변형
A 인장, B 압축, 변형률 (l/L), 횡변형률 (δ/d)

표 4-1. 치질과 치과재료의 프와송 비

재료	프와송 비
포세린	0.20 ~ 0.25
강	0.28 ~ 0.30
법랑질	0.30
상아질	0.33
치밀골	0.33
금	0.40
해면골	0.45
고무	0.50

$$\text{프와송 비}(\nu) = \frac{\text{횡변형률}(\varepsilon')}{\text{축변형률}(\varepsilon)} \quad \text{4-5}$$

표 4-1은 몇몇 치과재료의 프와송 비를 나타낸 것이다. 외력이 작용할 때 거의 형상의 변화를 보이지 않는 취성재료에서는 프와송 비가 작은 값을 갖지만, 단면형상이 크게 변화되는 연성재료에서는 큰 값을 갖는다.

4. 인장강도 시험

재료에 인장력을 가하였을 때 나타나는 탄성거동(elastic behavior), 소성변형 및 파절강도 등을 측정하기 위해 인장시험(tensile test)과 같은 기계적 특성 시험을 실시한다. 금속재료나 고분자재료와 같은 연성재료에서는 충분히 소성변형을 일으켜 시편 외부형상이 변화된 후에 파괴가 일어나므로 항복강도, 인장강도, 연신율 등을 측정할 수 있다. 그러나 석고나 세라믹재료와 같은 취성재료들은 파손되지 않도록 고정하는게 어려워 일반적으로는 실시하지 않는다.

그림 4-3은 재료시험기의 원리를 설명하는 개략도이다. 재료시험기는 나사축이 회전함에 따라 crosshead가 일정한 속도로 상하로 움직일 수 있는 구조로 되어 있으며, 시

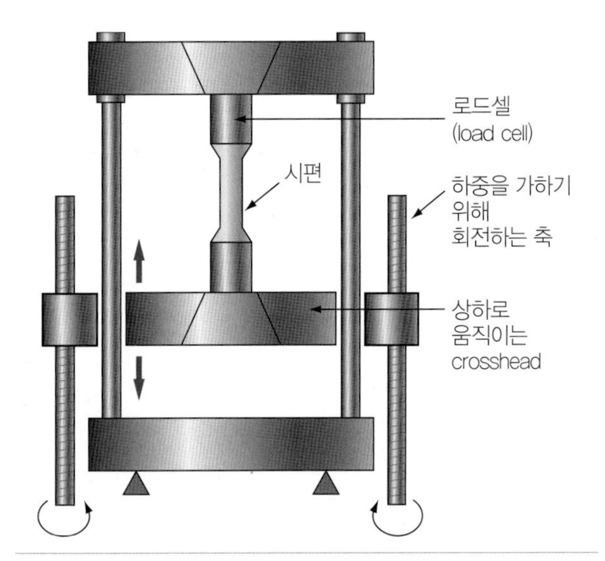

그림 4-3. 재료시험기의 원리를 설명하는 개략도

편에 작용하는 하중의 크기는 load cell에 의해서 측정된다. 인장용 시편을 재료시험기에 고정하고 하중을 증가시키면서 작용력(N)과 시편의 신장량을 측정한다.

이때의 응력은 시편에 작용하는 힘을 단면적으로 나눔으로써 얻어지고, 변형률은 늘어난 길이를 처음 길이로 나눔으로써 얻어진다. 응력과 변형률을 계산한 다음 축방향의 변형률을 횡(x)축에, 이에 대응하는 응력을 종(y)축에 표시하면, 그림 4-4와 같은 응력-변형률 곡선(stress-strain curve)을 얻을 수 있다. 이와 같은 응력-변형률 곡선은 인장시험, 압축시험, 굽힘시험을 이용하여 얻을 수 있으며, 재료의 기계적 성질을 표시하는 비례한도, 탄성한도, 탄성계수(Elastic modulus 또는 Young's modulus), 최대강도, 연신율 등을 구할 수 있다. 표 4-2는 몇 가지 재료의 인장시험을 통하여 얻은 기계적 성질을 나타낸 것이다.

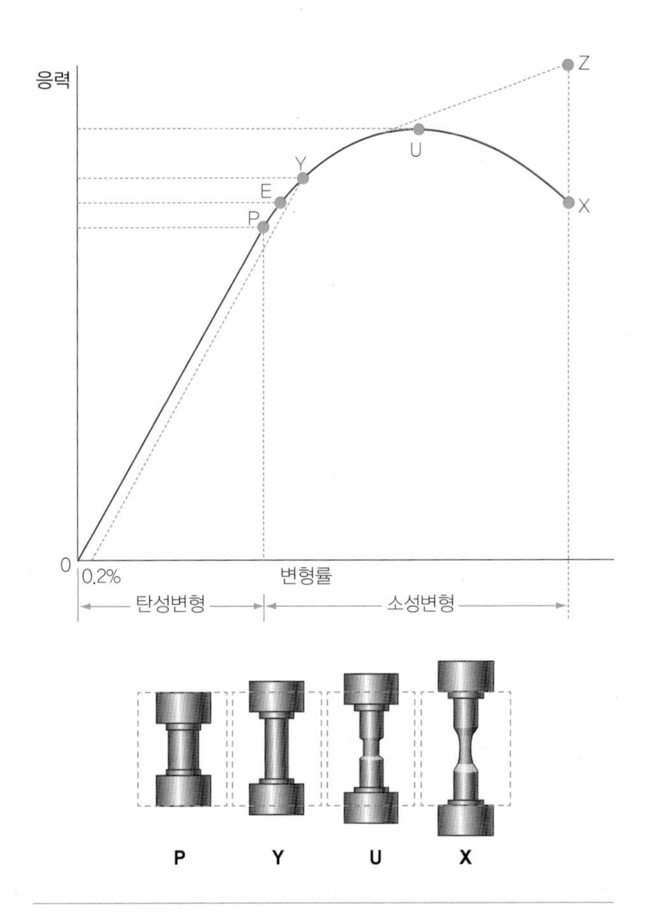

그림 4-4. 인장시험 시의 응력-변형률 곡선

1) 비례한도

비례한도(proportional limit)는 응력과 변형률 사이에 정비례의 관계가 성립하는 영역에서의 최대 응력값(P점)으로 표시한다. 이 영역에서는 응력이 제거되면 변형이 회복되어 원래의 크기로 돌아온다. 일반적으로 모든 재료

표 4-2. 인장시험에 의한 치질과 치과재료의 기계적 성질

재료	탄성계수(GPa)	인장강도(MPa)	연신율(%)
법랑질	50~80		
상아질	15~20	40~50	
인산아연 시멘트	9~13	3~8	
아크릴 레진	2~4	20~80	
복합레진	5~15	30~50	
포세린	60~100	30~60	
아말감	20~40	45~60	
22k 금합금	89	240	22
Ni-Cr 합금	150~210	400~1,000	8~20
Co-Cr 합금	180~240	600~980	2~12

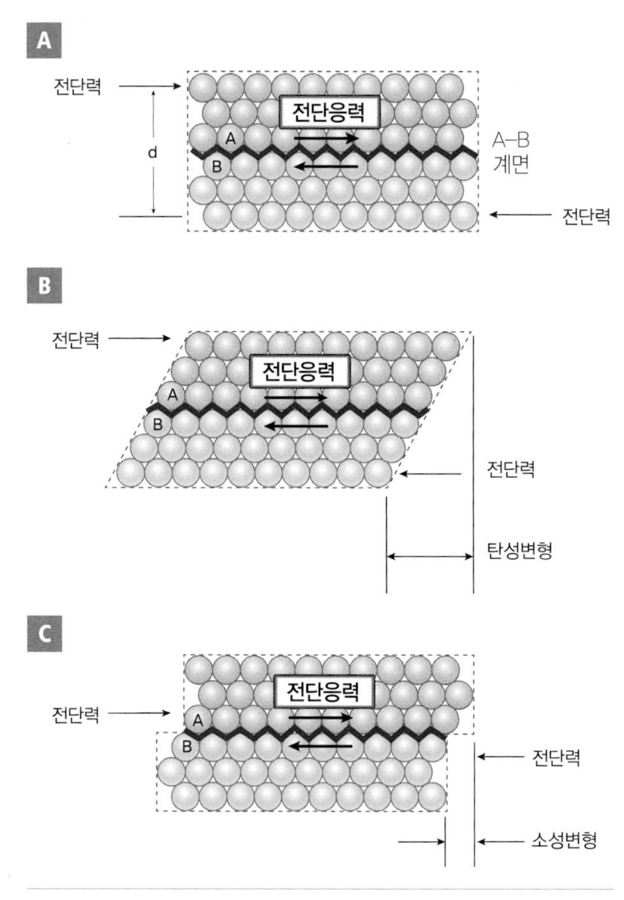

그림 4-5. 응력을 받는 재료 내의 원자모형
A 전단력을 받는 재료, B 탄성변형 상태, C 소성변형 상태

는 비례한도보다 낮은 수준의 응력이 작용하는 경우에도 미소한 정도의 영구변형이 일어나므로, 0.001%의 영구변형을 보일 때의 응력을 비례한도로 표시하고 있다. 비례한도 이내의 응력 수준에서는 Hooke의 법칙이 성립하므로, 이 영역에서 응력과 변형률 사이의 관계는 다음과 같은 간단한 식으로 표시할 수 있다.

$$\sigma = E\varepsilon \qquad \text{4-6}$$

여기에서, E는 탄성계수(modulus of elasticity)라고 부르는 비례상수로서, 봉의 탄성거동에 관하여 연구한 영국의 과학자 Thomas Young (1773~1829)의 이름을 따서 Young율(Young's modulus)이라고도 한다. 재료가 단순인장을 받는 경우, 재료 내에 발생하는 응력은 σ = P/A이고, 변형률은 ε = δ /L이므로 식 4-6의 후크의 법칙은 다음과 같이 쓸 수 있다.

$$\delta = \frac{PL}{EA} \qquad \text{4-7}$$

이 식으로부터 선형탄성(liner elastic)의 특성을 나타내는 재료의 변형량은 하중과 길이에 비례하고, 탄성계수와 단면적에 반비례하는 것을 알 수 있다.

그림 4-5는 적색으로 표시된 재료 A와 청색으로 표시된 재료 B의 계면으로부터 거리 d/2 만큼 떨어진 위치에서 전단력이 작용할 때 계면 A-B에서 일어나는 원자층간의 변형을 모식도로 나타낸 것이다. (A)는 외력이 작용하는 상태에서 재료에 어떠한 변형도 발생하지 않은 상태를, (B)는 비례한도 내에서 외력이 작용하여 변형이 회복될 수 있는 상태를, (C)는 비례한도를 초과하는 외력이 작용하여 재료 내에 영구변형이 일어난 상태를 나타낸 것으로, 외력이 제거되었을 때 회복이 되는 변형을 탄성변형(elastic deformation)이라 하고 회복이 되지 않고 남는 변형을 소성변형(plastic deformation)이라고 한다.

2) 탄성한도

비례한도를 초과하는 응력이 작용하면 응력과 변형률 사이에 정비례의 관계가 성립하지는 않지만 응력이 제거되면 변형이 완전히 회복되는 한계가 존재하며, 이 때의 응력값(E점)을 탄성한도(elastic limit)라 한다. 탄성한도는 측정의 정도에 의존하므로 보통 0.03% 또는 0.05%의 영구변형이 일어날 때의 응력값으로 표시한다. 대부분의 금속재료에서는 탄성한도와 비례한도 사이에 거의 차이를 보이지 않지만, 고무와 같이 탄력성이 큰 재료에서는 탄성한도가 비례한도를 훨씬 크게 초과한다.

3) 항복강도

탄성한도를 넘어서 응력이 작용하면 응력이 거의 증가하지 않는 경우에도 소성변형이 일어나 재료의 신장량이 증가하게 되며, 이 현상을 항복(yielding)이라 하고, 그때의 응력값을 항복강도라고 한다. 응력-변형률 곡선에서 탄성변형률과 소성변형률 사이의 경계점이 명확하지 않기 때문에 항복강도는 특정한 소성변형률에 해당하는 응력값을 선택하고 있다. 일반적으로 0.1% 또는 0.2%의 소성변형률에 해당하는 응력값을 항복강도로 채택하고 있다. 0.2% 항복강도는 변형률이 0.2%인 점에서 탄성변형부에 평행한 직선을 그었을 때 응력-변형률 곡선과 만나는 점에서의 응력(Y점)으로 표시한다(그림 4-4).

4) 최대강도

최대강도(ultimate 또는 maximum strength)는 응력-변형률 곡선에서 재료가 파괴될 때까지 나타나는 응력의 최대값(U점)으로 표시한다. 일반적으로 금속재료는 항복점에 도달한 이후 변형경화(strain hardening)를 나타내므로 저항력이 증가하며, 이 때문에 응력이 증가하여 최대응력값에 도달한 이후 파괴가 일어난다. 인장 시의 최대강도를 인장강도(tensile strength), 압축 시의 최대강도를 압축강도(compressive strength)라 한다.

시편이 하중방향으로 인장변형을 일으키는 동안에 직각 방향으로는 수축이 일어나므로 횡 방향의 단면적이 감소한다. 재료에 작용하는 하중을 최초의 단면적으로 나누어서 표시된 응력을 공칭응력(nominal stress), 작용하중을 그때 그때의 실제 단면적으로 나누어서 표시된 응력값을 진응력(true stress)이라 한다. 공칭응력-변형률 곡선(그림 4-4에서 PEYUX곡선)에서는 최초의 단면적을 고려하여 응력을 결정하므로 최대강도에 도달한 이후 변형률이 증가함에 따라 파괴가 일어날 때까지 응력이 감소를 보이지만, 응력의 계산 시 네크(neck)의 좁은 부분에서의 실제 단면적을 고려하면 파괴가 일어날 때까지 응력이 계속 증가하며, 이 곡선을 진응력-변형률 곡선(true stress-strain diagram)이라 한다(그림 4-4의PEYZ곡선). 연성이 클수록 파괴 전의 네킹이 심하므로 공칭응력-변형률 곡선에서 최대강도에 도달한 후의 응력 감소가 더욱커지게 된다.

재료의 항복강도나 최대강도는 시편에 하중을 가하는 속도, 시편의 형상 등의 시험조건에 따라 변화를 보일 수 있으며, 일반적으로 하중을 가하는 속도가 증가할수록 항복강도와 인장강도는 증가하는 양상을 나타낸다.

5) 연신율

인장시험은 재료의 강도측정과 동시에 변형량을 측정하여 연신율을 파악할 수 있는 방법이다. 어떤 재료에 인

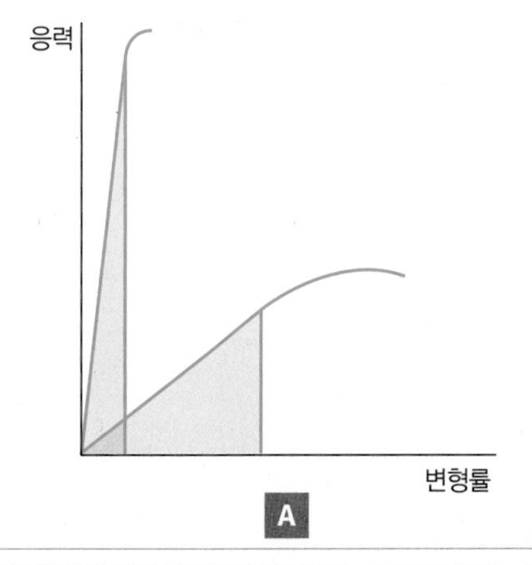

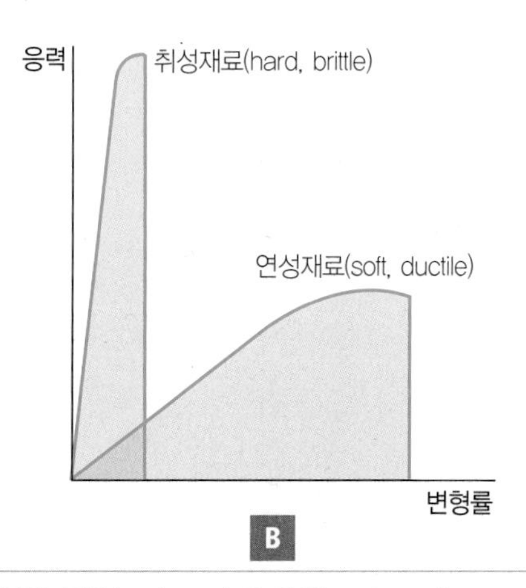

그림 4-6. 외력의 작용 방향에 따라 재료 내에 발생하는 응력의 형태 A 탄성에너지율(resilience), B 인성(toughness)

장력을 가하였을 때 나타나는 신장은 단면의 국부적인 수축이 일어나기 전까지의 균일 신장(uniform elongation)과 국부적인 수축이 시작되어 파괴가 일어날 때까지의 국부 신장(local elongation)으로 나눌 수 있다. 연신율(percentage elongation)은 재료가 파괴될 때까지 생긴 전체의 신장량을 처음 길이로 나눈 값으로, 시험 전의 표점 간 거리를 L, 파괴 후에 양쪽 부분을 맞추어 측정한 표점 간의 거리를 L′라 할 때, 다음 식으로 표시된다.

$$\text{연신율}(\%) = \frac{\text{최종 표점간 거리}(L') - \text{처음 표점간 거리}(L)}{\text{처음 표점간의 거리}(L)} \times 100\% \qquad \text{4-8}$$

연신율은 연성의 척도로서 금속과 같은 연성재료의 품질을 나타낸다는 점에서 중요한 의미를 갖는다. 재료에 기공 또는 불순물이 있거나 손상이 생기면 시편의 연신율이 저하된다.

6) 탄성에너지율과 인성

응력-변형률 곡선 아래의 면적은 재료에 대한 몇 가지 중요한 정보를 제공한다. 비례한도까지의 곡선 아래의 면적은 재료에 영구변형이 일어나지 않는 범위에서 재료가 흡수할 수 있는 에너지를 나타내며, 이것을 탄성에너지율로 정의하고 있다(그림 4-6 A). 탄성에너지율이 클수록 영구변형을 일으키기 전에 많은 양의 에너지를 흡수할 수 있고, 또한 저장된 에너지는 원형의 회복을 위해 방출될 수 있으므로 탄성체(elastomer)의 특성을 발휘한다. 탄성에너지율은 교정용 선재 또는 딱딱한 의치와 연조직 사이에서 쿠션 역할을 하는 이장재(lining material) 등과 같이 높은 탄성회복도가 요구되는 재료의 평가 시에 중요성을 갖는다. 탄성에너지율은 응력과 변형률이 직선적인 비례관계를 유지하는 부분의 삼각형 면적으로부터 얻어지므로 비교적 용이하게 계산할 수 있으며, 그의 단위는 단위체적당 저장할 수 있는 에너지의 양을 표시하는 mMN/m^3이 널리 사용된다.

인성(toughness)은 재료가 파괴를 일으킬 때까지 흡수할 수 있는 에너지의 총량으로 표시하므로 응력-변형률 곡선 아래의 전체 면적으로 나타낸다(그림 4-6 B). 재료의 항복강도와 파절강도가 크고, 또한 큰 변형이 일어난 후 파괴가 일어날수록 인성이 커지며, 대부분의 수복재료에서 요구하는 중요한 성질 중 하나이다. 인성의 단위는 탄성에너지율과 마찬가지로 재료의 단위체적당 흡수할 수 있는 에너지의 양으로 표시한다.

7) 탄성계수

탄성계수(elastic modulus)는 탄성 범위에서 재료가 갖는 강성(stiffness)의 정도를 나타내는 수치로, 응력-변형률 곡선의 직선부에서 응력과 변형률의 비로 표시한다.

$$\text{탄성계수}(E) = \frac{\text{응력}(\sigma)}{\text{변형률}(\varepsilon)} \qquad \text{4-9}$$

직선부의 경사가 심할수록 탄성계수는 커지지만, 상대

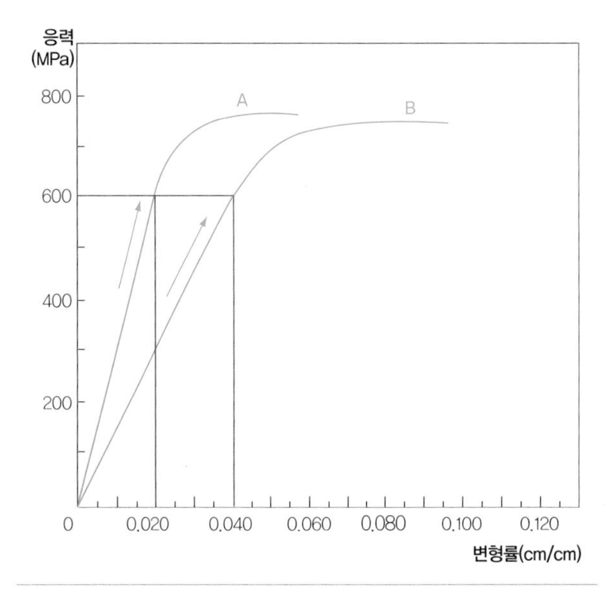

그림 4-7. 탄성계수가 다른 두 재료 A와 B에 인장응력을 가하였을 때의 응력-변형률 곡선

적으로 변형은 작아진다.

그림 4-7의 응력-변형률 곡선을 이용하여 재료 A와 B의 탄성계수를 비교한 것이다.

600 MPa의 응력이 작용할 때 A와 B의 변형률은 각각 0.020과 0.040이므로 탄성계수는

$$E(A) = \frac{600\ MN/m^2}{0.020} = 30{,}000\ MN/m^2(MPa),\ \text{또는}\ 30\ GPa$$

$$E(B) = \frac{600\ MN/m^2}{0.040} = 15{,}000\ MN/m^2(MPa),\ \text{또는}\ 30\ GPa$$

이 되어 A의 탄성계수가 B의 2배인 것을 알 수 있다. 따라서 탄성한도 이내에서 두 재료를 동일한 정도로 변형시키기 위해서는 A에 B의 2배 응력을 작용시켜야 한다.

탄성적 성질은 원자들 사이의 결합력에 의해서 결정되므로, 원자간의 인력이 클수록 탄성(elasticity)과 강성(stiffness)이 커지게 된다. 원자의 결합력은 재료의 기본적인 성질이 변화되지 않고서는 바뀌지 않기 때문에, 탄성계수는 기계적 성질 중에서 재료의 조직과는 가장 무관한 성질의 하나이다. 탄성계수는 금속재료의 합금화, 열처리, 기계가공 등에 의해 거의 영향을 받지 않지만, 온도가 상승함에 따라 감소를 나타낸다. 탄성계수는 유연성과 큰 탄력성이 요구되는 고무인상재나 플라스틱재료에서는 낮은 값을 갖지만, 견고한 보철물과 같이 높은 강성을 보이는 수복재료에서는 높은 값을 갖는다.

탄성계수의 측정법에는 정적 측정법과 동적 측정법이 있다. 정적 측정법은 재료시험기를 이용하여 등온적으로 천천히 응력을 가하는 방법으로, 비교적 변형이 큰 재료(1×10^{-4} Strain 이상)의 탄성계수 측정 시에 널리 적용되고 있다. 변형률의 측정을 위해 strain gauge를 사용하며, 직교형의 strain gauge를 사용할 경우 프와송 비를 측정할 수 있다. 동적 측정법은 시편의 크기가 작고, 변형이 미소한 경우(1×10^{-6} Strain 이하)에 재료의 파괴없이 탄성계수를 측정할 수 있는 방법으로, 공진법(resonance method)과 펄스법(pulse method) 등이 있다. 공진법은 시편을 통한 공진주파수를 측정하여 탄성계수를 계산하는 방법이고, 펄스법은 종파(longitudinal wave)와 횡파(shear wave)의 펄스가 시편을 통과하는 속도를 측정한 다음 등방탄성 이론을 적용하여 탄성계수를 계산하는 방법이다.

8) 전·연성

전 · 연성은 연성(ductility)과 전성(malleability)을 총괄한 용어로서, 소성변형을 일으킬 수 있는 정도를 표시하는 기계적 성질의 하나이다. 연성의 정도는 인장응력이 작용하는 상태에서 재료가 파괴되지 않고 영구변형될 수 있는 정도로 표시하고, 전성의 정도는 재료에 압축응력이 작용하는 상태에서 파괴되지 않고 영구변형될 수 있는 정도로 표시한다. 모든 재료에서 그러한 것은 아니지만, 높은 정도의 신장과 압축을 보이는 재료는 연성과 전성이 우수한 재료이다. 연성의 정도를 정량적으로 평가하기는 곤란하지만, 일반적으로 다음의 세 가지 방법, 즉 파단 후의 연신율, 파단부의 단면수축률 및 상온에서의 굽힘시험에 의해 그 상대적인 크기를 비교한다. 고금합금은 전 · 연성이 풍부하여 인레이를 할 때 파손없이 치아와의 틈을 폐쇄하므로 변연봉쇄성이 뛰어나지만, 취성이 큰 아말감

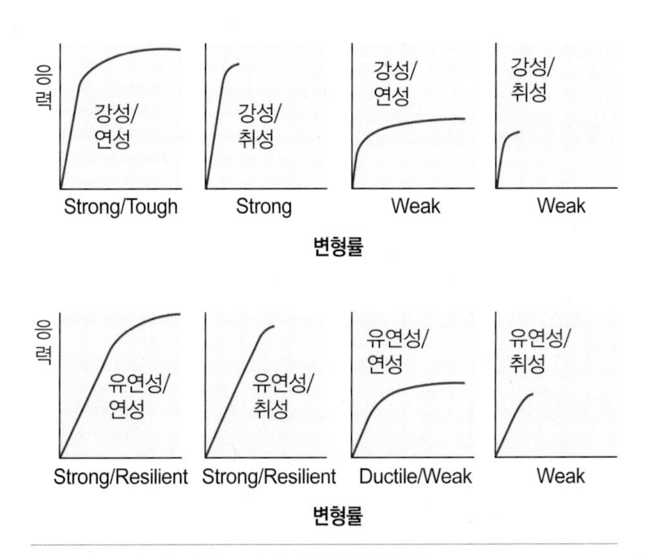

그림 4-8. 응력-변형 곡선과 물성의 상관관계

은 전연성이 작기 때문에 변연부에 틈이 존재하면 파절이 일어나기 쉽다. 다음은 여러가지 금속의 연성과 전성의 크기 순이다.

- 연성의 크기 순 : Au > Ag > Pt > Fe > Ni > Cu > Al > Sn
- 전성의 크기 순 : Au > Ag > Al > Cu > Sn > Pt > Fe > Ni

9) 응력-변형 곡선과 물성의 상관관계

치과에서 사용하는 재료의 특성은 응력-변형률 곡선으로부터 확인이 가능하며, 전형적인 몇가지 성질들을 비교하여 그림 4-8에 응력-변형률 곡선으로 나타내었다.

5. 여러 가지 강도 시험법

1) 압축강도시험(Compressive strength test)

압축시험은 압축력에 대한 재료의 저항력을 측정하는 것으로 인장시험과는 하중이 반대로 작용한다. 압축강도는 보통 실린더 형태의 시편을 축방향으로 가압하여 결정한다. 그러나 압축 시의 재료 내부의 응력분포는 전단면에 걸쳐서 일정하지 않고 시편의 형상에 따라 변화하므로 재현성이 있는 결과를 얻기 위해서는 시편의 치수에 제한을 두는 것이 바람직하다. 시편의 단면적에 비해 길이가 지나치게 길면 굽힘에 의한 파괴가 일어나고, 반대로 너무 짧으면 압축응력이 실제보다 과도하게 증가한다. 따라서 압축강도 측정 시 원주상 시편의 직경을 d, 길이를 L이라 하면, 굽힘효과를 억제하기 위해 d/L = 0.4~1 정도의 시편을 사용한다. 그림 4-9는 치과용 시멘트 재료의 국제규격(ISO 9917)에서 제시하는 크기의 원주상 시편에 압축력이 작용할 때 나타나는 응력상태를 도시한 것이다. 중앙부에서는 직경방향으로 인장응력이 발생하고, 양끝부분에서는 축 방향과 45°를 이루는 경사면상에 전단응력이 발생하는 것을 볼 수 있다. 이때 시편과 압축면 사이에 마찰력이 작용하거나, 시편 상하면이 평행하지 않으면 부정확한 결과를 얻을 수도 있다.

그림 4-10은 법랑질 시편의 압축시험 시의 응력-변형률 곡선이다. 소성변형이 일어나는 영역이 인장시험에 비해 좁지만 탄성과 소성변형을 보이므로 탄성영역에서의 응력과 변형률의 비로부터 탄성계수를 계산할 수 있다.

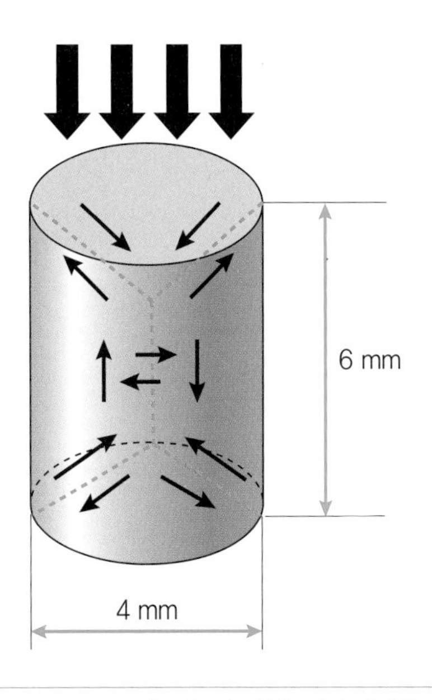

그림 4-9. 원주상 시편에 압축력을 가하였을 때의 내부응력 상태에 의한 시편 응력상태와 파절면

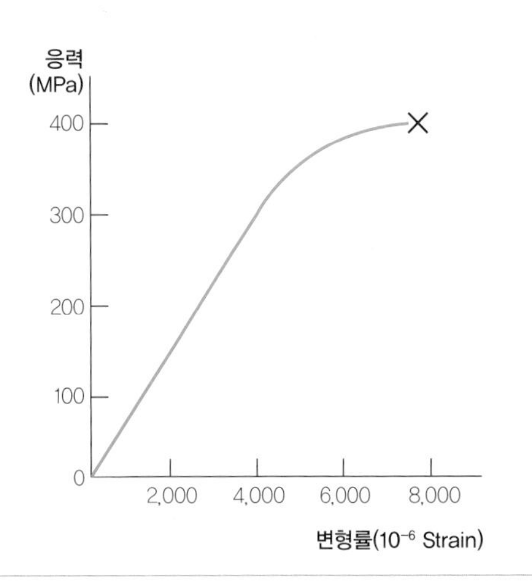

그림 4-10. 법랑질에 압축력을 가할 때의 응력-변형률 곡선

표 4-3. 몇가지 치과재료의 압축강도

재료	압축강도(MPa)
아크릴 레진	70~100
인산아연 시멘트	90~120
장석계 포세린	150~200
상아질	280~350
법랑질	300~400
고동형 아말감	400~500

압축강도는 주로 인장시험이 곤란한 아말감이나 시멘트 등의 취성재료 및 압축에 대한 저항성이 요구되는 재료에서 측정한다. 그러나 연성재료에서는 하중의 증가에 따라 단면적이 확대되면서 파괴가 일어나지 않는 경우가 많으므로, 편의상 시편에 균열이 발생할 때의 응력을 압축강도로 취급하기도 한다. 표 4-3은 몇 가지 재료의 압축강도를 나타낸 것이다.

치과재료에서 압축강도가 요구되는 충전재의 평가 시에는 충전물 접촉면적의 크기에 따른 교합압을 고려해야 한다. 이론적으로 어떤 환자의 교합압이 400 N인 경우, 압축강도가 200 MPa인 복합레진에서는 대합치 접촉부의 단면적이 2.0 mm^2 이상이 되도록 충전해야 하고, 압축강도가 320 MPa인 아말감에서는 1.3 mm^2 이상이 되도록 충전해야 한다. 만약 400 N 이상의 교합압이 가해진다면, 수복물에서 대합치와 접촉되는 면적을 더 크게 형성해야 한다. 그렇지 않으면 최대 응력을 초과한 수복재료들은 저작압에 의해 파절이 일어날 수 있다.

2) 간접인장강도시험(Diametral tensile strength test)

취성재료(brittle material)는 인장강도의 평가가 필요하나 인장시험이 용이하지 않다. 따라서 원주상 시편의 압축에 의해 재료의 인장강도를 측정하는 간접인장시험법(diametral tensile test)이 빈번하게 적용되고 있다(그림 4-11). 원주상 시편을 직경 방향으로 압축하면 가압 방향에 수직한 중앙면 상에 균일한 인장응력이 발생하며, 이때 발생한 응력은 다음 식으로 표시된다.

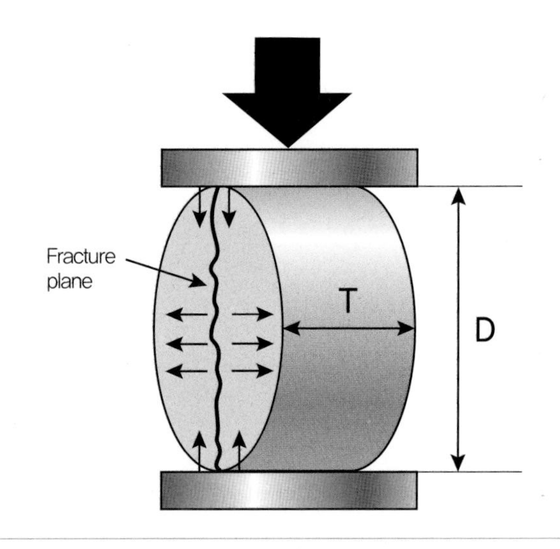

그림 4-11. 간접인장시험

$$\sigma = \frac{2P}{\pi DT} \quad \text{4-10}$$

여기에서, P는 압축하중, D는 시편의 직경, T는 시편의 두께이다. 간간접인장시험은 아말감, 석고, 시멘트 등 취성재료의 인장강도를 측정하는 간단한 방법이긴 하지만, 시편에 복합응력이 형성되므로 여러 가지의 파절 양상이 나타날 수 있다. 파절 전에 시편의 형상이 심하게 변형되는 경우에는 파절이 압축할 때 발생하는 인장응력에 의한 것인지 형상의 변형을 야기하는 전단응력에 의한 것인지 예측하기 어려운 문제점이 있다.

3) 굽힘강도시험(Flexural strength test)

세라믹과 같은 취성재료의 파절은 일반적으로 인장응력이 작용하는 결함부에서 균열이 진전하여 일어난다. 그러나 취성재료의 인장시험은 쉽지 않다. 따라서 막대 형태의 시편 하부에서 인장응력이 발생하는 굽힘시험이 취성재료의 강도 평가에 빈번하게 사용되고 있다.

그림 4-12에서 볼 수 있는 것과 같이, 단순지지보(simplebeam)의 중앙부에 외력이 작용하면, 시편에 휨이 발생하여 중립면 상부에는 압축응력과 전단응력이 발생하고, 중립면 하부에는 인장응력과 전단응력이 발생한다. 시편의 중앙부에서 멀리 떨어진 위치(B)에서는 재료 내에 전단응력이 발생하지만, 중앙지점(A)에서는 전단응력이 발생하지 않으므로 시편의 상면과 하면에 각각 최대 압축응력과 최대 인장응력이 발생하고, 이 때 발생한 최대 인장응력은 다음 식으로 표시된다.

$$\sigma = \frac{Mc}{I} = \frac{M}{Z} \qquad 4\text{-}11$$

여기에서, M은 최대굽힘 모멘트, c는 시편의 중립면으로부터 최대 인장응력이 작용하는 표면까지의 거리, I는 단면의 기하학적 형태에 의존하는 단면 2차 모멘트(second moment of area), Z는 단면계수이다.

굽힘시험은 한쪽 끝을 고정하고 일정한 거리만큼 떨어진 위치에서 하중을 가하는 외팔보(cantilever beam)를 이용한 굽힘시험, 양단을 단순지지하고 시편의 중앙부에서 하중을 가하는 3점굽힘시험과 4점굽힘시험 및 원판상의 시편을 이용하는 2축굽힘시험이 빈번하게 적용되고 있다.

스테인리스 강선, 근관용 file 및 reamer 등의 굽힘특성을 평가하고자 할 때는 외팔보를 이용한 굽힘시험이 적용된다(그림 4-13). 탄성영역에서 선재에 외력이 작용할 때 작용력 P와 처짐 y 사이에는 다음의 관계가 성립한다.

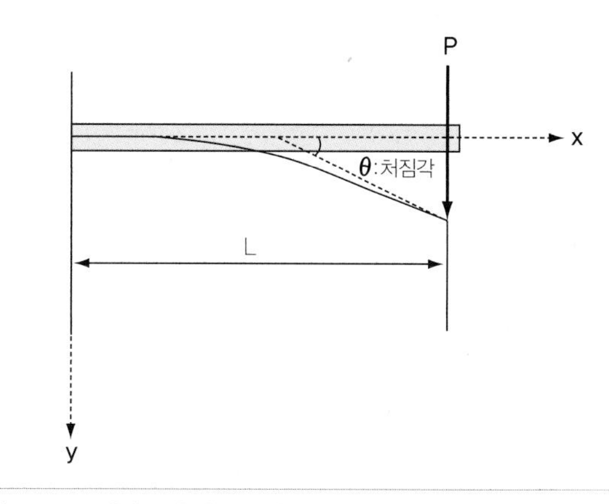

그림 4-13. 외팔보의 선단에 집중하중이 작용할 때의 굽힘변형

$$P = \frac{3EI}{L^3}\,y = Ky \qquad 4\text{-}12$$

여기에서, L은 선재의 span 거리, E는 탄성계수이다. 식 4-12를 적용함으로써 선재의 탄성계수를 예측해 볼 수 있다.

그림 4-14는 여러 가지 크기의 근관용 리머(reamer)의 끝에 외력을 가하였을 때 발생하는 굽힘 모멘트와 처짐각 사이의 관계를 도시한 것으로, 인장시험시의 응력-변형률 곡선과 유사한 양상을 나타내고 있다. 처짐각이 직선

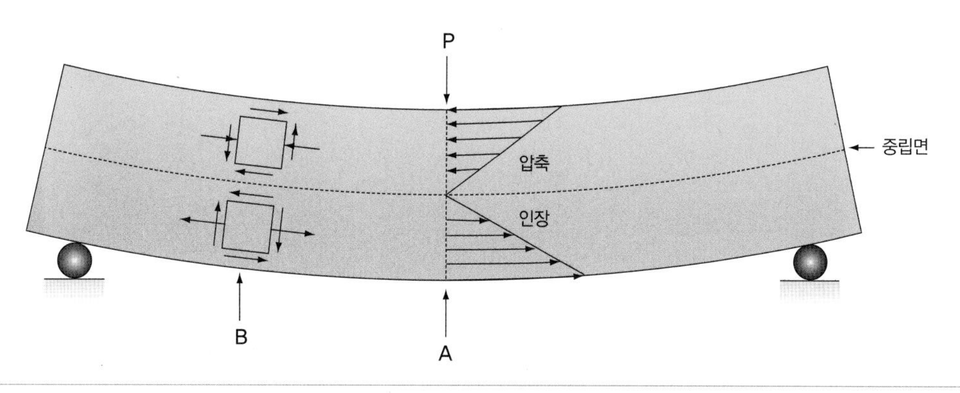

그림 4-12. 3점굽힘시 시편 내부의 응력상태

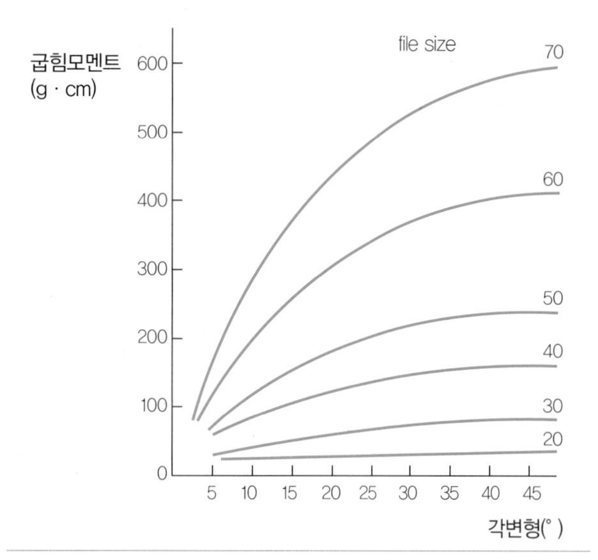

그림 4-14. 근관용 리머(20-70 series)의 굽힘 시 굽힘 모멘트와 처짐각 사이의 관계

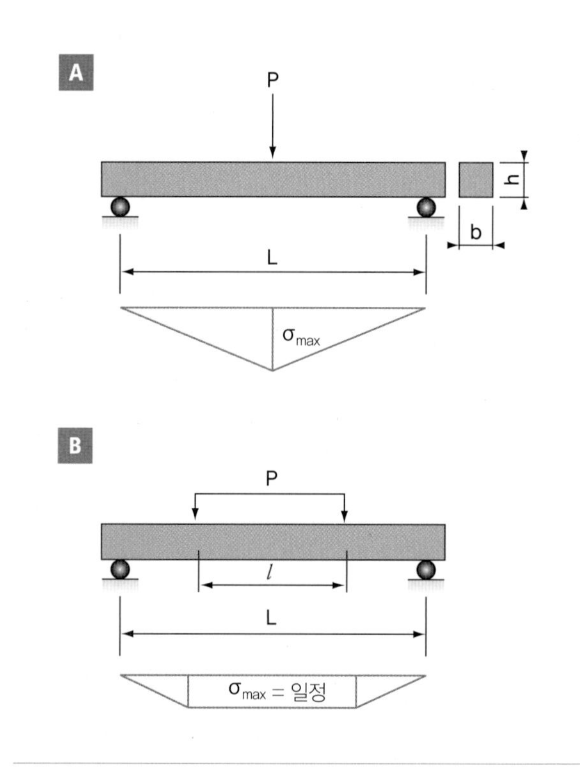

그림 4-15. A 3점굽힘시험, B 4점굽힘시험 모식도

부를 초과할 경우에는 영구변형이 일어나므로 리머가 휘어지게 된다. 리머의 직경이 증가할수록 직선부의 경사각이 증가하나반대로 직선부의 길이는 짧아진다. 따라서 직경이 큰 리머는 상대적으로 작은 각변형에 의해서도 영구변형이 일어나 휘어질 수 있다.

세라믹, 석고 등의 취성재료의 굽힘강도(flexural strength)를 평가하기 위해 3점굽힘시험(3-point bending test)과 4점굽힘시험(4-point bending test)이 널리 적용되어 왔다(그림 4-15). 굽힘강도는 학자에 따라 휨강도(bending strength), 굴곡강도(transverse strength) 또는 modulus of rupture로 쓰기도 한다. 3점굽힘 시에는 중앙 하중점에 최대인장응력이 발생하지만, 4점굽힘 시에는 중앙부의 하중점 사이에서 인장응력이 작용하므로 상대적으로 시편에 존재하는 결함이 강도에 영향을 줄 확률이 높아진다. 이러한 이유로 동일 시편을 측정한다면 일반적으로 4점굽힘강도 값이 3점굽힘강도 값보다 낮은 결과로 나타난다. 양단을 단순 지지한 경우의 3점굽힘강도와 4점굽힘강도는 다음 식을 사용하여 도출한다.

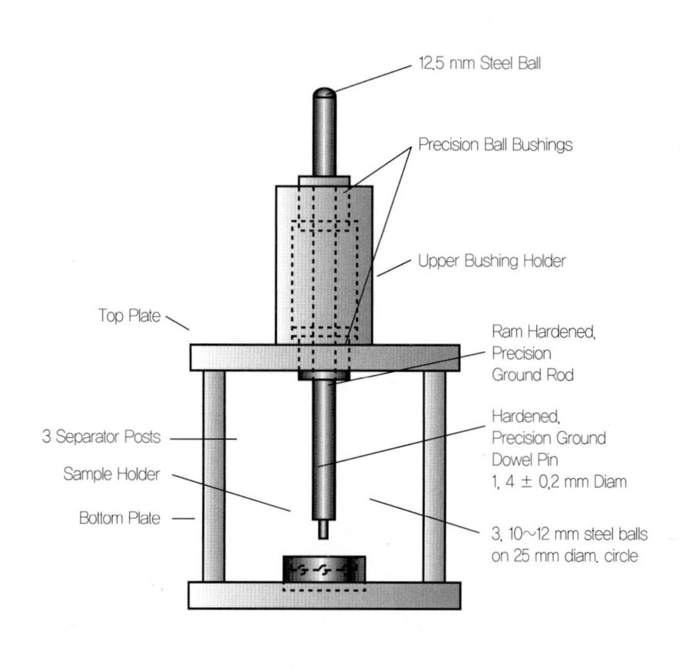

그림 4-16. 디스크 시편의 이축굽힘시험(ISO 6872) 모식도

$$3점굽힘강도\ \sigma = \frac{3PL}{2bh^2} \quad 4\text{-}13$$

$$4점굽힘강도\ \sigma = \frac{3P(L-\ell)}{2bh^2} \quad 4\text{-}14$$

여기에서, P는 파절하중, L은 지점간의 거리, ℓ은 하중점간의 거리, b는 시편의 폭, h는 시편의 두께이다.

두께가 얇은 취성재료의 굽힘강도를 평가하기 위해 종종 원판상의 시편을 이용한 이축굽힘시험(biaxial flexure test)이 적용되고 있다. 시편의 지지와 하중을 가하는방식에 따라 여러 가지 측정법이 제안되었으나, 원주상의 3위치에서 시편을 지지하고 중앙부에서 하중을 가하는 방식인 piston-on-three-ball 법이 치과용 세라믹 수복재료의 굽힘강도 시험에 대한 국제규격(ISO 6872)으로 널리 적용되고 있다(그림 4-16). 3점굽힘시험과 4점굽힘시험과 같은 일축굽힘시험은 이론적으로 잘 정립되어 있기는 하지만, 시편을 정교하게 제작하기 쉽지 않고 또한 시편의 모서리 결함으로부터 파절이 나타나 부정확한 굽힘강도가 얻어질 수 있는 장점이 있다. 2축굽힘시험에서는 중앙 하중점 하부에서 최대 인장응력이 발생한다. 따라서 시편의 모서리 결함에 의한 영향이적고, 약간 굽은 시편에 대해서도 굽힘강도를 측정할 수있는 장점이 있다. 또한 구강내에서 보철수복재료가 받는응력은 일축 응력이 아니락 여러가지 방향의 응력이 혼재되어 있는 양상이다. 이러한 이유로 치과용 세라믹 수복재에 대하여 일축굽힘시험과 함께 이축굽힘강도 시험도 빈번하게 이루어진다.

그림 4-16의 이축강도는 다음 식에 의하여 결정한다.

$$이축굽힘강도\ \sigma = -0.2387P\ (X - Y\ )/t^2$$

$$X = 1(+\upsilon)ln(b/c)^2 + [(1+\upsilon)/2](b/c)^2$$
$$X = 1(+\upsilon)\ [1+ ln(a/c)^2] + (1-\upsilon)(a/c)^2$$

여기서 υ는 재료의 프아송비, a는 시편 지지링의 반경, b는 하중 지역의 반경 (또는 하중 핀의 반경), c는 시편의 반경, t는 시편의 두께를 나타낸다.

6. 결합강도

치과치료 과정에서는 치질과 수복재 또는 수복재와 수복재가 결합되는 경우가 많으므로 계면에서의 결합력을

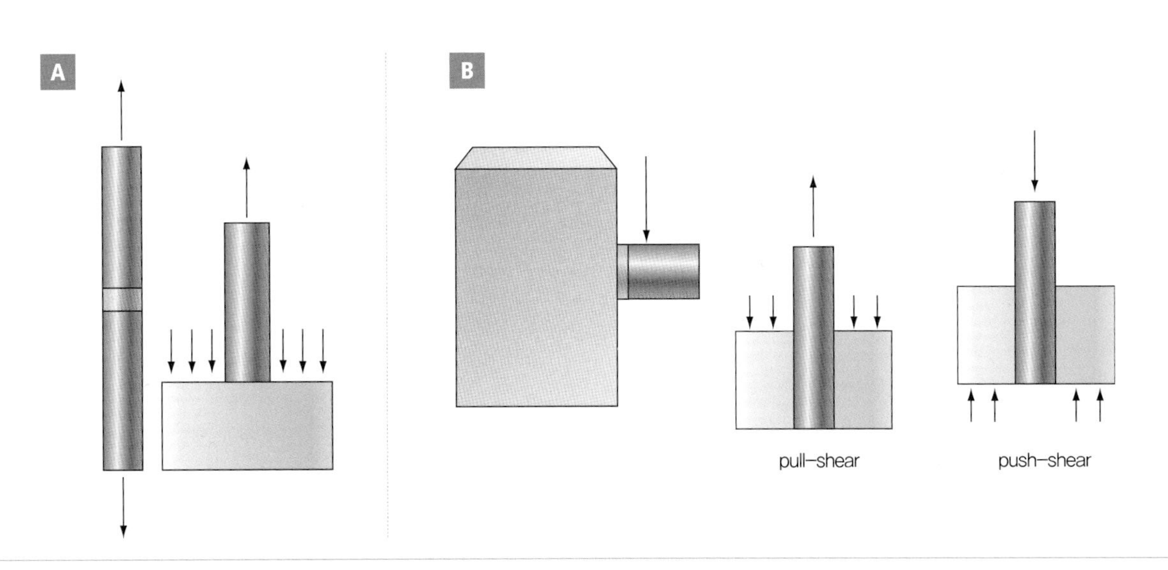

그림 4-17. 인장결합강도 A와 전단결합강도 B의 측정

평가하기 위해 인장이나 전단에 의한 강도측정법이 빈번하게 적용되고 있다(그림 4-17).

1) 인장결합강도(Tensile bond strength)

결합계면에서 접착재와 피착체 사이의 순수한 결합력을 측정하는 방법으로, 결합계면에 수직한 방향으로 인장력을 가하여 재료를 파절시킨 다음 작용력 P를 결합부의 단면적 A로 나누어서 강도를 계산한다.

$$\sigma = \frac{P}{A} \qquad \text{4-15}$$

2) 전단결합강도(Shear bond strength)

결합계면의 전단에 대한 저항력을 측정하는 방법으로, 결합계면에 나란한 방향의 힘을 가하여 재료를 파절시킨 다음 작용력을 결합부의 단면적으로 나누어서 강도를 계산한다. 전단결합강도는 두 재료가 평면상의 결합계면을 갖는 경우와 원주상에 띠상의 결합계면을 갖는 경우로 분류할 수 있다.

- 평면상에 원형의 결합계면을 갖는 경우

$$\tau = \frac{P}{\pi d^2/4} \qquad \text{4-16}$$

- 원주상에 띠상의 결합계면을 갖는 경우

$$\tau = \frac{P}{\pi dh} \qquad \text{4-17}$$

7. 피로

파괴가 일어날 가능성이 없는 낮은 응력수준에서도 반복적이거나 주기적인 응력이 작용할 때 일어나는 파괴현상을 피로(fatigue)라 한다. 모든 재료는 준비과정에서 다소의 내부결함, 불균질성 또는 원자배열의 흐트러짐 등을 포함하므로, 낮은 응력이 작용하는 경우에도 완전한 탄성거동을 나타내지 않는다. 따라서 항복점 이하의 낮은 응력수준에서도 응력이 반복적으로 작용하면 미시적으로 변형이 축적되어 재질의 변화가 일어나고, 균열 직전의 진전을 보이다가 반복 횟수가 어떤 한계를 초과하면 돌연 불안정 파괴가 일어난다. 서로 상대적인 운동을 하고 있는 재료나 기계부품에 반복응력이 작용하면 피로와 더불어 마모가 일어난다. 피로는 외형상의 변화를 거의 수반하지 않고 진행되어 갑자기 파절이 일어나는 취성파괴 양상을 보이므로 큰 사고의 원인이 되는 경우가 많다. 거시적으로 파괴는 주인장응력의 방향에 수직인 것이 보통이며, 균열은 뾰족한 모서리나 노치 등의 응력집중점, 개 재물과 같은 금속조직상의 응력집중점 및 결함부에서 시작된다. 일단 균열의 핵이 생성되면 균열은 주기응력이나 반복응력의 작용으로 전파되기 시작하고, 이것이 어떤 한계에 도달하면 돌연 빠르게 진전되어 최종 파괴가 일어난다.

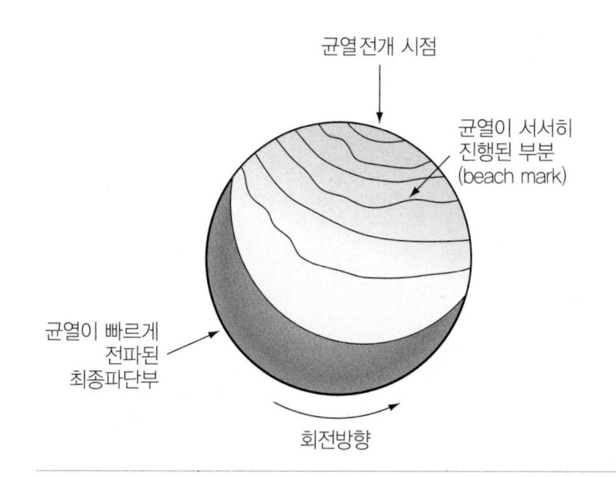

그림 4-18. 회전-굽힘 피로시험 시의 파면 양상

그림 4-18의 회전-굽힘 피로시험의 파면으로부터 관찰할 수 있듯이, 피로 파면은 크게 두 영역으로 분류할 수 있다. 하나는 균열이 단면을 가로질러 서서히 전파되는 과정에서 생성된 영역으로, 벌어진 두 표면사이의 마찰작용으로 인해 파괴 시작점으로부터 내부로 진행된 일련의 줄무늬로서 조개껍질 무늬(clamshell) 또는 해변의 물결자국(beach mark)으로 표현하기도 한다. 또 하나는 파괴되지 않고 남아있는 단면적이 작아져서 더 이상 작용한 외력에 저항할 수 없게 됨에 따라 균열이 빠르게 진전되어 파절된 거친 영역이다.

피로시험기는 하중의 작용방식에 따라 인장압축, 평면굽힘, 회전굽힘 및 비틀림 장치 등으로 분류한다. 피로시험은 일반적으로 정현파(sine wave)형의 주기응력을 작용시켜 파괴가 일어날 때까지의 응력반복횟수를 측정하는 것이지만, 필요에 따라 삼각파, 사각파 및 random파를 작용시키기도 하며, 응력진폭의 범위에 따라 양진응력(completely reversed stress)과 편진응력(pulasting stress)으로 분류하고 있다. 파괴가 일어날 때까지의 응력반복횟수를 나타내는 피로수명은 응력진폭(stress amplitude)의 범위에 크게 영향을 받는다. 작용한 응력수준(S)을 종축에 표시하고 응력의 반복 횟수(N)를 대수좌표로 횡축에 표시할 경우, 응력수준과 피로수명 사이에서는 응력수준이 감소함에 따라 피로수명이 증가하는 반비례의 관계를 나타낸다. 그러나 어떤 한계 이하에서는 응력반복횟수가 증가하여도 파괴가 일어나지 않으며, 이 때의 최대 응력을 피로한도(fatigue limit) 또는 내구한도(endurence limit)라고 한다(그림 4-19). 반복응력과 피로수명이 반비례의 선형관계를 보이는 경우에는 식 4-18과 같이 표시하는 것이 가능하다.

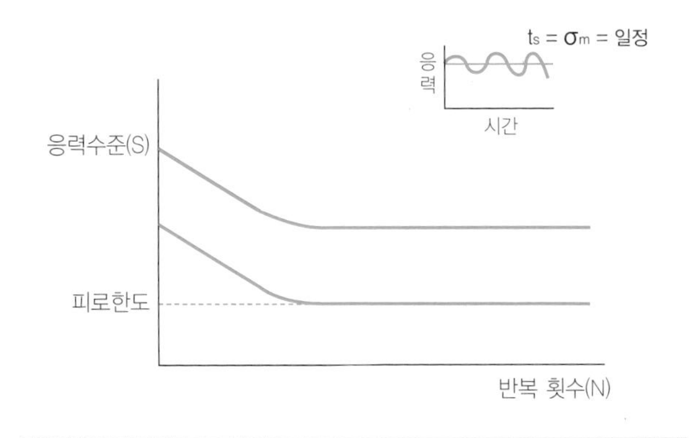

그림 4-19. 피로수명 곡선(S-N curve)

$$N = AS^{-n} \quad \text{4-18}$$

여기에서, A와 n은 재료의 피로특성을 나타내는 상수이다.

구강 내 컴포짓트 레진 수복물은 피로로 인해 충전 후 시간이 경과하면서 파절강도의 저하가 일어날 수 있으며 파절양상은 기질 레진과 필러(filler)의 종류, 필러의 함량, 형상 및 크기, 실란의 결합효과 등에 의존한다. 복합레진의 피로파괴 양상은 필러 함량이 적은 경우 응력수준이 감소함에 따라 피로수명이 증가하는 반비례의 높은 상관관계를 보이지만, 필러의 함량이 많은 경우에는 이 같은 상관관계를 보이지 않고 파괴는 일차적으로 기공과 같은 결함에 크게 의존한다.

8. 크리프

재료에 외력이 단시간에 걸쳐서 작용할 때, 탄성한계 이하의 하중조건에서는 하중이 증가하지 않는 한 변형이 증가하지 않는 것으로 알려져 있다. 그러나 하중이 장시간에 걸쳐 작용하면 시간이 경과하면서 변형이 서서히 증가하게 되는데, 이것을 크리프(creep)라 한다. 크리프의 정도는 온도가 높고, 작용력이 크고 하중의 작용시간이 길수록 커진다(그림 4-20). 아말감 수복물에 교합력이 작용하여 크리프가 일어날 경우, 항복강도보다 낮은 응력하에서 변형이 일어나게 되므로 교합면의 형상이 변하거나 변연부가 돌출되는 현상이 일어날 수 있으며, 이 때문에 변연파절이나 음식물 찌꺼기의 정체로 인한 2차우식 등이 발생할 수 있다. 클라스프와 교정용 선재를 장시간 사

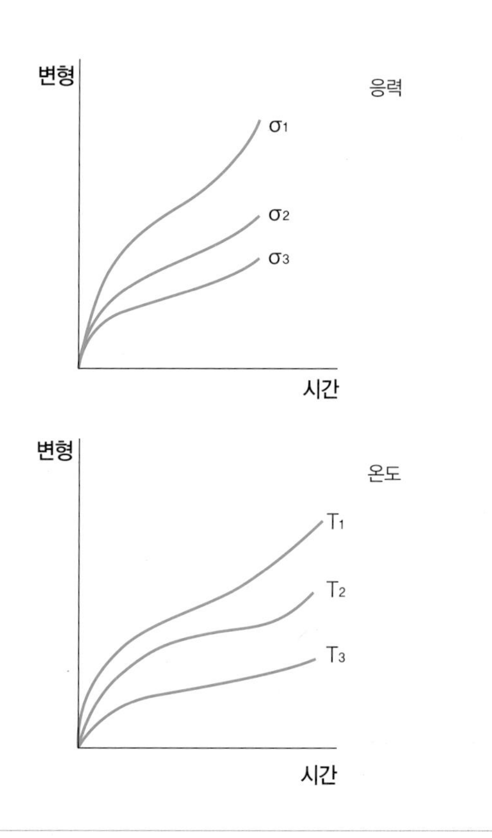

그림 4-20. 작용력과 온도에 따른 크리프의 변화

용하였을 때 이들의 특성이 저하되는 것도 크리프에서 기인한 현상의 일례이다.

9. 흐름

흐름(flow)은 크리프와 유사한 현상으로, 정하중의 작용 시에 나타나는 비정질재료의 분자 간의 미끄러짐에 기인한 유동현상을 일컫는 말이다. 비정질의 구조를 갖는 글라스나 고분자재료는 유리전이온도 부근에서 외력이 작용하면 점성유동으로 인한 흐름이 발생할 수 있다. 고무 인상재와 합착용 시멘트 등의 연화물에 정하중이 작용할 때 나타나는 연화물의 퍼짐 정도로써 흐름성을 측정하기도 하지만, 이것은 점조도(consistency)라 부르며 흐름성과는 구별되어 쓰인다.

10. 경도

경도(hardness)는 재료의 작은 부분에 외력을 가하여 변형시킬 때 나타나는 영구변형에 대한 저항력의 크기로 표시한다. 경도시험은 인장시험보다 훨씬 간편한 비파괴적인 방법으로, 압입자국이 작아서 재료의 재사용에 크게 영향을 미치지 않기 때문에 품질관리의 측면에서 널리 적용된다. 일반적으로 경도가 높은 딱딱한 재료는 강도와 내마모성이 크고 연신율과 단면수축률이 작을 것이므로, 경도 값을 통하여 재료의 기계적 성질을 예측해 볼 수 있다. 측정방법은 사용목적, 시편의 재질과 형상 등에 따라서 여러 가지 종류가 있으며, 경도값은 보통 표준물체를 이용한 압입, 반발, 마모 등에 대한 저항성의 크기로 표시한다.

금속의 경도는 금속의 소성변형 정도에 따라 변화하므로 특정 금속의 경도와 강도 사이의 관계를 실험적으로 결정할 수 있다. 피로시험 시의 반복응력의 수준을 예측하기 위해서는 인장강도가 요구되지만, 인장강도를 알 수 없는 경우에는 H_B 또는 H_V값의 1/3을 인장강도(kg/mm^2)로 가정함으로써 근사적으로 인장강도를 예측할 수 있다. 경도는 재료의 내마모성의 지표가 되기도 하지만, 마모는 여러 가지 인자가 복합적으로 관계되어 일어나므로 내마모성의 지표로 사용할 때는 많은 제한이 따른다. 같은 종류의 재료에서 경도는 내마모성의 지표로 삼을 수 있지만, 서로 다른 종류의 재료에서 경도와 내마모성을 관련시켜 생각해서는 기계적 특성 값도 마찬가지이다.

1) 압입경도시험

압입(indentation)에 의한 경도시험에서는 압자로서 구,

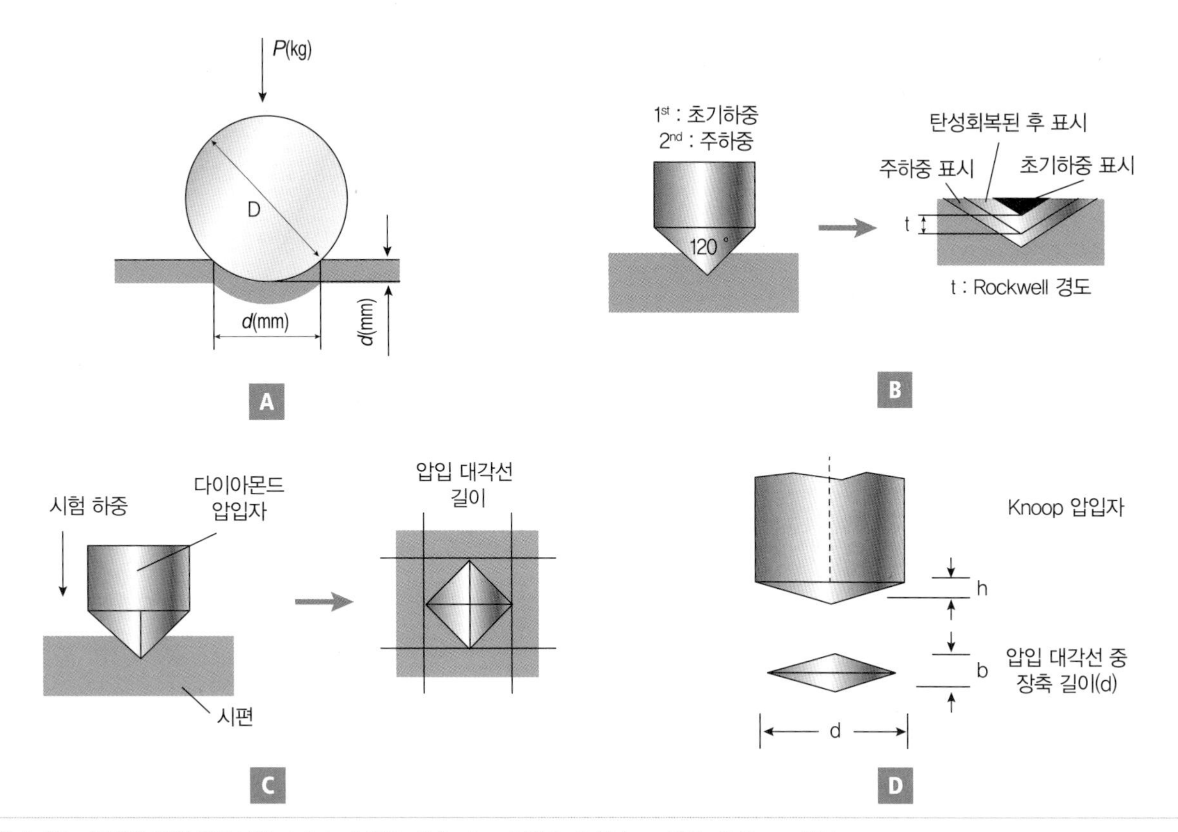

그림 4-21. 압입에 의한 경도시험 A Brinell 경도, B Rockwell 경도, C Vickers 경도, D Knoop 경도

원추, 피라미드(pyramid) 등이 사용되며, 용도에 따라 특수하게 제작된 경도시험기가 사용되기도 한다. 압입에 의한 경도시험에서는 Brinell, Rockwell, Vickers, Knoop 등의 경도 측정법이 널리 적용되고 있다(그림 4-21).

(1) 브리넬 경도시험

Brinell 경도시험은 강철구를 정적으로 일정시간 동안 재료의 표면에 압입한 다음, 압입에 의하여 형성된 자국의 표면적으로 압입하중을 나누어서 경도치를 표시하며, 표준시험에서는 직경 10 mm의 강철구가 이용된다.

$$H_B = \frac{P}{\frac{\pi D}{2}(D-\sqrt{D^2-d^2})} \quad \text{4-19}$$

여기에서, P는 압입하중, D는 강구의 직경, d는 압흔의 직경이다.

(2) 락크웰 경도시험

Rockwell 경도시험은 강철구나 원추 모양의 다이아몬드 압자(indenter)를 재료의 표면에 정적으로 압입하는 방법으로, 재료의 종류에 따라 압자의 크기와 하중조건을 달리하고 있다. 경도 측정 시에는 처음 일정한 초기하중을 작용시키고, 여기에 주하중을 일정시간 동안 가한 다음, 주하중을 제거한 상태에서 경도를 측정한다.

Brinell 경도와 Rockwell 경도시험은 쉽게 소성변형이 일어나는 금속재료의 경도측정에는 적합한 방법이지만, 탄성회복력이 큰 재료와 취성이 있는 재료의 경도측정에는 적합하지 않다.

(3) 비커스 경도시험

비커스(Vickers) 경도시험은 꼭지각의 대면각이 136°인 다이아몬드 압자(diamond pyramid)를 재료의 표면에 정적으로 압입하는 방법으로, 경도값(Hv)은 압입하중을 압흔의 표면적으로 나눈 값으로 표시한다. 경도값 계산을 위해 일반적으로 압흔의 표면적을 대각선 길이로 환산하여 표시한 다음의 식이 이용된다.

$$Hv = 1.854\frac{P}{d^2} \quad \text{4-20}$$

여기에서, P는 압입하중(kg), d는 표면에 형성된 압흔의 대각선의 길이(mm)이다.

비커스 경도는 금속재료와 취성재료의 경도측정에 적합하므로, 치과 주조용 합금, 취성을 갖는 치과용 접착재, 세라믹재료 및 치아 경조직 등의 경도측정에 이용되고 있으나, 탄성에 의한 회복력(elastic recovery)이 큰 재료의 경도측정에는 적합하지 않다.

(4) 누프 경도시험

누프(Knoop) 경도는 측정원리가 비커스 경도와 같지만, 능형의 대각선 비가 7.11 : 1인 다이아몬드 압자를 사용하므로 작은 압입하중에 의해서도 압흔을 형성하는 것이 가능하고, 압흔의 깊이가 장축 대각선의 1/30로 아주 낮으므로 표면의 미소경도 측정에 널리 적용되고 있다. 경도값(H_k)은 압입하중을 압흔의 표면적으로 나누어 표시하며, 일반적으로 압흔의 표면적을 대각선 길이로 환산하여 표시한 다음의 식이 이용된다.

$$H_K = 14.22\frac{P}{d^2} \quad \text{4-21}$$

여기에서, P는 압입하중(kg), a는 표면에 형성된 압흔의 장축 대각선의 길이(mm)이다. 누프 경도는 탄성에 의한 회복력이 있는 재료의 경도 측정에 적합하다. 또한 비커스에 비하여 압입깊이가 낮으므로 코팅층과 같은 코팅층과 같이 두께가 얇은 재료의 경도 측정에도 적용할 수 있다. 경도 측정에 유리하다.

2) 반발경도시험(Rebound test)

반발경도시험은 지정된 높이에서 재료의 표면에 추를 낙하시켜 반발되는 높이를 측정하거나, 탄력성이 큰 고무 등의 재료에 압흔침을 눌러 관통되는 정도를 측정하는 경도시험법이다.

(1) 쇼어(Shore) 경도시험

전술한 정적 압입시험과는 달리 쇼어 경도 시험에서는 동하중을 작용시켜 경도를 측정한다. 즉 선단반경 1 mm의 다이아몬드를 끼워 넣은 일정한 형상과 중량을 갖는 해머를 규정된 높이에서 낙하시켜 반발하는 정도로부터 경도를 측정한다. 시험기의 종류는 반발높이를 눈으로 읽는 목측형(C형)과 다이얼 게이지로 읽는 형식(D형)이 있다.

쇼어 경도계는 간편하고 해머의 무게가 경량이므로 압흔이 거의 남지 않는 점 등으로 인해 제품의 품질검사에 널리 적용된다. 제품의 품질검사에 널리 적용되고 있다. 비교적 탄성률이 차이를 보이지 않는 재료의 경도를 비교할 때 높은 신뢰도를 갖지만, 시험재료의 탄성효과와 표면의 평활 정도에 대한 오차가 발생하기 쉬우므로 시험 표면을 잘 연마해야 한다.

(2) 쇼어에이(Shore A) durometer를 이용한 경도시험

고무와 같이 탄력성이 있는 재료는 압입에 의해 경도를 측정하는 것이 불가능하므로, 재료의 표면에 일정한 하중을 가하여 침을 압입한 다음 반발하는 정도로부터 경도를 측정한다. 이 방법은 동일한 목적으로 사용되는 고무와 같은 탄성재료를 비교하거나 사용 중에 재료의 탄성적 특성이 변화하는 재료의 평가를 위해 적용되고 있다.

11. 파괴

파괴(fracture)란 재료가 응력에 의하여 2개 또는 그 이상으로 분리되어 파손되는 것을 말한다. 파괴의 형태는 연성재료와 취성재료에서 다르게 나타난다. 연성재료에서 일어나는 파괴는 재료가 소성변형을 일으켜 외부형상이 변화된 후 일어나며, 균열진전 속도가 느리기 때문에 파괴가 일어날 때까지 많은 양의 에너지가 소모된다. 반면 취성재료에서 일어나는 파괴는 재료의 외부 형상이 거의 변화하지 않고 균열이 벽개면(cleavage plane)을 따라서 빠르게 전파되어 일어난다(그림 4-22).

1) 파괴에 대한 재료역학적 관점

일반적으로 재료는 복잡한 응력 상태에 있기 때문에 재료의 파괴조건을 평가하기 위해서는 재료 내에 발생하는 응력상태와 파괴의 관계를 이해해야 한다. 재료에 탄성한계를 초과하는 외력이 작용하면 소성변형이 일어난다. 일반응력상태에서는 소성변형조건(항복조건)을 명확하게 설명하는 것이 용이하지 않으므로 비교적 설명이 용이한 3차원 응력상태에서의 결과를 일축 인장시험 시의 결과와 비교하고 있으며, Von Mises의 항복조건(최대변형에너지이론)과 Tresca의 항복조건(최대전단응력이론)이 널리 적용되고 있다. Von Mises의 항복조건설에서는 정수압력과 같은 등방향 응력은 항복에 영향을 미치지 않으므로, 주응력들의 편차 조합으로 조합으로 표시된 식 4-22이 일축인장시의 항복응력 Y에 이르면 항복이 일어나는 것으로 간주한다. Von Mises의 항복조건설은 취성재료의 파괴거동과 아주 적절하게 일치하는 양상을 보인다.

$$(\sigma_1-\sigma_2)^2+(\sigma_2-\sigma_3)^2+(\sigma_3-\sigma_1)^2 = 2Y^2 \qquad 4\text{-}22$$

Tresca의 항복조건설은 재료 내에 발생하는 최대전단응력이 단순인장시의 항복전단응력에 도달할 때 항복이 일어난다는 것이다. 최대전단응력은 최대 주응력과 최소 주응력의 차의 1/2로 표시되므로, 이 값이 일축인장 시의 최대전단응력 Y/2에 도달할 때 항복이 일어나는 것으로 간주한다(식 4-23). Tresca의 항복조건설은 연성재료의 파괴거동과 적절하게 일치하는 양상을 보인다.

$$\tau_{max}=\frac{\sigma_{max}-\sigma_{min}}{2}=\frac{Y}{2} \qquad 4\text{-}23$$

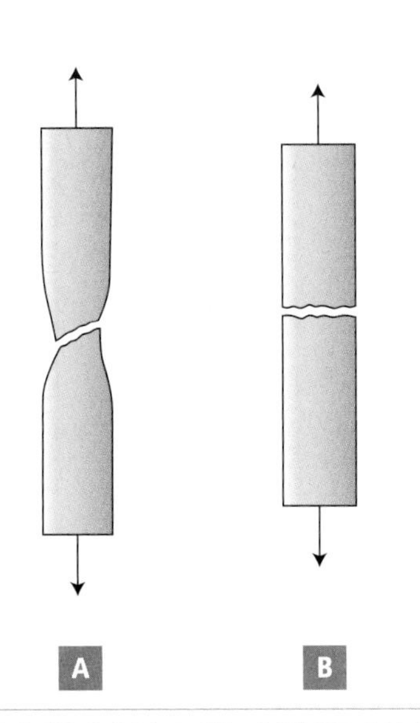

그림 4-22. 인장시험에서 볼 수 있는 연성재료 A와 취성재료 B의 파괴 형태

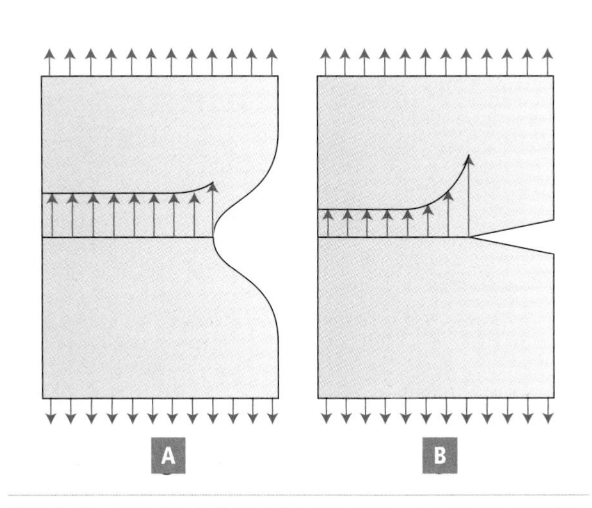

그림 4-23. 연성재료 A와 취성재료 B의 결함부 주위에서의 응력분포

2) 파괴에 대한 파괴역학적 관점

이제까지의 강도시험에서는 재료 내에 존재하는 결함에 대해서 언급하지 않았지만, 재료 내의 결함이 강도에 민감하게 영향을 미치는 취성재료에서는 강도를 평가할 때 결함이 어떤 조건에서 진전되어 파괴가 일어나는지 살펴볼 필요가 있다. 결함이나 균열은 재료 내에 자연적으로 생성되기도 하지만, 사용 중에 시간이 경과하며 생성될 수도 있다. 어떤 경우에도 결함은 재료를 약화시키므로 실제 허용한계보다 낮은 응력상태에서 파괴가 일어날 수 있다. 사용 중에 외부형상의 변화 없이 일어나는 갑작스런 파괴는 소성변형 능력이 없는 취성재료의 대표적인 파괴 양상으로, 파괴역학적 개념을 도입함으로써 재료의 설계와 파괴에 대한 기초를 확립할 수 있다.

결함이 재료의 파괴에 미치는 영향을 살펴보기 위해, 그림 4-23의 연성재료(A)와 취성재료(B)의 결함부에서의 응력분포를 살펴보겠다. 외력이 작용하는 경우 연성재료는 소성변형으로 인해 균열의 형상이 둔화되며 응력의 완화가 일어나지만, 취성재료에서는 거의 소성변형이 일어나지 않으므로 균열선단에 응력이 집중되어 확대가 일어나고 균열선단에 응력이 집중되면서 확대가 일어나고, 이 확대된 응력이 허용한계를 초과하면 돌연 불안정 파괴가 일어난다(그림 4-24). 응력의 확대 정도를 표시하는 응력확대계수는 작용한 응력과 결함크기의 제곱근에 비례하는 관계를 갖는다.

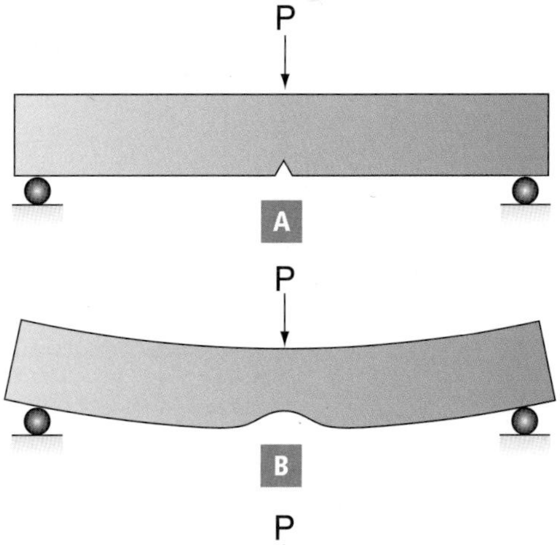

그림 4-24. A 3점굽힘시험, B 연성재료, C 취성재료의 굽힘시험 양상

3) 파괴인성의 측정

파괴인성(fracture toughness)은 인장응력이 작용하는 상태에서 재료 내의 미세한 결함부에서 비롯된 균열이 빠르게 성장하여 불안정파괴를 일으킬 때의 응력확대계수로 표시하며, 취성재료에서는 파괴에 대한 저항성의 크기를 표시하는 유용한 기준으로 활용되고 있다. 파괴인성을 측정할 때 금속재료에서는 시편에 피로균열을 삽입하는 방법으로 표준화되어 있다. 세라믹재료와 같은 취성재료의 파괴인성을 측정하는 방법으로는 파괴역학 시편을 이용하는 방법, 에너지해석법, 압자압입법 등이 있다. 이 가운데 압자압입에 의한 파괴인성(indentation fracture toughness) 측정법은 비커스 압흔으로 부터 발생하는

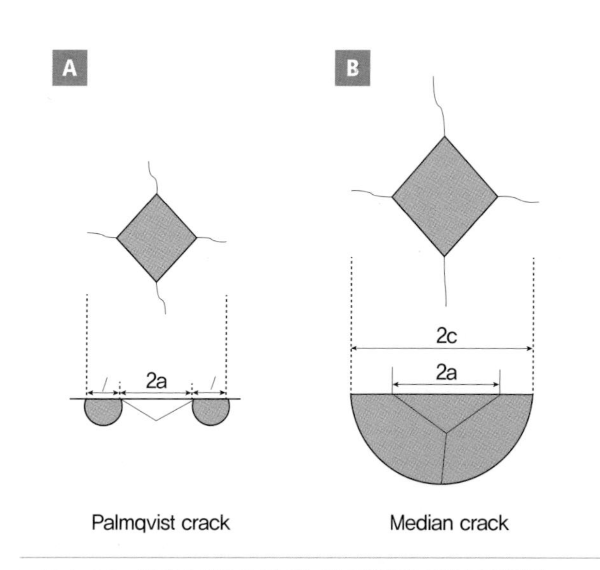

그림 4-25. 세라믹 재료의 비커스 압자압입에 의한 균열 발생

균열의 길이를 측정하여 파괴인성 값을 결정하므로 시편의 모양과 형상에 구애를 받지 않고, 한 개의 작은 시편에 대해서도 다수의 측정이 가능하므로 치과용 세라믹 재료의 파괴인성 측정에 빈번히 적용되고 있다(그림 4-25). 그렇지만, 이 방법에 의한 결과는 치과용 세라믹의 국제규격(ISO 6872)이 제시하는 single-edge-V-notch-bending (SEVNB) 등 다른 시험법의 결과와 다를 수 있으므로 해석에 주의를 요한다.

12. 유체의 유동과 점성계수

치과재료의 물리적 성질에 관하여 지금까지 논의된 내용은 고체상태의 재료에 응력을 가하였을 때의 거동에 관한 것이지만, 임상에서 사용하는 많은 재료는 액상을 유지하므로 유체의 흐름 특성에 관하여 이해하는 것이 요구된다. 정지하고 있는 액체 중에는 전단응력이 발생하지 않지만, 운동을 하고 있는 유체는 운동을 일으키는 힘에 대한 저항력을 갖게 된다. 그림 4-26에서 볼 수 있는 것과 같이, 정지된 유체의 표면에서 평판이 u의 속도로 움직일 때 상대적인 운동으로 인해 유체 내에 저항력이 발생하게 된다. 유체의 횡방향 운동에 대한 저항력은 변형속도에 비례하므로, 유체 내에 발생하는 전단응력은 다음 식으로 표시할 수 있다.

$$\tau = \mu \frac{du}{dy} = \mu \frac{d\varepsilon}{dt} \quad \text{4-24}$$

여기에서 u는 변형속도, ε은 전단변형률, du/dy 및 dε/dt은 변형속도(strain rate), μ는 점성계수(viscosity)이다.

점성계수는 유체의 흐름에 대한 저항성의 크기를 나타내며, 점성의 단위로는 poise (g/cm · sec) 또는 centipoise (1 p = 100 cp)가 널리 사용된다. 표 4-4는 몇 가지 재료의 점성계수를 나타낸 것이다. 20℃ 물의 점성계수가 1 cp이므로, 액체 상태에서 대부분의 치과재료는 물에 비해 높은 점성을 갖는 것을 알 수 있다.

점성계수가 변형속도에 관계없이 항상 일정한 값을 갖는 유체를 이상유체 또는 Newton 유체라 한다. Newton 유체에서는 전단응력과 변형속도 사이에 선형적인 비례관계가 성립하므로, 점성계수(μ)는 응력-변형률 곡선의 탄성계수(E)에 대응시켜 생각해 볼 수 있다. 대부분의 치과재료는 변형속도가 증가한 경우 점성계수의 감소를 나타낸다. 트레이에 담긴 인상재는 점도가 높아서 잘 흘러내리지 않지만, 시린지를 이용하면 시린지의 출구속도가 크므로 점도가 크게 감소하여 지대치의 미세한 함몰부위까지 흘러 들어가게 된다. 점성이 높은 재료를 휘저어 주

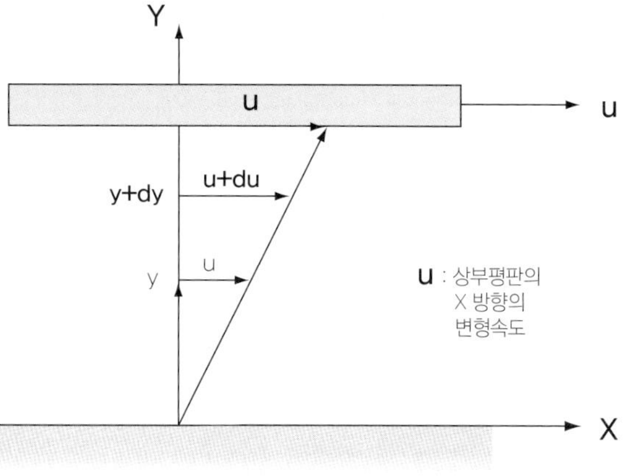

그림 4-26. 평판이 u의 속도로 움직일 때의 점성유체 내부의 변형

표 4-4. 치과재료의 점성계수

재료	온도(℃)	점성계수(centipoise)
물	20	1
인산아연 시멘트	18	43,200
	25	94,700
폴리카르복실레이트 시멘트	18	101,000
	25	109,800
알지네이트 인상재	37	252,000
실리콘 인상재(syringe)	37	95,000
실리콘 인상재(regular)	36	420,000
산화아연유지놀 시멘트	37	99,600

면 점성이 감소하지만, 가만히 두면 점성이 증가하는 현상을 요변성(thixotropy)이라 한다. 점성에 영향을 끼치는 또 다른 인자로는 온도와 시간을 들 수 있다. 대부분의 유체는 점성이 시간에 따라 변화를 보이지 않지만, 온도가 상승하면 점성이 크게 감소된다. 그러나 성분들을 혼합한 후 경화가 일어나는 몇몇 치과재료에서는 시간이 경과함에 따라 오히려 점성의 증가를 나타낸다.

13. 점탄성

앞에서 진술한 응력과 변형률 사이의 관계에서는 응력-변형률 곡선에 미치는 하중속도의 영향은 고려하지 않았다. 후크의 법칙을 따르는 완전 탄성체나 Newton의 법칙을 따르는 이상적인 점성유체는 매우 드물고, 대부분의 치과재료는 탄성과 점성이 복합된 점탄성(viscoelastic) 특성을 보이므로 하중속도는 재료의 거동에 큰 영향을 미치게 된다. 일반적으로 외력이 작용할 때 변형되는 속도가 빠르면 탄성적 특성이 크게 나타나고, 반대로 변형되는 속도가 느리면 점성적 특성이 크게 나타난다.

탄성체와 점성체의 거동은 간단한 역학적 모형을 통해 쉽게 이해할 수 있다. 탄성체는 외력이 작용할 때 즉시 변형이 일어나고 외력이 제거되면 즉시 변형이 회복되므로 스프링으로 간주할 수 있다(그림 4-27 A). 또한 점성체는 완충용액을 포함하는 충격흡수장치의 역할을 하므로 dashpot로 간주할 수 있는데, 이 경우에 변형은 외력이 제거된 후에도 회복되지 않고 남게 된다(그림 4-27 B).

그림 4-28에서 볼 수 있는 것과 같이, 점탄성적 특성을 보이는 재료는 스프링과 dashpot의 조합에 의해 모형화하여 생각할 수 있다. 점탄성체에 외력이 작용하면 일차적으로 탄성변형이 순간적으로 일어나고, 시간경과에 따라 변형이 서서히 증가하여 평형상태에 도달한다. 한편 외력이 제거되면 탄성변형은 순간적으로 회복되고, 이어서 점탄성적 변형으로 인해 시간이 경과하며 서서히 변형이 회복되지만 어느 정도의 영구변형은 남게 된다. 탄성 인상재들은 이러한 점탄성 특성을 갖는데, 함몰부(undercut)에서 제거될 때 일시적으로 변형이 일어나지만 점탄성적 성질로 인해 시간이 경과하며 변형의 일부가 서서히 회복된다. 그러나 이때 완전히 회복되지 못하는 영구변형이 남게 되는데, 인상체를 빨리 제거하면 즉 점성변형 영역을 작게하면 영구변형량을 줄 일 수 있다.

14. 강도결과의 통계 및 확률적 해석 (와이블 분석)

재료의 강도는 일반적으로 압축, 인장, 전단 및 충격 강도 등으로 측정된 후, 다수 측정된 결과들의 평균으로 기

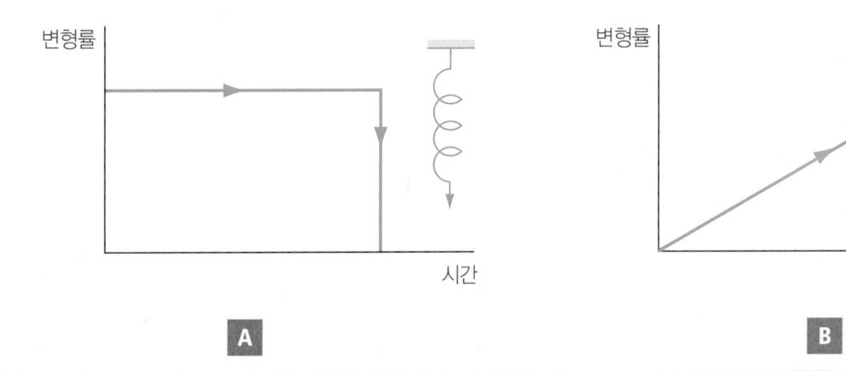

그림 4-27. 점성체와 탄성체에 대한 역학적 모형 A 탄성체, B 점성체

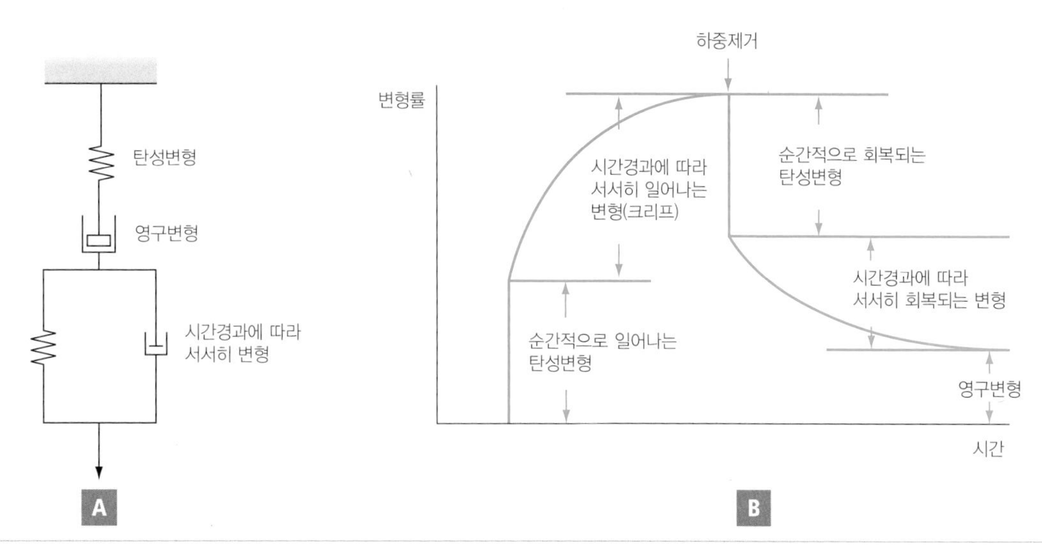

그림 4-28. A 스프링과 dashpot로 구성된 점탄성체의 일반적 모형, B 외력의 작용 시에 나타나는 역학적 거동 특성

록되며 이러한 결과들의 분포는 좌우 대칭을 이루는 가우시안 분포(Gaussian distribution)를 보인다. 하지만, 취성 재료의 경우(예를 들어, 세라믹, 복합 레진 등), 강도 결과들의 분포도가 비정상적인 가우시안 분포를 그리는 경우가 많다. 만약 취성재료의 측정된 강도 결과들이 비대칭적이고 비정상적인 분포를 보인다면, 이러한 분포는 와이블 통계(Weibull statistics)를 이용한 해석이 더 바람직할 것이다. 와이블 통계는 강도결과를 특정의 고정 값으로 인식하지 않고 확률적인 결과로 해석한다. 이때, 파괴강도는 일정한 고유의 값을 나타내지 않고 분산된 값들을 보이게 되므로, 이러한 결과의 분포도를 통하여 주어진 응력에서 파괴가 일어날 확률을 나타내는 것이 가능하게 되는 것이다. 보통 취성이 있는 치과재료의 강도결과들은 파괴응력과 파괴확률의 로그 값의 그래프로 와이블 좌표가 그려진다. 와이블 통계에서는 좌표는 주어진 하중과 가중 응력 하에서 시험 시편이 파괴되는 누적 가능성을 결정하기 위하여는 보통 30개 이상의 시편에 대한 결과가 권장된다.

와이블 통계에서 가장 중요한 변수는 와이블 계수(m)로서 이는 취성 재료의 결함의 분포 또는 파괴 확률의 로그값 대 파괴 응력의 좌표로부터 결정되는 강도의 분포도를 표현하는데 사용된다. 특히 취성 재료의 파괴 강도는 재료의 균일도의 함수를 기반으로 통계적으로 분포된다(그림 4-29).

와이블 분포는 식 4-25에 의하여 결정한다. 예를 들어 어떤 재료의 강도 값들을 그림 4-29에서와 같이 나타내고 이 그래프에서 선형회귀법으로 y=mx+b의 식을 결정하면 그 기울기값 즉 와이블 계수 m을 구할 수 있다.

$$P_f = 1 - \exp[-\sigma/\sigma_0]^m \qquad \text{4-25}$$

여기서

P_f는 파괴확률, $P_f = (i - 0.5)/N$, i는 강도 순위,

N는 총 시편개수,

m은 와이블 계수,

σ는 파괴응력,

σ_0은 scale parameter 또는 characteristic 강도(파괴 확률의 63.2%에 해당됨)

와이블 계수(m)가 낮다는 것은 강도값을 연결한 직선의 기울기가 작다는 것으로 강도 값의 분포가 큼을 의미

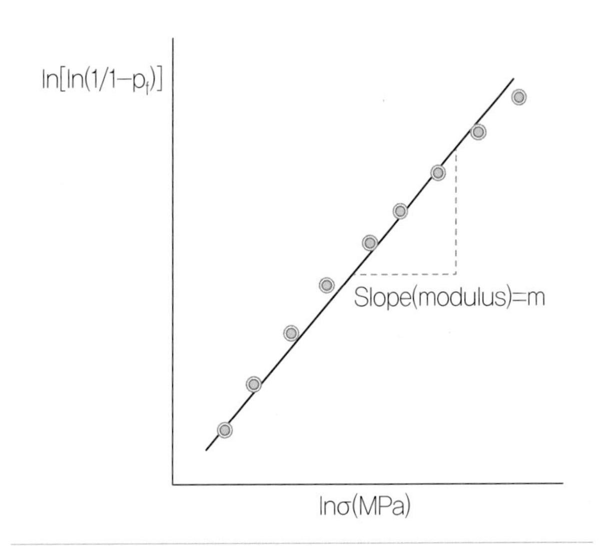

그림 4-29. 와이블 계수의 결정

한다. 즉 높은 m값의 재료에 비하여 측정 재료의 강도에 대한 신뢰도가 낮음을 의미한다. 일반적으로 취성재료인 치과용 세라믹은 5에서 15의 와이블 계수 범위를 나타내며, 연성재료인 치과용 금속은 20 이상의 와이블 계수를 가진다. 또한 재료의 와이블 계수는 일축/이축굽힘시험과 같이 시험 형태나 시편의 형상, 시편의 표면 상태에 따라 결과가 달라질 수 있으므로 결과의 해석에 주의를 해야 한다.

참고문헌

1. 김상주, 김학신 등 공역(1987). 재료과학과 공학, 희중당.
2. 김형일, 김교한 등 공역(1989). 치과재료학 입문, 군자출판사.
3. 백수현, 변재동 공역(1992). 재료공학, 보성문화사.
4. 임용운, 전수경 등(2015). 치과 보철/수복재료의 기계적 특성에 대한 규격화 시험법과 응용, Kor J Dent Mater 9:259-270.
5. Archer RR, Cook NH, Crandall SC, Dahl ND, Lardner TJ(1972). An introduction to mechanics of solids, 2nd ed., McGraw-Hill.
6. Bradt RC, Hasselman DPH, Lange FF(1974). Fracture mechanics of ceramics, Vol. 4, Plenum Press.
7. Choi BJ, Yoon S, Im YW, Lee JH, Jung HJ, Lee HH (2019). Uniaxial/biaxial flexure strengths and elastic properties of resin-composite block materials for CAD/CAM. Dent Mater 35(2):389-401.
8. Fuchs HO, Stephens RI(1980). Metal fatigue in engineering, Wiley-Interscience Publication.
9. Kenneth J. Anusavice(2013), Phillip's Science of Dental Materials 12th ed., W.B. Saunders.
10. Lawrence JK, et al.(1987). Metals Handbook, Vol. 13.
11. Leinfelder KF, Lemons JE(1988). Clinical Restorative Materials and Techniques, Lea & Febiger.
12. McLean JW(1983). Dental ceramics: Proceeding of the first international symposium on ceramics, Quintessence Publishing Co. Inc.
13. Wendler M, Belli R, Petschelt A, Mevec D, Harrer W, Lube T et al. (2017). Chairside CAD/CAM materials. Part 2: Flexural strength testing. Dent Mater 33(1):99-109.
14. Powers JM & Sakaguchi RL(2012). Craig's Restorative Dental Materials, 13th ed.
15. Williams DF, Cunningham J(1979). Materials in clinical dentistry, Oxford University Press.

생물학적 성질 05

학/습/목/표

❶ 의료기기의 생물학적 안전성 평가 방법의 종류와 원리를 학습한다.
❷ 치과의료기기의 생물학적 안전성 평가를 위한 전임상 평가 항목을 이해한다.
❸ 각 치과생체재료의 생물학적 위해성의 이해 및 실제 재료의 취급시 주의사항을 학습한다.

생체적합성(biocompatibility)이란 생체조직이나 체액에 대한 재료나 기기의 적합성을 의미한다. Dorland's 의학사전에서는 생체적합성을 '생명체와 조화를 이루면서 생물학적 기능을 저해하거나 독작용이 없는 것'으로 정의하고 있다. 치과생체재료(dental biomaterials) 역시 다른 의료기기(medical devices)와 마찬가지로 생체적합성을 갖고 있어야 한다. 과거에는 치과재료가 갖고 있어야 할 성질로서 적당한 강도, 기능성 및 심미성 등을 중요하게 여겼지만, 근자에 들어서서 생체에 대한 안전성, 즉 생체적합성이 중요한 성질로 요구된다. 따라서 치과생체재료의 생체적합성 분야의 연구는 날로 그 영역을 넓혀가고 있으며 그 중요성도 점차 증가하고 있다.

1963년 미국치과의사협회는 치과재료 및 기기의 안정성과 생체적합성에 대한 일반적인 시험방법을 정립하였고, 1972년에는 'Recommended Standard Practices for Biological Evaluation of Dental Materials'를 출판하였으며, 개정작업을 거쳐 1979년에 미국치과의사협회규격 제41호(ANSI/ADA Specification No. 41, for Recommended Standard Practices for Biological Evaluation of Dental Materials)를 제정하였다. 국제표준화기구(International Standard Organization, ISO) 역시 치과재료의 생물학적 평가방법을 제정하여 기술보고서(ISO/TR 7405)를 발표하였으며, 1997년에는 정식 표준인 ISO 7405을 제정하였다.

생체적합성과 관련하여 몇 가지 용어를 이해해야 할 필요가 있는데 Dorland's 의학사전에 의하면 생체재료(biomaterials)란 약제가 아니면서 치료, 조정 또는 신체의 조직, 기관 및 기능을 대체할 목적으로 전체 또는 그 일부로 사용되는 합성 또는 천연재료를 의미한다. 생체재료의 필수요구조건으로 생체적합성을 들 수 있다.

생체재료는 생체활성(bioactive), 생흡수성(absorbable), 및 생체비활성(bioinactive)으로 구분할 수 있다. 생체활성재료란 생체 내에서 조직과 반응하여 변화가 일어나는 재료로서 조직과 결합 내지는 조직으로 변화할 수 있는, 또는 조직의 재생을 유도할 수 있는 재료를 말하며, 생흡수성재료는 조직 내에서 분해, 흡수되어 소실되는 재료를 말한다. 생체활성재료도 일단 조직 내에서의 흡수가 일어나야 조직으로 대체될 수 있는데, 이러한 면에서 생흡수성재료와 생체활성재료의 주된 차이는 조직 내에서 흡수 속도이며, 흡수 속도가 빨라서 미처 조직이 재생되기 전에 흡수가 일어나는 재료를 생흡수성재료로 볼 수 있다. 일부 학자들은 생흡수성재료를 생체활성재료에 포함시키기도 한다. 생체비활성재료란 생체 내에서 조직과 어떠한 반응도 하지 않고 남아 있는 재료를 의미한다.

생체재료는 그 사용되는 목적에 따라 생체활성이 필요한 경우도 있고 생체비활성이 필요한 경우도 있으므로 각 경우에 따라 알맞은 것을 선택하여야 한다. 즉, 봉합사(suture silk)의 예를 들어보면 피부의 경우 봉합하고 후에 제거할 목적이라면 비흡수성인 생체비활성재료로 나일론이나 실크 소재의 재료를 선택하여야 할 것이다. 체내 장기나 심층부 봉합의 경우 후에 제거하기 위해서는 다시 수술을 시행해야 하므로 이런 경우에는 체내에서 흡수가 일어나는 생흡수성재료인 catgut를 선택하여야 할 것이다.

치과생체재료에 있어서도 생체활성재료와 생체비활성재료가 있으며 각 용도에 따라 적절히 사용될 수 있다.

1. 치과생체재료의 종류

실제로 치과재료 전부가 생체재료라 해도 과언이 아니며, 따라서 최근에는 치과생체재료란 용어를 많이 사용하고 있다. 일반재료의 큰 주류인 금속재료, 세라믹재료, 고분자재료 및 이들의 복합체인 복합재료가 모두 치과생체재료로 사용되고 있다. 치과생체재료의 대부분은 손상된 치아의 회복에 사용하는 것으로서 구강 내에서 또는 연조직 내에서 생체와 반응성이 없는 생체비활성재료이지만, 골조직의 대체나 유도, 또는 골조직과의 결합을 위해 골대체재나 치과용 임플란트의 소재로서 생체활성재료도 사용되고 있다.

금속재료는 거의 모두가 생체비활성재료로서 구강 내에서 부식되지 않고 구강조직과 반응하지 않으며 안정한 상태를 유지하여야 한다. 주로 구강 내에서 보철물이나 그 구조물로 사용되고 있다. 과거에는 부식이 적은 귀금속계 합금을 널리 사용하였으나, 경제적 요인과 기계적 성질 때문에, 가격이 저렴하고 기계적 성질이 우수한 크롬을 함유한 비귀금속계 합금을 많이 사용하고 있으며, 최근에는 티타늄 소재에 관심이 집중되고 있다.

고분자재료도 치과분야에서는 치과 보철물이나 수복물의 소재로 생체비활성재료를 사용하고 있으나, 최근 일반 의료용 생체재료로서의 고분자재료는 생체활성재료로써 활발히 연구되고 있다. 이들 재료는 대개 인공봉합사나 의약품의 전달체계용 재료, 그리고 스캐폴드용 재료로써 체내 또는 배양액 내에서 흡수되는 생흡수성재료이다.

세라믹재료는 내식성이 우수하고, 화학적 안정성이 뛰어나며 심미성이 우수하여 치과 보철물이나 수복물의 소재로 많이 사용되어 왔는데 이들은 대부분 생체비활성재료이다. 그러나 최근에는 고분자재료와 마찬가지로, 골대체재로서의 응용이 많이 연구되고 있으며 생체활성재료로서의 세라믹에 관심이 집중되고 있다.

우리나라 식품의약품안전처에서는 의료기기를 위해 정도에 따라서 4등급으로 나누고 있다. 나라에 따라서 일부 국가에서는 3개의 등급으로 분류하기도 하지만 대부분의 국가에서는 우리나라와 같이 4개 등급으로 분류하고 있다. 1등급은 위해가 매우 낮은 의료기기로서 제조자나 수입자가 신고만 하면 판매할 수 있다. 2등급은 1등급보다는 위해도가 크지만 아주 심하지는 않아서 정부에서 인정하는 기관의 승인을 받아 판매할 수 있다. 승인을 받기 위해서는 제품의 기술문서와 시험성적서를 검토받아야 한다. 체내에 이식되는 치과생체재료를 제외한 대부분의 치과생체재료들은 2등급에 속한다. 3등급과 4등급은 인체에 대한 위해도가 클 수 있는 의료기기로서 대부분 이식 의료기기이다. 3, 4등급의 의료기기는 식품의약품안전처의 허가를 받아야만 사용할 수 있다.

2. 생체적합성 시험 관련 규격

1926년 미국치과의사협회에서 최초로 생체적합성 시험에 대한 확립작업을 착수하였고, 1972년에야 비로소 미연방규격/미국치과의사협회규격(ANSI/ADA specification) 제41호로 '치과재료의 생물학적 평가를 위한 표준방법'을 제정하게 되었으며, 1982년에는 돌연변이성 시험을 위한 Ames' Test가 추가되었고, 현재의 규격은 2005년에 개정되었다.

국제표준화기구(ISO)에서도 치과생체재료의 생물학적 평가를 위한 규격 제정 작업에 착수하여 1984년에 기술보고서(ISO/7405;2008 Evaluation of biocompatibility of medical device used in dentistry)가 발간되었는데 치과재료의 분류와 이에 따른 평가시험항목 적용에 대한 기준 및 시험방법을 자세히 다루고 있어 미국치과의사협회규격과 많은 공통점을 갖고 있었다. 그러나 국제표준기구에서는 일반 의료기기의 생물학적 평가에 관한 표준(ISO 10993; Biological evaluation of medical devices)을 1992년도에 제정하면서 의료기기에 전반적으로 적용할 수 있는 생물학적 평가방법을 규정하였고, 치과생체재료의 생물학적 평가에 관한 표준도 개편작업을 거쳐 1997년에 기술보고서가 아닌 정식 표준으로서 ISO 7405, Dentistry - Preclinical evaluation of biocompatibility of medical devices used in dentistry - Test methods for dental materials를 제정하였고, 현재 개정판을 위한 작업을 계속하고 있다. ISO 7405에서는 의료기기의 생물학적 평가방법(ISO 10993)의 내용을 대폭 준용하고 치과분야 특유의 시험방법을 추가로 기술하고 있다.

ISO 10993 series의 총론적인 ISO 10993-1이 2018년에 개정되어 5판으로 출판되었고, ISO 7405 역시 2018년에 제3판으로 개정판이 출판되었다.

3. 생체적합성 시험의 분류

치과생체재료의 생물학적 평가 시험항목을 제1군, 제2군 및 제3군의 3단계로 구분할 수 있는데, 2018년 개정된 제3판에서는 ISO 10993-1 개정판에 따라 '일반(general)' 항목이 추가되었다(표 5-1). 일반은 실제 생체적합성 시험 평가 전에 실시하는 것으로 물리적 그리고/또는 화학적 자료 검토에 대한 항목이다. 이것은 독성 평가 분야의 세계적인 추세로 물질 자료를 통한 검증을 먼저 실시함으로써 불필요한 동물실험을 줄이는 한편 시간적, 경제적 이득을 얻기 위함이다.

제1군은 세포를 대상으로 독성을 평가하는 시험이고, 제2군은 생명을 가지고 있는 개체, 즉 쥐나 햄스터와 같은 소형동물을 이용하여 전신독성시험, 피부 및 점막 자극성시험, 감작성시험, 유전독성시험, 매식에 대한 국소반응 시험 등을 행함으로써 안전성을 평가하는 시험이다. 여기서 유전독성시험의 일부는 *in vitro*시험도 있다. 제3군은 최종적인 시험단계로 적용시험이라고도 하며, 원숭이, 개와 같은 큰 실험동물을 이용하여 치과생체재료를 실제 목적대로 적용하고 기능하도록 한 후 그 결과를 평가함으로써, 안전성과 유효성을 동시에 평가하는 시험이다. 여기에는 치수 및 상아질 적용시험, 치수복조시험, 근관치료 적용시험, 그리고 제3판에 추가된 치과용 골내 임플란트 적용시험이 속한다. 이러한 단계별 시험을 통하여 생산자나 연구자는 적은 비용으로 효율적인 시험평가를 수행할 수 있다. 이후 더 나아가서는 임상시험심사위원회가 설치된 의료기관에서 정부의 인가하에 인간에게도 적용하는 임상시험을 수행할 수도 있다.

4. 치과생체재료의 전임상시험 평가항목의 선정

생체재료를 임상에 적용 또는 임상시험을 시행하기 전에 안전성을 평가하기 위해 사전에 시행하는 생물학적 안전성 시험을 전임상시험(preclinical test)이라고 한다. 전임상평가를 위해서 행해야 할 시험 항목은 조직과의 접촉 양상과 접촉기간에 따라 선정할 수 있다. 과거의 국제표준이나 미국치과의사협회규격에서는 각 치과생체재료의 품목별로 적절한 시험평가항목을 추천하였으나, 현재 국제표준에서는 재료의 사용 목적, 재료가 접촉할 조직들, 접촉기간에 따라 표 5-1과 같이 전임상 시험항목을 추천하고 있다.

추천된 평가항목에 따라 최소한의 시험을 행함으로써 시험평가와 관련한 경제적, 시간적 손실을 최소화할 수 있으며, 실험동물의 희생도 최소화할 수 있다. 실험동물의 보호를 위해 많은 연구자들은 동물을 이용한 생체 내 시험(*in vivo* test)을 생체 외 시험(*in vitro* test)으로 대체하려는 노력에 매진하고 있다.

표 5-1. ISO 7405에서 추천하는 전임상 시험 평가항목

	신체접촉		표면접촉			외부연결			이식		
접촉기간	A 제한적(≤24시간) B 장기(>24시간~30일) C 영구(>30일)		A	B	C	A	B	C	A	B	C
일반	물리 그리고/또는 화학적자료		×	×	×	×	×	×	×	×	×
제1군	세포독성시험	ISO 7405 6.2절, 6.3절	E	E	E	E	E	E	E	E	E
	세포독성시험	ISO 10993-5	E	E	E	E	E	E	E	E	E
	세포독성시험	ISO 7405 부속서 B	-	-	-	E	E	E	-	-	-
제2군	지연과민반응	ISO 10993-10	E	E	E	E	E	E	E	E	E
	자극성 또는 피내반응	ISO 10993-10	E	E	E	E	E	E	E	E	E
	급성전신독성	ISO 10993-11	-	E	E	E	E	E	E	E	E
	아만성(아급성) 전신독성	ISO 10993-11	-	E	E	-	E	E	-	E	E
	유전독성	ISO 10993-3	-	-	E	-	E	E	-	E	E
	이식시험	ISO 10993-6	-	E	E	-	E	E	-	E	E
제3군	치수 및 상아질 적용시험	ISO 7405 6.4절	-	-	-	E	E	E	-	-	-
	치수복조시험	ISO 7405 6.5절	-	-	-	-	-	-	-	E	E
	근관치료 적용시험	ISO 7405 6.6절	-	-	-	-	-	-	-	-	E
	치과용 골내 임플란트 적용시험	ISO 7405 부속서 C	-	-	-	-	-	-	-	E	E

×: 위해 사정을 위해서 필요한 사전 필수 정보조사를 의미한다.

E: 위해 사정을 위해 기존의 자료로 평가할 수 없을 경우 최종적으로 실시해야 하는 것을 의미한다. 만약 의료기기가 기존에 사용되지 않던 최신 물질로 제조되었을 경우에는 반드시 실시해야 한다.

5. 시험군·대조군

생체재료의 생물학적 안전성을 시험평가하기 위해서는 시험재료의 결과를 평가해야만 하는데, 이 때 비교가 될 수 있는 대상물질을 대조군(control group)이라 하고, 반대로 시험대상의 물질을 시험군(experimental group)이라고 한다. 대조군으로 사용할 수 있는 재료는 그 재료에 대한 생물학적 반응 결과가 이미 잘 알려져 있어야만 한다. 대조군에는 독성이 있다고 알려져 있어서 시험을 하면 양성반응을 나타내는 표준화된 물질이 있는데, 이를 양성대조군(positive control)이라 하고, 독성이 없다고 알려져 있어서 시험을 하면 음성반응을 나타내는 물질을 음성대조군(negative control)이라고 한다.

치과수복재를 평가하는 시험에 사용하게 될 양성대조군은 2018년에 출판된 'ISO 7405:2018, Dentistry - Evaluation of biocompatibility of medical devices used in dentistry'의 부속서 B의 표 B-1에 나열된 물질로 고분자 수복재를 제조하여 사용하도록 권장하고 있다. 음성대조 군으로는 테플론(teflon), 고분자량폴리에틸렌(high molecular weight polyethylene, HMWPE)등을 사용한다.

6. 일반

전술한 바와 같이 물리 · 화학적 특성에 대한 자료 검토가 선행되어야 한다. 이미 전세계적으로 물질별 안전에 관한 자료가 많이 있다. 화학물질의 등록 및 평가 등에 관한 법률(화평법)은 모든 신규화학물질과 연간 1 t 이상 제조 · 수입 · 판매되는 기존 화학물질을 의무적으로 환경부 또는 지방 환경부에 등록하여 화학물질의 용도 및 제조 · 수입 · 판매량 등에 대해 보고하고 유해성, 위해성을 심사 · 평가받아야 한다는 내용의 법이다. 2011년 '가습기 살균제' 사망 사건을 계기로 화학제품에 대한 관리 강화 필요성이 대두하면서 2013년 5월 22일에 제정된 법으로, 2015년 1월부터 시행되고 있다. 그리고 이와 유사한 법이 전세계적으로 모든 나라에서 적용하고 있으므로, 따라서 각 화학물질별 안전에 관한 자료를 조사하여 데이터베이스화하고 있다. 따라서 치과의료기기의 성분을, 더 정확하게는 구강 내에 적용하였을 때 유출되어 나올 수 있는 물질과 그 양을 조사하고, 이것을 기존의 데이터베이스를 통하여 안전성을 유추해보는 과정이다. 만약 이 과정을 통해서 안전하다고 판명이 되면 추가로 동물시험을 할 필요는 없다.

7. 제1군 시험

제1군의 시험은 생체 외 시험으로서 주로 세포를 대상으로 재료의 생체적합성을 평가한다. 세포독성시험(cytotoxicity test)은 재료에 대한 세포의 반응을 평가하는 것으로 실제로 재료를 개체에 적용했을 경우 초기에 일어날 수 있는 반응과 유사하다. 즉, 초기반응에 대한 재현성이 우수하다. 이 시험은 세포의 성장이나 증식, 세포막의 안정성, 세포 내 효소의 변화 및 세포의 유전자에 대한 재료의 영향을 평가하는 것이다. 세포독성시험을 통하여 세포대사의 특정한 기전에 대한 효과를 알아볼 수 있고 많은 양의 검체를 신속하고 저렴하게 일차적으로 시험할 수 있으며 정량적인 결과를 얻을 수 있고 실제 적용시험보다 민감한 결과를 얻을 수 있다. 또한 시험방법을 표준화할 수 있는 장점도 갖고 있다. 그러나 한 번에 한 종류의 세포에 의한 결과만 얻을 수 있고 시험에 이용하는 세포도 실제 적용되는 생명체의 세포와 다르며 염증반응이나 생체의 면역반응은 평가할 수 없는 단점을 갖고 있다.

표준화된 세포실험들은 재료의 평가에 있어서 가장 기본적인 방법이 된다. 세포시험에는 대개 두 가지의 세포가 사용되는데 그 하나는 1차배양세포(primary cell)로 직접 동물 또는 사람으로부터 채취하여 배양한 세포이며, 다른 하나는 동물이나 사람으로부터 채취하여 배양하기 용이하도록 변형시킨 확립세포주(continuous cell line)이다. 1차배양세포는 생체 내 시험의 조건과 같은 세포를 이용하므로 보다 현실적인 결과를 얻을 수 있으나 배양시간이나 배양방법에 제한이 많다. 확립세포주는 1차배양세포의 변형으로 생체 내 시험의 조건을 정확히 재현할 수는 없으나 배양의 계속성이나 개체에 따른 차이를 배제할 수 있는 장점이 있다. 실제 표준화된 시험의 경우 1차배양세포는 각 개체에 따라 있을 수 있는 대사나 유전적 요인 또는 이미 갖고 있는 질환 등에 따라 시험결과의 차이가 있을 수 있기 때문에 유전적 요인이나 대사과정의 표준화가 정립된 확립세포주를 더 많이 사용한다.

세포독성시험에는 생체재료의 세포에 대한 독성작용 발현기전을 평가하는 방법에 따라 세포수 및 성장시험, 세포막 투과성시험, 생합성 또는 효소활성시험 등이 있고, 생체재료와 세포와의 접촉 방식에 따라 한천중층시험(agar diffusion test), 여과막확산시험(filter infiltration test), 상아질 격리시험(dentin barrier test) 및 직접접촉시험(direct contact test)이 있다.

1) 세포독성 평가 방법

독성발현기전을 평가하는 방법 중 가장 기본적인 것은 세포의 성장 또는 증식의 정도를 측정하는 방법이다. 세포가 시험재료에 의해 영향을 받지 않았다면, 음성대조군과 같은 정도로 증식 또는 성장을 하게 될 것이고, 만약, 영향을 받았다면 양성대조군과 음성대조군 사이의 성장 또는 증식을 하게 될 것이며, 성장 또는 증식의 정도는 단백질 정량방법을 통해서 정량화할 수 있다.

세포막의 손상여부를 파악함으로써 독성발현을 평가하는 방법이 있는데, 이 때에는 생체활성염료(Neutral Red)를 사용하는 방법과 생체비활성염료(Trypan Blue)를 사용하는 방법으로 구분할 수 있다. 두 방법 모두 세포막의 파괴정도를 평가하여 세포에 대한 독성작용의 정도를 평가할 수 있다.

세포는 생명현상을 유지하기 위해서 자체 내에서 특정 물질을 합성하고 대사작용을 위하여 효소를 분비한다. 만약 세포가 손상을 받으면 효소의 생산도 저하된다. 이러

Reduction

MTT (yellow, soluble) MTT-formazan (blue, insoluble)

A B

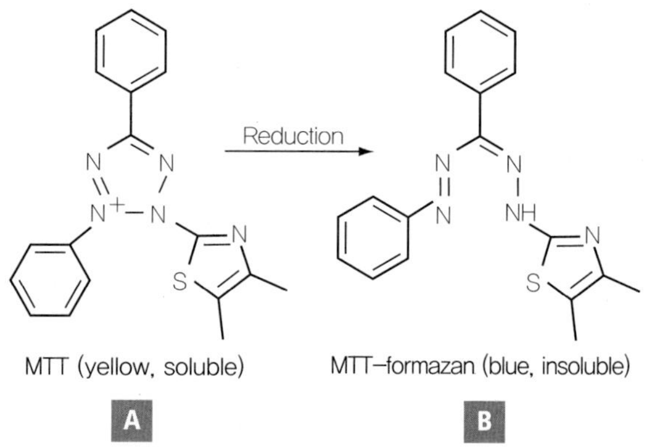

그림 5-1. MTT시험에서 색변환의 원리
A 환원 전의 MTT (수용성의 황색), B 환원반응에 의해 형성된 MTT-formazan (불용성의 청색)

한 원리를 이용하여 세포에 대한 재료의 독성작용을 평가하는 방법이 생합성시험이나 효소활성시험이다. 생합성을 평가하는 방법은 세포에서의 단백질이나 DNA합성 정도를 방사선 동위원소(예를 들어 ^{3}H-thymidine or ^{3}H-leucine)를 이용하여 측정함으로써 세포독성을 평가한다. 실제로는 생합성시험보다 효소활성시험을 주로 이용하는데 이때는 [3-(4, 5-dime-thylthiazol-2-yl)-2, 5-diphenyl-tetrazoilum bromide (MTT)]시험을 이용한다(그림 5-1). 이 방법은 환원반응에 의해 푸른색의 불용성 formazan compound인 MTT로 변화되는 기전을 통하여 세포 내 dehydrogenase의 활성을 평가하는 것이다. 만약 세포독성에 의하여 dehydrogenase의 활성이 저하되면 formazan이 형성되지 않는다. 생성된 formazan의 흡광도를 측정함으로써 세포독성을 평가할 수 있다.

2) 세포와의 접촉방법

치과재료의 세포친화성 시험으로 가장 널리 사용되는 방법은 시료를 배양하는 세포 위에 있는 한천에 접촉시키는 것이다. 실제 생체 적용에서는 재료와 세포와의 직접적인 접촉이 없으므로 몇몇 연구자들은 얇은 각화상피나

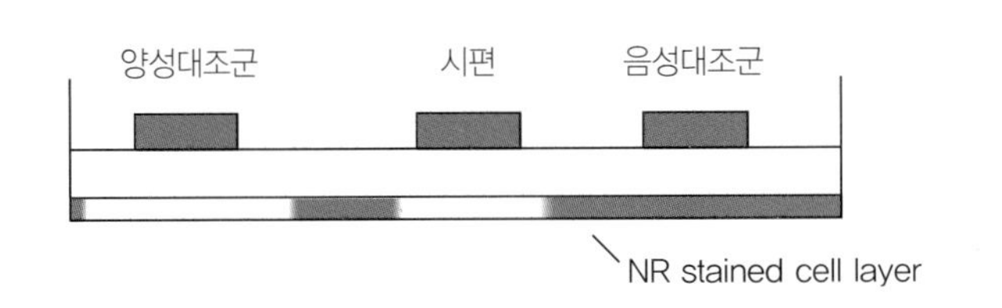

그림 5-2. 한천중층시험 양성대조군
양성대조군 밑에서는 세포막이 파괴되어 NR가 유출되어 나오고 따라서 탈색이 일어난다. 그러나 음성대조군 밑에서는 세포막을 유지하고 있어 NR의 적색을 유지한다.

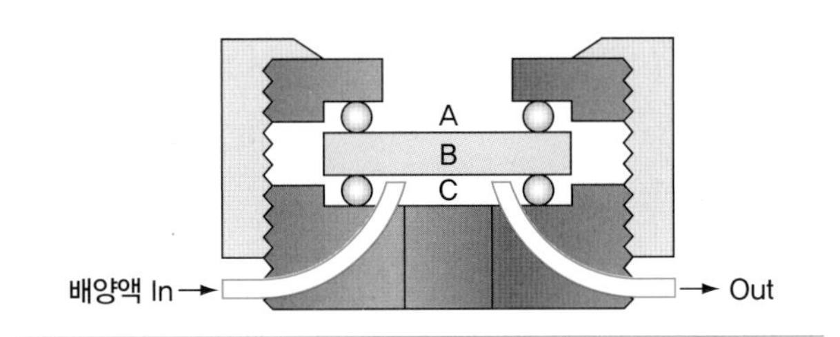

그림 5-3. 상아질 격리층을 이용한 세포독성시험
A는 상아질의 상부로서 시편을 올려놓고, B는 고정된 얇은 상아질 판으로서 C부위에 있는 세포의 격리작용을 한다.

상아질 또는 세포 외 기질을 세포와 재료 사이에 게재물로 넣어 실제 상태를 재현하는데, 이러한 방법으로 가장 흔히 사용되는 이것이 한천중층법이다(그림 5-2). 이것은 한 층의 배양세포를 neutral red와 같은 염료로 염색을 하고, 용융온도가 낮은 1% 아가를 세포가 손상되지 않을 온도로 액화시켜 덮은 다음 냉각시켜 겔화한다. 이 위에 시험대상 재료를 올려놓으면 아가는 재료와 세포 사이의 분리막 역할을 하게 된다. 양분이나 가스 및 재료의 독성성분이 투과하여 세포에 영향을 미치게 되고 이를 결과로 판정할 수 있다. 고체는 곧바로 시행할 수 있고 액체는 흡수지에 침적시켜 흡수지를 올려놓아 시행한다. 이 방법은 세포막의 손상에 따른 염색약의 변화정도와 세포 자체의 형태를 통하여 평가를 하게 되는데, 아가의 확산도가 시험마다 각각 다를 수 있고 탈색범위지수와 세포사멸지수를 확인하여 반응지수를 결정하므로 정확한 정량적인 평가는 어렵다(표 5-2).

표 5-2. 한천중층시험에서의 반응도 평가 지표

	지수	설명
탈색 지표	0	탈색 관찰되지 않음
	1	시험 재료 하방에만 탈색 부분 관찰
	2	시험 재료 바깥으로 5.0 mm 이하 탈색 부분 관찰
	3	시험 재료 바깥으로 10.0 mm 이하 탈색 부분 관찰
	4	시험 재료 바깥으로 10.0 mm 이상 탈색 부분 관찰
	5	배지 전체에 탈색 부분 관찰
융해 지표	0	세포 융해 관찰되지 않음
	1	20% 이하의 세포 융해
	2	20~40%의 세포 융해
	3	40~60% 세포 융해
	4	60~80% 세포 융해
	5	80% 이상의 세포 융해

세포와 시료 간의 격리로 millipore 여과막을 이용하는 방법이 있는데, 이 방법은 섬유성 에스테르(cellulose ester)로 만든 여과막 위에 세포를 한 층으로 접종하고 그 위에 1% 아가를 포함한 배지를 채운 후 배양물을 뒤집어서 여과막이 상부에 오도록 하고 여과막 위에 용해성 시험시편을 2시간 이상 접촉시켜서 시험재료의 성분이 여과막을 통과하여 세포에 도달되도록 하는 방법이다. 여과막을 제거한 후 세포의 대사활성도에 대한 재료의 독성을 평가하게 되는데 앞에서 기술한 succinyl dehydrogenase가 사용된다.

상아질 격리시험은 치과영역 고유의 시험방법으로 치과재료 적용에 따른 치수세포에 대한 독성을 간접적으로 평가하기 위해 변형시킨 시험방법이다. 실제 임상에서 수복치료를 하게 되면 잔존 상아질이 치수에 대한 위해물질의 차단제 역할을 하게 된다. 예를 들어 산화아연-유지놀의 경우 세포독성시험을 위해 세포에 직접 접촉시킨다면 이것은 실제 적용에서 일어나는 상황과는 거리가 있게 된다. 따라서 이러한 문제점들을 해결하기 위해 그림 5-3과 같이 원하는 두께의 상아질 절편을 만들어 배양된 세포 위에 놓고 그 위에 시험물질을 올려 놓음으로써 상아질을 통한 재료의 확산과 이에 따른 치수에 대한 위해작용을 간접적으로 평가할 수 있다. 상아질의 두께는 치수보호와 직접적인 관계가 있다. 따라서 시험재료와 시험세포 사이의 상아질 두께에 대한 많은 평가가 진행되고 있다. 상아질 절편을 이용하면 수복물과 배양세포 사이의 방향성 확산을 재현할 수 있는 장점도 얻을 수 있다.

8. 제2군 시험

일차시험을 마친 재료는 염증반응이나 면역반응 또는 유전독성을 평가하는 장기간의 시험에 들어가야 하는데 주로 쥐나 토끼, 햄스터 또는 기니피그에서 수행한다. 유전독성 시험에는 세포를 이용한 생체 외 시험도 수행할 수 있다.

1) 지연과민반응시험(Delayed-type hypersensitivity test)

감작성이란 단독 또는 복합적 노출 후에 발생하며 면역계에 의해 시작되고 사라지는 반응이다. 합텐(hapten)은 피부에 존재하며 피부를 통과할 수 있다. 이 때 이것은 피부 단백질과 반응해서 항체가 된다. Langerhans cell은 활성화되고 면역반응을 유도하는 특정 림프구(lymphocytes)에 항체를 표시하게 된다. 이 림프구의 일부는 긴 기억력을 갖고 있는 세포이므로, 다시 노출되었을 때 활성화된 림프구에 의해서 분비되는 림프카인(lymphokine)에 의해 유도되는 다양한 반응을 초래한다. 1985년 Jadassohn은 임상 환자에서 수은에 대한 접촉성 알레르기(allergy)를 검사하기 위해 패치검사(patch test)를 시도하였다.

전임상평가에서는 기니피그(guinea pig)를 주로 이용하며 민감도가 뛰어난 최대화법(maximization test)을 주로 시행한다. 이 방법은 먼저 고체 치과생체재료의 용출액 또는 액상의 치과생체재료를 견갑골 지역에 피내 주입하여 피하유도(intradermal induction)를 하고, 7일 후 같은 부위에 실험용액을 적신 패치를 48시간 부착하여 국소유도(topical induction)를 시행한다. 국소유도 종료 후 14일 뒤에 다시 패치를 48시간 부착하여 시도(challenge)하였다가 제거하고 그 부위의 상태를 관찰하여 홍반이나 부종의 발생 여부를 관찰하여 감작성을 평가한다.

2) 자극 또는 피내반응시험(Irritation or intra cutaneous reactivity)

일반 의료용 재료에서는 피부자극이나 피내반응을 평가하지만, 치과생체재료는 대부분 구강점막과 접촉하게 되므로 구강점막자극시험(oral mucous membrane irritation test)을 시행하게 된다. 점막자극시험은 치과생체재료에 의해 점막에 이상반응이 일어나는지를 평가하는 것으로 햄스터의 볼 주머니(cheek pouch)를 주로 이용한다. 재료를 볼 주머니에 넣어 점막에 접촉시킨 후, 점막에 홍반이나 부종 발생여부를 관찰하고 희생한 후 조직학적 평가를 시행한다.

3) 전신독성시험(Systemic toxicity test)

액상의 시료나 재료의 용출물을 실험동물에 경구, 정맥 또는 흡입으로 주입하였을 때 나타나는 전신작용을 평가하는 방법으로 관찰기간에 따라 급성, 아급성, 만성으로 구분할 수 있다. 치과생체재료는 실제로 적용되는 경우와 유사한 재현을 위하여 경구 투여를 통해 실시하는데 주로 쥐를 이용한다.

치사량까지 투여하여 시료의 독성농도를 비교하고자 할 때에는 LD 50이라 하여 실험동물의 경구 또는 복강으로 유입되는 재료나 물질의 급성 치사효과를 측정하는 시험방법이 있다. 이러한 생체 내 급성독성시험은 재료를 물이나 수용성 methylcellulose, propylene glycol 또는 식용 식물성 유지에 용해 또는 현탁액으로 만들어 시험한다. 혼합물을 다양한 농도로 만들어 쥐(albino rat)의 위나

복강에 투여하고 2주간 매일 독성효과를 기록한다. LD 50 또는 50%의 치사를 가져오는 투여량을 계산한다. 만약 LD 50이 1 g/체중 kg 이하이면 그 재료는 급성 전신독성이 있음을 나타낸다. 그러나 대부분의 고체 치과생체재료 자체를 섭취하는 경우는 없으므로 대개 일정 비율로 용출시킨 용출액을 가지고 시험하게 된다. 최근 들어서는 동물복지와 관련하여 LD 50 시험은 권장하지 않으며, 대신 세포를 이용한 전신독성시험방법을 개발 중에 있다.

4) 유전독성시험(Genotoxicity test)

유전독성시험이란 물질이 생체의 유전자 변이, 염색체의 구조 변화 또는 기타 DNA나 유전자에 변화를 일으키는지 확인하기 위하여 포유동물세포 또는 비포유동물세포, 박테리아, 효모 또는 진균을 이용하여 하는 시험이다.

유전독성 평가의 하나로 돌연변이성(mutagenicity)을 평가할 수 있는데, 이것은 세포의 유전물질에 대한 재료의 효과를 평가하는 것으로서 세포의 유전물질에 영향을 미치는 기전은 매우 다양하게 나타난다. 유전독성 돌연변이원(genotoxic mutagen)은 세포의 DNA에 직접 작용하여 다양한 돌연변이를 일으키며 특정한 돌연변이를 일으키는 각각의 화학물질이 존재한다. 유전독성 화학물질은 그 자체가 돌연변이원으로 작용하기도 하고 활성화하거나 생체변태하여 돌연변이원이 되기도 하는데, 후자의 경우 돌연변이전구물질(promutagen)이라 한다. 후성돌연변이원(epigenetic mutagen)은 DNA 자체를 변화시키는 것은 아니지만 세포의 생화학성, 면역체계를 변화시킴으로써 내분비나 다른 기전으로 작용하여 암세포의 증식을 일으킨다. 발암성(carcinogenicity)이란 생체 내에서 종양을 일으키는 성질을 말한다. 돌연변이원은 발암성물질이 될 수도 있고 아닐 수도 있다. 따라서 돌연변이성과 발암성은 매우 복잡한 관계를 가지므로 시험을 정량화하거나 관련성을 규명하기가 어렵다. 생식독성(reproductive toxicity)은 생식 기능, 배(아) 형성 및 출생 전후의 성장단계에 미치는 영향을 의미한다.

유전독성시험은 시험기간에 따라 크게 세 가지로 나눌 수 있는데 실험실에서 이루어지는 단기간시험(Short-Term Test, STTs)과 제한된 기간 동안 생체 내에서 이루어지는 시험 및 장기간 또는 개체의 수명이 다할 때까지 진행하는 생체 내 시험 등이 있다.

미국치과의사협회의 ANSI/ADA 규격 제41호(1982)의 부록편을 보면 돌연변이성시험으로 Ames' test와 Styles' cell transformation test 두 가지를 언급하고 있으며, 한국산업표준 KS P ISO 10993-3에서는 구체적인 시험방법으로 OECD Guideline을 인용하고 있다. 이러한 시험방법에는 생체 외 시험방법과 생체 내 시험방법이 있는데, 대표적인 생체 외 시험방법으로 OECD Guideline 471, Bacterial Reverse Mutation Test가 있으며, Ames test라고도 불린다.

Ames test는 가장 흔히 사용하는 단기간의 돌연변이성 시험으로서 유용가치가 크다. 이 시험에서는 외인성 히스티딘(exogenous histidine)을 필요로 하는 *Salmonellar typimurium*의 돌연변이종을 이용한다. 정상적인 박테리아는 외인성 히스티딘을 필요로 하지 않는다. 따라서 히스티딘을 제외한 배지에 시험할 화학물질을 올려놓아 돌연변이종이 정상종으로 변화되는 능력을 검사한다. 정상적으로 돌아가려는 능력이 클수록 그 화학물질은 유전물질을 변화시킬 가능성이 큰 것이므로 그만큼 돌연변이성이 크다고 할 수 있다. 의미 있는 결과를 얻기 위해서는 여러가지 *S. typimurium*의 특수 변종(TA 1535, TA 1537, TA 98, TA 100)과 E. coli WP2 uvrA를 이용해야 한다.

포유동물세포를 이용한 유전독성시험은 OECD Guideline 473, *In vitro* mammalian chromosome aberration test와 OECD Guideline 476, *In vitro* mammalian cell gene mutation test에 따른다.

5) 이식시험(Implantation test)

이식시험은 피하조직이나 골에 접촉 시 일어나는 재료의 효과를 평가하는 시험으로 이식부위는 결합조직, 골, 근육 등 그 재료가 사용되는 부분으로 다양하다. 주로 치과용 임플란트 소재나 골대체재 등이 시험의 대상이 되며, 실제 재료가 이식될 조직에 이식한 후 단기는 최대 12주, 장기는 12주 이후부터 최장 108주까지 유지한 후에 희생하여 이식체와 주변조직의 조직학적 평가를 시행한다.

9. 제3군 시험

적용시험은 치과생체재료를 실제로 실험동물에 적용하여 그 수행능력을 평가하는 것으로서 이차시험과 달리 비록 실험동물이지만 인체에서 적용되는 부위와 같은 부위에 실제로 적용하여 조직반응 외에 그 기능까지도 평가할 수 있다. 치과영역에서는 치수, 치주조직, 치은 및 점막 등이 관심있는 평가대상이다.

1) 치수 및 상아질 적용시험 (Pulp and dentin usage test)

주로 영장류에서 잔존 상아질이 1 mm 이내가 되도록 제5급 와동을 형성하고 재료를 수복하여 단기간(5±2일), 중기간(25±5일) 및 장기간(70±5일)에 걸쳐 평가한다. 이때 양성대조군으로는 실리케이트 시멘트를, 음성대조군으로는 순수한 산화아연유지놀을 이용한다. 시험기간이 끝나면 동물을 희생시키고 조직을 절편하여 치수의 반응정도를 평가하는데 그 반응정도를 미약(slight), 중증도(moderate) 및 심한 반응(severe)으로 구분한다.

2) 치수복조시험(Pulp capping test)

치수 및 상아질 적용시험과 유사하나 치수가 노출된 상태에서 재료를 적용하고 시험기간(중기간(25±5일) 및 장기간(70±5일))이 끝나면 방사선 촬영을 한 후 동물을 희생시키고 조직을 절편하여 이차상아질의 형성 정도, 치수의 반응정도를 평가하는 방법이다. 생체적합성이 우수한 치수복조재는 치수에 염증반응도 미약하게 나타나고, 이차상아질이 형성되어 완전한 치유가 일어나지만, 생체적합성이 나쁜 재료는 치수의 염증과 괴사를 동반하게 된다(그림 5-4).

3) 근관적용시험(Endodontic usage test)

근관치료에 사용되는 재료를 시험하는 방법으로 실제 적용과 같은 방법으로 실험동물에 적용하고 시험기간(중기간(28±3일) 및 장기간(90±5일))이 끝나면 방사선 촬영을 한 후 동물을 희생시키고 조직을 절편하여 상아질, 치수, 치근단 조직 및 치근단 백악질의 조직학적 특성에 대해 상세히 기록한다.

4) 치과용 골내 임플란트 적용시험(Endosseous dental implant usage test)

치과용 임플란트의 안전성과 성능을 동시에 확인하기 위하여 토끼 또는 개를 이용한 동물실험을 하는데, 이때 적용할 실험동물윤리부터 시술 과정 및 평가 방법에 대한 내용을 다루고 있다. 국제표준에서는 ISO/TS 22911로 있던 기술규격을 ISO 7405 제3판에서 흡수하여 출판하게 되었다.

10. 제1군, 제2군 및 제3군 시험간의 관계

제1군, 제2군 및 제3군 시험간의 관계성을 보면 이들의 결과에 있어서 어느 정도 관련성을 갖고 있다고 말할 수는 있으나 항상 유의한 상관관계를 갖고 있다고 말할 수는 없다. 예를 들어 수복용 재료로서 실리케이트 시멘트와 복합레진 및 산화아연유지놀 시멘트에 대한 결과를 보면 꼭 상

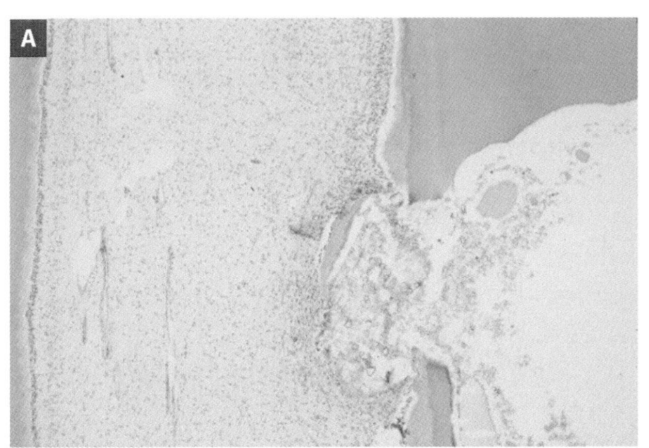

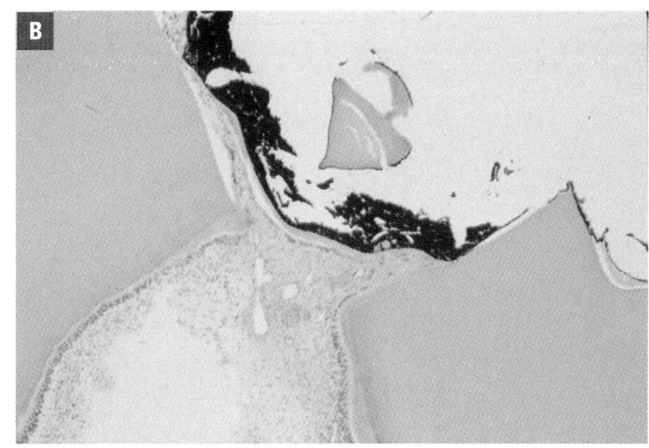

그림 5-4. 원숭이 치수에 치수복조술을 시행한 후 치수의 반응

A 실리케이트 시멘트로 치수복조 후 21일의 조직사진으로 불완전한 이차상아질형성과 염증세포의 침윤을 관찰할 수 있다. B 수산화칼슘으로 치수복조 후 21일의 조직사진으로 완전한 이차상아질 형성을 관찰할 수 있다.

관관계가 있지 않다는 것을 알 수 있다. 즉, 실리케이트 시멘트의 경우 제1군 및 제2군 시험에서는 반응성이 미약하였으나 실제 동물에 적용했을 때는 중증도의 반응성을 보이고 있고, 복합레진의 경우는 제1군과 제2군 시험에서는 중증도의 반응성을 보였으나 실제 동물에 적용했을 때는 미약한 반응성을 보이고 있다. 한편 산화아연유지놀의 경우에서는 더욱 상이한 결과를 보이는데 제1군 시험에서는 강한 반응성을 보인 반면 제2군 시험에서는 미약한 반응성을, 실제 동물에 적용했을 때에는 반응성을 보이지 않고 있다. 이것은 각 재료의 반응기전이나 성분에 의해 좌우될 수 있는데 실례로 산화아연유지놀 시멘트의 유지놀 자체나 아연이온 자체는 세포에 대한 자극성이 매우 심하여 일차시험 단계에서는 세포에 치명적인 반응성을 보이나 일단 혼합된 상태에서 결합조직에 이식한 이차시험의 경우 그 반응성은 감소하며 실제 치아에 적용했을 때는 그 반응성이 더욱 감소되어 안정적인 재료로 평가될 수 있다. 따라서 모든 치과재료에 대한 각 단계별 시험의 결과에 대한 연관성을 지을 수는 없지만 그래도 대부분의 재료는 어느 정도 그 관계성을 인정할 수 있어 곧바로 동물에 대한 적용시험을 시행하기 전에 스크린을 위한 시험으로서 제1군 시험과 제2군 시험을 단계적으로 시행함으로써 전체 시험에 대한 소요비용이나 시간을 효과적으로 운용할 수 있다. 따라서 미지의 재료에 대해 생체적합성 시험을 하고자 한다면 우선 세포독성시험 가운데 하나 또는 몇 가지의 시험을 선택하여 시행하고, 이 과정에서 문제가 발생한다면 재검토를 시행하고 만약 만족할 만한 결과를 얻는다면 다음 단계인 전신독성이나 자극성시험에 돌입하는 것이 효과적인 시험방법이 될 것이다.

11. 치과생체재료의 생물학적 안전성

치과생체재료를 포함한 의용생체재료는 앞서 기술한 여러 시험방법 등에 의해 생물학적 안전성이 검증된 것들도 있으나, 오랜 기간 동안 경험적으로 안전성이 판단되어 온 재료들도 사용되고 있다. 그러나 최근의 안전성에 대한 기준과 장기간의 경험적 판단이 항상 일치하는 것은 아니다. 수복용 아말감의 경우 약 150년 동안 치과재료로 사용되어 왔으며, 구강으로 유출된 수은에 의해 발생한 부작용이 실제로 확인된 바는 아직 없으나, 수은이 지니는 유해성으로 인해 아직도 아말감의 안전성 논란이 지속되고 있다. 또한 비교적 최근에 개발된 재료의 경우, 비록 현재 기준의 안전성에 부합될 수 있으나, 향후 안전성 논란에서 반드시 자유로울 수는 없다. 따라서 치과의사를 포함한 치과 분야 종사자들은 환자와 종사자 본인의 안전을 위해 사용하고 있는 치과생체재료의 생물학적 안전성에 대한 정보를 지속적으로 접하면서 발생할 수 있는 부작용을 최소화해야 할 것이다.

치과용 금속재료, 세라믹재료 및 고분자재료에 대한 생물학적 안전성에 대해서, 특히 최근 사용빈도가 급속히 증가하고 있는 레진계 치과재료와 치아 미백제, 그리고 근관치료에 사용되는 근관충전재의 생물학적 안전성에 대하여 간단히 소개한다.

1) 치과용 금속재료의 생체적합성

(1) 치과용 아말감

치과생체재료 가운데 생물학적 안전성 관점에서 여전히 뜨거운 감자로 여겨지는 재료는 바로 치과용 아말감이다. 가장 오랜 역사를 가지고 있는 치아수복재이면서도 아직까지 수은의 독성에 대해서 논란이 끊임없이 제기되고 있으며 실제로 유럽과 일본에서는 사용하지 않고 있고, 미국과 우리나라에서만 사용되고 있지만, 국내에서도 안전성 문제와는 별개로 사용량이 점차 감소하고 있다.

실제로 아말감 수복을 한 치아에서 아말감 하부의 상아질에서 수은이 검출되었다. 이 수은은 저작과정에서 누출될 수 있으나 그 양은 극히 미미하다. 치과용 아말감으로부터 발생할 수 있는 수은 피해의 가장 주원인은 수은 증기인데, 실제로 치료과정에서 검출되는 수은 증기의 양은 1.1~4.4 μg/day로서 일반적으로 주당 40시간 일하는 근로자의 안전 허용치인 350~400 μg/day에 훨씬 못 미친다.

혈중 수은 농도에 대한 연구 결과에서도 아말감 치료를 받은 환자의 혈중 수은 농도가 0.7 μg/L로서 일주일에 한 번씩 생선을 섭취하는 사람의 혈중 수은 농도인 2.3~5.1 μg/L에 훨씬 못 미친다.

그러나 환자보다도 치과종사자들은 지속적으로 수은을 취급해야 하므로 안전을 위해서 수은의 취급에 유의해야 한다. 미나마타 국제 조약으로 더 이상 수은을 유통할 수 없게 됨에 따라서 아말감합금과 수은을 분리해서 사용하는 방식은 더 이상 사용할 수 없고, 일회용 캡슐형 아말감만 사용하게 되었으므로 종사자들의 수은 오염을 방지할 수 있게 되었지만 그래도 사용된 아말감이나 환자의 구강에서 제거한 폐아말감 등의 처리에는 신중을 기해야만 한다.

(2) 베릴륨(beryllium)

치과용 비 귀금속 중 미량성분으로 베릴륨이 1~2 wt%가 함유된 합금이 있다. 베릴륨은 금속의 물성과 세라믹과의 결합력을 향상시키는 원소이지만 인체에 몹시 해로운 금속으로서 금속상태에서나 이온상태에서나 모두 강력한 발암성을 지니고 있다. 따라서 최근에 개발된 치과용 비 귀금속 합금은 베릴륨을 함유하지 않는다. 베릴륨이 함유된 합금도 환자보다는 취급하는 사람에게 위해성이 크므로 기공과정 중에 분진을 흡입하지 않도록 주의해야 한다.

(3) 니켈(nickel)

치과용 비 귀금속 합금에 많이 사용되는 원소로서 알레르기 반응이 있는 것으로 널리 알려져 있다. 연구자에 따라 차이가 있으나 전 인구의 10~20%가 니켈에 대한 알레르기를 갖는 것으로 보고되고 있다. 특히 여성에게서 더욱 빈도가 높다. 치주염을 동반하기도 하고, 구강 외에 증상이 나타나기도 한다. 또한 니켈은 팔라디움(palladium)과 교차 알레르기 반응이 있는 것으로 알려져 있다.

니켈 알레르기는 주로 니켈 이온에 의해 발현되므로 Ni-Cr 합금에서 크롬을 20% 이상 함유시켜 니켈 이온의 유리를 줄이도록 권고되고 있다.

(4) 티타늄, 티타늄 합금

티타늄은 순금속이나 합금(Ti6Al4V)으로 모두 사용되는데 공기 중에서 매우 치밀한 부동태 산화막을 형성하여 매우 큰 부식저항성을 갖는다. 티타늄은 다른 금속에 비해 매우 큰 장점을 갖고 있는데 골 내에 매식되었을 때 골과 골유착(osseointegration)이라는 밀접한 결합을 갖는 것이 그것이다. 따라서 최근의 금속제 임플란트는 거의 순수 티타늄이나 티타늄 합금으로 제작되고 있다. 티타늄과 치은조직과의 관계성을 보면 상피조직은 치아에서와 같이 티타늄과 밀접한 관계를 이루고 결합조직은 티타늄과 결합하지는 않으나 비교적 밀접하게 접촉되어 박테리아의 침투를 억제할 수 있다.

(5) 스테인리스강, Co-Cr-Mo 합금

스테인리스강은 가격이 저렴하고 사용이 편리하며 강하기 때문에 임플란트 재료로 가장 많이 사용되던 금속이다. 그러나 스테인리스강도 생리식염수나 조직액 내에서는 부식이 발생하고 이로 인하여 치명적인 부작용이 발생할 수 있으며 염증반응도 야기하여 최근에는 그 사용량이 많이 감소하였다.

코발트-크롬-몰리브덴 합금 역시 치과나 정형외과에서 많이 사용해 오던 임플란트 재료이다. 치과에서는 골막하 임플란트나 골관통 임플란트 재료로 약 40여년 전부터 사용되어 왔는데, 이 금속으로 제작된 임플란트를 매식하였을 때 섬유성 결체조직으로 둘러싸이게 된다.

2) 치과용 세라믹재료의 생체적합성

치과수복용 및 보철용으로 사용하는 치과용 세라믹은 구강 내에서 불용성이고 안정하며 생체 내에서 어떠한 해로운 작용도 일으키지 않는 안전한 생체재료이다.

대부분의 세라믹 재료는 조직에 대한 위해작용이 없고 부식도 일어나지 않는 등 많은 장점을 갖고 있으나, 취성이 커서 충격에 약하고 깨지기 쉬운 단점도 갖고 있다. 요즈음은 이러한 단점을 보완하기 위해 금속제 임플란트의 표면에 세라믹을 코팅하여 금속의 기계적인 장점과 세라믹의 생체적합성적인 장점을 결합시키려는 시도가 많이 이루어지고 있는데 아직 두 물체간의 결합력이 문제점으로 남아 있다.

이식용으로 사용하는 세라믹재료는 생체활성재료와 생체비활성재료가 있는데, 다결정 또는 단결정 알루미나나 탄소체 등은 생체비활성재료로써 조직과 반응하지 않은 채 조직 내에 남아 있는 재료이고, Bioglass나 수산화인회석(hydroxyapatite), TCP(tricalcium phosphate) 등은 생체활성재료로서 조직 내에서 반응하여 골로 대치되거나 흡수된다.

수산화인회석은 비교적 흡수성이 낮은 생체활성재료로서 소실된 골융기를 회복하거나 티타늄 임플란트 표면의 피막제로 많이 사용된다. 반면에 TCP는 비교적 흡수성이 높아 골로 대체되기를 원하는 경우 많이 사용된다.

3) 레진계 치과재료의 생물학적 안전성

레진계 치과생체재료의 역할은 수복치료분야에서 급진적으로 확대되어 왔으며, 최신 재료의 개발에 힘입어 물성적 측면에서 비약적인 발전을 거듭하여 현대 치과치료의 필수적 재료로 자리 잡고 있다. 이들의 높은 사용빈도에 비하여 비교적 낮은 빈도로 생물학적 문제가 보고 되어 왔으며, 이는 레진계 치과재료의 우수한 생체적합성을 제시하는 것이라 할 수 있다. 그러나 아말감의 생물학적 유해성 논란과 마찬가지로 레진계 재료 또한 유해성 측면에서 몇몇 연구자들에 의해 문제가 제기되어 왔으며, 이에는 재료자체의 독성으로부터 기인하는 직접적 유해와 재료의 수축을 동반한 미생물 침투 등에 기인한 간접적 유해가 포함된다. 미생물 침투는 재료의 수축 등과 같이 주로 이들의 물리적 성질에 좌우되며, 항균활성과 같은 재료의 생리활성에도 영향을 받을 수 있다. 본장에서는 재료의 직접적 생물학적 위해성에 초점을 두고 레진계 재료가 생물의 최소단위인 세포와 조직 등에 미칠 수 있는 영향을 설명하고자 한다.

레진이 포함되는 주요 치과재료는 복합레진과 접착제이며 접착제의 경우 상아질-치수 복합체와의 근접성으로 인해 이들의 생물학적 위해성은 생체적합성의 주요한 인자로 생각되고 있다.

(1) 레진 단량체의 중합

현재 사용되고 있는 수복용 복합 레진의 레진 성분은 bisphenol-A-glycidyldimethacrylate (Bis-GMA)를 기본으로 하며 urethane dimethacrylate (UDMA), triethylene glycol dimethacrylate (TEGDMA) 등이 혼합되어 있다. 소수성에 가까운 이들 레진과 치아표면의 접착을 용이하게 하기 위한 접착제는 친수기를 지닌 2-hydroxyethyl methacrylate (HEMA)를 포함하고 있다. 광조사(light curing)에 의한 레진 단량체의 중합은 이론상 100%까지 가능하나, 실제 임상에서는 약 25~50% 정도의 단량체가 미중합된 상태로 남아 있는 것으로 보고된 바 있다. 미중합된 단량체가 유출될 경우 치아의 치수세포 등에 영향을 미칠 수 있으므로 레진의 중합도는 레진계 재료 생체적합성의 주요 인자이다. 또한 중합된 레진은 고분자 형태로서 미중합 레진보다 안정된 상태이나 타액 효소 등에 의해 가수분해되어 생체 조직에 흡수될 수 있다.

(2) 레진 단량체의 세포독성

레진 단량체의 세포독성 평가는 주로 생체 외 시험에서 시행되어 왔으며 시험결과의 편차를 줄이기 위해 주로 섬유아세포의 확립주와 같이 안정된 세포를 이용하여 왔다. 조직에서 채취한 1차 배양(primary culture) 세포에서 얻은 결과는 상대적으로 낮은 재현성을 보이나 임상에 보다 가까운 방법이라 할 수 있겠다.

상기의 레진 단량체 중 Bis-GMA와 UDMA가 상대적으로 강한 세포독성을 나타내는 것으로 보고된 바 있으나, 불완전 중합된 재료의 유출성분 분석에서 TEGDMA와 HEMA가 주요 유출 성분으로 확인됨으로써 실제 임상에서는 레진 단량체 중 이들이 생물학적 유해성에 관련될 것으로 생각된다.

TEGDMA와 HEMA의 세포독성 기전은 다른 레진 단량체보다 상대적으로 잘 알려져 있다. TEGDMA는 세포 내 대표적 산화 환원 조절 물질인 글루타티온의 대사에 관련하여 세포에 산화 스트레스를 증가시키는 것으로 보고된 바 있다. 글루타티온(GSH)은 세포 내에서 환원과 산화를 반복하며 세포 내의 활성산소종(reactive oxygen species, ROS)을 지속적으로 제거하는 역할을 하므로, TEGDMA에 의해 감소된 글루타티온은 결과적으로 세포 내 활성산소종의 농도를 증가시켜 산화 스트레스를 발생한다. 활성산소종은 단백질의 불활성화, 지질 산화, 유전자 변이 등 세포의 다양한 반응을 초래하며, apoptosis를 유도하기도 한다. 실제 TEGDMA가 세포의 세포사멸(apoptosis)을 유도하는 것으로 보고된 바 있으며, 과다 생성된 활성산소종이 매개체로 추정된다. 또한 항산화제에 의해 TEGDMA의 세포독성이 현저히 경감되므로 TEGDMA의 세포독성은 주로 과다한 산화 스트레스에 의한 것으로 판단된다.

HEMA 또한 세포 내 글루타티온 고갈, 활성산소종 증가, 세포사멸을 일으키는 것으로 보고되었다(Chang 등 2005). 이와 같은 현상은 비록 TEGDMA보다 현저히 높은 농도에서 발생하지만, HEMA가 다량으로 포함된 접착제와 상아질과의 근접성으로 인해 최근 HEMA의 생체적합성에 대한 관심이 높아지고 있다.

(3) 레진 단량체의 유전독성

앞서 설명한 바와 같이 유전독성 평가에는 박테리아 혹은 동물세포를 이용한 다양한 방법들이 이용되고 있으며, 방법에 따라 서로 상이한 결과를 보이기도 한다. 레진 단량체의 경우 *Salmonella typhimurium*을 이용한 Ames test에서 glycidyldimethacrylate (GMA)를 제외한 다른 단량체는 유전독성이 없는 것으로 보고되었으나, 시험관 내 소핵시험(*in vitro* micronucleus test)에서는 GMA, TEGDMA가 유전독성을 지닌 것으로 보고되었다(Schweikl 등 2001). 시험관 내 소핵시험은 배양된 동물세포를 이용한 시험으로써 실제 임상에서의 유전독성을 예측하는데 한계가 있으므로 현재까지의 결과만으로 TEGDMA의 인체에 대한 세포 유전적 유해성을 판단할 수는 없으나, 유전독성의 가능성을 완전히 배제할 수 없음을 제시한 결과이다. 실제 임상에서 유전독성 유해성을 예측하기 위해 체내에 흡수될 수 있는 레진 단량체의 양과 체내 대사계에 의해 분해 혹은 무독화되는 과정 또한 고려되어야 하나 아직 이에 대한 정확한 보고가 없다. 화학물질의 유전독성은 종종 발암성과 연계될 수 있으나, 현재까지 레진 단량체에 대한 발암성은 보고된 바 없다.

(4) 레진계 생체재료와 환경호르몬

환경호르몬은 인체의 내분비계를 교란시켜 생식계통 등에 이상을 초래할 수 있는 화학물질을 일컬으며, 화학 공업제품과 환경폐기물 등에서 다량 검출되기도 한다. 치과생체재료에서는 소와열구전색재(pit and fissure sealant)와 레진계 수복재에서 bisphenol A (BPA)가 검출되었다고 보고되었다(Olea 등 1996). BPA는 식품포장재료 원료로서 널리 사용되고 있으며 생체로 유입될 경우 이종 에스트로겐(xenoestrogen)으로써 에스트로겐의 역할을 모방할 수 있다. 치과재료에서 BPA는 Bis-GMA의 전구물질로서 사용되고 있으므로 BPA가 Bis-GMA로 완전히 전환되지 않을 경우 최종 성분으로 치과재료에 포함될 수 있다. Olea의 보고 후 치과재료의 BPA 유출 정도와 이종 에스트로겐 효과에 대한 다수의 연구가 있었으나, 아직 치과재료에 포함되어 있는 BPA의 실제적인 임상적 유해성을 증명한 것은 없다. 그러나 현재 사용되는 치과재료는 물론 향후 개발될 치과재료에 대한 BPA 검출과 이종 에스트로겐 효과의 지속적인 모니터링을 통해 생물학적 안전성이 확보될 필요가 있다.

4) 치아미백제의 생물학적 안전성

치아변색은 내적요인, 외적요인 혹은 두 요인의 복합작용에 의해 발생한다. 치아 맹출 전 내적 요인으로서 고농도의 불소에 노출, 테트라사이클린의 복용, 유전적 발달장애 등이 있으며, 맹출 후에는 노화, 치수 괴사(pulp necrosis) 등이 내적 요인으로서 작용한다. 커피, 차, 적포도주, 당근, 오렌지, 담배는 외적요인으로서 치아변색을 유도한다. 그 외에 치아의 마모, 노화와 치수염에 의한 2차 상아질 침착, 상아질 경화 등이 치아 투과성에 영향을 주어 어두운 치아색을 유도한다.

1864년경에 소개되기 시작한 치아미백은, 염화물(chloride), 염화나트륨(sodium chloride), 차아염소산나트륨

A $NaBO_3 + 2H_2O \rightarrow NaH_2BO_3 + H_2O_2$

B $H_2NCONH_2 \cdot H_2O_2 \rightarrow H_2NCONH_2 + H_2O_2$

C $H_2O_2 \rightarrow 2HO^{\cdot}$

$HO^{\cdot} + H_2O_2 \rightarrow H_2O + HO_2^{\cdot}$

$HO_2^{\cdot} \rightleftharpoons H^+ + O_2^{-\cdot}$

$2H_2O_2 \rightleftharpoons 2H_2O + 2\{O\} \rightleftharpoons 2H_2O + O_2$

$H_2O_2 \rightleftharpoons H^+ + HOO^-$

그림 5-5. 과붕산나트륨과 과산화요소로부터의 과산화수소 형성(A, B)과 과산화수소에 의한 자유라디칼과 활성산소분자의 형성(C)

(sodium hypochlorite), 과붕산나트륨(sodium perborate), 과산화수소(hydrogen peroxide) 등이 미백제 성분으로 사용된 바 있다. 현재 사용되고 있는 미백제는 과산화수소가 주요 활성물질로 작용한다. 과산화수소는 미백제에 직접 포함되어 있거나, 미백제 안의 과붕산나트륨 혹은 과산화요소(carbamide peroxide)의 화학반응에 의해 생성된다(그림 5-5). 과산화수소는 자유라디칼과 활성산소를 형성하여 강산화제로 작용하며, 발색단을 지닌 장쇄(long chain) 분자를 확산이 용이한 저분자량의 저발색 분자로 분해한다.

(1) 과산화수소 독성

고농도의 과산화수소(>35%)는 부식성을 나타내며 이에 노출된 부위는 국소적 조직 손상을 일으킬 수 있고, 섭취되었을 경우 다량의 산소를 발생한다. 발생된 산소량이 혈액 내 최대 용존 산소량을 넘을 경우 동맥과 정맥의 가스색전증을 유발한다. 과산화수소의 섭취는 메스꺼움, 구토, 토혈 등 위장관 자극과 함께 구강 안에서 포말을 발생시키기도 하며, 35% 과산화수소는 섭취 시 치명적인 결과를 초래할 수 있다. 피부접촉은 염증, 물집과 같은 증상을 유발할 수 있다.

박테리아 혹은 배양된 동물세포가 과산화수소와 직접 접촉되면 유전독성이 발생하나, 카탈라아제(catalase)와

같은 대사 효소가 존재할 경우 유전독성은 대부분 사라진다. 동물 실험에서는 변이원성이 나타나지 않으며, 이는 대사효소에 의해 유전독성이 무독화되는 것으로 생각된다. 과산화요소 또한 과산화수소와 같이 박테리아 특정 균주에 변이원성을 초래하나, 대사효소에 의해 변이원성은 사라진다. 그러므로 생체 내 대사계의 대사능력을 초과하지 않는 범위에서 투여된 과산화수소와 과산화요소는 유전독성을 보이지 않을 것으로 추측된다.

(2) 치아미백제의 국소 부작용

치아 민감성(tooth hypersensitivity)은 치아미백에서 가장 흔히 발생하는 부작용으로 10% 과산화요소에 노출된 환자 중 15~65%가 치아 민감성을 호소한 것으로 보고된 바 있다. 일반적으로 치아 민감성은 미백 종료 후 평균 4일 정도 지속되는 것으로 보고되어 있으며, 치아 민감성의 기전은 아직 완전히 밝혀져 있지 않으나, 법랑질과 상아질을 통과하여 치수강으로 침투한 과산화물(peroxide)에 의한 것으로 여겨지고 있다. 치아 민감성 외에 고농도의 과산화수소(30~35%)는 구강점막 화상과 잇몸탈색을 초래할 수 있다.

(3) 과산화물의 치수 침투

발치된 치아를 사용한 실험에서 치수강 안의 과산화수소는 상아질을 침투할 수 있고, 가열처리는 침투를 가속화하는 것으로 보고된 바 있다. 과산화수소는 상아질의 물질 투과성을 증가시키므로, 반복 노출은 과산화수소 효과를 증대시킬 수 있다. 즉, 반복 노출에 의해 과산화수소의 치수 내로의 침투가 증가되어 치아 민감성과 같은 국소 부작용이 심화될 가능성이 있다.

(4) 아말감에 대한 미백제의 영향

치아미백제는 아말감의 수은 유출을 증가시키는 것으로 알려져 있다. 아말감은 현재까지도 빈번히 사용되고 있는 수복재료이며, 비록 치아미백이 주로 전치부에 한정되어 있기는 하나 미백제의 잉여분이 아말감과 접촉할 가능성은 적지 않다. 수은 유출의 증가 정도는 아말감과 미백제의 종류에 따라 다르며, 생체 외 시험에서 생리식염수에서보다 약 4~30배 정도의 증가를 보이는 것으로 보고되었다. 아말감의 구강 내 수은 유출과 인체에 대한 안전성은 현재까지도 논란의 대상이며, 이러한 관점에서 미백제에 의한 수은 유출 증가는 인체에 대한 아말감의 안전성 논란에 요인으로 작용할 수 있다.

5) 근관충전재의 생물학적 안전성

근관치료 중 근관을 메우는 재료로 사용되는 거타퍼차(guttapercha)와 근관충전용실러(root canal sealer)는 치근부위 조직과의 근접성으로 인해 우수한 생체적합성이 요구된다. 근관충전재가 치근첨공을 통해 유출되거나 확산되어 나올 경우 치근 부위에서 염증과 같은 다양한 생물학적 부작용이 발생할 수 있다. 생체 외 세포배양 실험에서는 에폭시 레진계와 산화아연유지놀계 근관충전재가 수산화칼슘계 근관충전재보다 대체적으로 높은 세포독성을 보였으며, 세포괴사와 세포사멸을 유도하는 것으로 보고되었다. 에폭시 레진계와 산화아연유지놀계 근관충전재의 세포독성에 관련된 기작으로서 세포 내 글루타티온 감소에 의한 산화 손상(oxidative damage)이 의심된다.

에폭시 레진계와 산화아연유지놀계 근관충전재는 염증 발생의 주요 매개효소인 시클로옥시게나아제-2(COX-2)의 발현을 단기간 동안 증대시키는 것으로 보고된 바 있으며(Huang 등 2005), 이는 근관치료 치근주위에서 단기적으로 관찰된 바 있는 염증 반응에 관련된 결과로 생각되나, 치료 후 잔존 박테리아 혹은 박테리아와 근관충전재의 복합작용 또한 염증 원인으로 작용할 가능성이 있다. 그러므로 근관치료의 성공과 안전성은 재료자체의 생물학적 안전성은 물론 시술자의 치료기술과 과정에도 깊게 의존한다고 할 수 있다.

현재 사용되고 있는 근관충전재는 주로 유지놀계, 에폭시 레진계, 수산화칼슘계로 나눌 수 있으며, 최근 에폭시 레진계 재료에 대한 유전독성이 보고된 바 있다(Huang 등 2002). 이들은 주로 유전자 절단을 지표로 하는 코미

트법(comet assay)을 이용한 생체 외 시험 결과들이며, 다른 시험계를 이용한 유전독성 평가를 통하여 종합적인 판단이 필요하다. 또한 인체에 대한 근관충전재의 실제적인 유전적 유해성을 판단하기 위해서는 체내 흡수 가능성 및 흡수량, 흡수된 재료의 체내 대사 등이 고려되어야 한다.

참고문헌

1. American Dental Association(1979). ANSI/ADA Specification No. 41 for Recommended Standard Practices for Biological Evaluation of Dental Materials.
2. Chang HH, Guo MK, Kasten FH, Chang MC, Huang GF, Wang YL, Wang RS, Jeng JH(2005). Stimulation of glutathione depletion, ROS production and cell cycle arrest of dental pulp cells and gingival epithelial cells by HEMA, Biomaterials 26:745-753.
3. Dahl JE, Pallesen U(2003). Tooth bleaching-a critical review of the biological aspects. Crit Rev Oral Biol Med 14:292-304.
4. Dodes JE(2001). The amalgam controversy, An evidence-based analysis, J Am Dent Assoc 132:348-356.
5. Huang FM, Chang YC(2005). Prevention of the epoxy resin-based root canal sealers-induced cyclooxygenase-2 expression and cytotoxicity of human osteoblastic cells by various antioxidants. Biomaterials 26:1849-1855.
6. Huang TH, Yang JJ, Li H, Kao CT(2002). The biocompatibi-lity evaluation of epoxy resin-based root canal sealers in vitro. Biomaterials 23:77-83.
7. International Organization for Standardization(2014): ISO 10993-3: Biological evaluation of medical devices-Part 3, Tests for genotoxicity, carcinogenecity and reproductive toxicity.
8. International Organization for Standardization(2017). ISO 10993-11: Biological evaluation of medical devices-Part 11, Tests for systemic toxicity.
9. International Organization for Standardization(2016). ISO 10993-6: Biological evaluation of medical devices-Part 6, Tests for local effects after implantation.
10. International Organization for Standardization(2018). ISO 7405: Dentistry-Evaluation of biocompatibility of medical devices used in dentistry.
11. International Organization for Standardization(2018). ISO 10993-1: Biological evaluation of medical devices-Part 1, Evaluation and testing within a risk management assessment.
12. International Organization for Standardization(2009). ISO 10993-5: Biological evaluation of medical devices-Part 5, Tests for in vitro cytotoxicity.
13. International Organization for Standardization(2010). ISO 10993-10: Biological evaluation of medical devices-Part 10, Tests for irritation and sensitization.
14. Kenneth J. Anusavice(2012), Phillip's Science of Dental Materials 12th ed., W.B. Saunders.
15. Mjör IA(1985). Dental Materials: Biological Properties and Clinical Evaluation, 1st ed., CRC Press Inc.
16. Sakaguchi R, Ferracain J & Powers J(2018). Craig's Restorative Dental Materials, 14th ed.
17. Schweikl H, Schmalz G, Spruss T(2001). The induction of micronuclei in vitro by unpolymerized resin monomers. J Dent Res 80:1615-1620.
18. Stanley HR(1979). Toxicity Testing of Dental Materials, 1st ed., CRC Press Inc.

금속/세라믹/폴리머의 기초

06

Ⅰ 금속

학/습/목/표

❶ 금속재료의 특징, 결정구조, 원자충진율을 이해한다.
❷ 합금의 상태도와 상변화에 따른 재료의 물성을 이해한다.

치과재료로 이용되는 금속재료는 여러 가지 성질을 요구하게 된다. 그 중에서도 특히 강도, 부식 및 변색 저항성 등을 필요로 하며, 또한 가공하기 쉬운 성질도 필요로 하는 중요한 성질 중의 하나이다.

치과용 금속은 그 종류가 대단히 많고 용도별로 요구되는 성질 또한 간단하지 않기 때문에, 치과용 합금의 성질을 이해하기 위해서는 금속학(metallurgy)의 지식이 필요하다. 여기서는 금속학의 기초와 각 금속 및 합금의 성질에 대해서 알아보도록 한다.

1. 금속의 특성

1) 금속원소

현재 알려져 있는 100개 정도의 원소 가운데 약 3/4은 금속적 성질 혹은 그것에 준하는 성질을 갖고 있다. 즉 주기율표에서 제O족(He, Ne, Ar, Kr, Xe, Rn), 제Ⅶ족(F, Cl, Br, I), 제Ⅵ족의 O, S, 제Ⅴ족의 N, P, 제Ⅳ족의 C 및 제Ⅰ족의 H를 제외한 것이 금속원소로 그 수는 대단히 많다. 제Ⅲ족의 B, 제Ⅳ족의 Si, Ge, 제Ⅴ족의 As, 제Ⅵ족의 Se, Te, Po를 반금속 또는 반도체라고 부른다. 이들 금속원소 가운데 비중이 작은 Al, Mg, Ti 등을 경금속(light metal)이라고 한다.

귀금속(noble metal)이란 공기 중에서 깨끗한 금속 표면을 유지하는 원소를 의미한다. 이들 금속들은 주조, 납착, 가열 시에도 산화, 변색, 부식이 잘 일어나지 않는다. 귀금속에는 금(Au), 백금(Pt), 팔라듐(Pd), 이리듐(Ir), 로듐(Rh), 오스뮴(Os), 루테늄(Ru) 등이 있다. 귀금속 합금과 은(Ag)을 포함하여 고가의 금속(precious metal)이라고 부

표 6-1. 주기율표

Key: 29 (Atomic number) / Cu (Symbol) / 63.55 (Atomic weight)

Metal / Nonmetal / Intermediate

IA	IIA	IIIB	IVB	VB	VIB	VIIB				IB	IIB	IIIA	IVA	VA	VIA	VIIA	O
1 H 1.0080																	2 He 4.0026
3 Li 6.941	4 Be 9.0122											5 B 10.811	6 C 12.011	7 N 14.007	8 O 15.999	9 F 18.998	10 Ne 20.180
11 Na 22.990	12 Mg 24.305											13 Al 26.982	14 Si 28.086	15 P 30.974	16 S 32.064	17 Cl 35.453	18 Ar 39.948
19 K 39.098	20 Ca 40.08	21 Sc 44.956	22 Ti 47.87	23 V 50.942	24 Cr 51.996	25 Mn 54.938	26 Fe 55.845	27 Co 58.933	28 Ni 58.69	29 Cu 63.55	30 Zn 65.41	31 Ga 69.72	32 Ge 72.64	33 As 74.922	34 Se 78.96	35 Br 79.904	36 Kr 83.80
37 Rb 85.47	38 Sr 87.62	39 Y 88.91	40 Zr 91.22	41 Nb 92.91	42 Mo 95.94	43 Tc (98)	44 Ru 101.07	45 Rh 102.91	46 Pd 106.4	47 Ag 107.87	48 Cd 112.41	49 In 114.82	50 Sn 118.71	51 Sb 121.76	52 Te 127.60	53 I 126.90	54 Xe 131.30
55 Cs 132.91	56 Ba 137.33	Rare earth series	72 Hf 178.49	73 Ta 180.95	74 W 183.84	75 Re 186.2	76 Os 190.23	77 Ir 192.2	78 Pt 195.08	79 Au 196.97	80 Hg 200.59	81 Tl 204.38	82 Pb 207.19	83 Bi 208.98	84 Po (209)	85 At (210)	86 Rn (222)
87 Fr (223)	88 Ra (226)	Acti-nide series	104 Rf (261)	105 Db (262)	106 Sg (266)	107 Bh (264)	108 Hs (277)	109 Mt (268)	110 Ds (281)								

Rare earth series	57 La 138.91	58 Ce 140.12	59 Pr 140.91	60 Nd 144.24	61 Pm (145)	62 Sm 150.35	63 Eu 151.96	64 Gd 157.25	65 Tb 158.92	66 Dy 162.50	67 Ho 164.93	68 Er 167.26	69 Tm 168.93	70 Yb 173.04	71 Lu 174.97
Actinide series	89 Ac (227)	90 Th 232.04	91 Pa 231.04	92 U 238.03	93 Np (237)	94 Pu (244)	95 Am (243)	96 Cm (247)	97 Bk (247)	98 Cf (251)	99 Es (252)	100 Fm (257)	101 Md (258)	102 No (259)	103 Lr (262)

른다. 즉 은(Ag)은 고가의 금속이기는 하지만 구강 내에서 사용되었을 때 쉽게 변색되기 때문에 귀금속으로 분류되지는 않는다. 일부 금속학자들은 은을 귀금속에 포함시키기도 하지만, 치의학에서는 귀금속(noble metal)과 고가의 금속(precious metal)이라는 용어를 구별해서 사용하므로 주의를 요한다(표 6-1).

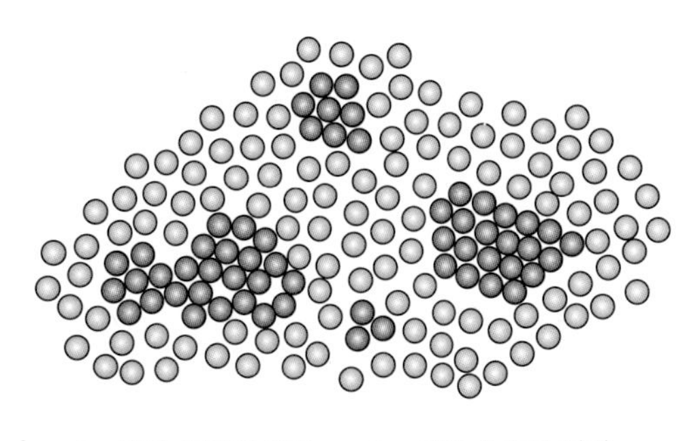

그림 6-1. 용융 금속에서의 결정핵의 생성

2) 금속의 특징

금속은 '① 빛에 대한 반사가 강하여 금속광택을 갖는다 ② 열 및 전기의 양도체이다 ③ 소성 변형이 크다 ④ 고체상태에서 결정질이다' 등의 특성을 가진다. 열, 전기의 양도체는 일반적으로 금속광택도 강하고 연성도 좋다. 예를 들어 Al, Sn 등은 박막으로 만들 수 있고, 또 전기 · 열의 양도체이다. 금속에서의 원자는 원자가전자를 방출하여 이온의 상태로 되어 있다.

Na은 Na^+와 1개의 전자, Mg은 Mg^{2+}와 2개의 전자로 되어 있고, 이온은 결정격자에 배열되어 있어, 그 사이를 이 전자가 자유롭게 돌아다니는 것으로 생각된다. 이것이 자유전자(free electron)로 금속의 열 · 전기의 양전도성은 이 자유전자의 이동에 의한 것이다.

또 금속의 화학적 성질은 원자번호와 더불어 주기적으로 변화하지만, 이것은 가전자에 의한 것으로 금속원소에는 각각의 금속적 성질에 대소의 차가 있다. 치과용 금속으로서 필요한 기계적 성질 이외에 구강 내에서 장기간 사용되기 위해서 생체용 재료로써의 성질도 요구된다. 이 점이 치과용 금속이 일반적인 공업재료와 전혀 다른 이유이다.

2. 금속의 결정구조

1) 결정구조의 종류

원자가 규칙적으로 배열하고 있는 물질을 결정이라고 한다. 고체 금속도 결정이다. 결정은 용융 금속이 냉각되면서 원자들이 삼차원적인 공간에서 규칙적으로 배열하면서 만들어진다(그림 6-1). 이때 3차원적으로 반복되는 배열의 가장 기본 단위를 단위격자(unit cell)라 하고, 단위격자의 한 변의 길이를 격자 상수(lattice parameter)라고 한다. 격자 상수의 단위는 Å(Angstrom, 10^{-10} m)이 사용된다(그림 6-2).

결정구조는 7종류의 기본 결정계(crystal system)로 분류할 수 있고, 이 경우는 각 모서리에만 원자가 존재한다고 생각한 것이다. 그러나 실제 X-선 회절분석에 의한 원자의 배열상태를 확인해 보면 원자가 각 모서리뿐만 아니라 각 면의 중심, 혹은 체적의 중심에도 위치하고 있다는 것을 알 수 있다. 이러한 배열 방법은 14가지가 있을 수 있고, 이것을 Bravais 격자라고 하며 결정을 논하는 데 있어서 대단히 유용한 것이다(그림 2-9 참조). Bravais 격자에서는 같은 방향으로 같은 거리와 동일한 수의 인접원자를 갖고, 그림 6-3에 나타낸 단위정이 결정 안에서 반복된다(그림 6-4). 격자점은 여러 금속의 경우처럼 한 원자를 나타내기도 하고, 또 methane 결정의 경우처럼 원자군을 나타낼 수도 있다.

금속 및 합금의 결정구조는 Bravais 격자 중에서 체심입방격자(body centered cubic, bcc) 및 면심입방격자(face centered cubic, fcc), 조밀육방격자(hexagonal closed packed, hcp)가 가장 많다.

fcc의 결정격자형은 그림 6-3에서와 같이 입방체의 각

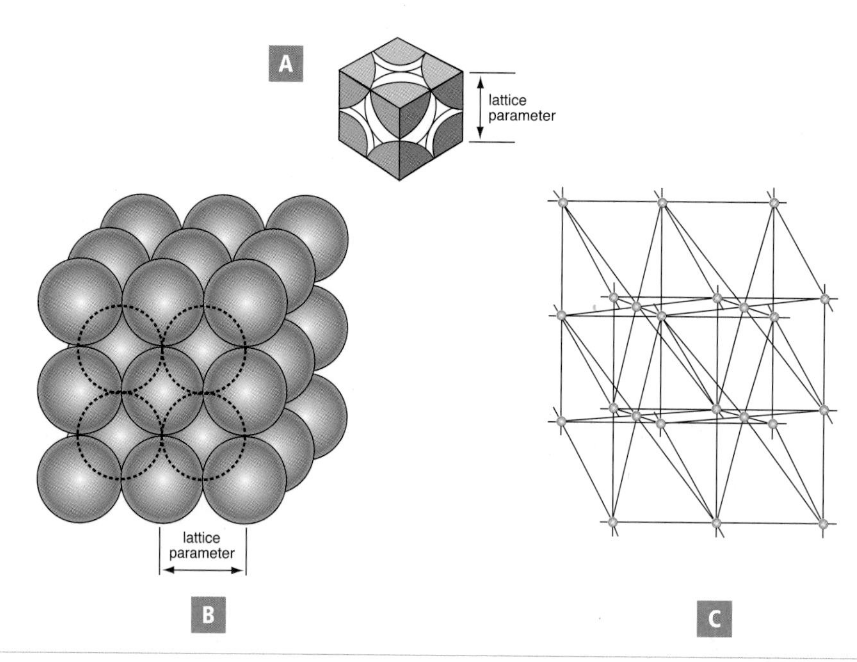

그림 6-2. A 체심입방격자의 단위격자를 나타냄. 단위격자에서 한 변의 길이, 즉 모서리에 위치하는 원자중심 사이의 거리를 격자상수라 한다. B 체심입방결정격자의 일부분이며 모든 방향으로 퍼질 수 있다. C 체심입방공간격자는 체심입방결정격자의 '점 골격'으로 볼 수 있다.

모서리와 각 면의 중심에 1개씩의 원자가 서로 배열된 결정구조이다.

서로 접촉하고 있는 원자를 최근접원자(nearest neighbor), 그 중심 간의 거리를 근접원자간거리(interatomic distance), 1개의 원자를 중심으로 그 원자 주위에 위치하는 최근접원자의 수를 배위수(coordination number)라 부른다.

면심입방격자(fcc)에서는 면의 대각선 상에서 3개의 원자가 서로 접촉하고 있어 근접원자간거리는 단위격자의 면대각선의 1/2이므로 격자정수를 a라 했을 때 $(1/\sqrt{2})a$가 된다. 또 배위수는 면심에 있는 한 개의 원자를 중심으로 생각하면 12이다. 이 단위격자에 관계하는 원자수는 각 모서리에 있는 원자 8개와 각 면의 중심에 있는 원자 6개가 되나 실제 이 단위격자 내에 속해 있는 원자의 부피는 각 모서리에 관계하는 원자가 자기 부피의 1/8을, 각 면심에 속해 있는 원자가 자기 부피의 1/2을 이 단위격자에 제공하게 되어 전체적으로 원자의 부피는,

$$\frac{1}{8}\times 8+\frac{1}{2}\times 6=4\text{개가 된다.}$$

원자의 지름에서 부피를 구하고 여기에 원자의 숫자를 곱하면 단위격자 내에서 원자가 차지하는 부피, 즉 원자충진율(atomic packing rate)을 구할 수 있다. 면심입방격자의 원자충진율은

$$\frac{\frac{4}{3}\pi\left(\frac{1}{2}\cdot\frac{1}{\sqrt{2}}a\right)^3\times 4}{a^3}\fallingdotseq 0.74,\ \text{즉 74\%가 된다.}$$

이 결정격자형에 속하는 금속은 Au, Ag, Cu, Pt, Pd, Ni, Ir 등 치과용 합금의 구성 금속 대부분이 여기에 속한다.

체심입방격자는 각 입방체의 모서리와 입방체 중심에 각 1개의 원자가 배열된 결정구조이다. 체심입방격자에서는 체대각선상에 3개의 원자가 서로 접촉하고 있어 단위격자의 체대각선 길이가 원자간 거리의 2배가 된다.

이때 근접원자간거리는 체대각선의 1/2이 되어 $(\sqrt{3}/2)a$

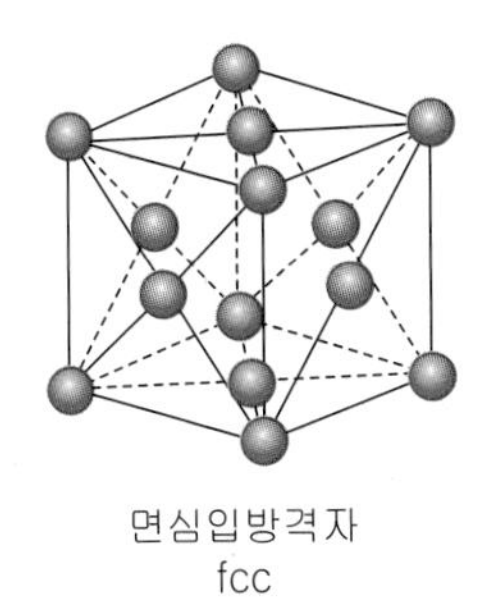
면심입방격자
fcc

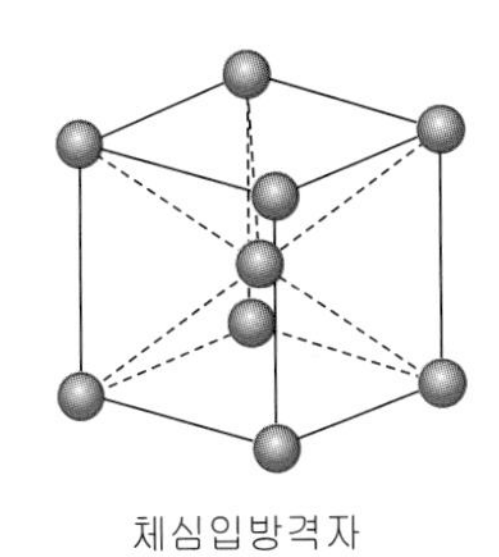
체심입방격자
bcc

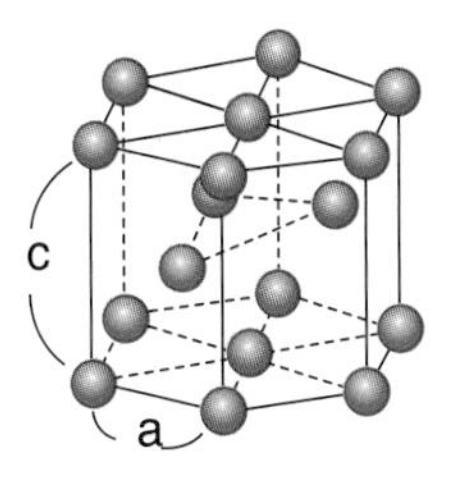

조밀육방격자
hcp

그림 6-3. 대표적인 금속의 결정격자

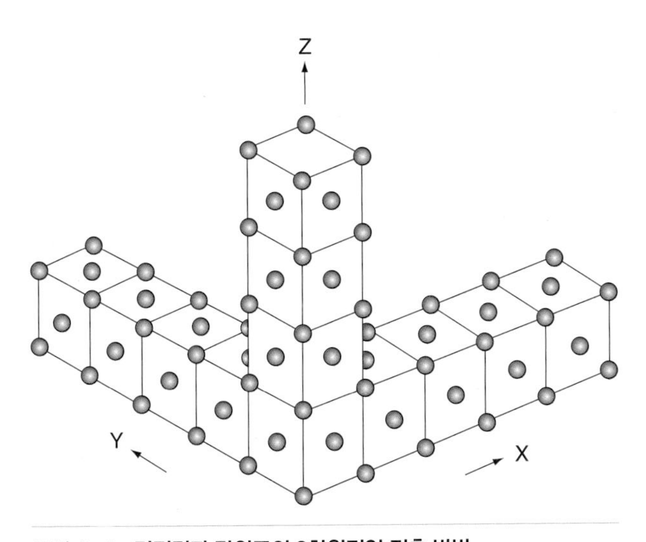

그림 6-4. 결정격자 단위포의 3차원적인 적층 방법

가 된다. 배위수는 중심의 원자를 보면 8이 된다. 이 단위 격자에 속하는 원자부피는 2개이다. 원자충진율은

$$\frac{\frac{4}{3}\pi\left(\frac{1}{2}\cdot\frac{\sqrt{3}}{2}a\right)^3\times 2}{a^3} \fallingdotseq 0.68, \text{ 즉 } 68\%\text{이다.}$$

Cr, Fe, Mo, V, W 등의 금속이 이 결정격자형에 속한다.

조밀육방격자는 6각주 상하면의 각 모서리와 그 중심에 1개씩의 원자가 존재하고, 6각주 중 1개씩 띄어서 3각주의 중심에 1개씩의 원자가 배열된 결정구조이다. 이 결정격자에서는 격자정수 a로 표시하지 않고 6각주의 높이 c와의 비, 즉 c/a의 값으로 표시하고 있다. 근접원자간거리는 저면(底面, base plane)에서는 a, 축방향에서는

$$\sqrt{\left(\frac{2}{3}\cdot\frac{\sqrt{3}}{2}a\right)^2+\left(\frac{c}{2}\right)^2}$$

즉, $\sqrt{\frac{a^2}{3}+\frac{c^2}{4}}$ 가 되며 배위수는 12이다.

원자충진율은 6각주의 단위격자보다도 6면체를 최소단위로 생각하여

$\frac{1}{12}\times 4+\frac{1}{6}\times 4+1=2$개가 되어,

단위격자 내에서 원자가 차지하는 부피는

$$\frac{4}{3}\pi\left(\frac{a}{2}\right)^3\times 2$$

단위격자 부피는

$\frac{1}{2}a^2\cdot\sin 60°\times c = a^2\frac{\sqrt{3}}{2}\times\sqrt{\frac{8}{3}}a=\sqrt{2}a^3$ 이 된다.

표 6-2. 3가지 결정격자형의 원자수, 근접원자간거리, 원자충진율

결정구조	단위격자 소속 원자수	배위수	근접원자간거리	원자충진율(%)
bcc	2	8	$\frac{\sqrt{3}}{2}a$	68
fcc	4	12	$\frac{1}{\sqrt{2}}a$	74
hcp	2	12	$a, \sqrt{\frac{a^2}{3}+\frac{c^2}{4}}$	74

표 6-3. 치과에서 사용되는 금속의 결정격자형

금속	결정격자형	융점(℃)
Mercury (Hg)	rhombohedral	-39
Gallium (Ga)	orthorhombic	30
Indium (In)	tetragonal	156
Tin (Sn)	face centered cubic	419
Aluminum (Al)	face centered cubic	660
Silver (Ag)	face centered cubic	960
Copper (Cu)	face centered cubic	1,083
Gold (Au)	face centered cubic	1,063
Manganese (Mn)	cubic	1,244
Beryllium (Be)	haxagonal close packed	1,284
Nickel (Ni)	face centered cubic	1,452
Cobalt (Co)	face centered cubic	1,493
β-Co α-Co	body centered cubic haxagonal close packed	
Iron (Fe)	body centered cubic	1,535
Palladium (Pd)	face centered cubic	1,552
Titanium (Ti)	hexagonal close packed	1,668
β-Ti α-Ti	body centered cubic haxagonal close packed	
Platinium (Pt)	face centered cubic	1,769
Chromium (Cr)	body centered cubic	1,875
Molybdenum (Mo)	body centered cubic	2,610

따라서 원자충진율은

$$\frac{\frac{4}{3}\pi\left(\frac{a}{2}\right)^3 \times 2}{\sqrt{2}a^3} \fallingdotseq 0.74,\ 즉\ 74\%가\ 된다.$$

이 결정격자형에 속하는 금속은 Zn, Mg, Ti, Co, Zr 등이 있다.

위의 3가지 결정격자형의 단위격자의 원자수, 배위수, 근접원자간거리, 원자의 충진율을 표 6-2에 나타내고 있다.

한편 대부분의 금속은 결정구조가 절대영도에서 융점까지 같은 결정구조를 나타내나 때로는 온도나 압력에 의하여 결정구조가 바뀌는 경우가 있다. 이와 같이 결정구조가 외부의 조건에 의해서 변하는 현상을 변태(transformation)라하고 조성의 변화없이 온도에 따른 결정구조의 변화를 동소변태(allotropic transformation)라 한다. 변태가 온도에 의해서 나타날 때 그 온도를 변태점이라고 한다.

치과용 금속으로 최근 각광받는 Ti은 882℃ 이하에서는 α-Ti (hcp), 그 이상의 온도에서는 β-Ti (bcc)로 존재하며(그림 14-18 참조), Zirconia도 온도에 따라 monoclinic상, tetragonal상 및, cubic상의 결정구조를 나타낸다. 또 Fe은 상온에서 α-Fe (bcc), 910℃에서 1,400℃까지는 γ-Fe (fcc), 그 이상의 온도에서는 δ-Fe (bcc)의 결정격자형을 나타낸다. 표 6-3에 치과에서 사용되는 대표적인 금속의 결정격자형을 나타내고 있다.

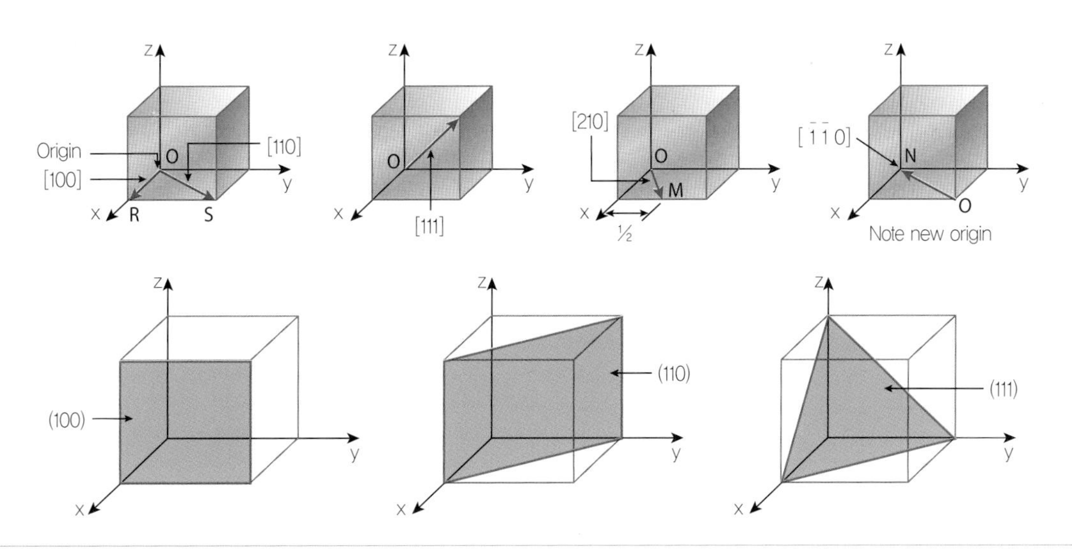

그림 6-5. 결정의 방향[ ]과 면( )을 나타내는 방법

2) 면과 방향 표시법

방향을 벡터의 개념으로 표시하며 그림과 같이 [ ]로 나타내고, 면은 밀러지수로 나타내며 ( ) 같은 기호로 나타낸다(그림 6-5).

3. 합금과 상태도

1) 합금의 결정구조

두 가지 이상의 원소로 이루어진 것으로 이 중 하나 이상이 금속 원소인 물질을 합금(alloy)이라고 한다. 합금은 첨가원소의 수에 의해 이원(binary), 삼원(tertiary) 등으로 부른다. 치과 수복물에 이용되는 금속재료는 강도, 내마모성, 탄성 등이 요구되기 때문에 일반적으로 순금속은 금박 등을 제외하고는 사용하지 않고, 대부분 합금으로 이용된다. 합금은 그 합금을 구성하는 금속의 특성이나 구성비에 따라 다양한 형태로 얻어진다.

(1) 고용체(solid solution)

물에 설탕을 섞어 액체 상태에서 단일상(single phase)의 용액을 만드는 것과 같이, 고체 상태에서도 한 금속에 다른 금속 또는 비금속이 섞여 들어가 고체 상태에서 단일상을 만드는 경우가 있다. 이것을 고용체라고 한다. 액체상태의 설탕물의 경우 물을 용매(solvent)라고 하고 설탕을 용질(solute)이라고 한다. 이와같이 두 금속이 고체 상태에서 잘 섞여 고용체를 만들 때 결정격자의 형태를 유지하는 금속을 용매원자라고 하고 섞여 들어가는 금속을 용질원자라고 부른다. 따라서 공간격자에서 전체 공간격자점의 반 이상을 차지하는 금속을 용매원자라고 규정한다. 이와 같이 섞여 들어가는 데에는 두 가지 방법이 있다. 그 하나는 용질원자와 용매원자가 치환하는 것으로, 이것을 치환형 고용체(substitutional solid solution)라고 한다. Au-Cu, Au-Ag 등 대부분의 고용체가 여기에 속한다. 또 한 가지는 용매원자의 사이에 용질원자가 들어간 형태의 고용체로 이것을 침입형 고용체(interstitial solid solution)라고 한다. 이 형의 고용체는 Fe-C 등과 같이 용질원자가 용매원자에 비해서 원자반경이 매우 작은 경우에 한하여 만들어지고 고용되는 용질원자의 농도도 매우 한정되어 있다(그림 6-6).

고용체는 순금속과 같은 결정구조를 가지고 있지만 격자 상수는 용질원자의 %에 비례하여 직선적으로 변화한다. A금속에 B금속을 첨가해 갈 때 S%까지 고용하지만 그 이상은 두 상으로 나누어진다고 하면, 인장강도나 경도와 같은 기계적 성질은 그림 6-7과 같이 고용한 S%까지 거의 포물선형으로 상승하여, 그 이상에는 일정 또는 직선적으로 증가하거나 감소한다. 이와 같은 현상은 용질원자와 용매원자의 크기가 다르기 때문에 생기는 현상이다. 즉 용질원자가 용매원자의 자리를 치환하거나 용매원자 사이에 침입할 경우, 원자 크기의 차에 의하여 격자 내에서는 국소적인 격자의 뒤틀림 현상이 나타나게 되고, 이로 인해 원자들의 이동이 더욱 어렵게 된다. 그 결과 강도, 비례한도(proportional limit), 표면 경도(surface hardness)는 증가하게 되고, 반면에 연성(ductility)은 일반적으로 감소하게 된다. 다른 말로 하면 금속의 합금화는 금속을 강화시키는 수단이 될 수 있다는 것이다.

금은 금박의 충전에서와 같이 가공 경화(workhardening)하지 않으면 수복용 재료로 사용될 수 없다. 주조(casting) 상태에서의 순금은 강도가 약하고 연성이 너무 높지만, 5% 정도의 Cu를 첨가하여 합금화하면 변색(tarnish)이나 부식 등에 대한 저항성에 영향을 미치지 않으면서 적당한 강도와 경도를 나타내게 되어 작은 크기의 인레이에 사용할 수 있게 된다.

어떤 고용체든 용질원자의 첨가에 의해 강도와 경도는 증가하게 되고, 용매원자와 용질원자의 원자 크기의 차이가 작을수록 용질원자 첨가효과는 작지만 강도는 증가할 수 있다.

일반적으로 더 많은 용질원자를 용매원자에 첨가할수록 합금의 강도와 경도는 증가한다. 전율고용체를 이루는 합금 계에서는 각 금속이 50%의 원자 비를 이룰 때 가장 높은 경도를 나타내고, 연성은 강도와 경도가 증가함에 따라 점차적으로 감소한다.

결정 구조가 다른 A, B 두 금속 간에서 고용체가 생길 때 결정구조 변화는 다음과 같다. A금속에 B금속이 고용해 들어가는 경우, B금속의 농도가 낮은 범위에서는 모상의 A금속의 결정구조를 갖는 고용체가 얻어진다. 이것을 A금속의 1차 고용체(primary solid solution)라 부른다. B금속이 많아지면 A금속이 B금속을 전부 고용할 수 없게 되어 A금속과는 다른 결정구조를 갖는 부분이 나타나고, B금속이 더욱 많아지면 A금속은 B금속 중에 용해하여 B금속과 같은 결정구조의 고용체(B금속의 1차 고용체)가 된다.

(2) 규칙 격자, 불규칙 격자 (ordered - disordered structure)

고용체에서 결정격자의 배열 형태는 불규칙형태와 규칙형태가 있다. 치환형 고용체에서는 A금속원자(용질원자)와 B금속원자(용매원자)는 일반적으로 불규칙하게 배

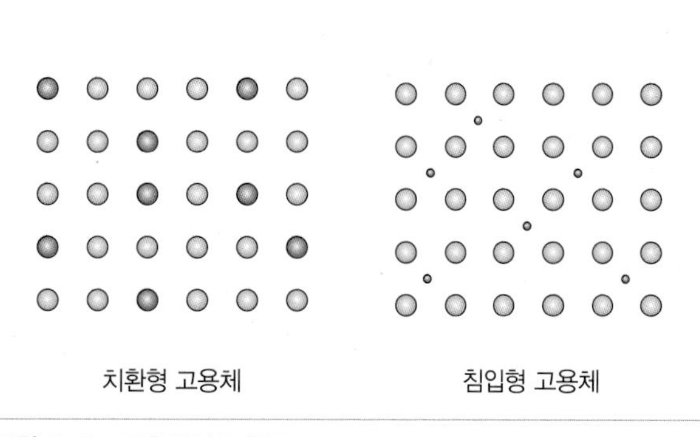

그림 6-6. 고용체의 모형도

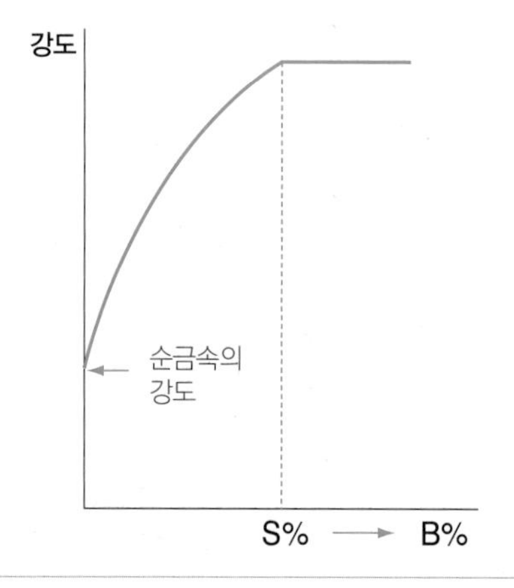

그림 6-7. 고용체의 강도

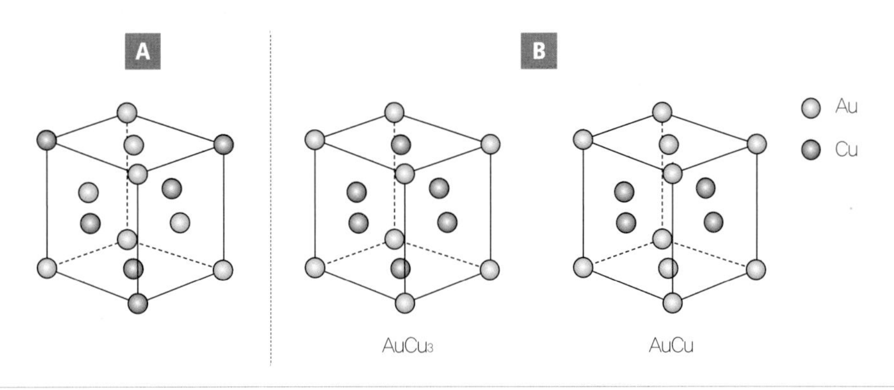

그림 6-8. 규칙-불규칙 변태 A Au 원자와 Cu 원자가 불규칙하게 배열되어 있는 상태, B Au 원자와 Cu 원자가 규칙적으로 배열되어 있는 상태

열하고 있다. 어떤 합금계에서는 원자들이 불규칙하게 배열하는 것보다는 서로 다른 원자들이 최인접원자로 규칙적으로 배열하는 것이 계의 에너지를 낮추게 된다. 이러한 합금계에서는 온도가 낮아짐에 따라 원자 확산에 의하여 불규칙한 원자배열의 규칙화가 일어나며, 이러한 규칙화 과정은 용매원자와 용질원자가 일정비로 존재함을 의미하고 이러한 현상은 일반적으로 좁은 조성범위 내에서 일어난다. 이러한 상태를 규칙상태(ordered structure) 또는 규칙격자(superlattice)라고 한다. 규칙격자를 만드는 합금도 고온이 되면 원자의 이동에 의해 불규칙한 배열을 하게 된다. 이 상태를 불규칙상태(disordered structure)라 부른다. 또 규칙상태와 불규칙상태의 상호변화를 규칙-불규칙 변태라 부른다.

예를 들어 Au-Cu 합금은 고온에서 면심입방격자의 불규칙상태의 치환형 고용체 구조를 나타내는데(그림 6-8 A), 만약 이 합금이 50.2 wt%의 Au와 49.8 wt%의 Cu를 포함하는 경우 400℃ 이하로 냉각하게 되면 Au 원자는 단위격자의 모서리에 위치하고, Cu 원자는 면의 중앙에 위치하게 된다(그림 6-8 B의 $AuCu_3$ 규칙격자).

A, B 두 금속으로 규칙격자를 만드는 조성은 AB, A_3B, AB_3의 3가지형이 있고, 그 대표적인 예는 CuZn, AuCu, Au_3Cu, $AuCu_3$, PtCu, Ni_3Fe 등이 있다. 이들은 모두 fcc의 결정격자형을 나타내는 금속이고, Au-Cu 합금에서는 그림 6-8 B와 같이 원자가 규칙적으로 배열하고 있다. 고온에서 불규칙상태의 고용체를 천천히 냉각시키면 어느 온도에서 규칙격자가 형성되기 시작한다. 이 온도를 전이온도(transition temperature)라 부른다.

불규칙상태로부터 규칙상태로의 변화는 원자의 이동에 의해서 나타나며, 결정이 완전히 불규칙한 상태는 0, 완전히 규칙적인 상태를 1이라 하여 규칙화의 정도를 나타내며 이것을 규칙도라 한다. 고온에서 전이온도가 되면 변태가 시작되지만, 이 때의 변태의 진행은 매우 느리고 결정 내의 극히 좁은 범위에서만 규칙격자가 형성된다. 이러한 상태를 단범위 규칙상태(short-range order)라 하고, 전체가 완전히 규칙화된 상태를 장범위 규칙상태(long-range order)라고 한다. 규칙격자가 형성되면 합금의 물리적, 기계적 성질이 변화하여 경도와 강도는 증가하고 연성은 감소한다.

(3) 금속간 화합물(intermetallic compound)

성분 금속의 원자수가 간단한 정수비를 갖고 있고, 각 성분 금속의 원자가 결합격자 가운데서 정해진 위치에 있으며, 격자구조가 용매나 용질의 격자구조와는 전혀 다른 합금을 금속간 화합물이라고 한다. 금속간 화합물의 결정구조는 복잡하고, 그 때문에 소성변형(plastic deformation)을 거의 일으키지 못하여 경하고 취약(brittle)하다. 또 금속간 화합물은 융점까지 안정한 것도 있지만 대부분은 융점보다 낮은 온도에서 분해된다. 치과용 아말감 합금은

Ag_3Sn (γ)이라는 금속간 화합물을 주체로 하고 있고, 고동아말감 가운데는 Cu_6Sn_5 (γ_2)이라는 금속간 화합물이 생성되어 재질의 강화에 기여하고 있다. 화학양론적으로 초격자와 같은 양상을 보이지만 초격자는 금속특성을, 금속간화합물은 세라믹특성을 보이는 것이 차이점이다.

2) 상(phase)과 상태도(phase diagram)

(1) 상과 성분(component)

일반적으로 물질의 집합 상태에는 기체, 액체, 고체의 세 가지 상태가 있고, 이것을 기상, 액상, 고상이라고 부른다. 금속에도 이와 같은 세 가지의 상태가 있지만 그 외에 어떤 종류의 금속에서는 고체 상태에서 다른 결정구조를 갖는 상을 만드는 경우가 있다. 예를 들면 순수한 철은 1,540℃의 액상에서 bcc로 변하고, 1,400℃에서 fcc로 또 910℃에서 다시 bcc로 바뀐다. 이와 같이 금속에는 기상, 액상, 고상의 세 가지 상 이외에 고체 내부에서의 상이 부가적으로 존재한다. 상의 조성을 나타내는 물질을 성분이라고 한다. 밀폐한 용기 가운데 물과 충분한 설탕을 넣으면 포화되어 설탕물과 물에 녹지 않는 여분의 설탕과 설탕물의 증기의 세 가지 상이 공존하는 상태로 된다. 이 세 가지 상의 조성을 나타내는 물질은 물과 설탕이기 때문에 물과 설탕이 이 계의 성분이다. 이와 같이 성분은 ① 그 양을 바꿈으로써 그 물질계를 이루는 상을 바꿀 수 있을 것 ② 한 성분의 양의 변화는 다른 성분과 독립하여 존재할 것이라는 두 가지 조건을 만족할 필요가 있다. 그래서 이 두 가지 조건을 만족하는 물질의 최소 수를 그 물질계의 성분의 수라고 한다. 위의 예에서 물을 구성하고 있는 산소와 수소는 성분이라고 하지 않는다. 이것은 독립하여 그 양을 변화시킬 수 없기 때문이다.

(2) 상율(phase rule)

평형상태에 있는 합금은 그 온도에서 아무리 오래 유지하여도 그 이상 상의 변화를 나타내지 않는다. 그러나 온도를 변화시키거나 합금의 조성, 즉 성분의 농도를 변화시키면 지금까지의 평형상태를 유지할 수 없다. 일반적으로 평형 상태에서 존재할 수 있는 상의 수는 열역학의 법칙, 즉 상율에 지배된다. 즉 성분의 수를 x, 상의 수를 p, 자유도(평형상태를 깨지 않고 변화시킬 수 있는 조건[온도(T), 농도(X), 압력(P)]을 f 라 하면 $f=x-p+2$로 쓸 수 있다.

금속의 경우 고체, 액체가 문제가 되기 때문에 압력에 의해서는 평형 상태는 거의 영향을 받지 않는다. 따라서 압력을 변수로 생각할 필요가 없기 때문에 자유도는 1이 적게 되어 상율은 $f=x-p+1$이 된다. 예를 들어 순금속이 용융 상태에 있을 때 성분 $x=1$, 상 $p=1$로 따라서 $f=1$이 되고 온도가 변화하여도 평형상태가 계속된다. 고체의 경우도 마찬가지다. 그러나 용융점에서는 고상과 액상이 공존하기 때문에 $x=1$, $p=2$, 따라서 $f=0$이 되어 온도를 변화시킬 수 없게 된다. 즉 순금속의 융점은 일정하다는 것을 의미한다.

(3) 상태도(phase diagram)

상태도는 평형상태에서 물질이 어떠한 상으로 구성되어 있는가를 나타내는 도표이다. 합금의 평형 상태는 압력에 의해 거의 영향을 받지 않으므로 상태도는 온도와 조성을 좌표로 하는 도표로 나타낼 수 있다. 이원 합금의 상태도는 그림 6-9와 같이 점 A, B를 잇는 선분 AB에 수직한 선을 온도 축으로 하여 조성 C의 합금이 온도 T에서, 즉 P점이 어떤 상인가를 나타내면 된다. 다음은 상율로부터 이원 합금의 상태도를 생각해 보면, 이원 합금의 경우는 성분의 수가 $x=2$이므로 $f=3-p$, 즉 세 가지의 경우가 생길 수 있다.

① $p=3$: 즉 세 개의 상(예를 들어 하나의 액상과 두 종류의 고상)이 존재할 때에는 $f=0$으로, 각 상의 조성 및 온도는 일정하게 되므로 상태도 위에서 각 상의 조성 a, b, c는 일직선으로 되게 되고, 조성 축 AB에 평행한 선분이 된다.

② $p=2$: 즉 두 개의 상(예를 들어 두 종류의 고상)이 존재하면 $f=1$로 어떤 일정 온도에서는 두 상의 조성은 일정하다.

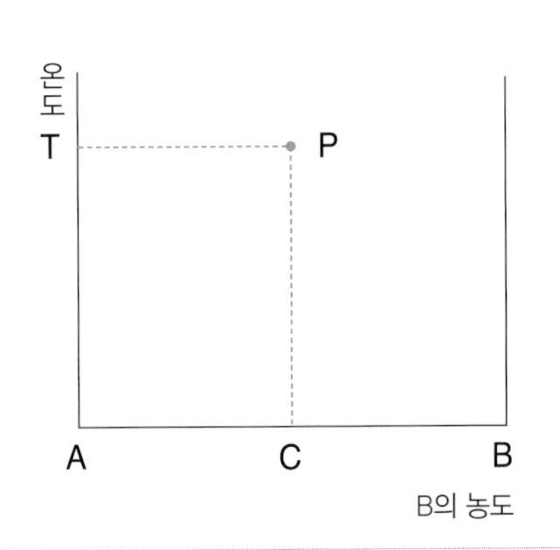

그림 6-9 이원합금 상태도의 표시

③ p=1: 즉 한 개의 상만 존재하면 f=2로 온도와 조성 어느 것도 그 상태를 유지하여 자유롭게 변화시킬 수 있다.

(4) 평형상태도(equilibrium phase diagram)의 구성

순금속 A와 순금속 B의 합금계를 예를 들어 보자(그림 6-10). A, B 두 순금속은 액체 상태에서도 고체 상태에서도 모든 조성 영역에서 서로 완전히 용해한다고 할 때 1) 100% A; 2) 80% A - 20% B; 3) 60% A - 40% B; 4) 40% A -60% B; 5) 20% A - 80% B; 그리고 6) 100% B 의 6가지의 조성에 대하여 냉각곡선을 만들어 보자. 그림 6-10 A에서 곡선 ①과 ⑥은 순금속 A, B의 냉각곡선을 나타내며 곡선 ②와 ⑤는 융점이나 응고점을 나타내지 않고 온도 구간에 걸쳐서 응고하는 고용체 합금의 냉각곡선을 보여주고 있다. 여기에서 L+α로 표시된 영역은 액상과 고상의 2상 영역을 나타낸다. 각 조성에서 처음으로 응고가 시작되는 온도를 그림 6-10 A에서 얻어 이를 온도-조성 그림 상에 표시하였다. 같은 방법으로 응고가 끝나는 온도를 얻고 이점들을 온도-조성 그림 상에 표시하여 곡선으로 연결한 것이 그림 6-10 B의 평형상태도이다. 평형상태도 상에서 a, b는 순금속 A, B의 융점을 나타내고 aℓb는 액상선(liquidus line)을 asb는 고상선(solidus line)을 나타낸다. 각 조성의 합금에서 액상선 위의 온도에서는 액체 상태, 고상선 이하의 온도에서는 고체 상태로 존재하며 액상선과 고상선 사이의 온도에서는 액상과 고상이 공존한다.

그림 6-11은 치과영역에서 많이 사용되는 합금계인 Ag-Pd 합금계의 상태도이다. 두 금속은 액상과 고상영역에서 서로 완전히 고용하는 것을 나타내고 있다.

(5) 상태도의 해석

상태도를 어떻게 보고 이해하는 가를 알기 위해 그림 6-11에서 X조성의 65% Pd - 35% Ag 합금의 예를 들어 본다. 이 조성의 합금은 1,500℃의 온도에서는 액상만이 존재한다. 온도가 약 1,400℃(t_1)로 낮아지면 액상선 위에 존재하는 e점에서 처음으로 고상이 나타나기 시작하고, 이 때 고상의 조성은 직선 ef가 고상선과 만나는 점인 f(77% Pd - 23% Ag)가 된다. 이 온도에서 고상과 같이 공존하는 액상의 조성은 e(65% Pd - 35% Ag)가 된다. 온도가 1,370℃(t_2)가 되면 액상과 고상이 공존하고 이 때의 각각의 상의 조성은 온도의 평행선이 액상선과 고상선과 만나는 점인 g(58% Pd - 42% Ag)와 h(71% Pd - 29% Ag)가 된다. 온도 t_3(약 1,340℃)가 되면 마지막으로 남은 액상이 모두 고상으로 변하고 각상의 조성은 i(52% Pd - 48% Ag), j(65% Pd - 35% Ag)가 된다. 온도가 t_3보다 낮아지면, 합금은 65% Pd의 완전한 고상으로 존재한다. 이와 같이 초기에 정출하는 고상과 나중에 정출하는 고상의 농도가 다르기 때문에 평형상태에서는 균질한 용체를 형성하는 합금이라도 응고 시에 충분히 평형상태가 유지되도록 서냉하지 않으면 결정립 내에서 농도가 서로 다른 부분이 생기게 된다. 이와 같은 현상을 편석(segregation, coring)이라고 한다. 일반적으로 고상선과 액상선의 간격(즉, 응고구간)이 큰 금속일수록 편석의 정도가 크다. 그림 6-12는 Cu-Ni합금의 평형상태(A)와 비평형상태(B)에서 응고조직을 나타내는 그림으로 유핵조직(coring structure)이 형성되는 과정을 나타내고 있다.

(6) 2원합금 상태도의 종류

① 액상에서도 고상에서도 완전히 서로 녹는 경우, 전율고용체(complete solid solution)

그림 6-10과 같은 상태도로, a, b는 각각 A, B금속의 융

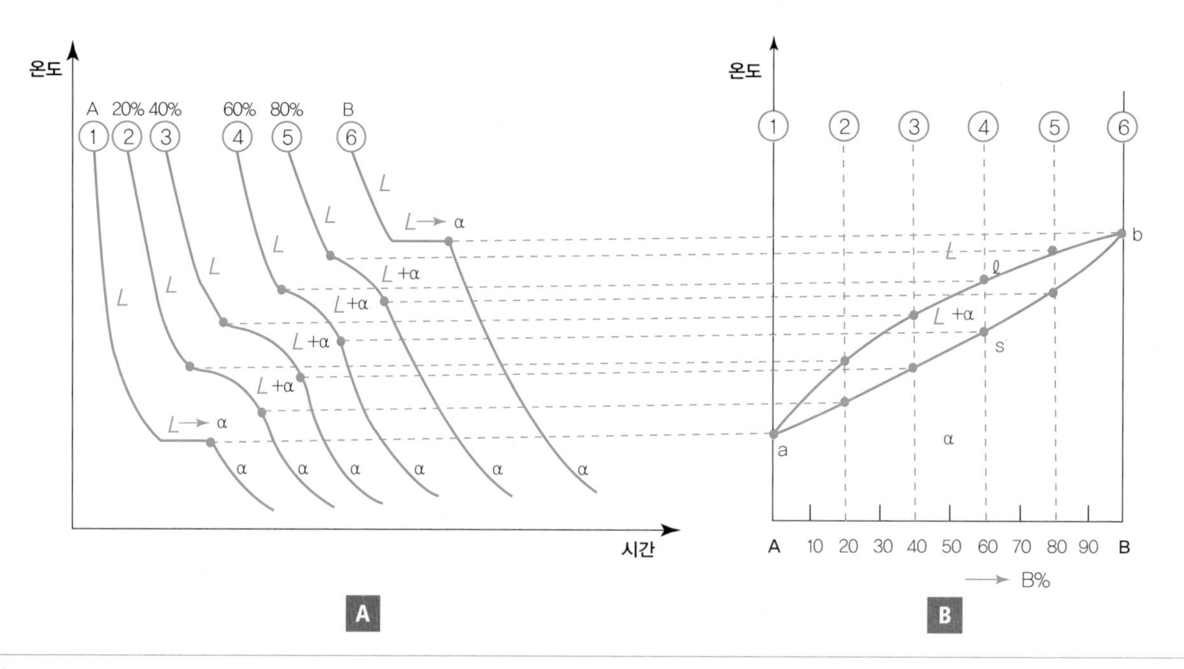

그림 6-10. A-B 합금의 냉각곡선과 상태도 A 냉각곡선, B 냉각곡선으로부터 얻은 A-B합금의 평형상태도

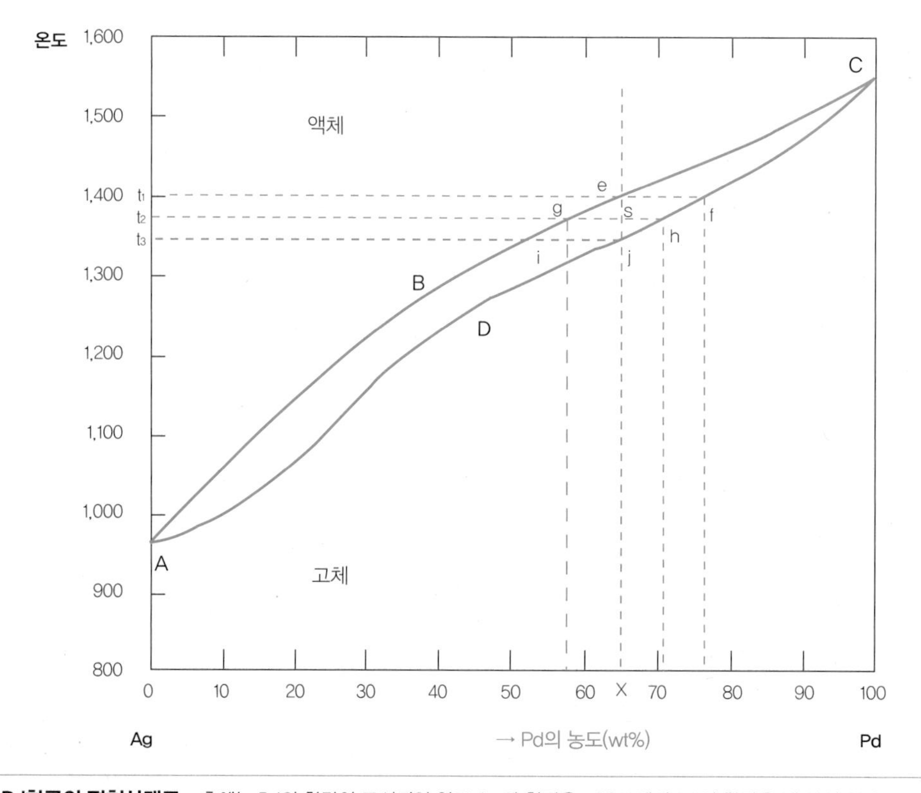

그림 6-11. Ag-Pd합금의 평형상태도 x축에는 Pd의 함량이 표시되어 있고 Ag의 함량은 100%에서 Pd의 함량을 뺀 값이 된다.

점, a ℓ b 이상은 연속한 영역으로 되어 있기 때문에 균질한 한 상, 즉 이 합금의 액상은 단일 상으로 a ℓ b 이상에서 존재하고 있다. 이와 같이 asb 이하에서는 A, B금속은 모든 조성 영역에서 균질하게 서로 섞여지는 고상(고용체)을 만들고 그 범위는 asb 이하로 된다. 액상선과 고상선의 중간 영역은 액상(L)과 고상(α)이 공존하는 영역이다.

은-팔라디움(Ag-Pd)계는 Au-Cu계와 같이 전율고용체이고, 은에 팔라디움을 첨가하면 성질이 현저히 달라지는 것은 아니다. 팔라디움은 융점이 1,555℃로 아주 높고, 은에 첨가되면 합금의 융점을 현저히 높인다. 30% 이상의 팔라디움을 첨가하면 융점이 1,200℃ 이상으로 되는 것이 문제점이다. 팔라디움은 은의 황화를 방지하는데 가장 유효하여 은이 다량 들어 있는 합금에서는 꼭 필요한 원소이다.

② 균질한 액상은 만들지만 고체 상태에서는 서로 섞일 수 없는 경우, 공정합금

많은 2원합금계는 앞에서 설명한 전율고용체와 같이 단순하지 않고 고상에서나 혹은 액상에서 완전한 고용체를 나타내지 않는다. 대부분의 이원 공정합금은 두 금속이 액체 상태에서는 완전히 서로 고용하여 하나의 액상을 만드나, 고체 상태에서는 두 금속이 서로 조금씩만 고용

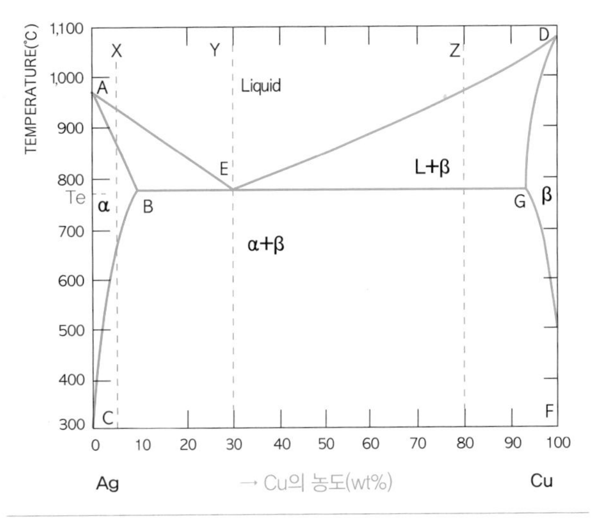

그림 6-13. Ag-Cu공정합금계의 평형상태도

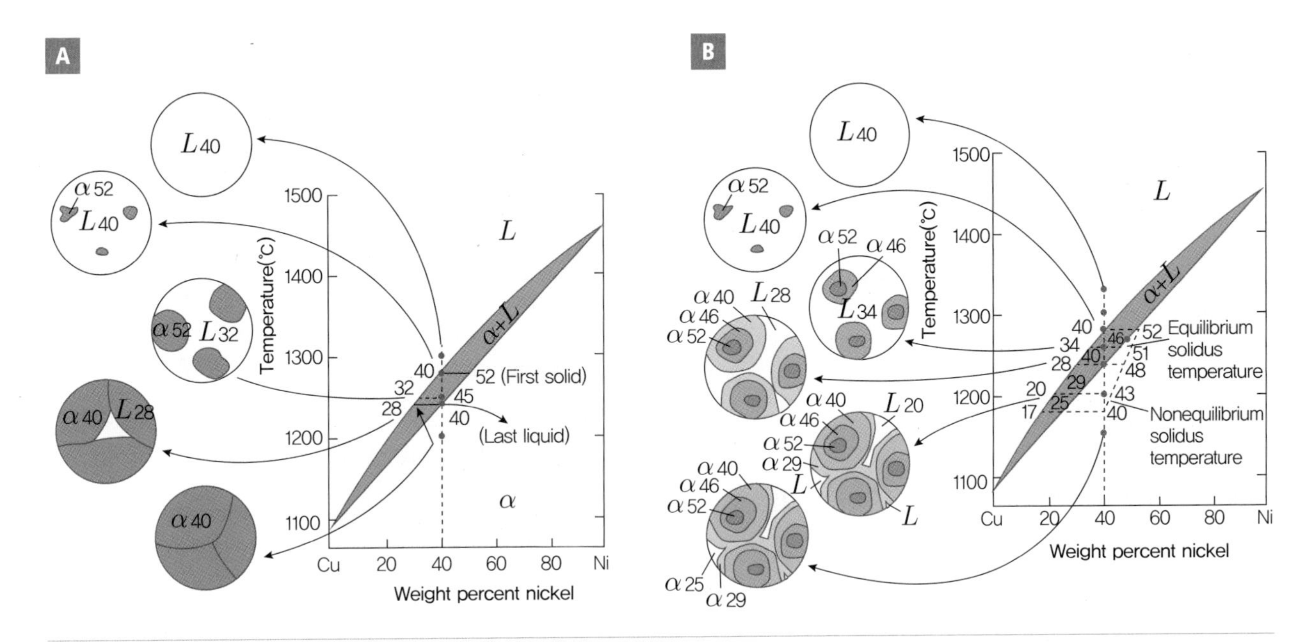

그림 6-12. Cu-Ni합금의 평형상태(A)와 비평형상태(B)에서 응고과정

하여 고체 상태에서 두 가지의 고상으로 존재한다. 일정한 온도가 되면 액상에서 두 가지의 서로 다른 고상이 정출하는데 이와 같은 반응을 공정반응, 점 E를 공정점, 온도 Te를 공정온도라고 하고 이 합금계를 공정합금계라고 한다. 치과영역에서 관심 있는 공정합금으로 Ag-Cu계(그림 6-13)를 들 수 있다. 그림 6-13에서 ABEGD는 고상선을 나타내고 AED는 액상선을 나타낸다. 780℃ 이하의 온도에서 상태도상의 대부분의 영역에서 α+β의 2상 영역으로 이루어진 것으로부터 Cu는 Ag에, Ag는 Cu에 부분적으로 서로 고용하고 있다는 것을 알 수 있다. 이 2상 영역은 Ag가 많이 포함된 합금인 α상과 Cu가 많이 포함된 β상이 기계적으로 혼합되어 있는 상태이다. 전율고용체의 평형상태도와 다른 점은 우선 액상선과 고상선이 한 점(E)에서 만나는 것이다. 이 조성(71.9% Ag, 28.1% Cu)을 공정조성 혹은 간단히 공정(eutectic)이라 부른다.

다음은 공정합금의 특징이다.

- 공정이 일어나는 온도는 두 금속의 융점보다 낮고, 액체 상태에서 두 금속의 어떤 조성의 합금보다 낮은 온도를 나타낸다.
- 조성 E의 합금의 경우 응고구간이 없다. 다른 말로 하면 공정조성의 특징인 일정한 온도에서 응고한다. 공정합금은 납접과 같이 낮은 융점이 요구되는 경우에 자주 사용된다.

공정합금의 반응은 다음과 같이 나타낸다.

$$\text{Liquid} \rightarrow \alpha\text{–solid solution} + \beta\text{–solid solution}$$

공정반응은 일정한 온도와 조성에서 나타나기 때문에 이 때의 자유도는 0이 된다.

공정상태도상에서의 각 조성(X, Y, Z)의 합금의 응고과정을 살펴보자.

X조성의 경우 액체 상태에서 온도가 하강하여 액상선과 만나는 지점에서 액상에서 α고용체가 정출하기 시작한다. 온도가 계속 하강하면 α의 양이 많아지고 다시 고상선과 만나는 온도가 되면 전체가 고상으로 존재한다.

온도가 다시 하강하여 BC선과 만나는 온도에서 α상에서 β상이 나타나기 시작하고 온도가 상온에 가까워질 수록 β상의 양이 증가한다. 공정조성 Y 합금의 경우 공정온도가 되면 액상에서 바로 서로 다른 두 개의 고상(α, β) 이 나타나고, 온도가 더욱 하강하면 두 고용체의 양에 약간의 변화가 있을 뿐 상온까지 두 가지 고상만이 존재한다. 조성 Z 합금의 경우 액상선과 만나는 온도에서 β상(primary β)이 정출되기 시작하고 공정온도까지 하강할수록 액상과 β상의 양의 변화만 나타내면서 두 가지 상이 공존한다. 공정온도가 되면 액상에서 두 개의 고상(α, β)이 정출함으로써 전체적으로 α, β의 두 가지 상이 존재하게 되고. 이 때 공정반응에 의해서 정출된 β상을 공정 β상이라고 부른다.

은-동(Ag-Cu)계는 한율 고용으로 인하여 부분고용체를 이루는 공정합금의 대표적인 예이다. Ag-Cu계는 각 성분의 낮은 농도에서 고용체가 존재한다. Ag-Cu계 합금의 가장 큰 특징은 은과 동을 합금화했을 때 융점이 현저히 낮아진다는 것이다. Ag 71.9%와 Cu 28.1%의 중량 조성을 갖는 합금은 779.4℃에서 공정을 이룬다.

또 하나의 특징은 고용한도를 이용해서 열처리로 합금의 기계적 성질을 바꾸는 것이 가능하다는 점이다. 고상선보다 약간 낮은 온도에서 가열하여 급랭하면 연화되고, 서랭하면 경화되는 성질이다. 은에 대해 동이 고용한도 이내에 있는 경우는 극히 연질이지만, 그것을 초과하면 경화된다.

Ag 95%와 Cu 5%의 합금은 881℃ 이하에서 고체이다. 881℃에서 654℃ 사이에서는 고용체를 형성하고, 654℃에서 실온으로 서랭하면 공정과 고용체의 혼합물이 된다. 만약 881℃에서 654℃ 사이에서 급랭을 하면 평형상태가 될 수 있는 시간이 없기 때문에 합금은 고용체가 된다. 급랭 시에는 합금이 성분원자의 확산에 필요한 높은 온도와 충분한 시간을 갖지 못한다. 그리하여 과포화 고용체가 된다. 반면에 급랭 후 654℃보다 더 낮은 온도로 가열 시에는 고용체에서 석출이 생긴다. 이것이 석출경화의 원리이다.

공정합금의 강도, 경도는 성분 금속보다 크고 때로는 취약하기도 하다. 공정합금계는 일반적으로 변색과 부식 저항이 낮기 때문에 금납을 제외하고는 치과용 고금합금에는 잘 나타나지 않는다. 그러나 Ag-Cu계의 α고용체 합금은 공정을 포함하는 합금보다 변색 저항이 크기 때문에 소아치과영역의 주조용 합금으로 일부 사용되고 있다. 또 일부 고동아말감합금에서 Ag-Cu 공정이 혼합성분으로 발견되기도 한다.

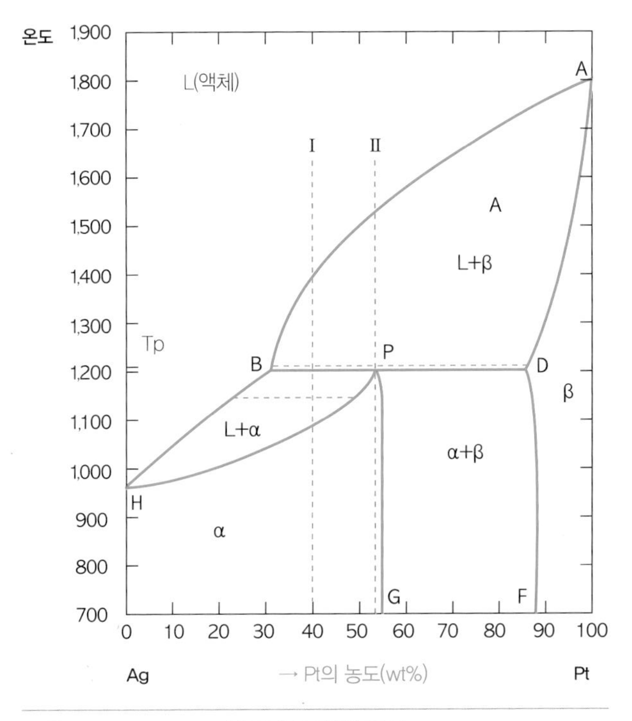

그림 6-14. Ag-Pt포정합금계의 평형상태도

한편, 주조용 금합금의 결정립 크기를 작게 하여 강도를 증가시키기 위해서 고용한도가 작고 고융점인 금속을 매우 소량 첨가하는 경우가 있다. 즉 이렇게 함으로써 100% Au에 가까운 공정조성을 가지는 공정합금을 만드는 것이다. 예를 들면 Ir은 Au와 약 0.005%에서 공정조성을 가지는 공정합금을 만드는데, 0.005% 정도의 Ir을 순금에 첨가하면 Ir이 핵형성의 임계 반경을 감소시키기 때문에 형성되는 고상의 결정입자가 작게 되어 결과적으로 강도가 증가하게 된다. Ir이 금과의 공정조성 이상으로 첨가되면 Ir은 편석을 일으키고 오히려 불균일한 크기의 입자가 형성된다.

③ 포정합금

앞에서 설명한 공정합금계와 같이 액체 상태에서는 균질한 액상을 만들지만 고상에서 부분적으로 서로 용해하고 액상과 고상 β 의 계면에서 반응이 일어나므로 β 고용체 주위를 α고용체가 둘러싼 금속 조직, 즉 포정(peritectoid)을 만든다. 이와 같은 반응을 포정반응, 점 P를 포정

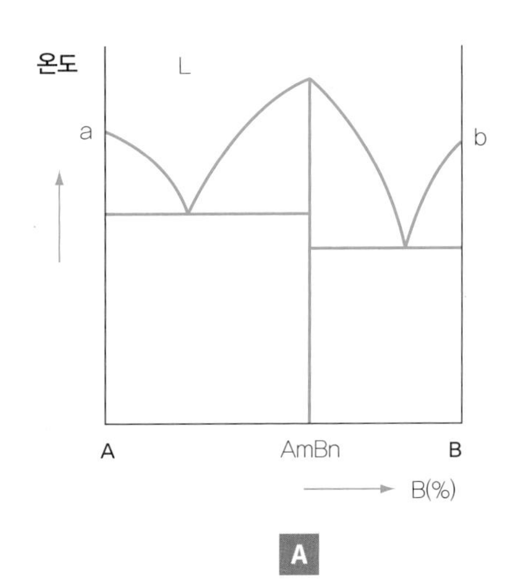

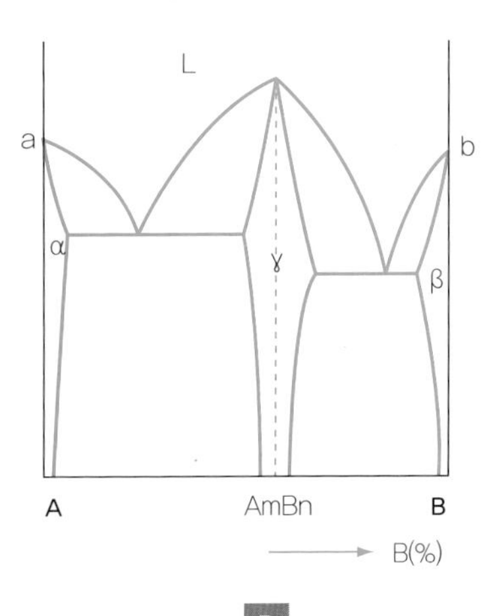

그림 6-15. 금속간 화합물을 가지는 합금의 상태도

점, 온도 Tp를 포정온도라고 하고, 이 합금 계를 포정합금계라 한다. 포정점에서는 L, α, β 의 세 상이 공존하므로 포정온도는 반응이 종결될 때까지 일정하다. 포정합금계는 치과영역에서는 드물게 사용되고 있지만 치과용 아말감 합금계의 기본인 Ag-Sn계에서 나타난다. 또 그림 6-14와 같은 Ag-Pt계 상태도상에서 보면 간단한 포정반응을 나타내고, Ag, Pt 금속은 치과용 금합금계에서 많이 사용되기 때문에 이 포정합금 계를 이해할 필요가 있다. 공정 반응과 같이 포정반응도 자유도가 0이고 따라서 일정한 온도와 일정한 조성에서 일어나며 그 반응은 다음과 같이 나타낸다.

$$\text{Liquid} + \beta\text{–solid solution} \rightarrow \alpha\text{–solid solution}$$

Ag-Pt 계의 상태도를 보면 α상은 Ag를 많이 포함한 상이고, β상은 Pt를 많이 포함한 상이며 α+β상은 Ag와 Pt의 제한된 고용 때문에 나타나는 2상 영역이다. 포정반응은 P점에서 일어나며 액상과 Pt가 풍부한 β상이 Ag가 풍부한 α상으로 변태한다.

④ 금속간 화합물을 만드는 경우

금속간 화합물은 고온에 분해되지 않고 일정의 융점을 가지며 그림 6-15와 같은 상태도를 나타낸다. (A)는 AmBn이라는 금속간 화합물이 고용체를 만들지 않는 경우, (B)는 금속간 화합물이 어느 정도 고용하는 경우이다.

(7) 3원합금의 상태도

세 성분 A, B, C합금의 상태도는 삼각형 ABC를 조성을 나타내는 평면으로 하고, 이것에 수직한 방향으로 온도축을 한 입체도로 표현할 수 있다. 삼각형 ABC는 직각삼각형 또는 그 외의 삼각형으로도 가능하지만, 보통은 그림 6-16과 같은 정삼각형으로 하고 있다. 정점 A, B, C가 100% 조성(순금속으로), 그리고 선분 AB, BC, CA가 각각 A-B, B-C, C-A의 2원합금의 조성을 나타낸다. 즉 예를 들어 BC선상은 A함유량 0%의 조성이다. 간단한 기하

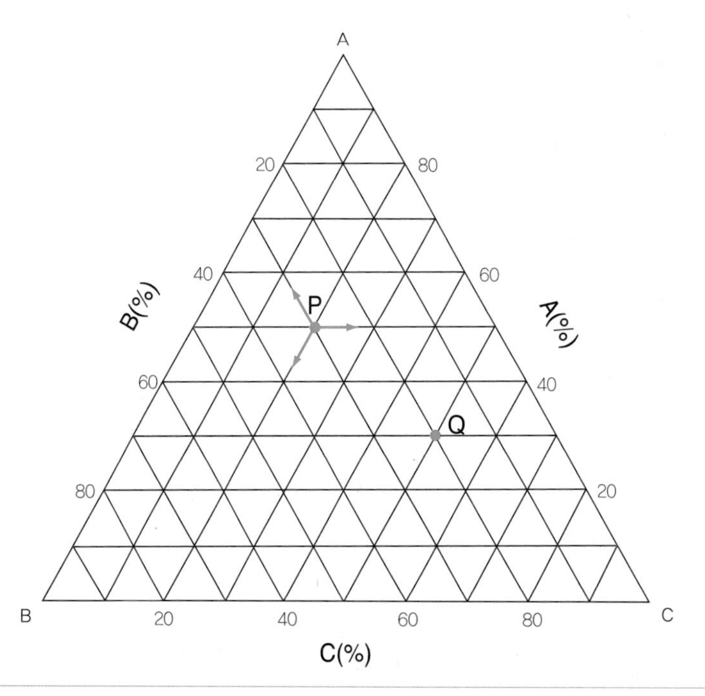

그림 6-16. 3원합금의 조성을 읽는 방법(P점 : 50A-30B-20C합금, Q점 : 30A-20B-50C합금을 표시)

학적 고찰로부터 알 수 있듯이 점 A의 대변 BC에 평행한 선분 상의 조성은 A의 함유량이 일정하다.

그림 6-16에서 점 P조성의 합금에 포함되어 있는 A의 양은, A의 대변 BC에 평행선을 그어 만나는 우측 AC선 상의 눈금으로부터 읽으면 A=50%이다. 이와 같이 B함유량은 점 B의 대변 AC에 평행선을 그어 AB선상의 눈금을 읽으면 B=30%이다. C함유량은 AB에 평행선을 그어 C=20%이다. 즉 P점은 50A-30B-20C의 3원합금, Q점은 30A-20B-50C의 3원합금 조성을 나타낸다. 3원합금 상태도는 이와 같이 조성 삼각 평면에 수직한 온도축을 가진 입체도로 만들어지지만, 이것으로는 이해하기 어렵기 때문에 어느 일정한 온도(평면)에서 입체를 절단하여 등온 상태도(iso-therm)로 나타낸다. 그림 6-17에 Fe-Cr-Ni 3원합금의 650℃ 등온 상태도를 나타낸다. 그림으로부터 스테인리스 강(18% Cr-8%Ni-Fe합금)은 γ상(austenite)인 것을 알 수 있다.

4. 금속과 합금의 내부 구조

금속과 합금의 내부 구조는 일반적으로 결정립(crystal grain)으로 구성되어 있고, 그 크기는 현미경적인 것(1,000 Å)에서부터 육안으로도 그냥 볼 수 있는 것(>1 cm)까지 다양하다.

모든 금속은 용융 상태에서 냉각되면 결정의 형태로 응고한다. 응고가 진행되면 최초로 형성되는 핵으로부터 결정이 성장하게 되고, 각각 다른 방향으로 성장해 가는 결정들이 만나게 되면 결정 간의 경계가 생기게 된다. 이와 같은 경계를 결정립계(grain boundary)라고 하고, 경계에 둘러싸인 한 부분을 결정립이라고 부른다. 응고과정에서 어느 한 방향으로 급속하게 성장하여 길쭉한 결정립을 형성하는 경우가 있는데 이와 같은 것을 수지상(dendrites)이라고 한다. 잔존하는 용융 금속이 응고되기 전에 원래의 결정립에서 가지가 형성되고 그 결과 골격구조(skel-

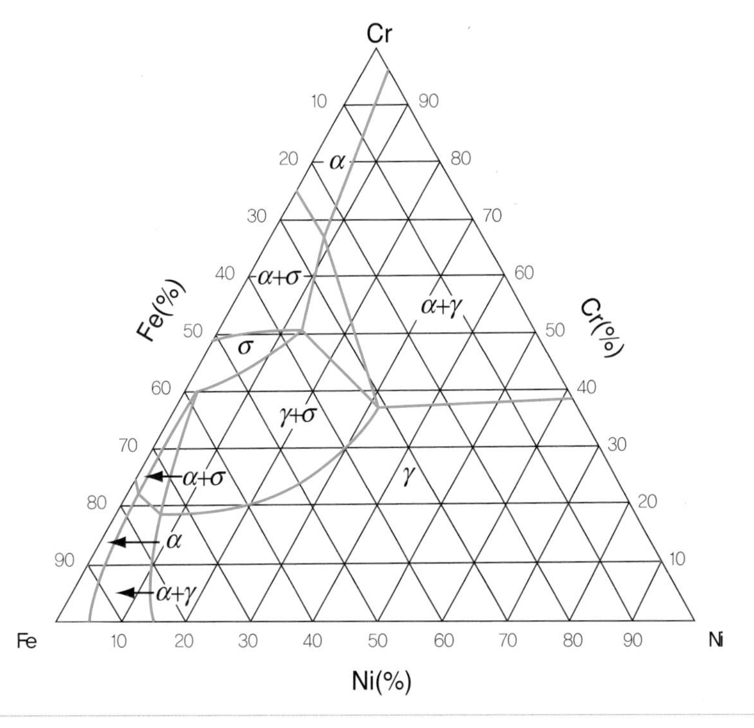

그림 6-17. Fe-Cr-Ni 3원합금의 650℃에서의 등온 상태도

eton)의 결정립이 형성되게 되는 것이다.

결정화에 있어서의 수지상 형태는 치과용 합금에서도 흔히 볼 수 있고, 치과 주조물의 경우 응고된 주입선(sprue) 밑 부분에 잘 나타난다. 산소나 탄소와 같은 불용(insoluble)의 불순물들이 금속 내에 존재하는 경우, 응고 과정에서 끝까지 용융 금속 속에 남게 되고 결국 최후로 결정립계에 존재하게 된다. 이와 같이 결정립계에 존재하는 불순물은 금속이나 합금의 기계적 성질에도 큰 영향을 미칠 수 있다. 응고에 의해서 생기는 결정립의 수는 초기 응고에서 형성되는 결정핵의 숫자에 크게 의존하고, 결정립의 크기는 핵의 수와 응고속도에 따라서 조정될 수 있다. 한편 금 합금의 결정립의 미세화는 어떤 종류의 원소를 소량 첨가함으로써 이루어질 수 있다.

0.005%의 Ir을 첨가하면 금 합금에서는 결정립의 미세화가 일어나고 단위체적당 약 125배 이상의 결정립을 형성시킨다. 그 결과 평균 입경은 70~350 μm로 작아진다. 결정립이 작아지면 결정립계가 많아지고, 외부의 힘에 의해 금속 내부의 변형이 일어날 때 변형저항이 커진다는 것을 의미한다.

5. 주조와 냉간가공

금속이나 합금의 주조에는 두 가지의 서로 다른 목적이 있다. 한 가지는 주조 그 자체에 의해서 최종적인 구조물로서 사용하는 경우이고, 또 한 가지는 주조체가 중간 형성물이 되고 이 주조체로부터 어떤 가공을 거쳐서 최종적인 제품 즉 선재, 판이나 봉과 같은 것을 얻는 것이다.

치과에서 전통적인 주조물은 인레이나 브릿지이고 이와 같은 주조물은 수작업에 의한 연마나 변연 적합작업 이외에는 어떤 기계적 처리를 하지 않는다. 이와 같은 한정된 처리는 주조체의 내부 구조를 현저하게 변화시키지는 않는다. 따라서 이와 같은 주조물은 아주 정확한 형상으로 주조되어야 하고, 그 성질은 주조된 금속이나 합금에 의해서 결정되는 것이다.

한편 금속이 선재나 봉 혹은 다른 형태로 사용되고자 할 때, 먼저 주괴(ingot)의 형태로 주조하고, 그 이후 압연(rolling), 스웨이징(swaging), 인발(wire drawing)에 의해서 최종적인 형태로 만들어지게 되며, 이 과정에서 금속은 심한 기계적 변형을 받게 된다. 이와 같은 작업 혹은 과정은 금속의 냉간가공 혹은 열간가공(cold or hot working)이라고 하고 그 구분은 작업에 가해진 온도에 의한다.

교정용 선재나 밴드(band)와 같은 치과용 구조물은 냉간가공 과정에 의해서 만들어진다. 따라서 최종적인 생산품을 가공구조(wrought structure)라고 부르고, 이것은 심한 가공이나 형상의 변화에 의해서 형성되었다는 것을 뜻한다.

가공구조는 결정립계의 내부 배열이나 기계적인 성질에 있어서 원래의 주조체와는 매우 다른 성질을 나타낸다. 냉간가공하면 가공도에 따라 가공경화하고, 그림 6-18과 같이 인장강도, 경도는 상승하고 연성은 감소하게 된다. 금속의 주조물이 인발하여 선재를 만드는 냉간가공을 거친다면, 그 내부의 결정립들은 부서지고, 서로 엉키고 또 길게 늘어진 구조를 보인다. 이와 같은 내부 구조의 변화는 기계적 성질의 변화를 수반하게 된다. 일반적으로 가공구조의 기계적 성질은 같은 금속이나 합금이라고 할지라도 주조체에 비하여 우세하다. 그러나 인레이와 같은

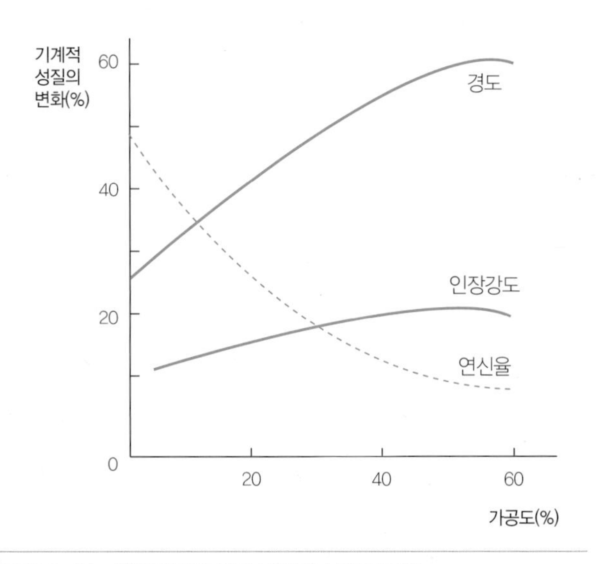

그림 6-18. 냉간가공에 따른 기계적 성질의 변화

주조한 치과용 구조물에서는 강도나 경도와 같은 기계적 성질은 단순한 연마나 변연 적합작업을 통해서는 변화되지 않는다.

6. 회복과 재결정

선재나 밴드를 만드는 과정에서 심하게 냉간가공된 금속이나 합금이 가열되면 냉간가공에 의해서 변화된 성질이 가공 전과 가까운 상태로 돌아간다. 이러한 가열조작을 소둔(annealing)이라 한다. 소둔에 의해서 원상태로 돌아가는 과정은 두 가지로 나눌 수 있는데, 첫째는 가공으로 내부변형을 일으킨 결정립이 그 형태를 유지하면서 내부응력(internal stress)이 소실되는 과정이고 이것을 회복(recovery)이라 하며 이때의 구동력은 내부응력의 감소에 의한다. 회복과정에서는 냉간가공으로 금속이 받은 물리적, 기계적 성질의 변화를 소둔에 의하여 가공 전의 상태로 돌아가려는 경향을 가지나, 결정립의 모양이나 결정의 방향에 변화를 일으키지 않고 내부 잔류응력(residual stress)의 소실, 물리적 성질만의 변화를 나타낸다. 둘째는 가공된 물체에서 특징적으로 볼 수 있는 기다랗게 늘어진 조직(fibrous structure)이 점차 없어지고 내부변형이 없는 새로운 결정립으로 치환되어 가는 과정이며 이것을 재결정(recrystallization)이라 한다. 이 과정은 새로운 결정립의 핵의 발생과 그 성장을 포함하며, 새롭게 형성된 결정립은 이전의 결정립과는 그 모양이나 방향이 다르다. 저온도의 소둔에서는 재결정이 일어나지 않고 회복만 일어나는 일도 있으나, 재결정이 일어날 때에는 그 전에 반드시 어느 정도의 회복이 일어난다. 재결정은 새로운 결정립의 핵형성(nucleation)과 성장(growth)의 과정이다. 성장의 구동력은 표면장력의 감소(surface tension)이며 재결정의 정도는 합금의 조성, 냉간가공의 형태나 냉간가공 중 받은 가공의 정도뿐 아니라, 냉간가공 후의 가열온도나 시간에 영향을 받는다.

일반적으로 가열온도가 높고, 가열시간이 길수록 재결정되는 양이 많아진다. 선재나 밴드의 납착이나 소둔 조작 동안에 재료에 가해지는 온도는 가공된 조직이 재결정을 일으키는데 충분하다. 가공된 조직이 재결정되면 물리적, 기계적 성질이 감소하기 때문에 가공된 금속 장치물을 조작하는 동안에 지나친 열을 가하는 것은 피하는 것이 좋다. 다른 형태보다는 선재의 경우 재결정이 되기 쉬우므로 가열온도나 시간을 가능한 한 최소한으로 할 필요가 있다.

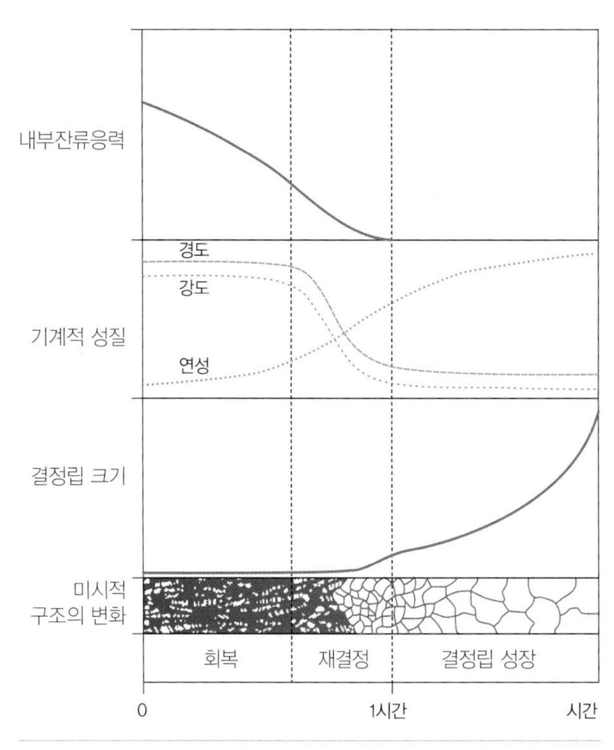

그림 6-19. 교정용 선재와 같이 냉간가공된 금속이 열처리되었을 때 나타나는 기계적 성질과 미세조직변화

주조한 금속물도 주조 후 가열하면 재결정되는 경향이 있지만 상온의 범위에서는 결정립 성장이 그렇게 명백하지 않다. 그러나 가열조건이 지나치면 주조물에서도 재결정이 일어나지만 가공용만큼 현저하게 나타나지는 않는다.

재결정된 결정립의 크기는 냉간가공, 소둔온도, 시간 등과 관련이 있고, 가열이 계속되면 결정립 성장도 계속되고 그 결과 강도나 경도는 감소하고 연신율은 증가하게 된다. 그림 6-19에는 교정용 선재와 같이 냉간가공된 금속이 가열되었을 때 나타나는 단계를 현미경적인 도식으로 나타낸 것이다. 냉간가공된 금속에 어느 시간 동안 일정한 온도를 가해 주면 변형된 결정립들로부터 응력이 없는 결정립들이 새롭게 결정을 형성하게 되고 이것을 재결정이라고 한다. 재결정 온도란 냉간가공된 금속을 한 시간 동안 열처리하여 100% 재결정 시킬 수 있을 때의 열처리 온도를 말한다. 이 온도는 대부분의 금속에서 융점(절대온도)의 1/2~1/3에 해당한다.

일정 온도에서 시간이 경과하면 결정립 성장(grain growth)이 일어나고, 이 과정에서 응력이 없는 결정립들은 표면에너지 감소에 의해서 작은 결정립들이 없어지면서 성장하게 된다. 재결정 열처리는 항복강도를 낮추고 연성을 높인다.

냉간가공된 선재는 납접할 때(국소의치의 wire clasp나 교정용 장치) 융점이 낮은 납을 사용하거나 납착시간을 짧게 하여 재결정과 결정립 성장을 최소화함으로써 높은 항복강도를 유지할 수 있다.

참고문헌

1. 김문일(2007). 금속조직학, 보문당.
2. 민수홍(2000). 금속재료학, 구민사.
3. 박희선(1979). 물리야금학, 동명사.
4. Chadwick CA(1972). Metallography of Phase Transformations, London Butterworths.
5. Porter DA(1987). Phase Transformation in Metals and Alloys. 반도출판사.
6. Smith WF 원저, 김철한, 주진호 공역(2000). 재료과학과 공학, 사이텍미디어.
7. Van Vlack LH 원저, 민수홍, 백수현 공역(1999). 재료과학, 대명사.

Ⅱ 세라믹

학/습/목/표

❶ 세라믹 재료의 일반적인 성질을 이해하고 선택할 수 있다.
❷ 실리카의 다형전이를 이해하고 매몰재의 소환 시 응용할 수 있다.

우리 사회에 이용되고 있는 소재는 철, 동, 알루미늄 등의 금속재료와 에폭시, 고무 등과 같은 폴리머 재료 및 도자기, 내화물, 전자재료 등과 같은 세라믹(ceramic) 재료의 3종류로 크게 구분된다. 세라믹스라는 용어는 고대 그리스의 케라모스(keramos)에서 유래한 것으로 도기를 구어서 단단하게 하는 재료라는 의미였으나 지금은 공업용 소재의 하나로서 일익을 담당하게 되었다. 즉 세라믹스는 '고온의 열처리 공정을 거쳐서 합성되는 비금속, 무기재료'로 정의되며, 가마를 사용하는 공업이라는 의미에서 요업제품이라고 불렸으나 현대에는 가마가 아닌 장치로 열에너지를 얻을 수 있으므로 세라믹스라는 용어를 사용하는 것이 적절하다. 금속, 폴리머 및 세라믹스 3종의 재료가 서로 다른 물성을 갖는 것은 기본적으로 화학결합 방법이 다르기 때문이며 그 결과 물리적 · 화학적 성질이나 제조방법이 크게 다르게 된다.

대부분의 세라믹스는 주기율표의 양성원소와 음성원소의 화합물로 이루어진다. 따라서 이온결합이 대부분을 차지하나 일부 공유결합 또는 금속결합을 주체로 하고 있는 것도 있고, 이러한 이유에 의해 원소 사이의 조합의 수도 많아지게 되므로 매우 다양한 기능을 갖고 있다.

세라믹스의 공통적인 특징을 보면 ① 내열성이 높다. ② 전기적으로 절연성, 반도성의 것이 많다는 점 외에 자기적 · 유전적인 성질 등 다기능성을 갖는다. ③ 변형되기 어렵고 파괴될 때 취성파괴를 한다. ④ 인성이 낮다는 것이다.

세라믹스가 적절한 기능을 발휘하기 위해서는 '고도로 정선된 원료분말'을 사용하여 '정밀하게 조정된 화학조성'과 '잘 제어된 성형 · 소결법'에 의해 합성하는 것이 필요하며, 이와 같은 과정을 거쳐 만들어진 세라믹스를 파인 세라믹스라고 하여 전통적인 요업재료와 구분하고 있다.

1. 결합력에 따른 분류

현재 치과 영역에서 사용되고 있는 소재는 크게 금속, 세라믹 및 폴리머로 분류할 수 있으며, 이의 구분은 전자 분포 또는 물질을 구성하고 있는 원자의 종류에 따라 가능하다. 세 가지 물질을 구분하는 가장 기본적인 방법은 물질을 구성하고 있는 결합력에 의한 분류이다. 결정에 존재하는 결합력은 크게 다음과 같은 4가지가 있다. 이온결합(ionic bond), 공유결합(covalent bond), 금속결합(metallic bond) 및 반데르발스(van der Waals) 결합[제2장 6p, 2) 1차결합과 2차결합 참조].

결정에 존재하는 4종의 결합력 중 산화물 세라믹(oxide)은 대부분 이온결합을 이루고 있고, 비산화물이나 실리콘은 공유결합을 갖고 있으며 방향성이 강하다. 따라서 세라믹의 경우는 이러한 결합의 특징 때문에 강도와 경도가 높지만, 반대로 인성은 낮아 잘 깨지는 성질(취성)을 갖는다. 또한 이러한 결합에 의해 내화학성과 내부식성 등 화학적 내구성이 강한 성질을 갖게 되어 지르코니아 또는 알루미나 등과 같이 우수한 기계적 물성이 요구되면서도 내화학성이 갖추어져야 하는 환경에서 주로 사용된다.

세라믹의 다른 특징 중의 하나는 다른 소재에 비해, 열역학적으로 매우 안정한 상태이기 때문에 체내에 이식되더라도 폴리머와는 달리 심각한 염증 반응이 없이 우수한 생체적합성을 보이는 것이다. 임플란트 소재로 사용되고 있는 금속 티타늄의 경우도 실제로는 표면에 수 nm에서 μm 두께의 산화티타늄(TiO_2) 층이 형성되어 있기 때문에 골 전도성이 우수하다. 모든 금속은 공기 중 노출되었을 때 매우 짧은 시간 안에 산화되어 표면에 산화층이 발생하기 때문에 대부분의 금속의 표면특성은 세라믹의 특성이라고 봐야 한다.

2. 원자 배열에 따른 분류

세라믹은 구성 원자의 배열 상태에 따라 다음과 같이 결정체(crystal)와 비정질체(amorphous) 2가지로 분류된다.

1) 결정체(Crystal)

어떤 고체 중에 존재하는 원자의 위치가 정확하게 주기적으로 반복될 때, 그 고체를 결정체라고 부른다. 다음 그 그림 6-20은 이러한 개념을 잘 보여준다. x축 방향으로 2원자간 거리가 a이고 y축 방향은 b라고 할 때, 그 고체가 완벽한 결정이라면 x와 y축 방향에서 이러한 2원자간의 거리가 -∞에서 +∞에 일정하게 유지된다. 이러한 축 상에 존재하는 A, B, C와 같은 원자들도 동일한 주기성(또는 반복성)을 갖는다는 것을 말해 준다. 따라서 관측자의 입장에서 볼 때 이러한 원자들의 위치들은 어떠한 방향에서 보더라도 동일하다[제2장 6p, 2) 1차결합과 2차결합 참조].

이러한 결정체는 다시 결정학적 방향성에 따라 단결정체와 이러한 단결정체들이 모여 이루어진 다결정체로 분류된다.

(1) 단결정체(single-crystal)

고체 전체에 걸쳐 원자가 규칙적으로 나열되어 있고 그 원자의 배열이 결정학적으로 동일한 방향으로만 되어 있는 물질을 뜻하며, 이러한 단결정체는 물질 고유의 특성이 잘 나타난다. 가장 쉽게 접할 수 있는 단결정체는 여러 종류의 보석들을 들 수 있다. 예를 들어 사파이어의 경우는 알루미나에 불순물로 소량의 산화티타늄(TiO_2)과 산화철(Fe_2O_3)이 첨가된 단결정체이며, 알루미나에 소량의 크롬 산화물(Cr_2O_3)이 첨가된 경우 붉은 색 루비가 된다. 또한 수정과 다이아몬드는 각각 실리카와 탄소의 단결정체이다. 단결정체가 투명한 이유는 단결정체로 빛이 입사되었을 때 단결정체 내에서 빛의 산란이 이루어지지 않고 투과가 가능하기 때문이다. 치과재료로 단결정은 거의 사용되지 않는데, 사파이어를 인공치근으로 이용한 경우가 있다.

(2) 다결정체(poly-crystal)

많은 수의 단결정체(결정립: grain)가 모여 이루어지며 각 단결정체는 결정학적으로 동일한 원자의 배열을 이루고 있지만, 주위의 다른 단결정체와의 사이에는 구조가 불연속이 되는 경계부분이 생기며 이를 결정립계(grain-boundary)라고 부른다. 실제 한 다결정체 내에는 매우 많은 수의 입자가 존재하기 때문에 역시 수많은 입계가 존재하게 되고, 이 입계의 존재로 인하여 단결정체와는 다른 성질이 나타나기도 한다.

대부분의 세라믹과 금속의 경우는 이와 같은 다결정체이며, 단결정체와는 달리 빛이 투과하지 않기 때문에 불투명하다. 이는 다결정체가 많은 수의 입계를 함유하고 있기 때문에 입사된 빛이 입계에서 산란을 일으켜 빛이 투과되지 않기 때문이다. 또한 입계는 원자 배열의 규칙성이 떨어지는 곳이므로 에너지 적으로 매우 불안정한 상태이기 때문에 다른 물질과의 반응성이 높다. 따라서 입계를 포함하지 않는 단결정체에 비해 내화학성 혹은 내식성이 떨어진다.

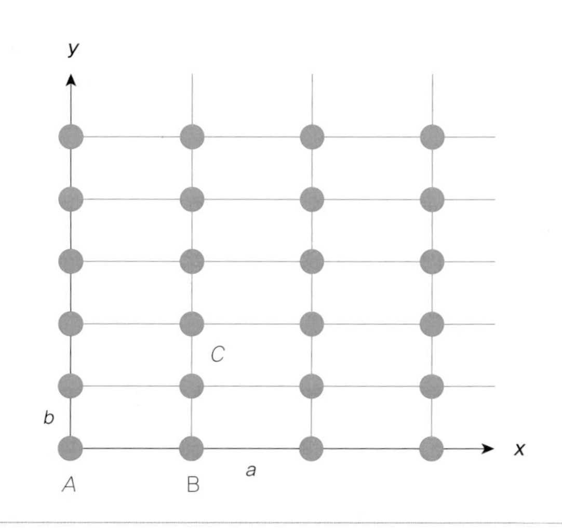

그림 6-20. 결정고체(모든 원자들은 주기적으로 배열되어 있음)

2) 비정질체: 유리(glass)와 그 외의 비정질체(amorphous)

단결정체나 다결정체의 생성은 핵 생성(nucleation)과 성장(growth) 과정을 거쳐 이루어지는데, 이는 원자들의 확산 및 반응에 충분한 온도와 시간이 주어지기 때문에 가능하다. 반면 일반적으로 유리로 대별되는 비정질체의 경우는 고온(약 >1,000℃)에서 고상인 원료물질이 용해되어 액상으로 된 상태를 상온으로 급격히 냉각시키는(quenching) 과정을 거쳐 제조되는데, 이 경우 액상 내에 있던 원자들이 열역학적으로 안정한 위치로 이동하지 못하고 무작위로(random) 위치하여 고형화된 물질을 비정질체라고 한다.

비정질체는 어떤 한 중심원자를 기준으로 볼 때 주위 원자가 어느 정도 규칙적으로 위치하게 되는 단주기성(short range order)은 존재하지만, 어느 정도 거리 이상에서는 그 주기성이 완전히 사라지게 되는 즉, 장주기성(long range order)이 없는 물질을 지칭한다. X-선 회절분석기로 측정 시 원자들의 면간 거리가 일정하지 않기 때문에 특정한 peak이 나타나지 않고, 저각 부분에 큰 halo peak만이 나타나게 된다.

비정질체의 경우는 단결정체와 마찬가지로 입계가 없기 때문에 빛이 투과하는 성질이 있어서 투명하며, 열역학적으로 매우 불안정한 상태이기 때문에 오랜 시간이 경과하면 다시 다결정체로 돌아가지만 실제로 이에 걸리는 시간은 매우 길다. 이집트 피라미드 내에서 발견되는 유리는 대부분 불투명한데, 이는 오랜 시간에 걸쳐 결정화가 발생하여 반투과성을 보이기 때문이다. 폴리머나 금속의 경우도 세라믹과 마찬가지로 결정질과 비정질이 있으며, 금속 비정질체의 경우는 입계가 없으므로 내화학성이 우수하여 녹이 발생하면 안 되는 부분 등에 적용되기도 한다.

세라믹 비정질체가 치과영역에서 사용되는 경우는 우선 컴포짓트 레진의 필러로 사용되는 실리카 입자들과 임플란트 소재로 사용되는 생체활성 유리 등이 있다. 실리카의 경우도 각 열처리 온도에 따라 생성되는 상이 다르며 고온에서 열처리되어 얻어지는 석영(quartz)의 경우는 결정성을 보인다.

3. 세라믹의 종류

1) 산화물

산화물은 금속원자가 산소와 결합한 형태로 금속 산화물이라고도 표현되지만, 일반적으로 oxide라고 불린다. 모든 금속은 공기 중에서 바로 산화되므로 궁극적으로 모든 금속은 세라믹 산화물로 변한다고 해도 과언이 아니다.

치과영역에서 가장 잘 알려진 산화물은 알루미나(Al_2O_3), 실리카(SiO_2), 지르코니아(ZrO_2), 티타니아(TiO_2) 등이 있으며, 이들은 열적 안정성과 내화학성이 특히 우수하고 생체적합성이 뛰어나서 각종 임플란트 소재와 치과용 세라믹 수복재로 쓰이고 있다. 이에 대한 내용은 15장 세라믹 수복재료와 18장 치과용 임플란트에서 자세하게 소개되어 있다.

2) 질화물

질화물은 금속원자가 질소와 결합한 물질로서 영어로는 nitride로 표현된다. 질화물들은 공유결합이 매우 강하기 때문에 기계적 물성이 매우 우수한 것으로 알려져 있고, 이는 임플란트 소재로 많이 쓰이고 있는 TiN, 구조재료로서 널리 사용되는 질화규소(Si_3N_4), 질화알루미늄(AlN) 등이 있다.

3) 탄화물

탄화물은 금속원자가 탄소와 결합한 물질로서 영어로는 carbide로 표현된다. 탄화물 역시 공유결합이 매우 강하기 때문에 기계적 물성이 우수하고, 따라서 공구강 등에 주로 이용되고 있다. 대표적인 물질로는 탄화규소(SiC)와 공구강으로 사용되는 텅스텐 카바이드(WC) 및 티타늄 카바이드(TiC) 등이 있다.

4) 붕화물

붕화물은 금속원자가 붕소와 결합한 물질로서 영어로는 boride로 표현된다. 이 역시 공유결합에서 기인하는 물성으로 구조재료로 많이 사용되나 치과용 소재로는 쓰이지 않는다. 대표적인 물질로는 무기의 장갑판으로 사용되는 티타튬 보라이드(TiB_2)가 있다.

4. 세라믹의 제조공정

세라믹의 경우는 그 출발물질이 대부분 분말이기 때문에 금속이나 폴리머와는 달리 그 제조공정이 매우 까다롭고 성형에 있어서 많은 제약이 따른다. 또한 출발물질인 세라믹 분말을 취급(handling)이 가능한 상태로 만들기 위해서 반드시 고온 소결(sintering) 과정을 거치게 되는데, 이 때 소결 과정 중 많은 수축이 발생하므로 정확한 치수를 맞추기 위해서는 반드시 후 가공이 필요하고 처음부터 near net shaping은 불가능한 단점이 있다.

분말에서 시작한 세라믹의 bulk body를 제조하는 공정과 그에 따른 미세조직 변화는 다음 그림 6-21와 같다.

원료분말은 미세할수록 비표면적이 높기 때문에 소결성이 좋아지지만, 그 크기가 μm 이하가 될 경우는 분말간의 응집(agglomeration)이 심해지기 때문에 취급이 어려워진다. 분말은 또한 원형이어야 작업 시 흐름성이 좋고 성형 시 성형밀도가 높아지므로 원료 분말 제조 시 spray drying 방법 등으로 원형의 과립 형태 분말을 제조하기도 한다.

성형은 일반적으로 몰드 안에 분말을 채워 넣고 프레스를 사용, 1축 압력을 가하여 몰드 형태의 모양으로 성형을 하는 건식성형이 대부분인데, 이는 주로 단순한 모양으로 밖에 제조할 수 없는 단점이 있다.

복잡한 모양으로 성형할 경우는 석고로 거푸집을 만들고 그 안에 분말을 PVA와 같은 바인더와 같이 슬러리로 만들어서 채워 넣은 후 고형화되면 거푸집을 제거하여 성형체를 얻는 주입성형이 있다. 그러나 이 경우는 건조 시 균열의 발생이 쉽고 성형체 안에 기포 등이 포획되기 쉬워 소결 후 응력이 가해졌을 때 균열 전파의 시작점이 될 가능성이 높은 단점이 있다.

최근에는 겔 캐스팅(gel casting) 성형이라고 하여 슬러리를 제조 시 라디칼 중합이 가능한 단량체(monomer)와 중합촉진제를 소량 첨가한 후 복잡한 형태의 몰드(다양한 소재)에 이를 부어 넣고 첨가한 단량체를 중합시켜서 복잡한 형태의 성형체를 제조하기도 한다. 이 경우는 주입성형법과는 달리 분말과 분말 사이를 in situ로 중합된 폴리머가 단단히 결합시켜 주고 있기 때문에 가소결 과정 없이도 성형체를 직접 green machining할 수 있다는 장점이 있다.

대량생산 시 사용되는 다른 한 가지 성형법은 dry bag cold isostatic press (dry bag CIP)로서 폴리우레탄과 같은 폴리머 물질로 복잡한 모양의 음형 몰드를 제조한 후 이 안에 세라믹 분말을 채워 넣고 정수압 성형기(CIP)를 이용하여 외부에서 정수압을 가하여 성형을 하는 것이며, near net shape로의 성형이 어느 정도 가능하나 거푸집을 제조 시 두께가 일정하지 않으면 정수압 성형 시 뒤틀림이 발생하게 되고 유한요소 해석법과 CAD를 이용하여 거푸집을 정밀하게 제조하여야 하기에 제조 단가가 높아지는 단점이 있다.

일반적인 경우 성형 후 성형 밀도를 증가시키기 위하여 정수압 처리 과정을 거치게 된다. 정수압 성형은 압력 매체로 기름이나 물을 사용하게 되며, 외부에서 압력을 가해 주어 성형체를 치밀화시키는 방법인데 성형체에 압력을 받게 하기 위하여 성형체를 물이 새지 않는 얇은 비닐막으로 밀봉하여 준 후 압력 매체로 사용되는 물이나 기름 속에 넣고 약 100 MPa 이상의 정수압을 가하여 성형

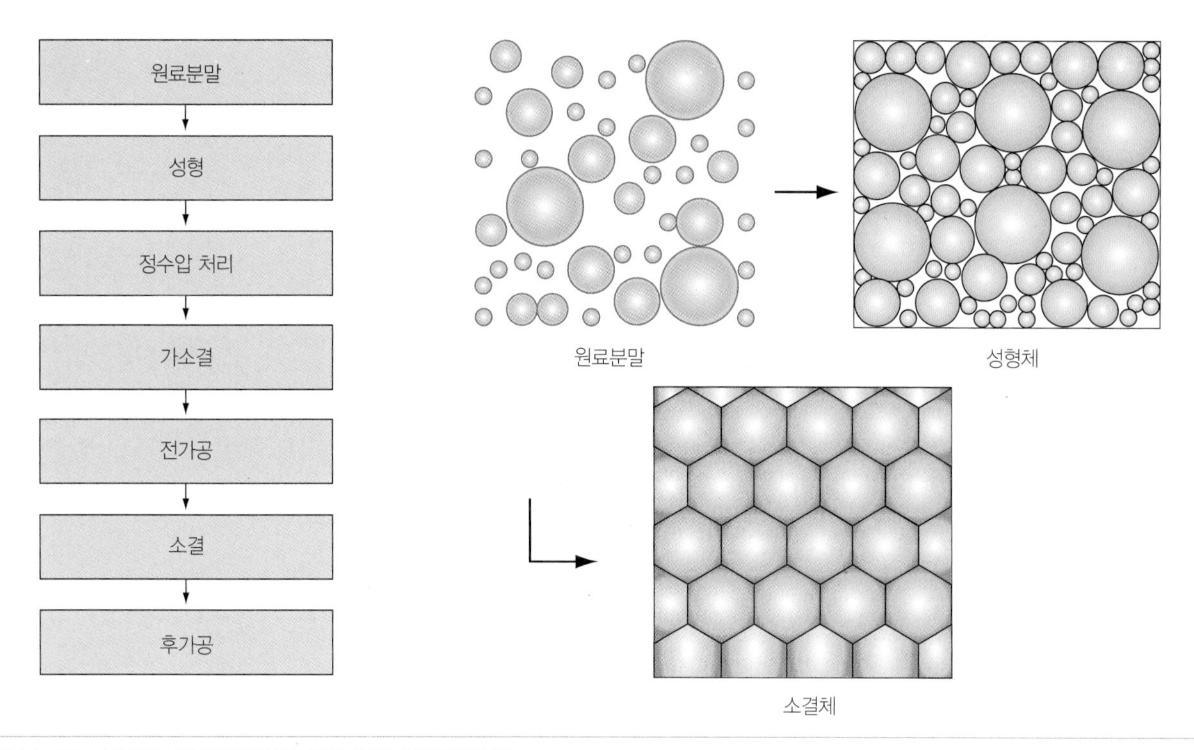

그림 6-21. 세라믹스의 성형공정 및 그에 따른 미세조직 변화

밀도를 높여준다.

정수압성형이 완료된 시편은 가소결 과정을 거치게 되는데, 가소결 온도는 실제 소결온도의 약 2/3선에서 수행된다. 가소결이 완료된 시편은 소결 후의 후 가공 양을 줄이기 위하여 near net shape로 가공을 하고 가공이 완료된 시편은 본 소결을 수행한다. 표 6-4는 세라믹스의 성형공정을 표 6-5는 성형법의 특징을 나타낸 것이다.

소결은 많은 입자들이 비표면적을 줄여서 전체적인 에너지 시스템을 낮추기 위해 진행되는 현상으로 소위 Ostwald ripening이라고 불리는 이론 즉, 작은 입자들이 용해되어 큰 입자로 물질이동이 발생하며 소결체가 된다.

소결 시 승온 속도가 빠를 경우 승온 중 입성장에 의한 기계적 물성의 감소를 막을 수 있고, 그 온도가 높을수록 소결밀도도 높이기 쉬우나 너무 높을 경우에는 입자가 과성장하여 역시 기계적 물성이 감소한다. 소결온도와 시간은 각 시스템에 따라 달라지므로 상태도(phase diagram)를 기본으로 하여 여러 번의 예비 실험을 통하여 결정하여야 한다.

소결에는 고상소결과 액상소결이 있으며 고상소결은 소결 도중 액상이 발생하지 않고 고상 입자들 간에 물질이동이 발생하여 소결이 진행되는 경우를 말하는데, 알루미나 혹은 지르코니아와 같이 기계적 물성이 요구되는 구조재료의 소결 시 많이 이용된다. 반면 액상소결은 소결 중 첨가물 중의 한 가지가 액상이 되고 다른 한 가지는 고상으로 남아 있게 되며, 고상은 액상에 용해도가 있는 물질을 사용한다. 소결은 작은 입자들이 일차적으로 액상 속으로 용해된 후 큰 입자들로 물질이동이 일어나는 형태로 진행되는데, 액상소결의 장점은 액상의 존재로 인하여 고상소결에 비해 비교적 낮은 온도에서 소결이 가능하다는 것이지만 고상 소결체에 비해 고온 creep 등이 쉽게 발생하여 기계적 물성이 저하되는 단점이 있다. 따라서 처음 소재를 설계할 때 사용 용도에 맞는 시스템의 설계가

표 6-4. 세라믹스의 성형공정

공정	성형방법		분체조정	특징		
				복합형상	생산성	신뢰성
상압소결 공정	건식성형	금형가압성형	분무건조법에 의한 조립	△	◎	△
	소성성형	등압성형		△	×	◎
		금형사출성형	결합체와의 가열 혼련	◎	◎	△
		압축성형	결합체와 용제의 혼련	△	△	△
	습식성형	주입성형	슬러리 조정수에 의한 분산	◎	△	○
		테이프성형		×	◎	○
가압소결	HIP(Hot Isostatic Press)		분무건조에 의한 조립	○	×	◎
공정	HP(Hot Press)			×	×	◎

◎: 매우 우수함, ○: 우수함, △: 보통, ×: 떨어짐

표 6-5. 각종 세라믹스 성형법의 특징 비교

방법	재료	형태	제품형상
기계성형	분체 + 바인더	과립	비교적 단순
정수압성형 (CIP)	분체 + 바인더	과립	단순~복잡 (원주상, 구상)
주입성형	분체 + 물 + 바인더 + 분산제	슬러리	단순~복잡
닥터 블레이드법	분체 + 바인더 + 분산제	슬러리	단순 (필름상, 시트상)
압출성형	분체 + 바인더 + 물	과립	비교적 단순 (봉상, 파이프상)
사출성형	분체 + 바인더	배토과립	복잡~매우복잡
열간가압성형	분체	과립	단순 (원주, 정방정)

요구된다.

소결법에는 대기압 하에서 소결을 수행하게 되는 상압소결과 외부에서 압력을 가하게 되는 가압소결이 있는데, 가압소결은 일축방향으로 압력을 가하며 소결을 행하는 열간 가압소결(hot press)과 아르곤이나 질소 가스를 그 압력매체로 하여 소결을 하게 되는 열간 정수압 소결(HIP, hot isostatic press) 방법이 있다. 상압소결과 열간 정수압 소결법은 복잡한 모양의 소결체 제조가 가능하나 열간 가압소결법은 원기둥 모양과 같이 단순한 모양의 소결체 제조만 가능하다.

소결 후 후가공은 절삭 및 연삭 가공을 수행한 후 래핑 혹은 연마 과정을 거치게 되는데, 세라믹의 경도가 높은 것을 고려할 때 일반적으로 다이아몬드 입자가 코팅된 공구강을 사용하여야 한다. 세라믹은 취성이 강하므로 주 가공 후 다시 다이아몬드 혹은 알루미나 슬러리로 연마하여 표면에 scratch나 notch 등이 남지 않게 하여야 한다.

참고문헌

1. 정수진(1997). 결정학 개론, p.6-9, 반도출판사.
2. 최태운 편저(2004). 뉴 세라믹스, p.16-17, 신지서원.
3. 황규섭 역(1995). 파인세라믹스 공학, p.13, 대광서림.
4. Kittel C(1984). Introduction to solid state physics, 6th ed., p.72, John Wiley & Sons, Inc.

Ⅲ 폴리머

학/습/목/표

❶ 열적 거동에 따른 폴리머 재료의 분류
❷ 라디칼 중합 단계
❸ 중합도, crosslinking, 가소제

1. 폴리머의 기초

폴리머의 정의, 화학 구조와 성분 및 물성에 대한 기초 지식의 충분한 이해는 다양한 치과용 폴리머 재료의 사용에 많은 도움이 된다. 치과용 폴리머 재료로는 치과용 인상재(알지네이트, 폴리이써, 폴리설파이드, 실리콘), 치과용 수복재료(컴포짓트 레진, 접착레진, 시멘트), 예방용 재료(치면열구전색제), 의치 및 근관용 충전재 등이 있다.

치과재료학 용어 중 '폴리머', '레진' 및 '중합체'는 모두 동일한 의미로 사용되고 있다. 폴리머(polymer)란 저분자 화합물 즉, 단량체(monomer)가 공유결합에 의해 반복 연결되어 사슬 구조를 보이며 대부분 비정질(amorphous) 구조를 갖는 최소 분자량이 5,000 이상인 거대분자이다. 이러한 거대분자량, 폴리머 사슬(polymer chain)의 공유결합 및 폴리머의 3차원적인 교차구조 등에 의해 폴리머 재료는 저분자 유기화합물, 금속 및 무기재료 등에서는 볼 수 없는 특성을 관찰할 수 있다.

폴리머 재료의 물성은 폴리머 재료를 구성하는 화학성분과 단량체의 분자량 및 구조 등에 의해 영향을 받는다. 폴리머의 기본 구성 성분은 탄소와 수소이지만 첨가 원소에 따라 다양한 특성을 갖는 폴리머로 변화시킬 수 있다. 예를 들면, 기본 구조에 산소가 첨가되면 아크릴 레진, 질소가 첨가되면 나일론, 불소가 첨가되면 불화 플라스틱, 실리콘이 첨가되면 실리콘 레진 등으로 변환할 수 있다. 일반적으로 단량체의 분자량이 클수록 폴리머 재료의 기계적 특성이 증가하고, 유리 전이온도(T_g)와 용융 온도가 증가한다. 또한 단량체로 구성된 폴리머 사슬이 선형(linear) 구조 또는 가지(branched) 구조를 갖는 경우가 가교결합된(cross-linked) 구조를 갖는 경우보다 용매를 흡수하는 정도가 높고 더 낮은 온도에서도 유동성을 보인다.

대부분의 치과용 폴리머 재료들은 비정질 구조(amorphous structure)로 구성되어 있으며 경우에 따라서는 약간의 결정구조(crystalline structure)가 혼재되어 있는 경우도 있다. 그러나 치과용 폴리머 재료의 경우 결정구조를 갖는 폴리머는 불투명도가 증가하고 실온에서 적절한 중합이 어려워 그 사용이 제한되고 있다.

치과용 세라믹과 금속 재료의 경우 강한 1차 결합(이온결합, 금속결합)으로 기계적 특성이 우수하고 열팽창계수가 낮은 특징이 있는데, 치과용 폴리머 재료의 경우에는 폴리머 사슬 내의 단량체들은 강한 1차 결합(공유결합)으로 구성되어 있지만, 폴리머 사슬 간에는 약한 2차 결합(수소 결합, 반데르발스 힘)으로 구성되어 있어 기계적 강도가 상대적으로 낮으며, 열팽창계수는 매우 높은 단점이 있다(그림 6-22).

폴리머 재료를 치과용으로 사용하기 위해서는 다음과 같은 요구조건을 만족하여야 한다.

- **생물학적 특성** : 맛, 냄새 및 독성이 없어야 하고, 구강조직을 자극하지 않아야 한다. 타액이나 다른 용액에 용해되지 않아야 하며, 비위생적이거나 불쾌하지 않도록 구강액이 침투되지 않아야 한다. 또한 치질에 화학적 결합을 하고 미생물의 성장을 억제할 수 있어야 한다.
- **기계적 특성** : 저작력, 충격, 마모 등에 저항할 수 있

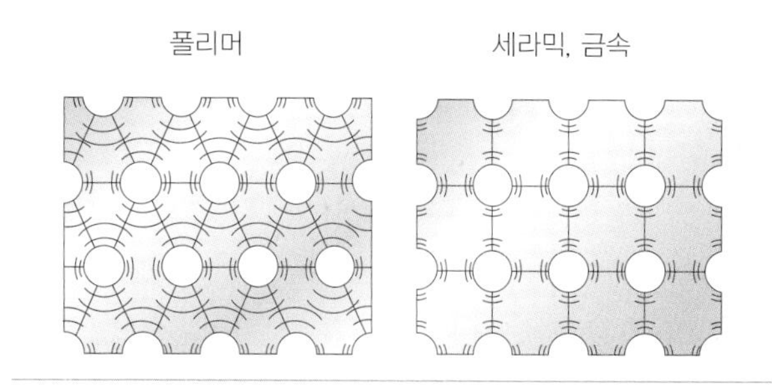

그림 6-22. 폴리머 재료와 세라믹 · 금속 재료의 열팽창 거동의 차이

고 체적 안정성을 유지할 수 있도록 적절한 강도, 인성(toughness), 경도 및 탄성 등을 가져야 한다.

- **심미성** : 대체할 구강조직을 심미적으로 재현하기 위하여 적절한 반투명도나 투명도를 가져야 하며, 주변 색조와 조화될 수 있도록 색소 물질을 첨가할 수 있어야 한다.
- **취급 특성** : 분말 또는 용액은 혼합과 성형이 용이하며, 중합에 문제가 없어야 한다.
- **경제성** : 파절되었을 때 보수가 쉽고 경제적이어야 하며, 치과용으로 적용하는데 간단한 장비로도 가능하여야 한다.

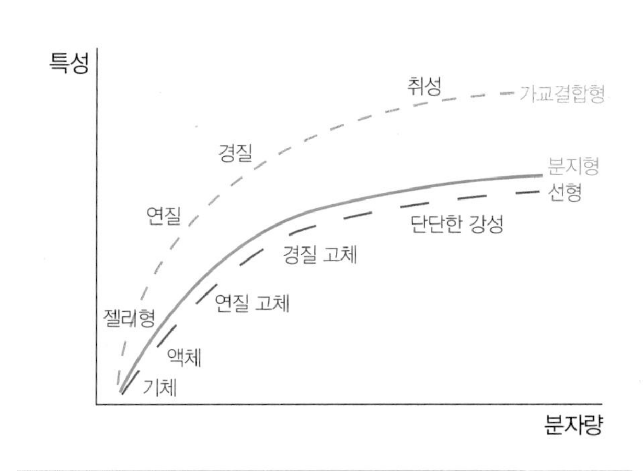

그림 6-23. 폴리머의 사슬길이, 분지 및 가교결합이 중합체의 기계적 및 물리적 특성에 주는 영향

2. 치과용 폴리머의 분류

치과용 폴리머는 화학구조, 3차원적 구성, 열 특성, 중합과정 및 용도에 따라 다음과 같이 분류될 수 있다.

1) 화학 구조(Chemical structure)에 따른 분류

단일 단량체로 구성된 경우 동종 중합체(homopolymer)라 하며, 2개 이상의 단량체로 구성된 경우 공중합체(co-polymer)라 한다. 공중합체의 경우 구성하는 각기 다른 단량체의 장점을 이용할 수 있으며, 단량체의 배열 형태에 따라 alternating, random, block 및 graft형 공중합체로 재분류할 수 있다(그림 6-23, 그림 6-24).

2) 공간 배열(Spatial orientation)에 따른 분류

그림 6-25에서와 같이 폴리머 사슬의 공간 배열에 따라 선형(linear), 분지형(branched), 가교결합형(cross-linked) 등으로 분류할 수 있다.

3) 열 특성(Thermal behavior)에 따른 분류

폴리머 재료는 그 열적 성질에 따라 열가소성 레진(thermoplastic resin)과 열경화성 레진(thermosetting resin)으로 분류한다. 열가소성 레진은 열과 압력 하에서 연화되어 원하는 모양으로 성형할 수 있고, 성형한 후 이를 냉각하면 화학적 변화 없이 경화되어 성형된 상태를 유지하는 레진이다. 일반적으로 열가소성 레진은 가교결합을 하지 않아 유기용매에 용해되기 쉽고 가열함에 따라 용융되거나 유동성을 갖게 된다. 즉, 폴리머 사슬간의 결합이 열이나 유기용매에 의해 임시적으로 파괴되는 성질을 갖는다. 폴리스타이렌, 폴리비닐, 아크릴, 폴리에틸렌, 폴리메틸메타크릴레이트 등 대부분의 치과용 레진은 열가소성 레진이다.

열경화성 레진은 가열하여 성형하는 동안에 화학반응이 발생하여 최종산물은 원래의 화학구조와 상이한 레진으로 변환되며 가교결합된 공간 구조를 형성하므로 가열에 의하여 연화되지 않고 일반적으로 용매에 용해되지 않는다. 치과용으로 사용되는 열경화성 레진으로는 실리콘과 가교결합된 폴리메틸메타크릴레이트 등이 있다.

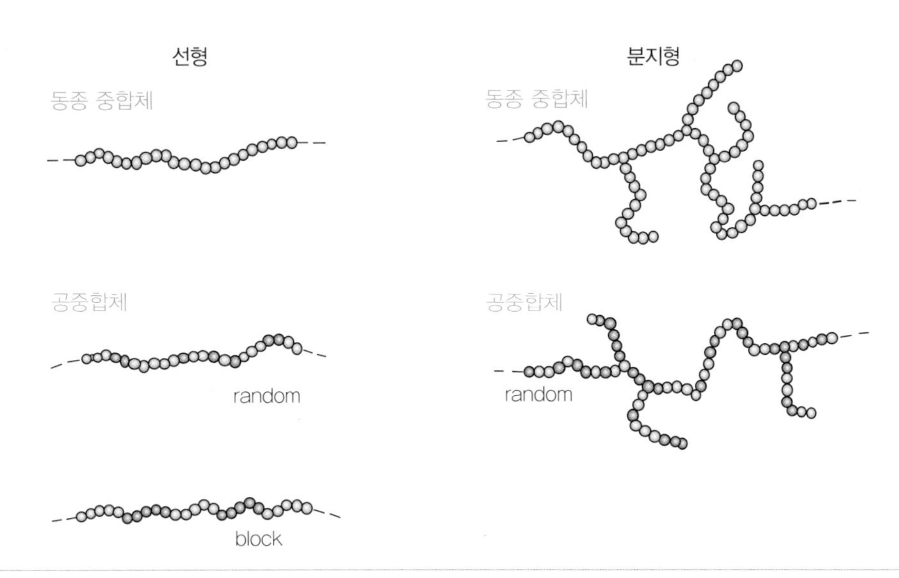

그림 6-24. 선형 및 분지형 동종 중합체와 공중합체

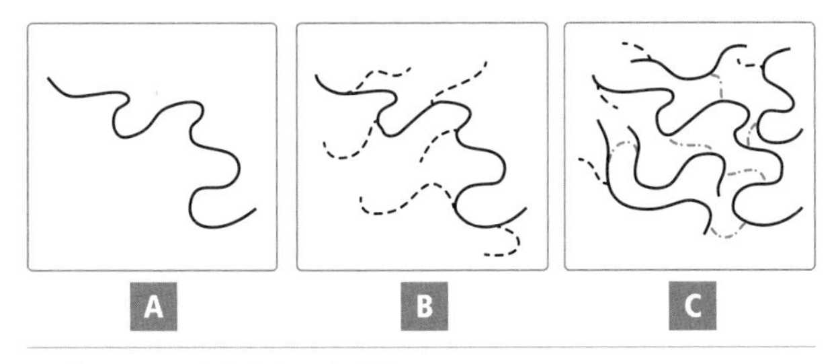

그림 6-25. 단량체의 공간배열 A 선형, B 분지형, C 가교결합형

4) 중합반응(Polymerization process)에 따른 분류

치과용 폴리머는 중합반응에 따라 축중합형(condensation polymerization) 또는 부가중합형(addition polymerization)으로 분류할 수 있다. 축중합은 중합에 참여한 단량체가 모두 폴리머로 전환되는 것이 아니라 중간에 물 등과 같은 부산물이 형성되어 빠져나가므로 더 많은 중합 수축 가능성이 있어 치과용 폴리머의 중합방법으로 적절하지 않다. 반면 부가중합은 중합에 참여한 단량체가 모두 폴리머로 전환되는 것으로 축중합보다 체적 안정성 유지에 유리한 점이 있다.

5) 용도에 따른 분류

최종 치과에서 적용되는 용도에 따라 치과용 왁스, 인상재, 의치상용 레진 및 심미수복재 등으로 분류할 수 있다.

3. 중합반응(Polymerization Reaction)

단량체 또는 하나 이상의 저분자량 단량체들이 고분자량인 하나의 큰 분자를 만들기 위해 반복적으로 반응하여 중합체로 바뀌는 것을 중합반응이라 한다. 이러한 중합반응이 일어나기 위해서는 에너지(열, 화학물질 및 빛 에너지)가 필요하다.

단량체는 이량체(dimer) 또는 삼량체(trimer)를 거쳐 중합반응이 진행된다(표 6-6). Vinyl chloride가 중합되어 poly(vinyl chloride)를 생성하는 것을 예를 들면 다음과 같다.

$$CH_2{=}CHCl \rightarrow -CH_2-CHCl-CH_2-CHCl- \rightarrow (-CH_2-CHCl-)n$$

표 6-6. 단량체와 그 중합체의 구조

<table>
<tr><th>Name</th><th>Monomer</th><th>Polymer</th></tr>
<tr><td>Poly (vinylchloride)</td><td>H H
| |
C=C
| |
H Cl</td><td>H H H H H H H H H H
| | | | | | | | | |
-C-C-C-C-C-C-C-C-C-C-
| | | | | | | | | |
H Cl H Cl H Cl H Cl H Cl</td></tr>
<tr><td>Poly (tetrafluorethylene)</td><td>F F
| |
C=C
| |
F F</td><td>F F F F F F F F F F
| | | | | | | | | |
-C-C-C-C-C-C-C-C-C-C-
| | | | | | | | | |
F F F F F F F F F F</td></tr>
<tr><td>Poly (acrylic acid)</td><td>H H
| |
C=C
| |
H C=O
|
OH</td><td>H H H H H H H H
| | | | | | | |
-C-C-C-C-C-C-C-C-
| | | | | | | |
H C=O H C=O H C=O H C=O
| | | |
OH OH OH OH</td></tr>
</table>

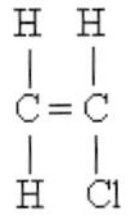

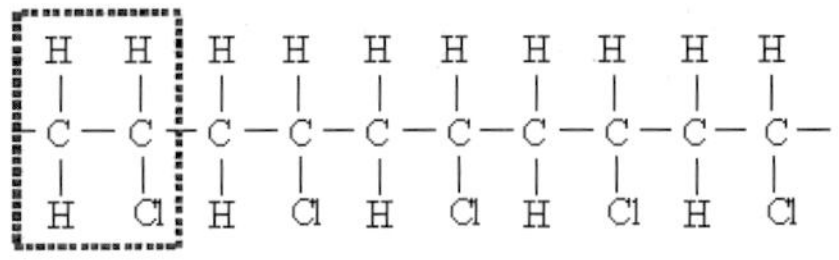

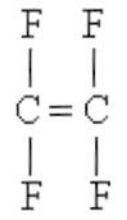

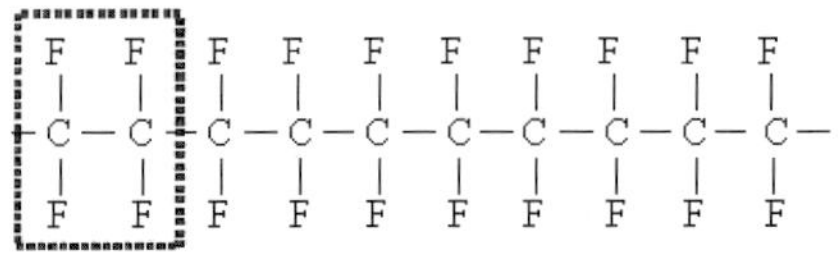

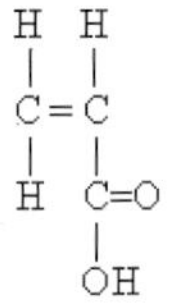

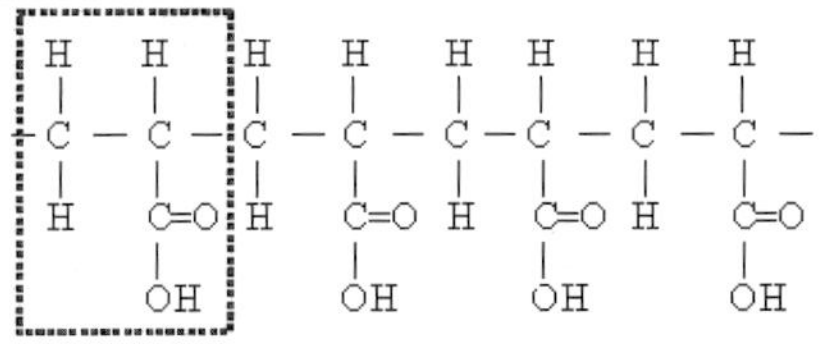

여기서, n을 중합도(degree of polymerization)라 하며 $-CH_2-CHCl-$를 반복단위(repeating unit)라고 한다. 그리고 구조단위의 되풀이 되는 수(즉, 중합도)가 2~20 정도인 선형 또는 환형 저분자의 중합생성물을 올리고머(oligomer; 분자량 1,000~10,000)라고 하며, 이는 중합체와는 다소 상이한 특성을 가지고 있다.

1) 중합체의 성질

중합체의 물성에 영향을 주는 인자로는 주위의 온도, 기본이 되는 단량체의 종류, 중합의 정도, 분자구조와 단량체의 수와 형태 및 분지와 가교결합의 수 등을 들 수 있다. 중합도가 클수록 강도가 증가한다. 중합체 사슬이 가교되어 있으면 강도가 증가하고, 레진은 용해되지 않는다. 중합체의 사슬이 길수록, 더 복잡한 가교결합된 망상구조를 이룰수록, 경도가 더 커지고 강성(stiffness)을 갖게 된다.

비정질 치과용 레진의 유리전이온도(glass transition temperature, T_g)는 분자의 운동에 의해 폴리머 사슬의 이동이 가능하게 되는 온도로서, 기계적으로는 탄성계수의 갑작스런 변화가 나타나는 온도이다. 유리전이온도 이하에서 중합체는 강성의 고체 특성을 발휘하지만, T_g 이상에서는 점성의 액체, 가소성의 고체나 고무와 같은 성질을 나타낸다. 이것은 분자의 구조나 가지 혹은 교차결합 정도에 따라 영향을 받는다. 실제로 이러한 유리전이온도는 임상 적용에 매우 중요하다. 예를 들면, 유리전이온도가 60℃인 중합체로 의치상이 만들어졌다면 그 의치상은 보통의 구강온도에서는 강성을 보일 수 있지만, 뜨거운 음식물을 섭취하여 구강 내 온도가 70℃로 증가된다면 의치상은 연화되어 그 기능을 할 수 없게 된다.

단량체의 분자량이 증가할수록 T_g는 상승하고, 단량체 분자가 복잡한 곁사슬(side chain)을 가지고 있으면 곁사슬이 없는 직선의 사슬구조를 갖는 중합체보다 T_g는 낮아진다. 또한 교차결합이 증가할수록 T_g는 상승하지만, 가소제(plasticizer)를 첨가함에 따라서는 T_g는 낮아진다.

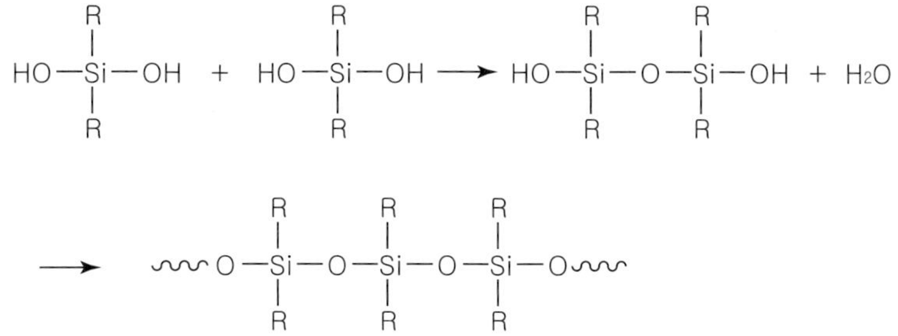

$$HO-Si(R)(R)-OH + HO-Si(R)(R)-OH \rightarrow HO-Si(R)(R)-O-Si(R)(R)-OH + H_2O$$

$$\rightarrow \sim O-Si(R)(R)-O-Si(R)(R)-O-Si(R)(R)-O\sim$$

그림 6-26. 실리콘 고무인상재의 축 중합 반응

2) 중합반응의 형태

(1) 축중합(condensation polymerization)

단량체가 반복적으로 결합하여 중합체를 만들며, 이 때 부산물(물, 할로겐, 산, 알코올, 암모니아 등)이 빠져나가, 중합체 사슬 내의 반복 단위체(mer)는 원래의 단량체의 합보다 더 적은 분자량을 갖는다. 치과재료 중에서는 폴리설파이드 고무인상재, 축중합형 실리콘 고무인상재 및 폴리우레탄 등이 축중합으로 경화된다(그림 6-26).

또한 반복 단위체가 작용기(functional group; 아미드, 우레탄, 에스테르, 설파이드 등)에 의해 부산물의 생성 없이도 반복적으로 결합하여 중합되는 것도 축중합이라 한다. 다이올(diol)이 다이이소시아네이트(diisocyanate)와 반응하여 반복적인 우레탄 결합(O-CO-NH)이 생기면서 중합하는 폴리우레탄(polyurethane)을 예로 들 수 있다. 축중합이 진행하기 위하여는 탄소 이중결합을 반드시 필요로 하지는 않으며, 반응의 개시 단계도 필요 없게 된다.

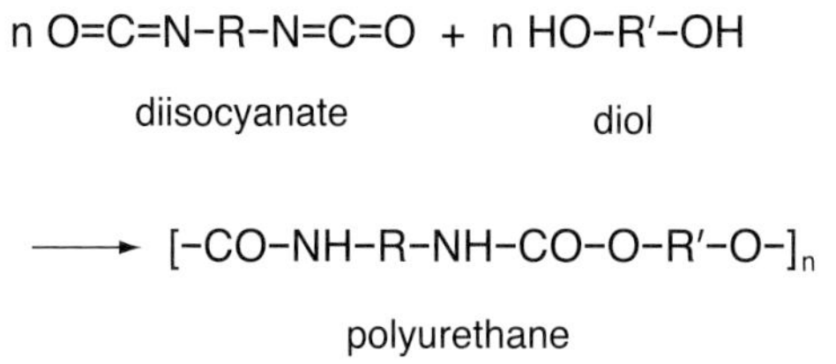

$$n\ O=C=N-R-N=C=O + n\ HO-R'-OH$$

diisocyanate　　diol

$$\rightarrow [-CO-NH-R-NH-CO-O-R'-O-]_n$$

polyurethane

(2) 부가중합(Addition polymerization)

① 자유라디칼 중합(free-radical polymerization)

반응부산물이 생기지 않고 단량체가 반복적으로 결합하여 거대분자를 만드는 중합반응으로, 치과용 레진은 대부분 이 방법에 의해 중합된다. 부가중합에 의해 중합될 수 있는 화합물은 우선 그 분자 내에 불포화 이중결합기(unsaturated double bond group)가 있어야 한다. 이 불포화 탄소 이중결합을 갖는 단량체가 활성화된 후 인접 단량체와 만나면 자신은 안정화되고 인접 단량체를 활성화시킴으로써 중합반응이 개시된다. 이러한 반응이 계속되어 결국 중합체(polymer)가 생긴다.

② 개환 중합(ring-opening polymerization)

환상화합물 중 3원, 4원, 7원 및 8원 고리는 고리의 안정성이 낮기 때문에 이온촉매 등에 의해 고리가 열리고(ring-opening) 동시에 부가중합을 반복하여 중합체를 생성한다.

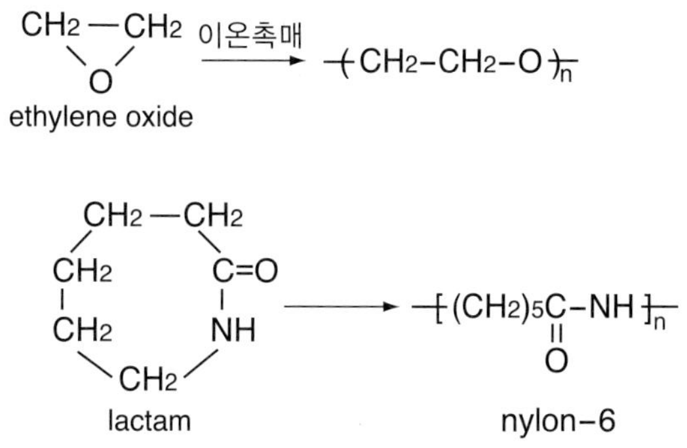

$$CH_2-CH_2(-O-) \xrightarrow{\text{이온촉매}} -[CH_2-CH_2-O]_n-$$

ethylene oxide

$$\text{lactam} \rightarrow -[(CH_2)_5C(=O)-NH]_n-$$

lactam　　nylon-6

3) 라디칼 중합의 단계

자유 라디칼에 의한 중합과정은 활성화(activation), 개시(initiation), 전파(propagation) 및 정지(termination) 등 4단계로 진행된다.

(1) 활성화 단계

자유 라디칼을 생성하는 과정을 활성화 단계라고 한다. 반응 개시제를 활성화하는 방법에 따라 레진을 분류할 수 있는데, 열에 의해 벤조일 퍼옥사이드(benzoyl peroxide)가 분해되어 활성화되는 경우는 열 중합형(heat-cured) 레진, 3차 아민(tertiary amine; n,n dimethyl-p-toluidine)에 벤조일 퍼옥사이드가 분해되어 활성화되는 경우는 화학 중합형 · 자가 중합형(cold-cured, chemically-cured) 레진, 빛에 의해서 광개시제인 캄포르퀴논이 분해되어 활성화되는 경우는 광중합형(light-cured) 레진으로 분류한다.

(N,N'dimethyl-p-toluidine)
과산화물 개시제를 활성화할 수 있는 3차 아민

(2) 개시 단계

자유 라디칼은 부대전자(unpaired electron)를 갖는 화합물로서 대개 더 큰 분자가 조각이 난 것이다. 치과용 레진에 가장 흔히 사용되는 반응 개시제로는 벤조일 퍼옥사이드가 있다. 벤조일 퍼옥사이드는 O-O 결합 부분의 전자 밀도가 커서 그 반발로 끊어지기 쉽게 되어 있어 열(>65℃)을 가하거나 화학물질을 첨가하면 2개의 자유 라디칼이 생긴다.

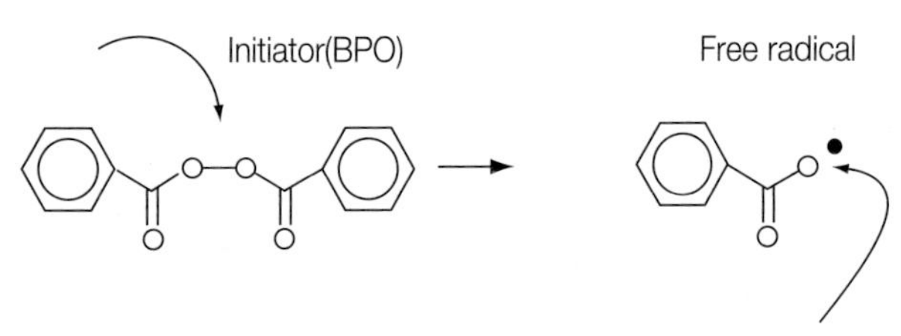

활성화 단계에서 -O-O- 결합이 파괴되서 2개의 자유기를 형성한다. 산소 부근의 점은 활성화됨을 나타낸다.

이 부대전자가 있는 라디칼은 반응성이 매우 커서 자유 라디칼이 이중결합을 만나면 이중결합 중의 결합을 하는 하나의 전자와 쌍(pair)을 이루고, 다른 하나의 전자는 다시 부대전자가 되게 한다. 따라서 단량체 그 자체가 자유 라디칼로 작용하게 된다. 이처럼 자유 라디칼을 만들 수 있는 화합물은 중합반응을 개시시킬 수 있는 개시제(initiator)의 역할을 할 수 있다.

중합반응 동안에 불순물이 있으면 활성화된 기와 반응하여 이 개시 단계의 시간을 연장시킬 수 있으며, 온도가 높을수록 개시 단계의 시간은 짧아진다. 각 단량체 분자를 활성화시키는데 필요한 에너지는 1몰당 16,000~29,000 칼로리가 요구된다.

(3) 성장 단계

활성화된 단량체가 새로운 단량체와 만나면 새로운 단량체의 이중결합이 단일결합으로 되면서 새로운 자유 라디칼을 만듦과 동시에 성장하는 분자사슬은 길어진다. 일단 반응이 개시되면 사슬 성장을 위해서는 1몰당 5,000~8,000 칼로리의 에너지만 필요하므로 빠른 속도로 발열반응을 한다.

(4) 정지 단계

성장반응은 단량체 분자가 모두 사용될 때까지 계속될 수 있다. 그러나 실제로는 성장반응이 방해되어 폴리머 사슬의 성장반응이 정지되는 현상이 일어난다. 이러한 현상의 한 예로는 두 개의 성장하는 사슬이 조합을 이뤄 에너지를 나눔으로써 두 사슬 모두 비 활성화되어 단량체의 부가가 더 이상 진행될 수 없는 'dead' 폴리머를 형성하는 것이다.

또 다른 예로는 성장하고 있는 사슬이 개시제의 분자나, 'dead' 폴리머, 불순물, 용매 등과 반응함으로써 일어날 수 있다. 이처럼 활성화된 중합체가 자유 라디칼과 만나면 완성되고 분자 사슬이 된다.

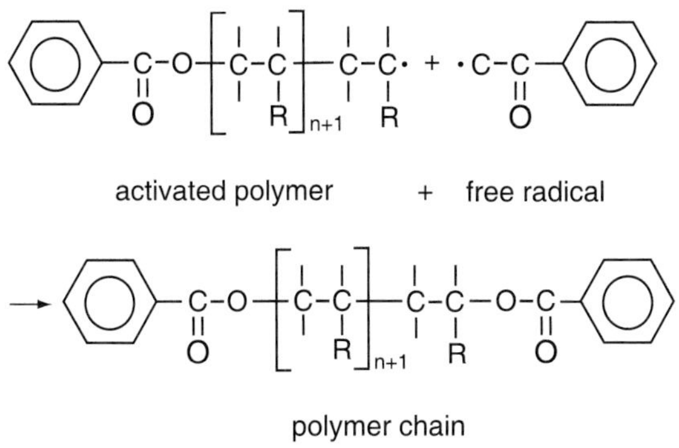

activated polymer + free radical

polymer chain

4) 공중합(Copolymerization)

공중합이란 중합체의 물리적 성질을 그 사용 목적에 적합하도록 증진시키기 위하여, 둘 또는 그 이상의 화학적으로 다른 단량체를 기시 단량체로 하여 중합시키는 것으로, 이 때 얻어진 중합체를 공중합체(copolymer)라 한다. 치과용 금속재료에서 순금속의 물성을 향상하기 위하여 여러 금속 원소로 제조하는 '합금(alloy)'과 유사한 경우로 치과용 폴리머의 합금이라고 할 수 있다. 2종의 단량체로 형성되는 2원 공중합체를 예로서 설명하면, 반복되는 단위의 배열 종류에 따라 공중합체는 다음과 같이 3가지 유형으로 분류된다(그림 6-24).

- 불규칙 공중합체(random copolymer) : 화학적 구조가 다른 단량체(A, B)들이 무작위로 연결되어 중합체 사슬을 이룬 것을 말한다.

  -A-B-B-A-B-A-A-B-A-B-A-B-B-

- 블록 공중합체(block copolymer) : 주 중합체 사슬에 따라 화학적으로 동일한 단량체들이 몇 개단위씩 배열된다.

  -A-A-A-B-B-B-A-A-A-B-B-B-A-A-A-B-B-B-

- 그라프트 공중합체(graft copolymer) : 화학적으로 동일한 단량체의 배열이 화학적으로 다른 단량체의 배열에 가지처럼 달라붙은 것을 말한다.

원하는 대로 블록 및 그라프트 공중합체를 형성함으써 충격강도를 향상할 수 있으며, 중합체의 유기용매에 대한 용해 저항성, 접착성, 강도, 표면 특성 등을 개선시킬 수 있다. 예로서 메틸메타크릴레이트와 에틸메타크릴레이트를 공중합시켜 더 단단한 의치를 제작한다.

5) 가교결합(Cross-linking)

가교결합이란 선형 중합체(linear polymer)가 분자 내에 2개 이상의 반응성 이중결합을 가진 가교결합제(cross-linking agent)에 의해 연결되어 3차원적인 망상구조를 갖게 하는 중합반응이다. 가교결합 정도가 증가하면 폴리머 사슬의 이동이 제한을 받아 폴리머가 응력을 받을 경우 소성 변형 보다는 탄성 변형이 일어날 가능성이 증가한다. 또한 가교결합 정도가 증가하면 폴리머의 유리전이 온도가 증가하고, 유기용매에 대한 저항성도 증가하게 된다. 그러나 가교결합 정도가 너무 증가하게 되면 단단해지고 취성을 보이게 된다(그림 6-23, 그림 6-27). 레진 인공치아 제작시 용매나 표면응력에 대한 저항성을 증진시키기 위하여 가교결합제를 사용한다. 가교결합제가 폴리머 재료의 물성에 주는 영향은 가교결합제의 성분과 농도 및 중합체의 성분에 따라 상이하다. 현재 사용 중인 가교결합제로는 ethylene glycol dimethacrylate가 있다.

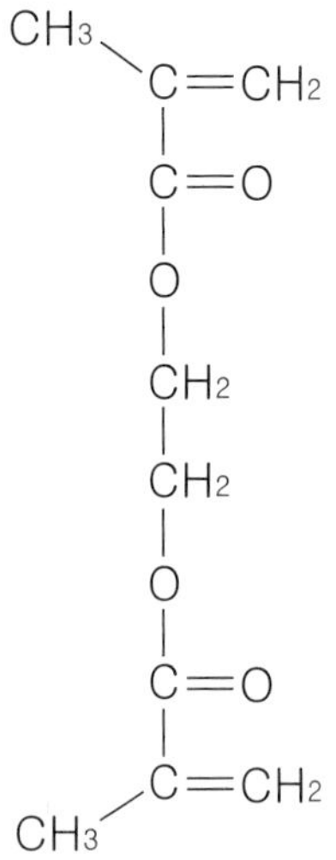

CH_3–C(=CH_2)–C(=O)–O–CH_2–CH_2–O–C(=O)–C(=CH_2)–CH_3

가교결합제로 사용되는 ethylene glycol dimethacrylate의 구조식

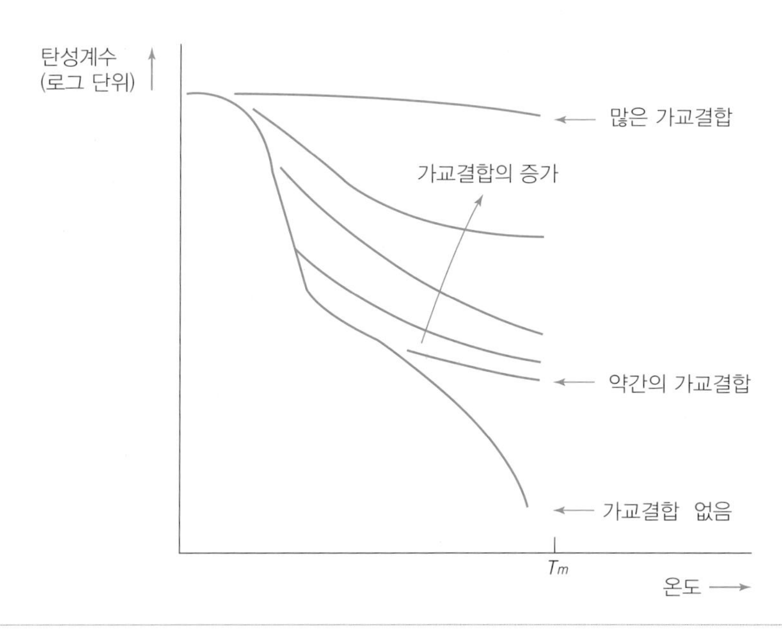

그림 6-27. 열가소성 폴리머의 가교결합이 증가함에 따른 폴리머의 탄성계수 증가

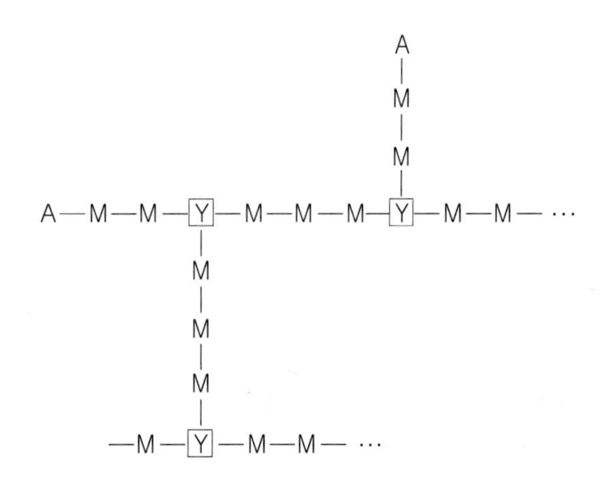

6) 가소제(Plasticizer)

분자량이 적은 물질이 폴리머 사슬 사이로 침투해 들어가 폴리머 사슬간의 결합력을 감소시켜 폴리머의 탄성계수가 감소하며, 유연성을 증가시키고 유리전이온도를 감소시킨다. 레진의 연화온도나 용융온도를 저하시키기 위해 가소제가 소량 첨가되기도 한다. 예로서, 상온에서 너무 단단하고 빳빳한 레진에 가소제를 소량 첨가함으로써 유연하고 부드럽게 만들 수 있다. 그러나 치과용 레진에 있어서의 가소제의 첨가 목적은 단량체와 중합체 분말을 섞을 때 분말의 용해도를 증가시키고 경화된 중합체의 취성(brittleness)을 감소시키기 위함이다.

가소제로는 butyl acrylate가 주로 사용된다. 단량체에 소량 첨가되어 주 중합체 사슬과 공중합되어 중합체의 일부분이 됨으로써 가소효과를 낸다. 예로서, butyl acrylate를 메틸메타크릴레이트에 첨가하여 중합시키면 poly(butyl acrylate)가 중합체의 일부분이 되어 가소효과를 낸다. 치과용 연성 이장재의 경우 di-*n*-butylphthalate를 가소제로 첨가한다. 가소제는 레진의 강도와 경도를 감소시켜 연화점을 저하시킨다.

7) 중합금지제(Inhibitor of polymerization)

중합금지제는 레진의 저장기간 동안 중합반응을 억제하고, 레진의 혼합 시에는 자유 라디칼과 반응하여 단량체를 첨가할 수 없는 화합물을 만듦으로써, 충분한 개시

단계를 유지할 수 있게 하며 적절한 작업시간을 갖게 한다. 치과용 레진의 중합을 억제할 수 있는 물질로 하이드로퀴논, 유지놀 및 산소 등이 있다.

치과용 레진의 중합금지제로는 methyl ether of hydroquinone이 단량체 용액 내의 0.006% 또는 그 이하로 소량 들어 있다. 경화 중 산소와 접촉하면 산소가 자유 라디칼과 반응할 수 있어 중합반응이 지연될 수도 있다.

8) 폴리머 탄성물질(Elastomer)

폴리머 탄성물질은 고무와 같이 늘일 수 있고 가한 힘을 제거하면 원래의 모양으로 되돌아가는 중합체이다. 폴리머 재료는 내부 구조에 불규칙으로 지그재그로 배열된 코일형태의 폴리머 사슬이 응력에 의해 곧게 펴지는 동안 탄성체 현상을 보이게 된다.

폴리머 탄성물질은 상온에서 비정질이며, 인장응력이 가해지면 결정화된다. 폴리머 탄성물질이 되기 위해서는 유리전이온도가 상온보다 낮아서 폴리머 사슬이 열에 의해 진동을 할 수 있어야 하며, 이 경우 폴리머 사슬은 더욱 유연성을 갖게 된다. 또한 폴리머 사슬은 길이가 길고 굴곡될 수 있으며 용수철 코일처럼 되어야 한다. 그 외에 폴리머 사슬은 부분적으로 가교결합이 되어 적절한 탄성을 가져야 한다. 치과에서 사용하는 탄성물질로는 polysulfide rubber, silicone polymers 및 polyether 등이 있다.

4. 레진의 종류

1) 비닐 레진(Vinyl resin)

대부분의 레진처럼 비닐 레진은 에틸렌의 유도체이다. 에틸렌($CH_2=CH_2$)은 부가중합을 할 수 있는 가장 간단한 분자이다. 치과용으로 적용된 에틸렌 유도체로는 염화비닐과 아세트산 비닐이 있다(표 6-7).

표 6-7. 여러 단량체와 중합체의 예

X	Y	Monomer	Polymer
H	H	Ethylene	Polyethylene
H	Cl	Vinyl chloride	Polyvinylchloride (PVC)
H	Phenyl	Styrene	Polystyrene
H	$-CH=CH_2$	Butadiene	Polybutadiene
CH_3	-COOH	Methacrylic acid	Polymethacrylic acid
CH_3	$-COOCH_3$	Methylmethacrylate	Polymethylmethacrylate

$$\begin{matrix} H & & & & X \\ & \diagdown & & \diagup & \\ & & C=C & & \\ & \diagup & & \diagdown & \\ H & & & & Y \end{matrix}$$

폴리염화 비닐[poly (vinyl chloride)]은 투명하고 단단하며, 맛과 냄새가 없는 레진으로 치과용으로 적용하기에 적절한 물성을 갖지만, 자외선에 노출되면 색이 어두워지고, 가소제가 첨가되지 않는다면 몰딩과정 동안에 유리전이온도까지 가열해야 하므로 이 때 변색가능성이 높아 치과용으로 응용하는데 많은 문제가 있었다. 반면 폴리아세트산 비닐[poly (vinyl acetate)]은 빛과 열에 안정하지만, 유리전이온도가 35~40℃로 너무 낮은 문제가 있다. 그러나 염화비닐과 아세트산 비닐의 단량체를 다양한 비율로 혼합하며 공중합시키면, 유용한 공중합 레진을 얻을 수 있다. 한때 80% 염화비닐과 20% 아세트산 비닐로 이루어진 공중합체가 의치상 제작을 위해 사용되었다. 이 공중합 레진은 거의 모든 성질이 의치상 제작에 적합했지만, 분자량 분포를 조절할 수 없었다. 평균 분자량이 너무 높아서 유리전이온도가 높기 때문에 레진의 몰딩 시 많은 영구적 응력과 변형이 생겨 제작된 의치는 사용하는 동안에 전치부의 중앙부위와 구개부위가 쉽게 파절되는 문제가 있었다.

2) 폴리스티렌(Polystyrene)

에틸렌의 한 수소원자에 벤젠 라디칼(benzene radical)

이 치환되면 스티렌(styrene 또는 vinyl benzene)이 되며, 이 단량체는 부가중합으로 폴리스티렌(polystyrene)이 된다. 폴리스티렌은 투명한 열가소성의 레진이다. 빛과 여러 화학물질에 안정하지만, 몇몇 유기용매에 용해되기 때문에 의치상 제작 등에 제한적으로 사용되었다. 하지만 다른 레진(divinylbenzene)과 공중합체를 형성하면 적절히 가교된 중합체가 되어 불용성인 물질을 얻을 수 있게 된다.

3) 아크릴 레진

아크릴 레진(acrylic resin)은 에틸렌의 유도체로서 분자구조 내에 비닐기(vinyl)를 갖는다. 치과용 시멘트의 용액으로 사용되는 아크릴산(acrylic acid, $CH_2=CHCOOH$)의 유도체와 의치상용 레진에 사용되는 메타크릴산[methacrylic acid, $CH_2=C(CH_3)COOH$]의 유도체가 있는데, 이들 모두 부가반응으로 중합한다.

폴리아크릴산(polyacrylic acid)이나 폴리메타크릴산(polymethacrylic acid)은 딱딱하고 투명하지만 그 분자들 내의 카르복실기(carboxyl)가 극성을 띠어 물을 흡수하며, 흡수된 물에 의해 폴리머 사슬이 분리되고 연화되어 강도가 감소되므로 구강 내에서 사용되지 않고 있다. 그러나 이들 다중산(polyacid)의 에스테르(R-COO-R')는 치과사용에 적합하며 예로서, 폴리메타크릴레이트를 들 수 있다(표 6-7).

폴리메타크릴레이트 화합물의 유리전이온도에 대한 에스테르화(esterification)의 영향은 표 6-8과 같다. 여기에서 R은 알킬기(alkyl group)를 나타낸다. R이 다양하게 치환될 수 있어 수천가지의 아크릴릭 레진이 만들어진다. 일반적으로, 카르복실기의 수소와 치환되는 곁사슬(side chain), R이 길수록 유리전이온도(T_g)가 낮아진다. 예로서, 폴리메틸메타크릴레이트는 이 계통에서 가장 높은 유리전이온도를 갖고, 가장 단단한 레진이며, 폴리에틸메타크릴레이트는 이보다 낮은 유리전이온도와 표면경도를 갖는다. 이 곁사슬 알킬기의 분자량이 증가할수록 유리전

표 6-8. 여러 폴리메타크릴레이트 에스테르의 유리전이온도(T_g)

Poly (R–methacrylate)		T_g(℃)
R	Methyl	125
	Ethyl	65
	n–Propyl	38
	Isopropyl	95
	n–Butyl	33
	Isobutyl	70
	sec–Butyl	62
	tert–Amyl	76
	Phenyl	120

이온도가 점차 감소하여 Poly (dodecyl methacrylate)[$CH_2=C(CH_3)COOC_{12}H_{25}$]는 상온에서 점성의 액체상태로 존재한다.

이성질체(isomer)일 때 곧은 곁사슬보다는 일반적으로 유리전이온도가 더 높다. 예로서, poly (*n*-propyl methacrylate)는 유리전이온도가 38℃로 낮은 반면, poly (isopropyl methacrylate)의 유리전이온도는 95℃로 높다. 또한, 방향성 알코올(aromatic alcohol)로 에스테르화되면, 같은 분자량의 에스테르화 화합물일지라도 지방족(aliphatic)일 때보다 유리전이온도는 높아진다. 예로서, 표 6-8에서 볼 수 있듯이 poly (phenyl methacrylate)는 120℃의 비교적 높은 유리전이온도를 갖는다.

(1) 메틸메타크릴레이트(methyl methacrylate, MMA)

폴리메틸메타크릴레이트(PMMA) 단독은 치과용으로 몰딩에 잘 사용하지 않는다. 대개는 분말 형태의 폴리메틸메타크릴레이트를 액상의 메틸메타크릴레이트와 혼합하여 사용한다. 혼합에 의해 단량체 용액이 중합체 분말을 녹여 가소성의 병상기(dough)를 형성하고, 이 병상기 상태의 레진을 몰드에 넣은(packing) 후 중합시켜 사용한다.

메틸메타크릴레이트는 실온에서 맑고 투명한 용액이

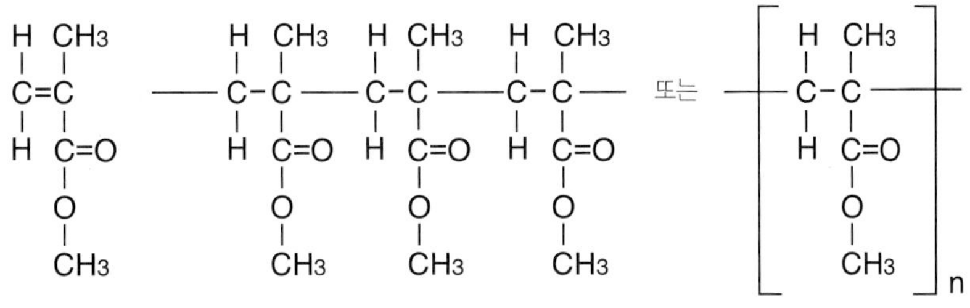

메틸메타크릴레이트 폴리메틸메타크릴레이트 또는 n

다. 물리적 성질은 녹는 점이 -48℃, 끓는 점이 100.8℃, 밀도는 20℃일 때 0.495 g/mℓ, 중합반응열은 12.9 Kcal/mol로 증기압이 매우 높은 우수한 유기용매이다. 메틸메타크릴레이트는 자외선이나 가시광선 또는 열에 의해 중합이 개시될 수 있으나, 치과용으로 사용되는 것은 주로 화학물질에 의해 중합된다. 중합도는 온도, 활성화 방식, 개시제(initiator)의 종류와 농도 및 화학성분의 순도 등과 같은 중합조건에 따라 다르다. 메틸메타크릴레이트는 중합과정 동안에 21%의 부피수축하므로 메틸메타크릴레이트만을 중합시켜 의치를 제작하지는 않고, 폴리메틸메타크릴레이트 분말과 함께 혼합하여 사용한다.

(2) 폴리메틸메타크릴레이트 [poly (methyl methacrylate), PMMA]

폴리메틸메타크릴레이트는 투명하고, 누프(Knoop) 경도가 18~20 정도의 단단한 레진이다. 인장강도는 약 59 MPa (8,500 psi)이고, 비중은 1.19이다. 탄성계수는 2,400 MPa(350,000 psi)이다. 자외선에 의해 변색되지 않으며, 열에 대해 안정하고, 125℃에서 연화된다. 이 온도와 200℃ 사이에서 해중합(depolymerization)이 일어나서, 약 450℃가 되면, 중합체의 90%가 단량체로 해중합된다. 폴리메틸메타크릴레이트는 흡습성이 있어 1주간 물속에 침전되어 있을 때 약 0.5%의 무게가 증가한다. 폴리메틸메타크릴레이트는 비정질(noncystalline) 구조이므로 내부에너지가 높아서, 분자의 레진 내로의 확산은 낮은 활성화 에너지가 요구되기 때문에 확산이 쉽다. 뿐만 아니라, 비록 에스테르화되긴 했지만 극성인 카르복실기는 비록 적을지라도 물과 수소결합을 형성한다. 레진의 분자량이 클수록 흡수성은 감소한다. 레진을 건조시키면 무게가 다시 감소한다. 폴리메틸메타크릴레이트는 사슬형 폴리머이므로 클로로포름과 아세톤 등 많은 유기용매에 용해된다.

4) 에폭시 레진(Epoxy resin)

또 다른 형태의 치과용 레진으로 열경화성인 에폭시 레진이 있다. 에폭시 레진 분자는 반응성의 에폭시(옥시란, oxirane)기를 갖고 있는 것이 특징으로, 이 에폭시기는 말단의 중합점(polymerization point)으로 작용한다.

에폭시 고리는 불안정하여 쉽게 개환(ring opening)되고, 결합될 수 있는 수소원자를 갖고 있는 화합물과 결합하며 교차결합도 쉽게 일어난다. 대표적인 에폭시 레진으로 diglycidyl ether of bisphenol-A가 있다. 이 레진은 실온에서 점성이 있는 액체로서, 레진 사슬들 간의 중간체(intermediate)에 의해 연결되어 중합된다. 주된 교차결합제는 다기능성(polyfunctionality)의 1차 및 2차 아민(예로서, diethylenetriamine)이 있다. 에폭시 레진은 상온에서 경화되고 중합수축도 매우 적으며 대부분의 고체에 접착할 수 있는 장점이 있다. 또한 열팽창계수와 색안정성이 우수하여 치과용 레진으로 사용할 수 있지만 경화시간이

$H_2C{=}C(CH_3)COOCH_2{-}CH(OH){-}CH_2O{-}C_6H_4{-}C(CH_3)_2{-}C_6H_4{-}OCH_2{-}CH(OH){-}CH_2OOC{-}C(CH_3){=}CH_2$

Bis-GMA

매우 느려 직접 수복재로 사용하기에는 문제가 있다. 변형된 에폭시 레진이 의치상 재료로 사용되고 있다.

에폭시를 출발물질(starting material)로 사용하여 합성된 레진이 치과수복용 컴포짓트 레진의 레진기질(matrix)로 사용된다. 즉 bis-GMA로서 methacrylic acid와 diglycidyl ether of bisphenol-A의 반응산물이다. Bis-GMA 분자의 기본골격은 에폭시 레진과 비슷하지만 분자 내 기능성 반응기가 아크릴이다. Bis-GMA는 부가중합에 의해 중합되며 한 분자 내에 두 개의 이중결합이 있어서 그 중합체는 매우 가교되어 있다. 이에 대한 자세한 설명은 제10장 치과용 복합레진에서 다루고 있다.

5) 기타 레진

기타 치과용으로 사용되는 폴리머로는 폴리카보네이트(polycarbonate), 시아노아크릴레이트(cyanoacrylate) 및 폴리우레탄(polyurethane) 등이 있다.

(1) 폴리카보네이트 레진

탄산(carbonic acid)의 폴리에스테르로서 선형사슬 내에 카보네이트가 반복된다. 의치상과 직접 충전용 레진으로 사용되었으며 물성은 폴리메틸메타크릴레이트와 유사하다. 의치상 재료로 사용하는 경우 폴리카보네이트의 장점은 폴리메틸메타크릴레이트보다 파괴저항성이 더 우수하다는 것이다. 반면 유리전이온도가 높아서 이 재료를 몰딩하기 위해서는 140~160℃로 연화시킨 후 몰드 내로 주입하여야 하는 문제가 있고, 제작과정이 복잡하여 의치용으로 많이 사용하고 있지는 않고 있다.

(2) 알킬(메틸, 부틸) 시아노아크릴레이트 레진

소량 사용될 때 물과 같은 약염기에 의해 중합된다. 습기의 존재 하에서 경화되고, 생체 내에서 분해되는 생분해성(biodegradable) 특성 때문에 수술용 봉합소재와 치주드레싱용으로 사용 가능성이 실험되고 있다.

(3) 폴리우레탄 레진

치아에 접착능력이 있어서 접착성 이장재, 소와열구 전색재로의 사용이 시도되었다.

참고문헌

1. Kenneth J. Anusavice(2013), Phillip's Science of Dental Materials 12th ed., W.B. Saunders
2. 2. McCabe JF, Walls AWG(2008). Applied Dental Materials, 9th ed., Blackewell Science Ltd.
3. 3. Powers JM & Sakaguchi RL(2012). Craig's Restorative Dental Materials, 13th ed.
4. 4. van Noort R(2013). Introduction to Dental Materials, 4th ed., Mosby Co.

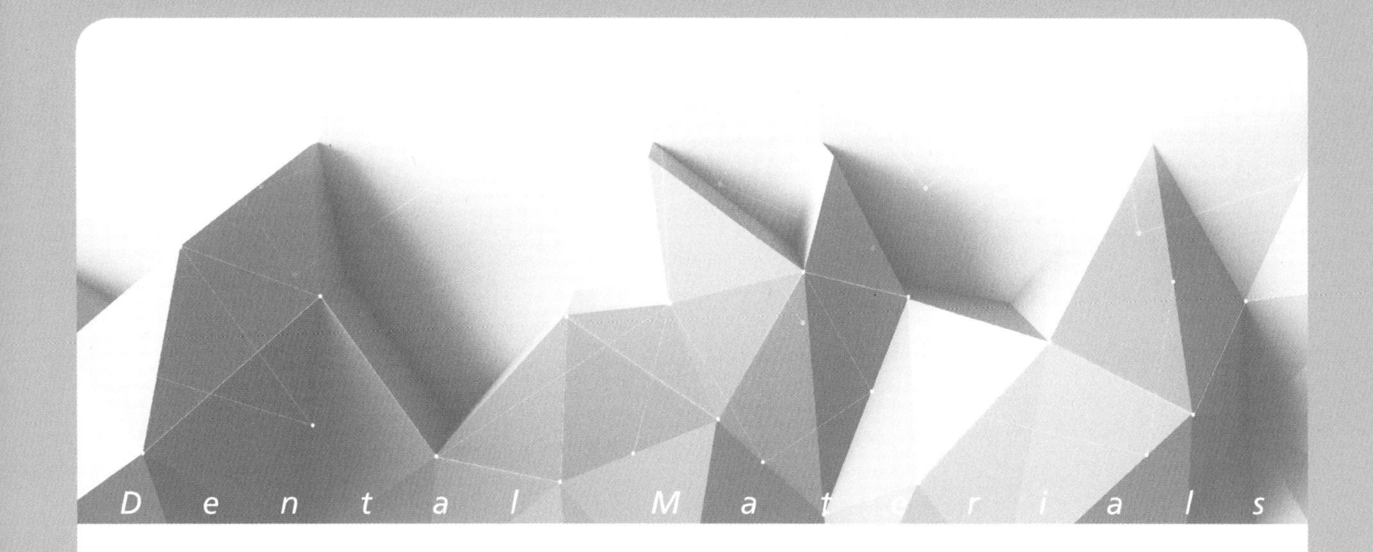

PART

III

인상/모형재 및 치과주조

07 인상재

학/습/목/표

❶ 알지네이트
- 인상재의 분류를 이해하고 암기할 수 있다.
- 인상재의 조성과 반응을 이해한다.
- 인상재의 성질과 취급법, 성질의 조절인자에 대해 이해한다.

❷ 아가
- 아가의 조성과 특성
- 아가 인상의 장단점과 취급법
- 아가-알지네이트 연합인상 방법과 장점

❸ 컴파운드
- 인상용 컴파운드의 용도와 취급법을 이해한다.
- 용해온도를 이해한다.

❹ ZOE
- 산화아연유지놀 재료의 성질과 용도(적용)를 이해한다.
- 산화아연유지놀 재료의 경화시간 조절법에 대하여 이해한다.

❺ 고무인상재
- 고무인상재의 분류와 각각의 조성과 반응에 따른 특성 및 취급법을 이해한다.
- 임상적용에 관련된 특성을 이해하고 임상 case별로 적절한 인상재를 선택할 수 있다.

치과용 인상재는 구강조직을 복제할 때 사용하는 재료이며, 전체 악궁을 복제하거나 하나의 치아 또는 무치악 악궁을 복제하게 된다. 대개의 경우 석고산물이 인상음형인기 내로 주입되어 구강조직의 모형(cast)이나 다이(die)가 되기 때문에 이러한 복제는 정확해야 한다. 인상재는 구강 내에서 유동체 상태로 위치하여 중요한 부위까지 흘러 들어가 스스로 엎혀야 하고, 일정한 시간 내에 영구변형 없이 구강 내에서 제거할 수 있을 정도로 충분히 견고한 탄성체 또는 고체가 되어야 한다. 따라서 치과에서 사용할 때는 유동체 상태에서 인상재의 유동학적 거동(흐름성)과 경화 후의 재료의 물리적(탄력성) 성질 등 2가지 서로 다른 성질이 중요하다.

치과용 인상재는 다음의 성질에 부합되어야 한다.

① 치아나 조직을 정밀하게 복제할 수 있어야 한다.
② 불쾌한 맛이나 냄새가 없어야 한다.
③ 독성이나 자극적인 성분이 없어야 한다.
④ 유효 저장 기간이 충분해야 한다.
⑤ 사용 장비가 간단해야 한다.
⑥ 사용하기 편해야 한다.
⑦ 적절한 점조도를 가져야 한다.
⑧ 구강 내 치아나 연조직에 젖음성이 좋아야 한다.
⑨ 영구변형 없이 적절한 탄성을 가져야 한다.
⑩ 강도가 충분하여 구강 내에서 파절되지 않아야 한다.
⑪ 혼합시작부터 구강 내에 정확히 위치시킬 때까지는 경화되지 않도록 충분한 시간을 가져야 한다.
⑫ 알러지나 독성 반응을 유발하지 않아야 한다.

⑬ 크기 변화가 없어야 한다.
⑭ 모형재와 친화성이 우수해야 한다.
⑮ 크기 변화나 물리적 성질 변화 없이 소독할 수 있어야 한다.
⑯ 모형재가 경화되는 동안 인상재와 반응하여 기포가 발생되어서는 안 된다.

1. 인상재의 분류

인상재는 경화되는 기전과 탄성 여부에 따라 분류할 수 있으며(표 7-1), 치과에서의 용도에 따라서 분류하기도 한다.

인상재는 넓은 의미에서 탄성과 비탄성으로 분류할 수 있다. 치과용으로 처음 사용된 인상재는 석고와 같은 비탄성 재료였으며, 아직도 무치악 환자에게 어느 정도 사용되고 있다. 석고는 탄성이 없기 때문에 치아의 치관 주위나 함몰부에서 깨거나 변형 없이는 제거할 수가 없다. 인상재의 발달과 더불어 다양한 종류의 탄성 인상재가 비탄성 인상재를 대체하여 치과용으로 사용되고 있다. 탄성 인상재들은 치아에서 제거할 때 탄력성 있게 신장되었다가 원래의 모양으로 되돌아가 치아형태나 함몰부에 관계없이 음형을 충실히 재현할 수 있다. 이러한 탄성재들이 일반적인 목적의 인상재로 간주될 수 있다. 비탄성 재료보다 더 정확하고 쉽게 국소의치, 금관 및 계속가공의치 제작용 인상에 사용할 수 있으며, 총의치 인상에서도 비탄성 재료들을 대신해 많이 사용하고 있다.

인상용 석고나 콤파운드는 무치악환자의 인상 채득 시 가장 좋은 재료로서 총의치 제작용 인상재로 분류할 수 있다. 반면 하이드로콜로이드와 고무 인상재는 탄성이 우수하여 치관이나 함몰 부위를 재현하기 위한 치아인상 채득에 사용할 수 있다. 이 재료들은 상당량의 탄성 변형을 허용하는 물리적 특성이 있으나 고무 밴드와 유사하게 응력을 제거하면 원래의 형태로 되돌아오므로 금관이나 계속 가공의치 제작용 인상재로 분류할 수 있다.

표 7-1. 치과용 인상재의 분류

	비탄성 인상재	탄성 인상재
가역성	인상용 콤파운드	아가
	인상용 왁스	
비가역성	인상용 석고	알지네이트
	인상용 산화아연 유지놀 연고	폴리설파이드
	산화아연유지놀 연고	축중합형 실리콘
		부가중합형 실리콘
		폴리이써

2. 하이드로콜로이드

콜로이드란 분자들 또는 분자군이 모여 덩어리를 이룬 것들의 현탁액을 말하며 일종의 분산용액이다. 콜로이드는 분산 입자들과 분산액의 2가지 상이 존재한다. 하이드로콜로이드란 용어는 분산액이 물인 경우이며, 물이 기본이 되는 인상재를 하이드로콜로이드 인상재라고 부른다. 콜로이드가 액상인 경우 졸(sol)이라고 한다. 졸상태에서 온도 변화가 오면 겔(gel)이라고 하는 고무와 같은 반고체성 물질이 되는데, 이 반응은 가역적이며 이 때 온도를 겔(gel)화 온도라 한다. 따라서 반대 방향인 졸에서 겔로의 변화도 온도 변화에 따른 필수적인 물리적 영향이다. 이 반응을 졸 ↔ 겔로 요약할 수 있다. 졸에서 겔로의 변화가 가역적이므로 이러한 재료들을 가역성 하이드로콜로이드라고 한다.

가역성 하이드로콜로이드 졸의 온도가 낮아지면 제2차 견인력 때문에 분산상의 입자들이 서로 모여서 얼키고 설키게 되는 세섬유가 된다. 최종의 겔은 이러한 세섬유들이 솔더미가 쌓인 것처럼 배열하며 그 세섬유 가지 사이마다 물이 침투하게 되고 화학적 성분은 원래의 액상 졸과 동일하다. 졸 상태에서는 고체상이 물에 분산되어 있는 반면, 겔 상태에서는 물이 엉켜져 있는 겔 세섬유의 가지 내로 확산된다.

또한 겔은 화학반응에 의해 졸로부터 형성될 수도 있으며, 그러한 겔의 구조는 냉각함으로써 얻을 수 있는 겔의 구조와 비슷하고 세섬유들은 일차적 화학결합에 의해 연결되어 있지만 열을 가함으로써 재액화되지는 않는다. 이러한 재료들을 비가역성 하이드로콜로이드라 하며 겔화 반응은 졸 → 겔과 같이 기술할 수 있다.

하이드로콜로이드 겔은 약한 탄성 고형체로서 찢어지기 쉽고 흐름성이 크다. 그러한 겔은 응력을 빨리 받고 장시간 지속되지 않는다면, 즉 다시 말해 인상재를 입안에서 단번에 제거한다면 치과용 인상재로 사용할 만한 충분한 강도와 탄성변형을 갖는다.

하이드로콜로이드 겔의 대부분이 수분이기 때문에 겔의 수분함량이 인상재의 크기 안정성에 중요한 영향을 줄 수 있다. 공기에 노출된 하이드로콜로이드 겔은 표면의 물이 빠져나가 물이 빠르게 소실되는 이액현상(syneresis)이 일어난다. 만약 하이드로콜로이드 겔을 물과 접촉한 상태로 보관하면 물을 추가로 흡수하여 팽창되는 팽윤현상(imbibition)이 일어난다. 이러한 2가지 반응 때문에 인상 채득한 인상에는 허용될 수 없는 크기 변화가 올 수 있다.

1) 비가역성 하이드로콜로이드 - 알지네이트

흔히 알지네이트(alginate)라고 부르는 하이드로콜로이드는 졸에서 겔로의 변화가 화학반응에 의해 진행되므로 일단 겔이 형성되면 물리적 방법에 의해 졸 상태로 변화되지 않는 비가역성 탄성 인상재이다. 알지네이트 분말을 물과 혼합하면 점액성 졸이 되어 이것을 인상용 트레이에 담아 구강 내에 위치시킨다. 그러면 졸은 일련의 화학반응을 거쳐 탄성 겔을 형성한다. 겔이 형성된 후 인상체를 구강 내에서 제거한다.

알지네이트 인상재는 다음과 같은 장점과 단점을 갖고 있다.

- 장점
  - ① 다른 인상재 만큼의 정밀도를 갖고 있다.
  - ② 빨리 경화되어 사용하기 쉽다.
  - ③ 물의 온도에 따라 경화시간을 조절할 수 있다.
  - ④ 값 비싼 장비가 필요 없다.
  - ⑤ 다른 재료에 비하여 값이 싸다.
  - ⑥ 물의 양에 따라 점조도가 달라진다.
  - ⑦ 인상 채득 부위에 소량의 물이 있어도 부정확한 인상의 원인이 안 된다.
  - ⑧ 청결이 용이하고 옷, 피부 등에 착색되지 않는다.
  - ⑨ 색깔, 맛, 경화시간 등이 다양하여 임상용도에 따라 선택할 수 있다.

- 단점
  - ① 인상 채득 직후부터 점진적 비가역성 수축이 일어나 변형의 원인이 된다.
  - ② 인상재 중 미세부 재현성이 제일 낮으며 표면 결함이 자주 일어난다.
  - ③ 트레이에서 유지력이 약해 알지네이트에 심한 변형이 올 수 있다.
  - ④ 금속모형재(은 또는 동 도금 포함)를 사용할 수 없다.

이상의 장점과 단점 중에서 여러 가지 장점 때문에 예비인상이나 진단모형 제작을 위한 인상뿐만 아니라 인레이, 금관, 계속가공의치 제작에, 더 나아가서 국소의치, 총의치 제작에 응용하고 있지만 정확하게 다루어야 바람직한 결과를 얻을 수 있다.

(1) 조성과 화학반응

알지네이트 인상재 분말의 전형적인 조성은 표 7-2와 같다.

알진산은 해초에서 추출하는 anhydro-mannuronic acid의 고분자 화합물이며 이것의 potassium과 sodium염이 치과용 인상재로 적합한 성질을 갖는다. 이 용해성 염들이 calcium염과 반응하면 다음과 같은 반응으로 비용해성의 탄성 겔을 형성한다.

용해성 potasium alginate와 calcium sulfate dihydrate는

표 7-2. 알지네이트 인상재의 성분과 역할

성분	비율	역할
Potassium alginate	18%	물에 용해되어 칼슘이온과 반응
Calcium sulfate dihydrate	14%	potassium alginate와 반응하여 비용해성의 calcium alginate 겔 형성
Potassium sulfate, potassium	10%	알지네이트의 석고경화 억제효과를 막아 석고표면을 우수하게 함
Zinc fluoride, silicates 또는 borates Sodium phosphate	2%	calcium 이온과 반응하여 작업시간을 지연시킴
Diatomaceous earth 또는 silicate 분말	56%	혼합된 알지네이트의 점조도 조절, 경화된 인상의 탄성 조절
Glycol	소량	무분진형으로 만듦
Wintergreen pepper mint, anise	미량	향기로운 맛을 갖게 함
색소	미량	색을 부여
소독제	1~2%	감염방지 역할

모두 알지네이트 인상재의 분말에 포함되어 있어 물과 혼합하면 calcium sulfate dihydrate가 용해되고 potassium alginate와 반응하여 calcium alginate를 형성한다. Calcium alginate는 물에 녹지 않는 비용해성이며 겔이 된다. 이 반응은 비가역성이므로 calcium alginate는 졸로 환원되지 않는다.

Potassium alginate + Calcium sulfate dihydrate

↓(+water)

Calcium alginate gel + Potassium sulfate

알지네이트 인상재는 환자에게 거부감을 주지 않기 위해서 방향제 등을 첨가한다.

(2) 성질

① 작업시간

작업시간은 알지네이트 인상재를 혼합하기 시작해서 혼합한 알지네이트를 트레이에 담고 구강 내에 삽입할 때까지의 시간이며 이 때까지 경화되어서는 안 된다. 급경화형의 작업시간은 1.25~2분이며 정상경화형은 3~4.5분이다. 혼합시간은 급경화형이 45초, 정상경화형이 30~75초이며 이 시간은 작업시간에 포함된다.

② 경화시간

경화시간은 제품에 따라 1~5분 정도이다. 알지네이트 인상재의 경화시간은 치과의사에 의해 어느 정도 조절이 가능하다. 경화시간을 분말의 양으로 조절하는 방법과 혼합시간으로 조절하는 방법은 알지네이트의 물리적, 기계적 성질의 변화를 초래하므로 사용하지 말아야 하며 사용하는 물의 온도로 조절하는 것이 가장 좋은 방법이다. 물의 온도가 1℃ 변화함에 따라 경화시간이 6초씩 변화한다. 즉 1℃의 찬물을 사용하면 6초 정도 경화시간이 느려진다. 경화시간을 연장하기 위하여 18~24℃의 물을 사용하는 것이 바람직하다. 여분의 양을 손가락으로 만져보아 묻어나지 않으면 경화가 되었다고 판단한다. 술자가 원하는 경화시간을 갖는 알지네이트 인상재를 선택하는 것도 한 가지 방법이 될 수 있다.

③ 영구변형 또는 탄성 회복

인상 채득 시 알지네이트 인상재는 치아의 함몰부위나 채득 방법에 따라 압축력을 받아 변형이 일어나고 인상

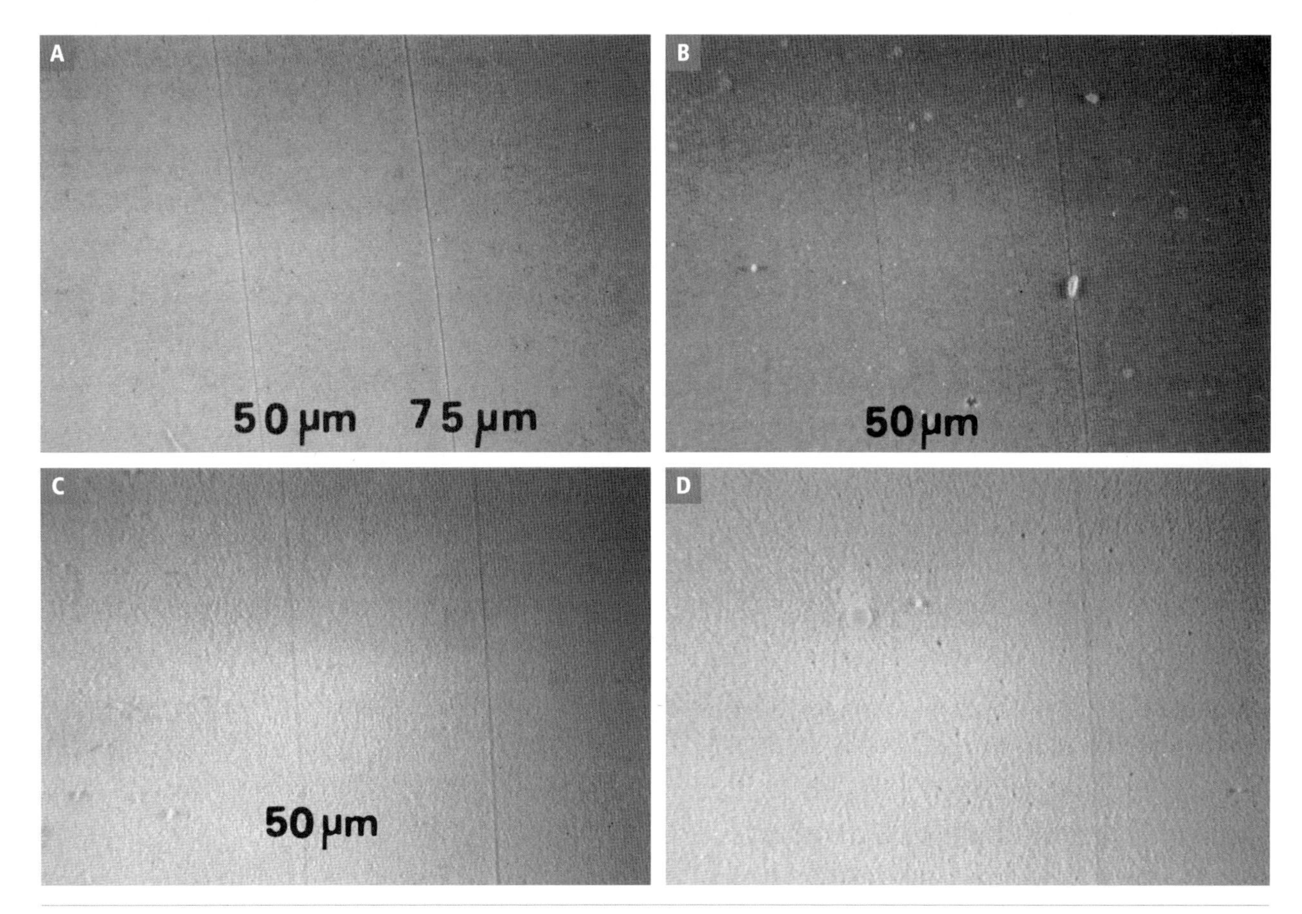

그림 7-1. 치과용 인상재의 분류석고표면에 재현된 50 mm의 미세선 A 1도, B 2도, C 3도, D 4도

채득 후 어느 정도의 탄성회복이 일어나며 최종적으로 영구변형이 남게 된다. 한국산업표준 KS P ISO 21563에서 영구변형률을 5% 이하(또는 탄성회복률을 95% 이상)로 규정하고 있다.

④ 탄성

탄성은 인상체를 구강 내에서 제거할 때의 용이성, 즉 함몰부위에서 경화된 인상재가 얼마나 쉽게 빠져 나올 수 있느냐 함을 의미한다. 한국산업표준 KS P ISO 21563에서는 1,000 g/cm²의 응력에서 5~20%로 규정하고 있다.

⑤ 강도

인상 채득 시 알지네이트 인상재가 파절되지 않고 충분한 탄성회복이 되기 위해서 충분한 강도가 필요하다. 주로 압축강도와 찢김강도(tear strength)로 나타내며, 시간과 상관성이 있어 하중속도가 빠를수록 강도는 증가한다. 국제표준규격에서는 압축강도가 최소 3,570 g/cm²이 되어야 하는 것으로 규정하고 있으며 보통 5,000~9,000 g/cm²이 되고 있다.

찢김강도는 380~700 g/cm가 되며 이 성질은 압축강도보다 더 중요하다. 찢김은 인상체의 얇은 부위에서 나타나며 인상체를 구강 내에서 제거하는 속도가 증가할수록 찢김강도 값은 증가한다.

최근에 개발되고 있는 알지네이트 인상재는 고무인상재에 비하여 아직 미흡하지만 그래도 종래의 제품에 비하여 찢김강도가 증가하여 함몰부위나 치은연하에서 찢기지 않

표 7-3. 알지네이트 인상재와 석고의 친화성 시험결과

석고	MG		SR		YP		GC		BH	
알지네이트	재현선	재현상태	재현선	재현상태	재현선	재현상태	재현선	재현상태	재현선	재현상태
VA	50 μm	1.67	50 μm	2.00	50 μm	3.00	50 μm	1.67	50 μm	3.67
AP	〃	2.33	〃	2.33	〃	1.67	〃	2.00	〃	2.33
PF	〃	2.67	75 μm	4.00	〃	3.00	〃	3.33	〃	3.33
DE	〃	1.67	50 μm	1.67	〃	1.00	〃	2.00	〃	2.00
KA	〃	2.00	〃	1.67	〃	1.00	〃	1.33	〃	1.00
PA	〃	1.67	〃	1.67	〃	1.00	〃	1.00	〃	2.67
CO	〃	1.67	〃	1.33	〃	1.00	〃	1.67	〃	1.00
CA	〃	2.00	〃	1.00	〃	1.00	〃	1.00	〃	2.00

고 인상 채득이 되어 정밀한 인상을 얻을 수 있으며 찢긴 조각이 남게 되지 않아 부작용도 줄일 수 있게 되었다.

⑥ 석고와의 친화성

알지네이트 인상재는 친화성이 있는 석고가 별도로 있어 이를 선택하는 것이 우수한 석고 모형 표면을 얻고 정밀한 미세부를 얻기 위해서 매우 중요하다. 그림 7-1에서 볼 수 있듯이 석고 표면에 재현되는 미세선은 알지네이트 인상의 경우 50 μm 선이며 재현정도에 따라 1~4도로 평가할 수 있다.

표 7-3은 알지네이트 인상재와 석고의 친화성 시험의 결과이다. 동일한 알지네이트 인상재라도 친화성을 갖는 석고가 별도로 있는 것을 알 수 있다.

⑦ 크기 안정성

인상 채득한 음형인기에는 10분 이내에 석고를 주입해야 정확한 정밀도를 얻을 수 있다. 음형인기를 공기 중에 방치하면 알지네이트 인상재 안에 있는 물이 증발하여 수축이 일어날 수 있고, 물속에 넣어두면 물을 흡수하여 팽창이 일어나 크기가 변화하여 정확한 모형을 얻을 수 없다. 30분 이상 공기 중에 방치된 인상은 다시 물에 넣어도 원상회복이 안 된다. 부득이 인상 채득 후 즉시 석고 주입을 할 수 없는 경우에는 음형인기를 100% 상대습도에서 아래 방향(downward inversion)으로 보관하면 인상체 안의 물이 중력에 의해 흘러내리므로 증발되는 물을 보충해서 표면 수축을 줄여 줄 수 있지만, 그래도 1시간 안에는 0.44%까지 수축이 일어나므로 인상 채득 후 10분 이내에 석고를 주입하는 것이 최대의 정확도를 얻는 방법이 되겠다.

(3) 취급

① 혼수비 조절

물과 분말의 혼합비율(혼수비)은 제조회사, 제조일자에 따라 다르다. 알지네이트 인상재는 한번 쓰기에 알맞은 양이 들어 있는 낱개 포장으로 된 것이나 많은 양이 밀봉 용기에 들어 있는 것을 구입해야 한다. 미리 무게가 측정되어 낱개 봉지에 들어 있는 것을 사용하면 오염 위험성이 없으며 혼수비를 맞추기가 쉬워 바람직하지만 값이 비싸고 포장마다 정밀성이 다를 수 있으므로 무게를 검사해야 하는 단점도 있다. 대부분의 경우 많은 양이 밀봉 용기에 들어 있는 알지네이트 인상재를 사용하는 데 값은 싸지만 떠내는 방법에 따라 혼수비가 달라지게 되어 정확한 인상을 얻기 어렵다. 은박지나 비닐봉지에 들어 있는 알

지네이트 인상재는 가급적 구입하지 않는 것이 좋으며 이런 것을 구입하면 곧바로 밀봉이 가능한 플라스틱 또는 금속용기에 옮겨 놓고 사용하는 것이 바람직하다.

또한 분말 측량컵과 물 계량컵이 들어 있는 제품을 선택해서 제조사의 설명서에 따라 물과 분말의 혼수비를 맞춰서 사용해야 한다. 통에 들어 있는 알지네이트 인상재는 사용하기 전에 흔들어서 분말의 각 성분이 균일하게 혼합될 수 있게 하고 재료가 부풀어나도록 한 후 1분이 지난 다음 분말 측량컵으로 가볍게 떠낸다. 떠낸 알지네이트 인상재는 혼합자를 약간 뒤로 젖혀서 과잉의 인상재를 제거해야 정확한 양을 얻을 수 있다. 물은 증류수를 사용하는 것이 바람직하다. 일반 물은 칼슘(Ca)이나 다른 광물질이 들어 있어 오염의 위험성이 있다.

너무 묽게 혼합하면 알지네이트 인상재가 트레이 밖으로 흘러 내려가서 인상 채득에 필요한 양이 되지 못하고 흘러 내려간 인상재가 환자의 목에 모여 구역질을 일으키게 된다. 너무 되게 혼합하면 치아 주위의 미세부위까지 흘러 들어가지 못해 정밀인상을 얻을 수 없게 된다. 혼합하면 과립이 형성되지 않고 균일한 크림과 같은 혼합물이 되어야 하며 들어 올렸을 때 흘러내리지 않아야 한다.

② 혼합

알지네이트 인상재만 사용할 수 있는 별도의 혼합고무용기(rubber bowl)와 혼합자를 준비하는 것이 좋다. 동일한 혼합고무용기로 석고를 혼합하면 석고 찌꺼기에 의한 오염 위험성이 크며, 오염되면 너무 빨리 경화되고 흐름성이 나빠져 미세부 재현성이 저하되며 구강 내에서 제거 시 쉽게 파절된다.

혼합시간은 제1형(Type I, 급경화)이 45초, 제2형(Type II, 정상경화)이 1분 정도이고 혼합속도는 220~225 rpm (revolutions per minute) 정도가 좋다.

대부분 손으로 혼합하는데 혼합고무용기에 물을 먼저 넣고 다음에 알지네이트 인상재를 넣어 용기의 내면을 따라 8자 모양으로 힘차게 혼합한다. 이때 공기가 유입되지 않도록 주의해야 한다. 최근에 알지네이트 혼합기가 시판되어 기계식 혼합이 가능한데, 이 경우 손으로 혼합할 때

그림 7-2. 알지네이트 인상재 혼합기

보다 좀 더 균질한 혼합이 되고 공기 유입도 적어지며 경화시간이 좀 더 일정해진다(그림 7-2).

③ 트레이의 선택

환자의 악궁에 맞는 적당한 크기와 모양의 트레이를 선택하는 것이 필수적이다. 트레이와 치아 사이의 두께가 3~6 mm 이상 되어야 변형을 예방할 수 있으며 최대의 정밀성을 얻을 수 있다. 알지네이트 인상재는 대부분 접착성이 없어서 기계적 결합에 의해 유지되므로 플라스틱 트레이보다는 금속 트레이가 좋고 구멍이 많이 뚫려 있는 트레이나 가장자리에 유지 장치가 있는 것을 사용해야 정밀인상이 가능하다.

④ 인상 채득

치아를 깨끗이 닦고 입안도 깨끗이 씻는다. 구강세척 시 너무 차거나 뜨거운 물 또는 소독된 물을 사용하면 환자의 신체반응을 자극하여 타액분비가 많아지고 구역질 반사가 일어나기 쉬워 정확한 인상 채득이 어렵게 되므로 체온과 비슷한 온도의 물을 사용하는 것이 좋고, 구역질 반사가 심한 환자의 경우는 향기가 있는 물을 사용하는

것도 좋을 것이다. 구역질 반사가 하악보다는 상악이 높기 때문에 하악을 먼저 인상 채득하는 것이 환자를 이완시키는 데 도움이 된다.

인상 채득하기 직전에 치아 표면과 구강 내의 타액을 진공흡입기로 빨아내고 혼합한 알지네이트 인상재를 소량 손으로 치아에, 특히 교합면과 치아 사이에 바른 후 곧바로 인상 채득한다. 트레이에 담겨있는 인상재 표면을 젖은 손가락으로 매끄럽게 해주고 인상 채득하면 더 좋은 석고모형을 얻을 수 있다.

인상 채득 시 가장 중요한 점은 인상음형인기의 변형이나 파절이 없어야 하는 것이다. 이를 위해서 다음 사항을 반드시 지켜야 한다.

- 물 · 분말의 혼합비가 적을수록, 즉 분말이 많을수록(된 혼합) 압축강도, 찢김강도가 증가되어 음형인기의 영구변형이나 파절이 적게 오지만 흐름성이 낮아져 미세부 재현성이 감소하게 되므로 혼수비는 제조회사가 요구하는 대로 정상혼합하는 것이 제일 안전하다.
- 혼합시간도 변형과 파절에 영향을 준다. 혼합시간이 짧거나 혼합이 불충분하면 알지네이트의 성분이 골고루 용해되지 못해 화학반응이 완전히 일어나지 못하고 과립이 형성되어 경화된 알지네이트의 강도가 50% 정도 저하되고, 혼합시간이 너무 길면 반응이 끝난 알지네이트가 파괴되어 역시 강도가 떨어지게 되므로 쉽게 변형이나 파절이 온다. 따라서 혼합시간도 제조사의 설명서에 따라야 한다.
- 알지네이트 인상재는 경화되고 3~4분 경과 후에 최대강도에 도달하게 된다(표 7-4). 따라서 여분의 알지네이트가 손가락에 묻지 않으면 이후 2~3분 정도 더 기다렸다가 빼내야 최대 강도에 도달할 때 빼낸 것이 되어 변형이나 파절을 최소로 줄일 수 있다. 손가락으로 만져보아 묻어나지 않는다고 인상체를 구강 내에서 빼내면 안 된다.
- 치아의 함몰부위(undercut)에 들어가서 경화된 알지네이트 인상재는 이 부위를 빠져 나오면서 10% 정도의 압축력을 받게 되고 이 압축력에 의해 영구변형이 일어나게 되어 있다. 이 영구변형을 최소로 줄여야 정밀인상이 되는데 이를 위해서는 트레이와 치아 사이의 알지네이트 인상재가 충분한 두께가 되어야 하며, 압축력을 받는 시간을 최소로 해주어야 하고(압축력을 받는 시간이 길면 영구변형이 커지기 때문이다), 압축 받은 부위가 회복될 수 있는 최대의 시간을 허용해 주어야 한다. 즉, 압축 받는 시간을 최소로 하기 위해서는 인상을 구강 내에서 빼낼 때 순간적으로 빼내야 하며 좌우 전후로 흔들어서는 안 된다. 빼낸 음형인기는 압축력에 의한 변형이 회복될 때까지 기다린 후(보통 8분 정도) 석고를 주입하는 것이 좋다.
- 미세부 인상체의 두께는 보통 1 mm 이하이기 때문에 작은 힘에도 쉽게 찢겨진다. 이것을 나타내는 것이 찢김강도인데 인상재 중에서 알지네이트 인상재가 가장 낮다. 그러나 하중속도(loading rate)를 빠르게 하면 찢김강도는 증가한다. 즉 인상을 빠른 속도로 빼내면 알지네이트 인상재가 받는 힘은 빨라져 찢김강도가 증가되어 찢겨질 위험성이 적어진다. 따라서 인상은 치아장축에 평행하게 단번에 빠른 속도로 빼내야 변형 및 파절을 최소로 할 수 있다.

표 7-4. 겔화 후 시간경과에 따른 알지네이트 인상재의 압축강도

겔화 후 시간(분)	압축강도(MPa)
0	0.33
4	0.77
8	0.81
12	0.71
16	0.74

⑤ 석고모형 제작

인상 채득한 음형인기의 내부는 흐르는 물로 씻어내어 타액이나 혈액 등을 제거한 후 약한 바람으로 건조시키거나 흡습지로 물을 빨아내어 내면에 습기가 약간 남아 있을 정도가 되게 하고 석고를 주입한다. 석고를 단번에 주입하면 내부의 공기가 미처 빠져나가지 못해 기포가 생기기 쉬우므로 한쪽 끝의 미세부위부터 주입해 나가야 한다. 진동을 주어서 석고주입을 해야 하지만 과도한 진동은 오히려 기포를 더 많이 발생하게 한다. 진공혼합기를 사용하면 훨씬 더 정밀한 석고모형을 얻을 수 있다. 석고가 주입된 인상은 젖은 헝겊이나 100% 상대습도에 보관하여 석고가 경화되는 동안의 건조를 막아주는 것이 좋다. 석고가 충분히 경화되면(30분~1시간 후) 곧 분리해야 한다. 너무 오래 방치해 두면 석고모형 표면에 변화가 온다.

(4) 유효저장기간

알지네이트 인상재는 열에 민감하여 온도가 상승하면 빨리 변질되어 전혀 경화가 안 되거나 너무 빨리 경화된다. 밀봉된 용기에 들어 있어도 온도가 높은 곳에 보관하면 치과용으로 사용하기 어려워진다. 알지네이트 인상재는 건조하고 10~27℃ 되는 곳에 밀봉해서 보관해야 하며 1년 이상된 것은 사용하지 않는 것이 좋다. 알지네이트 인상재를 냉각시키면 불용성의 겔(gel)이 되어 덩어리가 생겨서 사용하지 못하게 된다.

(5) 무분진형 알지네이트 인상재

알지네이트의 성분 중 강도를 보강하기 위하여 사용한 납(Pb)이나 점조도와 경화된 인상의 탄성을 조절하기 위하여 사용한 실리케이트(silicate)는 알지네이트를 사용할 때 먼지로 나오기 때문에 흡입할 수밖에 없다. 이들 성분은 발암성 등의 인체위해성에 문제가 되었으나 glycol로 알지네이트 분말을 도포해 줌으로 분진이 훨씬 감소하게 되었다. 이 무분진형 알지네이트(dustless or dust-free alginate)의 찢김강도나 압축강도는 재래형에 비하여 증가하였으나 크기 변화는 재래형 알지네이트와 비슷하다. 이 방법과는 달리 알지네이트와 silicone rubber를 혼합한 two-paste system의 무분진형도 소개되었다.

(6) 문제점

알지네이트 인상재에서 흔히 나타나는 문제점들은 표 7-5와 같이 요약할 수 있다.

표 7-5. 알지네이트 인상재에서 나타나는 문제점

문제점	원인
과립형성	• 불충분한 혼합 • 잘못된 물·분말 비율 • 혼합 시 적당하지 않은 물의 온도
찢김	• 불충분한 재료의 두께 • 구강 내에서 너무 빨리 제거한 경우 • 잘못된 제거방법 • 잘못된 혼합 또는 물·분말 비율
인상표면의 불규칙한 모양의 기포	• 조직에 물기 또는 혹은 음식물 잔사가 있는 경우
거칠거나 분필 모양의 경석고 표면	• 인상재의 불충분한 세척과 건조 • 석고의 잘못된 취급 • 조기 분리 또는 1시간 후 분리 실패 • 알지네이트 인상재와 석고모형재의 비친화성
변형과 부정확한 모형	• 인상 채득 후 석고주입 지연 • 트레이 내에 인상재를 부적절하게 유지시킨 경우 • 구강에서 인상재를 제거하는 방법이 잘못된 경우 • 구강에서 너무 빨리 제거한 경우 • 겔화되는 동안 트레이를 움직인 경우 • 겔화가 시작되기 전에 구강에 트레이를 위치시키는데 실패한 경우

(7) 요약

치과에서 가장 흔히 사용하는 인상재인 알지네이트는 모든 치과술식을 충분하게 자세히 재현시킬 수 있다. 일반적으로 간접방법에 의한 다이 제작에는 적당하지 않다. 일부 알지네이트와 제4형 석고제품 사이에는 친화성이 좋지 않은 것이 있다. 제4형 석고의 몇몇 제조자들은 알지네이트에는 사용하지 못하게 한다. 만약 제4형 석고를 사용하려면 알지네이트와 다이용 석고가 친화성을 갖는 다른 제품을 찾도록 해야 한다.

2) 가역성 하이드로콜로이드-아가

가역성 하이드로콜로이드(아가) 인상재는 치과용으로 사

표 7-6. 아가 인상재의 성분과 역할

성분	무게 (%)	역할
아가	12.5	• 졸상에서 분산상을 이루고 겔상에서 연속섬유구조를 이룸
Potassium sulfate	1.7	• 석고모형재의 경화를 촉진시킴
붕사	0.2	• 분자간 인력을 증가시켜 겔의 강도를 높임
Alkyl benzoate	0.1	• 보관하는 동안 인상재에서 항진균 효과
물	85.5	• 졸에서 연속상을 이루고 겔에서 2차 연속상을 이룸 • 항진균효과졸의 흐름성을 조절하고 겔의 물리적 성질을 조절함
색소 및 방향제	소량	• 색과 향기를 부여함

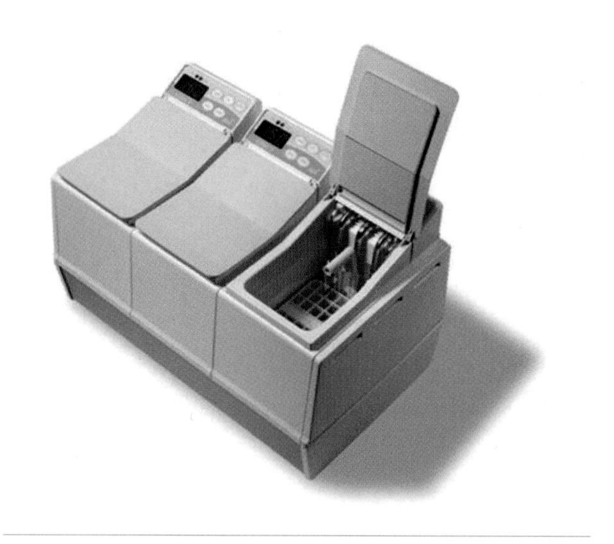

그림 7-3. 아가 인상재 항온수조

용된 최초의 탄성 인상재이다. 인상용 석고와 같은 비탄성재보다 훨씬 발전된 재료였다. 아가 인상재는 가열하면 액화되어 졸이 되고 냉각시키면 겔이 되는 가역성 재료이다.

아가 인상재를 사용하기 위해서는 세심한 주의가 필요하며 비교적 고가의 장비가 있어야 한다. 그리고 금속 모형재료는 사용할 수 없으며 크기 안정성이 낮아 인상 채득 후 곧 바로 석고모형재를 주입해야 하고, 과열되었을 때 치수나 구강 연조직에 손상위험이 있다. 그러나 정밀도가 우수하고 친수성이며 탄성이 우수한 장점을 갖고 있기 때문에 아가 인상재의 물리적 성질을 잘 이해하고 주의 깊게 사용하면 임상에서 바람직한 결과를 얻을 수 있다.

(1) 조성

아가 인상재의 기본 성분은 한천(agar)이며 약 8~15%를 함유한다(무게비로는 80~85%를 함유하는 물이 가장 중요한 구성 성분이다). 대부분의 제품이 한천을 주성분으로 하고 있다. 한천은 물과 콜로이드를 형성하며 한천의 농도에 따라 71~100℃에서 액화되며 30~50℃에서는 겔을 형성한다. 제조자는 겔의 강도를 증가시키기 위해 소량의 붕사(borax)를 첨가하는데 붕사는 석고제품의 경화를 지연시킨다. 따라서 붕사가 있으면 음형인기에 주입하는 석고 다이의 경화를 지연시켜 석고모형이나 다이의 표면을 연하고 푸석하게 한다. 이를 보상하기 위하여 아가 인상재에는 potassium sulfate를 약 2% 정도 첨가한다. 이 외에 아가 인상재의 색깔과 향을 부여하기 위하여 소량의 색소와 방향제를 첨가한다(표 7-6).

(2) 아가 인상재의 액화와 보관

아가 인상재를 사용하기 위해서는 이 인상재를 액화시키고 보관하며 온도를 조절할 수 있는 아가 조절수조(agar conditioner)를 반드시 갖추어야 하며, 아가 인상재를 와동과 지대치 주위에 주입할 수 있는 주사기와 인상재를 담고 냉각시킬 수 있는 냉각용 트레이가 있어야 한다(그림 7-3). 아가 조절수조는 액화수조(liquefying compartment), 보관수조(storage compartment), 항온수조(tempering compartment)로 구성되어 있다. 지대치 주입용 아가 인상재는 국소마취용 카트리지와 비슷한 유리 또는 플라스틱 카트리지에 넣어 공급되고 있다. 이 재료는 점도가 낮아 미세 부위에 잘 흘러 들어간다. 트레이용 아가 인상재는 점도가 높고 치약과 같은 플라스틱 튜브에 넣어 공급된다. 이러한 카트리지와 튜브는 액화(liquefaction)를 위해 아가 조절수조에 넣는다. 냉각용 관이 부착되어 있는 아가 인상재용 트레이는 냉각수가 순환되어 아가 인상재가 빨리 겔화된다.

아가 인상재를 사용하기 위한 첫 번째 단계는 액상 졸을 만드는 것이다. 아가 인상재를 쉽게 액화시키기 위하여 카트리지와 튜브를 아가 조절수조의 액화수조에 넣어 끓인다. 물의 끓는 온도가 너무 낮기 때문에 다른 액체를 사용할 수도 있다. 끓이는데 최소한 10분 정도는 필수적이며 끓이는 시간이 길다고 나쁜 영향은 없다. 불충분하게 끓이면 재료가 과립상이 되고 뻣뻣해져서 미세부를 정확하게 재현할 수 없다. 만약 액화 후 사용하지 않아 겔화된 재료를 다시 액화시키려면 최소 3분 정도 더 끓여야 한다. 액화시키고 사용하지 않은 재료는 다시 액화시킬 때 참고하기 위하여 방수지로 표시하는 것이 바람직하다.

아가 인상재는 액화가 된 후 와동형성한 곳이나 지대치에 주입할 때까지 혹은 트레이에 담을 때까지 졸 상태로 보관해야 한다. 아가 인상재의 장점 중 하나는 하루 종일 사용할 많은 수의 튜브와 카트리지를 사용하기 전에 준비할 수 있다는 점이다. 이 재료는 필요할 때 곧바로 사용할 수 있으며 진료실에서 시간을 절약할 수 있다. 이렇게 액화된 아가 인상재를 보관하기 위해서는 아가 조절수조의 보관수조에 넣어 둔다. 보관온도는 66~69℃ (150~155℉)가 이상적이다. 온도가 낮으면 일부 겔화가 일어나 미세부 재현성이 떨어진다. 아가 인상재는 온도에 많은 영향을 받으므로 아가 조절수조의 여러 부분들의 온도를 반드시 주기적으로 점검해야 한다.

(3) 인상 채득

아가 인상재로 인상 채득하기 위해서는 액화시킨 후 보관되어 있는 인상재를 사용한다. 이때 형성된 와동이나 지대치에 주입할 카트리지에 들어 있는 재료는 보관수조에서 꺼내 그대로 사용한다. 그러나 트레이 재료는 보관되어 있는 재료를 그대로 사용할 수 없다. 보관되어 있는 트레이용 재료는 흐름성이 좋아 트레이에서 흘러내리게 되고 온도가 높아 치아나 주위 연조직에 화상을 입을 위험성이 있기 때문이다. 따라서 보관수조에 있는 트레이용 재료는 항온수조로 옮겨 점도를 증가시켜서 인상재가 트레이 밖으로 흘러내리지 않게 한다. 바람직한 조건은 46℃(115℉)에서 10분간으로 일부분 겔화가 일어난 상태이다.

제품에 따라서 그리고 치과의사가 선호하는 유동성에 따라서 시간은 달라질 수 있다. 수조의 온도가 낮을수록 항온수조에서의 저장시간은 단축된다. 어떠한 경우도 인상재를 담은 트레이를 15분 이상 이 수조 속에 보관해서는 안 되는데 그 이유는 겔화가 너무 빨리 일어나 부적절한 흐름상태가 되기 때문이다. 항온수조에서 꺼낸 트레이용 인상재는 최외층을 제거해야 와동이나 지대치에 주입된 인상재와 강력한 접착력을 얻을 수 있다.

지대치 주입용 아가 인상재를 지대치에 주입한 후 즉시 이 위에 트레이 재료를 올려놓고 움직이지 않게 살짝 잡고 있어야 한다. 아가 인상재의 겔화는 적어도 5분 동안 16~21℃ (60~70℉)의 순환냉각수에 의해 이루어져야 한다. 더 찬 물이 순환되면 겔화가 빨리 일어나고 트레이 근처에 있는 아가 인상재에 응력이 집중되므로 인상이 변형되며 열충격(thermal shock)에 의해 환자가 불편함을 느낄 수 있다. 최소한 5분 정도 경과되어야 변형이나 파절 없이 인상을 제거할 수 있다.

겔의 구조는 천천히 힘을 주는 것보다는 빠른 동작으로 힘을 가하는 것이 변형이나 파절되는데 더 잘 견딜 수 있다. 따라서 치과의사는 천천히 인상재를 제거하는 것보다는 빠른 동작으로 인상을 제거해야 한다.

아가 인상재는 수분이 있는 곳에서도 지장 없이 사용할 수 있다. 수분이 있는 부위를 더운 물이 흘러넘치게 한 뒤 주사기용 재료를 재빨리 교합면과 절단면쪽으로만 덮도록 한다. 주사기용 재료가 아직 액체 상태일 때 트레이용 재료를 위치시킨다. 점액성의 트레이용 재료의 수압이 액체 상태의 주사기용 인상재를 수복하려는 부위까지 밀어 내리며 표면에 있는 수분을 이동시킨다.

(4) 모형제작

인상 채득한 후 인상음형인기는 공기 중에 방치하면 물이 소실되어 수축이 일어나고 물속에 넣어두면 물을 흡수

표 7-7. 아가 인상재에서 나타날 수 있는 문제점

문제점	원인
과립형 모양의 재료	• 적당하지 못한 끓임 • 온도조절 또는 보관온도가 너무 낮음 • 온도조절 시간이 너무 긴 경우
트레이용 재료와 주사기용 재료의 분리	• 트레이용 재료의 물이 접촉된 층이 제거되지 않은 경우 • 주사기용 또는 트레이용 재료의 부적당한 겔화
찢김	• 부적당한 두께 • 치은에 수분이 오염 • 입안에서 너무 빨리 제거 • 트레이를 위치시킬 때 주사기용 재료가 일부분 겔화된 경우 • 입안에서 잘못 제거한 경우
외측의 기포	• 잘못된 겔화와 흐름성이 방해된 경우
불규칙한 모양의 기포	• 조직에 수분이나 찌꺼기가 있는 경우 • 재료가 너무 냉각되었거나 과립인 경우
거칠거나 혹은 분필 모양의 경석고 모형	• 인상재를 잘못 세척한 경우 • 과도한 양의 물이나 황산칼륨용액이 인상에 남아 있는 경우 • 다이를 너무 빨리 제거한 경우 • 경석고를 잘못 조작한 경우
변형, 부정확	• 인상이 즉시 주입되지 못한 경우 • 겔화되는 동안 트레이가 움직인 경우 • 입에서 너무 빨리 제거한 경우 • 입에서 잘못 제거한 경우 • 겔화의 초기 단계 동안 찬물을 사용한 경우

하여 팽창한다. 이러한 변화는 수복물의 정확성에 매우 중요하다. 인상음형인기를 100% 상대습도에 보관하는 것이 다른 어떠한 용액에 보관하는 것보다 가장 안정한 방법이지만 가장 만족한 결과를 얻기 위해서는 인상을 채득한 후 곧바로 석고 모형재를 주입해야 한다.

아가 인상재에는 석고 모형재를 사용하여야 하며 인상재의 성분이 대부분 물이기 때문에 최대의 표면강도를 얻도록 노력해야 한다. 다이(die)에 약간의 기포가 있거나 분필 모양과 같이 거칠면 보철물을 정확히 제작할 수 없다.

아가 인상재와 석고 모형재 사이에는 알지네이트 인상재와 마찬가지로 친화성이 있으므로 이 점을 고려하여 모형재를 선택하여야 한다. 아가 인상재는 제2형 혹은 제3형 석고의 경도에 나쁜 영향을 미치지 않는다. 그러나 제4형 석고의 경도는 아가 인상재와 접촉 시 약 1/3 정도 감소한다. 우수한 경도를 갖는 석고모형을 얻기 위해서는 석고의 혼수비를 정확히 지켜야 하며 친화성이 있는 재료를 선택하여야 한다. 그리고 치과용 경석고를 주입하기 전에 2% 황산칼륨 용액에 인상을 담가놓으면 단단한 경석고 표면을 얻을 수 있다.

석고를 주입하기 전에 인상음형인기 내면에는 과도한 물이 없도록 해야 하지만 압축공기로 건조시켜서는 안 된다. 진공혼합기로 석고를 혼합하고 석고를 조금씩 천천히 약한 진동을 주면서 인상음형인기 내에 주입한다. 100% 상대습도에서 경석고를 경화시키면 우수한 경석고 표면을 얻을 수 있다. 경석고가 경화될 동안 인상을 물속에 담가 놓아서는 안 된다.

알지네이트 인상재와 마찬가지로 석고모형을 아가 인상에서 적어도 30분까지 분리해서는 안 되고 60분이 바람직하다. 경석고가 경화되는데 충분한 시간이 필요하다.

(5) 문제점

아가 인상재의 문제점들을 표 7-7과 같이 요약할 수 있다.

3) 아가/알지네이트 연합인상법(Agar/alginate combination impression technique)

아가 인상재는 미세부재현성이 고무인상재처럼 우수하면서 고무인상재와는 달리 친수성이어서 습기가 많은 지대치의 인상이 가능하며 석고주입 시 기포유입을 감소시킬 수 있는 장점이 있으나 재래형은 고가의 장비가 필요하며 사용하기 복잡하여 이용 빈도가 낮았다. 그러나 알지네이트와 연합하여 사용할 수 있는 아가 인상재와 인상방법이 개발되어 아가 인상재를 간편하게 사용할 수 있으며 우수한 석고모형을 얻을 수 있게 되었다.

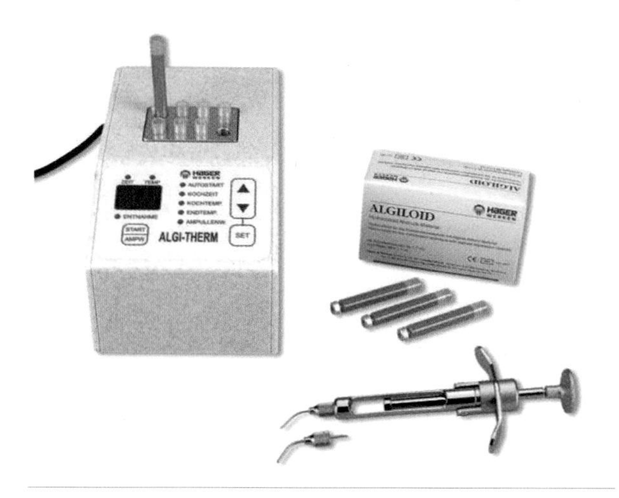

그림 7-4. 아가·알지네이트 연합인상용 아가항온수조

아가 · 알지네이트 연합인상용 아가 인상재는 glass cartridge나 disposable plastic syringe에 들어 있거나, 원통형으로 공급되어 아가주입용 주사기에 고정시켜 사용할 수 있다.

아가 인상재는 재래형 아가 인상재와 마찬가지로 액화시켜야 하는데 액화(100℃에서 6분간 끓임)시키고 보관(65℃에서 10분간 보관 후 사용)하기만 하면 되므로 장비가 상당히 간단해졌다. 액화시키고 보관하기 위해서 재래형 아가항온수조를 사용해도 되지만 물로 끓이는 연합인상용 아가항온수조나 물을 사용하지 않고 전열기를 이용하여 액화시키는 dry conditioner(그림 7-4)가 개발되어 편리하게 사용할 수 있다.

연합인상용 아가 인상재는 주사기에 넣어 지대치에 주입하는 데만 사용하고 트레이에는 알지네이트 인상재를 담게 된다. 따라서 아가와 알지네이트의 결합강도가 중요한 성질이 되겠다. 표 7-8에서처럼 아가와 알지네이트의 결합강도는 400~1,000 g/cm² 정도이지만 인상재에 따라서 그리고 다루는 방법에 따라서 달라지게 된다. 즉 서로 강력한 결합력을 갖는 아가와 알지네이트가 별도로 있게 되어 이러한 재료를 선택해야 하며 아가나 알지네이트가 경화되기 전에 서로 접착될 수 있도록 먼저 정상보다 10% 정도 물을 더 많게 알지네이트를 혼합하고, 혼합이

표 7-8. 아가·알지네이트의 결합강도(g/cm²)

알지네이트 \ 아가	CO	DE	HL	LB
AP	1,468±267	1,933±91	1,197±101	1,150±142
BP	1,956±65	1,956±81	1,623±70	1,520±231
CH	1,367±136	1,565±246	1,162±143	1,378±207

끝나서 트레이에 담으려고 할 때 아가 인상재를 지대치에 주입하고 알지네이트가 담겨진 트레이를 올려놓는 기술이 필요하다. 아가 · 알지네이트 연합인상법에 의한 계속가공의치 인상 채득의 정밀도는 임상적으로 만족하며, 미세부재현성도 polysulfide 인상재와 비슷하여 한 개의 금관인상 채득은 정확하다. 그러나 multiple unit의 인상 채득에는 의문의 여지가 있다.

3. 탄성 고무인상재

표 7-1에서 볼 수 있듯이 탄성 인상재에는 하이드로콜로이드 인상재 외에 여러 가지 고무인상재가 있다. 고무인상재는 화학 성분에 따라서 폴리설파이드(polysulfide), 축중합형 실리콘(condensation silicone), 부가중합형 실리콘(addition silicone), 폴리이써(polyether) 등 4가지 형태가 있다. 그리고 고무인상재는 점도에 따라서 저점도(low viscosity 또는 light body), 중점도(medium viscosity 또는 regular body), 고점도(high viscosity 또는 heavy body), 반죽형(putty) 등으로 구분된다. 보통 저점도의 고무인상재는 인상재 주입용 주사기에 넣어 지대치의 미세부위에 주입할 때 사용하며 중점도, 고점도 그리고 반죽형은 트레이용으로 사용한다. 이 재료들은 겔이 아닌 합성고무이다.

여러 조성들이 화학반응을 하여 탄성의 고형 인상을 형

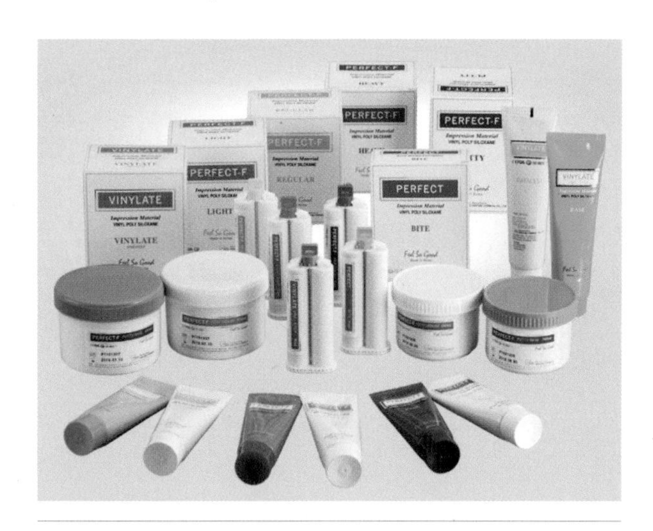

그림 7-5. 여러 가지 공급 형태의 고무인상재

표 7-9. 폴리설파이드 인상재의 성분

	성 분	함량(%)
기저재	Polysulfide polymer	80~85
	Titanium dioxide, zinc sulfate, copper carbonate, 또는 silicate	16~18
촉진재	Lead dioxide	60~68
	Dibutyl 또는 dioctyl phthalate	30~35
	Sulfur	3
	Other	2

성한다. 이 화학반응은 액형 중합체라고 불리는 탄성기저재가 최종적으로 고무 같은 재료로 변화되는 과정으로 이를 경화(setting) 또는 중합(polymerization)이라고 한다. 고무인상재는 중합이라는 반응을 통하여 매우 많은 수의 단량체가 서로 연결되어 형성된 화학적 복합체로 생각하면 된다.

고무인상재는 공급형태에 따라서 ① 2-연고형태(two paste system), ② 연고-액상형태(paste-liquid system), ③ 2- 액상형태(two liquid system), ④ 액상-반죽형태(liquid-putty system), ⑤ 2-반죽형태(two putty system)로 구분하여 공급되고 있다(그림 7-5).

중합반응에는 부가중합과 축중합의 두 가지 기본적인 형태가 있다. 부가중합은 어떤 다른 화학반응물을 형성하지 않고 중합체를 형성하며, 축중합은 반응 부산물을 형성한다.

1) 폴리설파이드

(1) 조성과 화학작용

폴리설파이드 고무인상재는 2개의 튜브로 공급되고 있는데, 한쪽 튜브에는 기저재(base)가 들어 있고 다른 튜브에는 촉진제(accelerator)가 들어 있다. 전형적인 성분은 표 7-9에 있다.

폴리설파이드 고무 기저재는 특정 분말의 필러(충진재)를 첨가하여 연고로 만든 액형 중합체이다. 필요에 따라 촉진제와 지연제가 첨가된다. 중합체의 기본 분자는 탄소원자 말단에 황화수소기(SH, mercaptan)가 붙어있는 것이다.

$$\begin{array}{c} C_2H_5 \\ | \\ HS-Rn-S-S-C-S-S-Rm-SH \\ | \\ SH \end{array}$$

머캅탄

이 액형 중합체가 산화제[대개 이산화납(PbO_2)]와 반응하면 중합체는 중합반응에 의해 성장하거나 길어져 고형탄성체가 된다. 황은 반응을 촉진시키고 성질을 개선시키기 위해 첨가된다. 일반적으로 기저재는 흰색이며 기저재(base)라고 표시되어 있다.

다른 튜브는 황과 이산화납을 함유하고 있다. 이 성분은 모두 분말이기 때문에 연고로 만들기 위해 액형 가소제를 첨가한다. 종종 제조자들은 이 연고에 촉진제(accelerator) 또는 촉매제(catalyst)라고 표시한다. 이 연고는 반응을 일으켜 고형의 고무를 형성하는 성분(이산화납)을 함유하므로 반응제라는 용어가 더 옳을 것이다. 이것은 이산화납 때문에 밤색을 띤다. 만약 반응제로 유기 과산화물이 사용되었다면 연고는 다른 색을 띠게 될 것이다.

폴리설파이드는 크기안정성이 충분하지 못해서 인상채득 후 모형재 주입 시까지 인상을 보관하는 데 문제가 있다. 폴리설파이드의 경화반응은 축합반응이므로 물이 반응부산물로 생성된다. 이는 상당량의 경화수축을 야기하며 구강에서 인상을 제거한 후에도 계속된다.

머캅탄 + 이산화납 → 폴리설파이드 고무 + 물
(기저재연고) (촉매제) (인상)

(2) 성질

폴리설파이드는 '황화수소'군 때문에 강한 냄새가 나며 옷을 착색시킨다. 줄무늬 없이 균일하게 되도록 주의 깊게 혼합해야 한다. 작업시간과 경화시간은 비교적 길다. 온도가 증가하거나 수분이 존재하면 경화반응은 촉진된다. 기저재와 촉진제의 비율을 변화시켜 경화속도를 조절해서는 안 된다.

혼합판에 수분이 맺힐 정도까지 차갑게 하지 않는다면 차가운 혼합판의 사용으로 작업시간이 증가된다. 혼합 시 물 한 방울을 첨가하면 작업시간과 경화시간은 감소한다. 함몰 부위에서 제거한 후의 영구변형은 비교적 크나 초기 경화에 도달한 후에 제거하면 점차 회복된다. 따라서 폴리설파이드 인상재를 구강에서 너무 일찍 제거하면 안 된다. 강직도(stiffness)는 비교적 낮아 상당히 유연하다. 이러한 성질로 구강 내에서 인상재를 제거하는 것과 인상체에서 모형을 분리하는 것이 쉽다. 그러나 하이드로콜로이

축중합형 실리콘(폴리실록산) 반응식

$$HO\left[\begin{matrix} CH_3 \\ | \\ Si-O \\ | \\ CH_3 \end{matrix}\right]_n H + RO-\overset{\displaystyle OR}{\underset{\displaystyle OR}{Si}}-OR \xrightarrow[\text{octoate}]{\text{Tin}} -Si-O-Si(-O-Si-)-O-Si- + ROH$$

Hydroxy terminated poly(dimethyl-siloxane	Orthoalkyl silicate	Silicone rubber	Alcohol
(기저재연고)	(반응제연고 또는 액)	(인상)	

부가중합형 실리콘(폴리비닐 실록산) 반응식

$$-\overset{\displaystyle CH_3}{\underset{\displaystyle CH_3}{Si}}-CH{=}CH_2 + H-Si-CH_3 \xrightarrow{H_2PtCl_6} CH_3-Si-CH_2-CH_2-Si-CH_3$$

Vinyl terminated siloxane acid	Silane	Chloroplatinic acid	Silicone rubber

드와 비교할 때 상당히 뻣뻣하다. 폴리설파이드 고무인상재는 찢김저항성이 높아 인상체가 쉽게 파절되지 않고 치간이나 치은연하에 남아있지 않는 장점이 있다. 그러나 만약 인상재가 이 부위에 걸리면 구강에서 제거되는 동안 상당량의 영구변형이 일어날 것이다.

폴리설파이드는 소수성(hydrophobic)이므로 접촉각이 높아 지대치에 수분이 있으면 정밀 인상을 채득할 수 없으며, 인상 채득한 인상음형인기에 석고를 주입할 때 기포가 유입되기 쉽다.

2) 축중합형 실리콘(폴리실록산)

(1) 조성과 화학작용

축중합형 실리콘 인상재는 대부분 금속 튜브에 담긴 연고로 공급된다. 이의 반응제는 액체형태로 유리병이나 작은 금속 튜브에 포장되어 있다. 트레이용의 퍼티는 단지형 용기에 포장되어 있고 작은 병이나 튜브에 들어 있는 반응제와 혼합하여 사용한다.

축중합형 실리콘의 기저재는 폴리실록산(Poly-siloxane)이라고 불리는 실리콘 중합체이다. 이 액형 중합체는 연고로 만들기 위해 실리카(SiO_2) 분말과 혼합한다. 중합은 실리콘 기저재와 제2의 실리콘 성분인 알킬 실리케이트 사이의 축합반응으로 일어난다. 촉매제로 작용하는 알킬 실리케이트와 틴 옥토에이트가 액 성분을 이루고 있으며 촉진제(accelerator)나 촉매제(catalyst)라고 표시되어 있다. 반응 부산물인 에틸알코올은 증발하여 곧 소실된다. 이러므로 비교적 많은 양의 중합 수축을 야기하며 따라서 중합 후의 크기 안정성이 좋지 못하게 된다.

(2) 성질

축중합형 실리콘 고무인상재는 냄새가 나지 않고, 깨끗하게 취급할 수 있으며, 비교적 혼합이 쉽다. 일정 길이의 기저재에 액형 반응제를 정해진 방울 수만큼 적용하여 적정 비율을 얻을 수 있다. 온도를 증가시키면 중합이 촉진되어 작업시간과 경화시간을 짧게 할 수 있으나 반응제의 양을 변화시켜 작업시간과 경화시간을 조절하는 것이 더 좋은 방법이다. 작업시간은 다소 짧다.

표 7-10. 고무인상재의 특성비교

	폴리설파이드	폴리이써	축중합형 실리콘	부가중합형 실리콘
혼합용이성	우수	쉬움	우수-쉬움	쉬움
혼합시간(초)	60	30~45	30~60	30~45
작업시간(분, 30~23℃)	3~6	2~3	2~4	2~4
구강 내 경화시간(분)	10~20	6~7	6~10	6~8
청결	어려움	쉬움	쉬움	쉬움
냄새와 맛	불쾌	양호	양호	양호
Stiffness	낮음	매우 높음	중간 높음	높음
구강 내 제거 후 크기 안정성	중간	우수*	나쁨	우수
구강 내 제거 후 영구변형	높음	매우 낮음	낮음	매우 낮음
석고와의 젖음성	나쁨	좋음	매우 나쁨	매우 나쁨**
찢김 저항성	우수+	나쁨	우수	나쁨

* 건조한 곳에 보관 ** 친수성 타입은 우수 + 재료가 쉽게 파절되지 않지만 매우 심한 변형이 나타남

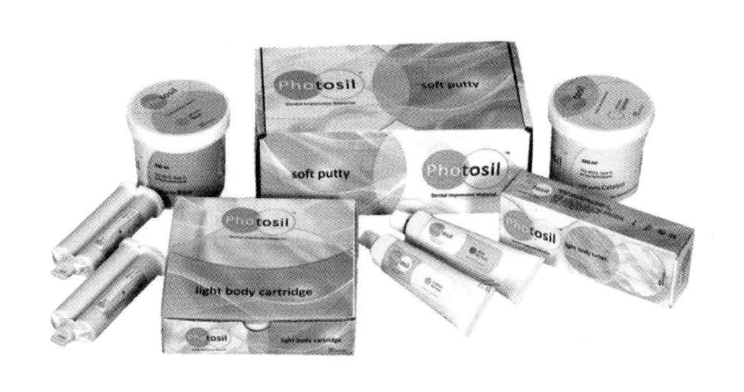

그림 7-6. 연고형 및 자동혼합형 폴리비닐 실록산 인상재

축중합형 실리콘의 영구변형은 폴리설파이드보다 우수하다(표 7-10). 그러나 크기 안정성이 떨어지므로 구강 내에서 제거 후 즉시 모형재를 주입해야 한다. 경화되지 않은 석고와의 접촉각은 폴리설파이드보다 높다. 따라서 석고를 주입할 때 기포가 유입되지 않도록 주의하여야 한다.

3) 부가중합형 실리콘(폴리비닐 실록산)

(1) 조성과 화학작용

부가중합형 실리콘 인상재는 축중합형 실리콘 재료의 수축 문제를 해결하기 위해 개발되었다. 이 재료의 주성분 역시 실리콘 중합체이지만 그 화학작용과 성질은 축중합형 실리콘과는 상당히 다르다. 이 인상재는 금속 튜브에 담긴 2개의 연고로 또는 2개의 플라스틱 단지형 용기에 담긴 퍼티 재료로 포장되어 있다. 시판되는 상품들은 보통 4가지 점성으로 되어 있다(그림 7-6).

두 가지 다른 액형 실리콘 중합체(백금 염 촉매제가 들어 있는)가 부가중합에 의해 경화되면 고형의 탄성체를 형성한다. 반응 부산물은 생성되지 않는다. 따라서 중합 수축은 작으며 크기 안정성이 뛰어나다. 두 가지 액형 실리콘 중합체의 하나는 그 말단 부위가 부가 중합에 필수적인 비닐기인 폴리실록산이다. 제조자들은 종종 부가중합형 실리콘을 폴리(비닐)실록산 인상재로 표시하여 축중합형과 구분한다. 보통 두 개의 연고나 퍼티를 만들기 위해 액형 중합체에 고형 분말(실리카)을 첨가한다.

(2) 성질

부가중합형 실리콘은 냄새가 없고, 깨끗하게 취급할 수 있으며, 혼합하기 쉽다. 경화시간과 작업시간은 상당히 짧다. 재료와 혼합판의 온도를 낮춰 중합반응을 지연시킬 수 있다. 냉장 보관하면 구강 내에서 경화시간에 영향을 주지 않고 작업시간을 1분 정도 증가시킬 수 있기 때문에 이를 추천하고 있다. 다른 방법으로 액형 지연제(일부 제조자에 의해서 공급되고 있음)를 혼합에 첨가할 수 있다.

제조자의 기저재와 촉매재의 비율을 지켜야 한다. 부가중합형 실리콘의 중합반응은 다른 화학물질의 오염에 대단히 민감하다. 특히 폴리설파이드 고무는 부가중합형 실리콘의 중합반응을 상당히 지연시킨다. 부가중합형 실리콘에 사용하는 혼합자와 혼합지, 그리고 주사기는 다른 재료와 함께 사용해서는 안 된다. 고무 장갑과 러버 댐, 심지어 비닐 장갑도 이 재료의 중합을 억제한다는 보고가 있다.

부가중합형 실리콘은 크기 안정성이 뛰어나다. 대부분의 제조자들은 모형재 주입을 7일간 지연할 수 있다고 주장하고 있다. 경화된 재료는 뻣뻣하며 전악 인상 시 구강에서 제거하기 어렵다. 인상재에서 모형을 제거할 때에도 석고모형이 부서지지 않도록 주의를 기울여야 한다. 실리콘의 찢김 저항성은 낮으나 파절되기 전에 소성 변형(plastic deformation)이 뚜렷하게 일어나지는 않는다.

석고 혼합물과 이 인상재와의 접촉각은 축중합형과 유사하다. 젖음제재(wetting agent)를 함유하고 있는 친수성 부가중합형 실리콘이 소수성 재료보다 석고를 주입하기가 훨씬 쉽기 때문에 유용하게 사용된다. 또한 젖음제재를 석고 주입 전에 인상음형인기 내면에 도포할 수 있다.

또한 부가중합형 실리콘 인상재는 vinyl silicone과 hydride silicone이 정확한 비율을 유지하고 불순물이 없으면 반응부산물은 형성되지 않는다. 그러나 비율이 맞지 않거나 잉여 silanol group과 같은 중합체 불순물이나 습기가 있으면 기저재의 hydride와 반응하여 수소가스가 발

표 7-11. 석고 모형 표면에 형성된 기포의 수(Score)

Impression materials	Pouring time of dental stone	NF	NP	MG	SS
CV	immediately	2.7	2.0	0.7	2.7
	15 min	2.3	1.7	0.3	1.7
	30	1.0	3.0	0.0	1.0
	45	1.3	0.3	0.0	0.0
EF	immediately	2.0	5.0	3.0	2.7
	15 min	1.3	0.7	2.0	1.7
	30	0.0	0.0	2.0	0.0
	45	0.0	0.0	1.0	0.0
EP	immediately	4.3	6.7	5.0	5.0
	15 min	3.0	7.0	4.7	3.0
	30	1.3	5.7	1.7	3.3
	45	1.3	3.7	2.0	2.3
ET	immediately	0.0	0.0	0.0	2.3
	15 min	0.0	0.0	0.0	1.3
	30	0.0	0.0	0.0	3.0
	45	0.0	0.0	0.0	2.0
PV	immediately	4.0	7.0	7.0	6.0
	15 min	2.3	1.3	2.7	2.7
	30	0.0	0.0	0.7	2.0
	45	0.0	0.0	0.0	1.0
RP	immediately	3.7	2.7	2.0	3.7
	15 min	1.7	1.0	2.0	3.0
	30	1.3	1.3	0.7	1.3
	45	1.7	0.7	1.7	2.3

생한다. 이들 경화된 재료에서 수소가스가 발생하여 인상 채득 후 즉시 석고를 주입하면 석고모형에 핀포인트 기포가 모형에 생긴다. 최근에는 인상재에 백금이나 팔라디움과 같은 귀금속을 첨가하여 발생하는 수소가스를 제거하거나 구성성분의 순도를 높여 수소가스가 발생되지 않게 한 제품이 개발되어 인상 채득 후 즉시 또는 1시간 이내에 석고를 주입할 수 있게 되었다. 그러나 새로 개발된 재료도 일부 모형용 석고와 친화성이 없어 인상 채득하고 30~45분 후에 석고를 주입하였을 때 석고표면에 기포가 형성된 연구결과도 보고되었다(표 7-11).

수소가스에 대한 해결방법은 인상재와 친화성이 있는 석고를 선택하고, 인상 채득하고 30분 또는 그 이상 기다린 후에 석고를 주입하는 것이다. 이렇게 석고주입을 지연해도 크기변화에는 아무런 임상적 문제는 없다.

4) 폴리이써

(1) 조성과 화학작용

기저재는 말단 아지리딘 링을 포함한 폴리이써이다. 중합은 방향성 썰포네이트 에스터로 된 반응제에 의해 활성화된다. 기저재와 반응제는 모두 연고형태로 튜브에 포장되어 있다.

H O O H
$CH_3-C-CH_2-C-O-R-O-C-CH_2-C-CH_3$
N N
CH_2-CH_2 CH_2-CH_2

Polyether

기저재와 반응제 튜브는 크기가 다르다. 반응제 튜브의 입구가 더 작지만 2개를 같은 길이로 짜 놓을 때 정확한 양이 된다. 경화된 재료는 상당히 뻣뻣해서 이를 감소시키기 위해 제3의 성분[body modifier 또는 희석제(thinner)]이 사용된다(그림 7-7). 또한 body modifier는 경화 전의 재료에서 점성을 감소시킨다. 이는 폴리이써가 대개 중점성 제품만 판매되기 때문에 장점이 될 수 있다.

(2) 성질

폴리이써의 영구변형은 부가중합형 실리콘과 비슷하다. 폴리이써의 경화반응은 반응부산물을 생성하지 않기 때

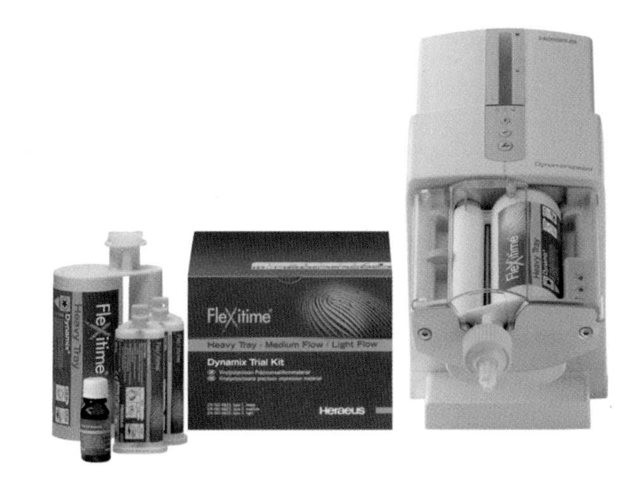

그림 7-7. **폴리이써 인상재** 희석재가 추가됨

문에 중합 수축과 크기 안정성의 면에서 우수하다. 그러나 폴리이써는 물을 흡수하여 팽윤된다. 따라서 인상재는 모형을 붓기 전까지 건조한 상태에서 보관하여야 한다.

뻣뻣함을 감소시키기 위해 body modifier를 사용하였음에도 불구하고 경화된 폴리이써 재료는 상당히 뻣뻣하여 임상사용 시 어려움이 있다. 폴리이써는 어느 정도 친수성이므로 석고와의 접촉각이 비교적 작아 주입이 용이하다.

폴리이써는 취급 시 깨끗하며 냄새가 없고 혼합이 쉽다. 작업시간은 매우 짧고 혼합 시 body modifier를 첨가하거나 반응제의 양을 감소시켜 작업시간을 연장시킬 수 있다.

한 가지 더 기억해야 할 주의사항이 있다. 폴리이써는 이 재료에 대해 알러지가 있는 환자나 치과 의료진 모두에게 과민반응을 야기할 수 있다. 알러지 반응을 갖고 있는 환자에게 이 재료를 사용해서는 안 된다. 피부에 잠시만 접촉하여도 접촉성 피부염을 야기할 수 있다.

5) 고무인상재의 성질

4종의 고무인상재 성질이 표 7-10에 요약되어 있다.

(1) 작업시간과 경화시간

작업시간(working time)이란 임상적으로 인상재를 혼합하고 트레이에 담아 구강 내에 장착해야 하는데 필요한 최대한의 시간을 의미한다. 트레이에 담긴 인상재가 이 시간 내에 구강 내에 장착되지 못하면 재료에 탄성이 생겨 변형된 인상을 얻게 된다.

경화시간(setting time)은 혼합시작부터 재료가 탄성이 충분하여 임상적으로 유의성이 있는 영구변형 없이 인상을 구강 내에서 제거하는데 소요되는 최소한의 시간이다. 구강 내에서의 조기 제거는 유의성 있는 변형을 야기하고 이는 고무인상재를 사용할 때 생길 수 있는 실패의 주된 요인이 된다.

고무인상재의 경화시간은 재료의 종류 및 상품에 따라 다르므로 제조사의 설명서에 제시된 경화시간을 정확하게 알고 있어야 한다. 그러나 경화시간은 주위의 온도나 습도 또는 기저재와 반응재의 비율에 따라 달라질 수 있

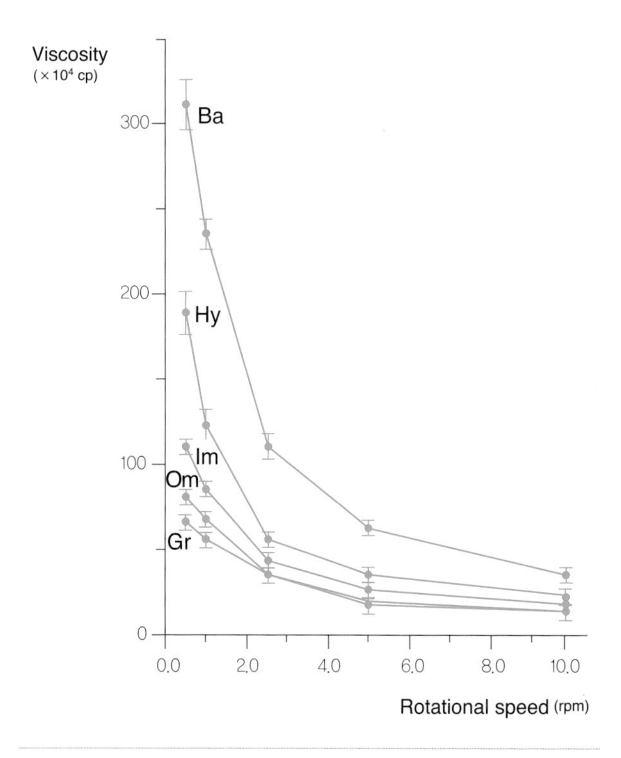

그림 7-8. **전단속도에 따른 부가중합형 실리콘 인상재의 점도**

으므로 치과의사는 무딘 기구로 인상재 표면을 가볍게 눌러 보아 더 이상의 자국이 생기지 않으면 인상체를 제거할 수 있는 적절한 시간이 되었다고 판단하여 인상체를 구강에서 안전하게 제거할 수 있다.

온도가 높으면 고무인상재의 작업시간과 경화시간은 짧아진다. 인상재를 냉각시키면 작업시간은 실질적으로 길어진다. 구강 내에서는 인상재의 경화시간은 짧아진다. 기저재와 촉매제의 비율을 변화시키면 경화시간이 변한다. 그러나 기저재와 촉매제의 비율이 크게 변하면 기계적 성질이 변하게 되므로 좋은 방법은 아니다.

(2) 크기 안정성

고무인상재의 크기변화는 주로 중합 시 발생하는 수축이나 반응부산물의 손실, 구강온도에서 실내온도로 변할 때 발생하는 열수축, 물이나 소독제 등 수분에 의한 팽윤, 탄성의 불완전한 회복 등에 의해 발생한다. 한국산업표준 KS P ISO 4823에서는 최대 1.5%의 크기변화가 있어서는 안 된다고 규정하고 있다.

고무인상재는 하이드로콜로이드 인상재와 달리 보관 시 이액현상과 팽윤현상에 의한 크기의 변화가 문제가 되지 않는다. 그러나 경화된 폴리이써는 수분을 흡수하므로 높은 습도의 환경이나 물속에 보관하면 팽윤된다. 일상적인 실내의 공기는 4종의 고무인상재의 보관에 적합하다. 습기가 있는 곳이나 건조기에서 보관하는 것은 필요하지도 바람직하지도 않다.

폴리설파이드와 축중합형 실리콘 인상재는 인상 채득 후 모형재 주입을 지연해서는 안 된다. 이전에 언급한 대로 혼합한 인상재의 중합은 구강에서 제거되었을 때에도 계속 진행된다. 경석고 모형이 제작되기 전에 계속되는 재료의 경화는 변형을 야기한다. 또한 첨가 성분의 일부는 기화되어 추가적인 수축을 야기한다.

만약 폴리설파이드나 축중합형 실리콘 인상재를 사용한다면 인상체를 구강 내에서 제거하고 1시간 이내에 석고 모형을 제작해야 한다. 인상 채득 후 모형재 주입을 당일에 할 수 없는 경우에는 부가중합형 실리콘이나 폴리이써 인상재를 사용하여야 한다.

(3) 점도(viscosity)

점도는 점조도(consistancy)가 낮을수록 낮고, 시간이 경과할수록 증가하며, 온도가 높을수록 증가한다. 점도가 낮으면 흐름성이 좋아 미세부 재현성이 우수하다. 최적의 점도를 얻기 위해서는 혼합시간이 정확해야 하며 구강 내 삽입시간도 알맞아야 한다.

점도는 전단속도에도 영향을 받아 그림 7-8에서 볼 수 있듯이 단일점도형 부가중합형 실리콘 인상재의 전단속도 즉 점도계의 회전속도가 증가할수록 현저히 감소하는 것을 볼 수 있다(thixotropic, 요변성, pseudoplastic, shear thinning).

고무인상재는 혼합할 때 또는 주사기를 빠져 나올 때 전단응력(shear stress, 비틀리는 힘)을 받게 되는데 이 전단응력이 높으면 점도는 낮아져 흐름성이 좋아지고 반대로 전단응력이 낮으면 점도는 높아져 흐름성이 낮아지는 성질을 갖고 있다. 트레이 위에 있는 재료는 전단응력을 받지 않아 점도가 높으며 따라서 잘 흘러내리지 않지만 지대치 주입용 주사기에 들어 있는 재료는 주입할 때 주사기를 빠져나오면서 100배 이상의 전단응력을 받게 되

표 7-12. 시간과 shear rate에 따른 점도($\times 10^4$ cp)

재료	Shear rate(rpm)	1분 후의 점도	1.5분 후의 점도
Baysilex	0.5	122.1(2.8)	211.2(14.7)
	2.5	68.9(2.5)	148.8(1.2)
Green-Mousse	0.5	133.7(8.9)	247.9(14.9)
	2.5	56.7(2.9)	78.0(2.8)
Hydrosil	0.5	194.2(8.5)	398.0(7.8)
	2.5	129.4(4.1)	153.5*
Imprint	0.5	106.5(12.2)	245.1(8.9)
	2.5	79.7(2.2)	146.2(5.9)
Omnisil	0.5	156.8(11.8)	347.1(5.2)
	2.5	102.5(1.9)	153.5**

( ) = Standard deviation
* : Value at 75 sec after mixing
**: Value at 77 sec after mixing

표 7-13. Base와 catalyst의 점도($\times 10^4$ cp)

재료	Mixing method	Base	Catalyst
Baysilex	Hand	65.5(0.6)	70.6(1.0)
Green-Mousse	Auto	29.8(1.3)	25.0(1.5)
Hydrosil	Hand	16.1(0.9)	19.1(0.8)
Imprint	Auto	42.3(1.1)	50.0(0.6)
Omnisil	Hand	35.2(0.9)	58.5(2.0)

( ) = Standard deviation

어 점도가 낮아지고 흐름성이 좋아져 지대치의 미세부위까지 잘 흘러 들어가 정밀 인상 채득이 용이해 진다. 이러한 성질은 부가중합형 실리콘 인상재에서 특히 유용하며 filler의 양을 조절하여 개발된 것이 단일점도형(single viscosity 또는 monophase) 부가중합형 실리콘 인상재이다. 이 재료는 light, medium, heavy 형태와는 달리 한 가지 형태를 혼합하여 트레이와 주사기에 동시에 사용하게 된다. 이 재료에서 중요한 성질 중의 하나가 점도이다. 점도는 재료, 온도, 혼합 후 시간, 혼합방법, 혼합속도 등에 따라 영향을 받는데 혼합속도가 증가할수록 점도가 감소하며 혼합 후 시간이 경과함에 따라서는 점도가 증가하게 된다(표 7-12). 자동혼합기에 사용하는 부가중합형 실리콘 인상재는 기저재연고와 반응제연고의 점도가 비슷하여 자동혼합이 용이하도록 제조하고 있다(표 7-13).

(4) 영구변형

구강 내에서 경화된 인상재는 치아의 함몰부위를 나오면서 10% 정도의 압축력을 받게 되고, 이로 인하여 영구변형이 잔류하게 된다. 최근에는 영구변형 대신 회복률로 표시한다. 1%의 영구변형이 있으면 99%의 회복률로 표시하는 것이다. 부가중합형 실리콘이 가장 우수한 회복률을 가지며 다음은 폴리이써, 축중합형, 폴리설파이드의 순이다(표 7-10).

표 7-14. 고무인상재의 접촉각

고무인상재		접촉각(°)
Polysulfide		82
Condensation silicone		98
Addition silicone	Conventional type	98
	Hydrophilic type	53
Polyether		49

(5) 찢김강도(tear strength)

찢김강도는 인상체의 얇은 부위가 찢겨지지 않을 저항성을 의미하므로 상당히 중요한 성질이다. 따라서 찢김강도가 높은 것이 바람직한 재료이다. 시편의 파절 시 최대하중을 시편의 두께로 나눈 값이 찢김강도(N/m)이다. 찢김강도는 화학성분, 점도, 제거 속도 등에 영향을 받는다. 인상재의 점도가 증가하면 찢김강도는 증가하며, 제거 속도가 증가해도 찢김강도는 증가한다. 인상을 구강 내에서 빠른 속도로 제거하면 찢김강도가 증가하여 치은 연하와 같은 미세부에서 찢겨지지 않고 인상을 채득할 수 있다. 하이드로콜로이드 인상재(아가, 알지네이트), 부가중합형 및 축중합형, 폴리이써, 폴리설파이드 순으로 찢김강도가 높다. 하이드로콜로이드의 찢김강도는 폴리설파이드의 약 10분의 1 정도이다.

(6) 미세부재현성

치과 인상은 치아의 소와열구, 삭제된 지대치의 변연부 등 미세한 부위를 복제해야 하는 정밀 인상이다. 알지네이트 인상재는 0.05 mm 넓이의 미세선을 재현할 수 있지만 고무인상재는 반축형을 제외하고는 0.02 mm 넓이의 미세선을 재현할 수 있어 미세부 재현성이 우수하다.

(7) 친수성

표 7-14에서 볼 수 있듯이 고무인상재의 접촉각(contact angle)은 75~95°이지만 친수성(hydrophilic) 부가중합형 실리콘과 폴리이써는 50°로 지대치에 수분이 있어도 정밀

인상 채득이 가능하며 특히 인상 채득한 음형인기에 석고를 주입할 때 석고가 잘 흘러들어 가게 되므로 기포 유입을 방지할 수 있어 정확한 모형을 얻을 수 있다. 최근에는 접촉각이 더 작아진 초친수성(ultra-, extra-hydrophilic) 재료가 소개되고 있다. 이것은 제조할 때 성분과 함께 계면활성제를 첨가하여 경화된 인상재의 젖음성(wettability)을 증가시켰기 때문이다. 그러나 아직은 인상 채득 부위가 건조해야 만족할만한 인상을 얻을 수 있다.

6) 고무인상재의 취급방법

4종의 탄성 인상재 취급방법이 유사하므로 함께 논하도록 한다. 제조자들은 고무인상재를 용도에 따라서 여러 점도로 공급하고 있으므로 아래의 요령으로 사용한다.

- 저점도 재료는 주사기를 사용하여 형성된 와동이나 삭제된 지대치의 미세부에 주입한다.
- 중 또는 고점도 재료는 트레이에 채워 형성된 와동 안과 주위에 주사된 재료위에 위치시킨다.
- 최종 인상은 인상재의 두 종류의 점도를 함께 사용하여 얻는다.
- 또한 다른 술식에서는 반죽형 재료로 일차 인상을 채득하고 그 후 최종 인상은 저점도의 재료로 reline 또는 wash에 의해 얻는다.

(1) 유효기간

대부분의 치과재료는 재료가 변성되지 않을 최대 기간인 유효기간(shelf life)이 있다. 어떤 재료들은 유효기간에 매우 민감하다. 시간이 흐름에 따라 주위 온도나 습도의 변화에 따라 재료의 일부 성분이 파괴되는 경향을 가질 수 있고, 이에 따라 바람직하지 않은 화학반응이 일어나 필요한 물리적 성질이 소실되고 작업 성질이 나빠지게 된다. 이러한 이유로 제조자들은 대개 그 재료의 제조일을 별도로 또는 품목번호의 일부로 인상재의 튜브나 포장에 명기한다. 제조일이 품목번호로 되어 있어 알기 어려울 때는 제조회사의 판매원에게 그 품목번호에서 어떻게 제조날짜를 알 수 있는지를 물어보아야 한다. 보관 시 쉽게 변성되는 것으로 알려진 재료가 도착했을 때 포장마다 받은 날짜를 기록하고 오래된 재료를 먼저 사용하여야만 한다.

축중합형 실리콘 인상재는 보관기간에 가장 민감하다. 요즘 대부분의 부가중합형 실리콘은 보관 기간이 최소한 2년이라고 주장하고 있다. 종류에 관계없이 모든 고무 인상재는 냉장고에 보관하여야 한다. 실리콘은 가능한 한 냉장보관하여야 한다. 새로운 상품이 도착하면 즉시 경화시간을 측정해 보아야 한다. 만약에 적절히 혼합되지 않는다면 판매원에게 반품하여야 한다.

(2) 취급법

고무인상재로 인상을 채득할 때에는 두 가지 기본적인 방법을 사용한다. 각 방법에서 주사기는 매우 흐름성이 좋은 소량의 재료를 구강 내 형성된 와동이나 정밀한 미세부에 주입할 때 사용한다. 트레이에는 좀 더 점성이 높은 재료를 채워 주사기로 인상재를 주입한 지대치 위에 올려놓는다. 이 두 재료는 결합하여 음형인기가 된다.

두 가지 기본적인 방법 중 일단계 인상 채득법(one step impression technique)에는 이중혼합채득법(double mix technique)과 단일혼합채득법(single mix technique)이 있다. 이중혼합채득법은 두 가지 점도의 인상재를 따로 따로 동시에 혼합하여 한 번의 과정으로 인상을 채득하는 방법으로 다음과 같다.

① 혼합한 저점도의 재료를 주사기 안에 넣고 먼저 지대치에 주입한다.
② 이 인상재가 지대치에 주입되는 동안 보조사는 고점도의 인상재를 혼합하여 트레이에 채운다.
③ 인상재가 담긴 트레이를 구강 내에 위치시키고 재료가 경화될 때까지 가볍게 잡는다.

단일점도(single viscosity)의 인상재인 경우에는 한번 혼합해서 이 중 일부는 주사기에 넣어 지대치에 주입하고 나머지는 트레이에 담아 인상 채득한다. 이를 단일혼합채득법이라고 한다.

두 번째 방법은 이단계 인상 채득법(two-step impression technique)이며 putty-wash법이라고도 한다. 다음의 순서로 인상 채득한다.

① 퍼티 점도의 재료를 손으로 반죽하여 기성 인상 트레이에 채워 1차 인상을 채득한다. 1차 인상은 매우 정확할 필요는 없고 오히려 삭제한 치아 부위에 어느 정도 여유 있는 공간이 있어야 한다. 이 공간은 경화된 인상재를 제거하여 얻거나 1차 인상 채득 전에 치아 위에 거즈, 비닐 등의 스페이서(spacer)를 위치시킴으로 얻을 수 있다.
② 1차 인상이 채득된 후, 같은 종류의 저점도의 인상재를 혼합하여 주사기에 넣고 지대치에 주입한다. 이 재료 위에 1차 인상을 다시 위치시키고 주입 재료가 경화될 때까지 견고히 잡는다. 이 방법으로도 1단계 인상 채득과 상응할 만한 정확성을 갖는 인상을 얻을 수 있다.

(3) 트레이

고무인상재는 거의 모든 인상 채득에 사용될 수 있다. 이 재료는 탄성이 필수적으로 요구되는 경조직의 인상 채득 시 우선적으로 사용된다. 고무인상재로 인상 채득할 때 반드시 트레이를 사용해야 하는데, 이 트레이는 인상 채득하는 동안 재료를 유지해야 하므로 견고해야 한다. 트레이가 유연하면 인상을 치아에서 제거할 때 변형된다.

폴리설파이드나 축중합형 실리콘 인상재로 일단계 인상 채득법에 의해 인상 채득할 때는 인상재가 균일한 두께가 되도록 트레이를 제작해야 한다. 왜냐하면 이 재료는 중합되는 동안 수축하므로 두께가 일정하지 않으면 상당히 높은 탄성 변형이 야기될 것이다. 치아와 트레이 사이의 적당한 두께는 2~3 mm이다. 이렇게 일정한 두께의 인상 채득을 위해서는 치과용 레진으로 각 환자의 악궁에 맞게 맞춤 트레이(custom tray, 개인 트레이, individual tray)를 제작해야 한다. 맞춤 트레이를 제작하려면 환자가 한 번 더 치과에 방문하여 맞춤 트레이 제작을 위한 인상을 채득하여야 한다.

경화 수축이 적은 폴리이써와 부가중합형 실리콘인상재는 기성 트레이(ready-made tray)를 사용할 수 있다. Putty-wash법은 기성 트레이를 사용할 수 있으며 이 방법의 고유한 장점이 된다.

(4) 트레이와 접착

모든 인상재는 트레이에 완전히 접착되어야 한다. 그렇지 않으면 구강 내에서 제거 시 인상재가 트레이에서 분리되고 인상체가 변형하게 된다. 고무인상재에서는 인상재를 트레이에 채우기 전에 트레이 내면에 제조자가 공급한 접착제를 도포하여 고무인상재와 트레이가 견고하게 접착되도록 한다. 이 접착제는 트레이 내면에 인상재를 담기 7~8분 전에 도포한다. 이 접착제는 인상재와 트레이 사이에 강인한 결합을 형성하며 특히 약간 거칠게 만든 트레이 면에서 더욱 강한 결합을 얻을 수 있다. 아크릴릭 레진 트레이 재료는 이 접착제를 흡수할 수도 있으므로 여러 겹 도포하여야 한다.

각 종류의 탄성재는 고유의 접착제가 있다. 폴리설파이드에 사용되는 접착제는 실리콘에는 사용할 수 없다. 일부 재료 특히 퍼티 같은 고무는 접착제에 잘 붙지 않는다.

구멍이 있거나 망상형의 트레이 같은 기계적 유지가 필요하다. 몇 가지 부가중합형 실리콘은 그 접착제에 붙지 않고 기계적 유지만 가능하다.

(5) 혼합(spatulation)

2-연고 형태로 되어 있는 고무인상재는 다음과 같이 혼합한다.

① 두 연고를 동일한 길이로 방수 혼합지 위에 짠다.
② 유연하면서도 빳빳한 혼합자로 반응제 연고를 편평하게 한다. 이 과정은 반응제 연고가 기저재보다 덜 붙기 때문에 나중에 혼합자를 닦기 쉽게 하기 위해서이다.
③ 반응제 연고를 기저재 연고에 합한다.
④ 혼합물을 혼합지 위에 편다.

그림 7-9. 자동혼합기의 구성 A 혼합건(mixing gun), 인상재 튜브(cartridge), mixing tip, intraoral delivery tip, B 기계식 자동혼합기

⑤ 혼합된 연고가 줄무늬 없이 균일한 색이 될 때까지 힘차게 혼합한다.

1분 이내에 밝거나 어두운 줄이 없는 혼합물을 얻어야 한다. 점도가 높은 고무인상재는 혼합하기가 더 어렵기 때문에 줄이 없는 혼합물을 얻도록 숙련이 필요하다.

폴리설파이드, 부가중합형 실리콘, 폴리이써 고무인상재는 대개 두 개의 연고형태로 공급되어 위와 같은 방법으로 혼합하면 된다. 폴리설파이드보다는 부가중합형 실리콘과 폴리이써가 더 혼합하기 쉽다. 그러나 혼합시간이 45초로 제한되어 있어 숙련된 기술이 필요하다.

퍼티형(putty type)의 인상재는 제조자가 공급하는 주걱으로 동일량을 떠내어 손으로 반죽하면 되는데, 이 때 역시 혼합줄이 없이 균일한 색이 되도록 혼합해야 한다. 퍼티 점성의 부가중합형 실리콘은 혼합이나 취급 시 라텍스 장갑에 닿지 않아야 한다. 심지어 비닐 장갑을 사용해도 이 재료의 중합을 방해할 수 있다. 일부 제품에서는 그 제품의 중합을 방해하지 않는 고무 장갑을 별도로 공급하고 있어 이 장갑을 사용하면 된다.

연고 또는 반죽과 액으로 되어 있는 고무인상재(보통 축중합형 실리콘 인상재)는 액이 반응제이므로 기저재 연고의 단위 길이당 정해진 수만큼의 방울을 기저재 연고 위나 옆에 떨어뜨리고 균일한 색이 될 때까지 혼합한다.

고무인상재의 종류에 관계없이 혼합물이 균일한 색이 되지 않으면 완전히 중합되지 않고 그렇게 되면 인상음형인기가 변형되기 쉽다.

이제까지 고무인상재를 혼합하기 위해서는 혼합지와 spatula가 필요했고, light body와 regular 또는 heavy body를 혼합하기 위하여 2명의 술자가 필요한 불편이 있었고 쉽게 기포가 유입될 수 있으며 또한 재료의 소비도 많은 단점을 갖고 있었다. 그러나 자동혼합기(automatic mixing system)가 개발됨으로 이러한 단점들을 어느 정도 해소할 수 있게 되었다. 즉 혼합지와 spatula가 필요없이 간편하게 혼합할 수 있고 사용 미숙에 의한 기포 유입을 예방할 수 있으며 균일하게 혼합할 수 있을 뿐만 아니라 혼합시간을 절약할 수 있고 재료의 오염가능성도 줄일 수 있게 되었다. 또한 재료의 손실을 줄일 수 있는 장점도 있다. 기저재 연고와 촉진재 연고의 점도를 비슷하게 하고 인상재의 shear-thinning 특성을 이용함으로 자동혼합이 가능하게 되었다. 물론 가격이 비싼 점과 자동혼합이 시작되는 입구에서 이미 반응이 되어 막히면 튜브가 파열되는 단점이 있기는 하지만 인상 채득 기술의 획기적 발전이라고 할 수 있겠다. 일반적으로 저점도와 중점도의 재료에 사용하지만 높은 점도나 반죽형에도 응용하고 있으며 폴리이써에도 적용하고 있다.

자동혼합기는 혼합건(mixing gun), 인상재 튜브(cartridge), mixing tip, intraoral delivery tip으로 구성되어 있다(그림 7-9 A). 혼합기는 여러 회사의 제품이 시판되고 있고 서로 호환사용이 가능하지만 double-spiral mixing tip은 호환사용할 수 없다. Tip은 직경과 길이가 다르고 tip 안에 있는 spiral unit의 수가 다르기 때문이다. Unit가 많을수록 좀 더 균일한 혼합을 얻을 수 있다. 따라서 13-spiral unit에서 균일하게 혼합되는 재료는 11-spiral unit에서는 적절한 혼합이 될 수 없다.

자동혼합기를 사용할 때 주의할 사항은 튜브 입구에 재료가 남아 있어서는 안 된다. 때로는 두 연고의 색이 차이가 없어 두 연고의 혼합 비율이 정확하면 눈으로 구별하기 어려울 때도 있다. Mixing tip을 장착하기 전에 소량을 짜보면 이러한 문제는 피할 수 있다. 색 구별이 안 되면 균일 혼합이 이루어졌는지를 확인하기 어려운 문제도 갖고 있다. 그러나 자동혼합기는 정확히 사용하면 적절한 혼합을 얻을 수 있다. 앞에서 서술한 대로 일부 반죽형도 자동혼합이 가능하며 부피로 측량할 수 있도록 jar에 넣어 공급되고 있다. 초기에는 putty-wash 방법이 상당히 대중화 되었었지만 최근에는 이 방법은 점차 없어지고 있다.

인상재 튜브를 혼합기에 장착하고 미리 짜 보아 균일한 양이 나오는지 확인하고 mixing tip을 장착하여야 하며 서서히 압력을 주어 균일하게 혼합되어 나오는지를 확인하고 트레이나 지대치에 주입하여야 한다. 주입할 때 너무 과도한 힘이나 너무 빨리 힘을 주면 인상재 튜브가 내압에 견디지 못하여 파열되는 경우가 있으므로 서서히 압력을 가해야 한다. 인상재 튜브에 들어 있는 인상재는 진공처리하여 제조하였기 때문에 기포가 없지만 지대치 주입 시 주의하지 않으면 기포가 유입될 수 있다. 최근에는 기계식 자동혼합기(그림 7-9 B)가 개발되어 좀 더 편리하게 활용할 수 있게 되었다.

(6) 다이

대부분의 경우 경석고 다이는 가능한 한 인상 채득 후 곧바로 제작하여야 한다. 경석고를 혼합하고 진동을 주면서 인상음형인기에 주입한다. 진공 혼합을 하면 더욱 좋다.

실리콘과 폴리이써 고무인상재의 표면은 경석고 혼합물에 쉽게 젖지 않으므로 인상음형인기 내에 공기가 빠져나가지 못해 기포가 생기는 점에 주의를 해야 한다. 석고를 주입하기 전에 인상음형인기 내면을 적당한 젖음제재로 씻어주면 유익할 수 있다. 또한 무딘 기구로 경석고가 깊은 부위로 흘러들어 가게 할 수도 있다. 고무인상재를 정확히 다루면 가장 우수하게 미세부를 재현할 수 있으며 경석고 다이의 표면에 최대의 경도를 부여할 수 있다.

폴리이써와 부가중합형 실리콘은 뻣뻣한 재료이기 때문에 분리 시 경석고 다이나 모형이 파절될 수 있으므로 석고모형재가 충분히 경화할 때까지 기다려야 하며 석고의 혼수비와 혼합에 특별히 주의하여야 한다.

별도의 모형을 얻을 필요가 있을 때는 석고모형을 빼낸 후 그 인상음형인기에 다시 모형재를 주입할 수 있다. 이 경우에는 인상재가 변형 후에 뛰어난 회복력과 크기 안정성을 갖고 있어야 한다. 부가중합형 실리콘과 폴리이써만이 여러 번 또는 늦게 재주입해도 무난한 탄성을 갖고 있다. 폴리이써의 경우 석고로부터 물을 흡수하여 동일한 인상에서 나중에 제작된 모형에 약간의 변형을 야기한다.

7) 고무인상재의 응용

고무인상재 중 부가중합형 실리콘 인상재는 크기변화와 변형이 거의 없고 재현성이 우수한 장점을 응용하여 교합인기(bite registration)용으로 개발되어 시판되고 있다. 부가중합형 실리콘을 교합인기용으로 사용하면 시간을 단축할 수 있으며 교합을 정확히 인기할 수 있을 뿐만 아니라 정확성을 계속 유지할 수 있고 교합저항이 없어 정확한 교합을 인기할 수 있다. 교합인기용으로 개발된 부가중합형 실리콘은 인상재와 마찬가지로 반죽(putty)형이나 자동혼합기형(그림 7-10)으로 공급되고 있다.

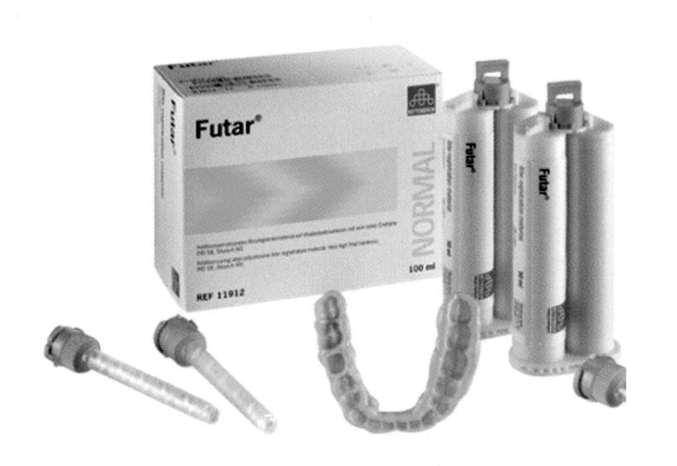

그림 7-10. 교합인기용 부가중합형 실리콘 인상재

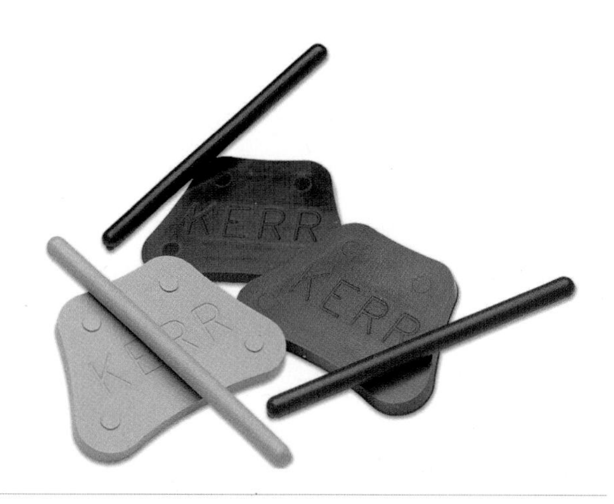

그림 7-11. 인상용 콤파운드

또한 부가중합형 실리콘 인상재는 크기 안정성이 우수한 성질을 이용하여 임플란트 인상 채득용으로도 개발되었으며, 흐름성을 좋게 하여 총의치 인상용이나 정밀도 확인용으로 개발되고 있다.

8) 문제점

고무인상재를 사용할 때 볼 수 있는 문제점들이 표 7-15에 요약되어 있다.

4. 인상용 콤파운드 (Impression Compound)

인상용 콤파운드는 가장 오래된 치과용 인상재 중의 하나이며 열에 의해 연화 또는 경화되는 가역성 재료이면서 비탄성재이다. 인상용 콤파운드는 현재 임상에서 많이 사용하고 있는 재료는 아니지만 여러 방면에서 유용하게 활용되고 있다.

총의치 제작을 위한 무치악 인상에 사용할 때는 열로 연화시켜 인상용 트레이에 넣고 굳기 전에 조직에 위치시켜 힘을 가한다. 콤파운드가 냉각되어 굳은 뒤 입 안에서 인상을 제거하고 석고모형재를 주입하여 완전모형을 제작한다. 인상용 콤파운드는 원통형의 구리 튜브를 이용하여 한 개의 지대치를 인상 채득할 때 사용할 수 있으며, 인레이 와동을 형성한 후 와동 내의 함몰 부위 여부를 확인하기 위하여 사용할 수도 있다. 만약 인상용 콤파운드를 연화시켜 인레이 와동에 압접시킨 후 빼내어 잘 빠지지 않거나, 파절되어 빠지거나, 또는 변형되었으면 인레이 와동이 잘못 형성된 것이다.

또한 인상용 콤파운드는 고무 인상재에 사용되는 인상용 트레이의 변연부 봉쇄재(border molding material)로 많이 사용된다. 즉 콤파운드는 인상의 변연부를 구분하며 고무인상재가 이러한 경계 내에 유지되도록 도와준다.

인상용 콤파운드는 단단하여 트레이 재료(제2형)로 사용할 수 있다. 이 재료로 인상 채득한 후 인상용 보통 석고를 혼합하여 콤파운드 인상재 트레이 위에 넓게 도포하여 최종 인상을 채득하면 얇은 층이 구강점막의 미세 부위를 재현할 수 있는데 이와 같은 방법을 수정인상재(corrective impression material)라 하고 이런 인상을 2차 인상이라 한다. 2차 인상은 산화아연유지놀 연고제나 탄성인상재로도 채득할 수 있다. 인상용 콤파운드의 또 다

표 7-15. 고무인상재 사용 시 문제점

종 류	원 인
거칠거나 불균일한 인상재 표면	• 강에서 조기제거, 반응제와 기저재의 비율이나 혼합의 잘못, 또는 치아에 기름이나 다른 유기물 등에 의한 불완전한 중합 • 높은 습도나 온도 또는 부정확한 기저재-반응제 비율로 인한 너무 빠른 중합 • 고무장갑이나 다른 재료에 의한 부가중합형 실리콘의 오염
기포	• 인상재의 흐름을 방해하는 너무 빠른 중합 • 혼합 시 유입된 공기 • 잘못된 주사 기술로 갇힌 공기
불규칙한 형태의 기포	• 치면의 수분이나 찌꺼기
경석고 표면의 작은 혹들 (양형결함)	• 인상 채득 시 공기 유입
거칠거나 표면이 분필 같은 경석고 모형	• 인상의 부적절한 세척 • 인상 표면에 남은 과도한 물 • 모형의 조기 제거 • 경석고의 잘못된 취급 • 인상재 층이 너무 얇아 트레이나 접착제에 경석고 접촉 • 부가중합형 실리콘 인상재에 의해 유리된 가스
변형	• 레진 트레이를 제작한 후 충분한 시간이 경과되지 않아 아직 중합수축이 발생할 때 • 접착제를 충분히 바르지 않았거나, 접착제 도포 후 너무 빨리 인상을 채득했거나, 또는 잘못된 접착제의 사용으로 트레이에 고무가 접착하지 못함 • 비효과적 접착제로 인한 트레이의 기계적 유지 결여 • 트레이 장착 전에 재료에 탄성이 생김 • 재료의 과도한 부피 • Reline기법을 사용할 때 reline재료를 위한 삭제 불충분 • 탄성이 생긴 후 인상재에 대해 지속적으로 압력을 가함 • 중합 시 트레이의 동요 • 구강에서의 조기 제거 • 구강에서의 잘못된 제거 • 폴리설파이드나 축중합형 실리콘 인상재에 석고 주입 지연

른 응용은 모형이나 장치를 배열하거나 조립할 때 접착제로 사용한다.

인상용 콤파운드는 여러 가지 형태로 공급되고 있다. 인상 채득용이나 border molding용은 봉상으로 되어 있고, 인레이 와동의 함몰 여부의 확인용은 원추형으로 되어 있으며, 트레이용은 판상으로 되어 있다(그림 7-11).

1) 조성

인상용 콤파운드의 조성은 제품에 따라 다르지만 대체로 왁스, 열가소성 레진, 필러(filler), 색소 등이다. 왁스와 레진은 인상용 콤파운드를 가열할 때 연화되며 흐름성과 접착력을 부여한다. 활석과 같은 필러는 강도와 성형성을 증가시키기 위해 첨가된다. 필러란 활성이 없는 작은 물질로서 주성분과는 화학적으로 다른 물질이다. 이 때 입자 크기와 밀도를 조절하여 인상재의 성질을 근본적으로 많이 향상시킬 수 있다. 인상재가 적색을 띠게 하기 위하여 루즈(rouge)와 같은 색소를 첨가한다.

2) 용해온도

인상용 콤파운드를 가열한 후 서서히 냉각시키면서 시간경과에 따라 온도를 측정하면 독특한 시간-온도 냉각 곡선을 그릴 수 있다. 즉 그림 7-12와 같이 어느 일정 온도에서 온도가 변하지 않고 수평을 이루는 시간이 있게 된다. 이를 인상용 콤파운드의 용해온도(fusion temperature)라고 한다. 이 온도가 콤파운드의 경화온도는 아니지만 이 온도에서 일부 결정형 유기산이 응고되어 가소성(plasticity)이 저하된다. 재료의 가소성이 떨어지면 흐름성이 감소되어 정밀 인상을 채득할 수 없게 되므로 용해온도 이전에 재료를 구강 내에 위치시켜야 한다.

3) 열전도성

인상용 콤파운드는 열전도율이 매우 낮으므로 가열하거나 냉각시킬 때 주의해야 한다. 콤파운드에 열을 가할 때 외측이 내측보다 먼저 연화된다. 너무 빨리 가열하게 되면 열전도율이 낮아 외측이 과열되기 쉽다. 콤파운드를 연화시킬 때 가장 중요한 것은 콤파운드 전체가 균일하게 연화되어야 하는 것이므로 서서히 가열하여 외측과 내측이 모두 균일하게 연화되도록 하여야 한다. 더욱 중요한 것은 냉각시킬 때이다. 충분히 연화된 콤파운드가 구강 내에 위치되면 냉각되기 시작하는데 이 때 역시 열전도성이 낮아 외측부터 냉각되기 시작하여 최종적으로 내측이 냉각되어 전체가 변형되지 않을 정도로 단단하게 된다.

인상을 구강에서 빼내기 전에 냉각수를 콤파운드 표면에 분사시켜 콤파운드의 내측까지 충분히 냉각되도록 한다. 외측만 단단하게 된 것으로 내부까지 단단해졌다고 판단하면 안 된다.

4) 흐름성

인상재의 흐름성(flow)은 유리한 면도 있으나 반면 불리한 면도 있다. 콤파운드를 연화하여 조직에 힘을 가하고 있는 동안은 일정한 흐름이 있어서 연조직을 정확하게 재현할 수 있어야 하지만 콤파운드가 냉각되어 단단해 지면 흐름성이 없어 변형되지 말아야 구강 내에서 변형 없

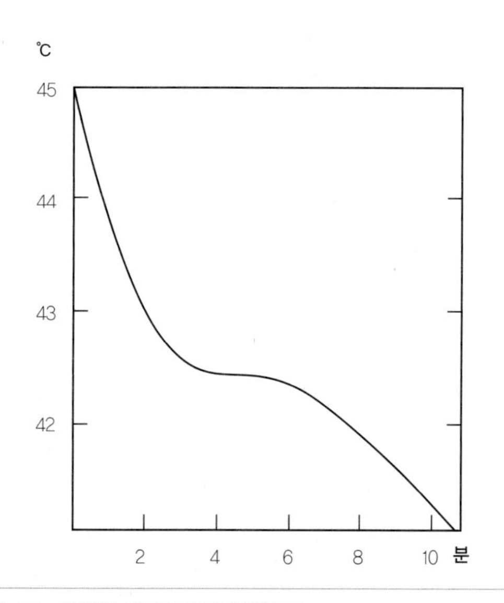

그림 7-12. 인상용 콤파운드의 용해온도

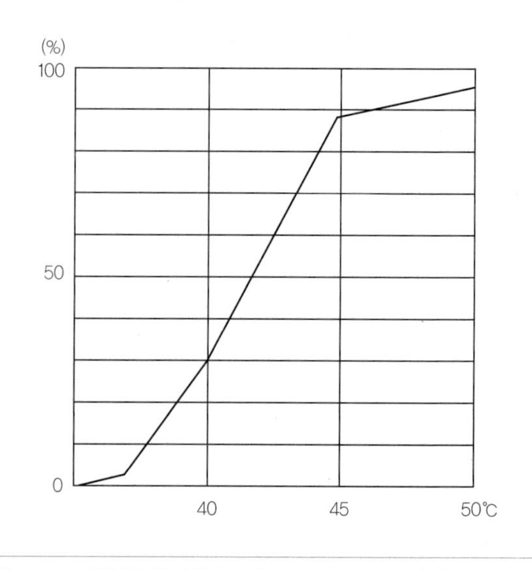

그림 7-13. 인상용 콤파운드의 온도에 따른 흐름성(%)

표 7-16. 인상용 콤파운드의 흐름성

	37℃	45℃
인상용 콤파운드(제1형)	6% 이하	85% 이상
트레이용 콤파운드(제2형)	2% 이하	70~85%

이 인상을 제거할 수 있다. 전형적인 인상용 콤파운드의 흐름에 대한 양상은 그림 7-13에서 볼 수 있으며 연화 시 최대 흐름은 환자가 안전하고 불편함을 느끼지 않는 온도에서 이루어져야 한다(표 7-16).

5) 변형

인상을 채득할 때 재료에 압력이 가해지기 때문에 인상재 내부에는 응력이 생기며 적절히 취급하면 최소화 할 수 있으나 약간의 응력은 항상 최종 인상 내에 잔존한다. 인상용 콤파운드는 근본적으로 비결정 구조를 갖고 있기 때문에 응력상태가 결정체 물질보다는 비결정체 내에서 더욱 쉽게 일어나는 경향이 있다. 이 응력에 의한 변형을 최소화하기 위해서는 구강 내에서 16~18℃의 물을 분사해서 충분히 냉각시킨 후 구강에서 인상을 제거해야 한다. 너무 찬 물을 사용하면 환자에게 불쾌감을 주며 재료가 너무 빨리 냉각되어 내부응력이 발생하여 변형이 야기된다. 그리고 인상을 채득하고 나서 한 시간 이내 즉 응력 이완이 일어나기 전에 모형이나 다이를 제작하는 것이 가장 안전한 방법이다. 트레이를 단단하고 안정된 것을 사용하는 것도 변형을 예방할 수 있는 방법이다.

6) 인상용 콤파운드의 연화

인상용 콤파운드를 연화(softening)하기 위해서는 불꽃이나 뜨거운 물을 이용한다. 적은 양의 콤파운드를 연화시킬 때는 불꽃을 이용하는데, 이 때 콤파운드를 불꽃에 너무 가까이 접근시켜 연화시키면 내측은 연화가 안 되고 외측만 과열되어 타기도 하므로 일정한 거리를 띄워서 천천히 연화시켜야 한다. 일단 콤파운드 전체가 골고루 연화되었으면 콤파운드의 용해온도보다 약간 높은 온도의 물에 잠시 tempering한 후 인상 채득한다.

총의치 제작 등을 위하여 많은 양의 콤파운드를 연화시킬 때는 불꽃을 사용하기 어려우므로 수조(water bath)의 물을 이용한다. 이 때 물속에 너무 오래 담가 두거나 너무 뜨거운 물을 사용하면 콤파운드의 수용성 성분이 유리되어 흐름성이 저하된다.

콤파운드가 수조의 물속에서 연화되면 바닥에 붙기 쉬우므로 수조의 바닥에 천을 깔아놓아야 하며 완전히 연화되면 적당한 모양을 만들어 트레이에 담고, 표면을 불꽃에 가열한 후 수조에서 잠시 tempering하여 인상 채득한다.

콤파운드를 수조에서 손으로 반죽하여 적당한 모양을 만드는 과정을 '수조 반죽(wet kneeding)'이라고 한다. 반죽 시간이 길면 물과 공기가 유입되어 가소제(plasticizer)로 작용하여 인상재의 흐름성이 증가하지만 과도하게 반죽하면 경화된 인상재의 흐름성도 증가하여 인상에 변형을 야기시킨다. 또 여러 번 반죽을 해도 누적 효과가 생겨 흐름성은 더 증가하기 때문에 너무 오래, 또는 여러 번 반죽하지 않도록 해야 한다.

7) 모형 제작

석고 모형재를 제조자의 혼합비율에 맞추어 혼합하고 공기가 유입되지 않도록 인상음형인기(negative form)에 주입한다. 석고가 완전히 경화되면 더운 물에 넣어서 콤파운드가 연화된 후에 콤파운드를 제거한다. 인상 채득할 때처럼 콤파운드를 완전히 연화시키면 콤파운드가 석고 모형에 달라붙어 제거하기가 어려워지고 이로 인하여 석고표면도 변형되므로 주의해야 한다.

8) 트레이용 콤파운드

트레이용 콤파운드의 조성과 다루는 성질은 인상용 콤파운드와 비슷하다. 다만 인상용 콤파운드보다 연화온도가 높고 구강 내 온도에서 흐름성이 최소인 점이 다르다. 인상용 콤파운드를 수조에서 연화시킨 후 기성 트레이나 연구모형에서 제작한 개인용 레진 트레이에 담아 1차 인상을 채득한다. 그리고 이 인상내면에 석고 인상재, 산화아연유지놀 연고인상재 또는 고무인상재를 얇게 도포하여 2차 인상을 채득한다. 이를 수정인상(corrective impression) 또는 wash인상이라고 한다.

표 7-17. 인상용 산화아연유지놀 연고의 조성

성분		조성(%)
연고 A (기저재)	산화아연	87
	식물성 또는 광물성 기름	13
연고 B (촉진재)	clove 또는 유지놀 기름	12
	rosin 또는 gum	50
	충진재	20
	Lanolin	3
	Balsam	10
	가소제와 색소	5

5. 인상용 산화아연유지놀 연고

분말형태의 산화아연은 유지놀과 혼합하였을 때 반응이 일어나서 치과용 재료로 널리 사용할 수 있다.

ZOE (zinc oxide eugenol)로 간략하게 불리는 산화아연(zinc oxide)과 유지놀(eugenol) 혼합재는 이장용 시멘트, 임시충전재, 임시 접착재, 치근관 충전재, 외과처치용(dressing), 교합인기용 연고 및 무치악 인상재로 사용된다.

인상용 산화아연유지놀 연고(zinc oxide eugenol impression paste, ZOP)는 다음과 같은 장점을 갖고 있다.

① 콤파운드나 레진 등 거의 모든 재료의 건조한 표면에 접착력이 우수하다.
② 취성이 높아 변형이 되지 않고 약간 불충분한 변연부위도 축성할 수 있다.
③ 경화된 인상음형인기를 여러 번 구강 내에 다시 삽입할 수 있다.
④ 작업 시간이 충분해서 border molding을 서두르지 않아도 된다.
⑤ 크기 안정성이 우수하다.
⑥ 정밀부위의 재현성이 우수하다.
⑦ 모형재를 주입하기 전에 분리제를 바를 필요가 없다.

이러한 인상용 연고는 일차 인상에 또는 개인 트레이 내에 이차 인상용 재료로 다음과 같이 사용한다.

① 인상용 콤파운드로 일차 인상 채득한다.
② 연조직의 자세한 부위를 인기하기 위하여 산화아연유지놀 연고를 콤파운드 인상재 위에 넓게 도포한 뒤에 수정 인상을 채득한다.
③ 구강 내에서 연고가 경화된 후 인상을 제거한다.
④ 경화작용은 화학반응에 의해 일어난다.

인상용 ZOE가 오늘날 많이 사용되지는 않지만 경화반응의 화학적 기전은 다른 종류의 ZOE 제재와 동일하다.

1) 조성

인상용 산화아연유지놀 연고는 두 개의 연고로 되어 있다. 전형적인 조성은 표 7-17과 같다. 한 개의 연고에는 산화아연과 식물성 또는 광물성 기름이 들어 있고, 다른 연고에는 유지놀과 로진이 들어 있다. 식물성 또는 광물성 기름은 가소제 역할을 하며 유지놀의 자극성을 경감시켜 준다. 때로는 연조직에 작열감이 있는 환자를 위하여

표 7-18. 산화아연유지놀 연고 인상재의 물리적 성질

유형	점조도(mm)		초기측정치 경화시간(min)		최대 최종 경화시간(min)	침투경도(mm)	
	최소	최대	최소	최대		최소	최대
제1형(경성)	30	50	3	6	10	-	0.5
제2형(연성)	20	45	3	6	15	0.8	1.5

KS P 7420 - 치과인상용 산화아연 유지놀 연고에 의함

유지놀 대신 클로브 기름을 사용한다. 로진은 반응속도를 빠르게 하며 혼합을 용이하게 한다.

2) 특성

인상용 산화아연유지놀 연고의 물리적 성질은 표 7-18과 같다.

(1) 유형

인상용 산화아연유지놀 연고는 제1형(경성 경화형)과 제2형(연성 경화형)의 2가지가 있다. 제1형은 혼합하면 흐름성이 좋아지지만 경화되면 상당히 단단해진다. 최종 경화시간은 약 10분 정도이다. 제2형은 혼합하면 버터와 같은 점조도가 되며 경화시간은 최대 15분 정도이다.

(2) 점조도

점조도는 아주 묽은 형태부터 버터와 같은 정도까지 제품에 따라 다양하다. 혼합시작 2분 후부터 0.5 ml의 인상용 산화아연유지놀 연고를 유리판 사이에 놓고 500 g의 하중을 8분간 가하고 이 때의 재료의 평균 직경을 측정하여 점조도로 한다.

(3) 크기 변화

이 인상재의 크기 변화는 아주 안정하여 혼합 시작 30분 후에도 0.1% 이하의 수축이 일어나 무시할 만하며 24시간 경과 시에도 더 이상의 변화는 없다. 따라서 사용하는 트레이 재료가 변형되지 않게 주의하는 것이 더 중요하다.

(4) 강도

혼합 시작 2시간 후에 압축 강도는 70 kg/cm^2 (100 psi)이며 트레이에 의해 지지되기 때문에 큰 문제가 되지 않는다.

(5) 접착

인상용 산화아연유지놀 연고는 점착력이 좋아 트레이에 별도의 접착제를 도포할 필요가 없다. 그러나 석고모형과 분리할 때 모형 표면에 접착이 잘 되므로 주의해야 한다. 산화아연유지놀 연고 인상음형인기에 별도의 분리제를 도포할 필요는 없으며 석고를 주입하고 1시간 후에 60℃ 정도의 물에 5~10분간 담가 인상재를 연화시켜 제거한다.

3) 취급법

두 연고를 혼합할 때 유리혼합판을 사용할 수 있지만, 보통 기름이 스며들지 않는 혼합지를 사용하며 다음과 같은 방법으로 혼합한다.

① 혼합지 위에 두 연고를 동일 길이로 짠다.
② 탄력이 있는 스테인리스강의 스파튤라(spatula)로 양면을 이용하여 힘차고 넓게 30~40초간 혼합한다. 이 시간 내에 두 연고의 색줄이 없이 균일하게 혼합되어야 한다.

③ 혼합물이 서서히 단단해지면 작업시간이 지난 것이며 이 시간 안에 구강 내에 삽입되어야 한다.

④ 최종 경화가 되었으면 흐르는 찬물로 씻은 후에 구강 내에서 제거하고 모형재를 주입한다. 인상용 산화아연유지놀연고는 석고모형재만을 사용해야 한다.

⑤ 인상용 산화아연유지놀 연고는 피부에 묻으면 잘 지워지지 않으므로 인상 채득하기 전에 환자의 입술과 얼굴에 미용크림이나 바셀린을 바르고, 환자의 피부에 묻은 인상재는 오렌지 오일이나 아세톤으로 제거한다.

⑥ 인상재는 뚜껑을 꼭 닫고 냉소에 보관한다.

4) 경화시간의 조절

다른 모든 인상재와 마찬가지로 인상용 산화아연유지놀 연고의 경화시간은 치과의사에게 매우 중요하다. 인상재를 혼합하고 트레이에 담아 구강에 위치시킬 수 있는 충분한 시간이 있어야 한다. 일단 인상재가 구강에 위치되면 인상의 부정확성을 막기 위해 인상재는 빨리 경화되어야 한다.

초기경화시간은 혼합시작부터 금속봉으로 접착하여 줄이 따라 올라오지 않을 때까지의 시간이며, 이 시간 내에 구강 내에 장착되어야 한다. 이 시간 후에도 border molding은 가능하다. 최종 경화시간은 50 g의 침으로 하중을 주었을 때 0.2 mm 이상 압흔이 생기지 않을 때 또는 거의 동일한 깊이로 계속 침투될 때이다.

인상용 산화아연유지놀 연고의 경화시간을 단축시키기 위해서 제조업자는 입자의 크기를 작게 하거나 반응 촉진제를 첨가할 수 있으며 치과의사는 소량의 zinc acetate를 첨가하거나 소량의 물을 유지놀 연고에 넣어 혼합할 수 있다. 그리고 혼합시간을 길게 하거나 습도가 높게 또는 온도를 높게 하면 경화시간을 단축시킬 수 있다.

반대로 혼합자나 혼합지의 온도를 냉각시키거나 소량의 boroglycerin 또는 olive oil, mineral oil, petrolatum을 첨가하면 반응시간을 지연시킬 수 있다.

6. 인상재의 소독

인상 채득한 음형인기에는 환자의 타액이나 혈액에 의해 B형 간염균, herpes simplex, HIV 등의 세균에 감염된 상태가 되며 이들 세균들은 상당기간 체외에서도 생존하게 되므로 정확하게 다루지 않으면 술자의 피부, 머리카락, 사용하는 기구나 장비 또는 공기 중으로 쉽게 이동되어 교차감염(cross-infection)의 위험이 있게 된다. 치과에 내원하는 환자에 대하여 모든 병리검사를 실시할 수 없는 상태이므로 모든 환자가 보균자라고 생각하고 질병 감염 경로를 차단하는 것이 제일 좋은 방법이 될 것이며 이러한 개념은 인상 채득 단계에서도 마찬가지 일 것이다. 인상재의 소독은 2가지 방법에 의하여 실시할 수 있는데 그 하나는 인상 채득한 음형인기를 소독하는 방법이며 다른 하나는 인상재안에 소독제를 첨가시키는 방법이다. 이미 인상재안에 소독제를 넣은 제품도 시판되고 있다. 인상 채득한 음형인기를 소독하는 방법은 소독제를 뿌려주는 방법(spray)과 소독제 안에 담그는 방법(immersion)이 있는데 인상재에 따라 다르다.

알지네이트는 물을 흡수하기 때문에 소독제에 담그는 방법보다는 소독제를 뿌려준 후 밀봉이 잘된 통이나 봉지에 보관하는 것이 좋으며, 폴리설파이드와 실리콘은 소독제에 담그는 방법을 사용하며, 폴리이써는 물을 흡수하므로 소독제를 뿌려주는 것이 좋겠다. 아가에 대한 정확한 연구결과는 아직 없다. 예를 들어 알지네이트로 인상 채

표 7-19. 인상재에 알맞는 소독제

인상재	소독제		
	Glutaral-dehydes	Iodophors	Sodium hypochlorite
Alginate	No	Yes	Yes
Agar	No	Yes	Yes
Polysulfide	Yes	Yes	Yes
Silicone	Yes	Yes	Yes
Polyether	No	No	Yes

득한 음형인기를 소독할 때는 음형인기 내면에 있는 타액이나 혈액을 흐르는 물로 씻고 과잉의 물을 제거한 후 표면 소독제를 뿌려주어 도포하고 밀봉된 통이나 봉지에 보관한다. 소독에 필요한 시간이 경과하면 꺼내어 소독제를 물로 씻어내고 석고를 주입하면 된다. 또한 표 7-19와 같이 인상재에 알맞는 소독제가 별도로 있게 되어 이 소독제를 선택하고 소독제의 소독시간을 지켜서 소독해야 한다. 또한 석고모형도 소독하는 것이 좋겠다. 석고모형에 소독제를 뿌려 주거나 석고모형을 자외선 소독기나 autoclave에 소독할 수도 있으며, 석고를 혼합할 때 소독제와 함께 혼합할 수도 있겠다. 어떤 상품에는 소독제를 첨가한 석고 제품도 있다. 그러나 이러한 방법들은 아직 장점이라든지 소독 정도 등에 대한 정확한 연구 결과가 없다.

7. 인상재의 인체위해성

인상 채득할 때 인상재는 치아나 주위 조직과 접촉하게 된다. 이 때 접촉되는 치아나 주위 조직은 여러 가지 반응을 나타낼 수 있는데 접촉성 피부염 및 알레르기 반응을 나타내거나, 찢긴 조각이 구강 내 조직에 남아 있으므로 이로 인한 이물질 반응을 나타낼 수도 있다. 작업과정에서의 분진을 흡입할 수도 있으며 열에 의해 손상을 받을 수도 있게 된다.

아가 인상재는 액화시키기 위해 가열된 것을 그대로 사용하므로 열에 의해 치수나 조직에 손상을 줄 수 있다. 알지네이트의 경우 납을 20% 이상 함유한 제품도 있으므로 분진을 흡입하지 않도록 주의해야 하며 마스크를 착용하든가 무분진형 알지네이트를 사용하는 것이 좋겠다. 또한 알지네이트는 찢김 강도가 고무인상재에 비하여 10배 정도 낮으므로 치은 연하에서 찢겨져 남아 있어 이물질 반응을 일으킬 수도 있다. 폴리설파이드 인상재는 반응촉진제의 성분이 PbO_2인 경우 찢긴 조각에 의해 이물질 반응을 일으키며, 실리콘 인상재는 반응촉진제가 액체인 경우 알러지 반응을 나타낼 수도 있고 찢긴 조각에 의해 이물질 반응을 나타낼 수도 있다. 폴리이써의 경우 반응촉진제에 의해 과민 반응을 일으킨 보고가 있으므로 이를 조심해야 된다.

참고문헌

1. 고영무, 김경남 등(1995). 시간경과에 따른 부가중합형 실리콘 인상재의 수소발생. 대한치과기재학회지 22:47-55.
2. 김경남(1991). 알지네이트 인상재. 임상치재1(1).
3. 김경남(1991). 고무인상재. 임상치재1(2).
4. 김경남(1986). 알지네이트 인상재. 대한치과기재학회지 13:27-32.
5. 김경남(1991). 치과용 인상재의 최근 개발 현황. 대한치과의사협회지 29:190-194.
6. 김경남, 김광만 등(2005). 최신치과재료학, 고문사.
7. 김경남, 김광만 등(1986). 치과용 알지네이트인상재의 영구변형에 대한 비교 연구. 대한치과기재학회지 13:7-14.
8. 박경준, 이서영 등(1991). 아가인상재와 무분진형 알지네이트 인상재의 결합강도 및 찢김강도에 관한 연구. 연세치대논문집 6:1-6.
9. 배지명, 김광만 등(1995). 수종 교합인기재료의 물성비교. 대한치과기재학회지 22(2):187-195.
10. 배현경, 김경남(1987). 수종 치과용 알지네이트 인상재와 석고 모형재의 친화성에 관한 실험적 연구. 대한치과기재학회지 14:57-64.
11. 유소정, 이근우 등(1996). 부가중합형 실리콘 인상재에서 발생하는 수소기체가 경석고 표면에 미치는 영향. 대한치과보철학회지 34(2):349-362.
12. Ferracane L(2001). Materials in Dentistry: Principles and Applications, 2nd ed., Lippincott Williams & Wilkins.
13. Gladwin M, Bagby M(2000). Clinical Aspects of Dental Materials, Lippincott Williams & Wilkins.
14. Kenneth J. Anusavice(2013), Phillip's Science of Dental Materials 12th ed., W.B. Saunders.
15. Kim K.-N, Craig RG, Koran III A(1992). Viscosity of monophase addition silicones as a function of shear rate. J Prosthet Dent 67:794-8.
16. O'Brien WJ(1989). Dental materials. Properties and Selection, Quintessence Publishing Co. Inc.
17. Phillips RW, Moore BK(1994). Elements of Dental Materials for dental hygienists and dental assistants, 5th ed., W. B. Saunders Co.
18. Powers JM & Sakaguchi RL(2012). Craig's Restorative Dental Materials, 13th ed.

석고 모형재

08

학/습/목/표

❶ 석고의 분류와 각 특성 및 용도를 이해하고 실제적으로 적절한 재료를 선택할 수 있다.
❷ 석고의 경화시간의 단계 및 경화시간 조절인자를 이해하고 적용할 수 있다.

석고로 제조된 치과용 재료로는 치과용 플라스터(plaster), 경석고(stone), 초경석고(improved stone), 그리고 매몰재(investment)와 인상용 플라스터(impression plaster) 등이 있다. 플라스터, 경석고, 초경석고는 구강악안면의 진단모형을 제작하거나 보철물 제작을 위한 작업모형의 제작에 사용된다. 매몰재에서는 석고를 실리카(silica)의 결합재로 사용하며, 이것은 금합금 주조용 매몰재와 납착용 매몰재의 제조에 사용한다. 인상용 플라스터는 무치악 인상채득이나 모형을 교합기에 부착할 때 사용한다.

석고원광석(gypsum)은 황산칼슘이수화물(calcium sulfate dihydrate, $CaSO_4 \cdot 2H_2O$)로서 백색 또는 유백색의 단단한 덩어리이다. 파리 근교의 석고원광석을 태워서 소석고를 만들었기 때문에 소석고를 파리석고(plaster of Paris)라고 불렀으나 현재는 세계 각처에서 석고원광석이 채굴되고 있어서 이 명칭은 사용하지 않는다.

1. 석고의 물리화학적 성상

석고원광석을 가열하면, 분자식 중의 2몰의 물 중에서 1.5몰의 물이 증발하여 소석고(calcined plaster)인 황산칼슘반수화물(calcium sulfate hemihydrate: $CaSO_4 \cdot ½H_2O$)로 바뀐다. 이 황산칼슘반수화물을 물과 다시 혼합하면 황산칼슘이수화물이 생성되는 가역적인 반응이 일어나며, 사용자는 이 과정을 석고가 굳는 것으로 느낀다. 경화반응식을 요약하면 아래와 같다.

제조과정(탈수) 경화반응(물혼합)

$$CaSO_4 \cdot 2H_2O \rightarrow CaSO_4 \cdot ½2H_2O \rightarrow CaSO_4 \cdot 2H_2O$$

(이수석고) (반수석고) (이수석고)

이 반응은 발열반응으로 황산칼슘반수화물 1몰이 1.5몰의 물과 반응하면 황산칼슘이수화물 1몰이 생기며 3,900칼로리의 열을 방출한다. 이 화학반응은 석고가 인상재, 모형재, 매몰재로 사용될 때 모두 동일한 과정으로 일어난다.

1) 플라스터, 경석고, 고강도경석고의 제조법

석고원광석을 부분탈수시키는 과정에 따라 plaster, hydrocal, densite 등 3종류의 기초석고소재가 얻어지게 되는데, plaster는 푹신하고 다공성이며 비중이 가장 작고, hydrocal은 결정성이며 비중이 크며, densite는 비중이 가장 크고 치밀하다. 이 3가지 기초석고소재로부터 플라스터, 경석고, 고강도 · 저팽창경석고, 고강도 · 고팽창경석고 등 4가지 석고모형재가 제조되고, 한국산업표준 KS P ISO 6873에서는 이것을 제2형, 제3형, 제4형, 제5형으로 구분한다. 3가지 석고제품은 화학적으로 동일한 분자식인 황산칼슘반수화물($CaSO_4 \cdot \frac{1}{2}H_2O$)이지만 물리적 성질이 다르기 때문에 용도가 달라진다.

		(가열탈수)		(성분조절)
석고원광석	→	plaster	→	모형용 기공용 플라스터
		hydrocal	→	경석고
		densite	→	고강도경석고

3가지 석고는 동일한 석고원광석으로부터 제조되며, 황산칼슘이수화물인 석고 원광석으로부터 물을 제거하는 방법에 따라 석고 종류가 달라진다. 화학적 합성법으로 치과용 석고를 제조할 수 있으나 과도한 비용 때문에 제조되지 않는다.

플라스터는 석고원광석을 대기압 하에서 110℃ 내지 120℃의 온도로 가열해서 만들며, 이 분말 결정을 β-황산칼슘반수화물이라고 한다. 플라스터는 그림 8-1과 같이 불규칙한 형태와 기포를 가지고 있다.

석고원광석을 수증기압하에서 125℃의 온도로 탈수시키면 hydrocal이 된다. 분말구조는 그림 8-2와 같이 비교적 균질하고 밀도가 치밀하며, 이 분말은 α-황산칼슘반수화물이라고 한다.

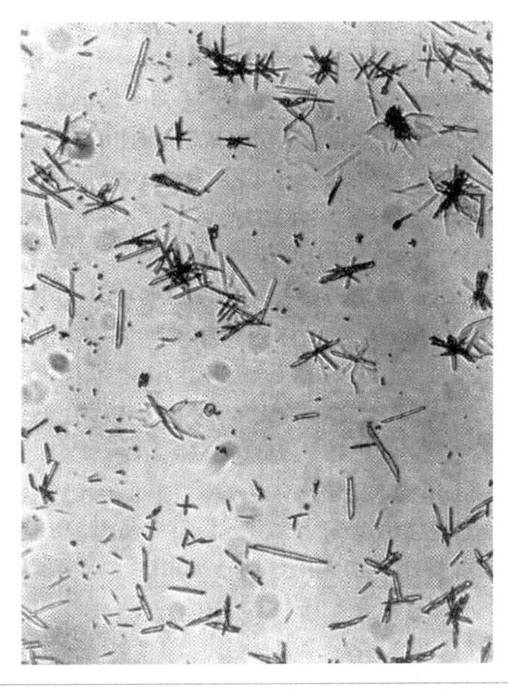

그림 8-1. 플라스터 입자 결정

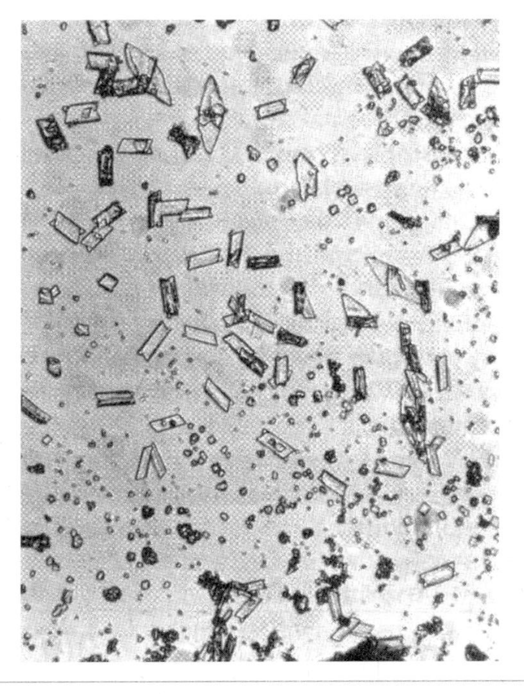

그림 8-2. 경석고 입자 결정

표 8-1. 석고의 혼합에 필요한 혼합수, 반응수, 잉여수

석고종류	혼합수 (ml/100 g 분말)	반응수 (ml/100 g 분말)	잉여수 (ml/100 g 분말)
플라스터	37~50	18.6	18~31
경석고	28~32	18.6	9~13
고강도경석고	19~24	18.6	0~5

제4형과 제5형 고강도경석고는 밀도가 큰 densite로부터 제조된다. densite는 석고원광석을 30% 염화칼슘용액에서 끓인 후 뜨거운 물(100℃)로 염소를 세척하고 분쇄하여 얻는다. 끓는 온도인 100℃에서는 황산칼슘반수화물과 이수화물의 용해도가 같아지므로 굳지 않는다. 제조된 densite는 다른 물질의 첨가여부에 따라서 고강도 · 저팽창경석고와 고강도/고팽창경석고로 나뉜다.

30%의 염화칼슘을 석고원광석에 첨가하여 탈수시킨 뒤 100℃ 물로 염소를 세척, 분쇄하여 얻어진 석고분말은 가장 치밀한 구조를 이루며 초경석고가 된다.

석고에는 제품의 조작성과 특성을 변화시키기 위해서 약품을 첨가한다. 황산칼륨(K_2SO_4)과 Terra alba (경화된 황산칼슘이수화물)는 경화촉진제(accelerator)이다. 소량의 염화나트륨은 경화시간을 감소시키며 경화팽창량을 증가시킨다. 붕사($Na_2B_4O_7$)는 경화지연제(retarder)로 이용된다. 0.1%의 산화칼슘과 1%의 아라비아고무는 석고 혼합 시 요구되는 물의 양을 감소시켜 궁극적으로 기계적 성질을 증진시킨다.

표 8-1에 플라스터, 경석고, 고강도경석고의 혼합에 필요한 물의 양, 반응에 필요한 물의 양, 그리고 여분의 물의 양을 제시하였다.

2) 화학반응

석고의 경화반응식에서 반응에 필요한 물의 양은, 1몰의 석고를 혼합할 때 1.5몰의 물이고, 1몰의 경화된 석고가 생성된다. 즉 145.15 g의 석고가 반응하기 위해서는 27.02 g의 물이 필요하며, 반응 후에는 172.17 g의 경화된 석고가 얻어진다. 따라서 100 g의 석고가 반응하기 위해서 필요한 물의 무게는 18.61 g이 된다. 그러나 임상적으로 모형용 석고를 이와 같은 소량의 물과 혼합하여 적당한 상태의 혼합물을 만든다는 것은 불가능하다. 표 8-1에 플라스터, 경석고, 고강도경석고의 혼합에 필요한 물의 양, 반응에 필요한 물의 양, 그리고 여분의 물의 양을 제시하였다. 100 g의 석고를 혼합하여 적당한 점조도를 가지는 혼합물을 만들기 위해서는 45 g의 물을 사용해야 한다. 이 45 g의 물 중에서 18.61 g만 100 g의 석고와 반응하며, 나머지 물은 자유수(free water)로서 화학반응에 참여하지 않고 경화된 석고 내에 남아있게 된다. 이러한 여분의 물 즉, 잉여수는 석고가루의 혼합 시 분말 표면을 적셔주기 위해서 필요한 것이다. 만약 100 g의 모형용 석고를 물을 많이 하여 50 g의 물과 혼합하면, 혼합물은 더욱 묽어져 인상체에 붓기 편한 상태가 되나, 기계적 성질이 나쁘고 취약한 재질이 된다. 모형용 석고를 소량의 물과 혼합하면, 혼합물의 점도가 커져 조작성이 나빠지고 몰드에 부을 때 거대 기포가 발생하기 쉬우나, 경화된 석고는 매우 단단해지게 된다. 따라서 석고의 올바른 사용과 우수한 기계적 성질을 얻기 위해서 혼합에 사용되는 물의 양을 주의 깊게 조절하여야 한다.

(1) 경석고와 고강도경석고의 혼수비

플라스터와 경석고, 고강도경석고의 근본적인 차이는 황산칼슘반수화물 결정의 형태이다. 그림 8-1과 그림 8-2와 같이 플라스터의 황산칼슘반수화물 결정은 형태가 불규칙하고 다공성이나, 경석고와 고강도경석고의 결정은 치밀하고 규칙적인 형태를 가지고 있다. 이러한 형태와 결정양상의 차이 때문에 경석고와 고강도경석고는 여분의 물을 적게 해 주어도 충분한 점조도를 얻을 수 있다.

100 g의 석고혼합시 경석고는 필요로 하는 물의 양이 30 ml이며, 고강도경석고는 19 ml 내지 24 ml 정도로 매우 작다. 혼수비의 이와 같은 차이는 재료의 압축강도와 내마모도에 큰 영향을 주게 된다.

석고를 물과 혼합하여 경화시켰을 때, 플라스터의 강도

가 가장 낮으며, 경석고가 다음으로 높고, 고강도경석고인 제4형과 제5형 석고가 가장 높은 강도를 보인다. 이러한 강도의 차이는 재료의 화학적조성상의 차이가 아니라 물리적 성질의 차이에 기인한다.

(2) 석고의 경화 기구

전자현미경과 X-ray 회절을 이용한 연구에 따르면 모든 반수화물이 이수화물로 변환되는 것은 아니며 남아있게 되는 잔류반수화물이 경화된 석고의 특성에 영향을 미치게 된다. 석고의 경화는 황산칼슘이수화물의 용해도가 반수화물의 용해도에 비하여 작기 때문에 물에 용해된 황산칼슘이 지속적으로 석출하여 거대한 황산칼슘이수화물 덩어리를 만들게 된다. 석고의 경화기구는 1887년 프랑스 화학자 Henry Louis Le Chatelier에 의해 제안되고 1907년 베를린의 독일화학자 Jacobus Hendricus van't Hoff에 의해 지지된 결정이론이다. 이에 따르면, 석고의 경화과정 중에는 용해가 일어나는 부위와 석출이 일어나는 두 가지 중심부를 가지게 되며, 용해중심부는 황산칼슘반수화물 입자 부근에, 석출중심부는 황산칼슘이수화물 부근에 존재한다. 두 중심부에서의 황산칼슘의 농도는 서로 다르며, 용해중심부에서의 농도가 가장 높고, 석출중심부에서의 농도가 가장 작다. 칼슘과 황이온은 확산에 의해 농도가 높은 곳에서 낮은 곳으로 이동한다.

석고 경화에 대해 조작과 약제가 미치는 영향에 관해서 최근에는 이들 이온의 운동역학, 결정 성장에 관한 유도시간과 반응상수 등으로 설명하고 있다.

(3) 부피 수축과 팽창

이론적으로 황산칼슘반수화물이 경화되면 부피가 수축해야 한다. 그러나 실험적으로 석고는 경화 시 선형팽창을 보인다. 앞에서 기술한 바와 같이 145.15 g의 황산칼슘반수화물을 27.02 g의 물과 반응시키면, 172.17 g의 황산칼슘이수화물이 생성된다. 그러나 이 반응을 부피로 계산하면 사용된 황산칼슘반수화물과 물 부피의 합이, 생성되는 황산칼슘이수화물의 부피와 일치하지 않는다. 생성되는 황산칼슘이수화물의 부피는 사용된 부피에 비하여 계산상 7% 감소되어야 하지만, 실제로는 7% 수축하지 않고 0.2% 내지 0.4% 팽창한다. 이 팽창은 황산칼슘이수화물이 생성될 때 결정성장에 의해 결정입자간에 밀어내는 힘이 발생하기 때문이다. 이론적으로는 수축해야 하는 석고가 실제로는 팽창하기 때문에 경화된 석고의 내부는 다공성이 된다.

(4) 혼합에 의한 효과

석고혼합과정(spatulation)이 석고의 경화시간과 경화팽창량에 큰 영향을 미친다. 임상적 한계 내에서 혼합을 많이 하면 경화시간이 짧아진다. 혼합량은 혼합시간과 속도에 의해서 결정된다. 석고와 물을 혼합하면, 황산칼슘이수화물 결정이 생기게 되고, 이 때 혼합을 계속하면 기존의 황산칼슘이수화물 결정이 파괴되어 작은 결정이 많이 생겨나, 황산칼슘이수화물 결정의 수가 많아지므로 짧은 시간 내에 경화된다.

(5) 온도에 의한 효과

석고혼합 시 사용하는 물의 온도와 주변의 온도는 석고의 경화반응에 2가지 효과를 보인다.

온도가 높은 경우의 첫 번째 효과는 황산칼슘반수화물과 황산칼슘이수화물의 용해도비를 변화시켜 반응속도에 영향을 미치는 것이다. 20℃ 온도의 물에서 황산칼슘반수화물 용해도의 이수화물 용해도에 대한 비율은 약 4.5이다. 온도가 상승하면 이 비율이 감소하며, 100℃의 온도에서는 용해도 비율이 1이 된다. 용해도 비율이 작아지면 반응속도가 느려지고 경화시간은 증가된다. 표 8-2는 황산칼슘반수화물과 황산칼슘이수화물의 용해도이다.

온도에 의한 두 번째 효과는 이온의 운동성 변화이다. 일반적으로 온도가 올라가면 칼슘과 황이온의 운동성이 증가되어 반응속도를 빠르게 하고 경화시간을 단축시킨다.

임상적으로 이들 두 현상에 의한 효과가 중첩되게 나타나 전체적인 결과가 관찰된다. 20℃부터 30℃의 온도구간에서는 온도상승에 따라 용해도 비율이 4.5에서 3.44로 감소하게 되며 이로 인하여 반응속도를 지연시키게 된다. 그러나 이 때 동시에 이온 운동성도 증가하며 반응속도가

표 8-2. 여러 온도에서 황산칼슘반수화물과 황산칼슘이수화물의 용해도

온도(℃)	$CaSO_4 \cdot ½H_2O$ (g/100 g water)	$CaSO_4 \cdot 2H_2O$ (g/100 g water)
20	0.90	0.200
25	0.80	0.205
30	0,72	0.209
40	0.61	0.210
50	0.50	0.205
100	0.17	0.170

빨라진다.

실험적인 결과에서는 20℃부터 체온인 37℃까지는 반응속도를 다소 증가시켜 경화시간을 단축하며, 37℃ 이상의 온도에서는 반응속도가 늦어져 경화시간이 길어진다. 100℃에서는 용해도의 비율이 1이 되며 석고는 경화되지 않는다.

(6) 습기에 의한 효과

석고제조과정 중에 모든 황산칼슘이수화물이 반수화물로 전환되지 않는다. 즉 석고원광석을 열을 가하여 탈수시키는 과정(calcination)에서 대부분의 석고원광석 입자는 대개 반수화물로 바뀌지만, 소량의 이수화물은 그대로 남아있게 되며, 또 다른 소량의 이수화물은 용해성무수황산칼슘(anhydrous soluble calcium sulfate)으로 변한다. 무수 황산칼슘은 석고에 비해 수화팽창 경향이 크고, 대기 중의 수분을 흡수하여 황산칼슘이수화물로 전환되기 쉽다. 소량의 수분 흡수로 인해 황산칼슘이 이수화물로 전환된 경우는 이수화물이 결정화를 위한 핵으로 작용하여 경화속도가 빨라진다. 반면 수분 오염이 심하여 많은 양의 이수화물이 생성된 경우에는 반수화물의 용해도가 상대적으로 감소하게 되기 때문에 경화가 지연된다. 경험적으로는 석고가 대기 중의 습기에 의해 오염된 때에는 경화시간이 길어진다. 따라서 우수한 결과를 얻기 위해서는 석고용기를 철저히 밀폐하여 보관함으로써 대기 중의 습기로부터 차단되도록 하여야 한다.

(7) 콜로이드 물질과 pH에 의한 효과

콜로이드 상의 아가, 알지네이트, 체액, 혈액 그리고 타액은 석고경화를 지연시킨다. 이러한 재질이 경화 중인 석고에 접촉되면 석고 표면이 연화되고 마모되기 쉬워진다. 반면 황산칼륨과 같은 경화촉진제를 접촉시키면 모형 표면성질이 우수해진다.

콜로이드 상의 재질들은 반수화물과 이수화물의 용해도를 변화시켜 경화속도를 지연시키는 것이 아니라 반수화물이나 이수화물 입자의 표면에 흡착되어 이들 입자가 수화반응을 일으키지 못하도록 함으로써 반응속도를 늦추는 것이다. 이수화물 입자표면에 흡착되는 경우가 반수화물 입자표면에 흡착된 경우에 비하여 현저한 지연효과를 나타낸다. 타액과 같이 pH가 낮은 액체는 경화를 지연시키고, 반대로 pH가 높은 액체는 경화를 촉진한다.

2. 특성

석고모형의 중요한 특성으로는 경화시간, 분말입자의 미립도, 압축강도, 인장강도, 경도, 내마모도와 미세부위 재현성 그리고 경화팽창량 등이 있다. 표 8-3에 한국산업표준 KS P ISO 6873에서 요구하는 요구사항을 정리하였다.

1) 경화시간

(1) 정의와 중요성

반응이 완료되기까지 소요시간을 최종 경화시간(final setting time)이라고 한다. 경화시간이 너무 빠르면 술자가 재료를 적절히 취급할 수 있는 시간적 여유가 부족하게 되며, 반대로 경화시간이 너무 길면 시간 낭비를 초래하기 때문에 적절한 경화시간은 석고재료에서 요구되는 중요한 성질 중의 하나이다.

분말과 물을 혼합할 때, 초기에는 소량의 반수화물이 이

표 8-3. 석고의 요구사항

석고종류	경화시간(분)	경화팽창범위(%)	압축강도(MPa)		미세부재현성(μm)
			최소	최대	
인상용 플라스터	2.5~5.0	0~0.15	4.0	8.0	75 ± 8
모형용 플라스터	제조자 제시값의 ±20%	0~0.30	9.0	-	75 ± 8
경석고	제조자 제시값의 ±20%	0~0.20	20.0	-	50 ± 8
고강도/저팽창 경석고	제조자 제시값의 ±20%	0~0.15	35.0	-	50 ± 8
고강도/고팽창 경석고	제조자 제시값의 ±20%	0.16~0.30	35.0	-	50 ± 8

수화물로 변환되기 때문에 인상체와 몰드 속으로 주입하기 용이하나 시간경과에 따라 더욱 많은 양의 이수화물이 형성되면 혼합물의 점도가 증가하게 되고 유동성이 감소하여 미세한 부위로 침투할 수 없는데, 이 때까지 시간을 작업시간(working time)이라 한다. 최종 경화시간은 모형이 완전히 굳어져 깨지거나 변형됨이 없이 인상체로부터 제거될 수 있는 시간을 의미한다. 반면에 초기 경화시간은 재료의 반응 과정 중에 어느 정도 굳었을 때를 인위적으로 표현한 시간으로 인위적으로 결정된 시간은 반경화된 재료의 상태를 의미하며, 작업시간이 지난 직후의 상태로서 아직 완전한 경화는 되지 않은 상태를 의미한다.

(2) 측정

초기 경화시간의 측정은 통상 침입시험법으로 행하나, 다른 여러 가지 방법으로도 측정이 가능하다. 예를 들면, 혼합된 석고제품의 표면으로부터 광택이 소실되는 때를 측정함으로써 초기 경화시간을 측정하는 방법과 석고반응이 발열반응이라는 점을 이용하여 온도 상승곡선에서 초기 경화시간을 구하는 방법이 있다.

침입측정법을 이용할 때는 그림 8-3의 비카트 장치를 이용한다. 이 장치는 침의 직경이 1 mm이고, 봉무게가 300 g으로 되어 있다. 측정 시에는 하단의 링모양의 용기 내에 석고 혼합물을 채워 넣고 장치의 봉을 서서히 내려 쉬고 혼합물의 표면에 닿도록 한 뒤, 그대로 내려가도록 하였을 때 침이 링모양의 용기의 바닥면에 닿지 못하게 되었을 때까지의 시간을 초기 경화시간으로 측정한다. 또 다른 종류의 기구로 길모어침 장치가 있으며, 이 장치로는 초기 경화시간과 최종 경화시간 모두를 측정한다.

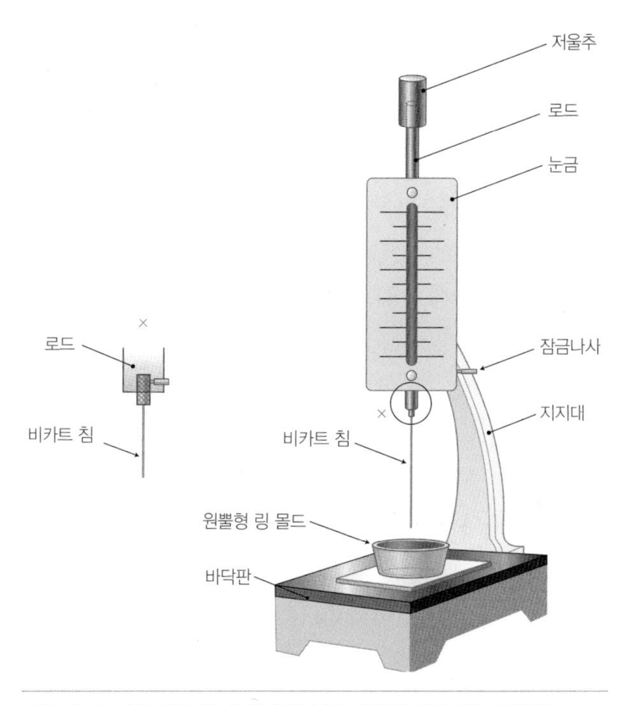

그림 8-3. 석고제품의 초기 경화시간 측정에 이용되는 비카트 장치의 모식도

(3) 경화시간 조절

석고의 경화시간은 쉽게 조절할 수 있다. 플라스터가 대기로부터 수분을 흡수하였을 때 경화시간과 다른 성질이 변화된다. 그 밖에 약품첨가로 석고의 화학 반응속도를 조절할 수 있으며, 경화시간을 수 분 내로 단축하거나 수 시간이 되도록 지연시킬 수 있다.

앞에 설명한 반수화물과 이수화물의 용해도의 차이 때문에 석고가 경화된다. 20℃의 온도에서는 반수화물의 용해도가 이수화물의 용해도에 비하여 4.5배에 이른다. 화학약품으로 이러한 4.5라는 비율을 증가시키면 반응속도가 빨라지고, 경화시간은 단축된다. 이러한 기능을 가지는 염의 종류를 반응촉진제라고 부른다. 반면 어떤 종류의 염을 첨가하여 이 비율을 감소시킬 수 있으며, 경화시간을 지연시킬 수 있는데 이러한 것을 경화지연제라고 부른다.

모든 경화촉진제나 지연제가 이러한 원리에 기초하여 효과를 나타내는 것은 아니지만, 일반적으로 석고 제조 시에는 화학약품을 첨가하여 경화시간과 조작조건을 변화시키게 된다.

(4) 제조자에 의해 조절될 수 있는 요인들

가장 쉽게 석고경화시간을 조절하는 방법은 화학약품을 이용하는 것이다. 2% 황산칼륨(K_2SO_4)은 약 10분인 경화시간을 4분 정도로 단축시킨다. 반면 2% 붕사는 경화시간을 수 시간으로 증가시킨다.

소량의 황산칼슘이수화물 분말을 모형용 석고에 첨가하면 그것들이 핵으로 작용하여 경화촉진제의 기능을 나타낸다. 이러한 방식의 경화촉진제인 terra alba는 저농도에서 현저한 효과를 보여 0.5~1% 농도로 사용하며, 1%

표 8-4. 혼수비가 경화시간에 미치는 효과

재료	혼수비(ml/g)	혼합회전수	초기 경화시간(분)
플라스터	0.45	100	8
	0.50		11
	0.55		14
	0.27		4
경석고	0.30	100	7
	0.33		8
	0.22		5
고강도 경석고	0.24	100	7
	0.26		9

표 8-5. 혼합(spatulation)이 경화시간에 미치는 효과

재료	혼수비(ml/g)	혼합회전수	경화시간(분)
플라스터	0.50	20	14
		100	11
		200	8
경석고	0.30	20	10
		100	8

표 8-6. 고강도경석고를 손으로 혼합한 경우와 진공혼합기를 이용하여 혼합한 경우의 특성 비교

	손으로 혼합한 경우	진공혼합기로 혼합한 경우
경화시간(분)	8.000	7.300
24시간 후 압축강도(MPa)	43.100	45.400
2시간 후 경화팽창(%)	0.045	0.037
점도(cp)	54,000	43,000

표 8-7. 고강도경석고와 인상용 석고의 점도

재료		점도(cp)
고강도경석고	A	21,000
	B	29,000
	C	50,000
	D	54,000
	E	101,000
인상용 석고		23,000

이상의 농도에서는 경화시간에 영향을 주지 않는다. 대개 석고 제조과정에서는 1%의 terra alba를 첨가한다. 일반적인 조건에서 모형용 석고를 사용하는 경우 용기의 뚜껑을 개폐함으로써 경화시간의 변화가 발생되는 것을 최소로 한다. 사용 시가 아니면 수분 오염을 방지하기 위해 플라스터의 보관용기를 닫아두어 경화시간이 길어지는 것을 방지하는 것이 좋다.

(5) 혼수비

혼수비와 혼합회전수에 의해서도 경화시간이 변한다. 표 8-4와 같이 혼수비가 많아지면 경화시간이 길어진다. 표 8-5는 혼합회전수가 많을 때 경화시간이 짧아지는 것을 나타내고 있다. 표 8-6은 석고를 손으로 혼합한 경우와 모터 및 진공을 이용한 기계적 혼합기로 혼합한 경우를 비교한 것으로서 기계적 혼합기를 이용한 경우에 경화시간이 짧은 것을 나타내고 있다.

2) 점도(Viscosity)

표 8-7은 고강도경석고와 인상용 플라스터의 점도이다. 고강도경석고는 21,000 내지 101,000 centipoises (cp) 정도의 점도를 나타낸다. 점도가 높은 석고로 모형을 만든 경우가 더 많은 기포를 형성한다. 인상용 플라스터는 가장 낮은 점도를 보이며, 연조직의 변형 없이 인상을 채득할 수 있다.

3) 압축강도

석고는 비교적 높은 압축강도를 보이는 재료이며, 혼수비(ml/g)가 크면 압축강도가 감소한다. 플라스터는 고강도경석고에 비하여 여분의 물을 많이 필요로 하기 때문에 비중이 작고 기포가 많으며 따라서 압축강도도 낮다.

1시간 후의 압축강도는 플라스터가 12.5 MPa이고, 경석고는 31 MPa이며, 고강도경석고는 45 MPa이다. 이러한 수치는 표준 혼수비로 혼합한 때이며, 혼수비를 다르게 하면 크게 달라지게 된다. 혼수비가 압축강도에 미치는 영향은 표 8-8에서 볼 수 있다. 표 8-6에서는 진공 혼합기를 사용하였을 때 고강도경석고의 압축강도가 조금 증가하는 것을 볼 수 있다. 고강도경석고를 혼수비 0.3 또는 0.5로 하여 혼합하면 경석고나 플라스터의 압축강도와 유사한 수준으로 낮아진다.

경화된 석고 내에 여분의 물이 남아있는 동안에 측정된 강도를 습윤강도(wet strength, green strength)라고 하고, 여분의 물이 증발된 후에 측정되는 강도를 건조강도(dry strength)라고 한다. 건조압축강도는 습윤강도의 2배에 이른다. 여분의 물은 매우 느린 속도로 증발하므로 석고의 압축강도는 균일하게 증가하지 않는다. 그림 8-4는 경석고의 건조에 따른 강도변화를 나타낸 것이다. 이론적으로 경석고 내에는 8.8%의 여분의 물이 남아있게 된다. 이 중에서 7%에 해당하는 잔여수분이 증발될 때까지는 압축강도의 큰 변화가 일어나지 않는다. 그러나 여분의 물 7.5%가 증발하게 되면 압축강도는 급격히 높아지게 된다. 그 후 모든 잔여수분(8.8%)이 증발하면 압축강도는 55 MPa에 이르게 된다. 석고의 건조시간은 석고혼합물의 크기와 주변대기의 온도와 습도에 따라 다르다. 일반적인 실온과

표 8-8. 모형용 석고, 경석고, 고강도경석고에서 혼수비가 압축강도에 미치는 영향

재료	혼수비(ml/g)	압축강도(MPa)
플라스터	0.45	12.5
	0.50	11.0
	0.55	9.0
경석고	0.27	31.0
	0.30	20.5
	0.50	10.5
고강도경석고	0.24	38.0
	0.30	21.5
	0.50	10.5

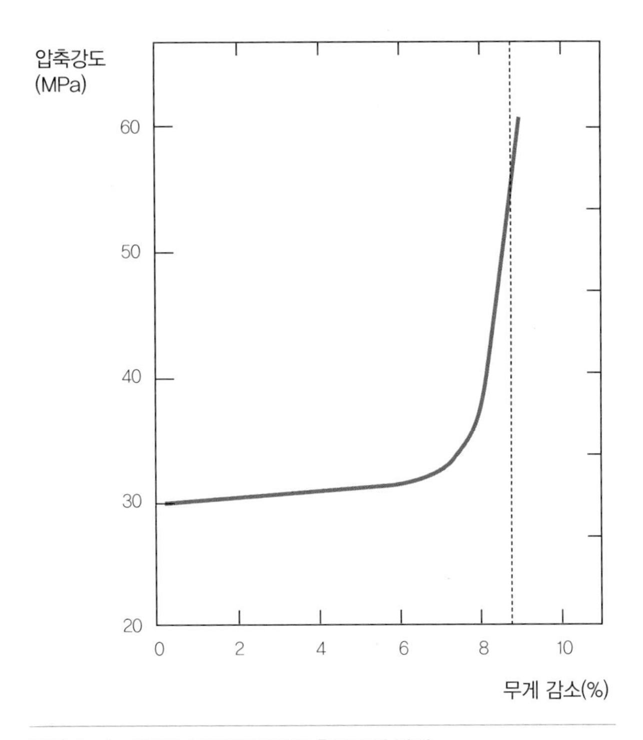

그림 8-4. 잔여수분의 증발과 압축강도의 관계

그림 8-5. 미세부재현성 시험 블록

습기 조건에서 의치용 플라스크를 채우는 정도의 석고로부터 여분의 물이 건조되기 위한 시간은 7일 정도이다.

4) 표면경도와 마모저항도

석고모형의 표면경도는 압축강도와 상관성을 가진다. 즉 압축강도가 큰 석고가 더 높은 경도수치를 보인다. 최종 경화가 일어난 후 잔여수분이 증발될 때까지는 경도 증가가 거의 없으나, 여분의 물이 모두 증발된 후에는 강도와 마찬가지로 경도가 급격히 증가한다. 이는 석고모형의 표면이 내면보다 더 빨리 건조되기 때문이다.

석고모형 표면에 메틸메타크릴레이트 단량체를 스며들도록 한 뒤, 단량체를 중합시키면 모형의 경도가 증가한다. 그러나 이 방법으로 플라스터 모형의 경도는 증가되지만, 경석고와 고강도경석고 모형의 경도는 현저히 증가되지 않는다. 고강도경석고는 에폭시 레진이나 광중합형 디메타크릴레이트 레진을 도포하여 주어야 하며, 이 때 내마모도는 15% 내지 41%까지 증가하게 된다. 일반적으로 경화된 석고를 레진에 적시는 것은 내마모도를 증가시키지만 압축강도와 경도는 감소한다. 석고모형을 오븐 내에서 건조시키는 경우는 잔여수분을 빨리 증발시킴으로써 압축강도와 경도가 증가될 수 있으나, 반대로 석고 결정구조 내의 물분자를 분리시키게 되므로 강도와 경도가 오히려 감소하게 된다. 석고모형을 유기용제에 담가 주는 경우는 경도를 증가시키지는 않으나, 표면을 윤택하게 하므로 납형제작 시 석고모형의 손상이 적게 일어나도록 하게 된다. 고강도경석고를 30%의 콜로이드상의 실리카 용액과 혼합하는 경우에도 모형의 경도가 증가한다. 경도는 마모저항도를 결정하는 여러 요인 중의 한 가지 요인에 불과하기 때문에 석고모형의 경도증가가 반드시 내마모도의 증가를 의미하지는 않는다. 즉 석고모형의 경도가 에폭시 레진 모형재에 비하여 크지만 석고모형이 더 빨리 마모된다.

그림 8-6. 고강도경석고 모형 표면의 전자현미경 사진

그림 8-7. 유연성이 있는 고무로 만들어진 러버볼과 탄력성이 있는 금속날로 만들어진 금속 스파튤라

5) 인장강도

석고는 취성 때문에 인상재로부터 모형을 제거할 때에 측방력이 가해지면, 모형의 변형이 일어나기 이전에 파절된다. 따라서 석고모형재의 인장강도는 중요한 의미를 갖는다.

석고의 인장강도는 간접인장강도 측정법을 이용한다.

석고모형재의 인장강도에 관한 중요한 사항으로는 첫째는 플라스터의 1시간 후 습성인장강도가 2.3 MPa인 반면 45℃ 40시간 후 건성인장강도는 4.1 MPa로 높다는 것, 둘째는 고강도 경석고의 인장강도에 비해 플라스터의 인장강도가 절반정도라는 것, 셋째는 인장강도는 압축강도의 1/5수준이라는 것(플라스터의 건성인장강도 4.1 MPa, 건상압축강도 20 MPa), 넷째는 고강도경석고는 시간경과에 따른 강도의 증가양상이 다르다(건조에 의해 인장강도는 8 MPa까지 증가하는 반면 압축강도는 80 MPa까지 증가한다)는 것 등이 있다.

6) 미세부재현성

한국산업표준 KS P ISO 6873에 따르면 제1형과 제2형 석고는 그림 8-5의 미세부재현성 시험블록에서 75 μm 선을 재현해야하며, 제3, 4, 5형 석고는 50 μm 선을 재현할 수 있어야 하는 것으로 규정하고 있다. 석고는 다공성으로 이루어져 있기 때문에 미세부재현성이 전기도금모형이나 에폭시 모형에 비해 불량하다(그림 8-6).

인상재와 모형재 사이에 발생하는 미세기포도 재현성을 감소시키는 요인이므로 인상재의 표면에 있을 수 있는 반응생성물을 흐르는 물로 제거한 뒤에 석고모형재를 주입하여야 한다.

7) 경화팽창

모든 석고모형재는 경화 시에 측정가능한 정도의 선-팽창을 보이며, 이것을 경화팽창이라고 한다. 경화팽창량은 석고의 종류에 따라 다르며, 플라스터는 0.2~0.3%, 경석고는 0.08~0.1%, 고강도경석고는 0.05~0.07% 정도이다. 이러한 팽창은 경화 후 1시간 이내에 70%가 나타난다. 경화팽창량은 조작조건이나 약품 첨가의 영향을 받는다.

표 8-5에서는 손으로 혼합한 경우에 비해 진공에서 혼합한 경우의 팽창량이 적은 것으로 나타나 있다. 혼수비가 많은 경우에는 팽창량이 감소한다. 낮은 농도의 염화나트륨은 경화팽창량을 증가시키고 경화시간은 단축시

표 8-9. 석고 사용 시의 여러 가지 변수가 각종 특성에 미치는 영향

조작조건	경화시간	점조도	경화팽창	압축강도
혼수비 증가	증가	감소	감소	감소
혼합속도 증가	감소	증가	증가	효과없음
물의 온도 증가 (23℃→30℃)	감소	증가	증가	효과없음

※ 시편직경으로 측정한 경우

킨다. 1% 황산칼륨은 경화시간은 단축시키나 경화팽창에는 영향이 없다. 만일 경화조작 과정 중 석고가 물에 담가지면 경화팽창은 증가한다. 이를 수화팽창(hygroscopic expansion)이라 하고 치과용 매몰재에서 중요한 성질이다. 수화팽창량은 경화팽창량의 2배이다. 고강도경석고의 경화팽창량은 0.05~0.07%이지만 수중에서 경화시키면 0.10% 팽창한다. 석고가 하이드로 콜로이드 인상재 내에서 경화되는 경우에도 팽창이 증가한다.

3. 조작

석고와 물의 혼합은 그림 8-7의 러버볼과 스파튤라를 이용한다. 러버볼에 계량된 물을 담고 분말을 첨가한 뒤 약 30초간 물에 젖게 두어 공기가 가능한 적게 유입되도록 한다. 그 후 금속성 스파튤라를 이용하여 혼합을 계속한다. 표 8-9는 여러 가지 조건에서 효과를 기록한 것이다. 손으로 혼합하는 경우에는 러버볼의 내면을 스파튤라로 닦는 것과 같은 동작으로 하며, 회전은 초당 2회 정도로 하여 1분간 시행한다. 그림 8-8의 기계식 혼합기를 이용하면 진공을 유지하여 기포가 생기는 것을 방지한다. 혼합된 석고를 인상내로 주입할 때 천천히 진동을 가하면서 흘려주어 중요한 부위에 기포가 들어가지 않도록 주의한다. 경석고 혹은 고강도경석고를 주입한 후 모형의 베이스부분은 플라스터로 만들어 주어 경화 후 트리밍이 용이하도록 한다.

그림 8-8. 모터와 진공을 이용하는 기계식 혼합기

인상에 석고모형을 주입한 후 45분 내지 60분이 지나서 모형을 분리하고, 차아염소산나트륨 1:10 희석액에 30분간 침지하거나 요오드액을 분무하는 방법으로 모형을 소독한다.

참고문헌

1. ISO 6873 Dental gypsum products.
2. Boswell PG, Stevens L(1979). A comparison between the diametral and double-punch testing of a dental gypsum. Aust Dent J 24:238-243.
3. Combe EC, Smith DC(1964). The effects of some organic acids and salts on the setting of gypsum plaster. I. Acetates. J Appl Chem 14:544-553.
4. Council on Dental Materials, Instruments, and Equipment(1981). Revised American National Standards Institute/American Dental Association Specification No. 25: Dental Gypsum products. J Am Dent Assoc 102:351-351.
5. Cullen DR, Mikesell WJ, Sandrik JL(1991). Wettability of elastomeric impression materials and voids in gypsum casts. J Prosthet Dent

66:261-265.

6. Inomata K(1990). Effects of addition of calcium phosphates on the properties of gypsum. J Jpn Soc Dent Mater Devi 9:121-132.
7. Kono A, Hosoda H, Fusayama T(1966). Heating rate of a gypsum investment related to crack formation. J Dent Res 45:1419-1423.
8. Lautenschlager EP, Harcourt JK, Ploszaj LC(1969). Setting reactions of gypsum materials investigated by x-ray diffraction. J Dent Res 48:43-48.
9. Sanad MEE, Combo EC, Grant AA(1982). The use of additives to improve the mechanical properties of gypsum products, J Dent Res 61:808-810.
10. Santos JF, Ballester RY(1984). Delayed hygroscopic expansion of gypsum products, J Prosthet Dent 52:366-370.
11. Shen C, Mohammed H, Kamar A(1981). Effect of K_2SO_4 and $CaSO_4$ dihydrate solutions on crystallization and strength of gypsum, J Dent Res 60:1410-1417.
12. Tuncer N, Tufekioglu HB, Calikkocaoglu S(1993). Investigation on the compressive strength of several gypsum products dried by microwave oven with different programs, J Prosthet Dent 69:333-339.

왁스/매몰재/치과주조법 09

Ⅰ 왁스

학/습/목/표

❶ 왁스의 분류를 알고, 각 왁스의 성질의 차이를 이해한다.
❷ Inlay wax의 조성과 분류를 이해한다.
❸ 잔류응력에 의한 변형의 억제에 대하여 이해하고 응용한다.

치과용 왁스는 한 가지 성분으로만 사용되는 경우는 거의 없고, 사용 용도에 따라 적절한 성질을 얻기 위해 천연 왁스, 합성 왁스, 레진 등의 여러 가지 유기물질들을 혼합해서 만들어진다(표 9-1). 왁스는 실온에서 고체나 반고체 상태지만 열을 가하면 성형이 가능한 유연한 재료이다. 따라서 왁스로 패턴을 제작한 후 부주의하게 취급하면 쉽게 변형될 뿐만 아니라 보관온도와 경과시간에 따라 내부에 축적된 응력이 방출되며 형상의 변화가 일어날 수 있으므로 취급 시 주의가 요구된다.

1. 왁스의 성분

1) 천연 왁스(Natural wax)

천연 왁스는 ① 광물성 왁스(파라핀 왁스, 미세결정 왁스, 몬탄 왁스), ② 식물성 왁스(카나우바 왁스, 오우리쿠리 왁스, 칸델리라 왁스), ③ 곤충 왁스(밀납), ④ 동물성 왁스(스퍼마세티 왁스) 등으로 분류할 수 있다. 천연 왁스는 포화 또는 불포화 지방족 탄화수소가 주성분이고, 유리지방산, 알코올, 유분, 색소 등이 포함되어 있다.

(1) 파라핀 왁스(paraffin wax)

석유에서 얻는 백색의 반투명한 광물성 왁스로, 탄소원자 수 26~30개의 메탄계 탄화수소의 혼합물이다. 파라핀 왁스는 40~71℃에서 융해되며 융해온도는 분자량이 증가할수록 높아진다. 상온에서 부서지기 쉬우며 37~55℃에서 연화된다. 파라핀 왁스는 유동성은 크지만 조각성은 떨어지므로 다른 성분들을 첨가해서 사용한다.

표 9-1. 치과용 왁스의 성분으로 사용되는 왁스

<table>
<tr><th colspan="2">천연 왁스</th><th>합성왁스</th><th>첨가물</th></tr>
<tr><td>광물성 왁스</td><td>• 파라핀 왁스
• 미세결정 왁스
• 반달
• 오조케라이트
• 세레진
• 몬탄 왁스</td><td rowspan="4">• 폴리에틸렌 왁스
• 폴리옥시에틸렌글리콜 왁스
• 할로겐화탄화수소 왁스
• 하이드로겐화 왁스
• 왁스 에스테르 등</td><td rowspan="4">• 검
• 지방
• 천연레진
• 합성레진 등</td></tr>
<tr><td>식물성 왁스</td><td>• 카나우바 왁스
• 오우리쿠리 왁스
• 칸델리아 왁스
• 일본 왁스
• 코코아 버터</td></tr>
<tr><td>곤충 왁스</td><td>• 밀납</td></tr>
<tr><td>동물성 왁스</td><td>• 스퍼마세티 왁스</td></tr>
</table>

(2) 미세결정 왁스(microcrystallin wax)

석유에서 얻어지며 결정이 극히 미세하다. 탄소원자 수 41~50개의 탄화수소 혼합물로 60~91℃에서 용해된다. 파라핀 왁스의 용해온도 범위를 증가시키고 유동성을 감소시키기 위해 첨가한다. 파라핀 왁스보다 질기고 유연하며 응고과정에서 체적변화가 더 작다.

① 반달(barnsdahl): 용해온도 범위가 70~74℃로, 파라핀 왁스의 융해온도와 경도를 증가시키고 유동성을 감소시키기 위해 사용한다.

② 오조케라이트(ozokerite): 용해온도가 65℃로, 파라핀 왁스에 5~15% 첨가 시 용해온도가 54℃로 유지되며 물리적 성질이 개선된다.

③ 세레진(ceresin): 용해온도 범위가 60~80℃로 파라핀 왁스의 융점을 높이기 위해 사용한다.

(3) 몬탄 왁스(montan wax)

갈탄에서 얻어지는 광물성 왁스로, 탄소원자 수 40~58개의 긴 사슬구조 에스테르 혼합물이다. 용해온도의 범위가 72~92℃로, 다른 왁스들과 잘 섞이므로 파라핀 왁스의 경도와 용융점의 개선을 위해 식물성 왁스 대신에 사용한다.

(4) 카나우바 왁스(carnauba wax), 오우리쿠리 왁스(ouricury wax)

용해온도의 범위는 카나우바 왁스가 84~91℃이고 오오리쿠리 왁스가 79~84℃이다. 경도가 높고 부서지기 쉬우며, 파라핀 왁스의 경도와 용해온도의 범위를 크게 증가시킨다. 예를 들면, 용해온도의 범위가 18℃인 파라핀 왁스에 카나우바 왁스를 10% 첨가하면 용해온도의 범위가 46℃로 증가된다. 오우리쿠리 왁스의 첨가도 비슷한 효과를 나타내지만 카나우바 왁스만큼 효과적이지는 못하다.

(5) 칸델리라 왁스(candelilla wax)

탄소원자수 29~33개의 파라핀계 탄화수소를 40~60% 함유하고 용해온도의 범위가 68~75℃이다. 카나우바 왁스와 오우리쿠리 왁스와 마찬가지로 파라핀 왁스를 단단하게 하지만 융해온도의 상승에는 효과적이지 못하다.

(6) 밀납(beeswax)

꿀벌로부터 얻어지는 왁스로, 용해온도의 범위가 63~70℃이다. 실온에서는 부서지기 쉽지만 체온에서는 가소성을 갖는다. 파라핀 왁스의 성질을 조절하기 위해 사용하며, 스티키 왁스의 주성분이다.

(7) 스퍼마세티 왁스(spermaceti wax)

동물성 왁스로 향유고래에서 얻어지며 치실의 표면처리제로 사용한다.

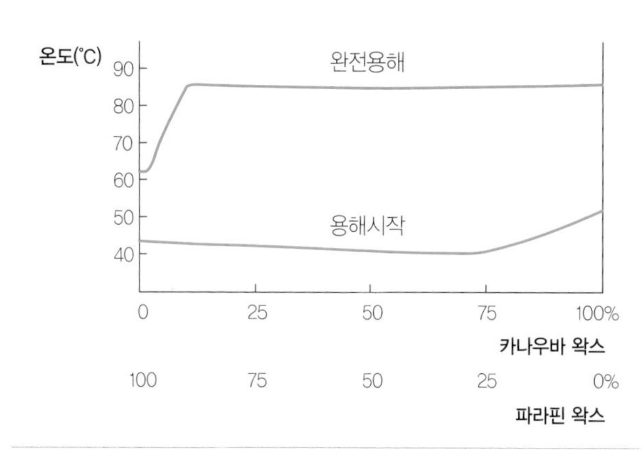

그림 9-1. 파라핀 왁스와 카나우바 왁스 혼합물의 용해온도의 범위.

2) 합성 왁스(Synthetic wax)

합성 왁스는 다양한 조성의 유기합성물질로, 화학적으로는 천연 왁스와 다르지만 융해온도나 경도 등의 성질은 유사하다. 오염물질이 존재할 수 있는 천연 왁스에 비해 높은 순도를 보이므로 성상의 변화가 적다. 합성 왁스에는 폴리에틸렌 왁스, 폴리옥시에틸렌글리콜 왁스, 할로겐화 탄화수소 왁스, 하이드로겐화 왁스, 왁스 에스테르 등이 있다.

3) 레진(Resin)

천연 레진은 모양이나 성질이 왁스와 유사하며, 왁스의 용해온도 범위, 경도, 필름 형성도 등을 개선하기 위해 첨가한다. 식물에서 얻어지는 레진에는 담마르(dammar), 송진(rosin), 산다락(sandarac) 등이 있고, 곤충에서 얻어지는 레진에는 셀락(shellac)이 있다. 또한 합성 레진으로는 다양한 종류의 폴리에틸렌(polyethylene)과 비닐 레진(vinyl resin)이 사용된다.

2. 왁스의 성질

1) 용해온도의 범위(Melting range)

치과용 왁스는 여러 종류의 고분자 화합물을 함유하므로 명확한 융점(melting point)을 갖지 않는 대신에 용해온도의 범위를 갖는다. 용해온도의 범위는 용융온도가 높은 성분의 함량이 많을수록 전체적으로 상승한다. 용해온도의 범위를 보면 파라핀 왁스는 44~62℃이고 카나우바 왁스는 50~90℃이므로, 파라핀 왁스에 카나우바 왁스를 첨가하면 용해온도의 범위가 상승한다. 왁스로 패턴을 제작할 때는 온도를 높여서 유동성을 증가시켜야 하지만 작업이 끝난 후에는 패턴에서 변형이 발생하지 않아야 하므로 용해온도의 범위가 실온보다 높아야 한다.

그림 9-1은 파라핀 왁스와 카나우바 왁스의 조성비가 혼합물의 용해온도의 범위에 미치는 영향을 나타낸 것으로, 파라핀 왁스에 카나우바 왁스를 2.5% 첨가 시까지는 거의 변화를 보이지 않지만, 10% 첨가 시 18℃에서 46℃로 증가된다.

2) 열팽창(Thermal expansion)

왁스는 열팽창계수가 크므로 온도의 상승과 하강에 따

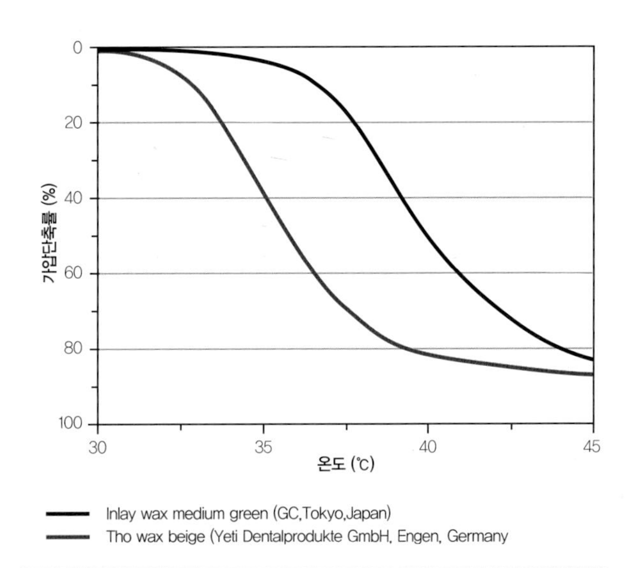

그림 9-2. ISO 제1형 주조용 왁스의 가압단축률.
(ISO 15854:2005(E)에서 왁스의 유동성은 직경 6 ㎜ × 높이 10 ㎜ 원통형 시편에 19.6 N 정하중을 10분간 가할 때의 가압단축률로 측정함).

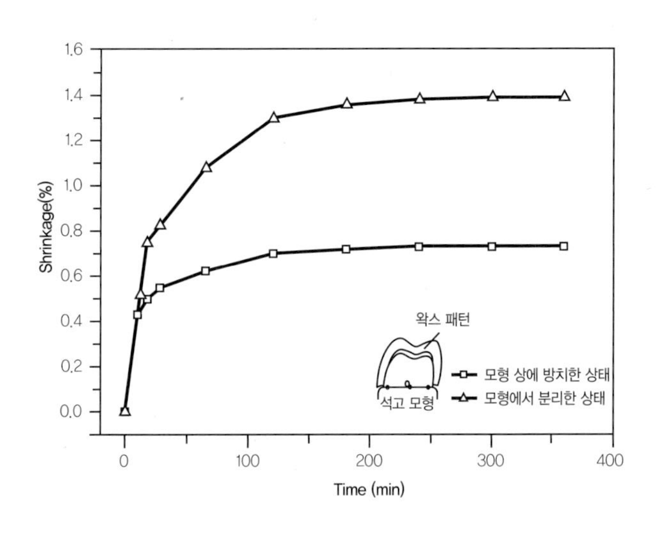

그림 9-3. Tho wax beige (Yeti Dentalprodukte Gmbh, Engen, Germany)로 상악 제1대구치 패턴을 준비한 후 모형 상에 방치한 상태와 모형에서 분리한 상태에서의 경과 시간에 따른 크기 변화.

라 큰 팽창과 수축을 나타낸다. 광물성 왁스는 분자들 사이에 약한 2차 결합을 하므로 열팽창계수가 크다. 반면, 식물성 왁스는 에스테르 결합의 비율이 높아 강한 2차 결합을 하므로 광물성 왁스에 비해 열팽창계수가 작다. 이러한 이유 때문에 왁스의 열팽창계수는 성분 중에서 파라핀 왁스의 함량이 많아지면 증가하고 카나우바 왁스의 함량이 많아지면 감소한다. 주조용 왁스는 열팽창계수가 커서 온도의 변화에 따라 크기 변화가 심하므로 조작과정에서 부주의하게 취급되면 최종 주조물의 정확성에 영향을 줄 수 있다.

3) 유동성(가압단축률)

유동성은 왁스의 성형성을 평가하는 주된 인자로서, 용융점 이하에서는 외력이 작용할 때 발생하는 소성변형의 정도로, 그리고 용융점 이상에서는 점도로 평가한다. 왁스의 유동성은 온도가 용융온도에 근접함에 따라 급격하게 증가한다. 파라핀 왁스는 온도가 30℃ 이상으로 조금만 상승되어도 유동성이 크게 증가하지만, 카나우바 왁스는 30~80℃ 범위에서 거의 유동성을 보이지 않는데, 그 주된 이유는 분자들이 강한 2차 결합을 하고 있기 때문이다. 주조용 왁스의 유동성은 성분 중에서 파라핀 왁스의 함량이 많아지면 증가하고 카나우바 왁스의 함량이 많아지면 감소한다.

그림 9-2는 주조용 왁스 패턴의 제작에 사용하는 Tho wax beige (Yeti Dentalprodukte Gmbh, Engen, Germany)와 Inlay wax medium (GC, Tokyo, Japan)의 온도 변화에 따른 가압단축률을 조사한 것으로, 온도가 30℃에서 45℃로 증가함에 따라 2종류의 왁스 공히 가압단축률이 86% 이상으로 증가되어 좁은 온도 범위에서 유동성이 크게 증가되었으며, 그의 증가 폭은 Thowax가 Inlay wax medium에 비해 보다 크게 나타났다.

4) 잔류응력(Residual stress)

왁스는 유연한 재료이므로 패턴의 제작과 보관 과정에

서 부주의하게 취급하면 패턴의 내부에 잔류응력이 발생된다. 잔류응력은 온도가 상승함에 따라 유리되어 방출이 되므로 패턴의 변형을 초래하며, 그 정도는 보관 온도가 높고 경과 시간이 길수록 증가한다. 압축(compression) 하에서 형성된 패턴은 온도가 상승하면 열팽창과 함께 잔류응력이 방출되며 팽창이 일어나므로 더 크게 변형된다. 그렇지만, 인장(tension) 하에서 형성된 패턴은 온도가 상승하면 열팽창과는 반대로 잔류응력이 방출되며 약간의 수축이 일어나므로 더 작게 변형된다. 왁스 패턴 내부의 잔류응력을 최소화하기 위해서는 왁스를 충분히 연화한 후 패턴 제작에 사용하고, 패턴이 완성된 이후에는 곧바로 매몰하는 것이 바람직하다.

온도의 변화에 따른 변형량에는 한계가 있기 때문에 시간이 경과하여도 그 이상으로 변형이 되지 않지만, 온도가 상승하면 다시 변형이 시작되어 그 온도에서의 한계치에 도달한다. 왁스 패턴을 모형에 장착한 상태에서 놓아두면 변형을 어느 정도 저지한 상태에서 잔류응력을 완화하는 것이 가능하지만, 잔류응력이 없는 상태로 되기까지는 상당한 정도의 시간이 소요된다.

그림 9-3은 Tho wax beige (Yeti Dentalprodukte Gmbh, Engen, Germany)로 상악 제1대구치 패턴을 준비한 다음 모형에 장착해 둔 상태와 분리해 둔 상태에서 경과 시간에 따라 변연부의 크기 변화를 조사한 것이다. 크기 변화는 패턴을 모형에서 분리해 둔 상태보다 장착해 둔 상태에서 더 작게 나타났다. 크기 변화는 모형에서 분리한 직후에 급격하게 증가하고 약 60분이 경과한 이후로부터 점차 완만해져서 180분 정도가 경과되었을 때 거의 일정한 수준에 도달하는 양상을 보였다.

3. 치과용 왁스

치과에서 사용하는 왁스는 용도에 따라 천연 및 합성 왁스를 적절하게 혼합해서 만들며, 표 9-2에서 볼 수 있는 것과 같이, 용도에 따라 패턴용(pattern), 작업용(processing), 인상용(impression)으로 나눌 수 있다. 패턴용 왁스는 보철물이나 장치물의 패턴 제작에 사용하며, 인레이 왁스, 주조 왁스, 베이스플레이트 왁스가 있다. 작업용 왁스는 치과 또는 기공소에서 여러 가지의 작업과정에서 편리하게 사용할 수 있도록 만들어진 왁스로서, 박싱 왁스, 유틸리티 왁스, 스티키 왁스가 있다. 인상용 왁스 중 수정인상용 왁스는 높은 유동성과 연성을 가지므로 무치악 부위의 정밀한 기록을 인기하기 위해 사용하고, 교합인기용 왁스는 상악과 하악의 교합관계를 인기하기 위해 사용한다.

표 9-2. 용도에 따른 치과용 왁스의 분류

패턴용 왁스	작업용 왁스	인상용 왁스
주조용 왁스	박싱 왁스	수정인상용 왁스
베이스플레이트 왁스	유틸리티 왁스	교합인기용 왁스
	스티키 왁스	

1) 주조용 왁스(Casting wax)

주조용 왁스는 왁스 소실법(lost wax process)을 이용하여 고정성 주조 수복물을 제작하는 과정에서 패턴을 준비하는데 사용한다. 왁스로 치아의 만곡도나 교두 등의 해부학적 형태를 있는 그대로 재현하므로 패턴 왁스라고도 한다. 주조용 왁스의 주성분은 파라핀 왁스이지만, 파라핀 왁스만을 사용하면 조작하거나 구부릴 때 쪼개지거나 부서져서 작업이 원활하지 않으므로 카나우바 왁스, 세레진 왁스, 밀납 등을 첨가하여 성질을 개선하고 있다. 융점이 더 높은 탄화수소계 왁스 또는 카나우바와 같이 에스테르 결합의 비율이 높은 왁스를 첨가할 경우 경도와 유동성이 다른 다양한 종류의 왁스가 만들어진다.

주조용 왁스는 구강 내에서 식별이 가능하도록 청색, 녹색, 자주색 등으로 착색이 되어 있으며, 국소의치의 금속구조물과 같이 자주 사용하는 형태의 패턴은 다양한 형태와 크기의 기성품으로 제공된다.

표 9-3. 주조용 왁스와 베이스플레이트 왁스의 유동성에 대한 요구사항

온도	제1형 주조용 왁스				제2형 베이스플레이트 왁스					
	1종		2종		1종		2종		3종	
	최소	최대	최소	최대	최소	최대	최소	최대	최소	최대
℃	%	%	%	%	%	%	%	%	%	%
23.0 ± 0.1	-	-	-	-	-	1.0	-	0.6	-	0.2
30.0 ± 0.1	-	1.0	-	-	-	-	-	-	-	-
37.0 ± 0.1	-	-	-	1.0	5.0	90.0	-	10.0	-	1.2
40.0 ± 0.1	50.0	-	-	20.0	-	-	-	-	-	-
45.0 ± 0.1	70.0	90.0	70.0	90.0	-	-	50.0	90.0	5.0	50.0

주조용 왁스는 모형 상에서 패턴을 제작하는 연질의 제1형 1종과 구강 내에서 직접 패턴을 제작하는 경질의 제1형 2종으로 분류하며, 연질 왁스가 경질 왁스에 비해 더 큰 유동성을 갖는다. 왁스의 유동성은 직경 10 ㎜ × 높이 6 ㎜ 크기의 왁스 시편에 19.6 N 정하중을 10분간 가할 때의 가압단축률로 측정한다. 제1형 1종의 연질 주조용 왁스는 23±0.1℃에서 유동성을 보이지 않아야 하고, 30℃에서 최대 1%, 40℃에서 최소 50%, 그리고 45℃에서 최소 70%, 최대 90%가 되어야 한다. 제1형 2종의 경질 주조용 왁스는 30±0.1℃에서 유동성을 보이지 않아야 하고, 37℃에서 최대 1%, 40℃에서는 최대 20%, 그리고 45℃에서 최소 70%, 최대 90% 범위가 되어야 한다(표 9-3).

왁스는 치과에서 사용하는 재료 중에서 열팽창계수가 가장 크고 연화온도가 낮으므로 패턴의 준비과정에서 취급이 잘못되면 내부에 잔류응력이 발생하고, 이후 온도 변화와 경과 시간에 따라 잔류응력이 방출되며 변형이 일어나므로 제작된 주조체는 부정확하게 될 수 있다. 왁스 패턴은 매몰할 때까지의 보관 온도가 높거나 보관하는 기간이 길어지면 실온이라도 변형이 커지는 경향이 있다. 준비한 왁스 패턴은 모형에서 분리해 두는 것보다 모형 상에 방치했을 때 변형이 더 적으며, 매몰할 때는 적합도를 확인하고 필요한 경우에는 수정을 가한 다음 곧바로 매몰하는 것이 주조체의 변형을 줄일 수 있다.

2) 베이스플레이트 왁스(Baseplate wax)

주로 의치를 제작할 때 수직고경이나 교합평면의 형성 등에 사용하고, 의치의 외형을 형성한 이후에는 인공치를 위치시킬 때 사용한다. 일반적인 조성은 파라핀 왁스를 주성분으로 하고 여기에 세레진 왁스, 밀납 및 레진 등을 첨가하여 제조한다.

베이스플레이트 왁스는 분홍색 또는 적색의 판상으로 제공되고, 제2형 왁스로 분류하며, 사용할 때의 기후와 용도에 따라 연질(1종), 경질(2종) 및 초경질(3종)로 구분한다. 유동성에 대한 요구사항을 살펴보면, 1종 연질은 23℃에서 최대 1%, 그리고 37℃에서 최소 5%, 최대 90%가 되어야 한다. 2종 경질은 23℃에서 최대 0.6%, 37℃에서 최대 10%, 그리고 45℃에서 최소 50%, 최대 90%가 되어야 한다. 3종 초경질은 23℃에서 최대 0.2%, 37℃에서 최대 1.2%, 그리고 45℃에서 최소 5%, 최대 50%가 되어야 한다(표 9-3).

베이스플레이트 왁스는 26℃에서 40℃로 가열할 때 선

열팽창량이 0.8% 이내여야 한다. 완성된 왁스 의치는 높은 온도에서 장시간 보관해서는 안 되고, 가능하면 완성한 후 즉시 매몰해야 교합변형을 줄일 수 있다.

3) 박싱 왁스(Boxing wax)

길고 얇은 띠 모양의 왁스로서, 무치악 인상체에 석고를 부을 때 인상체 주위를 넓은 띠 모양으로 막아 모형의 크기와 형태를 형성하고 인상체 주위로 석고가 흘러내리지 않도록 둘러싸는 데 사용한다. 박싱 왁스는 21℃에서 쉽게 구부러지고, 실온에서 인상체에 쉽게 접합되며, 35℃에서 형태가 유지되어야 한다(그림 9-4).

4) 유틸리티 왁스(Utility wax)

적색 또는 오렌지색의 가늘고 긴 막대나 판 형태로 제공되며, 밀납, 바셀린, 연질 왁스 등으로 제조된다. 실온에서 쉽게 구부러지며 부착성이 있으므로, 인상용 트레이의 형태와 크기의 수정, 보철작업 과정에서 임시 고정 등 여러 가지의 보조적인 용도로 사용한다(그림 9-5). 21-24℃에서 끈적거림이 있어야 하고 여러 겹으로 겹쳐서 뭉칠 수 있어야 한다. 유동성은 37.5℃에서 최소 65%, 최대 80%가 되어야 한다.

5) 스티키 왁스(Sticky wax)

송진(rosin)과 황색 밀납에 색소와 gum dammar 등의 천연레진을 첨가하여 제조한다. 실온에서는 접착성이 없고 단단하여 부서지는 성질을 보이지만 녹았을 때는 비교적 우수한 접착력을 가지므로 납착이나 수리 등의 과정에서 임시 고정을 위해 사용한다. 다른 치과재료와 쉽게 구분이 되도록 오렌지색 등의 선명한 색으로 되어 있다(그림 9-6). 소환(burnout) 시 잔류물이 0.2% 이상 남아서는 안 되며, 열수축은 43℃에서 28℃로 냉각할 때 0.5% 이하가 되어야 한다. 유동성은 30℃에서 최대 5%, 32℃에서 최소 90%가 되어야 한다.

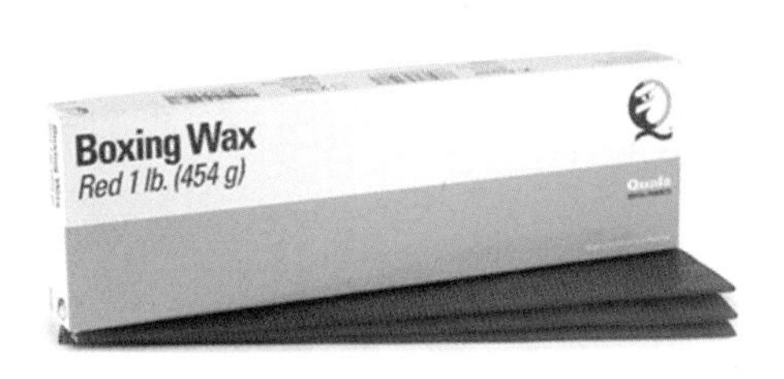

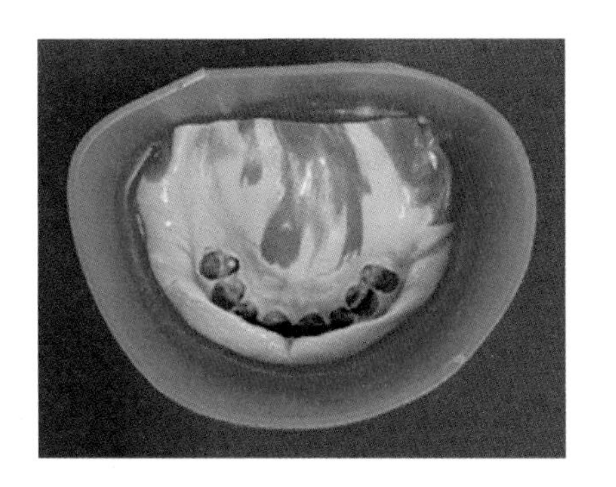

그림 9-4. 박싱 왁스의 제품과 그의 사용 예.

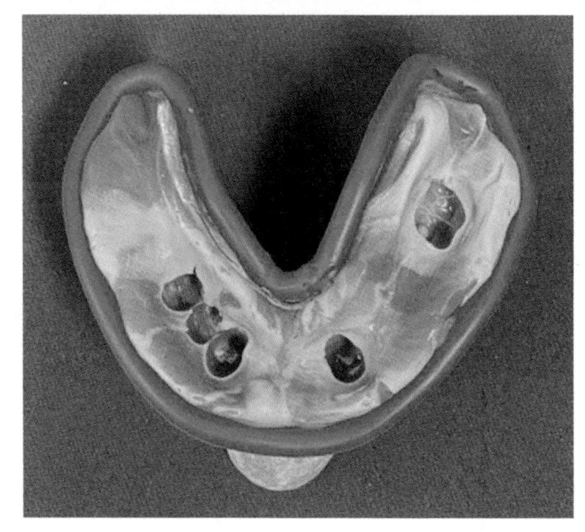

그림 9-5. 유틸리티 왁스의 제품과 그의 사용 예.

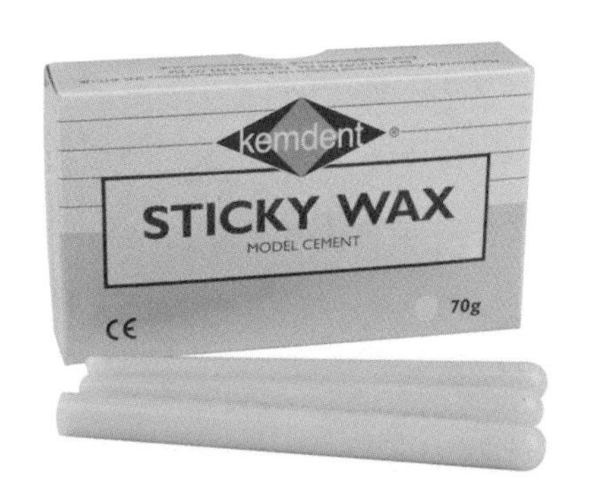

그림 9-6. 스티키 왁스의 제품.

6) 수정인상용 왁스(Corrective impression wax)

1차 인상을 채득한 후 기능을 하는 상태에서 연조직의 미세부를 정밀하게 인기하기 위해 사용하며, 인상체의 수정할 부위에 흘려넣고 다시 구강 내에 시적하여 인상을 채득한다. 파라핀, 세레진, 밀납 등으로 제조하며, 금속입자(metal particle)를 첨가하기도 한다. 유동성은 37℃에서 100%이므로 인상체를 구강 내에서 제거할 때 변형이 일어나기 쉽지만 실온에서는 단단하다.

7) 교합인기용 왁스(Bite registration wax)

상악과 하악의 교합관계를 인기하는데 사용하므로 바이트 왁스라고도 한다. 파라핀, 세레진, 밀납 등으로 제조되며, 강도의 개선을 위해 알루미늄이나 구리 입자를 첨가하기도 한다. 유동성은 37℃에서 2.5~22% 범위로 비교적 높아 구강에서 제거할 때 함몰부(undercut)가 있으면 변형이 생길 수 있으므로 무치악이나 교합면에 한정하여 사용한다. 보관조건에 따라 정확성과 안정성이 저하될 수 있으므로, 최근에는 실리콘 고무를 사용하는 교합인기용 재료가 널리 사용되고 있다.

참고문헌

1. Council on Dental Materials and Devices (1975). Revised American Dental Association Specification No. 4 for dental inlay casting wax, J Am Dent Assoc 90:447–450.
2. Grajower P, Lewinsteinm I (1985). Effect of manipulative variables on the accuracy of crown wax patterns. J Prosthet Dent 53:168–172.
3. Powers JM, Sakaguchi RL (2012). Craig's Restorative Dental Materials, 13th ed.
4. Powers JM, Craig RG (1978). Thermal analysis of dental impression waxes. J Dent Res 57:37–41.
5. Rothenborg HW (1967). Occupational dermatitis in beekeeper due to popular resins in bees wax. Arch Derm 95:381–384.
6. Sykora O, Sutow EJ (1990). Comparison of the dimensional stability of two waxes and two acrylic resin processing techniques in the production of complete dentures. J oral Rehabil 17:219–227.

Ⅱ 매몰재

학/습/목/표

❶ 매몰재의 조성을 이해한다.
❷ 매몰재의 분류를 이해하고, 필요한 매몰재를 선택할 수 있다.
❸ 경화팽창, 수화팽창 및 열팽창에 영향을 주는 요인들을 이해한다.

매몰재는 치과에서 금속 수복물을 위한 주조용 매몰재, 글라스-세라믹 수복물을 위한 열가압성형용 매몰재, 납착용 및 내화 다이 재료로서 사용되며, 석고와 마찬가지로 물 또는 전용의 액으로 혼합하여 사용한다.

1. 매몰재에 요구되는 성질

① 조작의 간편성: 매몰재는 혼합이 쉽고, 왁스 패턴에 도포가 잘 되며, 가급적 짧은 시간에 경화가 되어야 한다.
② 충분한 강도: 매몰재는 조작이 용이하도록 상온에서 충분한 강도를 가져야 하고, 또한 고온에서 조작이 이루어지는 동안에 파손이 일어나지 않을 정도의 고온강도와 내열성이 요구된다.
③ 고온 안정성: 매몰재는 고온에서 열분해가 일어나거나 조작과정에서 수복물의 표면에 손상을 주지 않아야 한다.
④ 충분한 팽창: 주조용이나 열가압성형용 매몰재는 주조와 성형과정에서 발생하는 수축을 보상하기에 충분한 정도의 팽창을 보여야 한다.
⑤ 다공성: 주조용이나 열가압성형용 매몰재는 주조와 성형과정에서 주형 내부의 공기나 가스가 빠져나갈 정도의 다공성을 가져야 한다.
⑥ 표면 활택성: 주조용이나 열가압성형용 매몰재는 표면의 미세부와 변연부의 재현이 가능해야 한다.
⑦ 제거의 용이성: 매몰재는 작업과정에서 수복물의 표면과 화학적으로 반응하지 않아야 하며 용이하게 제거가 되어야 한다.
⑧ 가격이 저렴해야 한다.

2. 매몰재의 분류 및 요구되는 성질

1) 매몰재의 분류

ISO 15912에서는 주조용, 열가압성형용, 납착용 및 내화 다이의 제작에 사용하는 매몰재를 다음과 같이 4가지 유형으로 분류하고 있다. 제1형은 인레이, 크라운 또는 다른 고정성 치과보철물 주조용의 매몰재이다. 제2형은 총의치, 국소의치 또는 다른 가철성 장치물 주조용의 매몰재이다. 제3형은 납착과정에서 사용하는 매몰재이다. 제4형은 내화성 다이의 제작에 사용하는 매몰재이다.

매몰재는 내화재, 결합재 및 기타 성분들로 구성된다. 매몰재의 주성분은 내화재 역할을 하는 실리카(SiO_2)로서, 모든 종류의 매몰재에서 공통적으로 사용되기 때문에, 매몰재는 결합재의 종류에 따라 다음과 같이 분류하기도 한다.

① 석고계 매몰재
② 인산염계 매몰재
③ 실리카계 매몰재

2) 매몰재에 요구되는 성질

매몰재에서 요구되는 물성으로는 유동성, 초기경화시간, 압축강도, 선열팽창 등으로, ISO 15912에서 요구하는 각각의 기준값을 표 9-4에 나타내었다.

표 9-4. 석고계 매몰재의 요구조건

시험 항목	기 준
유동성	제조자 제시값의 30% 이내.
초기경화시간	제조자 제시값의 30% 이내.
압축강도	제조자 제시값의 70% 이하가 되지 않아야 함. 값을 제시하지 않은 경우 2 MPa 이상이 되어야 함.
선열팽창	제조자 제시값의 15% 이내. 범위를 제시한 경우 중앙값의 15% 이내.

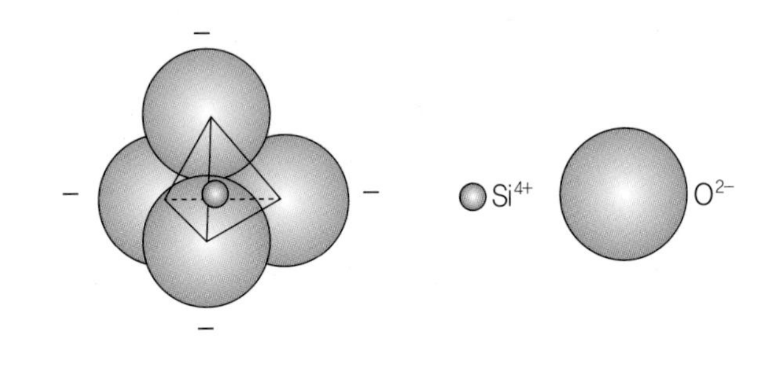

그림 9-7. 규산 사면체(SiO_4^{4-}) 구조

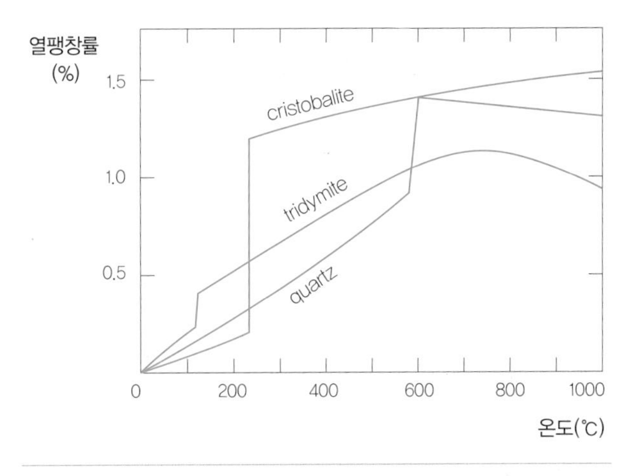

그림 9-8. 실리카 동소체의 온도변화에 따른 열팽창 곡선

3. 내화재 실리카의 다형전이

실리카는 규산사면체(그림 9-7) 중의 산소원자 4개가 주위의 다른 사면체들에 공유되어 3차원적 망상구조를 이루어서 중성의 규산염이 된다. 규소와 산소의 비율이 전체적으로 1:2가 되므로 시성식은 $(SiO_2)_n$이 되므로 일반적으로 실리카를 SiO_2라고 한다.

실리카는 온도의 상승에 따라 열팽창이 일어나지만, 또한 가열과정에서 상전이가 일어나므로 팽창의 정도는 온도에 따라 달라진다. 그림 9-8는 실리카 동소체들의 온도 상승에 따른 열팽창률의 변화를 나타낸 것으로, 상전이로 인한 가장 큰 팽창은 α-cristobalite가 β-cristobalite로 변화될 때 일어난다.

석영은 온도의 상승에 따른 열팽창을 보이다가 573℃에서 고온 안정형 구조인 β상으로 상전이가 되며 1.4%까지 팽창하고, 이후에는 오히려 약간 수축하는 경향을 나타낸다. 트리디마이트(tridymite)는 석영보다 훨씬 낮은 온도인 105℃에서 β상으로 상전이 되며 0.4%까지 팽창하고, 이후 160℃에서 다시 상전이가 일어나며 팽창하지만, 이때는 온도가 상승함에 따라 서서히 팽창이 일어나서 약 750℃에서 1.1%까지 팽창하고, 이후 수축하는 경향을 보인다. 크리스토발라이트는 220℃에서 β상으로 상전이되며 1.2%까지 팽창하고, 이후 석영이나 트리디마이트와 달리 온도가 상승함에 따라 완만하게 팽창이 일어난다.

실리카의 3가지 동소체 중에서 트리디마이트가 가장 작은 팽창을 나타내므로 일반적으로 매몰재의 내화재로는 석영이나 크리스토발라이트가 사용된다. 이들 2가지 모두 상전이가 될 때 급격한 팽창이 일어나므로 상전이 온도 부근에서 매몰재를 급가열하면 내부에 균열이 생성되어 주형이 파괴될 수 있다. 이러한 문제점을 개선하기 위해 2가지 재료를 혼합하여 사용하면 서로의 상전이 온도가 차이가 나므로 매몰재의 가열과정에서 일어나는 급격한 팽창을 완화할 수 있다. 또한 석영은 573℃ 이상에서 수축이 일어나지만, 크리스토발라이트를 혼합하여 사용하면 이러한 수축을 억제할 수 있다. 석영과 크리스토발라이트는 모두 상온에서 α상이지만, 주형을 가열하는 과정에서 β상으로 상전이되어 팽창이 일어나므로 주조수축의 보상이 가능하다.

4. 석고계 매몰재

1) 조성과 용도

석고계 매몰재는 석영, 크리스토발라이트 또는 이 둘의 혼합물 65~75%, α-반수석고 25~35%, 그리고 기타 화학 조절제 성분들 2~3%로 구성되어 있다. 석고계 매몰재를 700℃ 이상으로 가열하면, 결합재로 사용하는 석고의 열분해가 일어나 주조체를 취약하게 만드는 부식성이 큰 이산화황(SO_2)이나 아황산가스(SO_3)가 발생된다. 그렇지만 주조과정에서 용융금속의 유입은 순간적으로 이루어지므로 석고계 매몰재는 융점 1,000℃ 이하의 금합금 주조에 사용한다.

2) 석고 결합재의 온도상승에 따른 변화

석고계 매몰재의 결합재로는 α-반수석고가 사용된다. 매몰재를 물과 혼합하면 반수석고가 물과 반응하여 이수석고가 되고, 이 때 반응하지 않고 남은 물은 매몰재 주형의 내부에 남게 된다. 주조과정에서는 매몰재 주형을 주조에 적합한 온도로 가열하며, 가열의 초기단계에 잔류하는 여분의 물은 증발되어 없어진다. 온도가 더욱 상승되면 이수석고($CaSO_4 \cdot 2H_2O$)의 결정수는 약 105℃에서 결합이 붕괴되어 무수석고($CaSO_4$)가 되며, 이때 결정수의 증발로 인해 약간의 수축이 일어난다. 또한 무수석고는 380℃ 부근에서 상전이로 인해 약간의 수축이 일어나고, 700℃ 이상에서는 소결과 열분해가 일어나므로 큰 수축을 나타낸다. 주형의 가열과정에서 일어나는 이러한 수축과 금속의 응고수축은 매몰재에 포함된 내화재 실리카의 열팽창과 상전이로 인한 팽창으로 보상된다.

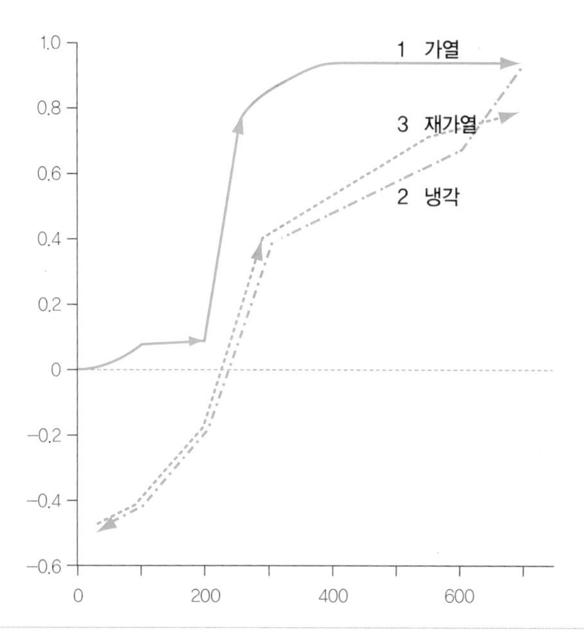

그림 9-9. 석고계 매몰재의 열팽창과 열수축 곡선
1 가열, 2 냉각, 3 재가열

3) 매몰재 주형의 냉각과 재가열

석고계 매몰재를 가열한 후 냉각하면, 그림 9-9에서 볼 수 있는 것과 같이, 처음 가열할 때와는 다른 열수축 곡선을 나타내고, 실온까지 냉각하면 가열 전보다 치수가 감소된다. 또한 재가열을 하면 매몰재는 처음보다 열팽창량이 감소되고 가열하는 과정에서 균열이 생성되는 경우 주조체에 결함이 생성된다.

4) 석고계 매몰재의 경화팽창과 흡수팽창

석고계 매몰재 주형에서는 경화팽창, 흡수팽창 및 열팽창이 일어난다. 경화팽창은 실온에서 매몰재가 경화되는 과정에서 발생하는 팽창으로, 이수석고의 결정이 침상으로 성장하여 접촉상태에서 서로를 밀게 됨에 따라 나타난다. 경화팽창은 혼수비, 혼합시간 및 혼합속도에 의존한다. 혼수비가 증가되면 경화팽창과 가열팽창이 감소하고, 통기성이 증가한다. 또한 혼합속도가 빠르고 혼합시간이 길어지면 경화팽창이 증가한다.

흡수팽창은 혼합한 매몰재의 경화가 진행되는 과정에서 물과 접촉했을 때 나타나는 팽창으로, 흡수팽창을 유

표 9-5. 석고계 매몰재의 조작조건에 따른 경화팽창, 흡수팽창 및 열팽창의 변화

조건	경화팽창	흡수팽창	열팽창
혼수비의 증가	감소	감소	감소
혼합시간의 증가	증가	증가	무관
혼합속도의 증가	증가	증가	무관
매몰재의 구입 시기	감소	감소	무관
수조에 담그는 시기	무관	감소	-
수조 온도의 증가	무관	증가	-
왁스의 강도	심한 변형	심한 변형	미미한 영향
주입선의 위치	매우 중요	매우 중요	미미한 영향

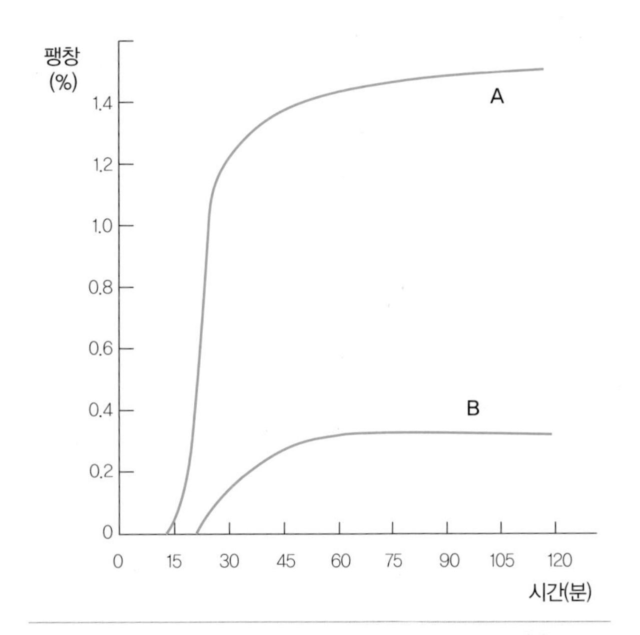

그림 9-10. 석고계 매몰재의 흡수팽창(A)과 정상경화팽창(B) 곡선

도하기 위해 매몰재를 붓기 전에 주조링의 내면에 물에 적신 이장재를 내장하거나, 매몰한 후 주조링을 수조에 담그는 방법이 활용되고 있다. 흡수팽창의 기전은 대기 중에서 혼합한 매몰재가 경화될 때 나타나는 정상경화 팽창과 관계가 있다. 물과 혼합한 매몰재에서 경화반응이 진행되어 물이 줄어들면, 성장하는 이수석고의 결정들은 남아있는 물의 표면에서 충돌이 일어나게 되고, 이때 물의 표면장력이 결정들의 성장을 방해하게 되므로 팽창이 억제된 상태에서 경화반응이 종료된다. 주조링의 내면에 물에 적신 이장재를 내장하고서 혼합한 매몰재를 부으면 결정성장은 더욱 오랫동안 지속된다. 그렇지만, 이것은 물의 표면장력이 결정성장을 방해하지 않을 때까지 이다. 매몰재 주입 후 주조링을 수조에 담그면 물이 지속적으로 공급되지 못할 때 나타나는 팽창이 정지되는 문제가 해결되므로 팽창은 정상경화팽창의 2배 이상에 달하게 된다(그림 9-10). 흡수팽창을 유도하는 또 다른 방법은 혼합한 매몰재에서 광택이 사라지기 전에 물을 추가적으로 공급하는 것으로, 경화반응이 완료되지 않은 상태이기 때문에 추가한 물이 혼합수에 부가되어 표면장력의 작용을 지연시키게 된다. 표 9-5는 석고계 매몰재의 조작조건에 따른 경화팽창, 흡수팽창 및 열팽창의 변화를 나타낸 것이다.

(1) 반수석고와 실리카의 입도

석고계 매몰재의 흡수팽창은 반수석고의 입도에는 거의 영향을 받지 않지만 내화재 실리카의 입도와 양에는 크게 영향을 받는다. 일반적으로 실리카의 입자 크기가 작을수록 경화팽창과 흡수팽창이 증가하며, 이것은 입자 크기가 작을수록 물과 반응할 수 있는 표면적이 증가하기 때문이다.

(2) 혼수비

혼수비가 증가할수록 석고의 경화팽창과 흡수팽창은 감소된다. 흡수팽창을 유도하기 위해 물을 추가적으로 공급하는 것은 매몰재를 다량의 물로 혼합하는 것과는 차이가 있다. 그림 9-11은 흡수팽창형 매몰재에서 첨가된 물의 양과 조작조건에 따른 팽창량의 변화를 나타낸 것이다. A곡선은 표준혼수비로 혼합한 경우로서, 그림 중에서 팽창량이 가장 크게 나타났고, 묽은 혼합의 경우인 B곡선에서는 A곡선보다 팽창량이 저하되었다. 혼합이 부족한 상태에서는 C곡선과 같이 팽창량이 저하되었고, 오래된 매몰재에서는 D곡선과 같이 팽창량이 가장 낮게 나타났다.

(3) 혼합조건

혼합속도와 시간이 경화팽창과 흡수팽창에 미치는 영향은 석고제품에서와 유사하다. 혼합시간이 길고 빠를수록 경화팽창과 흡수팽창은 증가된다.

(4) 침수시간

주조링을 수조에 담글 때는 담그는 시기가 중요하다. 매몰재 혼합물의 초기경화가 일어나기 전에 담가야 최대 흡수팽창을 얻을 수 있다. 그렇지만 매몰재의 초기경화가 일어난 이후에는 물속에 오래 담가 두면 오히려 흡수팽창이 감소된다.

(5) 매몰재의 수명

제조 후 2~3년이 경과한 매몰재는 즉시 사용하는 매몰재에 비해 경화팽창과 흡수팽창이 감소된다. 따라서 매몰재는 구입 후 오래 보관하지 않아야 하며, 사용 중인 매몰재를 보관할 때는 잘 밀봉한 상태에서 건조한 곳에 보관하여야 한다.

5) 석고계 매몰재의 열팽창

왁스 패턴을 매몰한 후 매몰재 주형을 가열하면, 왁스가 녹아 제거되므로 주조할 수 있는 공간이 형성된다. 가열과정에서 결합재 석고에서는 탈수와 상전이로 인해 수축이 일어나지만 내화재 실리카에서는 열팽창과 상전이로 인한 팽창이 일어나고, 이 때 발생한 팽창에 의해 주

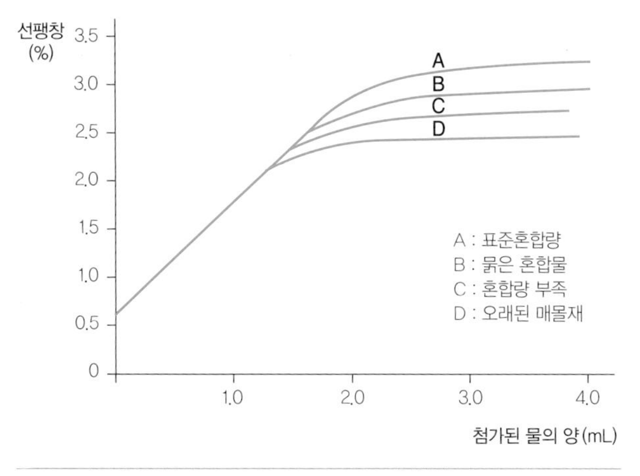

그림 9-11. 흡수팽창형 매몰재의 첨가된 물의 양과 조작조건에 따른 팽창량 변화

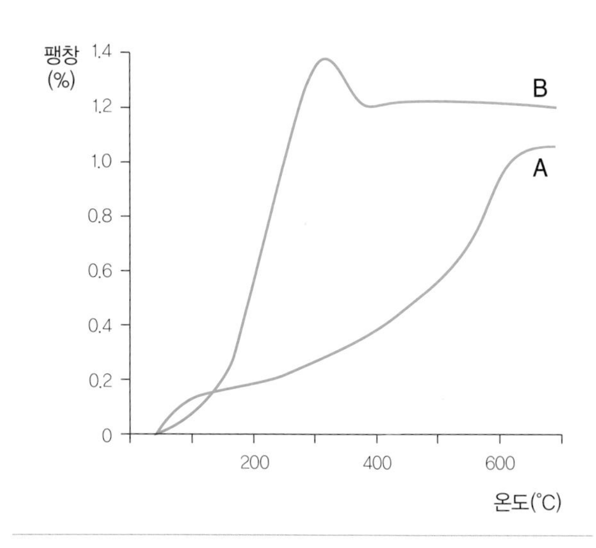

그림 9-12. 석고계 매몰재의 열팽창 곡선 A 흡수팽창형, B 열팽창형

조수축이 보상된다. 그림 9-12에서 볼 수 있는 것과 같이, 석고계 매몰재의 가열과정에서는 200~600℃ 범위에 걸쳐서 팽창이 일어나는 것을 볼 수 있다.

6) 팽창 유형에 따른 매몰재의 분류

석고계 매몰재는 종종 흡수팽창형과 열팽창형으로 분류한다. 흡수팽창형 매몰재는 내화재로서 석영과 트리디마이트를 함유하며 흡수팽창은 크지만 열팽창은 작다. 매몰재에서 초기경화가 일어나기 전에 주조링을 수조에 침적하여 팽창을 유도하며 비교적 낮은 온도(482℃)에서 소환을 한다. 흡수팽창형은 온도의 하강에 따른 팽창량 감소가 크므로 주조수축률이 작은 합금의 주조에 사용한다. 열팽창형 매몰재는 내화재로서 크리스토발라이트를 함유하며 220℃ 부근의 온도에서 큰 열팽창을 나타낸다. 매몰재의 경화 후 비교적 높은 온도(649℃)에서 소환을 하며, 온도의 하강에 따른 팽창량 감소가 작으므로 주조조작 시간을 더 길게 가져갈 수 있다. 모든 석고계 매몰재는 열팽창과 흡수팽창을 동시에 나타내지만 내열재로 사용한 실리카의 조성에 따라서 이 두 팽창의 상대적인 비율이 변화된다. 그림 9-12는 흡수팽창형(A)과 열팽창형(B) 석고계 매몰재의 온도변화에 따른 열팽창량의 변화를 도시한 것이다.

5. 인산염계 매몰재

인산염계 매몰재는 석고계 매몰재보다 내열성이 높기 때문에 고온주조용으로 사용된다. 인산염계 매몰재에서도 내화재로는 석고계 매몰재와 마찬가지로 실리카를 사용하지만, 결합재로는 물에 녹는 제일인산암모늄($NH_4H_2PO_4$)과 산화마그네슘(MgO)이 사용되고 있다. 매몰재 분말을 물 또는 전용의 콜로이드 실리카를 함유하는 수용액으로 혼합하면, 제일인산암모늄과 산화마그네슘이 물에 용해되며 반응하여 불용성의 불용성의 인산마그네슘암모늄육수염($NH_4MgPO_4 \cdot 6H_2O$)이 생성되고, 이것

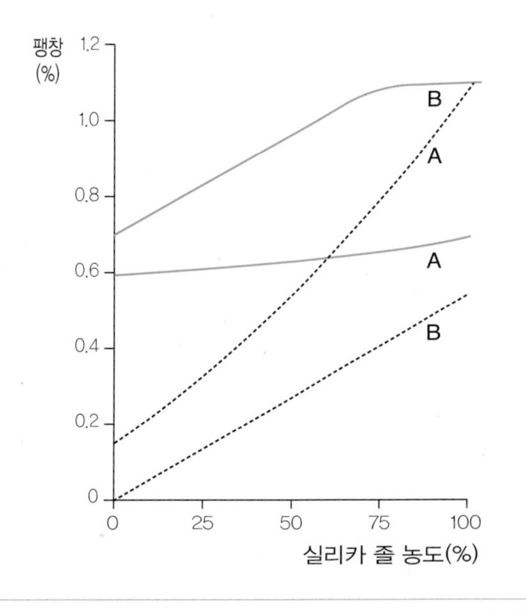

그림 9-13. 실리카 졸 농도가 인산염계 매몰재의 경화팽창량(·····)과 800℃에서의 열팽창량(—)에 미치는 영향
(A 흡수팽창형, B 열팽창형).

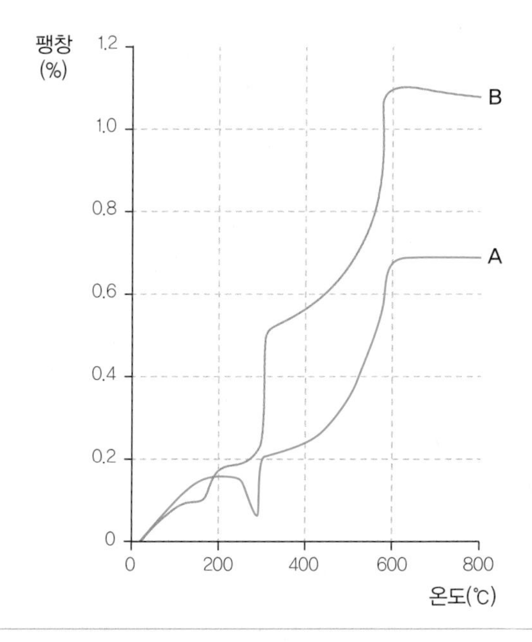

그림 9-14. 인산염계 매몰재를 800℃까지 가열할 때의 열팽창 곡선
A 흡수팽창형, B 열팽창형

이 결합재로 작용하여 매몰재에 초기강도를 부여한다. 이 반응의 과정에서 생성된 물은 매몰재 혼합물의 점도를 떨어뜨리는 역할을 한다. 제일인산암모늄과 산화마그네슘 사이에서 일어나는 산-염기 반응은 실온에서 빠르게 진행되며, 반응속도는 산화마그네슘이 해리되는 속도에 의존하므로 산화마그네슘의 입도를 작게 할수록 반응속도는 빨라진다.

매몰재를 혼합할 때는 반응에 필요한 양보다 더 많은 양의 제일인산암모늄을 사용하고 있으므로, 미반응 잔류물이 주조온도에서 실리카와 반응하여 규인산염(silico-phosphate)을 생성하므로 매몰재에 고온강도를 부여한다.

인산염계 매몰재의 경화반응 과정에서는 이론상으로는 수축이 일어나야 하지만, 실제로는 약간의 팽창이 일어나며, 물 대신 실리카 졸 용액을 사용하여 혼합하면 경화팽창과 열팽창이 증가한다. 그림 9-13은 흡수팽창형(A)과 열팽창형(B) 인산염계 매몰재를 실리카 졸 용액으로 혼합할 때 실리카 졸의 농도가 팽창량에 미치는 영향을 도시한 것으로, 실리카 졸의 농도가 증가할수록 흡수팽창과 열팽창이 증가하는 것을 확인할 수 있다. 경화팽창은 흡수팽창형(A)이 열팽창형(B)에 비해 높지만, 800℃에서 열팽창은 열팽창형(B)이 흡수팽창형(A)에 비해 높다.

그림 9-14는 흡수팽창형과(A)과 열팽창형(B) 인산염계 매몰재를 제조자가 추천하는 조건의 분액비로 혼합한 다음 800℃까지 가열하며 측정한 열팽창곡선으로, 열팽창형(B)이 흡수팽창형(A)보다 더 큰 팽창을 나타냈다.

6. 규산염계 매몰재

규산염계 매몰재에서는 규산에틸(ethyl silicate)과, 액상으로 분산된 콜로이드 실리카 또는 규산나트륨(sodium silicate)으로부터 결합력을 얻는다. 이 유형의 매몰재는 내화재 실리카와 결합재가 모두 규산염이므로 내열성이 우수하고 열팽창 조작이 다소 복잡하므로 널리 사용되지는 않는 편이다. 규산에틸을 결합재로 사용하는 매몰재 아래 식에서 볼 수 있는 것과 같이, 규산에틸을 가수분해하여 규산 졸을 얻고, 이것이 알칼리 조건에서 내화재 실리카와 반응하여 겔화됨에 따라 경화가 일어난다.

$$Si(OC_2H_5)_4 + 4H_2O \xrightarrow{HCl} Si(OH)_4 + 4C_2H_5OH$$

가수분해시킬 때 염산을 촉매로 사용하므로, 규산에틸 매몰재는 적당히 희석된 규산염과 염산의 2가지 용액으로 공급된다. 위 반응을 유도하기 위해서는 사용 전에 충분한 혼합이 요구된다. 부산물로서 알콜이 생성되어 화재의 위험성이 있으므로 최근에는 규산나트륨이나 콜로이드 실리카를 사용하기도 한다.

7. 납착용 매몰재

가철성 국소의치에 클래스프를 붙이는 것과 같이, 납착으로 수복물의 일부를 연결하는 과정에서는 가열작업 이전에 연결할 부품들을 매몰재로 고정할 필요가 있다. 연결할 부품들은 매몰재로 고정이 될 때까지 일시적으로 스티키 왁스로 고정을 하며, 이후 왁스를 연화해서 제거하고 납착할 부위를 노출시킨 상태에서 납착을 시행한다.

납착용 매몰재는 경화와 가열과정에서 납착부의 간격이나 위치가 변화되지 않아야 하므로 주조용 매몰재보다 작은 경화팽창과 열팽창을 갖는다. 또한 미세한 부위를 재현할 필요가 없기 때문에 주조용 매몰재 정도의 고운 입도의 분말을 사용하지 않는다. 저온 용융형 합금의 납착에 사용하는 매몰재는 석영과 α-반수석고를 함유하는 석고계 매몰재와 성분이 유사하고, 고온 용융형 합금의 납착에 사용하는 매몰재는 인산염계 매몰재와 성분이 유사하다.

8. All-ceramic 수복물 제작용 매몰재

All-ceramic 수복물 제작용 매몰재로는 다음의 2가지 유형의 매몰재가 사용되고 있다. 한 종류는 글라스나 글라스-세라믹의 주조용으로 사용하는 매몰재로서, 그의 성분은 인산염계 매몰재와 유사하다. 또 다른 종류는 내화성의 다이재료로서 구성되며 포세린이나 글라스-세라믹으로 제작되는 비니어, 인레이 및 크라운 등에 사용한다. 내화성 다이는 인상체에 매몰재를 부어서 제작이 되며, 매몰재의 경화 후 유해 가스의 제거를 위해 degassing 처리를 한다. 내화성 다이는 포세린의 소성과정에서 열에 의한 손상이 발생하지 않아야 하고, 냉각과정에서는 세라믹 수복물에 균열이 생성되지 않도록 열적으로 적합해야 한다. 매몰재의 결합재로는 인산염이 사용되고, 수복물의 정확한 재현을 위해 미세한 입도의 내화재가 사용된다.

참고문헌

1. 김연웅, 강재경 등(2002). 국제표준규격에 따른 치과용 석고의 물성 시험. 대한치과기재학회지 29(1): 47-54.
2. 김연웅, 이용근 등(2000). 첨가제에 따른 치과용 석고의 물성 변화. 대한치과기재학회지 27(3):231-6.
3. 이준근 등(1991). 세라믹공학, 반도출판사.
4. 이홍림(1985). 내화물공학, 반도출판사.
5. Anusavice KJ (2013), Phillip's Science of Dental Materials 12th ed, W.B. Saunders Co.
6. Combe EC (1999). Dental Biomaterials, Kluwer Academic Publishers.
7. Hero H, Syverud M, Waarli M (1993). Mold filling and porosity in castings of titanium. Dent Mater 9:15-8.
8. Iwasaki M, Oyagi S (1991). The surface contamination of the centrifugally cast titanium at room temperature. Jpn Dent Mater 10(S18):95-6.
9. Lautenschlager EP, Moser JB, Greener EH, Takahashi J, Moser JB, Kimura H (1990). Casting pure titanium into commercial phosphate-bonded SiO_2 investment molds. J Dent Res 69:1800-1805.
10. McAloon J, Mori T (1993). Study of gypsum-bonded casting investments, Part 2. Aust Dent J 38:306-8.
11. Miyakawa O, Watanabe K, Okawa S, Nakano S, Kobayashi M, Shiokawa N (1989). Layered structure of cast titanium surface. Dent Mater J 8:175-85.
12. Mori T (1993). Study of gypsum-bonded casting investments. Part 1. Aust Dent J 38:220-4.
13. Morten S, Hakon H (1995). Mold filling of casting using investments with different gas permeability. Dent Mater 11:14-18.
14. Mueller HJ (1986). Particle and pore size distributions of investments. J Oral Rehabil 13:383-93.
15. Powers JM, Sakaguchi RL (2012). Craig's Restorative Dental Materials, 13th ed.

Ⅲ 치과주조법

학/습/목/표

❶ 주조의 전 과정을 이해한다.
❷ 주조의 각 단계별 목표와 방법을 이해한다.
❸ 주조결함의 원인과 예방법을 이해한다.

주조(casting)란 내화성 재료로 주형(casting mould)을 준비한 다음 여기에 금속을 녹여서 주입하여 원하는 모양과 크기의 주조체를 만드는 방법을 말한다. 주조에 의한 성형법은 가공으로는 만들기 어려운 복잡한 형상의 물건을 만드는데 편리하다. 치과영역에서는 왁스소실법(lost wax technic)이라고 하는 주조방법이 적용되고 있다. 왁스소실법은 정밀주조법의 일종으로, 왁스로 패턴(pattern)을 준비하고, 이것을 매몰재로 매몰하여 경화하고, 가열하여 왁스를 외부로 유출 소각하는 방식으로 주형을 형성하고, 여기에 금속을 용융시킨 다음 주입하여 주조체를 만드는 방법이다(그림 9-15). 이상의 모든 과정이 모든 과정이 조심스럽게 진행될 경우, 오차 범위 0.05%의 정밀한 주조체를 얻을 수 있다. 임상적인 견지에서 0.05%의 오차는 용인될 수 있는 수준이다.

치과영역에서 주조의 목적은 치질의 결손된 부분을 금속으로 정밀하게 수복해주기 위해서 이다. 인레이나 금관과 같은 크기가 작은 것으로부터 여러 개의 치아에 걸쳐 있는 브릿지나 의치의 금속상과 같은 크기가 큰 것까지 주조가 가능하며, 귀금속 합금뿐만 비귀금속 합금의 경우에도 한 번의 주조에 의해 정밀한 주조체를 제작하는 것이 가능하다.

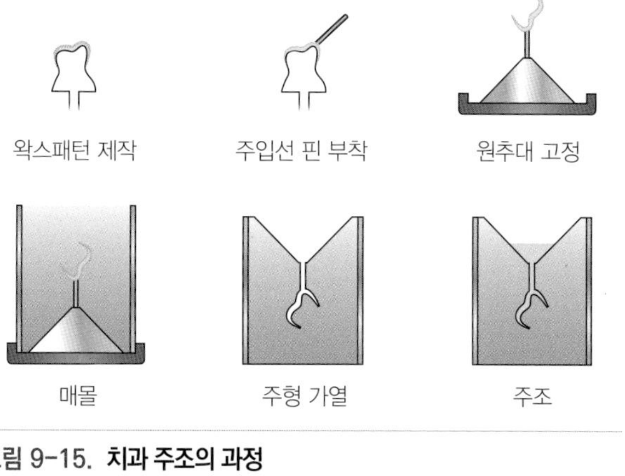

그림 9-15. 치과 주조의 과정

1. 왁스 패턴의 제작

왁스 패턴은 직접법 또는 간접법으로 제작할 수 있다. 직접법은 환자 구강 내의 형성된 와동에서 직접 왁스 패턴을 제작하는 방법이고, 간접법은 환자의 구강을 복제하여 준비한 작업모형 상에서, 즉 구강 밖에서 왁스 패턴을 제작하는 방법이다. 일반적으로, 수복 범위가 작은 단순 와동의 경우에는 직접법이 적용되지만, 모양이 복잡하거나 크기가 큰 수복물의 경우에는 간접법이 적용된다.

1) 직접법

환자 구강 내의 형성된 와동에서 직접 왁스 패턴을 제작할 때는 37℃에서 유동성을 보이지 않는 경질 왁스(hard wax)가 사용되며 연화압접법이 널리 적용되고 있다. 왁스를 구강 내의 와동에 압접할 때는 적절한 유동성을 가져서 와동의 미세한 부위까지 재현이 이루어지도록 충분한 가열이 요구된다. 왁스의 가열에는 항온수조 또는 화염이 이용될 수 있다. 화염을 사용할 때는 전체적으로 균일하게 가열이 되도록 조금 떨어진 위치에서 가열하는 것이 좋다. 왁스를 지나치게 가열하면 환자에게 불쾌감을 주거나, 조직에 열손상을 주거나, 유동성이 크게 증가하는 등 사용에 어려움이 따른다. 왁스가 적절한 유동성을 가졌을 때 압접을 하고 해부학적 형태로 조각을 한다. 이 때 왁스가 녹지 않을 정도로 가열한 조각도를 사용하여 조각하는 것이 좋다. 조각할 때 가열한 조각도를 사용하면 내부 응력의 발생을 줄여준다.

2) 간접법

직접법과는 달리 간접법(indirect method)은 환자의 구강을 복제하여 모형 상에서 왁스 패턴을 제작하는 방법으로, 왁스는 실온에서 변형이나 유동을 보이지 않는 연질 왁스가 사용된다. 석고로 제작한 모형은 마모저항성이 낮기 때문에 왁스 패턴을 조각할 때 주의가 필요하다. 왁스 패턴이 모형에서 쉽게 분리되도록 하기 위해 모형의 표면에 글리세린(glycerin) 이나 에틸렌 글리콜(ethylene glycol)과 같은 분리제를 얇게 바른다. 직접법의 경우에는 구강 내 타액의 얇은 막이 분리제로 작용하므로 별도의 분리제가 필요하지 않다. 왁스 패턴의 제작 시는 왁스를 적절한 유동성을 갖게 한 상태에서 모형 상에 압접하거나 녹여서 조각도로 첨가하는 방식이 적용된다. 근래에는 광학인상에 의해 지대치의 디지털 모형을 준비하고 컴퓨터 상에서 수복물을 디자인한 다음 왁스나 레진으로 제작된 블록을 밀링가공하여 패턴을 제작하는 방법도 활용되고 있다.

2. 주입선

주입선(sprue, sprue former)은 매몰할 때 왁스 패턴을 고정하는 역할을 하지만, 왁스를 제거하기 위해 소환(burnout)할 때 녹은 왁스가 흘러나오는 통로의 역할을 하고, 그리고 주조할 때는 용융된 금속이 주형에 유입되는 통로의 역할을 한다. 주입선은 통상적으로 주입선 핀(sprue pin)이 사용되지만, 브릿지나 국소의치의 금속 구조물을 제작할 때는 왁스나 플라스틱으로 만들어진 기성의 주입선을 사용한다. 주입선을 부착할 때는 주조체의 크기와 모양 등에 따라 주입선의 위치와 방향, 개수, 종류, 직경 및 길이 등이 고려되어야 한다.

1) 주입선의 위치 및 방향

주입선의 부착 위치는 왁스 패턴의 모양을 보고 결정해야 하지만, 일반적으로 용융된 금속이 흐르기 쉽고 변연부에서 멀리 떨어진 두꺼운 위치에 설치하는 것이 좋다. 금관의 경우에는 교합면의 형태나 인접면 접촉부의 훼손을 최소화하기 위해 비기능교두의 바로 아래에 부착하는 경우가 많으며, 부착에 따른 변형이 작으면서도 용융금속이 오랫 동안 유지되도록 하기 위해 왁스 패턴의 가장 두꺼운 부위에 설치한다. 주입선을 부착할 때 기능교두와 변연융선부는 피하는 것이 좋다.

2) 주입선의 수

용융된 금속의 유입시간을 단축하고 주조 효율을 개선하기 위해서는 직경이 굵고 길이가 짧은 주입선을 여러 개 부착하는 것이 좋다. 그렇지만, 주입선의 부착으로 인해 왁스 패턴의 원형이 손상되는 일은 없어야 한다.

금관보다 크기가 큰 주조체, 예를 들면, 국소의치의 금속상을 주조하는 경우에 여러 개의 주입선을 부착하면 한쪽 부분에서 응고가 진행되기 전에 용융된 금속이 주형 전체에 채워지므로 주조체의 변형이 작아진다.

3) 주입선의 종류

주입선으로는 직경 1~2.5 mm 정도의 가는 금속 핀(solid sprue pin), 금속관(hollow sprue pin), 왁스 또는 플라스틱 등이 사용되고 있다. 금속 핀의 소재로는 표면에서 산화가 일어나기 어려운 스테인리스강으로 된 것이 좋다. 왁스 패턴의 크기가 작은 경우에는 금속 핀이 주로 사용되지만, 왁스 패턴의 크기가 크고 모양이 복잡한 경우에는 왁스나 플라스틱으로 된 주입선이 널리 사용된다.

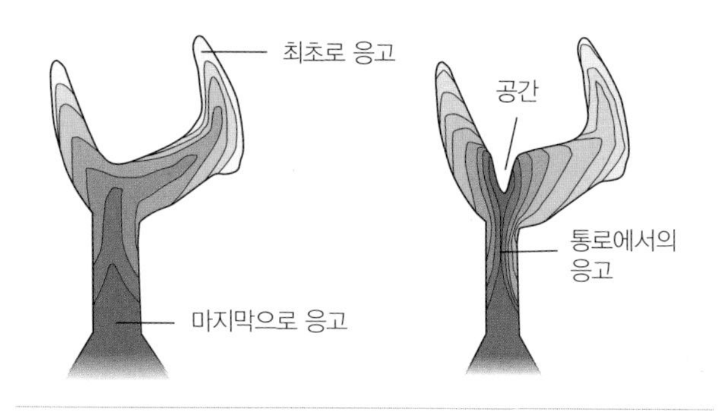

그림 9-16. 주입선 직경이 작아서 먼저 응고가 진행되어 결함이 생성된 경우

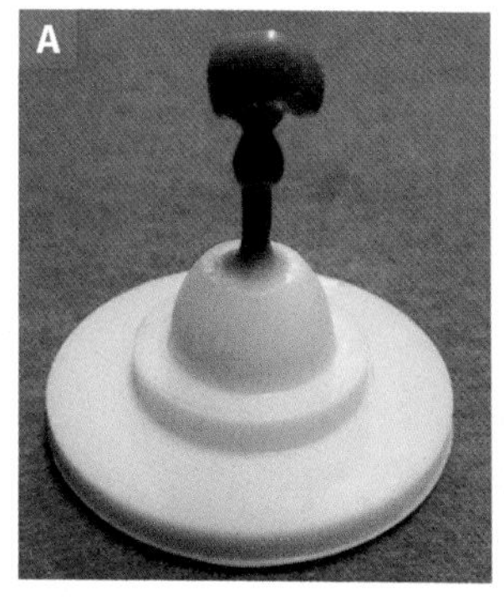

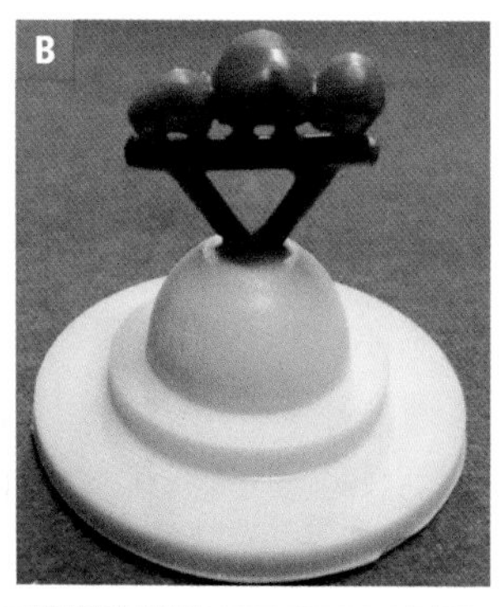

그림 9-17. 응고수축으로 인한 결함이 생성되지 않도록 주입선에 리저버(reservoir)를 형성한 상태
A 단일치관의 왁스 패턴에 직접적으로 리저버를 형성한 것, **B** 3-unit 브릿지의 왁스 패턴에 간접적으로 리저버를 형성한 것

4) 주입선의 직경

주입선의 직경은 주조체의 크기, 용융된 금속의 흐름성, 응고수축의 보상 등을 고려하여 선정해야 하지만, 주조체의 형태를 손상시키지 않는 한 가능하면 굵은 것이 좋다. 주입선이 너무 가늘면, 용융된 금속의 유입이 어려워져 통로에서 먼저 응고가 진행되어 주조체에 결함이 생성될 수 있다(그림 9-16). 이러한 문제의 발생을 억제하기 위해 주입선의 직경은 왁스 패턴의 최대 두께와 직경이 같거나 이보다 두껍게 형성할 필요가 있다. 반대로 주입선이 너무 굵으면, 주형내부의 압력이 상승하여 주조체의 표면이 거칠어지거나, 주형내부의 압력 상승으로 인해 주조체의 변연이 불룩해지나, 매몰재 주형의 파절이 일어나거나 하는 등의 문제가 발생할 수 있다.

주입선의 직경은, 작은 인레이의 경우 직경 1.3 mm, 대부분의 인레이의 경우 직경 2.0 mm, 큰 금관의 경우 직경 2.6 mm 정도의 것이 많이 사용된다.

5) 주입선의 길이

주입선의 길이는 가능하면 짧은 것이 좋지만, 주조 링의 길이와도 관계가 있다. 주입선의 길이가 너무 짧으면, 왁스 패턴과 주형 바닥 사이의 거리가 멀어져서 통기성이 불량해지므로 주형 내부의 공기가 빠져나가지 못하여 주조체의 주형 바닥측에 결함이 생성될 수 있다. 반대로 주입선의 길이가 너무 긴 경우에도 용융금속의 유입이 어려워져서 주조체에 결함이 생성될 수 있다.

6) 리저버의 형성

용융금속이 응고되는 과정에서는 수축이 일어나므로 최종 응고부에는 응고수축으로 인한 결함이 생성되기 쉽다. 응고수축을 보상하기 위해서는 주조체가 응고된 이후까지 용융 상태의 금속을 유지할 필요가 있으며, 이를 위해 왁스 패턴에 가까운 위치에 리저버(reservoir)를 형성한다(그림 9-17). 리저버의 크기는 왁스 패턴의 가장 두꺼운 부분과 직경이 동일하거나 조금 큰 직경이 되도록 형성한다. 리저버는 주입선의 직경이 작은 경우에는 반드시 형성해야 하지만, 굵고 짧은 경우에는 반드시 필요한 것은 아니다. 리저버의 형성이 요구되는 경우에는 왁스 패턴에서 1 mm 정도 떨어진 위치의 주입선에 왁스를 첨가해서 형성한다.

7) 주입선 핀 부착 시 유의사항

금속제의 주입선 핀은 표면에 왁스를 얇게 발라서 사용

하는 것이 좋다. 주입선 핀을 부착할 때는 왁스 패턴의 부착 부위에 왁스를 조금 녹여서 붙인 다음 주입선 핀을 가열하여 부착한다. 이 때 왁스 패턴이 열에 의해 변형되지 않도록 주의한다. 왁스로 내부를 채운 금속관이 금속핀보다 왁스 패턴에 더 잘 부착된다. 금속관의 내부에 왁스를 채우지 않고 부착하면, 금속관 내부로 왁스 패턴의 왁스가 빨려 들어갈 수 있다. 매몰재의 경화 후 주형을 가열하면 주입선 핀은 통로를 손상시키지 않고 잘 빠져 나온다.

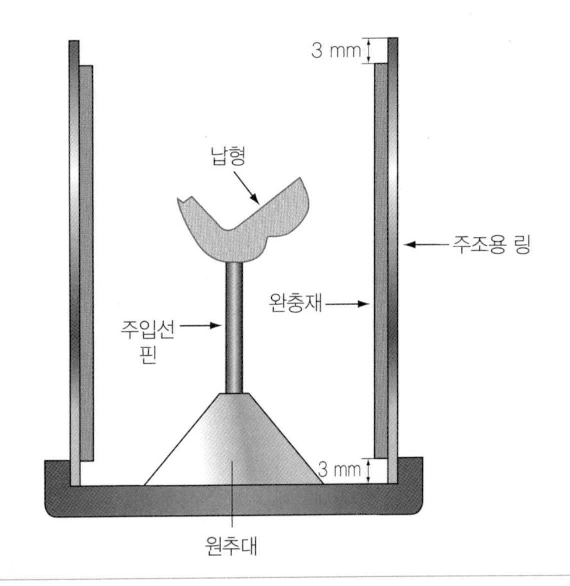

그림 9-18. 왁스 패턴을 매몰하기 위해 준비한 상태

3. 왁스 패턴의 원추대 고정

원추대는 매몰과정에서 주입선을 부착한 왁스 패턴을 고정하는 받침대의 역할을 하지만, 이외에도 매몰재 주형 내에서 왁스 패턴의 위치를 결정하고, 용융된 금속이 주입선을 따라 유입될 수 있도록 벽을 형성해준다. 원추대는 매몰법과 주조법에 따라서 여러 가지 종류가 사용된다. 보통은 고무제품이 사용되지만, 금속제 또는 플라스틱제도 사용된다.

4. 주조 링의 선정과 완충재의 이장

주조 링(casting ring)은 주조체의 크기와 합금의 종류에 따라 다양한 종류와 크기의 것이 사용된다. 석고계 매몰재는 가열하면 부서지기 쉬우므로 주형의 파손방지를 위해 금속제의 주조 링이 사용되며, 주로 철 또는 스테인리스강제 링이 사용된다. 매몰재가 금속 링 안에서 경화되거나 가열되면 매몰재의 팽창이 견고한 금속 링에 의해 구속을 받으므로 주형의 팽창이 일어나기 어려울 뿐만 아니라 매몰재 내에도 응력이 발생한다. 이러한 점 때문에 인산염계 매몰재에서는 금속제 링을 사용하기도 하지만, 매몰재의 팽창이 주조 링에 의해 구속되는 것을 방지하기 위해 유연한 고무나 플라스틱제 링을 사용하여 링레스(ringless) 주조를 행하기도 한다.

금속의 주조과정에서 일어나는 수축을 보상하기 위해 매몰재 주형의 경화와 가열과정에서 팽창을 유도하고 있다. 매몰재 주형의 팽창이 주조 링에 의해 억제되는 것을 방지하기 위해 주조 링의 내면에 완충재(asbestos)를 이장한다. 완충재의 이장 효과는 이외에도 주조과정에서 발생하는 가스의 배출을 용이하게 하고, 주조 후 링을 실온에 방치하는 동안에 일어나는 급격한 열발산을 억제하며, 또한 주조 후 주조 링과 매몰재의 분리를 용이하게 하는 등의 효과가 있다.

완충재를 이장할 때는 매몰재 주형의 고정을 위해 주조 링의 양 끝에서 3 mm 정도는 대지 않아야 한다(그림 9-18). 완충재의 이장효과는 어느 정도 완충재의 두께에 의존한다. 주형이 클수록 팽창량도 증가하므로 두꺼운 완충재의 이장이 요구된다. 완충재가 너무 얇게 되면 이장효과를 기대할 수 없으므로 두께가 1 mm 이하가 되어서는 안 된다. 링레스(ringless) 주조의 경우에는 주형의 팽창이 주조 링에 의해 억제되지 않으므로 완충재를 이장할 필요가 없다.

5. 매몰 조작

1) 매몰재의 선정

매몰재는 내화재와 결합재로 구성되어 있다. 매몰재의 주성분인 내화재(refractory material)로는 실리카(SiO_2)의 동소체인 크리스토발라이트(cristobalite)와 석영(quartz)이 주로 사용되고 있다. 합금의 주조수축이 큰 경우에는 크리스토발라이트가 사용되고 작은 경우에는 석영이 사용되지만, 이 둘의 혼합물이 사용되기도 한다. 매몰재를 경화시키기 위한 결합재(binder material)로는 석고, 인산염, 규산염 등이 사용되고 있다. 석고계 매몰재는 융점 1,100℃ 이하 합금의 주조에 사용하고, 인산염계 매몰재나 규산염계 매몰재는 유점 1,100℃ 이상 합금의 주조에 주로 사용한다.

2) 왁스 패턴의 위치

매몰재 주형의 팽창은 주조 링 내의 모든 위치에서 균일하지 않다. 주형의 균일한 팽창을 유도하여 주조체의 변형을 균일한 팽창과 변형을 최소화하기 위해서는 왁스 패턴이 주조 링의 중앙부에 오도록 매몰하는 것이 바람직하다.

3) 배기공

주형은 용융금속의 유입압력에 견딜 수 있는 정도의 강도와 내부의 공기가 쉽게 빠져나갈 수 있는 정도의 통기성을 가져야 한다. 주형 내부의 공기는 용융금속이 유입함에 따라 주형의 바닥 측으로 빠져나가는 것이 좋다. 그렇지만 주형의 바닥이 너무 두꺼워서 내부의 공기가 잘 빠져나가지 못하면 용융된 금속이 유입되지 못하여 결함이 생성되거나, 주조체의 변연부가 둥글게 되거나, 주조체 변연부의 미세한 부분이 잘 형성되지 않게 된다. 이러한 결함 생성의 문제점을 개선하기 위해 통기성이 불량한 주형의 바닥 측에 배기공(air bent)을 형성하면 효과가 있다. 배기공을 형성하는 방법에는 직접법과 간접법이 있다. 직접법은 왁스 패턴에 직접 배기공을 붙여서 형성하는 방법이고, 간접법은 주형의 두꺼운 바닥 측 중앙부에 공동을 형성하는 방법이다. 이렇게 하면 용융금속이 유입될 때 주형 내부의 공기가 보다 쉽게 빠져나가게 된다(그림 9-19).

4) 계면활성제

왁스는 물에 잘 젖지 않기 때문에 물로 혼합한 매몰재 혼합물을 왁스 패턴의 표면에 균일하게 도포하는 것은 쉽

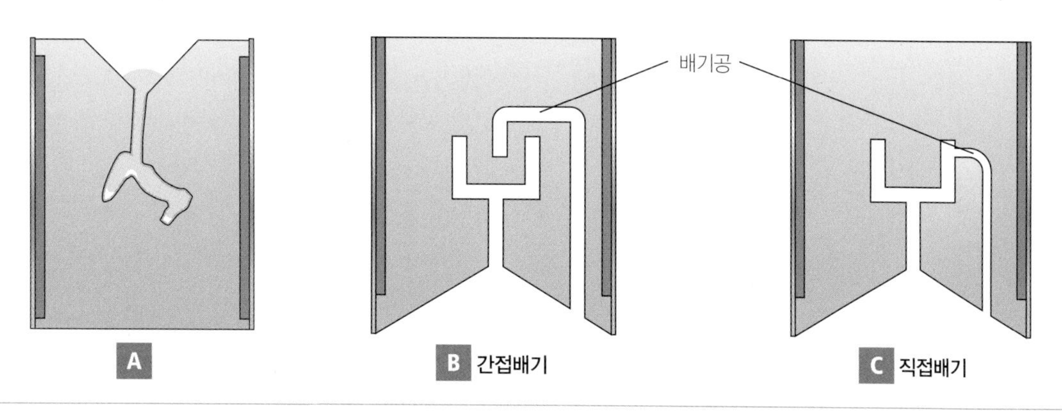

그림 9-19. A 왁스 패턴이 주형의 바닥으로부터 너무 멀리 떨어져서 주입구에서 멀리 떨어진 주형바닥측에 주조결함이 발생한 상태, B 간접 배기공을 설치한 상태, C 직접 배기공을 설치한 상태

지 않다. 왁스 패턴과 매몰재 사이의 매몰재가 경화되므로 표면에 다수의 기포가 부착된 상태에서 매몰재가 경화되면 주조체 표면에 돌기상의 결함이 생성된다. 젖음성의 개선을 위해 보통 왁스 패턴의 표면에 계면활성제를 얇게 도포하고 가볍게 건조한 상태에서 매몰을 시행한다. 계면활성제는 왁스를 용해시키거나, 매몰재의 경화를 지연시키거나, 주조체 표면을 거칠게 하는 원인이 될 수 있으므로 과도하게 도포하지 않도록 주의한다.

5) 매몰재 혼합

매몰재는 물 또는 콜로이드 실리카를 함유하는 전용액을 사용하여 제조회사가 추천하는 혼수비 조건으로 혼합을 한다. 매몰재는 손으로 혼합하기도 하지만, 혼합과정에서 기포가 혼입되는 것을 방지하기 위해 감압 하에서 기계식 혼합기를 사용하여 혼합하기도 한다. 감압 하에서 기계식으로 혼합하면 혼합과정에서 생성되는 기포를 제거할 수 있을 뿐만 아니라 매몰재의 혼합과정에서 발생하는 화학반응으로 인해 생성되는 유해가스의 배출을 유도할 수 있다.

감압 하에서 매몰재를 혼합하면 매몰재 내부의 기포가 감소되므로 주조체의 표면이 더욱 매끄럽게 될 뿐만 아니라 미세부의 재현성도 좋아진다. 진공혼합으로 매몰재 내부의 기공은 다소 감소되지만, 내부기포가 완전히 제거되지는 않는다.

6) 매몰재의 주입

매몰재를 주입할 때는 왁스 패턴의 표면에 기포가 형성되는 것을 억제하기 위해 매몰재 혼합물을 부드러운 붓으로 일차 바른다. 이어서 혼합물에 공기가 유입되지 않도록 주조 링의 가장자리를 따라서 흘러내리듯이 조금씩 주입하여 아래쪽으로부터 채워지게 한다. 매몰재의 유입과정에서 진동기로 가볍게 진동을 가하면 매몰재 내의 공기방울들이 위로 올라와서 제거된다. 이 때 왁스 패턴 주위의 공기방울들은 쉽게 제거되지만, 왁스 패턴의 하부에 공기 방울들이 모일 수 있는데, 이것은 진동을 가하는 동안에 주조 링을 기울여줌으로써 제거할 수 있다. 매몰재 혼합물 내부에 공기방울이 포함되어 있을 경우 이것들은 왁스 패턴의 표면으로 모일 수 있으며, 이 상태에서 주조가 이루어질 경우 주조체의 표면에 혹과 같은 돌기상의 결함이 생성된다.

매몰재 주형은 혼합을 개시한 시점으로부터 45~60분이 경과하면 경화되어 가열에 견딜 수 있는 정도의 강도를 갖게 된다.

6. 주형의 가열 조작

주형을 가열하는 목적은, 왁스를 용융 소각하여 용융된 금속이 유입될 수 있는 빈 공간을 형성하고, 매몰재 내의 습기와 기화성 요소를 제거하고, 용융금속이 유입되는 과정에서 응고가 일어나는 것을 방지하고, 매몰재 주형을 적절하게 열팽창시켜 주조수축을 보상하기 위해서 이다.

1) 왁스의 제거

왁스는 탄소, 수소, 질소로 이루어진 유기물질이다. 왁스는 고온으로 가열하면 이산화탄소(CO_2), 물(H_2O), 산화질소(NO) 등의 기체로 분해되어 쉽게 제거된다. 이러한 기체의 형성은 산소의 공급 여부, 가열로 내부의 온도, 가열시간 등에 의존한다. 주형의 내부에서 왁스 성분이 완전하게 제거되지 않으면, 탄소 미립자가 매몰재 주형의 기공부를 막게 되므로 주형의 통기성이 저하된다. 또한 주형 내부의 벽면에 탄소 미립자가 남아있으면, 이것들이 주조체 표면에 합입되어 검은 변색층이 생성되며 이것은 산세(pickling)로도 제거되지 않는다.

2) 주형의 가열

매몰재가 경화되면 주조 링에서 원추대를 조심스럽게 분리하고, 주조 링 끝에 붙어 있는 불필요한 매몰재를 제거한다. 전기로 내부의 온도는 벽면과 중앙부에서 차이가 나므로 주형을 벽면에 가깝게 두지 않도록 주의한다.

매몰재는 열전도도가 낮은 재료이므로 전체적으로 균일한 온도로 가열하기 위해 서서히 가열하는 것이 좋다. 주형을 미리 가열한 전기로에 집어넣어서 급속하게 가열하면 주형의 팽창이 불균일해지거나, 매몰재 내부에 잔존하는 수분의 비등으로 인해 주형의 표면이 거칠어지거나, 주형 내외부의 온도차이로 인해 금이 가거나 할 수 있다.

매몰재 주형은 내화재의 α →β 상전이 온도(크리스토발라이트 220℃, 석영 573℃)에서 급격한 팽창이 일어나므로, 이 온도 부근에서는 서서히 가열할 필요가 있다. 석영 매몰재보다 상대적으로 열팽창이 큰 크리스토발라이트 매몰재에서 특히 그러하다.

주형은 왁스 패턴을 매몰하고 2~3시간이 경과한 후 가열하는 것이 좋다. 주형을 가열할 때 처음 30분 동안은 주입선이 아래로 향하게 하여 용융된 왁스의 대부분이 흘러내리게 한다. 이후 주조 링을 뒤집어서 주입선이 위로 향하도록 한 상태에서 30분 정도 가열하여 잔류하는 왁스를 기화시킨다. 주조를 할 때는 주입선 내부의 이물질 제거를 위해 주입선 통로를 아래로 향하게 해서 몇 차례 가볍게 탁탁 친 후 주조를 시행한다.

왁스는 비교적 낮은 온도에서 녹지만 완전하게 제거하기 위해서는 약 500℃에서 소각이 요구된다. 그렇지만 주형을 충분히 팽창시키고 용융된 금속이 주입구 통로에서 응고되는 것을 방지하기 위해 이보다 조금 더 높은 온도로 가열한다. 주형은 일반적으로 합금의 융점보다 약 300℃ 이상 낮게 가열하며, 석고계 매몰재는 650℃, 인산염계 매몰재는 800~900℃로 가열한다. 탄소 분말을 함유하는 매몰재는 온도를 올려서 탄소분말을 소각한 다음 온도를 낮추어서 주조하는 방법이 추천되고 있다. 주형의 온도가 높을수록 주조성은 개선되지만 너무 높으면 주조체의 표면거칠기가 증가되는 원인이 될 수 있다. 주형의 가열 시에는 온도조절이 잘 되는 전기로를 사용하고, 주형이 적정온도에 도달하면 즉시 주조한다.

석고계 매몰재는 융점 1,100℃ 이하인 금합금의 주조에 주로 사용한다. 석고계 매몰재는 약 1,000℃ 부근에서 열분해가 일어나지만, 왁스 패턴의 불완전 연소로 인해 탄화물이 잔류하거나 매몰재 성분이 탄소를 함유하는 경우 700℃ 이상에서 열분해가 일어난다. 열분해 과정에서는 부식성이 큰 이산화황(SO_2)이나 아황산가스(SO_3)가 발생하고, 이것들이 주조금속을 오염시켜 생성되므로 주조체가 취약하게 될 수 있다(식 17-1~3).

$$CaSO_4 + 4C \rightarrow CaS + 4CO \quad (17\text{-}1)$$

$$CaS + 3CaSO_4 \rightarrow 4CaO + 4SO_2\uparrow \quad (17\text{-}2)$$

$$4CO + 2CaSO_4 \rightarrow CaO + CaS + SO_3\uparrow + 4CO_2 \quad (17\text{-}3)$$

인산염계 매몰재는 융점 1,100℃ 이상인 금속-세라믹용 합금과 Co-Cr계 합금 등의 주조에 주로 사용한다. 인산염계 매몰재를 고온으로 가열하면 소결이 일어나 통기성이 불량해지며, 이러한 문제점을 개선하기 위해 일부의 매몰재에서는 탄소분말을 1~2% 첨가한 후 이것을 소각하여 기공률을 개선하고 있다.

7. 합금의 용융

1) 합금의 용융을 위한 열원

주형으로부터 왁스를 완전하게 제거한 후 주조하기에 적합한 온도에 도달하면, 합금을 용융해서 신속하게 주형 내부의 빈 공간으로 유입시켜야 한다. 합금을 용해하면 그 과정에서 산화가 일어나거나, 수소, 산소, 유황 등의 가스를 흡수하거나 하여 주조체의 성질이 저하된다. 이러한 문제점을 줄이기 위해 합금을 녹일 때는, 가능하면 신속하게 완전한 용융상태로 가열할 것, 용융상태에서 합금이 산화되지 않도록 할 것, 필요 이상으로 과열되지 않도록 할 것, 소각으로 인해 합금의 조성이 변화되지 않도록 할 것 등이 요구된다. 또한 용해 시의 분위기를 불활성화하기 위해 흡인 감압을 한 다음 아르곤 가스를 주입하는 방식이 적용되고 있다.

합금을 용해하기 위해 열원으로는 가연성 가스, 전기저항로, 고주파유도가열로, 아크로 등이 사용된다. 가연성 가스로는 도시 가스, 프로판 가스, 아세틸렌 가스 등이 사용되고, 공기 또는 산소를 혼합하여 연소를 하며, 이들의 조합에 따라 발생한 화염의 온도가 차이를 보인다(표 9-6).

가연성 가스의 화염을 이용하는 토치(torch) 방식은 사용이 간편하고 능률적이기는 하지만, 합금이 산화되거나 과열되지 않도록 주의할 필요가 있다. 블로우 파이프((blowpipe)의 분사구(nozzle)로부터 분출되는 잘 조절된 화염에서는 미연소대, 연소대, 환원대, 산화대가 관찰되며(그림 9-20), 합금의 효율적 용해를 위해 산화대는 피하고 환원대의 화염을 이용한다. 전기를 이용하여 합금을 녹이는 장치에는 전기저항로, 고주파유도가열로, 아크로 등이 있다. 고주파유도가열로와 아크로는 고융점의 합금이라 할지라도 불과 수십초의 짧은 시간 동안에 용해하는 것이 가능하다. 합금의 융점이 1,000℃ 이하인 금합금의 용해 시에는 가연성 가스의 화염을 이용하는 토치방식이 널리 적용되지만, 이보다 융점이 높은 합금의 용해 시에는 고주파 유도가열이나 아크를 이용한 용해 방식이 채택되고 있다.

표 9-6. 합금의 용융에 사용되는 용해열원과 그의 사용온도 범위

열원의 종류	용해열원	사용온도(℃)
가연성 가스	공기-도시가스	800~1,100
	공기-프로판가스	800~1,200
	산소-도시가스	1,100~1,600
	산소-프로판가스	1,100~1,700
	산소-아세틸렌	1,200~2,500
전기	백금저항선전기로	800~1,400
	고주파유도가열로	1,100~2,500
	아크	1,100~3,000 이상

2) 융제

합금이 녹기 시작하면 적당량의 융제(flux)를 첨가한다. 융제는 용해된 금속의 표면을 피복하여 산소와의 접촉을 차단함으로써 용탕의 산화를 방지하고, 용탕 내부로 공기가 들어가서 주조체에 기포가 생성되는 것을 방지하고, 금속산화물이나 불순물 등을 제거하는 청정제의 역할을 하고, 또한 용해된 금속의 유동성을 증가시켜 주조성을 개선하는 역할을 한다. 첨가하는 융제의 양이 너무 적으면 효과적이지 않고, 너무 많으면 융제가 주조체로 흘러들어가서 주조체가 불량해질 수 있다. 융제는 합금보다 융점이 낮고 쉽게 기화되지 않아야 효과적이다.

일반적으로, 금합금의 주조 시에는 붕사(borax,

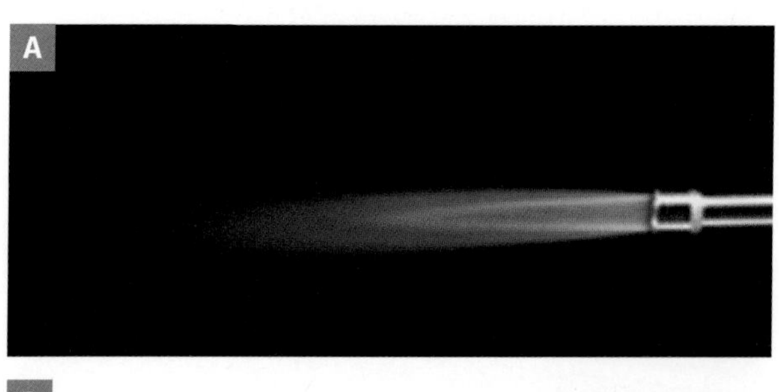

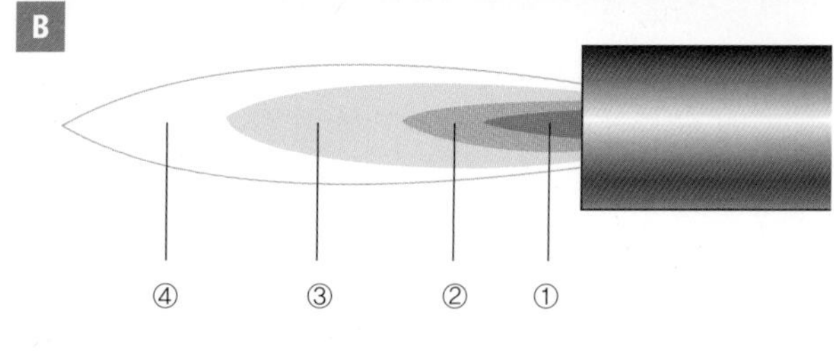

그림 9-20. 토치의 화염(A) 과 그의 모식도(B)
① 미연소대 ② 연소대 ③ 환원대 ④ 산화대

$Na_2B_4O_7 \cdot 10H_2O$) 또는 붕사와 붕산의 혼합물이 사용된다. 이것은 약 740℃에서 녹고 760℃에서 유동성을 보이며, 금합금에 존재하는 주된 산화물인 산화구리를 용해시키는 작용을 한다. 금합금보다 융점이 낮은 은합금의 경우에는 붕불화칼륨, 불화칼륨, 염화칼륨 등의 불화물 혼합물이 융제로 사용된다. 융점이 1,100℃ 이상인 비귀금속 합금의 용해 시에는 거의 융제를 사용하지 않는다.

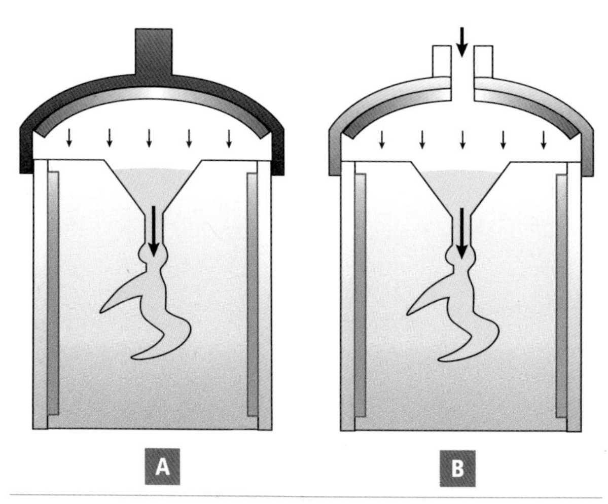

그림 9-21. 가압식주조법 A 압박주조, B 공기압주조법

8. 용해된 합금의 주입

1) 주입 온도

합금을 녹이기 시작하여 주조온도에 달하면 즉시 어느 정도의 압력을 가하여 주형의 내부로 용융된 합금을 주입해야 한다. 주입온도가 높을수록 용해된 합금의 유동성이 증가되므로 주조성은 개선된다. 그렇지만 주조온도가 너무 높으면, 용해된 합금이 과열되어 산화, 가스의 흡수, 저융점 합금원소의 연소 및 기화가 일어나므로 합금이 변질되어 주조체가 취약해진다. 주입온도는 일반적으로 합금의 융점보다 약 10% 높은 온도(50~150℃)가 적당하다.

융점 870~1,000℃ 범위의 금합금을 가열하여 온도가 융점보다 50~100℃ 높아지면 용융된 금합금은 주조하기에 충분한 유동성을 갖는다. 이 온도에서 금합금은 밝은 오렌지색을 띠며 거울과 같은 표면(mirrorlike surface)이 되고, 이것은 불꽃의 움직임에 따라 회전하거나 움직이는 경향을 보인다.

2) 주입 압력

주입 압력은 용융된 합금이 주형의 내부로 유입되는데 필요한 압력으로, 주입 압력이 높을수록 주조과정에서 실패는 줄어든다. 그렇지만 주입 압력이 너무 높으면, 주형의 벽이 붕괴되어 주조 실패를 초래할 수 있고, 반대로 너무 낮으면, 주형 내부의 가스와 공기가 외부로 배출되지 못해 주조체에 결함이 생성되기 쉽다.

3) 주입방법

(1) 가압식 주조법

가압식 주조법(그림 9-21)에는 용융된 금속을 주형에 주입할 때 수증기를 사용하는 압박주조법과 압축공기(가스)를 사용하는 공기압(가스)주조법이 있다. 압박주조법은 발생하는 수증기의 압력을 이용하는 방식으로, 장치가 간단하고 단시간 동안에 높은 압력이 얻어지지만, 압력의 변동이 심하고 지속성이 떨어진다. 공기압(가스)주조법에서는 압축공기(가스)를 사용하므로 주조압의 조절과 지속이 용이하다.

(2) 원심주조법

원심력을 이용하여 용융된 금속이 주형에 유입되도록 하는 방식(그림 9-22)이다. 주조압은 용융된 금속의 밀도 및 주조기 꺾임 팔(broken arm) 부분의 회전반경과 회전속도 등에 의해 결정되며, 이들 가운데 가장 영향이 큰 것은 회전속도이다. 주조압을 지속적으로 가할 수 있을 뿐만

그림 9-22. **원심주조기**

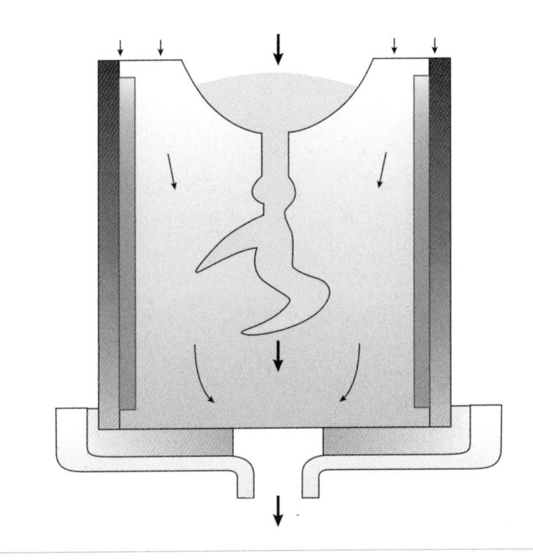

그림 9-23. **흡인주조**

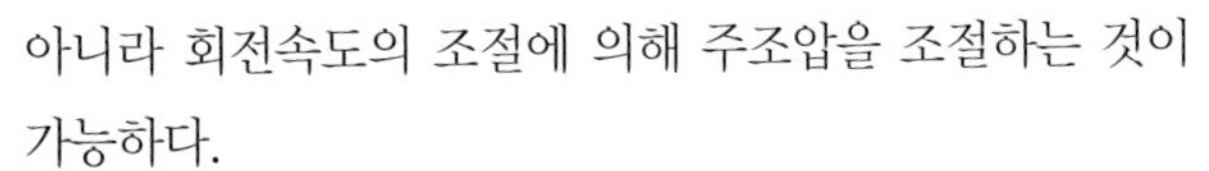

아니라 회전속도의 조절에 의해 주조압을 조절하는 것이 가능하다.

금합금의 원심주조 과정을 살펴보면, 다음과 같다. 먼저 적절한 회전속도를 얻기 위해 주조기의 꺾임 팔 부분의 스프링 부분을 2~5회 감아준다. 주조기의 꺾임 팔부분에 세라믹제 도가니를 올려놓고 그곳에서 토치의 화염으로 합금을 가열한다. 합금이 녹아서 주조에 적합한 유동성이 생기면, 가열해 둔 주형을 전기로에서 꺼내어 주조기에 위치시킨 다음 주조기의 스프링 잠금장치를 해제한다. 이렇게 해서 주조기의 꺾임 팔 부분이 회전운동을 개시하면 용융된 금속이 주형의 내부로 유입된다.

금합금 주조체가 냉각되어 색이 적색에서 700℃ 이하의 검은 색으로 변하면, 주조 링을 주조기에서 꺼내어 물속에 집어넣어 급냉한다. 주조 링을 급냉하면, 매몰재가 주조체에서 쉽게 제거될 뿐만 아니라 금합금 주조체가 연화되므로 마무리 연마가 용이해진다.

(3) 가압흡인주조법

주형의 저부로부터 흡인에 의한 감압을 하여 용탕이 주형의 내부로 유입되도록 하는 주조방법이다(그림 9-23). 주형 내부의 공기가 배기되므로 배압(back pressure)에 의한 주조결함이 생성되기 어렵지만, 매몰재의 통기성이 불량할 경우 주조성이 저하될 수 있다. 이러한 이유 때문에 흡인에 의한 감압과 공기 또는 아르곤 가스를 사용한 가압의 조합된 방식이 적용되고 있다.

9. 주조 후의 처치

주형의 냉각, 매몰재의 제거, 주조체 표면의 산화물 제거, 주입선의 절단 및 연마의 순서로 주조체의 처리가 이루어진다.

1) 주형의 냉각과 매몰재의 제거

주형의 냉각속도는 합금의 성질에 크게 영향을 미치므로 합금의 종류에 따라 냉각방법에서 차이가 있다. 석고계 매몰재를 사용하는 금합금의 경우에는 일반적으로 주조 후 곧바로 수중에서 급냉을 한다. 급냉을 하면 열충격으로 인해 매몰재가 부수어져서 주조체로부터 쉽게 제거

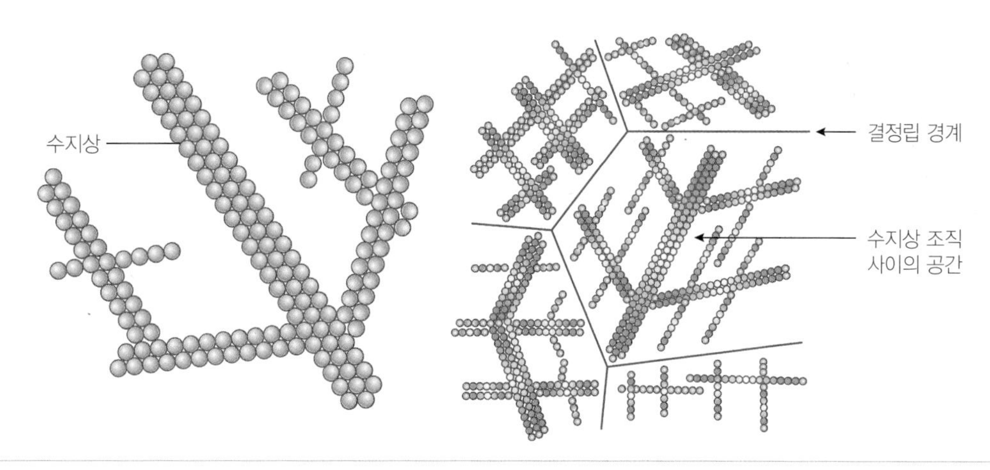

그림 9-24. 용융된 합금의 응고과정에서 만들어지는 수지상 조직에 대한 모식도

될 뿐만 아니라 주조체가 연화되어 표면의 연마가 용이해진다. 그렇지만 인산염계 매몰재를 사용하는 Ni-Cr 합금과 Co-Cr 합금 등의 비귀금속 합금의 경우에는 주조 후 실온까지 대기 중에서 냉각하는 방법이 추천되고 있다.

주조체에 부착되어 있는 매몰재의 제거를 위해 금속제 솔(metal brush), 분사처리기(sandblaster), 초음파세척기 및 전해연마 등이 활용된다. 분사처리를 하는 경우에는 연마재 분말의 종류와 분사압력에 따라 주조체 표면이 깎여나가거나 변연부가 손상될 수 있으므로 적절한 연마재의 선택과 분사압력의 조절이 요구된다.

2) 산세

주조과정에서 주조체의 표면에 산화물이나 유화물이 생성되면 색상이 변화되어 어둡게 보인다. 이러한 변색은 주조체를 산 용액에 넣고 가열함으로써 제거할 수 있으며, 이러한 처리과정을 산세(acid pickling)라 한다. 산세처리에 사용하는 용액은 합금의 종류에 따라 다르다. 금합금의 경우에는 30~50%의 염산이 사용된다. 주조체를 염산에 넣고 조금 가열하면 주로 검게 보이는 표면의 산화물인 산화구리가 제거된다. 이 때 금속제 집게를 사용하면 주조체와 집게의 사이에서 갈바니 전지가 형성되어 용해된 구리가 주조체 표면에 침착되어 변색을 유발하는 원인이 될 수 있다. 염산은 산화물과 매몰재 찌꺼기의 제거에는 효과적이지만, 작업실 내 금속의 부식 및 인체에 유해하므로 후드(hood)를 사용한 배기가 요구된다. 산세척이 끝난 후에는 주조체를 흐르는 물로 씻고 중탄산나트륨(sodium bicarbonate) 용액에 잠시 넣어서 산을 완전하게 중화시켜야 한다. Ni-Cr 합금과 Co-Cr 합금은 산세처리를 하지 않는다.

3) 주입선의 절단

기공용 엔진에 카보란담 디스크(carborundum disk) 또는 다이아몬드 디스크(diamond disc)를 고정하고 고속으로 회전시키면서 주입선 부분을 절단한다. 비귀금속 합금의 경우에는 적어도 20,000 rpm 정도의 고속회전이 요구된다.

4) 연마

주입선을 절단한 다음 잔여부분은 실리콘 카바이드 디스크(silicone carbide disc)와 스톤 휠(stone wheel) 등으로 외형에 맞게 다듬고, 고무 휠(rubber wheel) 종류, 스톤 포인트(stone point)와 고무 포인트(rubber point) 종류, 버(bur) 종류 등을 사용하여 적절하게 마무리 연마를 한다. 그리고나서 펠트 휠(felt wheel)이나 로빈슨 브러쉬(robinson brush)에 산화철(rouge, Fe_2O_3) 또는 산화크롬(Cr_2O_3)과 같은 연마재를 묻혀서 최종 마무리 연마를 한다.

10. 주조체의 조직

용융상태의 금속이 냉각되면 융점 이하의 온도에서 결정의 핵들이 생성되고, 여기에 주위의 원자들이 결합되며 성장이 일어나고, 마지막으로 주위에서 성장해오는 다른 결정들과 부딪치면서 성장이 정지된다. 이러한 이유때문에 주조한 합금은 보통 수지상(dendrite)의 조직이 된다(그림 9-24). 금속 수복물의 주조과정에서는 주형의 냉각속도가 빠르므로 합금의 주조조직을 살펴보면, 결정립의 중심부와 주변부에서 농도의 차이가 생기는 코어링 구조(coring structure)가 나타난다. 이와 같이 비평형 응고의 결과로 주조 조직의 조성이 불균일하게 되는 현상을 편석(segragation)이라고 한다. 이렇게 만들어진 합금을 원자의 고체 확산이 일어날 수 있는 온도의 범위에서 충분히 가열하면 균일한 조성의 조직이 얻어지며, 이것을 균질화(homogenization) 처리라 한다.

치과주조 수복물은 균질화 열처리를 하지 않고 그대로 사용하는 경우가 많다. 수지상정은 일반적으로 내식성이 떨어지므로 가능한 한 미세한 등축정(equiaxed crystal)을 얻는 것이 바람직하다(그림 9-25).

결정립의 크기는 금속의 기계적 성질과 밀접한 연관이 있으며, 일반적으로 결정립 크기가 작을수록 기계적 성질은 좋아진다. 금합금의 경우에는 주조 후 곧바로 주형을 수중에서 급냉하므로 어느 정도는 결정립이 미세화된다. 또한 합금에 결정립의 미세화를 유도하는 원소를 소량 첨가하면 수지상정의 형성이 억제되므로 미세한 등축정의 조직을 얻을 수 있다. 치과 주조용 금합금에서는 결정립의 미세화를 위한 원소로서 융점이 높은 백금족 원소인 이리디움(Ir)과 루데니움(Ru) 등이 사용되고 있다.

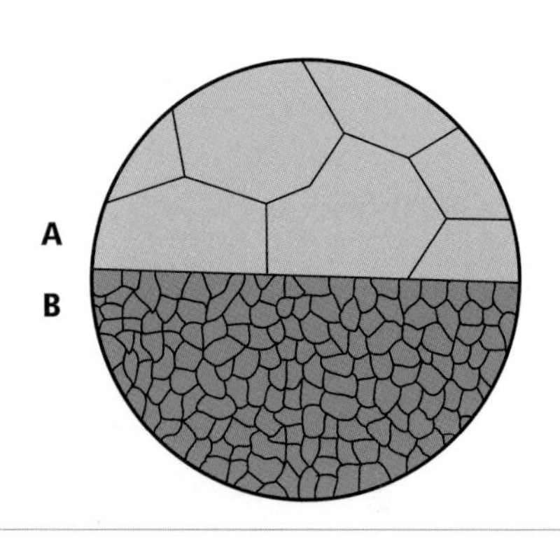

그림 9-25. 등축정을 설명하는 그림
A 큰 결정립 조직, B 미세결정립 조직

11. 주조체의 치수정밀도에 영향을 미치는 요인들

주조체의 치수정밀도는 주조체를 제작하는 과정에서 사용하는 인상재, 모형재, 왁스 또는 레진계의 패턴재, 매몰재 및 합금 등의 종류와 이들 재료의 조작방법에 따라서 영향을 받는다.

1) 합금의 주조수축

용융상태의 금속이 실온으로 냉각되는 과정에서 발생하는 수축은 액체상태에서의 냉각수축, 액체상태에서 고체상태로 변화하는 과정에서 체적변화로 일어나는 응고수축, 그리고 응고 후 실온까지 냉각하는 과정에서 발생하는 열수축을 들 수 있다. 이러한 이유로 인해 완성된 주조체는 원래보다 크기가 작아지게 되며, 이것을 주조수축(casting shrinkage)이라 한다. 합금의 주조수축은 주조체의 크기와 형상, 주조조건에 따라 차이를 보이지만, 치과

표 9-7. 치과주조용 합금의 주조수축율

합금	주조수축율
Au 합금	1.4~1.6%
Au-Ag-Pd 합금	1.5~1.7%
Ag 합금	1.1~1.3%
Co-Cr 합금	2.1~2.3%
Ni-Cr 합금	1.9~2.3%

용 합금의 경우 일반적으로 3% 이하의 수축을 보인다. 표 9-7는 몇몇 치과주조용 합금의 수축률을 나타낸 것이다.

2) 모형재의 팽창과 수축

석고계 모형재는 경화과정에서 결정이 침상으로 성장하며 0~0.3% 팽창을 보이지만, 레진계의 모형재는 중합반응의 과정에서 약간의 수축을 보인다.

3) 왁스 패턴의 팽창과 수축

왁스는 열팽창계수가 300×10-6/℃로서 매우 크므로 연화하여 패턴을 제작한 다음 실온으로 냉각하는 과정에서 큰 수축이 일어난다. 또한 왁스 패턴은 제작방법, 보관환경, 매몰재 경화 시의 발열반응으로 인한 온도상승 등 다양한 요인들에 의해 치수의 변화가 일어난다.

4) 매몰재 주형의 팽창과 수축

왁스 패턴을 매몰한 다음 주형을 소환(burnout)하는 과정에서 수분의 증발과 가스의 발생 등으로 인해 약간의 수축이 일어난다. 치과정밀주조법에서는 주형의 소환 과정과 합금의 주조 과정에서 일어나는 수축의 대부분을 주형의 팽창에 의해 보상하고 있다. 매몰재 주형의 팽창은 흡수팽창(hygroscopic expansion), 온도상승으로 인한 열팽창(thermal expansion) 및 내열재 실리카의 상전이로 인한 역팽창(invertion expersion)에 의해 얻어진다. 흡수팽창은 혼합한 매몰재의 경화가 진행되는 과정에서 물과 접촉했을 때 나타나는 팽창으로, 정상 경화팽창의 2~4배에 달한다. 역팽창은 주형이 가열됨에 따라 매몰재에 포함된 내열재 실리카가 저온안정형 α 로부터 고온안정형 β 로 상전이가 일어나며 얻어지는 팽창이다. 상전이는 크리스토발라이트(cristobalite)의 경우에는 220℃에서, 석영(quartz)의 경우에는 573℃에서 일어나며, 이 과정에서 약 1.2~1.6%의 팽창을 보인다.

12. 주조결함과 그의 대책

1) 불완전한 주조체

주조체가 불완전하게 되는 것은 주조압의 부족, 매몰재의 통기성 부족, 합금의 불완전 융해, 합금량의 부족, 용융된 합금의 주입지연 및 낮은 주형온도 등으로 인해 발생되는 경우가 많다. 이것은 용융된 합금의 유입시간을 짧게, 주입선 핀의 직경을 굵게, 주형의 온도 및 주조압을 높게 함으로써 방지될 수 있다. 주조체의 중앙부나 변연부가 재현되지 못한 것은 용융된 합금의 유동성이 불량하여 발생한 것이므로 이것은 주형의 온도 또는 합금의 주입온도를 높여줌으로써 방지될 수 있다. 매몰재의 통기성이 부족하거나 주조체가 큰 경우에는 배기공을 붙이면 주조결함의 생성 억제에 효과가 있다.

2) 변형된 주조체

주조체의 변형은 왁스 패턴의 제작 시 온도변화가 심하였거나, 모형에서 분리하는 과정에서 강한 외력이 작용하였거나, 주입선을 부착하는 과정에서 과열되었거나, 매몰시간이 지연되었거나, 매몰재의 팽창이 정상적으로 발현되지 못하였거나 하는 경우에 발생할 수 있다. 또한 매몰재의 흡수팽창이나 가열팽창이 너무 큰 경우에도 주형의 팽창이 불균일하게 되어 주조체에서 변형이 발생할 수 있다. 왁스 패턴의 변형을 억제하기 위해서는 일정한 온도에서 조각하고, 치아 장축에 평행한 방향으로 철거한 다음 다시 모형에 맞추어서 변형의 여부를 확인하고 매몰하는 것이 효과적이다.

3) 거친 주조체의 표면

주조체의 표면 거칠기 증가는 왁스 패턴에 계면활성제를 너무 많이 도포하였거나 매몰재의 혼수비가 너무 컸을 때 발생할 수 있다. 또한 용융된 합금이 과열되어 매몰재 입자들 사이로 침투가 되었거나, 주형에 열충격이 가해졌거나, 용융된 합금이 과열되어 발생할 수 있다. 이외에도 용융된 합금과 매몰재 사이에서 반응이 일어난 경우에도 발생할 수 있다.

4) 주조체 표면의 구상돌기(nodule)

구상돌기는 왁스 패턴과 매몰재 사이의 젖음 불량으로 인해 왁스의 표면에 기포가 부착된 상태에서 매몰재의 응고가 진행된 경우에 발생한다. 이것은 왁스 패턴에 계면활성제를 도포하여 매몰재의 젖음을 개선하거나 매몰재의 혼합과정에서 공기가 혼입되지 않도록 감압 하에서 매몰재를 혼합함으로써 해결될 수 있다.

5) 주조체 표면의 핀(Fin)

주조체 표면의 핀은 매몰재 주형에 균열이 발생한 경우에 생성된다. 균열은 주형의 가열을 개시한 시간이 너무 빠르거나 가열시간이 너무 길어져서 매몰재의 기계적 성질이 저하된 경우에 생성될 수 있다. 또한 매몰재 주형의 가열과정에서 승온속도가 너무 빨라서 주형의 내부와 외부에서 팽창이 차이가 나는 경우에 발생할 수 있다.

6) 주조체 내부의 기포

용융된 합금을 고온에서 장시간 유지하면 다량의 가스가 흡입되었다가 응고가 진행될 때 다시 방출되어 기포가 생성된다. 또한 합금을 반복하여 사용하는 경우에도 산화물의 혼입과 가스 흡수가 증가되어 기포가 생성될 수 있다. 기포가 주조체의 내부에 생성되면 주조체가 약해지고, 표면에 생성되면 변색의 원인이 된다.

7) 주조체 표면의 주름

주조체 표면의 물결무늬 또는 주름은 왁스 패턴과 매몰재 사이의 젖음 불량으로 인해 수막층(water film)이 형성된 경우에 나타날 수 있다. 이것은 왁스 패턴에 계면활성제를 얇게 도포하고 가볍게 건조한 다음 매몰재를 주입함으로써 방지될 수 있다.

8) 주조체에 이물질이 혼입된 경우

주조체 내의 이물질은, 매몰재의 부스러기가 용융금속과 함께 주형에 유입되거나, 왁스의 불충분한 소각으로 인한 불연소 물질이 혼입되거나, 불량한 도가니로부터 부스러기가 용융금속과 함께 유입되거나, 블로우 파이프의 정비가 불량했을 때 등에 발생할 수 있다.

9) 주조체 내의 수축공

용융된 합금의 응고수축이 보상되지 못하면 최후에 응고가 진행된 부위에 수축공이 생성된다. 이것은 리저버를 부착하여 주조체의 응고가 완료될 때까지 용융상태의 금속을 소요량보다 많게 하거나 높여 줌으로써 방지할 수 있다.

참고문헌

1. Anderson JN (1976). Applied dental materials, 5th ed, Blackwell Scientific Publishing Co.
2. Powers JM, Sakaguchi RL (2012). Craig's Restorative Dental Materials, 13th ed, Elsevier Inc.
3. Phillips RW (1982). Skinner's science of dental materials, 8th ed., W.B. Saunders Co.

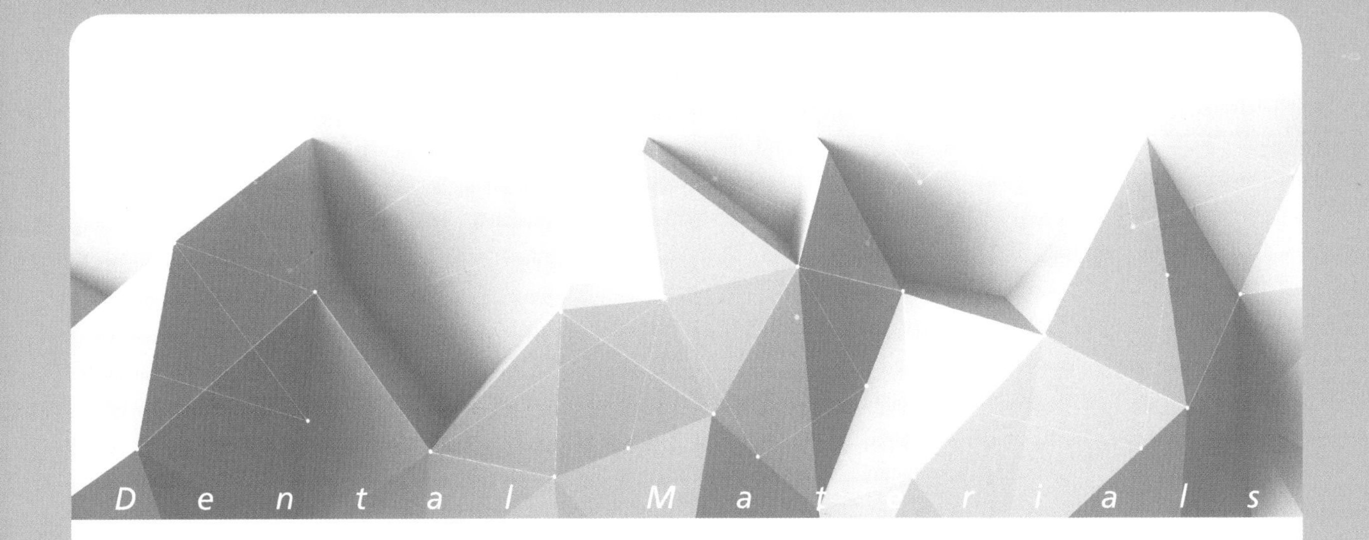

PART

IV

직접 수복재료

10. 치과용 복합레진

11. 치아에 대한 접착

12. 치과용 시멘트

13. 아말감

치과용 복합레진

10

학/습/목/표

❶ 복합레진의 조성과 각 조성의 역할을 이해한다.
❷ 복합레진의 분류를 이해한다.
❸ 조성과 분류에 따른 여러 가지 복합레진의 성질의 차이점을 알고, 선택할 수 있다.
❹ 중합깊이에 영향을 미치는 인자에 대하여 이해하고, 임상에 적용할 수 있다.

인공재료를 이용하여 자연치아와 유사한 색조로 수복하는 방법은 오래 전부터 임상에 사용되었는데, 치과용 포세린, 규산염 시멘트, 아크릴릭 레진, 콤포짓트 레진, 글라스아이오노머 순서로 치과용으로 소개 되었다.

직접 수복재료로는 가장 처음으로 규산염 시멘트(silicate cement)가 1871년에 소개되었다. 이 시멘트는 알루미노 실리케이트 글라스 분말과 인산 수용액을 사용한다. 이 재료는 불소를 방출하므로 항우식성이 있지만, 용액의 주성분인 산에 의한 작용이 문제되고 조작 차이에 따른 민감함과 구강 내에서의 용해도 및 대체로 충전 후 4~5년 밖에 견디지 못하여, 새로운 재료의 등장이 요구되어 합성레진의 개발이 왕성하게 행해졌다. 1941년 독일에서 메타크릴산의 단량체에 3차 아민(tertiary amine)을, 중합체 분말에는 벤조일 퍼옥사이드(benzoyl peroxide)를 첨가하여, 이 둘을 혼합하면 상온에서 경화됨을 이용하여, 와동에 직접 충전하는 방법이 소개되었다. 이를 1949~1950년대에 미국에서 실용화하여 임상에 사용하게 되었고, 화학중합 레진, 자가중합 또는 상온중합 레진이라고도 불렀다. 화학중합 레진은 색조가 치질의 색과 잘 조화되어 심미적으로는 우수한 장점을 가지고 있지만, 강화제를 함유하지 않는 메틸메타크릴레이트 화학중합 레진은 경화 시에 수축이 크다. 치아나 다른 수복용 재료에 비하여 기계적 성질이 현저히 나쁘며, 열팽창계수가 치질의 약 7배 정도이다. 또한 변색과 마모가 쉽게 일어나며, 치수에 대한 위해성 때문에 이제는 그 사용이 많지 않다.

이어서 1953년에 Paffenbarger는 필러(filler)의 첨가가 레진충전재의 열팽창계수를 감소시킴을 시사하였다. 개발 초기의 콤포짓트 레진은 내마모성이 나쁘고 변연파절 등도 일어나서 유구치부에는 사용이 가능했지만, 영구치에의 사용에 대해서는 부정적인 견해가 강했다. 그 후 1960년이 되어 미국표준국의 Bowen이 에폭시 레진의 에폭시 기를 불포화유기산으로 개환(ring opening) 반응시킨 2관능성의 점성이 있는 단량체가 벤조일 퍼옥사이드와 3차 아민에 의해 중합되는 것을 발견하여 이 단량체를 'Bis-GMA'라 명명하였다. 이 Bis-GMA 단량체에 다량의 무기필러를 배합하여 중합시킬 경우 물성이 향상되므로 치과 충전용 레진으로서의 가능성을 시사하였다. 이 Bis-GMA를 기질로 하고 각종 무기필러를 배합한 레진이 바로 현재의 '콤포짓트 레진(composite resin)'이다. 콤포짓트 레진(dental composite resin)은 '치과용 복합레진'으로 불리기도 한다.

그러나 개발초기 콤포짓트 레진은 와동에 대한 젖음성(wettability)이 나쁘고, 변연누출에 의해 술 후 과민증이 발생하며, 치수자극이 일어나고, 일명 '복합 레진'으로도 불린다. 연마하기 어려운 단점이 지적되었다. 아크릴릭 레진은 수복 후 마모는 일어나도 그 표면은 활택하지만, 재래형 콤포짓트 레진(conventional composite resin)은 표면의 레진기질만이 마모되어 딱딱한 필러가 그대로 남거나 뽑혀져서 표면이 거칠어지게 되었다. 또한 유구치에 대해서는 그 사용이 긍정적이지만, 저작압이 강한 영구치의 1급 및 2급 와동에서는 기계적 강도와 마모저항성이 부족하여 구치부 교합면에의 응용을 부정하는 견해가 있었다.

하지만, 이런 단점들에 대한 계속적인 개선이 이루어지고 있다. 그 중 하나로 '산부식법'에 의해 초기 콤포짓트 레진 수복의 큰 단점 중 하나였던 와동에 대한 낮은 젖음성을 보완하고 변연누출을 감소시키며 유지력을 증가시켜 콤포짓트 레진 수복의 예후는 비약적으로 향상되었다. 그리고 콤포짓트 레진 제품 세트에는 일반적으로 산처리제와 본딩제(bonding agent)가 함께 들어있게 되었다. 또 다른 발전의 하나로, 구상의 미리 중합된 필러(prepolymerized filler)를 사용하기도 하고, 필러입자 크기의 분포를 단계적인 크기의 입자를 사용(혼합형 콤포짓트, hybrid composite)함으로써 가능한 최대량의 무기필러 함량을 가지면서도 연마성을 좋게 할 수 있었다.

구치부 와동충전에 아말감이 많이 사용되었지만, 아말감은 수은 사용에 대한 경각심과 심미성의 결여 때문에 사용이 점차 감소하고, 아말감에 대체하는 수복재료로 구치용 콤포짓트 레진의 개발이 요구되었다. 재래형 콤포짓트 레진이 많이 개선되어 연마가 가능하면서도 필러의 함량이 부피비로 75% 이상 되는 재료가 개발되어 구치부에 본격적으로 사용될 수 있게 되었으며, 와동이 큰 경우에도 적용할 수 있게 되었다. 그러나 근심인접면을 포함한 비교적 전방의 구치부에는 사용이 가능하지만, 특히 후방구치의 원심면을 포함하는 2급 와동에는 수복조작이 곤란하고 정확한 수복을 시행하기가 어려워 금인레이를 하기도 하지만, 간접법에 의한 콤포짓트 레진 인레이(inlay)가 유용하게 사용되고 있다.

레진 단량체의 구조에 폴리산(polyacid) 성분을 첨가한 폴리산 변형 레진(polyacid-modified resin)을 기질로 사용하고 불소가 함유된 글라스 필러를 함유한 '콤포머(compomer, polyacid-modified composite)'가 1995년경에 소개되었다. 콤포머는 조작이 편하고 콤포짓트 레진에 비해 불소의 방출효과가 높은 장점을 가지고 있다. 하지만, 글라스아이오노머보다는 불소방출의 양이 작고 기간이 짧으며 불소를 재충전하는 능력도 적어서 중정도의 우식활성을 갖는 환자에 추천되며, 일반적으로 응력을 적게 받는 부위에 사용된다. 콤포머는 주로 광조사에 의해 중합되며, 수분을 함유하지 않는 콤포머가 구강 내에서 수분을 흡수하면 산-염기 반응에 의해서도 추가적인 중합이 되며, 수분접촉에 의해 불소가 방출하게 된다.

최근에는 산부식법에 의한 미세기계적 접착뿐만 아니

표 10-1. 직접 수복용 레진의 성질 비교

	단위	비충전 아크릴릭 레진	콤포짓트 레진	
			재래형	미세입자형
작업시간	min	1.5	4	3
압축강도 (24시간 후)	MPa	69	235	276
	psi	10,000	34,000	40,000
간접인장강도 (24시간 후)	MPa	24	45	32
	psi	3,500	6,500	4,700
탄성계수	GPa	2.4	13.7	4.5
	psi	0.34×10^6	2.2×10^6	0.65×10^6
흡수율(1주 후)	mg/cm^2	1.7	0.6	1.4
중합수축(체적비)	%	7	1.4	1.7

라, 화학적으로도 치아에 접착을 유도하는 접착제에 관한 활발한 연구가 진행되어 콤포짓트 레진의 임상응용이 더욱 우수하고 다양하게 되었다.

본 장에서는 비충전 아크릴릭 레진(unfilled acrylic resin)과 콤포짓트 레진(복합레진, composite resin)에 대해 살펴보도록 한다(표 10-1).

1. 수복용 비충전 아크릴릭 레진

1) 조성

비충전 아크릴릭 레진(unfilled acrylic resin)은 보통 분말과 용액으로 구성되어 있다. 분말 주성분은 초기에는 폴리메틸메타크릴레이트[poly(methyl methacrylate)]였으나, 이것은 단량체 속에서 팽윤속도(swelling rate)가 매우 느려서 취급하기에 이상적이지 못하기 때문에, 일부 또는 전부가 에틸메틸메타크릴레이트 공중합체(ethylmethyl methacrylate copolymer)와 같은 중합체로 바뀌어졌다. 또한 0.5~1%의 벤조일 퍼옥사이드가 개시제(initiator)로서 분말에 함유되어 있다.

용액은 주로 메틸메타크릴레이트 단량체로 되어 있으며, 에틸렌디메타크릴레이트(ethylene dimethacrylate)와 같은 가교제가 5% 이상 첨가되어 있다. 가교제를 첨가하면 반응이 빨라지게 되고 충전재의 강도가 증가하기도 하지만, 첨가하는 주된 이유는 용액의 기화를 적게 하여 혼합물의 표면이 매끄럽게 되도록 하기 위해서이다. 그리고 용액에는 N, N-dimethyl-p-toluidine과 같은 아민이 경화촉진제로서 0.1~0.5% 정도 포함되어 있다. 그 외에 용액에는 작업시간을 충분히 하고 보관기간 동안의 불필요한 반응이 발생하는 것을 방지하기 위하여 하이드로퀴논(monomethyl ether of hydroquinone)과 같은 중합억제제가 0.006% 정도 소량 포함되어 있고, 색 안정성을 향상시키기 위해 0.5~1.0% 정도의 자외선 흡수제가 첨가되기도 한다. 대체로 의치상용 레진과 화학적 조성은 비슷하나, 더 짧은 유도기간(induction period)을 갖는다.

2) 중합반응

벤조일 퍼옥사이드가 들어있는 분말과 N, N-dimethyl-p-toluidine과 같은 아민을 포함한 용액을 혼합하면 고분자 중합반응에 필수적인 자유 라디칼이 생성되어 단량체의 중합을 일으키게 된다. 중합체인 분말은 액체상태의 단량체를 흡수하여 팽윤하면서 병상(dough)으로 되고, 점차 중합반응이 진행됨에 따라 딱딱하게 경화된다.

3) 성질

작업시간(working time)은 분말과 용액을 혼합해서 구강 내에 충전하기에 적당한 성질을 유지할 수 있을 때까지의 시간으로 90초 이상 되어야 적절하게 조작할 수 있다. 경화시간(setting time)은 국제산업표준 KS P ISO 4049에 화학중합재료인 제1급의 경우 최대 5분 이내에 완전히 경화되어야 한다고 규정하고 있다.

비충전 아크릴릭 레진은 중합수축이 5~8% 발생하여 수복물 변연부에 틈새(gap)가 생겨 미세누출(microleak-

표 10-2. 치질과 여러 수복용 재료의 열팽창계수의 비율(단위: ×10^{-6}/℃)

	수복재료의 α / 치질의 α
비충전 아크릴릭 레진	8.1
미세입자형 콤포짓트 레진	5.3
재래형 콤포짓트 레진	3.1
아말감	2.2
인레이 골드	1.9
금박(gold foil)	1.3
규산염 시멘트	0.7

※ α = 선 열팽창계수

표 10-3. 치아 및 수복재료의 누프 경도 (Knoop Hardness Number, KHN)

	KHN
법랑질	300
상아질	65
아말감	90
직접 충전용 금	70
규산염 시멘트	65
재래형 콤포짓트 레진	55
인레이 골드	50
미세입자형 콤포짓트 레진	25
비충전 아크릴릭 레진	15

age)이 생길 수 있는 단점이 있다. 또한 법랑질의 열팽창계수는 11.4×10^{-6} mm/mm/℃인 반면, 비충전 아크릴릭 레진의 열팽창계수는 92×10^{-6} mm/mm/℃로서 열팽창계수가 치질보다 8배 정도 크기 때문에, 구강 내에 섭취하는 음식물의 온도가 변함에 따라 치질이 팽창하는 정도와 레진이 팽창하는 정도의 차이가 심하여 미세누출이 발생할 수 있다(표 10-2). 그러나 다행히도 열전도도가 낮아서 온도변화에 대해 재료의 온도가 아주 천천히 변화한다. 물에 녹지는 않고, 물을 흡수하는 성질이 있어 구강 내에서 흡수에 의해 0.3~0.5%의 선-팽창률을 보인다. 이는 중합수축에 의해 생긴 변연부의 틈새를 일부 보상해주는 역할을 한다. 물리적 강도, 경도는 금속이나 다른 것에 비해 일반적으로 약하다(표 10-3). 투명도, 색상 등을 치아와 같게 할 수 있어서 심미적 재료이지만, 시간이 지남에 따라 색 안정성이 없어져 점점 노랗게 되고 진해진다. 이는 자외선흡수제(ultraviolet absorber)를 첨가하여 많이 개선되었다.

비충전 아크릴릭 레진 수복을 한 후에는 미반응 잔류단량체와 와동형성과 재료충전 동안의 기계적 자극 및 변연부위를 통한 미세누출이 원인이 되어 치수에 자극을 일으킬 수 있다. 따라서 그 사용범위를 제한하여야 하며, 레진 수복 전에 와동 이장재(cavity liner)를 깔아주어야 한다. 유지놀과 같은 페놀계 화합물은 중합을 방해하므로, 와동 이장재는 수산화칼슘($Ca(OH)_2$) 이장재나 글라스아이오노머 시멘트 이장재 등을 사용한다.

최근에는 MTA (mineral trioxide aggregate)과 같은 제재를 사용하는 이장 술식도 사용하고 있다.

4) 충전 방법

아크릴릭 레진 충전방법은 가압 충전법, 비가압 충전법 및 유입 충전법이 있다.

(1) 가압 충전법

가압 충전법(pressure technique, bulk pack technique)은 병상기의 레진혼합물을 와동에 채우고, 매트릭스 스트립으로 덮은 후 경화가 끝날 때까지 가압 고정하는 방법이다. 압력은 중합수축에 의해 재료가 와동 벽에서 떨어지는 것을 방지하는 데 도움이 되지만, 스트립이 움직이면 재료가 와동 벽에서 떨어져 미세누출이 발생할 가능성이 크므로 주의해야 한다.

(2) 비가압 충전법

비가압 충전법(non-pressure technique, bead technique)은 와동을 먼저 단량체로 적신 후, 단량체를 적신 작은 붓을 중합체 분말에 가볍게 대서 붓끝에 레진 구슬(bead)이 생기게 하고, 단량체로 적셔진 와동에 이를 옮기는 과정을 반복하여 와동을 완전히 충전한다.

(3) 유입 충전법

유입 충전법(flow technique)은 묽은 레진혼합물을 작은 기구를 사용하여 와동에 채우는 방법으로, 매트릭스 스트립은 압력을 가하지 않고 형태만 만들어줄 수 있도록 사용한다. 레진의 유동성이 좋으므로 치면에 긴밀히 접착된다.

2. 콤포짓트 레진

콤포짓트 레진은 복합재료의 일종이다. 일반적으로 복합재료라는 것은 성분과 형태가 다른 2종 이상의 소재를 복합화하여 재료학적으로 물성을 강화한 것을 말한다. 치과용 콤포짓트 레진의 주요성분으로 레진기질(resin matrix), 무기필러(filler) 및 계면 결합제 등이 있다(표 10-4).

콤포짓트 레진은 레진기질로 다관능성 단량체가 사용되며, 물성 강화를 위해 무기물 필러가 첨가되었으며, 필러 표면은 화학처리되어 레진기질과 화학적으로 결합되어야 한다. 이상 3가지 조건을 만족하는 것을 '콤포짓트 레진'이라고 한다.

콤포짓트 레진은 레진기질에 무기필러가 첨가되었기 때문에 비충전 레진에 비해 기계적 성질이 우수하고, 열팽창계수가 감소되었으며, 중합수축이 1.4% 정도까지 감소하였고, 마모저항성이 증진되었다. 레진기질은 Bis-GMA나 urethane dimethacrylate (UDMA)가 주로 사용되며, 이들 올리고머(oligomer)는 점성이 높은 액체이기 때문에 triethyleneglycol dimethacrylate (TEGDMA)와 같은 희석 단량체(diluent monomer)가 배합되어 사용된다.

1) 치과용 고분자계 수복재료에 대한 분류

ISO 4049(2019)에서는 치과용 고분자계 수복재료에 대해 다음과 같이 2가지 유형(type)이 있으며,

- 제1형: 교합면을 포함한 수복에 적합한 고분자계 재료
- 제2형: 기타의 고분자계 수복재료 및 합착재료

표 10-4. 콤포짓트 레진의 주요 구성성분

<table>
<tr><td rowspan="2">기질</td><td colspan="2">주요 레진성분</td><td colspan="2">Bis-GMA, urethane dimethacrylate</td></tr>
<tr><td colspan="2">희석제 및 가교제</td><td colspan="2">EGDMA, TEGDMA 등</td></tr>
<tr><td>무기 필러</td><td colspan="4">실란 처리된 석영, 글라스 세라믹, 콜로이달 실리카 등</td></tr>
<tr><td rowspan="5">중합개시제</td><td rowspan="2">화학중합형</td><td>중합개시제</td><td colspan="2">벤조일 퍼옥사이드</td></tr>
<tr><td>경화촉진제</td><td colspan="2">3차 아민(N, N-dimethyl p-toluidine 등)</td></tr>
<tr><td rowspan="3">광중합형</td><td rowspan="3">광개시제</td><td>자외선 중합형</td><td>벤조인 알킬 에테르</td></tr>
<tr><td rowspan="2">가시광선 중합형</td><td>Camphorquinone</td></tr>
<tr><td>N,N-dimeththyl aminoethyl methacrylate</td></tr>
</table>

표 10-5. KS P ISO 4049에서 규정한 충전 및 수복재료의 물리적 및 화학적 성질 요구사항

<table>
<tr><th>재료 등급</th><th>작업시간 초(최소)</th><th>경화시간 분(최대)</th><th>중합깊이 mm(최소)</th><th>흡수성 μg/mm³(최대)</th><th>용해성 μg/mm³(최대)</th></tr>
<tr><td>제1급</td><td>90</td><td>5</td><td>—</td><td>40</td><td>7.5</td></tr>
<tr><td rowspan="2">제2급</td><td rowspan="2">—</td><td rowspan="2">—</td><td>1 (불투명 색조)</td><td rowspan="2">40</td><td rowspan="2">7.5</td></tr>
<tr><td>1.5 (기타 색조)</td></tr>
<tr><td>제3급</td><td>90</td><td>10</td><td>—</td><td>40</td><td>7.5</td></tr>
</table>

가교결합과 공중합에 기여하는 모노머의 화학구조식

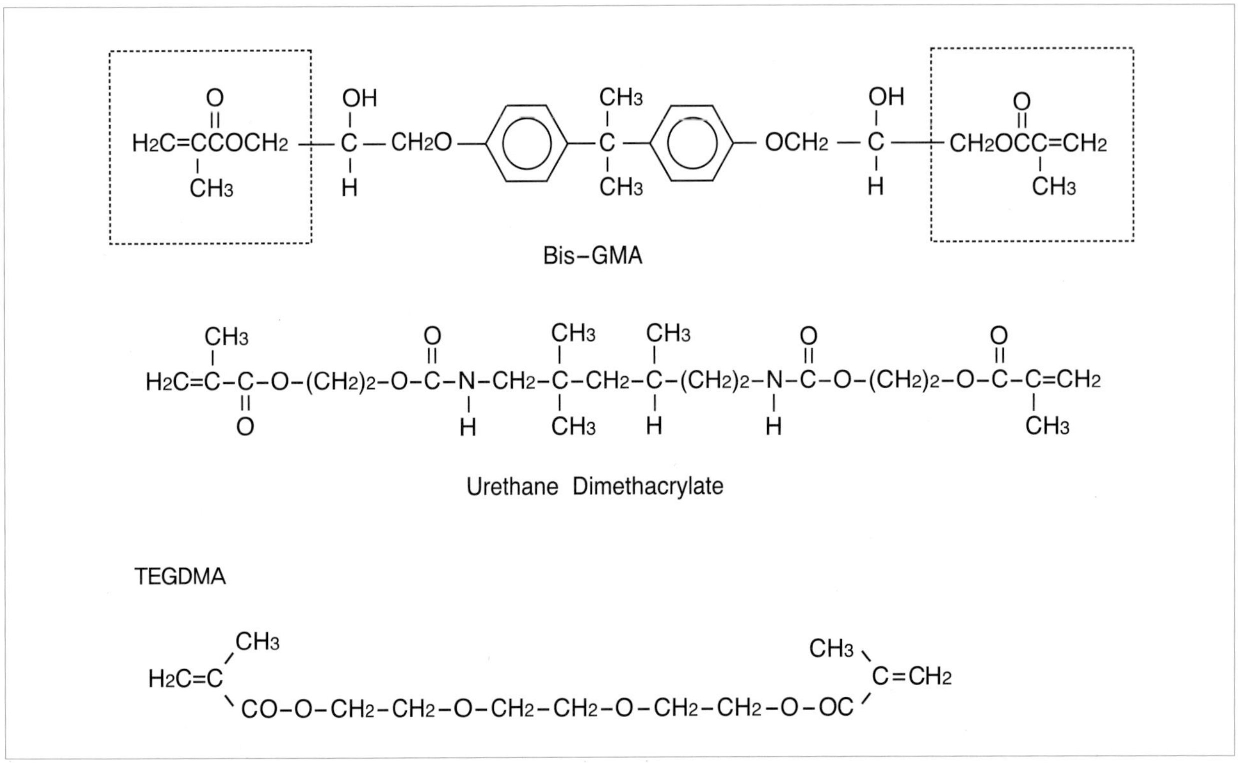

Bis-GMA

Urethane Dimethacrylate

TEGDMA

치과용 충전, 수복 및 접착재료는 다음과 같이 3가지 등급으로 분류한다.

- 제1급: 화학중합 재료(self-cured material)
- 제2급: 외부에서 공급되는 에너지(광 또는 열)로 중합되는 재료(external-energy-activated material), 여기에는 2가지 군이 있다. 즉,
  - 제1군: 구강 내에서 에너지를 공급받는 재료
  - 제2군: 구강 외에서 에너지를 공급받는 재료로 중합된 후에는 시멘트로 구강 내에 접착한다.
- 제3급: 외부에 공급되는 에너지에 의해 중합될 뿐 아니라 화학중합도 함께 병행되는 재료(dual-cured material)

KS P ISO 4049의 요구사항에 의하면 화학중합 기전을 갖는 1급과 3급 재료의 경우 작업시간은 최소 90초여야 하며, 경화시간은 1급의 경우는 최대 5분 이내이고 3급의 경우는 10분 이내여야 한다. 외부 에너지에 의해 중합되는 2급의 경우 최소 중합깊이는 불투명 색조의 경우는 최소 1 mm, 나머지 모든 색조의 경우는 최소 1.5 mm의 중합깊이를 가져야 한다. 1급-3급 모두 흡수성은 최대 40 μg/mm³ 이내이어야 하며, 용해성은 최대 7.5 μg/mm³ 이내이어야 한다(표 10-5). 또한, 굴곡강도(flexural strength)는 제1형의 콤포짓트 레진에 대해서는 굴곡강도가 최소 80 MPa 이상이어야 하며, 특히 제1형-제2급-제2군의 재료(교합면에 사용되며 구강 외에서 광중합시키는 재료)는 그 값이 100 MPa 이상이어야 한다고 규정하고 있다. 또한, 제2형의 콤포짓트 레진에 대해서는 50 MPa 이상의 굴곡강도를 요구하고 있다.

2) 콤포짓트 레진

(1) 조성

① 레진 기질

콤포짓트 레진의 기질로는 가장 일반적으로 사용되는 Bis-GMA와 UDMA가 희석용 레진인 TEGDMA와 혼합되어 사용된다.

Bis-GMA는 1963년 미국의 Bowen이 bisphenol-A와 glycidyl methacrylate를 반응시켜 합성하였고, 두 반응물의 머리글자를 따서 'Bis-GMA'라고 명명하였으며, 정식 화학명은 2,2-bis[4(2-hydroxy-3 methacryloxypropoxy) phenyl]propane이다. 메틸메타크릴레이트에 비해 Bis-GMA는 분자량이 크므로 중합수축이 적고, 분자 내에 관능기(functional group)가 2개 있으므로 고도로 가교된 망상의 중합체를 만들며, 구강 내에서 빨리 경화되고, 휘발성이 없는 장점이 있다. 또한 분자량이 커서 레진기질로 적당하다. 그러나 단점이 없는 것은 아니다. Bis-GMA는 측쇄에 친수성의 -OH기를 갖고 있으며 분자량이 크기 때문에 점도가 매우 높을 뿐 아니라 수분 흡수성이 높다. 또한 공기와 접촉하면 중합이 크게 방해를 받는 단점이 있다.

Bis-GMA의 높은 점도를 보상하기 위해서 TEGDMA와 같은 저점도의 다관능성 단량체가 희석제(diluent)로 레진기질에 첨가되어 공중합체 형태로 사용된다. 그러나 이러한 희석용 레진은 흡수성을 증가시키는 문제가 있다.

최근에는 Bis-GMA의 단점을 극복하기 위한 많은 변형이 시도되고 있다. 즉 Bis-GMA의 hydroxyl기가 치환된 Bis-EMA계 단량체라든지, 개환반응에 의해 경화수축이 더욱 감소된 단량체들(예: spiroorthocarbonate)이 개발되고 있다.

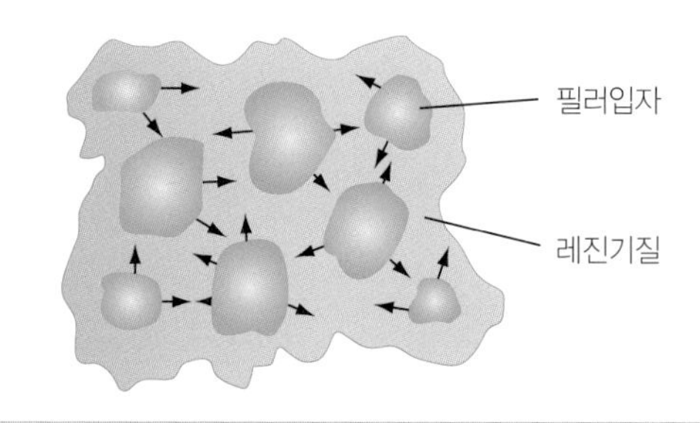

그림 10-1. 레진기질의 중합수축에 의한 콤포짓트 레진 내의 응력벡터.
레진기질의 중합수축에 의해 필러입자와 레진기질 간에 분리가 일어날 수 있다.

② 무기 필러

콤포짓트 레진에는 물성을 강화하기 위한 목적으로 다양한 무기질이 필러로서 첨가되어 있다. 그 첨가양은 필러입자 크기와 형상에 의해 다르지만, 재래형 콤포짓트 레진의 경우 전체의 70~80% 정도를 차지한다. 그 성분은 주로 실리카계의 무기물(crystalline quartz)이 이용되었다. 초기의 콤포짓트 레진에는 알칼리 글라스가 사용되었지만 레진을 변색시키므로 현재는 사용되지 않고 있다. 최근의 콤포짓트 레진에는 석영(quartz), 붕규산글라스(borosilicate glass) 외에 리튬알루미늄실리케이트(lithium aluminum silicate)와 같은 글라스-세라믹 분말 등이 사용되고 있다.

제품에 따라서는 콤포짓트 레진에 방사선 불투과성(radiopacity)을 부여하기 위해 산화바륨 또는 바륨알루미늄실리케이트(barium aluminum silicate) 등이 필러로 사용되는 것도 있다. 바륨(barium), 스트론튬(strontium), 란타늄(lanthanum) 글라스는 방사선 불투과성이 있는 반면 석영과 알루미늄실리케이트는 방사선 투과성을 갖는다. 입자의 크기는 1~100 μm로 다양하다.

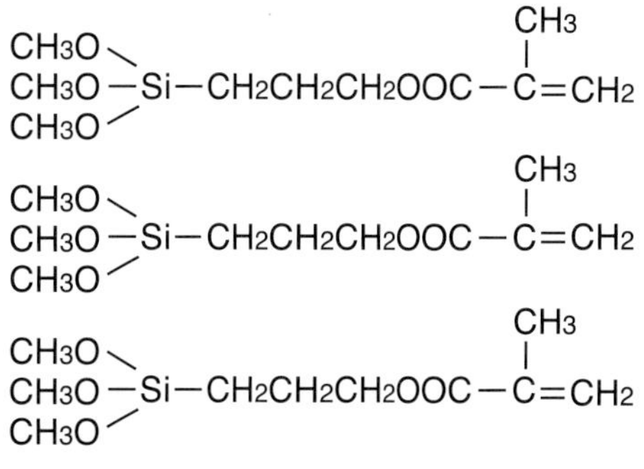

$$(CH_3O)_3Si-CH_2CH_2CH_2OOC-C(CH_3)=CH_2$$

$$(CH_3O)_3Si-CH_2CH_2CH_2OOC-C(CH_3)=CH_2$$

$$(CH_3O)_3Si-CH_2CH_2CH_2OOC-C(CH_3)=CH_2$$

그림 10-2. 치과용 콤포짓트 레진의 커플링제로 많이 사용되는 실란 화합물의 구조식
Si-원자 오른편의 탄소사슬 내에는 콤포짓트 레진의 레진기질과 공중합 할 수 있는 이중결합이 있다.

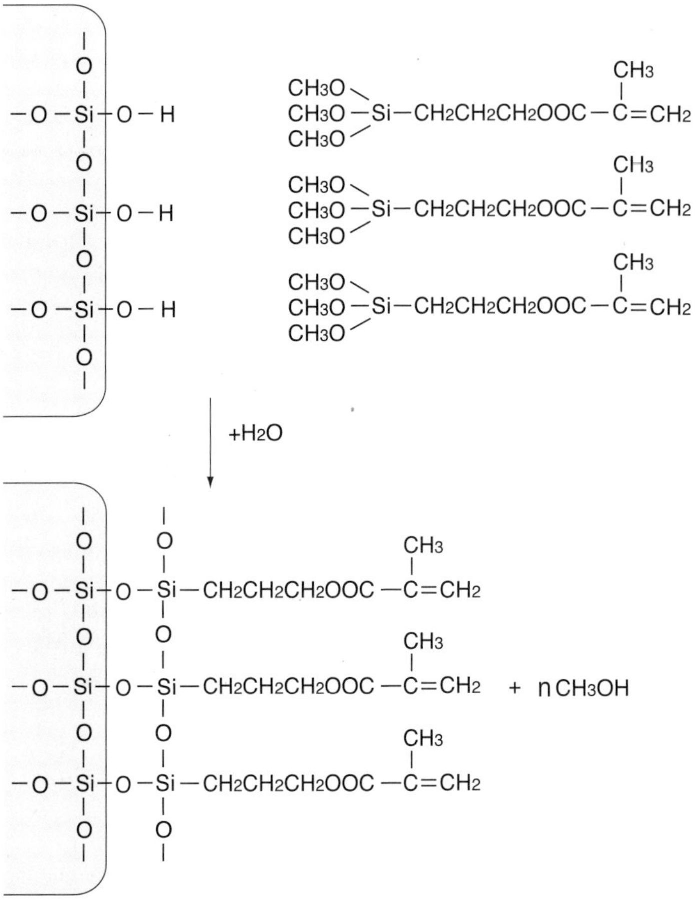

$$-O-Si-O-H \quad (\times 3) \qquad (CH_3O)_3Si-CH_2CH_2CH_2OOC-C(CH_3)=CH_2 \quad (\times 3)$$

$$\downarrow +H_2O$$

$$-O-Si-O-Si-CH_2CH_2CH_2OOC-C(CH_3)=CH_2 \quad (\times 3) \quad + \; n\,CH_3OH$$

그림 10-3. **실리카 필러 표면에 대한 실란의 결합기전**

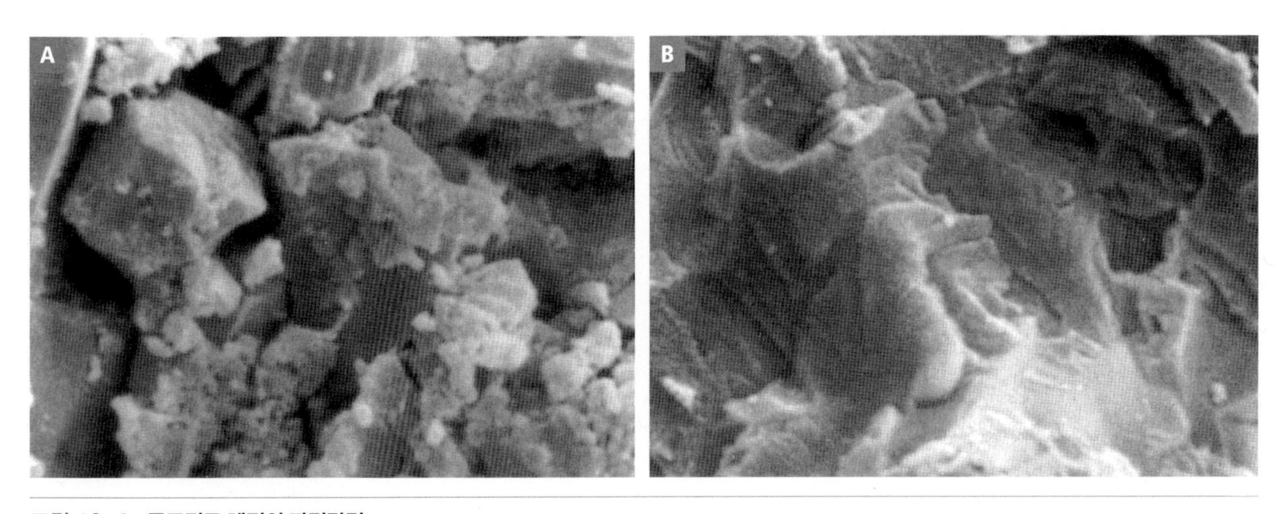

그림 10-4. 콤포짓트 레진의 파절단면

A 실란 처리되지 않은 필러를 첨가한 것으로서, 무기필러와 레진기질 간에 분리가 일어나 있다. B 실란 처리된 필러를 함유한 콤포짓트 레진의 경우로서, 무기필러는 레진기질과 결합을 유지하고 있다(×4,700).

③ 실란 커플링제

레진기질과 무기필러의 결합력이 부족하면 콤포짓트 레진의 중합수축이나 연마 및 사용하는 동안 가해지는 응력 등에 의해 콤포짓트 레진 표면에서 필러가 이탈되거나 레진기질-필러 계면으로 물이 침투하여 내마모성과 강도의 저하 및 변색의 원인이 될 수 있다(그림 10-1).

따라서 필러는 단지 기계적으로 혼입되는 것이 아니라 레진기질과 화학적으로 결합하도록, 무기필러의 표면을 실란 커플링제(silane coupling agent)로 화학처리한다. 즉, 필러의 표면과 레진기질 사이에서 화학적인 결합을 도모하며, 이를 실란처리(silane treatment)라 한다. 치과 영역의 필러에는 γ-methacryloxypropyltrimethoxy silane이 주로 사용되며(그림 10-2), 그 반응기전을 그림 10-3에 간략하게 도시하였다. 실란 커플링제는 필러 표면의 수산기(-OH)와 반응하여, 실록산(siloxane, -Si-O-)결합을 만든다. 그 결과, 필러 표면에는 비닐기를 배향한 반응성의 커플링 층이 형성된다. 또한 필러 표면에 형성된 반응성 커플링 층은 레진 중합 시에 비닐기에 의해 라디칼 중합을 하여 레진기질과 필러가 화학적으로 결합되게 한다. 이러한 레진기질과 필러와의 유기적인 결합에 의해 콤포짓트 레진의 물성은 현저히 향상하게 된다(그림 10-4).

④ 중합개시제 및 중합촉진제

콤포짓트 레진은 광중합(light-cured), 화학중합(self-cured) 또는 이중중합(dual-cured)에 의해 경화되며, 대개 광중합에 의한 콤포짓트 레진이 많이 사용되고 있다.

가시광선 광중합형 레진은 캠퍼퀴논(camphorqui-none)과 같은 광개시제가 468 nm 파장 부근의 청색광을 흡수하여 자유 라디칼을 형성함으로써 중합이 개시된다. 광개시 반응은 캠퍼퀴논 외에도 탄소-탄소 이중결합을 갖는 유기 아민(N,N-dimethylaminoethyl methacrylate)을 함께 첨가하여 자유 라디칼 형성을 촉진시킨다. 이들 광개시 시스템은 상온에서 빛에 노출되지 않는 한 중합되지 않는다. 광중합 시스템에 대해서는 다음 절에서 더 자세히 기술하도록 한다.

화학중합형 레진은 촉매 연고(catalyst paste) 내의 유기 아민(예로서 N,N-dimethyl p-toluidine)이 기저 연고(universal paste) 내의 유기과산화물(예로서 benzoyl peroxide)과 반응하여 자유 라디칼을 생성하여, 레진기질 단량체의 탄소-탄소 이중결합을 공격하여 중합이 진행되게 한다. 요즈음 이러한 유형의 레진은 주로 광원에 의해 바로 중합되지 않는 수복물과 코어축조용 레진으로 사용된다.

코어축조용 콤포짓트나 임시수복용 콤포짓트의 경우에는 이중중합(dual-cured)에 의해 경화되는 제품이 있다. 이들 재료는 일차적으로 광중합 반응에 의해 중합이 개시되도록 한 후, 화학중합 반응에 의해 완전한 중합을 얻는다.

⑤ 중합억제제

레진 시스템에서 단량체의 자발적인 또는 우발적인 중합반응을 억제하거나 최소화하기 위하여 중합억제제를 소량 첨가한다. 중합억제제는 자유 라디칼과 반응할 수 있는 강한 반응성이 있어서 레진을 사용할 때 자유 라디칼이 형성되면 자유 라디칼이 단량체와 반응하기 전에 중합억제제가 먼저 반응한다. 따라서 자유 라디칼이 중합반응을 시작하기 전에 반응을 끝냄으로써 중합체 사슬이 길어지는 것을 막는다. 소량 첨가된 중합억제제가 모두 소모되고 나면 중합체 사슬이 성장하기 시작한다. 화학중합 레진의 경우는 하이드로퀴논(hydroquinone)이, 광중합형 레진의 경우는 butylated hydroxytoluene이 중량비로 0.01% 정도 첨가된다. 따라서 중합억제제는 레진 제품의 보관기간을 연장시켜주며 충분한 작업시간을 가질 수 있게 하는 역할을 한다.

⑥ 기타 성분

그 외에 무기 산화물(inorganic oxides)이 소량 첨가되어 자연치의 색조와 조화되도록 색상을 부여한다.

(2) 시판 형태

개시제의 형태에 의해 화학중합형과 광중합형으로 크게 구분하며 다음과 같은 형태로 시판된다(그림 10-5).

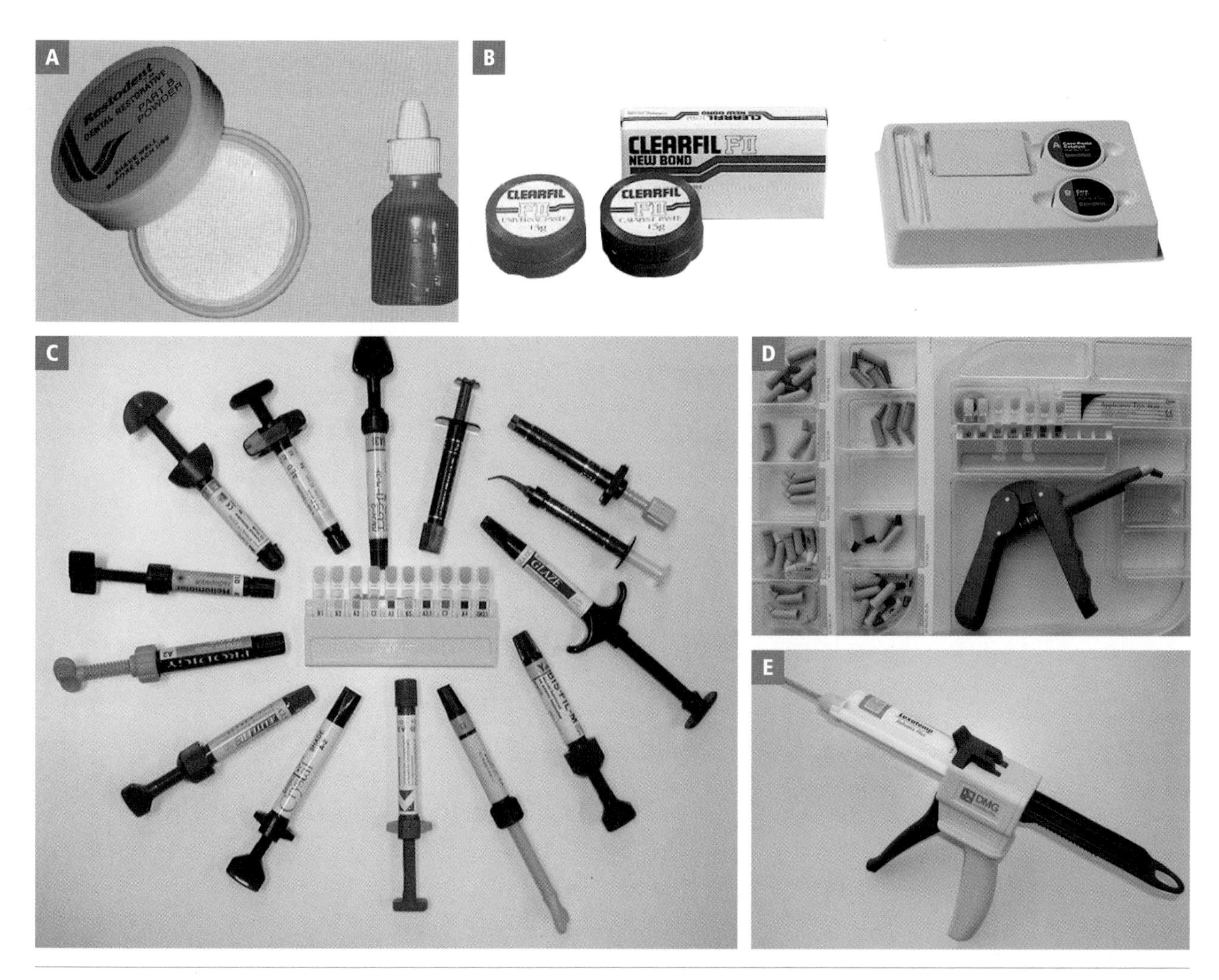

그림 10-5. 수복용 레진시스템

A 분말-액형 재래형 콤포짓트 레진, B 2 연고형 콤포짓트 레진, C 시린지형 광중합 콤포짓트 레진, D 소량의 재료를 담은 팁(compule)을 주입기(gun)에 장착하여 짜내는 주입시스템을 사용한 광중합형 콤포짓트 레진, E 자동혼합형 화학중합 임시치관용 레진

① 분말-액형(powder-liquid system)

레진중합체와 무기필러를 분말로, 레진 단량체를 액으로 하여 각각에 중합개시제와 경화촉진제를 첨가한 화학중합형으로, 적절한 점도와 물성을 얻기가 어려우며 조작의 차이가 물성에 큰 영향을 미치는 단점이 있다.

② 2-연고형(two paste system)

레진기질과 필러를 혼합한 연고들(pastes)의 한쪽 연고에는 중합개시제를 첨가하고 다른 쪽 연고에는 경화촉진제를 첨가한 2종류의 연고로 만들어진 형으로, 화학중합형 콤포짓트 레진에서 가장 많은 형태이다.

③ 단일 연고형(single paste light-cured system)

자외선 또는 가시광선에 의해서 경화된다. 연고를 혼합할 필요가 없으므로 사용시 기포가 혼입되지 않고 충전시에도 주의하면 기포가 없는 양호한 수복물이 얻을 수 있을뿐 아니라 여분의 연고를 혼합하지 않아도 되는 경제성을 갖고 있다. 빛에 의해 경화되기 때문에 미반응된 아

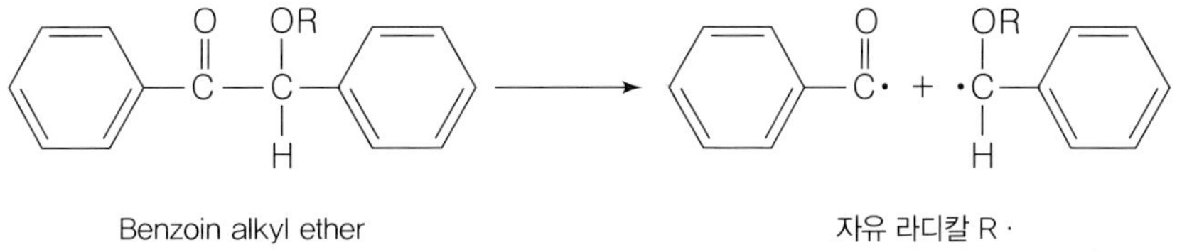

그림 10-6. 자외선에 의한 벤조인 알킬에테르의 자유 라디칼 생성

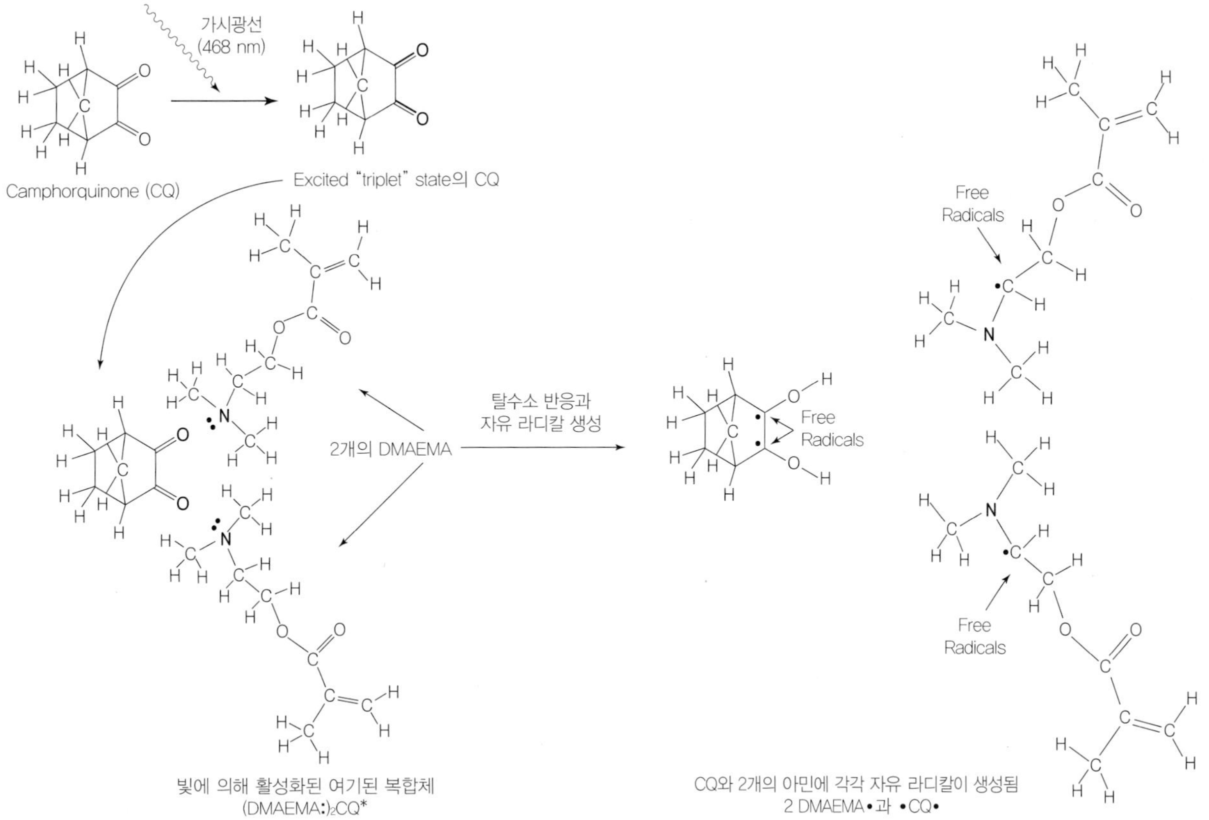

그림 10-7. 다이케톤 광개시제(Camphorquinone, CQ)가 가시광선 에너지를 흡수하여 아민 환원제(N, N-dimethylaminoethyl methacrylate, DMAEMA)와 함께 여기상태의 복합체(exiplex)를 형성한다. 그림에서 '**:**' 은 아민이 CQ의 C=O 그룹에 제공한 비공유 전자쌍을 의미한다. 이 활성화된 복합체에서 CQ가 아민으로부터 수소를 떼어내면서 아민과 CQ 자유 라디칼이 생성된다.

민에 의한 수복물 변색의 위험성이 적으며, 빛을 조사하지 않으면 경화하지 않으므로 충분한 시간적 여유를 갖고 수복물의 형태를 부여할 수 있다.

(3) 광중합형 레진 시스템

광중합형 레진의 중합개시제는 특정 파장영역의 빛에 여기되어 자유 라디칼을 생성하는 광개시제를 개시제로 한 것으로서 320~400 nm(특히 365 nm)의 자외선 영역의 빛에 의해 광개시제가 여기되는 자외선중합형 레진과, 420~650 nm(특히 420~480 nm)의 가시광선 영역의 빛에 여기되어 자유 라디칼을 발생하는 가시광선중합형 레진이 있다.

화학중합형 레진에 비해 광중합형 콤포짓트 레진의 장점은 다음과 같다. 즉, ① 혼합이 필요하지 않으므로 기포 발생이 적어서 착색이 적고 강도가 높다. ② 지방족 아민을 화학중합에 사용하는 방향족 아민 대신 사용하기 때문에 색상 안정성이 향상된다. ③ 청색광에 노출하는 시간을 조절하여 작업시간을 조절할 수 있다. ④ 빛을 조사하면 즉시 대부분의 중합이 진행되므로 경화시간이 빠른 장점이 있다.

하지만, 광중합형 레진에도 역시 몇 가지 단점이 있다. 즉, ① 중합 깊이에 한계가 있으므로 충전하는 레진의 두께는 2.5 mm 또는 그 이하이어야 한다. ② 구치부와 인접면과 같은 부위에서는 광선이 도달하기 어려워 광중합이 불충분할 수 있다. ③ 레진 색조의 차이에 따라 광조사 시간을 조절하여야 하며 어두운 색조와 불투명한 레진일수록 광조사 시간을 늘려야 한다. ④ 실내조명에 민감하므로 뚜껑이 열린 채로 실내조명에 너무 오래 노출될 경우 표면에 얇은 막이 생기거나 표면이 단단하게 굳을 수 있다.

① 자외선 중합형 레진

Benzoin methyl ether[$C_6H_5COCH(OCH_3)C_6H_5$] 또는 higher alkyl benzoin ether가 자외선중합형 광개시제로 사용되며(그림 10-6), 365 nm 부근의 자외선 조사를 받으면 에테르가 분해되어 자유 라디칼을 생성하여 중합을 촉진시킨다. 320 nm 이하의 자외선은 생체에 위해작용이 강하므로 필터에 의해 빛을 여과시킨다. 가시광선 중합형 콤포짓트 레진이 소개된 이래 수복용 레진으로는 거의 사용되지 않는다.

표 10-6. 화학중합형 및 광중합형 콤포짓트 레진의 특성과 그 비교

	화학중합형	광중합형
중합장치	-	광조사기가 필요
중합방식	연화에 의해 중합이 개시	광조사에 의해 중합이 개시
작업시간	한정되어 있음	임의로 설정할 수 있음
충전방법	한꺼번에 충전	적층 충전이 가능 (2~3 mm씩)
중합시간	3~7분	20~40초
중합수축이 일어나는 방향	레진의 중심부	광원
기포의 함입	많음	적음
물성	거의 균질	심부일수록 나쁨

② 가시광선 중합형 콤포짓트 레진

420~480 nm의 가시광선 조사에 의해 여기되어 자유 라디칼을 생성하는 캠퍼퀴논과 같은 diketone이 가시광선 광개시제(photo-sensitizer)로서 사용된다. 치과 영역에서는 일반적으로 0.2~1.0 wt%가 레진에 첨가된다. 이것만으로는 감도가 낮고 중합이 느리기 때문에 촉진제(activator)로서 N,N-dimethyl aminoethyl methacrylate와 같은 3차 아민(tertiary amine)이 0.5~1.0 wt% 정도 첨가되어 사용된다(그림 10-7).

이 유형의 콤포짓트 레진이 현재 임상에서 사용되는 광중합 콤포짓트 레진의 주류를 이루고 있다. 자외선 중합형 콤포짓트 레진에 비해 경화 심도가 깊고, 법랑질을 투과해서도 광중합되므로 제3급 와동의 수복에 특히 유리하며, 전구(light bulb)의 수명이 길고, 눈에 피해가 적은 장점이 있다(표 10-6).

③ 광중합기

현재 콤포짓트 레진의 광중합을 위해서는 청색광 영역의 가시광선을 사용한다. 현재, 4종류의 램프가 광중합을 개시하기 위해 사용되고 있다.

현재에도 가장 많이 사용되고 있는 할로겐 가시광선 광중합기의 치과 응용은 1973년에 영국의 I.C.I사에 의해 개발되면서 시작되었다. 광원은 텅스텐-할로겐 램프가 사용된다. 할로겐 램프는 자외선과 백색광을 내는 텅스텐 필라멘트가 할로겐 가스가 봉입된 석영구 내에 들어있어 빛을 발생한다. 할로겐 램프에서 발산되는 빛의 파장스펙트럼은 350~600 nm에 분포하며, 450~510 nm 부근에서 피크를 보인다. 광개시제인 캠퍼퀴논은 468 nm 부근의 빛을 흡수하여 여기되어 자유 라디칼을 발생하므로 400 nm 이하의

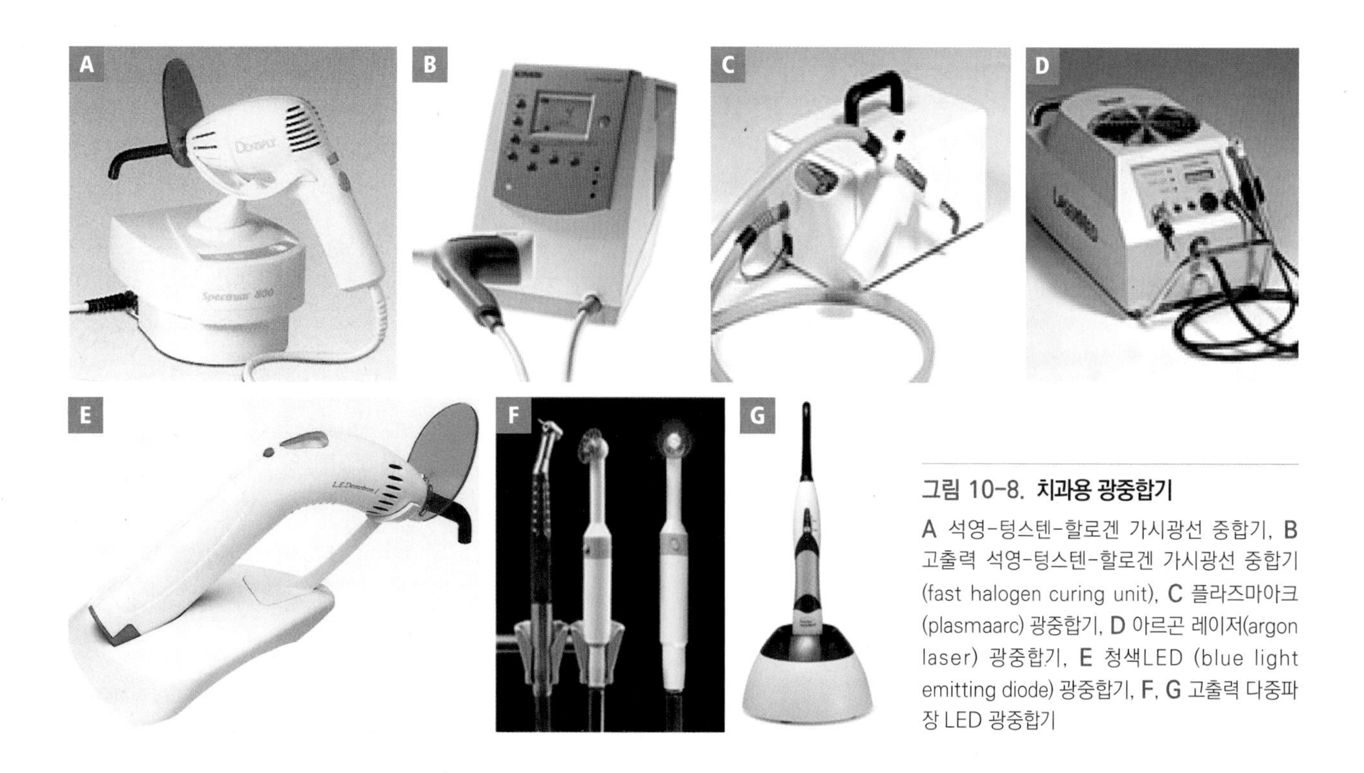

그림 10-8. 치과용 광중합기

A 석영-텅스텐-할로겐 가시광선 중합기, B 고출력 석영-텅스텐-할로겐 가시광선 중합기(fast halogen curing unit), C 플라즈마아크(plasmaarc) 광중합기, D 아르곤 레이저(argon laser) 광중합기, E 청색LED (blue light emitting diode) 광중합기, F, G 고출력 다중파장 LED 광중합기

단파장 영역과 600 nm 이상의 장파장 영역의 빛은 직접적으로 중합에 도움이 되지 않는다. 따라서 생물학적 안정성을 위해 단파장의 빛은 자외선 필터를 사용하고, 눈부심과 열을 방지하기 위해서는 열 필터(thermal filter)를 사용하여 여과시켜 보라-청색 범위(약 400~500 nm)의 빛만 광조사기 팁부분을 통과한다. 빛은 광원에서 나와 필터를 통과한 후 석영글라스(pistol형) 또는 글라스 화이버나 플라스틱 화이버(pencil형)를 통해서 조사부위까지 전달된다. 자외선뿐만 아니라 400~500 nm의 가시광선, 즉 보라색, 청색의 근자외선도 강하면 술자와 보조자의 눈을 자극하여 망막을 손상하는 일이 있다. 실제 임상에서도 잔상현상과 통증에 가까운 감각을 호소하는 일도 있다. 치과임상에 있어서 가시광선 중합기의 광원을 직접 쳐다보는 경우는 많지 않지만, 빛을 충분히 조사하는 중요성 때문에 눈에 장해를 일으킬 가능성이 있으므로 필터보안경을 착용하고 가능한 빛을 직시하는 것을 피해야 한다.

1990년대 중반에는 고출력(high intensity) 광중합기와 플라즈마-아크(plasma-arc) 광중합기가 소개되었으며, 그 외에 아르곤 레이저 광중합기가 드물게 사용되었다. 2000년에는 수명이 길고 가벼우며 크기가 작은 청색 발광다이오드(light emitting diode, LED) 광중합기가 사용되기 시작하였다(그림 10-8).

플라즈마-아크 램프는 이온화되어 플라즈마를 만들어내는 제논 가스를 이용하는데, 청색광만 방출하기 위하여 백색광 빛을 필터로 여과하며, 높은 강도의 빛을 발산한다. 아르곤 레이저 램프는 가장 높은 광도를 방출하며 단일 파장을 방출하지만, 광원의 파장 범위가 좁다. 따라서 고출력 장점이 실제 작업 효율에 미치는 효과가 크지 않고, 고가이어서 많이 사용되지 않는다. 현재 사용되고 있는 램프는 490 nm 이하 파장의 빛을 방출한다.

LED 광중합기의 램프는 반도체를 이용하여 440~480 nm 사이의 가시광선 스펙트럼 중 청색 부분에서만 광선을 방출하므로 필터는 필요 없다. LED는 낮은 전력을 필요로 해서 전지를 이용할 수 있고 열을 내지 않으므로 냉각 송풍기가 필요하지 않기 때문에 소음이 없고 가벼우며 건전지를 사용하여 무선으로 제조가 가능하다. 초기의

LED 광중합기 램프는 4종류의 광중합기 중에서 광도가 가장 낮았지만, 새로운 기술이 이러한 단점을 빠르게 개선해서 2세대 LED 광중합기는 파장범위를 좀 더 넓히고 출력도 크게 향상시킨 제품이 사용되고 최근 개발된 3세대 LED 광중합기는 파장이 각기 다른 LED 모듈을 사용하여 파장과 출력을 조절한다.

광중합기의 제품에 따라 스펙트럼의 피크파장과 광출력 정도가 다르므로 광개시제의 광흡수 파장영역에 해당되는 파장의 빛을 강하게 발산하는 광중합기를 선택해야 좋다. 특히, 일부 접착성 레진이나 콤포머들은 각 재료에 함유되어 있는 광개시제의 광흡수 파장영역이 광방출 파장영역이 좁은 광중합기(아르곤 레이저, 플라즈마 아크 및 제1세대 LED 광중합기)에서 방출하는 빛의 파장영역과 차이가 있을 때 중합이 충분하게 되지 않는 제품들이 있다. 따라서 사용하는 제품과 광중합기의 조합은 보고된 자료들을 참고하여야 한다.

(4) 콤포짓트 레진의 성질

① 물리적 성질

아크릴릭 레진에 비해 단량체 형태의 차이와 무기필러 첨가에 의해 물리적, 기계적 성질이 우수하다.

- **경화시간** : 화학중합형 레진은 혼합 개시부터 2분 정도만에 중합발열이 최고에 이르고, 4~5분만에 초기경화가 완료된다. 한국산업표준 KS P ISO 4049에서는 90초 이상의 작업시간과 제1급의 경우 5분 이내 그리고 제3급의 경우 10분 이내의 경화시간을 요구하고 있다. 반면, 광중합형 콤포짓트 레진은 광조사 후 곧바로 중합발열이 최고에 도달하며 1분 이내에 경화가 완료된다. 이렇게 경화시간이 빠른 점이 광중합 레진의 특징 중 하나이다.

- **중합수축** : 중합 전의 레진단량체 분자들 간에는 0.3~0.4 nm의 반데르발스 인력에 의한 간격이던 것이 중합에 의해 공유결합되면서 그 간격이 0.15 nm 정도로 가까워지므로 중합수축을 동반하게 된다. 메틸메타크릴레이트계 레진은 중합 시에 약 7%의 부피-수축, 즉 2.3%의 선-수축률을 보인다. 반면, 재래형 콤포짓트 레진은 1.4%의 부피-수축, 즉 0.5% 정도의 선-수축률을 보이는데 지나지 않는다. 동일한 레진 단량체를 사용한 재료일 경우 필러의 함량이 많은 형태의 콤포짓트 레진일수록 중합수축량이 작다. 대부분의 콤포짓트 레진은 중합에 의해 약 2~4%의 부피수축을 보인다.

  레진이 중합할 때 동반되는 중합수축에 의한 응력 때문에 레진 수복물과 치면과의 접착이 파괴되어 변연누출이 초래되거나 심한 경우는 수복물 주변의 치면이 응집파괴 되어 백색선(white line)을 보이는 경우가 있으므로, 광중합레진을 중합 시 초기에는 낮은 출력의 빛을 조사하여 초기에 과도한 응력발생이 생기지 않도록 한다. 응력을 완화할 여유를 준 후에는 점차 광원의 출력을 최대로 증가시키는 중합방법(단계중합 stepped-cure 또는 경사중합 ramped-cure)이 권장된다.

  또한, 와동의 크기가 큰 경우에는 한꺼번에 충전하고 광중합할 경우 총 중합수축량이 커서 문제가 발생할 수 있다. 이에 따른 영향을 최소로 하기 위해서는 충전 시 1회에 중합되는 재료의 양을 감소하여 몇 차례에 걸쳐 와동을 충전하고 광중합 시켜주는 '적층 충전법(layering technique)'을 사용하는 것이 좋다.

  중합수축에 의한 접착실패를 막기 위한 또 다른 방법은 수복물을 구강 외에서 미리 충분히 중합하여 인레이나 온레이 형태로 제작함으로써 미리 중합수축이 완료되게 한 후에, 치면과 수복물 사이의 공간은 레진 시멘트로 접착시 채우는 방법(간접 레진 인레이법)이 있다. 레진 시멘트 층은 얇기 때문에 총 중합수축량은 크지 않아서, 중합수축에 의해 접착이 파괴될 우려가 적다. 물성이 높은 콤포짓트로 와동을 충전하기 전에 탄성계수가 낮은 유동성 레진(flowable resin)을 중간층으로서 수복해 주어 중합수축에 의한 응력의 영향을 최소화하는 술식도 고려할 만하다.

- **열팽창계수** : 메틸메타크릴레이트계 레진의 81×10^{-6}/℃와 비교하면 콤포짓트 레진의 열팽창계수는 20~50×

10^{-6}/℃로 낮지만, 치질의 열팽창계수(9~11×10^{-6}/℃)에 비해서는 약 2~5배 정도로 크므로 임상적으로는 변연 봉쇄성 파괴의 한 원인이 된다.

- **흡수율** : 아크릴릭 레진에 비해 콤포짓트 레진은 흡수율이 낮다. 한국산업표준 KS P ISO 4049에 의하면 물속에 1주간 침적했을 때에 흡수율은 40 μg/mm³ 이내여야 한다. 콤포짓트 레진 중에서도 일반적으로 광중합형 레진이 흡수성이 낮은 경향이 있다. 단량체의 분자구조를 볼 경우, 측쇄에 수산기(-OH)와 같은 친수기를 갖는 단량체(예로서 Bis-GMA)는 흡수성이 높고, phenyl기(-C6H5)와 같은 소수성기를 갖는 단량체나 친수성기가 없는 단량체(BPDMA, Bis-MEPP 등)는 일반적으로 내수성을 보인다.

- **중합깊이와 중합시간** : 화학중합형 레진은 레진 중앙부에서부터 중합을 개시하여 전체가 거의 균질하게 중합하는 것에 비해, 광중합형 레진은 유효한 빛의 도달거리가 2~3 mm 정도로 한계가 있기 때문에 심부로 들어감에 따라 미중합 정도가 크게 된다. 광중합 레진은 이러한 점을 고려하여 깊은 와동에는 2 mm 정도씩 나누어 적층 충전할 필요가 있다. 최근에는 광출력을 높인 텅스텐-할로겐 가시광선 중합기(1,000 mW/cm² 이상)와 플라즈마 아크 광중합기, 아르곤 레이저 광중합기가 소개되면서 광조사 시간의 감소와 중합깊이의 증가가 가능해졌다.
  레진 내의 광선의 흡수와 산란 때문에 와동이 깊어질수록 광도가 기하급수적으로 감소한다. 따라서 수복물 하방까지 충분한 광도의 빛이 전달되기 위해서는 더 긴 시간동안 빛을 조사해야 한다. 광도의 감소 정도는 각 콤포짓트 레진의 불투명도, 필러의 크기와 함량, 그리고 안료의 색조에 따라 다양하게 나타날 수 있다. 어두운 색조 그리고 불투명한 레진일수록 긴 중합시간을 필요로 한다. 할로겐 램프의 경우 빛의 세기는 광원의 성질, 수명, 광원 광조사부의 구조, 수복재료와 광원과의 거리, 그리고 광조사부에 남아있는 콤포짓트 레진과 같은 불순물에 의해 감소할 수 있다. 따라서, 램프의 출력을 정기적으로 점검하여야 하며, 가능한 수복물 가까이 광조사부를 접근시키고 중합해야 한다.
  광중합 레진은 많은 장점을 가지고 있지만, 금속 수복물 하방의 접착제와 같이 빛이 도달하기 힘든 부위에 사용되는 재료로는 화학중합형 재료 또는 이중 중합형(dual-cured) 레진을 사용해야 한다.

② 기계적 성질

재래형 콤포짓트 레진은 아크릴릭 레진에 비해 강도, 탄성계수가 더 높다. 따라서 저작력에 의한 변형이 더 적고 잘 깨지지 않는다. 경도, 내마모도 역시 아크릴릭 레진에 비해 재래형 콤포짓트 레진이 더 높다. 또한 광중합형이 화학중합형에 비해 약간 높다.

③ 생물학적 성질

와동이 너무 깊으면 치수를 보호하기 위해 시멘트로 와동이장을 해 줄 필요가 있다. 와동이장재는 수산화칼슘 시멘트, 글라스아이오노머 시멘트 이장재 및 폴리카르복실레이트 시멘트가 사용된다. 와동바니쉬나 산화아연유지놀 시멘트를 사용하면 레진의 중합을 방해하기 때문에 사용해서는 안 된다.

(5) 콤포짓트 레진 수복술식

① 작업부위의 격리

와동형성 시 시술부위에 혀나 타액이 접촉되지 않도록 하기 위하여 러버댐(rubber dam)으로 치료하는 치아만 남겨두고 나머지 치아와 조직을 격리한다. 러버댐을 사용하지 않고 레진충전을 시행하면 수분이나 습기가 중합을 방해한다.

② 와동이장

콤포짓트 레진이나 일반 레진은 와동이 너무 깊을 경우에는 치수자극을 일으킬 수 있으므로 적절한 이장재로 이장을 한다.

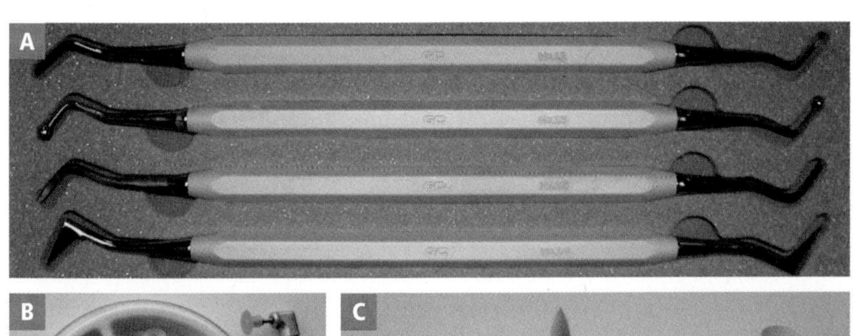
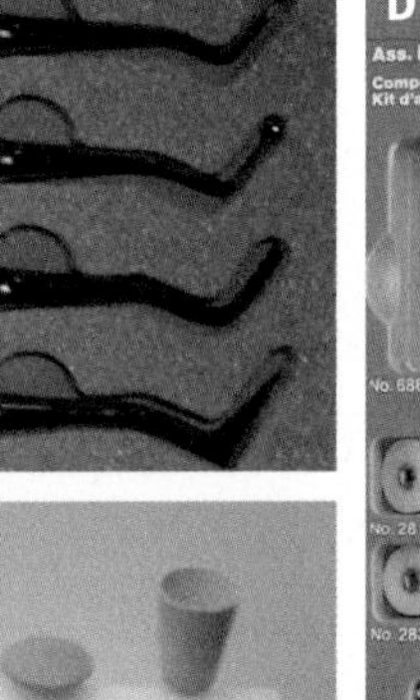

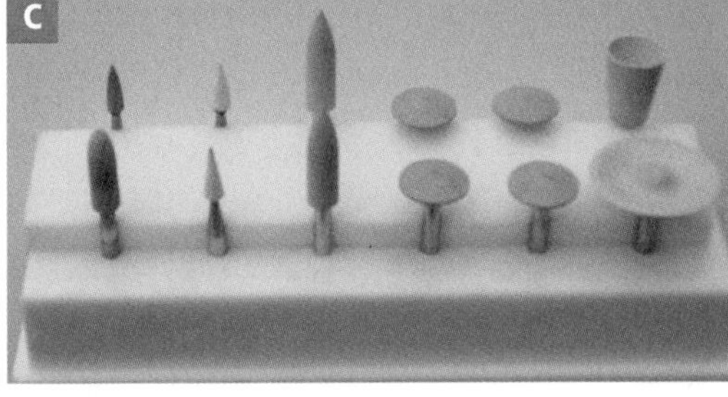
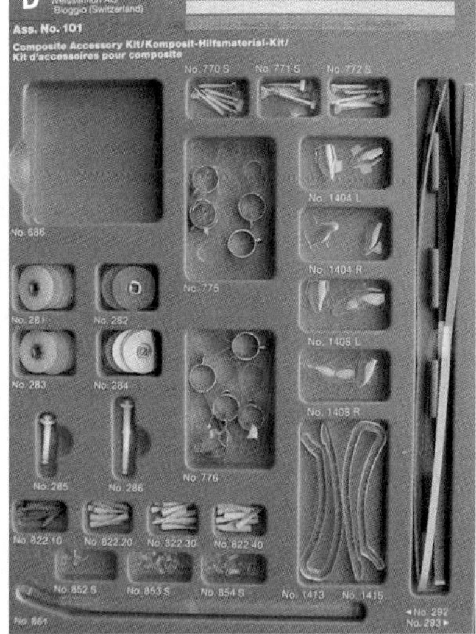

그림 10-9. 콤포짓트 레진 수복을 위한 기구들

A 다양한 두부 형태를 갖는 충전 및 조각기구, B 피니싱 화이트포인트와 순차적 거칠기를 갖는 연마 디스크, C 콤포짓트용 연마포인트, 디스크 및 컵, D 부속품 키트(광 투과성 쐐기, 매트릭스 밴드 및 홀더, 연마용 디스크 및 스트립)

③ 혼합(화학중합형의 경우)

화학중합형 콤포짓트 레진의 경우, 혼합 시 금속성 스파튤라를 사용하면 콤포짓트 레진 내부의 무기필러에 의해 금속이 마모되어 금속가루가 재료를 변색시키므로 플라스틱이나 나무 스파튤라를 이용해서 혼합한다. 또한 2 연고형의 레진을 사용할 경우에는 각 콤포짓트 레진 연고를 꺼내 놓을 때 한쪽의 같은 날로 꺼내면 재료가 교차오염되므로 안 된다. 일반적으로 혼합시간은 30초로 짧은 시간동안에 충분히 혼합해 주고, 작업시간은 1분 30초이다.

④ 충전 및 중합

와동에 가압충전법으로 플라스틱이나 콤포짓트용 금속성 기구, 또는 주입기(syringe)를 사용하여 기포가 함입되지 않도록 주의하여 다져 넣고 잘 채운 후, 매트릭스 스트립으로 덮어 모양을 형성한다(그림 10-9).

일단 중합이 시작되면 화학중합형 레진의 경우 중합되어 경화되기까지 몇 분의 시간이 필요한데 비하여 광중합의 경우에는 2 mm 두께의 중합에 40초 이하의 시간만이 필요하다. 광중합형의 또 다른 장점은 화학중합형에서와 같이 산소 중합 억제에 그리 민감하지 않다는 것이다.

광중합형 레진의 경우, 빛의 강도는 거리의 제곱에 반비례하므로 빛을 가능한 가까이 비춘다. 또한, 광중합형 레진은 빛이 투과할 수 있는 깊이에 한계가 있기 때문에, 두께가 약 2~3 mm 정도를 넘는 깊은 와동의 경우 층상으로 충전하고 매 층마다 중합하는 단계를 반복하여 수복을 완성한다. 따라서 큰 수복물(II급 와동의 경우)에서는 실제로 시간이 더 필요할 수 있다.

⑤ 연마

충전 후에 굳을 때까지 셀룰로이드 매트릭스 스트립(celluloid matrix strip)을 덮어 놓는다. 셀룰로이드 스트립과 닿는 면은 제거 후 표면이 매끄럽다. 콤포짓트 레진은 아말감에 비해 수복 후 저작력에 대해 저항할 수 있을 때까지의 시간이 대단히 짧다는 것이 큰 장점이다. 따라서 연화시작 후 5분 정도 후에 연마를 시행한다. 가시광선중합 레진의 경우는 광중합기를 뗀 후 1분 후에 연마를 할

그림 10-10 연마 후 재래형 콤포짓트 레진 표면의 주사전자 현미경 상
레진기질은 연마에 의해 삭제되었지만, 단단한 무기필러는 그대로 남아있거나 뽑혀져 나가 거친 면을 남기고 있다(×5,000).

수 있다. 그러나 변연적합성을 좋게 하기 위해 연마를 24시간 후로 연기하는 것이 좋다는 보고들도 있다.

이처럼 마무리 연마(final polishing)를 다음 내원 시에 하는 이유는 우선 연마를 시행하기 이전에 수복치의 예후를 관찰하는 것이 가능하므로 만일 불쾌한 증상이 있다면 필요한 처치를 행하고, 환자에게 적절한 지시를 할 수 있기 때문이다. 또 레진이 충분히 경화되지 않을 때에 외력을 가하면 접착부가 떨어질 염려가 있고, 수복 직후에 연마하면 착색되기 쉽다는 보고도 있으며, 와동변연부의 법랑질에 균열이 생기기 쉽다. 또한, 일정시간이 경과한 후에 연마하면 레진의 흡수에 의해 와동벽에의 밀착도가 좋아지고, 연마 시에 균열이 생기는 경우도 적으며, 활택한 변연부를 얻을 수 있다. 따라서 수복 당일에는 교합에 의해 문제를 일으키는 부위나 큰 과잉부를 수정하는 정도로 연마를 제한하고, 다음 번에 내원했을 때 본격적인 마무리 연마를 행하는 것이 좋다.

최근에는 마무리 연마기구도 개량되어 혼합형과 불균일 미세입자형 콤포짓트 레진도 균일 미세입자형 콤포짓트 레진의 표면처럼 활택하지는 않지만, 재래형 콤포짓트 레진의 표면과 비교한다면 꽤 양호한 연마면을 얻을 수 있게 되었다. 재래형 콤포짓트 레진은 무기필러 입자와 레진기질 사이에 경도의 차이가 있으므로 필러입자는 마모되지 않고 레진기질만 마모되어서, 필러입자가 표면에 돌출되거나 탈락되어 거친 표면을 이루므로 쉽게 마무리 연마가 안 되고, 치태가 잘 형성된다(그림 10-10).

연마는 셀룰로이드 매트릭스 스트립의 한 번 조작으로 끝내는 것이 가장 활택한 면을 얻을 수 있다. 하지만, 실제 형태수정 등을 해주는 경우가 대부분이므로 한 번으로 되지는 않아 마무리 연마를 해 준다. 일반적으로 삭제에는 12-fluted 카바이드 피니싱 바(carbide finishing bur)나 그린스톤(green stone)을 많이 사용한다. 최종 연마는 실리콘 그리스(silicone grease)로 가볍게 바른 흰 고무 연마 포인트(white rubber poligheing point)나 산화알루미늄(aluminum oxide), 실리콘 카바이드(SiC), 지르코늄 실리케이트(zirconium silicate)의 스트립(strip)과 디스크(disk)를 사용한다. 그 후 Bis-GMA의 희석용액인 광택제(glazing agent)를 연마된 콤포짓트 레진 표면에 도포하여 광택을 부여하고 표면을 보강하기도 한다. 그러나 광택제는 시간이 경과함에 따라 점차 마모된다.

3) 필러의 종류에 따른 콤포짓트 레진의 분류

필러의 종류에 따른 콤포짓트 레진의 분류와 임상 적용범위는 표 10-7과 같다. 재래형 콤포짓트 레진(conventional composite resin)은 연마할 때에 큰 무기필러 입자가 탈락되거나, 레진기질이 쉽게 마모되어 필러가 표면에 노출되어 표면이 거칠어지고, 나아가서는 변색이 일어날 수 있다.

따라서 미세입자형 콤포짓트 레진(microfilled composite resin)을 사용하여 최종 연마를 가능하게 하고 있다. 1970년대 중반 경부터 필러의 미세화가 연구되어, 그 결과로서 Vivadent사로부터 Isopast가 소개되었다. 그 제품은 레진기질로서 우레탄계 레진이 이용되었고, 필러에는 입자 직경이 0.005~0.04 μm인 콜로이달 실리카 분말이 사용되어 연마가 현저히 용이해져 활택한 면을 얻을 수

표 10-7. 필러의 종류에 따른 콤포짓트 레진의 분류와 임상 적용범위

<table>
<tr><th colspan="2">콤포짓트 레진 유형</th><th>필러 형태</th><th>임상 적용범위</th></tr>
<tr><td colspan="2">재래형(conventional) 거대입자형</td><td>20~40 μm 글라스 또는 실리카</td><td>큰 응력 부위</td></tr>
<tr><td rowspan="6">혼합형</td><td>큰입자 혼합형
(large particle hybrid)</td><td>1~20 μm 글라스
+ 소량의 0.04 μm 실리카</td><td>연마성이 요구되는 큰 응력 부위
(I, II, III, IV 급 와동)</td></tr>
<tr><td>중간입자 혼합형
(midifiller hybrid)</td><td>0.1~10 μm 글라스
+ 소량의 0.04 μm 실리카</td><td>연마성이 요구되는 큰 응력 부위
(III, IV 급 와동)</td></tr>
<tr><td>미세입자 혼합형
(minifiller hybrid)</td><td>0.1~2 μm 글라스
+ 소량의 0.04 μm 실리카</td><td>우수한 연마성이 요구되는 중간응력 부위
(III, IV 급 와동)</td></tr>
<tr><td>압축충전가능 혼합형
(packable hybrid)</td><td>섬유상, 다공성, 또는 부정형
불규칙한 표면의 필러입자</td><td>우수한 응축성이 요구되는 경우
(I, II급 와동)</td></tr>
<tr><td>나노입자 혼합형
(nanofiller hybrid)</td><td>0.1~2 μm 글라스 또는 레진
+ 0.1 μm 이하의 나노입자</td><td>우수한 연마성이 요구되는 중간응력 부위
(III, IV 급 와동)</td></tr>
<tr><td>유동형 혼합형
(flowable hybrid)</td><td>중간입자 혼합형과 비슷하나,
입자크기 분포가 더 작다.</td><td>우수한 흐름성이 요구되는 부위나
접근이 쉽지 않은 경우 (II 급 와동)</td></tr>
<tr><td colspan="2">균일미세입자형
(homogeneous microfiller)</td><td>0.04 μm 실리카</td><td>우수한 광택과 연마성이 요구되는
낮은 응력 부위나 치은 연하부위</td></tr>
<tr><td colspan="2">불균일 미세입자형
(heterogeneous microfiller)</td><td>0.04 μm 실리카를 함유한 미리 중합된 필러
+ 0.04 μm 실리카</td><td>낮은 중합수축이 요구되는 낮은
응력 부위나 치은 연하부위</td></tr>
<tr><td colspan="2">나노입자형
(nanofiller)</td><td>0.1 미만의 실리카 또는 지르코니아</td><td>우수한 연마성이 요구되는 중간응력 부위
(III, IV 급 와동)</td></tr>
</table>

있게 되었다. 그러나 직경이 작은 필러를 레진기질에 배합하면 필러의 전체 표면적이 크게 증가하여 초기에 개발된 미세입자형 콤포짓트 레진은 필러를 34~50% 밖에 배합할 수 없었다. 이처럼 필러의 함량이 적기 때문에 중합수축, 흡수성, 열팽창계수가 큰 단점이 있다.

따라서 필러를 레진기질과 혼합하여 중합시킨 후 이것을 미세하게 분쇄한 것(prepolymerized filler)을 레진기질에 배합하는 방법이 고안되었다. 이들 필러들은 무기질과 유기질의 복합체로 되어 있기 때문에 '유기복합필러'라고도 하며, 이를 혼합하여 만든 레진을 불균일 미세입자형 콤포짓트 레진(inhomogeneous microfilled composite resin)이라고 하였다. 이러한 시도에 의해 필러 첨가량이 증가하여 50~60% 정도 함유하게 되었지만 70% 이상의 함량에는 도달하지 못했다. 따라서 큰 교합압이 가해지는 구치부나 큰 응력이 가해지는 전치 절단부를 포함한 와동의 수복에는 사용이 제한되는 문제가 있었다.

더 나아가 재래형의 부정형 필러를 미세화하고 여기에 초미세입자 필러를 혼합하는 시도가 있었으며, 이를 현재 혼합형 콤포짓트 레진(hybrid composite resin) 또는 고밀도 충전형 콤포짓트 레진이라고 칭하며, 그 배합비는 중량비로 80%를 넘는 제품이 속속 개발되어 구치부에도 콤포짓트 레진 응용이 가능하게 되었다.

레진기질은 Bis-GMA나 UDMA로서 어느 유형의 콤포짓트 레진이나 비슷하며, 콤포짓트 레진을 필러의 크기나 배합형태에 의해 다음과 같이 분류할 수 있다.

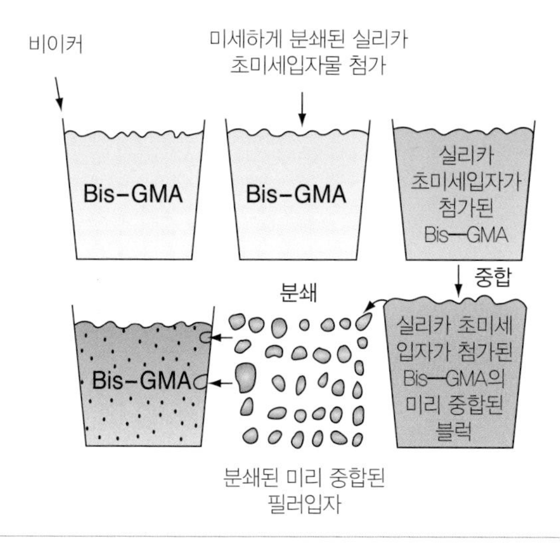

그림 10-11. 미리 중합된 필러 입자를 갖는 불균일 미세입자형 콤포짓트 레진의 모식도

Bis-GMA 레진기질 내에 콜로이달 실리카를 함유한 미리 중합된 필러 입자가 포함되어 있다

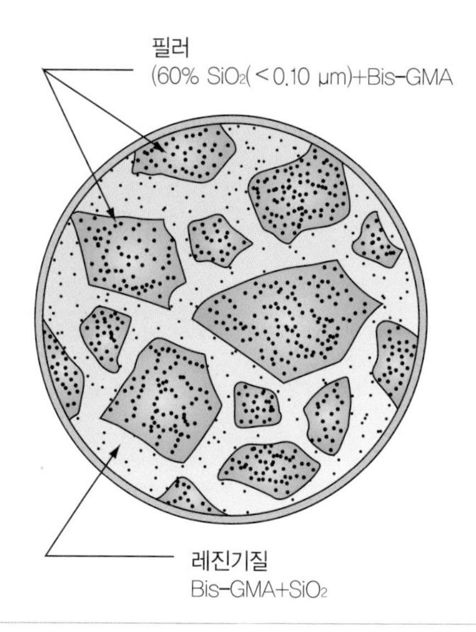

그림 10-12. 불균일 미세입자형 콤포짓트 레진 구조의 모식도

(1) 재래형 콤포짓트 레진(traditional, conventional composite resin)

초기의 콤포짓트 레진 형태로서 주로 20~40 μm 정도로 큰 입자가 필러로 사용되며, 석영, 붕규산글라스(borosilicate glass), 글라스세라믹 등의 필러를 사용한다. 필러 함량은 중량비로 70~78%이다. 필러 크기가 크므로 표면의 연마가 곤란하고 표면이 거칠어지기 쉬운 결점이 있다.

(2) 균일 미세입자형 콤포짓트 레진(homogeneous microfilled composite resin)

0.05~0.1 μm 정도의 서브마이크론(submicron) 크기의 pyrogenic 실리카 필러를 사용한 레진으로 연마성과 심미성이 가장 우수하지만 물성은 나쁘다. 실리카 필러의 입자크기가 작기 때문에 입자의 총 표면적이 매우 커져서 레진기질에 필러를 첨가할 때 점도가 크게 증가하므로 충분한 양의 필러를 첨가할 수 없다. 대개 중량비로 50% 이하의 필러만 첨가될 수 있어서 물리적 성질이 나쁘다.

(3) 불균일 미세입자형 콤포짓트 레진(Inhomogeneous microfilled composite resin)

균일 미세입자형 콤포짓트 레진의 경우 서브마이크론 크기의 필러를 넣으므로 표면적이 넓어(100~300 m^2/g) 점도가 크게 높아진다. 결국, 필러 함량을 높이기가 어려워서 연마성은 좋지만 물성이 낮은 단점이 있었다. 따라서, 초미립자 실리카(0.04 μm)가 배합된 미리 중합된 입자를 미세하게 갈아 만든 분말(prepolymerized filler, 일명 유기질 복합 필러라고도 함)을 서브마이크론 크기의 pyrogenic 실리카와 섞어 필러로 사용하는 불균일 미세입자형 콤포짓트 레진이 있다. 이 유형의 콤포짓트 레진은 마무리 연마성이 우수하고 필러의 함량이 증진되어 다른 형태의 콤포짓트 레진에 비해 떨어지지 않는 물성을 보인다.

① Splintered prepolymerized microfiller complex

1~200 μm의 미리 중합된 필러 + pyrogenic 실리카가 섞인 필러시스템

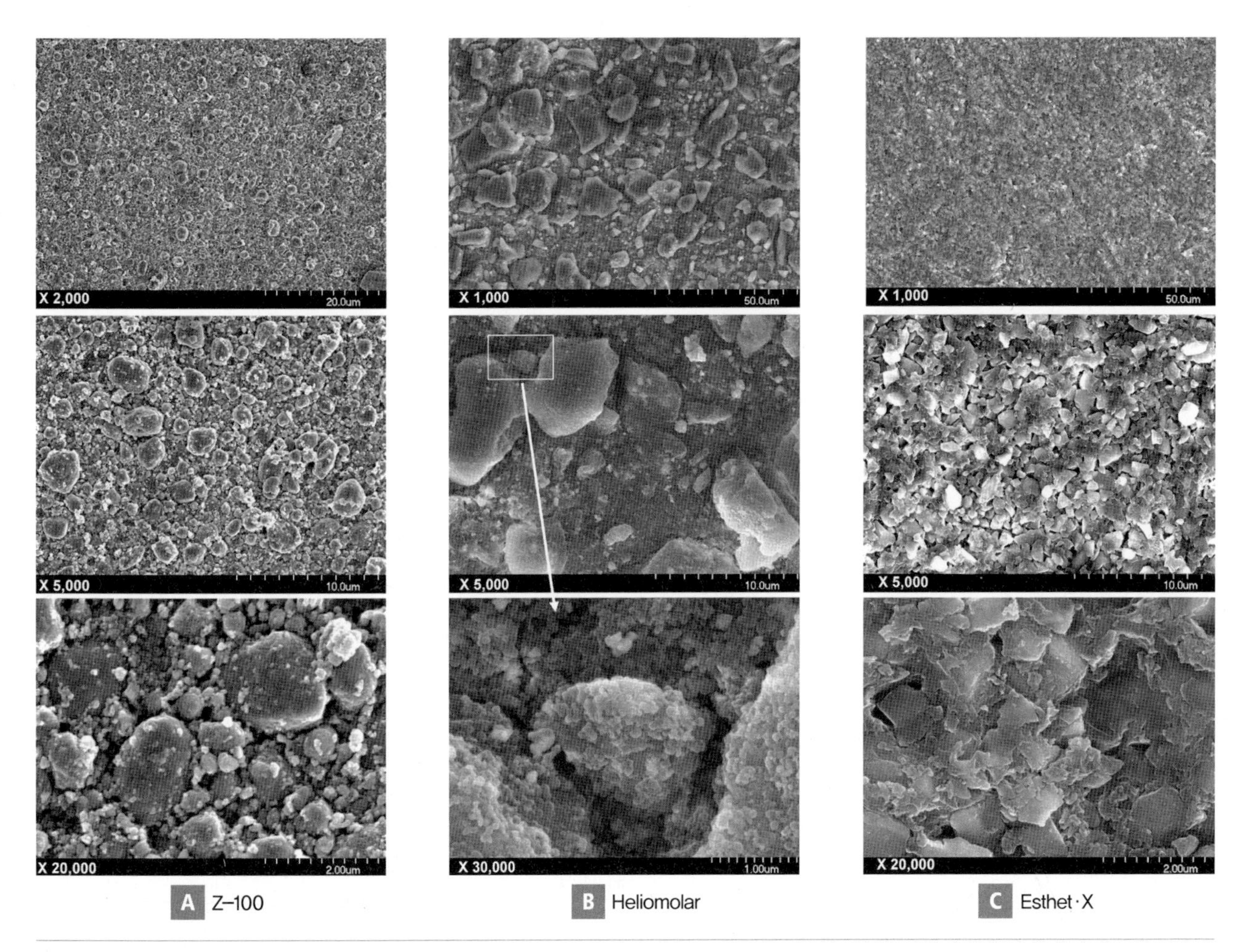

그림 10-13. 경화된 콤포짓트 레진 표면의 주사전자현미경 사진

A 0.01~3.5 μm로 다양한 크기의 지르코니아/실리케이트 필러가 섞여있는 minifill 콤포짓트 레진, B 불균일 미세입자형(inhomogeneous microfilled) 콤포짓트 레진으로, 0.04~0.2 μm 크기의 나노 필러들과 이들을 미리 중합 후 분쇄한 1~20 μm 크기의 필러들이 섞여 있다. C 미세혼합형(micro-hybrid) 콤포짓트 레진으로 평균 1 μm 이하 크기의 글라스 필러에 실리카 나노 필러가 소량 혼합되어 있어서, 표면이 훨씬 더 매끄럽다.

② Spherical polymer-based microfilled composite

20~30 μm의 구상의 미리 중합된 필러(서스펜션 중합된) + pyrogenic 실리카가 섞인 필러시스템

③ Agglomerated microfiller complex

0.5~50 μm의 agglomerated 필러(0.04 μm 크기의 실리카 입자를 소결하여 응집괴를 만든 후 분쇄한 필러) + 마이크로필러가 섞인 필러시스템

유기질 복합필러를 만들기 위해서는 먼저 서브마이크론 크기의 실리카 입자를 커플링제로 표면처리 후, 클로로포름 용매와 함께 단량체 내에 분산시킨다. 그 후 클로로포름을 증발시키고 단량체를 중합시켜 중합된 레진기질 내에 실리카 필러가 응집(agglomeration)되게 한다. 예로서, 60% 0.1 μm 이하 크기의 실리카 + Bis-GMA로 구성된 입자가 된다. 이를 입자크기가 10~20 μm 정도 되게 분쇄하여 미리 중합된 필러를 얻는다(그림 10-11, 12).

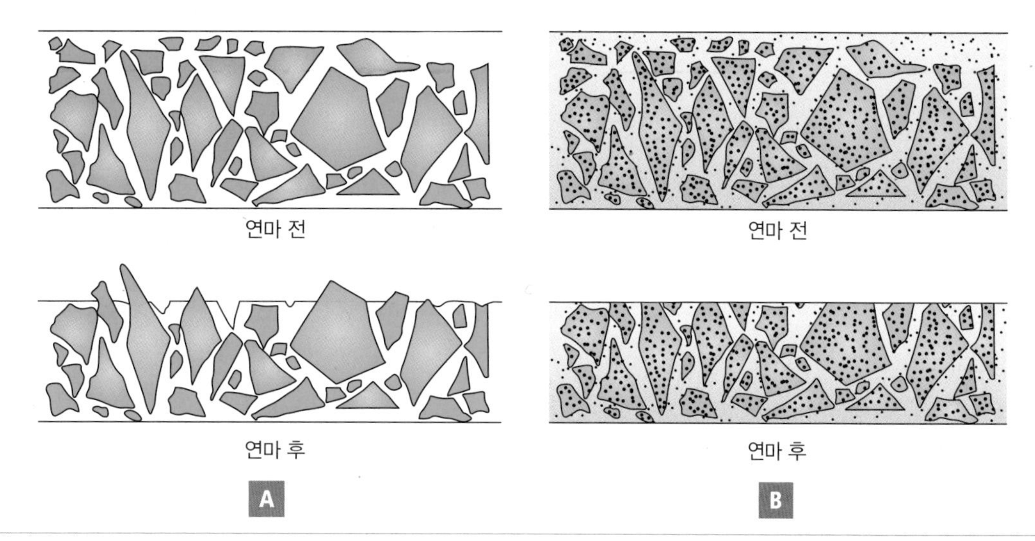

그림 10-14 A 재래형 콤포짓트 레진의 연마 전과 후 표면의 모식도. 레진기질은 연마에 의해 닳아지고 무기필러 일부는 표면 위로 돌출되어 있고 일부는 뽑혀져 나갔다. B 불균일 미세입자형 콤포짓트 레진의 연마 전과 후 표면의 모식도. 레진기질과 무기필러가 같은 정도로 깎이기 때문에 연마된 면은 더욱 매끄럽다.

콤포짓트 레진의 글라스 필러와 레진 간의 접착을 개선하는 새로운 방법으로서 '반다공성(semi-porous)'의 글라스입자를 사용하는 방법도 있다. 반다공성 글라스필러는 글라스 내의 한 상(phase)은 다른 상보다도 강산에 녹기 쉬워, 법랑질이 산처리에 의해 표면이 불규칙하게 부식되는 것처럼 산처리에 의해 필러입자의 표층이 다공성을 갖는다. 그곳에 레진이 흘러들어가 콤포짓트 레진이 경화된다.

(4) 혼합형 콤포짓트 레진(hybrid composite resin)

입자 크기가 다른 필러들을 혼합하여 배합하면 작은 입자의 필러들이 큰 입자들 사이의 빈 공간을 채우기 때문에, 필러를 배합할 때 단일 크기의 필러를 배합하는 것보다 크기가 다른 수종의 필러를 배합하는 것이 함량을 높일 수 있고 동시에 물성도 향상된다. 이런 형태로 필러가 배합된 콤포짓트 레진을 혼합형 콤포짓트 레진(hybrid composite resin)이라 한다. 혼합형 콤포짓트 레진은 매크로(macro), 마이크로(micro), 서브마이크론(submicron)의 크기가 다른 수 종류의 필러를 배합한 콤포짓트 레진이며, 일반적으로 가장 필러함량이 높고 물성이 우수하며 내마모성을 갖는다. 대개 7~15% 이상의 미세입자 필러를 함유하고 있기 때문에 입자간 응력을 잘 전달하여 큰 입자 필러와 함께 응력에 대한 저항성이 우수하다. 최근에는 혼합되는 입자의 크기를 감소하여 연마성과 내마모성을 향상시킨 미세혼합형(microhybrid) 콤포짓트 레진이 만족스러운 임상결과를 보이고 있다. 미세혼합형 콤포짓트 레진은 부피비로 60~70%의 필러를 함유한다. 이 함유량은 중량비로는 77~84%에 해당하며, 대부분 제조자들은 필러의 함량을 중량 퍼센트로 표시하고 있다.

4) 각 유형별 콤포짓트 레진의 성질

미세입자형 콤포짓트 레진은 표면이 활택하다는 것 외에는, 일반적으로 무기필러의 함량이 낮기 때문에 기계적, 물리적 성질이 재래형 콤포짓트 레진보다 떨어진다. 따라서, 연마성과 심미성이 특히 요구되는 제3급 및 5급 수복에 주로 사용된다. 하지만 최근에는 미세입자형도 필러의 함량이 증가되어 재래형 콤포짓트 레진에 필적한 물리적 성질을 보이는 것도 있다(그림 10-13, 14).

압축강도는 재래형 콤포짓트 레진과 비슷하고, 혼합형

광중합 콤포짓트 레진은 거의 치질 및 아말감에 필적한다. 인장강도나 탄성계수는 재래형, 미세입자형, 비충전형의 순서로 높다. 콤포짓트 레진은 고밀도로 무기필러가 함입되어 있으므로 단단하지만 부서지기 쉬운 취성을 보인다. 따라서 압축강도의 1/3~1/4의 인장강도만을 보인다.

재래형 콤포짓트 레진은 누프 경도값(KHN)이 55를 보이며, 미세입자형 콤포짓트 레진은 사용되는 필러의 크기와 함량의 차이에 따라 경도가 달라진다. 혼합형이 가장 단단하고(KHN 60~70), 균일 미세입자형이 가장 낮은 경도치(KHN 20~40)를 보인다. 또한 광중합형이 화학중합형에 비해 약간 높은 경도를 보인다.

내마모성은 인공치와 자연치아 사이의 마모시험에서 균일 미세입자형 콤포짓트 레진이 낮은 경도에도 불구하고 양호한 내마모성을 보인다. 이러한 사실은 혼합형 콤포짓트 레진은 충격력에 의해 필러가 탈락하는 반면에 균일 미세입자형 콤포짓트 레진은 필러입자가 작아 레진기질과 일체화되어 충격력을 흡수하는 효과가 있기 때문이다.

흡수성은 재래형 콤포짓트 레진에 비해 미세입자형 콤포짓트 레진과 비충전형 아크릴릭 레진이 더 크다. 미세입자형은 재래형에 비해 변색이 많으며, 중합수축은 재래형 콤포짓트 레진과 비슷하거나 더 크다. 열팽창계수는 비충전형, 미세입자형, 재래형 콤포짓트 레진 순으로 크다.

5) 특정한 응용을 위한 콤포짓트 레진

(1) 압축충전가능 콤포짓트

압축충전가능 콤포짓트(packable, condensable composite)는 점도가 높아 압축 시 저항성을 가지므로, 인접면을 포함한 와동에 압축충전할 때 매트릭스 밴드를 밀치기에 충분해서 인접면의 외형을 풍융한 형태로 재현시켜 줄 수 있다(그림 10-15). 따라서, 제1급, 2급 와동에 사용 시 적합하다.

필러의 형상이 섬유상(Alert), 다공성 필러표면(Solitaire), 또는 부정형 필러입자(Surefil, Prodigy condensable)인 필러를 사용하며, 함량은 중량비로 65~81%이다.

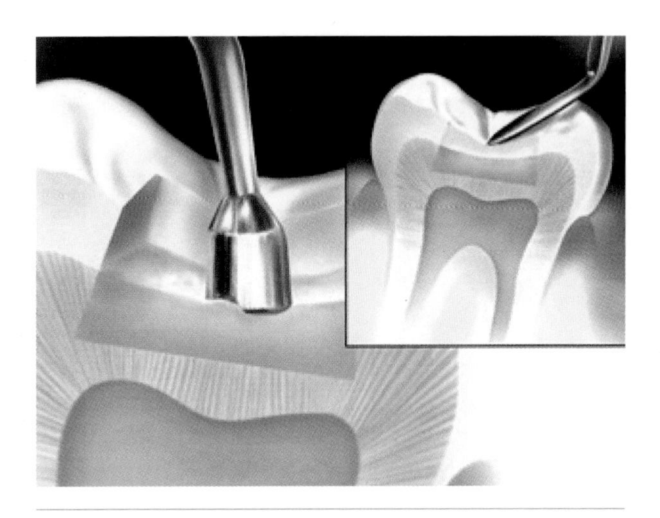

그림 10-15. 압축충전가능 콤포짓트

이들 불규칙한 표면의 입자들 간에 접촉과 레진 조성의 변형에 의해 압축이 가능한 조작성을 보인다. 이들 압축충전가능 콤포짓트는 보통의 강도를 보이지만, 더 빳빳하고 방사선 불투과성이 높으며, 마모저항성이 낮다(3.5 μm/년). 또한 중합수축이 적고 가시광선에 의한 중합깊이가 커서(5 mm 이상) 큰 와동도 적층충전하지 않고 단일충전에 의해 충전을 마무리 할 수 있으므로 시간이 절약되고 편하다고 보고된다. 하지만, 연마성이 낮은 편이며, 깊은 와동에서 적층충전하지 않고 단일충전으로 수복하는 경우에 대한 신뢰성 있는 보고가 아직 부족하다. 또 색상이 다양하지 못하고, 변연부의 접착성이 낮다는 단점들도 있다. 따라서, 이들 압축충전가능 콤포짓트 세트에는 단일용액형의 접착제(single-bottle bonding agent)가 들어있으므로 함께 사용하도록 한다.

(2) 유동형 콤포짓트 레진

미세입자형 콤포짓트 레진과 하이브리드 콤포짓트 레진을 변형하여 이른바 유동형 콤포짓트 레진이 만들어졌다(그림 10-16). 유동형 콤포짓트(flowable composite resin)은 필러의 함량이 낮아서 점도가 낮기 때문에, 치면열구전색이나 치경부 수복, 유치 수복, 그리고 작고 응력이 적게 미치는 수복에 적합하며, 시린지를 사용하여 직접

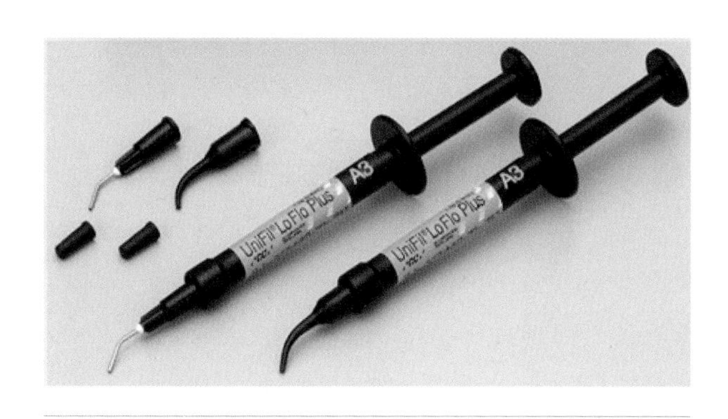

그림 10-16. 유동형 콤포짓트 레진

수복부위에 적용할 수 있으므로 조작이 편한 장점을 가지고 있다. 또한, 탄성계수가 낮기 때문에 치경부의 굴곡파절(abfraction)된 부위의 수복에 유용하다. 그 외에도 접근이 어려운 구치부 II급 와동과 접근이 어려운 경우 베이스로 사용할 때 와동 벽과 잘 긴밀하게 접촉하여 유용하게 사용된다. 그러나, 낮은 필러 함량으로 인해 중합수축이 크고, 마모저항성이 미세하이브리드(microhybrid) 콤포짓트에 비해 낮다. 이 유형의 콤포짓트 레진은 0.7~3.0 μm 크기의 필러가 부피비로 42~53% 함유되어 있다.

(3) 간접법에 의해 제작되는 콤포짓트 레진 수복재

이 유형의 콤포짓트 레진(indirect composite resin)은 중합도와 마모저항성을 향상시키기 위하여 경석고모형 상에서 빛, 열, 압력 및 진공 또는 불활성 분위기를 조합하여 중합시킨다. 기공발생이 적고 중합도가 크게 향상되어서, 구강 외에서 인레이, 크라운, 금속 하부구조 상에 접착된 전장관(veneer) 또는 금속 하부구조가 없는 브리지를 제작하는데 사용된다. 제작된 수복물은 콤포짓트 레진시멘트를 사용하여 치아에 접착한다. 간접법에 의한 콤포짓트 수복을 위한 와동형성 시는 언더컷이 없게 해야 한다.

간접법에 의해 수복물을 제작하여 치아에 접착하는 방법은 직접법으로 콤포짓트 레진 수복을 할 경우에서 발생할 수 있는 술식 민감성(technique sensitivity), 구치부 원심면과 같이 시술상의 접근이 어려운 부위의 해부학적 형태 재현의 제약, 중합수축에 의한 문제, 마모, 치간 인접면 접촉점을 재현하기 어려운 문제들을 해결할 수 있다. 또한, 금속 하부구조 없이 수복물을 제작할 경우 자연치아의 반투명성을 재현할 수 있으며, 전부 포세린관(all-ceramic crown)에서처럼 자연치아를 마모시킬 우려가 없는 장점이 있다. 접착성 레진 시멘트는 경화되는 동안에 수축하더라도 그 두께가 얇기 때문에 직접법으로 충전된 콤포짓트 레진을 중합하는 동안에 생긴 중합수축 양보다 훨씬 작아서 중합수축에 의한 변연누출이나 결합파괴의 문제가 감소된다.

제1세대 콤포짓트 레진계 간접수복재(예로서 Visio-Gem, Dentacolor, Concept)는 1980년대에 소개되었으나 필러의 함량이 낮아 굴곡강도, 탄성계수 및 마모저항성이 충분하지 못하였다.

1990년대 중반 이후부터 최근까지 다양한 제2세대 콤포짓트 레진계 간접수복재(Artglass, BelleGlass HP, Targis, Columbus, Sinfony, Tescera)가 소개되었다. 이들 재료는 1 μm 이하의 실란처리된 필러가 부피비로 50% 이상 높은 함량으로 포함되어 있다. 이들 재료들은 중합도를 높이고 기공을 감소시켜 탄성계수와 마모저항성 및 파괴인성을 높이기 위해 중합하는 동안 빛 외에도 열, 압력, 또는 진공을 이용해서 중합한다.

특히, 레진 전장관(resin veneer)을 제작하기 위해 Tescera ATL 시스템을 사용하는 경우에는 경석고모형 상에서 미세혼합형(microhybrid) 콤포짓트 레진을 축성하여 성형한 후 정수압 압력을 가할 수 있는 용기에 수복물을 넣고 60 psi 이상의 압력을 가해서 기포의 크기를 최대한 감소한 상태에서, 일차적으로 빛을 여러 방향으로부터 반사할 수 있도록 하기 위해 세라믹 구슬이 담겨진 압력용기 내에서 광중합시킨다. 그 후 용기 내의 불활성 분위기를 만들기 위해 탈산소제(oxygen scavenger capsule)을 첨가한 정수압력(60~62 psi)이 가해진 물속에서 열(132℃)과 빛(300 W)을 적용하여 중합을 완료시킨다. 이 방법은 불활성 분위기를 만들기 위해 사용되었던 질소통을 사용하지 않기 때문에 비용과 공간문제가 많이 해결되고, 제작된 수복물은 내부 기공이 크게 감소된다. 또한 표면에는

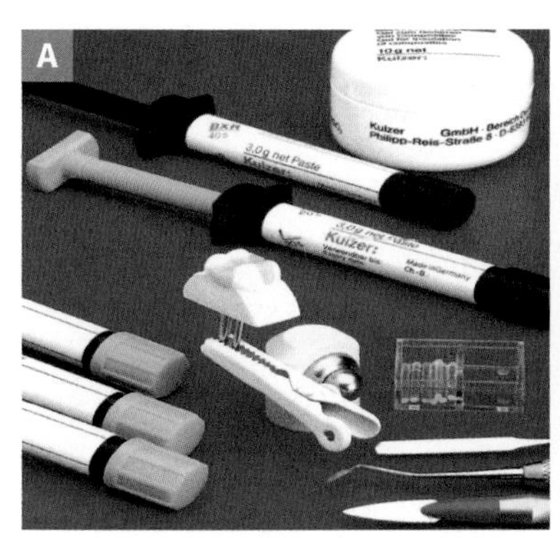

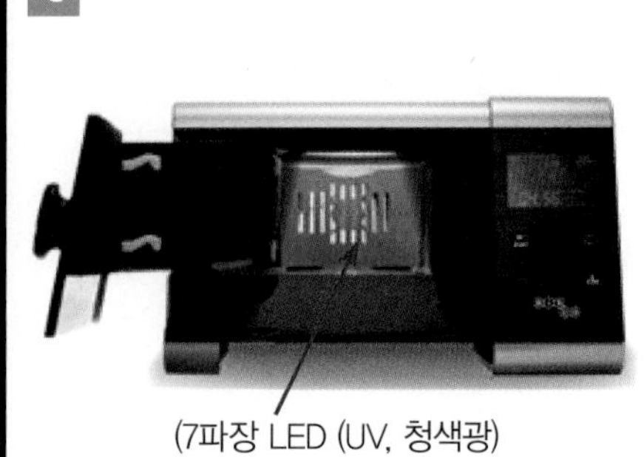

그림 10-17. 간접법에 의한 수복용 콤포짓트 레진 시스템 A 제1세대, B 제2세대, C 제3세대

산소에 의한 중합억제층(oxygen inhibited layer)이 없어서 우수한 수복물을 제작할 수 있다고 한다. 그림 10-17은 제1세대와 제2세대 콤포짓트 레진 간접수복재 시스템을 보여주고 있다.

(4) 코어용 콤포짓트 레진

치아의 손실이 많아서 크라운을 제작하기 위해 치아에 코어를 형성해주어야 할 때, 아말감이나 주조에 의한 코어를 사용하는 경우가 많지만, 콤포짓트 레진을 사용하여 코어를 형성하는 것도 보편화되었다. 코어용 콤포짓트 레진은 대개 2-연고형 화학중합형 콤포짓트이지만, 광중합형 및 이중중합형 콤포짓트도 사용된다. 코어용 콤포짓트는 대개 잔존 치질의 색과 구별하기 쉬운 색조를 가지고 있다.

콤포짓트 레진을 사용하여 코어를 제작할 경우 상아질에 접착성이 있고, 경화 직후에 즉시 마무리를 할 수 있으며, 성형하기 쉽고, 충분한 강도를 가진다. 또한 세라믹 수복물 하방에 사용하기에 적합한 색을 갖는 장점이 있다. 유지력과 변연봉쇄성을 위해서는 접착 레진을 함께 사용하도록 한다.

(5) 유기질 변형 세라믹(ormocer) 콤포짓트

최근 유기질 변형 세라믹(Organically Modified Ceramic, Ormocer) 필러를 사용하는 콤포짓트가 소개되었다(Definite, Degussa). 이 재료는 다작용성 우레탄- 또는 티오에테르 메타크릴레이트 알콕시 실란을 졸-겔 반응에 의해 가수분해와 다중축합반응시켜 무기 Si-O-Si 네트워크에 광중합할 수 있는 메타크릴레이트 그룹이 그라프트 되어 있는 무기-유기 하이브리드 공중합체 형태이며, 마모저항성이 크다. 필러의 크기는 1.0~1.5 μm이고, 필러의 함량은 중량비로 77%(부피비로는 61%)가 된다.

(6) 벌크 충전형 콤포짓트(bulk fill composite)

최근에 개잘된 벌크 충전형 콤포짓트는 기존 중합 깊이인 2 mm보다 깊은 4 mm 충전이 가능한 특징을 가진다. 이러한 특성으로 인해 II급 와동의 인접면 등 해부학적인 구조로 인해 광조사가 효율적이지 못한 경우 사용할 수 있다. 벌크 충전형 콤포짓트는 흐름성에 따라 유동형과 비유동형으로 나눈다. 흐름성이 우수한 유동형은 마모저항성 등 기계적 물성이 약하므로 수복물의 경계가 구강내로 노출되는 부위에 사용하는 것을 권장하지 않으며 구강내로 노출되는 부분은 별도의 콤포짓트로 수복하는 술식을 사용한다.

참고문헌

1. American Dental Association. American Dental Association Specification No. 27: Direct filling resins, J Am Dent Assoc 94:1191-1194.
2. Bowen RL(1962). Dental filling material comprising vinyl silane treated fused silica and a binder consisting of a reaction product of bisphenol and glycidyl acrylate, USP No. 3066.
3. International Organization for Standardization(2009). ISO 4049: Dentistry-Polymer-based restorative materials, 4th ed.
4. Kenneth J. Anusavice(2013), Phillip's Science of Dental Materials 12th ed., W.B. Saunders.
5. Park YJ, Chae KH, Rawls HR(1999). Development of a new photo-initiation system for dental light-cure composite resins. Dent Mater 15:120.
6. Powers JM & Sakaguchi RL(2012). Craig's Restorative Dental Materials, 13th ed.
7. Roulet J-F(1987). Degradation of Dental Polymers, Karger.

치아에 대한 접착

11

학/습/목/표

❶ 법랑질 접착과 상아질 접착의 차이를 이해한다.
❷ 상아질 접착제의 구성
❸ 상아질 접착제의 분류를 이해하고 적응증에 맞는 재료를 선택할 수 있다.
❹ 조작시 유의사항을 숙지하고 임상에 적용할 수 있다.

치과용 수복물은 일반적으로 치질에 대하여 부착되어 유지된다. 대부분의 유지력은 육안으로 확인할 수 있는 정도의 기전에 의존하고 있다. 예를 들면 아말감은 첨와(undercut)에 의해 유지되고 금관은 그 내부와 치질에 존재하는 미세한 불규칙 부위를 채워주는 합착용 시멘트에 의해 유지된다. 이와는 달리, 앞 장에서 서술한 콤포짓트 레진은 일반적으로 자체적인 접착에 의한 유지 기전을 가지고 있지 않기 때문에 별도의 접착제가 필요하다.

치과용 접착의 시도는 1950년대에 시작되어 현재 괄목할만한 발전을 이루었다. 이전의 다단계를 채용한 복잡한 시스템에서 좀 더 임상적으로 사용하기 편하면서도 적절한 접착강도를 가지는 All-in-One 시스템이 도입되었다. 따라서 치과용 접착이란 현재 임상에서 일상적으로 사용되는 술식이 되었다. 이 장에서는 법랑질 접착, 상아질 접착, 치면열구전색재를 중심으로 치질에 대한 접착의 기본적인 기전과 현재 사용되고 있는 제품들에 대해서 알아보고자 한다.

1. 법랑질 산부식 술식

콤포짓트 레진은 중합 시 수축이 일어나서 와동벽과 레진 사이에 미세한 틈(micro gap)이 생긴다. 따라서 이 점을 보완하기 위하여 1955년 Buonocore가 처음 소개한 산부식 술식이 사용된다. 산부식 술식은 미세누출(microleakage)을 줄이기 위해 법랑질 표면을 선택적으로 부식시켜 레진의 미세기계적 결합을 증진시킨다.

1) 작용기전

산부식 술식의 작용기전은 산을 법랑질 표면에 처리하여 법랑질 표면의 잔사를 깨끗이 제거함으로써 표면에너지를 증가시켜 레진의 적심(wetting)이 잘 일어나게 한다. 또한, 법랑질 표면을 울퉁불퉁하게 선택적으로 녹여서 그 표면으로 레진이 흘러 들어가면 경화 후에 10~20 μm 길이의 레진 태그(tag)가 형성되게 한다. 태그의 형성으로

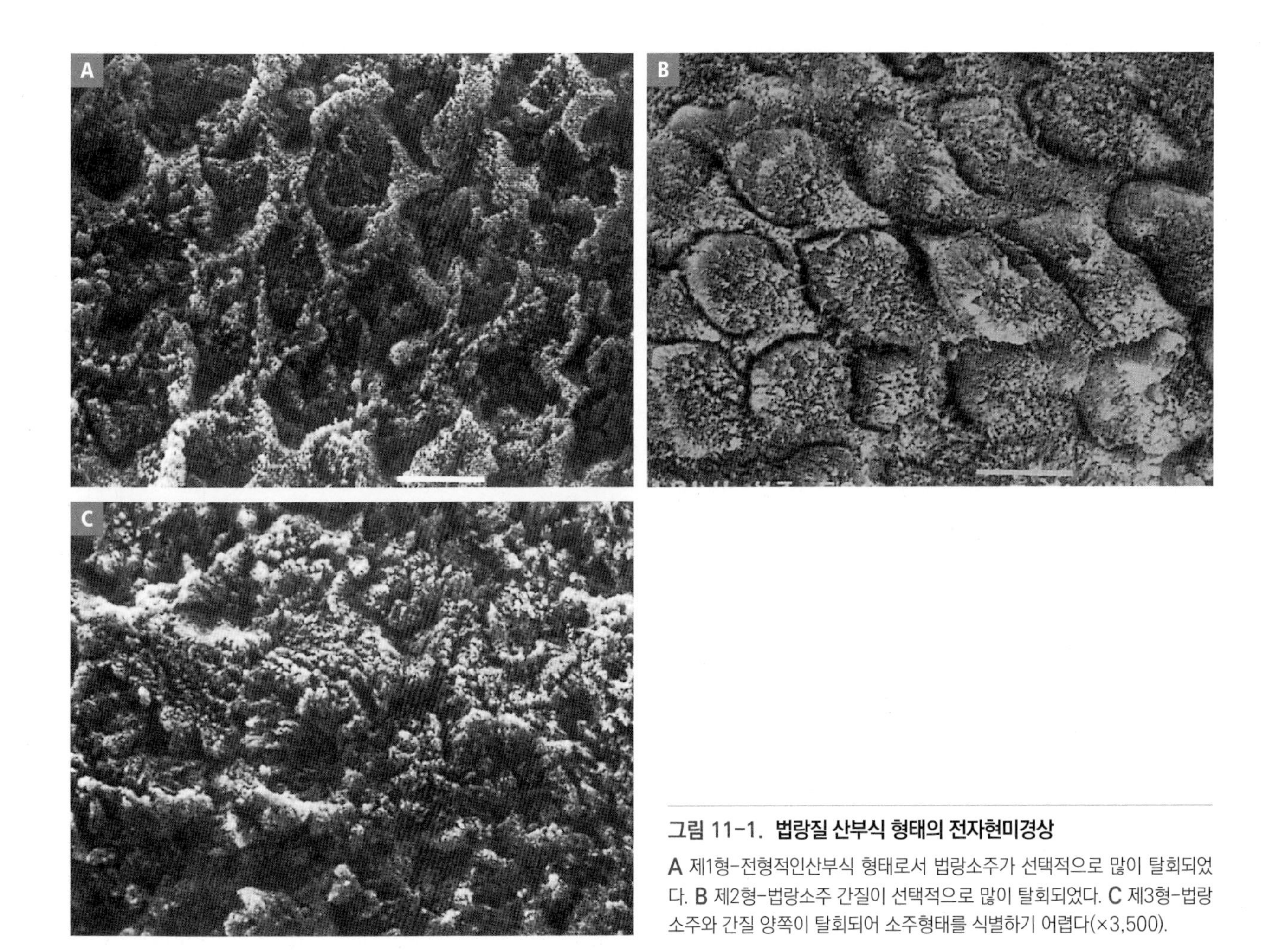

그림 11-1. 법랑질 산부식 형태의 전자현미경상

A 제1형-전형적인산부식 형태로서 법랑소주가 선택적으로 많이 탈회되었다. **B** 제2형-법랑소주 간질이 선택적으로 많이 탈회되었다. **C** 제3형-법랑소주와 간질 양쪽이 탈회되어 소주형태를 식별하기 어렵다(×3,500).

레진과 치아 사이에 접촉 표면적이 넓어지고 기계적 결합이 일어난다.

2) 부식양상

부식양상의 제1형은 법랑소주(enamel rod) 중심 부위의 칼슘성분이 더 많이 부식된 양상을 보이는 것으로 가장 일반적인 부식양상이다. 제2형은 법랑소주 주변부(periphery)가 더 잘 부식된 양상이며, 제3형은 제1형과 제2형이 함께 나타나는 양상을 말한다(그림 11-1).

이처럼 다양한 부식양상을 보이는 이유는 결정이 그 끝부위에서 산에 잘 녹으며, 그 장축에 수직되는 방향으로는 잘 녹지 않기 때문에, 표면에 노출된 결정의 방향성에 따라 산부식 양상이 다르기 때문이다.

3) 산부식 술식

산부식 전에 노출된 상아질의 깊은 부위는 시멘트 이장재(글라스아이오노머 시멘트, 폴리카복실레이트 시멘트 또는 수산화칼슘 시멘트 등)로 보호층을 형성한다. 사용하는 산은 대개 30~50%의 인산(H_3PO_4)을 이용한다. 산부식액을 적용할 때 강하게 문지르면 부식된 표면의 약한 구조가 깨지거나 탈회된 물질이 기공에 다시 채워지기도 하므로 주의해야 한다. 유치에서는 무소주 법랑질(prismless enamel)이 있어서 산부식이 쉽게 되지 않으므로 2분 정도 한다. 최근의 보고들에 의하면 30~40%의 인산농도로 20~30초간 산부식을 시행할 것을 권장하고 있으며, 15초간 산처리를 하여도 강한 결합력을 얻을 수 있다고 보고된다. 산부식 후에는 물을 최소 45초간 뿌려서 깨끗이 씻어내고, 그 후 최소 15초간 건조하도록 권하고 있다. 최근의 보고에 의하면 10~20초간 수세하면 충분하다는 보고가 있다.

이렇게 산부식을 시행하면 치아의 표면은 하얗게 서리가 낀 모양(frosted surface)으로 된다. 즉, 광택이 있는 반투명한 정상 법랑질이 선택적인 산부식에 의해 불투명하고 백묵과 같은 법랑질로 된다. 이렇게 산부식된 면은 습기나 타액으로 오염이 되어서는 안 된다. 만일 타액에 오염되면 10초간 재부식 후 재수세 및 건조를 하면 된다.

콤포짓트 레진은 점성이 높기 때문에 부식된 법랑질 표면의 사이사이로 잘 흘러들어가지 못하므로 산부식이 끝나면 비교적 액체상태로 흐르는 저점도의 본딩 레진을 먼저 바른 후에 콤포짓트 레진을 충전한다.

4) 산부식제

치아면과 레진의 적합성을 좋게 하기 위해서 사용되는 산부식제(etching agent)는 법랑질용과 상아질용이 있다. 법랑질 부식제는 와동변연부 법랑질을 부식시키는 것으로, 주성분은 30~50%의 인산(orthophosphoric acid)이다. 주로 37% 인산이 많이 사용된다. 형태는 무색의 용액, 저점도의 핑크색 용액, 청색의 젤리상 등이 있다. 상아질 부식제는 본래 와동 내 도말층(smear layer)을 제거하고, 상아질의 무기성분을 부분적으로 탈회시키기 위해 10% 인산, 10% 구연산-3% 염화제이철용액(10% citric acid-3% ferric chloride) 등 위해성이 적고, 접착성 향상효과가 있는 여러 형태의 것들이 사용된다.

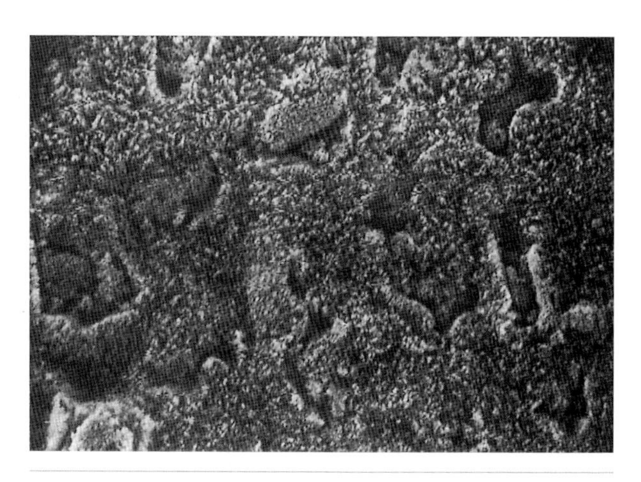

그림 11-2. 과도하게 산부식시킨(37%, H_3PO_4, 2분) 법랑질 표면
표면에 불용성의 침적물이 있다(×3,500).

5) 결합의 실패 원인

부식된 법랑질 표면이 물, 타액, 혈액 및 오일 등에 의해 오염되거나, 수세를 불충분하게 하거나, 건조를 불충분하게 할 경우, 그리고 과도한 또는 미흡한 산부식은 법랑질에 대한 레진의 결합에 실패를 초래하게 한다. 과도한 산부식은 법랑질 표면에 견고한 불용성의 반응산물(monocalcium phosphate monohydrate 등)이 침착되어 울퉁불퉁한 면이 없어지고 태그형성을 방해한다(그림 11-2). 많이 석회화된 성인 법랑질과 불소농도가 높은 법랑질 및 무정형 법랑질(prismless enamel) 층을 갖는 유치의 법랑질은 산부식 시간이 더 걸리므로 미흡한 산부식이 되지 않도록 주의한다.

6) 법랑질 본딩레진

콤포짓트 레진은 무기필러가 배합되어 있어 점도가 높기 때문에 부식된 법랑질의 요철부 하방까지 충분히 스며들 수 없다. 따라서 산부식된 치면에 본딩제를 먼저 도포하여 충분한 길이의 레진 태그가 형성되게 한 후에 콤포

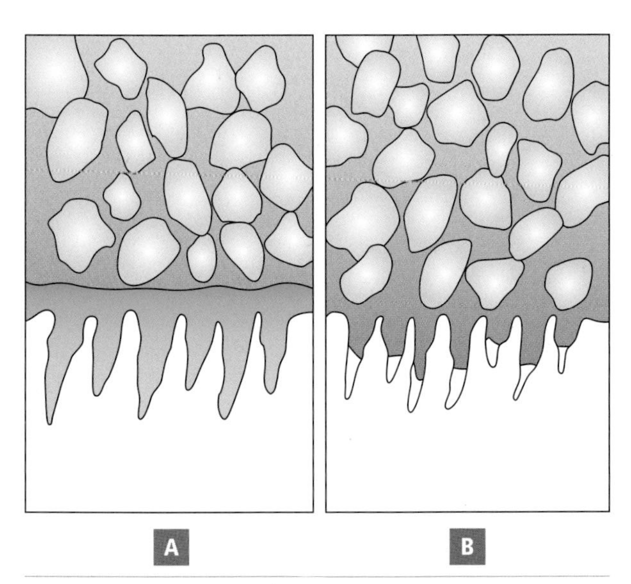

그림 11-3. A 산부식된 법랑질에 법랑질 본딩제를 바른 후 콤포짓트 레진을 충전한 경우, B 산부식한 법랑질에 법랑질 본딩제를 처리하지 않고 콤포짓트 레진을 충전한 경우의 모식도

짓트 레진을 충전한다(그림 11-3). 본딩제의 사용으로 변연 봉쇄성을 향상시키고, 변연부의 착색을 방지하며, 이차우식을 방지하고, 치수자극의 방지효과가 있다.

그 성분은 콤포짓트 레진기질 성분을 점도가 낮고 치아를 잘 적시는 단량체에 희석시킨 것으로, 2-액형의 화학중합형과 1-액형의 광중합형 반응성 본딩제가 있다. 사용 시 주의할 점은 본딩제 그 자체가 희석제 양이 많고, 일반적으로 필러가 함유되어있지 않기 때문에 콤포짓트 레진보다 기계적 성질이 나쁘므로 본딩제를 너무 많이 도포하여 두껍게 되지 않게 주의한다.

2. 상아질 접착제

결합강도가 불충분하면 수복용 레진의 경화 시 발생하는 수축에 의해 상아질 또는 법랑질과 수복용 레진 사이에서 미세누출(microleakage)이 발생한다. 이와 같은 미세누출은 술 후 지각과민증을 나타나게 하며, 타액과 타액 내 성분이 수복물과 치질 사이로 침투하여 이차 우식이 발생하게 된다. 그뿐 아니라 박테리아가 침투하는 등의 계속적인 위해자극으로 인하여 치수에 염증반응을 일으킨다.

법랑질에서는 인산을 이용하여 무기질을 탈회시켜 생긴 미세 첨와(micro-undercuts)를 수복용 레진의 기계적인 결합에 이용하고 있다. 하지만 상아질의 미세구조는 유기질 성분이 많이 함유되어 있고, 상아세관으로부터 세포간액(intercellular fluid)에 의해 건조되기가 어려워 수복용 레진의 결합에 많은 장애가 되고 있다. 또한, 상아질에 직접 산을 적용하면 상아세관을 통해 전달된 산이 치수에 자극을 주어 비정상적인 치수반응이 나타날 수도 있으므로 산처리를 하면 안 된다는 이론이 오랫동안 믿어져 왔다. 하지만, 여러 임상 예에서 상아질을 산처리해도 와동의 봉쇄성(sealing)만 좋다면 치수자극에 의한 문제는 없다는 결과를 보이고 있다. 이제는 와동이 특히 깊지 않은 경우는 상아질을 산으로 처리한 후 단순한 기계적 결합뿐만 아니라 화학적으로도 상아질에 부착하는 상아질 접착제를 사용하여 수복물의 유지와 봉쇄성을 높이는 것이 일반적이다.

상아질 접착제(dentin bonding agent)들이 임상적으로 사용 가능하기 위해서는 우선 결합강도가 중합수축으로 인한 인장력을 견딜 수 있도록 최소 180 kg/cm^2 (17.6 MPa) 정도의 결합력이 필요하며, 결합이 오랜 기간 안정되어야 한다. 또 상아질에 대해 조직친화성이 있고 치수반응을 야기하지 않아야 한다. 이상적으로 상아질 접착제는 친수성(hydrophilic)이어서 상아질 표면의 물과 치환되어 상아질 표면을 잘 적시고, 상아질 내로 잘 침투되며, 상아질의 유기 또는 무기성분과 반응해야 한다. 대부분의 수복용 레진은 소수성(hydrophobic)이지만 상아질 접착제는 친수성 부분과 소수성 부분을 동시에 갖는다. 친수성 부분은 수산화인회석 결정의 칼슘이나 콜라겐과 결합되는 반응성 그룹이고, 소수성 부분은 수복용 레진과 결합되도록 구성되어 있다.

1) 상아질 접착제의 요구사항

레진과 치아간의 성공적인 결합은 상아질 접착제가 다음의 성질을 만족할 때 이루어진다.

① 접착면을 잘 적셔야 한다.

접착제는 상아질이나 법랑질 표면과 낮은 접촉각을 이루어서 잘 적실 수 있어야 하며, 피착면은 깨끗한 상태여야 큰 표면에너지를 가져 접착제에 의해 잘 적셔지게 된다.

② 상아질 표면을 깊숙이까지 침투하여 스며들어야 한다.

상아질 액이나 수분을 대체하면서 산처리된 상아질 표면에 잘 스며들어 상아질의 유기 또는 무기질과 결합되어야 하므로 친수성이어야 한다. 또한 소수성의 콤포짓트 레진기질과도 결합하여야 하므로, 상아질 접착제는 분자내에 친수성 그룹과 소수성 그룹을 동시에 가지고 있어야 한다.

③ 화학적 결합이 가능해야 한다.

상아질의 무기성분에 이온결합을 통하여 화학적으로 결합되거나, 상아질의 유기성분에 공유결합을 통하여 화학적으로 결합하여야 한다.

④ 처리된 치아면과 미세기계적 결합을 하여야 한다.

산부식된 법랑질의 요철부위에 스며들고, 산에 의해 탈회된 상아질의 콜라겐 망 사이에 스며들어 경화됨으로써 기계적인 결합력을 제공해야 한다.

⑤ 중합 수축력이나 저작력에 의한 응력에 저항할 수 있어야 한다.

수복물의 유지와 변연부의 접착이 구강 내 사용에 지속적으로 유지되기 위해서는 상아질 접착제 자체가 강도를 가져야 하며, 응력을 흡수할 수 있으면 더욱 바람직하다.

이상의 요구사항을 만족한 상아질 접착제도 적절한 방법으로 사용되어야만 성공적인 접착이 가능하게 된다.

2) 상아질 접착제의 기본 구성

접착 시스템을 비교적 간단히 분류하기 위해 '세대'라는 용어를 사용한다. 세대를 구분하는 기준으로 도말층의 처리에 따라 또는 구성 성분의 개수에 따라 세대를 구분할 수 있으나 연구자에 따라 다소 차이가 있을 수 있다.

제1세대 제품들에서는 도말층을 완전히 제거하였고, 제2세대에서는 도말층을 제거하지 않고 변형시켰으며, 제3, 4 및 5세대부터는 다시 도말층을 제거하게 되었다.

제1세대는 대개 1980년대 이전에 개발된 것으로 기계적 결합력을 얻기 위해 상아질의 도말층을 산부식 처리로 완전히 제거하고 상아세관을 노출시키는 것이다. 이 때까지는 재료의 성능이 충분하지 못하여 결합력 지속성이 의심되었으므로 현재 많이 사용되지 않고 있다. 제2세대는 1980년대 초에 상품화된 것으로 도말층을 부분적으로만 제거하고 칼슘이 풍부한 층을 형성하여, 상아질 프라이머(dentin primer)가 칼슘과 결합할 수 있도록 하는 것이었다. 제3세대는 대개 산성인 상아질 컨디셔너(dentin conditioner)가 도말층을 완전히 제거하거나, 일부 제품에서는 도말층을 변경시켜 친수성 단량체가 상아질에 접착하여 화학결합뿐만 아니라 미세기계적 결합을 도모한다. 제4세대에서는 상아질과 법랑질을 함께 산부식하는 total etching을 하고 혼성층(hybrid layer)과 레진 태그의 역할을 중요시한다. 또한 다양한 재질의 표면에 접착됨을 주장하는 제품들로서, 상아질뿐만 아니라 치과와 관련된 모든 표면들(예로서 상아질, 법랑질, 귀금속 및 비귀금속 합금, 아말감, 포세린 및 콤포짓트 레진)에 접착한다고 소개되고 있다. 4세대 상아질 접착제 세트에는 상아질 프라이머 외에도, 상아질 표면의 도말층을 처리하는 어떤 종류의 상아질 컨디셔너와 본딩 레진이 들어있다.

기존 대부분의 3, 4세대 상아질 접착제 세트에는 상아질 상의 도말층을 처리하는 어떤 종류의 상아질 컨디셔너와 상아질 프라이머 및 본딩 레진이 들어 있다. 구성성분의 개수에 따라 제4세대까지는 산처리제와 프라이머 및 본딩 레진으로 구성되었지만, 5세대에서는 구성물의 개수를 줄여 '단일용액형 접착제(one-bottle adhesives)'로 분류되었다. 하지만, 이들의 경우에서도 진정 하나의 구성물로 전 접착과정을 완전히 해결하는 것은 아니었다. 즉, 산 컨디셔너와 프라이머 · 본딩 레진의 형태로서 2가지의 구성물로 이루어진다. 자가부식 프라이머(selfetching primer)를 사용하는 6세대 상아질 접착제는 2000~2010년 사이에 소개되어 져서 제1형과 제2형으로 나누어진다. 6세대 제1형은 자가부식 프라이머와 본딩레진으로 구성되어지며 각각 따로따로 적용한다. 반면 6세대 제2형은 자가부식 프라이머와 본딩레진을 사용전에 미리 혼합하여 적용하므로 접착절차가 더 간소화 되었다.

2010년대 초반부터 진정한 'all-in-one' 상아질 접착제가 선보였는데, 이를 제7세대 상아질 접착제로 분류한다. 이 제품은 산 컨디셔너, 프라이머, 본딩 레진의 기능을 하나의 구성물로 해결할 수 있는 자가부식 접착제(selfetching adhesive)라고 한다.

최근에는 임상 상황에 따라 다양한 산부식 술식이 가능하고, 별도의 경화촉진제를 사용하지 않고도 화학중합 재료와 함께 사용할 수 있으며, 치아뿐 아니라 다양한 수복재료 표면과도 자체적으로 강한 접착성을 보이며, 향상된 기계적 특성과 내구성을 보이는 제 8세대 범용 접착제(universal bonding agent)가 소개되어 임상에서 유용하게 사용되고 있다.

전통적인 제4세대 상아질 접착제를 사용한 치과용 콤포짓트 레진의 충전에 있어 상아질 표면은 다음 3단계로 처리된다. 높은 점도의 치과용 콤포짓트 레진을 적용하기 전 상아질 표면의 처치를 위해 다성분 시스템(multicomponent system)의 경우 다음의 기본적인 3단계 술식에 의해 행해진다.

① 상아질 컨디셔닝(surface conditioning)

상아질 산부식제(dentin conditioner)에 의해 상아질 표면을 접착에 적합하게 만들어야 한다.

② 프라이머 처리(surface priming)

상아질 컨디셔닝 후에는 상아질에 대해 우수한 적심도와 침투성을 가지며, 화학적 결합을 하고, 충분한 강도를 갖는 상아질 프라이머로 처리해 주어야 한다.

③ 본딩 레진 처리(intermediary layering of fluid resin)

낮은 점도의 본딩 레진(bonding resin)을 처리해 준 후, 콤포짓트 레진으로 수복해 주면 기계적, 심미적, 생물학적으로 우수한 수복이 될 수 있다.

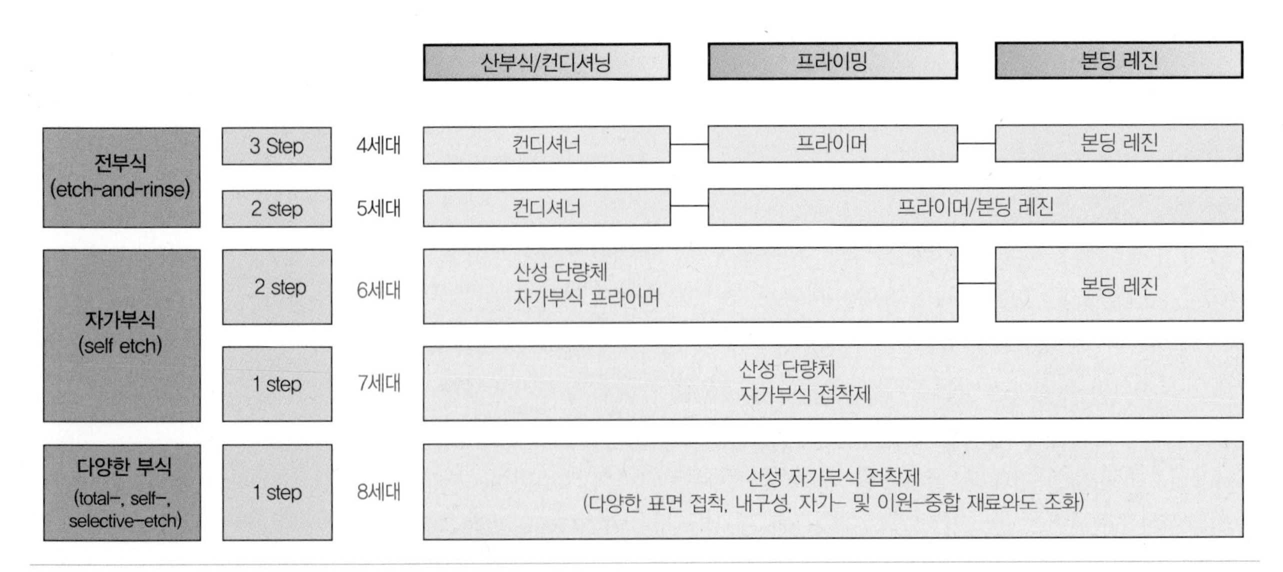

그림 11-4. 상아질 접착제 시스템의 종류에 따른 구성물의 차이

표 11-1. 각 세대별 상아질 접착제의 제품 예

구분	제품		
제1세대 상아질 접착제	• Scotchbond (3M) • Prisma Universal Bond (Caulk) • Bondlite (Kerr)	• Creation Bond (Den-Mat) • J&J DBA (Johnson & Johnson) • Dentin Adhesit (Vivadent)	• DBA (Lee Pharmaceuticals) • ClearFil New Bond (Kuraray)
제2세대 상아질 접착제	• Scotchbond 2 (3M) • Mirage Bond (Chameleon) • Gluma (Bayer)	• Tenure (Den-Mat) • XR Primer/Bond (Kerr) • Pertac Universal Bond (ESPE)	• Clearfil Bond (Kuraray) • Syntac (Vivadent)
제3세대 상아질 접착제	• All-Bond (Bisco) • Scotchbond Multi-Purpose (3M)	• Prisma Universal Bond 3 (Caulk) • Denthesive II (Kulzer)	• Aelitebond (Bisco) • Gluma 2000 (Bayer)
제4세대 상아질 접착제	• All-Bond 2 (Bisco) • Pro-Bond (Caulk)	• OptiBond (Kerr) • Scotchbond Multi-Purpose (3M ESPE)	• OptiBond FL (Kerr)
제5세대 상아질 접착제	• Prime & Bond 2.0, NT (Caulk) • One-Step (Bisco) • One Coat Bond (Coltene) • Tenure-Quik (Den-Mat) • Clearfil SE Bond (Kuraray)	• Single Bond (3M ESPE) • EG-Bond (Sun Medical) • Optibond Solo (Kerr)	• PQ 1 (Ultradent) • Excite (Vivadent)
제6세대 상아질 접착제	• One-Up Bond F (Tokuyama) • Prompt (3M ESPE) • Adper Prompt L-Pop (3M ESPE)	• Etch & Prime 3.0 (Degussa) • Xeno CF Bond (Sankin)	• AQ Bond (Sun Medical) • Reactmer Bond (Shofu)
제7세대 상아질 접착제	• iBond (Heraus Kulzer) • G-Bond (GC) • AdheSE One (Ivoclar Vivadent) • Adper Easy Bond Self Etch (3M ESPE)	• Clearfil S3 Bond (Kuraray)	• XENO V (Dentsply)
제8세대 상아질 접착제 (범용 접착제, 유니버설 접착제)	• All-Bond Universal (Bisco) • G-Premio BOND (GC) • Clearfil Universal Bond Quick (Kuraray)	• Scotchbond Universal Adhesive (3M) • Adhese Universal (Ivoclar Vivadent)	• iBOND Universal (Kulzer) • Futurabond U (VOCO)

※ 상아질 접착제를 세대별로 구분하는 기준은 문헌에 따라 다소 차이가 있으므로 주의할 것

그림 11-4에서는 각 상아질 접착제 시스템의 종류에 따른 구성물의 차이를 도식적으로 비교했으며, 표 11-1에는 각 세대에 속하는 제품들의 예를 나열했다. 단, 이와 같은 세대별 분류법은 교과서나 논문에 따라 다소 차이가 나는 경우도 있다.

3) 상아질 표면과 제4세대 다성분 상아질 접착시스템의 처리 술식

(1) 도말층(smear layer)

법랑질에서는 인산을 이용하여 무기질을 탈회시켜 생긴 미세첨와를 수복용 레진의 기계적인 결합에 이용하고 있다. 반면, 상아질은 살아있는 조직이기 때문에 접착이

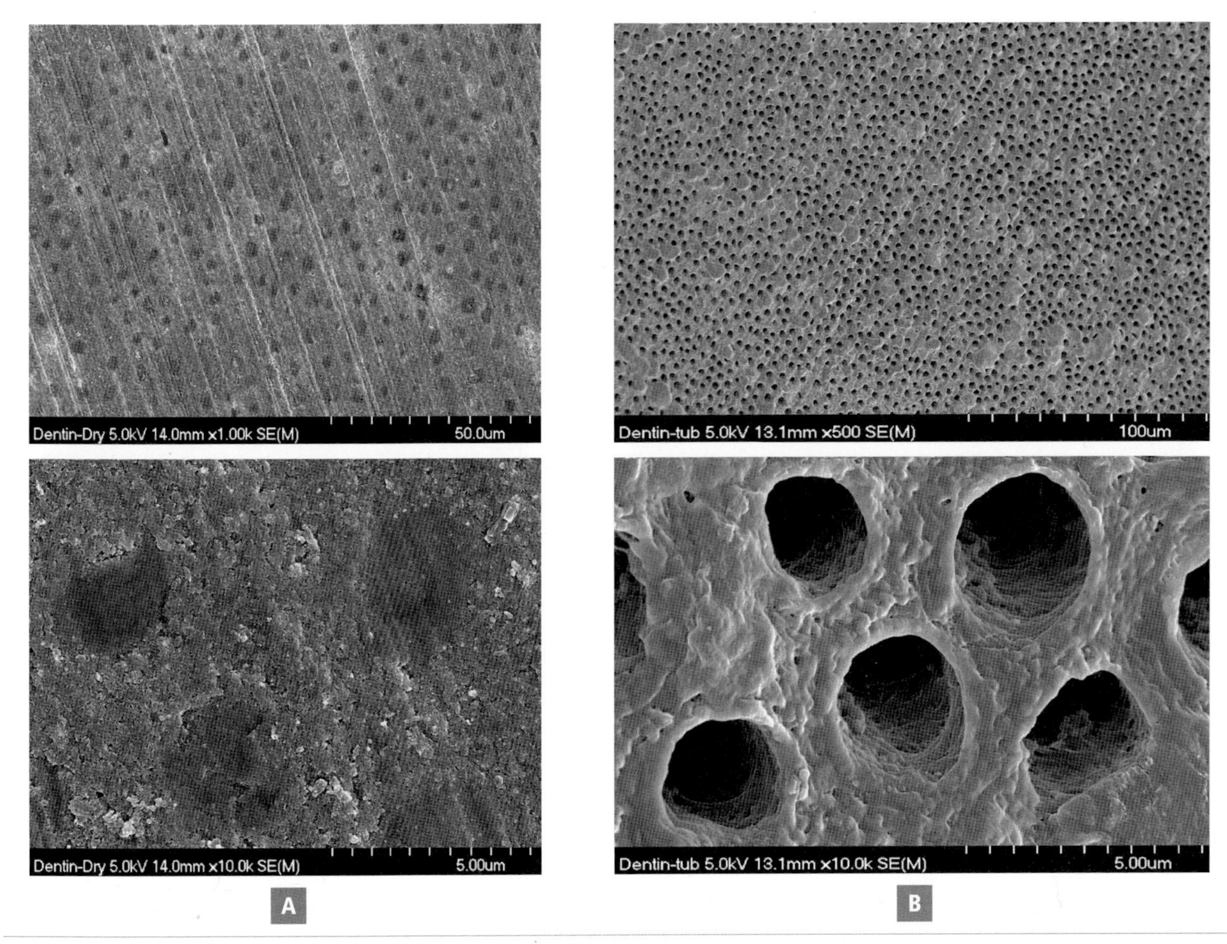

그림 11-5. **A** 절삭된 상아질 표면으로 스미어가 상아세관을 막고 있다(위: ×500배, 아래: ×10,000배), **B** 35% H_3PO_4 용액에 의해 처리된 상아질 표면으로 스미어 층이 제거되어 상아세관이 노출되어 있다(위: ×500배, 아래: ×10,000배). 상아세관은 일반적으로 상아질 표면 mm^2 면적에 대해 8,000~60,000개가 있으며, 상아질 표면 콜라겐 섬유들 사이의 간격은 약 15~20 nm의 아주 좁은 공간이 있다. 산부식 후 이러한 공간들이 접착성 레진에 의해 채워져야 우수한 접착성과 내구성을 이룰 수 있으며, 산부식 후 이들 노출된 상아세관이 일부라도 레진에 의해 채워지지 않으면 술 후 지각과민의 원인이 된다.

법랑질에 비해 더 까다롭다. 상아질은 50%가 무기질이고, 30%는 주로 제1형 콜라겐으로 이루어진 유기질이며, 20% 정도는 액체가 차지하고 있다. 상아질은 수분 함량이 높으며 많은 다공성 상아세관을 통해 용액이 지속적으로 수복재료 쪽으로 빠져 나와 접착에 불리하다. 또한 열린 상아세관을 통하여 잔류 단량체나 산이 치수로 전달될 우려가 있다. 이런 이유로 상아질 접착제의 개발은 법랑질 접착제에 비해 늦어졌다. 그러나, Fusayama 등(1979)이 37% 인산으로 법랑질과 상아질을 동시에 산부식 처리하여도 치수자극 빈도는 더 늘어나지 않고, 대신에 수복물의 유지가 더 향상됨을 보고하면서 상아질 접착에 관심을 갖게 되었다.

도말층은 절삭된 상아질 표면에 비교적 약하게 달라 붙어있는, 와동형성 시 깎여져 나간 상아질 찌꺼기와 변성된 콜라겐으로 구성된 1~4 μm 두께의 비교적 약한 얇은 막이다. 도말층에 의해 상아세관이 부분적으로 폐쇄되어 있어 레진수복 시 치수로부터 단백질성 용액의 전달을 막기도 하지만, 건전한 상아질로 상아질 접착제가 확산되는 것을 막고 상아세관으로 저점도의 레진이 침투하지 못하게 하여 상아질에 접착이 잘 안되게 한다. 결국 기계적 유

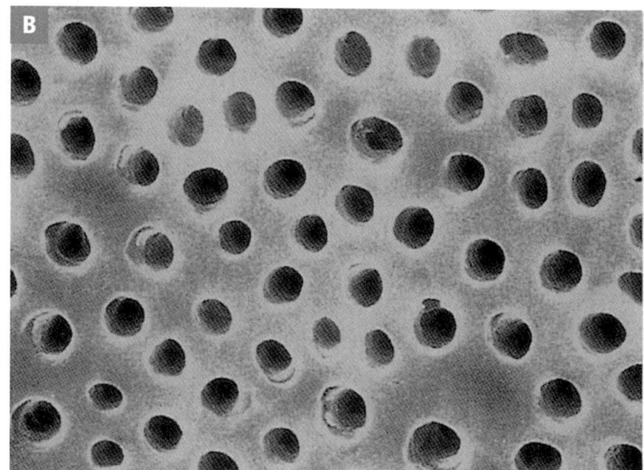

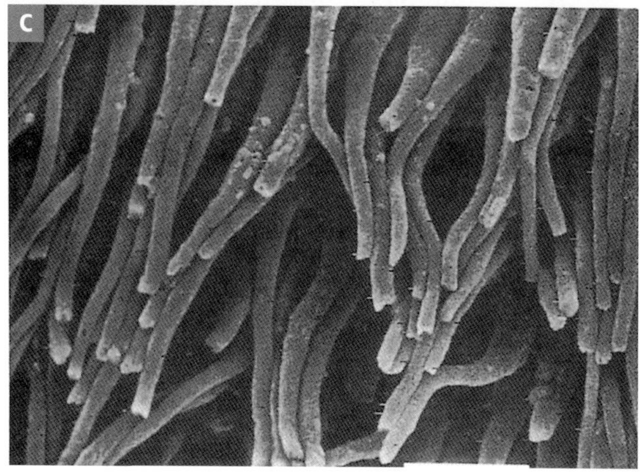

그림 11-6. 상아질 면의 주사전자현미경상

A 치면 절삭 후의 상아질 면의 주사전자현미경상. 도말층과 절삭 찌꺼기를 볼 수 있다. B 상아질 컨디셔너로 상아질 표면을 처리한 후의 주사전자현미경 상으로 찌꺼기가 제거되고 상아세관이 노출되면서 울퉁불퉁했던 표면이 매끄러워졌다. C 상아세관으로 침투되어 형성된 상아질접착제 레진 태그(tag)의 주사현미경상. 레진 태그를 보이기위해 상아질을 탈회시켜 제거하였다(×3,500).

지력이 감소되게 한다. 또 박테리아에 대한 침투를 막아 치수로 자극이 전달되는 것을 막는다고 여겨진 적도 있지만, 그 자체가 박테리아를 포함하기 때문에 도말층을 제거할 것을 권하고 있다. 스미어 프러그(smear plug)는 상아세관 내부에 형성된 2~6 μm 깊이의 절삭된 상아질 찌꺼기로, 한동안 상아질의 산에 대한 투과성을 감소시켜 생물학적인 방어 작용을 지니므로 제거하지 않아야 한다는 주장도 있었으나, 이를 제거함으로써 상아질의 결합력을 증진시키는 관점과 열린 다공성 구조를 통하여 독성이 커지는 양면성을 지니고 있다. 그러나 최근의 많은 연구들에서는 치수에 대한 자극은 미세누출을 통한 박테리아의 침투와 박테리아 산물에 의한 자극이 잔류단량체나 산부식제의 영향보다 크다고 보고한다(그림 11-5, 11-6).

(2) 상아질 컨디셔너

수복용 레진의 결합력을 증진시키기 위해 법랑질의 산부식법이 오래 전부터 사용되어 왔다. 그러나 상아질의 산부식은 상아세관을 통해 산이 치수에 전달되어 치수에 위해작용을 일으키며, 상아세관 내에 들어간 레진 태그는 접착력에 큰 영향을 미치지 못하기 때문에 그 사용이 억제되어야 한다는 주장이 있어 왔다. 그러나 현재에는 치수자극은 산에 의한 것보다는 와동형성시의 기계적 자극이나 부적절한 접착으로 인한 변연부의 미세누출이 더 원인이 되기 때문에, 상아질 면을 상아질 접착제가 더 강력하게 접착되기 좋은 조건을 만들어 주기 위해 저농도의 산으로 처리를 해주어야 한다는 주장이 더 인정을 받고 있다.

Nakabayashi 등(1982)이 산부식 처리된 상아질을 친수성 레진이 침투해 들어가서 레진함입 상아질로 구성된 혼성층을 형성함을 보고하였다. 그러나, 일본을 제외한 대부분의 국가들에서는 산부식이 치수에 대해 손상을 줄 것이라는 생각 때문에 1990년대 초반이 되어서야 상아질 산부식이 인정받게 되었다.

상아질 산부식제는 치질 절삭에 따른 도말층을 제거하며, 상아질 표면을 부분적으로 탈회시킴으로써 유기 콜라겐 섬유망이 노출되게 하고 상아세관을 노출시킨다. 일반적으로 상아질에 대해서는 10% 인산 수용액이나 겔로 약 15초간 처리하며, 이러한 처리에 의해 상아질 표면은 약 4~10 μm 정도의 깊이로 탈회(decalcification)가 된다.

이러한 산부식제는 수산화인회석이 어느 정도의 비율과 깊이까지 탈회되는지, 콜라겐은 자신을 지탱하고 있는 수산화인회석을 잃어도 원래의 입체배치를 계속 유지하는지, 콜라겐이 산부식제에 의해 변성을 받지 않은지 등을 고려하여 개발되어진다.

상아질 컨디셔너는 산(acid) 또는 킬레이트(chelate) 화합물로 도말층을 제거해 깨끗하고, 부분적으로 탈회된 표면을 만들어 상아질 접착제의 기계화학적 결합을 가능하게 하는 상아질 표면을 만들기 위해 사용된다. 즉 상아질의 산부식으로 구조적으로 약한 도말층이 제거되어 하방의 상아질 기질과 직접 결합할 수 있는 표면이 제공된다. 산부식 후에는 상아질 표면을 충분히 세척하고 건조시켜 레진의 결합에 장애가 되지 않도록 하여야 한다. 건조가 끝나면 타액이나 물 등의 다른 오염원에 노출되지 않도록 한다.

상아질의 산처리에는 구연산(citric acid), 젖산(lactic acid), 피루브산(pyruvic acid), 말레산(maleic acid)과 낮은 농도의 인산 등이 사용될 수 있다. 경화 상아질(sclerotic dentin)이나 불소의 영향을 받은 치아는 산에 의해 쉽게 부식되지 않으므로, 이 때는 상아질 표면을 약간 벗겨낸 후에 부식하여 결합력을 증진시키기도 한다.

현재 도말층의 제거나 변경을 위해 사용되고 있는 상아질 컨디셔너로는 제품에 따라 다음과 같은 것들이 사용되고 있다.

① 10% 인산으로 상아질과 절삭된 법랑질을 함께 15초간 처리하는 방법
② 10% 구연산 + 3% 염화 제2철로 구성된 '10-3처리액'으로 처리하는 방법: 법랑질과 상아질을 함께 산부식하는 것으로 상아질만을 처리할 때는 10초간, 법랑질을 대상으로 할 때는 30초간 처리해 준다. 수용액 중의 Fe^{3+} 이온은 콜라겐에 흡착하여 콜라겐의 구연산에 의한 변성을 억제함과 동시에, 수세 및 건조 중에 일어나는 콜라겐의 수축을 억제하여 상아질 프라이머가 확산될 수 있는 공간을 확보하여, 탈회 상아질로의 단량체의 침투가 높게 유지되어 혼성층의 형성이 가능하게 한다. 또한 Fe^{3+}가 성장 라디칼의 근방에서 중합 정지반응을 억제하여 상아질 프라이머의 중합 시 분자량을 크게 한다는 의견도 있다.
③ 10% 구연산 + 20% 염화칼슘 수용액으로 구성된 '10-20 칼슘 컨디셔너'로 처리하는 방법: 60초간 처리하며, 높은 칼슘농도는 표면부식 시 콜라겐을 안정화하지만 이온효과에 의해서 수산화인회석의 탈회를 감소시킨다.
④ 옥살산 제2철(ferric oxalate): 도말층을 제거하며, Fe^{3+}가 상아질 프라이머의 중합 시 성장하는 라디칼의 근방에서 정지반응을 억제하여 분자량을 크게 한다고 한다.
⑤ 1% 구연산 + 1% 염화 제2철($FeCl_3$) 용액
⑥ 10% 말레산(maleic acid): 15초간 상아질과 법랑질에 함께 처리하여 법랑질의 산부식뿐만 아니라 상아질의 탈회 없이 도말층을 제거한다.
⑦ 에틸렌디아민 사초산(ethylenediamine-tetra-acetic acid, EDTA): 20% EDTA를 사용하는 제품도 있고, 스미어 플러그는 남기고 도말층만 제거한다는 0.2% EDTA + 0.1% benzalkonium chloride를 사용하는 제품도 있다.

(3) 상아질 컨디셔닝 후 상아질 프라이머 적용 전까지 상아질 면의 이상적인 상태

스미어 층을 제거한 상아질에 레진을 접착하기 위해서는 산부식에 의해 형성된 탈회 상아질의 상태가 접착의

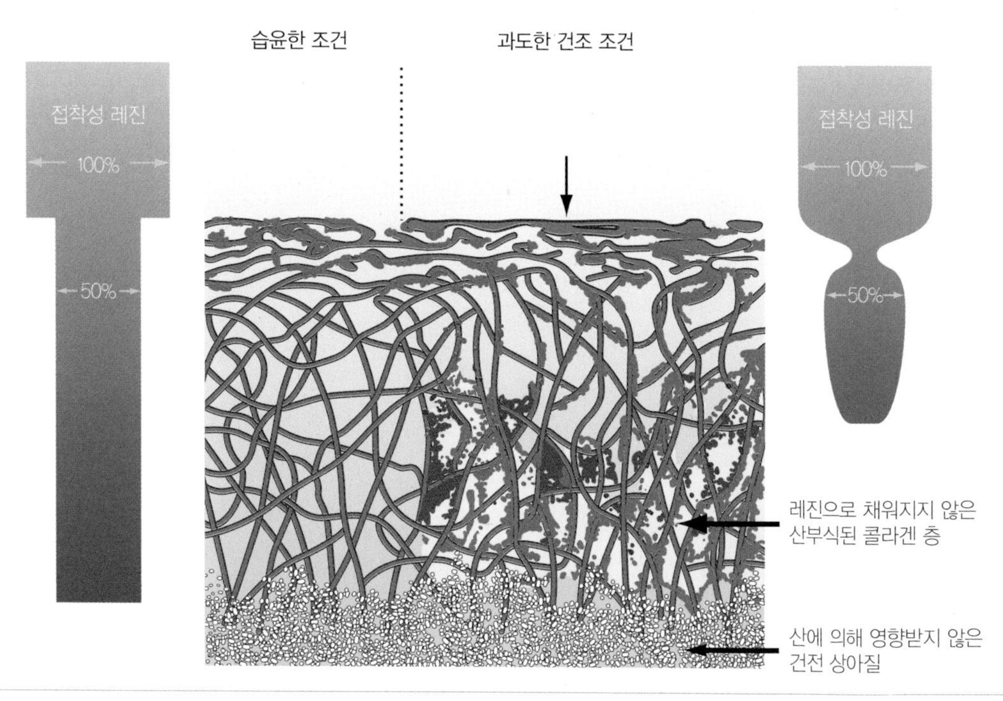

그림 11-7. 컨디셔닝된 상아질 표면의 세척 후 건조 시 과도하게 건조할 경우 접착성 레진이 노출된 콜라겐 망상구조를 뚫고 하방의 건전 상아질(unaffected dentin)까지 침투하지 못함을 보이는 모식도

성패에 크게 영향을 미친다. 용해된 수산화인회석이 원래 점유했던 공간은 콜라겐의 형상이 변화하지 않으면 물이 점유한다. 이 공간에 접착제가 완전히 흘러 들어가 굳게 되면 접착은 비교적 용이하게 달성될 것이다.

① 상아질 컨디셔닝 후에는 상아질 표면을 충분히 세척하고 적절한 정도로 건조시켜 레진의 결합에 장애가 되지 않도록 하여야 한다. 그 후에는 타액이나 물 등의 다른 오염원에 노출되지 않도록 한다.

② 상아질 컨디셔너에 의해 상아질의 칼슘 성분이 녹아나고 콜라겐 섬유가 노출되면, 노출된 콜라겐 사이사이에는 레진이 완전히 침투하여 레진과 콜라겐이 완전히 혼성되어 있는 혼성층을 형성하여야 한다.

이렇게 되기 위해서는 ① 컨디셔닝된 상아질면은 칼슘 성분이 용해된 탈회 상아질의 콜라겐 망상구조가 수분에 의해 부풀려진 상태 그대로 유지되어야 한다. 만일 건조되어 노출된 콜라겐이 주저앉게 되면 치밀한 필름을 형성하여 상아질 프라이머가 잘 침투할 수 없기 때문에 완전한 혼성층의 형성을 기대할 수 없게 된다(그림 11-7).

② 반대로, 너무 과도하게 수분이 많이 남아있으면 상아세관으로 레진이 침투해 들어가기 힘들어지고 레진으로 채워진 혼성층 상방에 미세한 물방울이 남게 되고 그 위에 접착 레진이 덮고 있는 부분이 생기게 되어(Tay 등, 1996) 접착의 실패 원인이 된다. 따라서 너무 과도한 수분 상태는 역시 피해야 한다.

(4) 상아질 컨디셔닝 후 습기가 적당한(moist) 상아질의 생성방법

상아질 컨디셔너 처리 후에는 수세를 완전히 하고 여분의 물은 제거하되, 상아질 표면이 습기를 충분히 함유하고 있어 눈으로 보기에 광택이 있을 정도로만 수분을 가

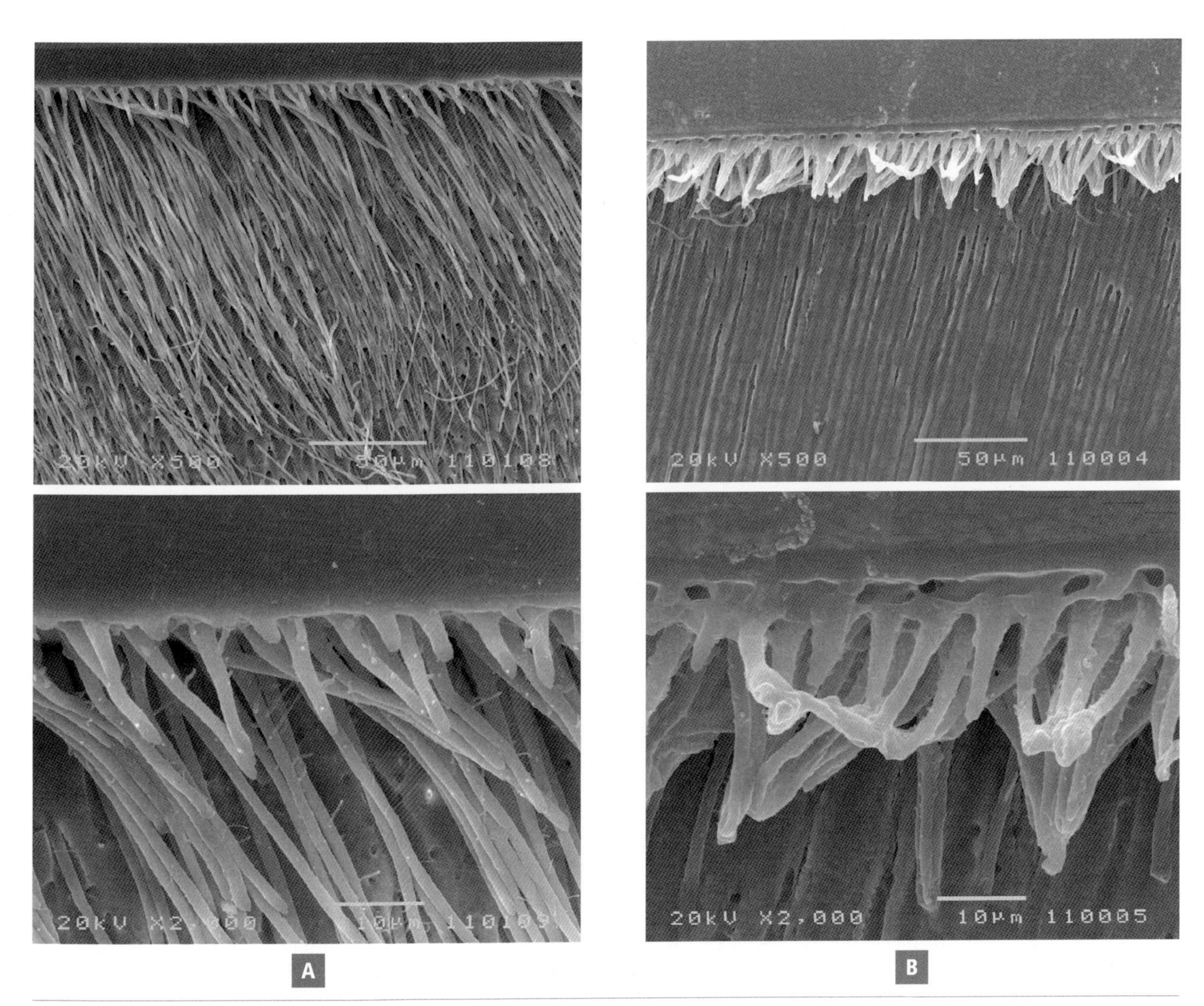

그림 11-8. 상아질 접착제를 사용(컨디셔너로는 32% H_3PO_4 사용)하여 콤포짓트 레진 수복된 치아시편의 상아질-레진 간 결합계면의 전계방사형 주사전자현미경(FE-SEM) 사진 A 습윤한 표면, B 건조한 표면

볍게 제거해준다. 이것은 ① 에어쉬린지에서 나온 공기로 짧은 순간 가볍게 '팍' 불든지 ② 미니 스폰지나 코튼 펠렛으로 물을 빨아들이는 정도로만 행해준다. 또는, ③ 충분히 건조 후 rewetting agent(예로서 35% HEMA 수용액)를 사용하여 재차 wetting시켜주는 방법도 있다.

Tay 등(1996)은 코튼 펠렛으로 물을 빨아들일 경우(blot-drying) 레진이 충분히 탈회층 저부까지 잘 침투하여 들어갔지만, 군데군데 수분이 제거되지 않은 부위에서는 레진의 작은 방울들(globules)을 함유한 물방울이 관찰되었고, 이러한 부위는 혼성층과 레진간 분리의 원인이 됨을 지적하였다. Perdigão 등(1998)에 의하면, 과도한 건조의 경우 가장 낮은 전단결합강도를 보였고, 가벼운 건조의 경우와 blot-drying의 경우는 비슷한 결합강도를 보였으며, 건조 후 rewetting agent (예로서 35% HEMA 수용액인 Bisco사의 Aqua-Prep)를 사용하여 재차 습윤화(wetting) 시켜줄 경우가 가장 높은 전단결합강도를 보였다고 보고하였다. 이 방법이 일관성 없는 수분조절의 우려가 없어서 권장할만하다.

요약하자면, 탈회된 상아질의 콜라겐 망 구조를 프라이머 적용 전까지 습기가 있도록 유지시켜야 하며, 너무 과도한 수분상태는 역시 문제가 된다.

뿐만 아니라, 수세 후의 수분을 가볍게 제거해주고, 프라이머를 적용한 후에는 프라이머의 용매를 날려주는 과정동안 표면으로 빠져나온 수분을 함께 완전히 건조하는 과정을 프라이머 레진의 광중합 이전에 반드시 충분하게 해주어야 좋은 결과를 얻을 수 있다.

그림 11-8은 상아질-레진 간 결합계면의 전계방사형 주사전자현미경(FE-SEM) 사진으로 레진태그와 혼성층의 형성 상태를 잘 보여줄 수 있도록 하기 위해 상아질은 6N HCl로 30초간 탈회 후, 5% NaOCl로 10분간 콜라겐을 제거하였다. 콤포짓트 레진과 하이브리드 층은 녹아나지 않고 그 높이가 그대로 유지하고 있으며, 탈회처리에 의해 상아질은 녹아나서 상아세관 내로 뻗은 레진태그의 형상을 관찰할 수 있다. ① 습윤한 표면군은 산부식처리 및 세척 후 표면을 가볍게 건조한 후 접착한 시편으로, 상아질과 레진 사이에 형성된 레진 보강 상아질 층인 혼성층과 상아세관 내 깊숙이 뻗은 레진태그에 의해 콤포짓트 레진의 치아에 대한 접착이 향상됨을 예상할 수 있다. ② 건조한 표면군은 산부식처리 및 세척 후 압축공기로 완전히 건조한 시편으로, 과도한 상아질 표면의 건조에 의해 레진이 상아세관 내로 충분히 침투하지 못하며, 혼성층의 두께도 얇게 된다. 따라서, 인산용액으로 상아질 표면을 산부식한 후에 산을 충분히 수세해주고, 접착레진을 처리해주기 전까지 그 표면은 습윤한 상태가 유지되어야 한다. 특히, 프라이머의 용매가 다른 접착제들의 경우를 비교해보면 일반적으로 용매로서 물을 사용하는 경우보다 아세톤을 사용한 경우가 접착제 처리 전 상아질 표면의 습기 차이에 따른 접착강도와 혼성층 및 레진태그의 형상이 영향 받는 민감도가 더 크다. 또한 이러한 영향의 민감도는 접착제 용매의 종류뿐 아니라 접착제를 발라주는 방법이 붓으로 칠해주는지, 미니 스폰지로 듬뿍 묻혀 주는지 아니면 문질러 주는지에 따라서도 달라진다.

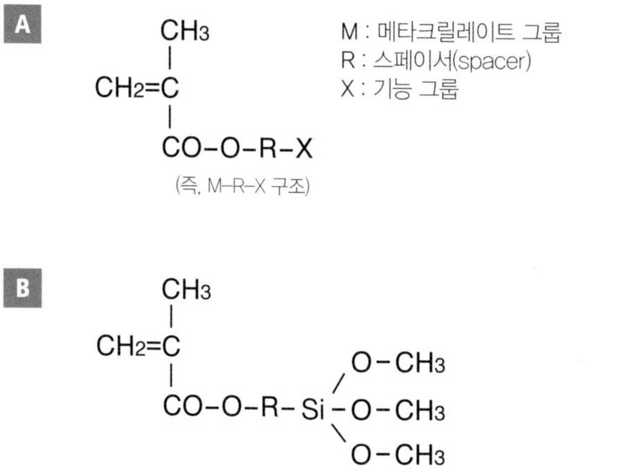

A

```
       CH3
       |
  CH2=C
       |
       CO-O-R-X
```

(즉, M-R-X 구조)

M : 메타크릴레이트 그룹
R : 스페이서(spacer)
X : 기능 그룹

B

```
       CH3
       |
  CH2=C
       |            O-CH3
       |           /
       CO-O-R-Si - O-CH3
                   \
                    O-CH3
```

그림 11-9. 상아질 프라이머(A)

4) 상아질 프라이머

상아질 컨디셔너에 의해 상아질이 부분 탈회되어 노출된 콜라겐 층과 산에 의해 영향 받지 않은 더 하방의 상아질 면까지 상아질 프라이머가 깊숙히 침투한다. 그 속에서 치질과 화학적 결합을 함과 동시에 경화되어 상아질-레진 하이브리드 층이 형성되어야 하며, 열린 상아세관은 접착제로 완전히 밀폐되어야 한다. 상아질 프라이머 그 자체는 수분이 차지한 부분을 대체해 나가면서 컨디셔닝된 상아질 표면의 노출된 콜라겐 사이를 깊숙이까지 잘 침투할 수 있고, 치질과 화학적인 결합을 제공할 수 있는 조성이어야 한다.

(1) 상아질 프라이머의 기본구조

상아질 프라이머의 치질과의 결합양상은 상아질의 무기성분에 이온결합을 통하여 화학적으로 결합되거나, 상아질의 유기성분에 공유결합을 통하여 화학적으로 결합된다. 또한 침투성이 좋은 낮은 점도의 접착성 레진이 노출된 콜라겐 망 사이와 열린 상아세관으로 침투해 들어가 상아질과 기계적으로 결합한다. 이외에도 약한 분자간 인력이 상아질 프라이머의 결합에 관여하고 있다.

이러한 목적으로 사용되는 상아질 프라이머 기본 구조

수식 1 **HEMA phenyl phosphate 형**

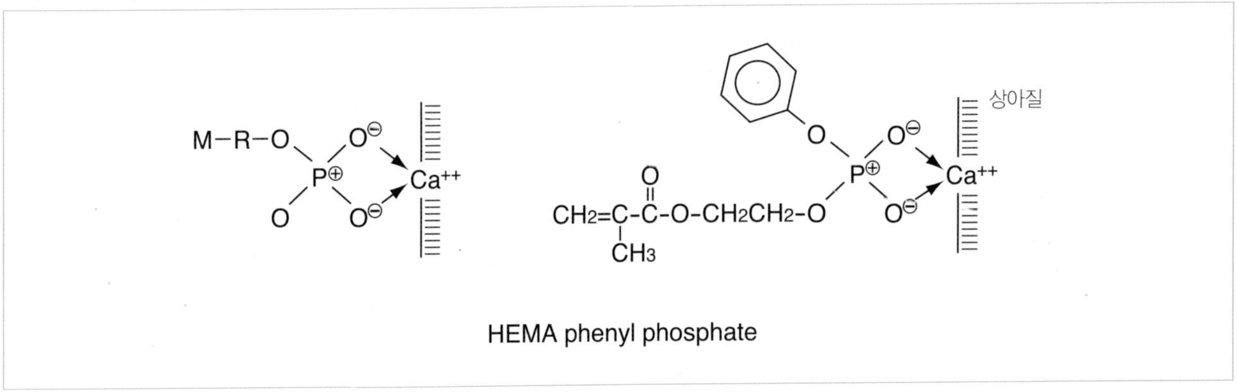

HEMA phenyl phosphate

수식 2 **4-META 형**

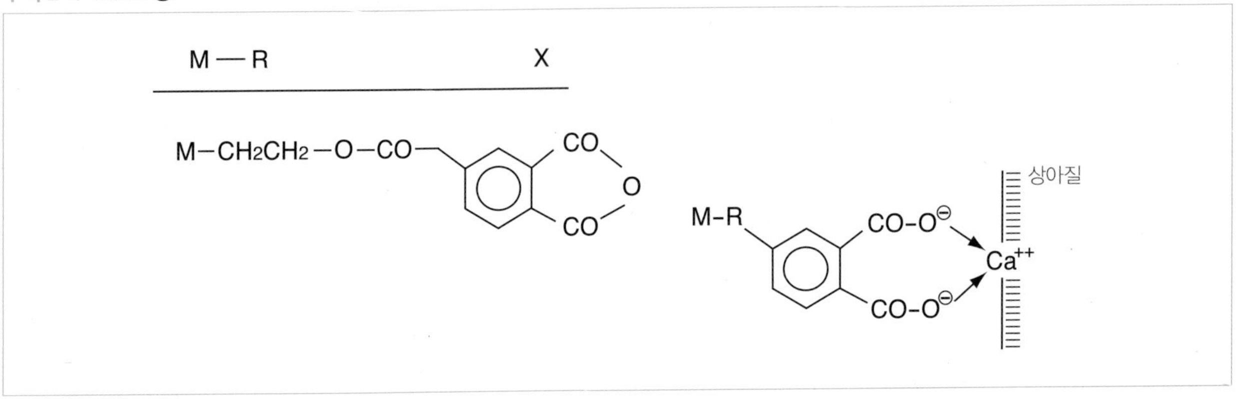

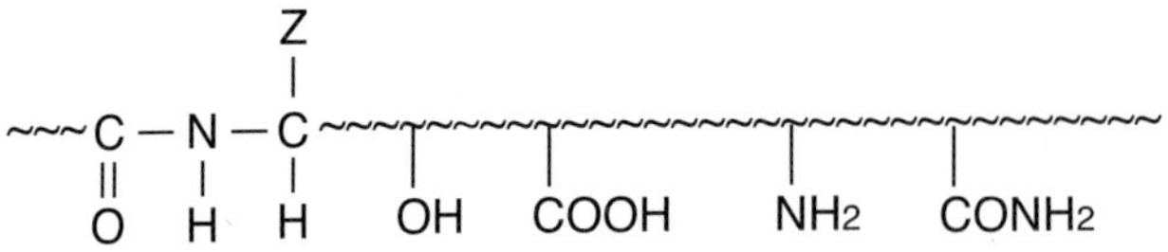

그림 11-10. 상아질 콜라겐 상의 접착에 기여하는 기들

의 모식도를 아래에 나타내었다. 이 모식도에서 ① 메타크릴레이트 그룹 부분은 수복용 레진과 공중합을 이룬다. ② 스페이서(spacer)는 입체장해(stereoscopic interference)를 방지하는 역할을 한다. 즉, 메타크릴레이트 그룹이 수복용 레진과 결합할 수 있게 하기 위해 충분한 공간과 극성(polarity)을 제공한다. ③ 기능 그룹(functional group) 부분은 상아질의 Ca^{++}나, 콜라겐의 NH_2, NH, OH^-, $CONH_2$ 또는 COOH 등과 결합한다(그림 11-9).

상아질 프라이머 주성분의 한 예로서 4-META의 경우 치질과의 화학결합에 주된 역할을 하는 기능 그룹(위 그림에서 -X로 표시)은 aromatic carboxylic acid anhydride로서 무수 그룹이 상아질 표면의 수분과 반응하여 2가의 카복실산을 생성하여 상아질의 칼슘과 킬레이션할 수 있게 한다(수식 2).

상아질 프라이머 기능 그룹의 또 다른 예로서 HEMA phenyl phosphate를 들 수 있다. 인산계 그룹은 부분적인

수식 3 NPG-GMA 형

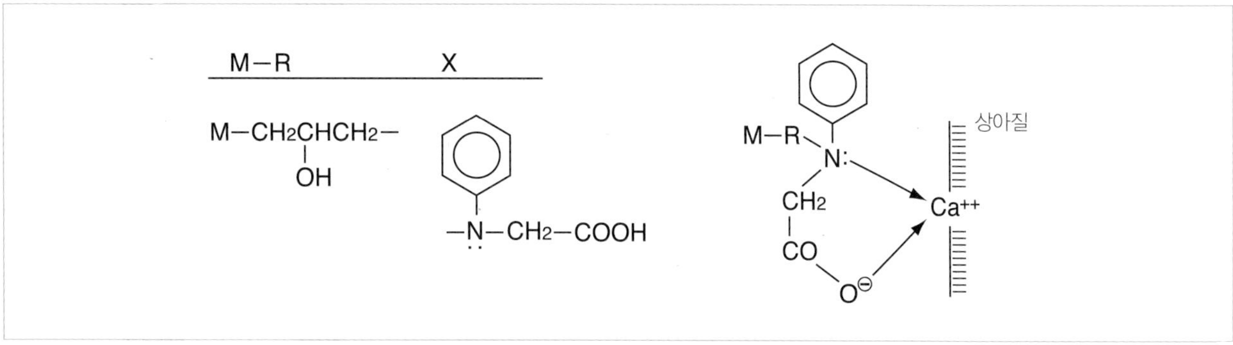

M−R	X
M−CH_2CHCH$_2$− (OH)	−N−CH_2−COOH (N-phenyl)

M−R−N: (phenyl) → Ca^{++} (상아질)
CH_2
CO
$O^{\ominus}$ → Ca^{++}

수식 4 PMDM 형

M−R	X
M−CH_2CH_2−O−CO−	(COOH, COOH 치환 벤젠고리)

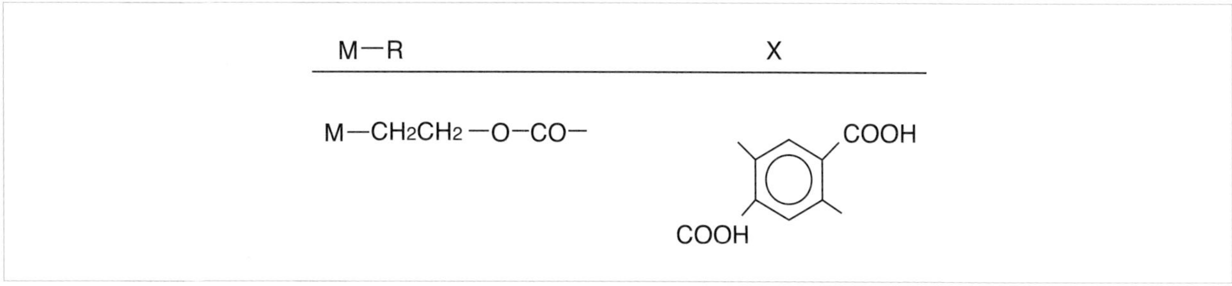

수식 5 Methacrylic acid chloride 형

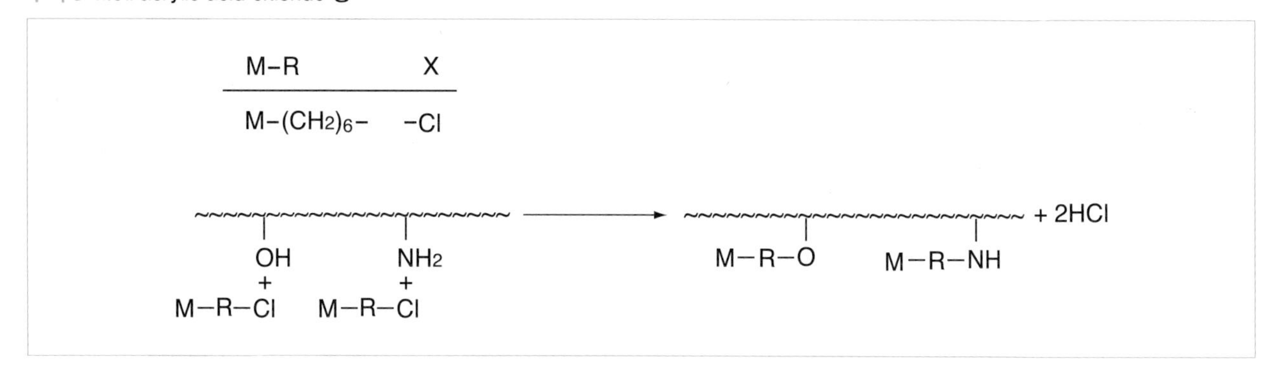

음전하를 띠고 있다. 인산계 그룹의 음으로 하전된 산소와 상아질 칼슘이온의 양하전 간의 인력이 생성된다(수식 1).

NPG-GMA의 경우는 기능 그룹인 N-phenyl-glycin에서 수소 양이온이 떨어지면서 산소 원자는 음으로 하전된다. 이러한 음하전과 질소원자의 고립 전자쌍이 함께 상아질 표면의 칼슘과 착화물 결합(chelate bond)을 형성한다(수식 3).

또한 상아질 콜라겐과 결합하는 기능그룹을 갖는 상아질 프라이머들이 있다.

(2) 상아질 접착제들의 화학적 결합기전

상아질 접착제는 화학적 결합을 도모하기 위해 다음 6가지 그룹의 기본적 개념 하에 만들어졌고, 이것을 개량하여 접착력을 더욱 증가시킨 제품들이 사용되고 있다.

① 유기인산 에스테르(organophosphate ester)
② 4-META(4-methacryloxyethyl trimellitate anhydrate): mellitic anhydrides + methyl methacrylate

수식 6 Isocyanate 형

$$\frac{M\text{-}R \qquad X}{M\text{-}(CH_2)_6\text{-} \quad \text{-}NCO}$$

$$\sim\!\!\sim OH + M\text{-}R\text{-}NCO,\ \ \sim\!\!\sim NH_2 + M\text{-}R\text{-}NCO \longrightarrow \sim\!\!\sim O\text{-}CO\text{-}N(H)\text{-}R\text{-}M,\ \ \sim\!\!\sim NH\text{-}CO\text{-}N(H)\text{-}R\text{-}M$$

수식 7 Glutaraldehyde/HEMA형

$$\text{콜라겐}\text{-}NH_2 + HC(=O)(CH_2)_3CHO + HOCH_2CH_2OC(=O)C(CH_3)=CH_2$$

Glutaraldehyde　Hydroxyethyl methacrylate

$$\xrightarrow{-H_2O} \text{콜라겐}\text{-}N(H)\text{-}C(H)[(CH_2)_3CHO]\text{-}O\text{-}CH_2CH_2OC(=O)C(CH_3)=CH_2$$

③ NPG-GMA/PMDM: N-phenyl glycine과 glycidyl methacrylate의 반응물(NPG-GMA) + pyromellitic dianhydride와 2-hydroxyethyl methacrylate의 반응물(PMDM)

④ acid chloride, anhydride

⑤ isocyanate

⑥ glutaraldehyde/ HEMA: glutaraldehyde + hydroxyethyl methacrylate

이들 상아질 접착제들의 결합기전을 좀 더 자세히 살펴보기로 한다.

(3) 치아의 무기성분에 결합되는 상아질 접착제

① 유기인산 에스테르형 접착제

Phosphate기가 부분적으로 이온화되어 상아질의 칼슘 이온과 반응한다(수식 1). 유사한 예로서 자가부식 프라이머(selfetching primer)의 주성분인 PENTA-P와 10-MDP가 있다.

② 4-META형 접착제

먼저, 기능기의 무수물(anhydrate)이 상아질 상의 물과 반응하여 2가 카복실산(divalent carboxylic acid)이 되어 치아의 칼슘과 킬레이트(chelate)를 형성한다. 또한 카복실산은 상아질의 콜라겐과도 반응하여 화학적 결합을 한다. 즉 치아의 무기 및 유기성분과 접착을 이룬다. 경화촉매제로서 tributyl borane(TBB)이 함유된다(수식 2).

③ NPG-GMA/PMDM형 접착제

이 형태의 상아질 접착제는 대개 옥살산 제2철[ferric oxalate, $Fe_2(C_2O_4)_3 \cdot 6H_2O$] 상아질 컨디셔너를 사용한다. 옥살산 제2철은 상아질 상의 도말층을 제거하는 부식제 역할을 하며, 상아질 프라이머에 대해 더 친화성이 있는 불용성의 착염들을 치아상에 남긴다. 현재는 검은 반점을 만드는 단점이 있는 ferric oxalate를 aluminium oxalate로 대체하고 있다. 상아질 프라이머 성분 중 NPG-GMA(수식 3)는 칼슘과 킬레이트 결합을 형성하고, PMDM(수식 4)은 가수분해된 4-META처럼 2가 카르복실기가 상아질의 칼슘과 결합한다. 최근에는 NPG-GMA 대신에 NTG-GMA를 함유한 제품이 많이 시판되고 있다.

(4) 치아의 유기성분에 결합되는 상아질 접착제

상아질 콜라겐에는 그림 11-10과 같이 상아질 접착제와 결합할 수 있는 기들이 있으며, 이러한 치아의 유기성분에 결합되는 상아질 접착제로 다음과 같은 것들이 있다.

① Acid chloride, anhydride형 접착제

Methacrylic acid chloride는 상아질 콜라겐의 수산기(hydroxyl group)나 아미노기(amino group)와 반응하여 염산(HCl)이 빠져 나가고, 상아질과 화학적 결합을 도모시킨다(수식 5). 그러나 acid chloride는 콜라겐보다는 상아질 표면의 물과 더 선호적으로 반응하기 때문에 이 접착제에 의한 결합력은 그다지 크지 않다. 카복실산 무수물(carboxylic acid anhydride)도 이와 유사한 방식으로 상아질의 콜라겐과 반응한다. 예로서 4-META는 카복실산 무수물로서 치아의 무기질뿐만 아니라, 치아의 콜라겐과도 반응하여 화학적 결합을 도모한다.

② Isocyanate형 접착제

Isocyanate기(-NCO)가 콜라겐 상의 수산기, 아미노기 등과 같은 그룹과 반응하여 각각 우레탄(urethane), 요소(urea) 유도체가 형성되어 화학적 결합된다(수식 6).

③ Glutaraldehyde/HEMA형 접착제

글루타르알데히드(glutaraldehyde)가 상아질 유기성분의 아미노기와 반응하고, HEMA는 콤포짓트 레진의 탄소-탄소 이중결합과 반응하며 글루타르알데히드와도 반응한다(수식 7).

(5) 상아질 프라이머 레진 사용에 의한 혼성층의 생성

위와 같은 다양한 조성을 갖는 여러 제품들이 상아질의 무기질 또는 유기질과 화학적 결합을 하는 것을 X-선 광전자 분광분석(XPS)과 퓨리에 변환 적외선 분광분석(FT-IR/ATR) 기법 등을 사용하여 밝히고 있다. 그러나 이보다 성공적인 접착을 위해 중요한 것은 상아질 접착제가 상아질 컨디셔너에 의해 부분 탈회된 상아질 면(partially demineralized dentin)에 흘러 들어가 미세기계적 결합(micromechanical retention)을 하는 점일 것이다.

최근 시판되고 있는 많은 상아질 프라이머들은 친수성과 소수성 그룹을 갖고 있어 상아질 컨디셔너에 의해 부분 탈회된 상아질 면과 상아세관에 스며들어가 중합됨으로써, 레진과 치질이 함께 섞여 보강하는 혼성층이 약 3~4 μm의 두께로 형성된다. 즉, 상아질과 화학적 결합뿐만 아니라 미세기계적으로도 결합된다.

레진 · 콜라겐 혼성층이 형성됨으로써 상아질과 수복재료 사이의 미세누출이 방지되고, 물속에서 변성되지 않고, 산에 대해 높은 저항성을 가진다. 또 수복물 변연부에서의 미생물 및 용액의 미세누출을 막아 이차우식, 상아질 지각과민증 및 치수의 염증반응을 줄일 수 있으며, 결합강도가 현저히 증가한다.

레진 함량이 많은 레진 함입(resin-infiltrated) 상아질을 만들기 위해서 단량체를 가능한 많이 부분 탈회된 상아질의 가장 하부까지 상아질 안에 스며들게 하지 않으면 안 된

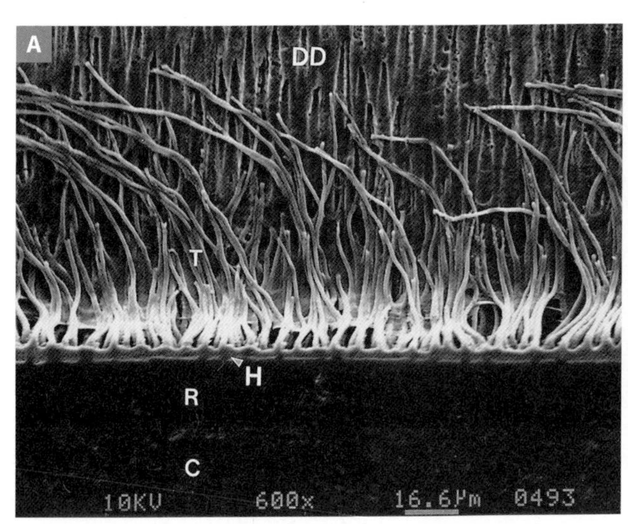

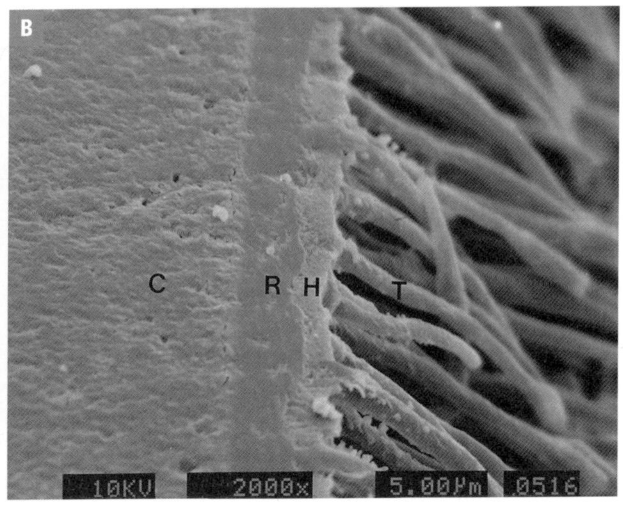

그림 11-11. 접착성 레진을 사용하여 콤포짓트 레진을 수복한 치아의 절단면
본딩레진(R)과 혼성층의 확인을 위해 탈회된 상아질(DD) 사이에 레진에 의해 보강된 상아질 층(H: hybrid layer)이 개재되어 있다. 상아질은 혼성층을 확인하기 위한 산탈회에 의해 높이가 낮아져 있고, 상아세관 내의 레진태그(T)가 관찰된다(원배율 : **A** ×600, **B** ×2,000).

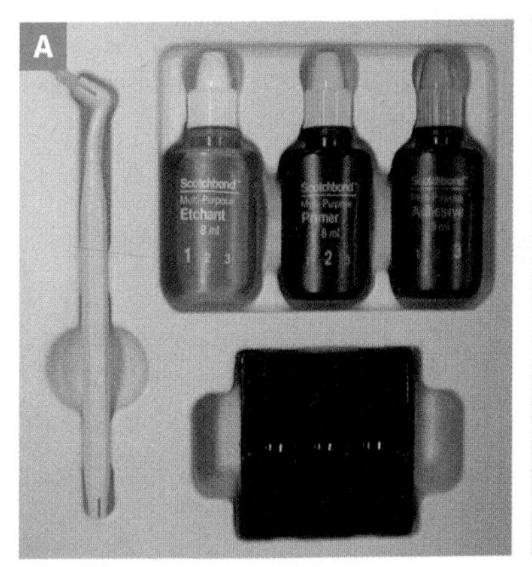

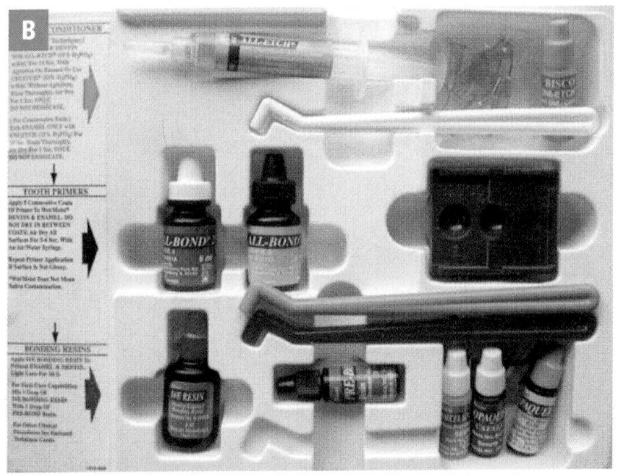

그림 11-12. 제4세대 상아질 접착제 **A** Scotchbond Multi-Purpose, **B** All-bond 2

다. 따라서, 상아질은 이들 프라이머가 침투하기 쉽게 컨디셔닝 되어야 하며, 침투하기 쉬운 프라이머를 선택할 필요가 있다. 또한, 침투된 단량체의 양과 그것을 어떻게 잘 중합시키는가도 접착강도와 그 안정성을 위해 중요하다. 상아질 프라이머의 중합촉매는 물과 산소가 있는 조건하에서도 중합 억제됨 없이 중합이 가능하여야 한다(그림 11-11).

5) 본딩 레진 처리

프라이밍 처리 후에는 본딩 레진을 처리해 준 후, 콤포짓트 레진으로 수복해 주면 기계적, 심미적, 생물학적으로 우수한 수복이 될 수 있다(그림 11-12).

표 11-2. 상용되는 자가부식 프라이머(self-etching primer)에서 사용되는 다양한 접착성 레진 단량체

접착성 레진 단량체	상품 예
MDP	Clearfil SE Bond (Kuraray)
MAC-10	Mac Bond II (Tokuyama)
Methacrylated phosphoric acid monomer, MAC-10	One-Up Bond F (Tokuyama)
Methacrylated phosphoric acid monomer	Prompt L-pop (3M ESPE)
4-AET or 4-AETA	Reactmer Bond (Shofu)
Acrylamidomethylpropane sulphonic acid, Bis-MEP	Tyrian SPE (Bisco)
4-META	AQ bond (Sun Medical)

※ 4-META = 4-methacryloyloxyethyl trimellitate anhydride
4-AETA = 4-acryloyloxyethyl trimellitate anhydride
MAC-10 = 10-methacryloyloxydecamethylene malonic acid
MDP = 10-methacryloyloxydecyl dihydrogen phosphate

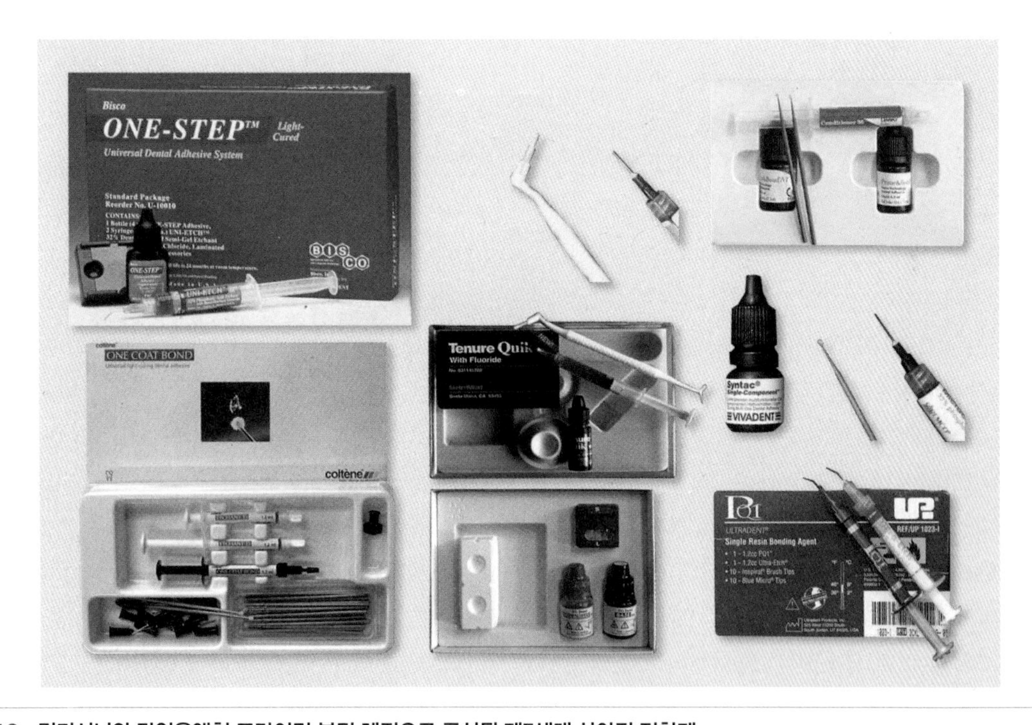

그림 11-13. 컨디셔너와 단일용액형 프라이밍 본딩 레진으로 구성된 제5세대 상아질 접착제

6) 단일 용액형 상아질 접착제

여러 구성요소로 이루어진 접착시스템(multi-component adhesive system)은 치료술식이 복잡하고 시술시간이 길며, 그 사용의 성공여부는 술자의 재료 사용기술의 숙련도에 민감하게 된다. 이러한 점을 감안하여 상아질 컨디셔너가 프라이머 역할까지 겸한 자가부식형 프라이머(self-etching primer)와, 프라이머와 본딩제의 역할을 단

일용액(one bottle)의 접착제만을 사용하여 접착술식을 완료할 수 있는 접착시스템(one-bottle type adhesive)이 개발되었다. 대부분의 제3세대 및 4세대 치과용 상아질 접착시스템에서는 상아질 컨디셔닝, 상아질 프라이밍 및 본딩제 처리의 3단계 과정이 접착제의 사용 시 필요하였다. 5세대 상아질 접착제들은 프라이밍 과정과 본딩제 처리 과정을 1단계 과정으로 완결하는 것이다. 하지만 이들도 산에 의한 상아질 면의 컨디셔닝 과정이 필요하므로 실제로는 2단계(two-step) 과정에 의해 접착술식이 완결된다(표 11-2, 그림 11-13).

단일 용액형 접착시스템은 기존 복수 용액형의 프라이머보다 레진단량체의 함량을 증가시켜 본딩 레진의 역할을 할 수 있게 하였고, 더불어 HEMA와 같은 친수성 희석용 단량체와 아세톤과 같은 용매를 사용하여 높아진 레진 함량에도 불구하고 탈회된 상아질의 콜라겐 망을 하방까지 잘 침투하여 혼성층을 형성할 수 있다. 단일 용액형으로 만들기 위해서는 저장기간 동안 재료가 변질되지 않도록 각 접착제들은 독특한 단량체와 광중합 촉매의 조성을 가지고 있다.

단일용액형 접착제를 적용하기 위해 제품에 따라 브러시, 미니 스펀지 또는 스펀지 스틱 등이 사용된다.

(1) 단일용액형 상아질 접착제의 사용 시 주의 사항

① 산처리된 상아질의 노출된 콜라겐 망을 저부까지 접착성 레진이 스며들고, 산소에 의해 중합이 억제된 미반응 층이 표면에 일부 남게 함으로써 상부의 높은 점도의 콤포짓트 레진과 결합될 수 있도록 하기 위하여, 단일용액형 상아질 접착제 제품에 따라 1~2회 도포한다. Multi-component 시스템의 경우는 5~6회 반복하여 연속적으로 도포하도록 권장하고 있는 것과 달리 더 적은 횟수만큼 도포해도 되는 것으로 사용지침이 되어 있다. 이것은 단일용액형 상아질 접착제의 용액 내 레진 함량비가 multi-component 시스템 프라이머의 용액 내 레진 함량비에 비해 약 3배에 이르기 때문이다. 즉, 2회 도포로도 충분한 두께의 레진층이 생겨 산소의 방해에 의해 불완전 중합된 상부의 레진이 콤포짓트 레진과 결합될 수 있기 때문이다. 그러나, 단일 용액형 상아질 접착제의 경우에도 4회 연속적으로 도포하는 것이 우수한 결과를 보였다는 보고도 있다. 어쨌든 충분한 양을 반복 도포하여 항상 접착 레진으로 덮이지 않는 부분이 없도록 하는 점에 유념해야 한다.

② Prime & Bond NT의 경우 한 번 도포한 후 상아질 내로 스며들고 용매가 날아갈 시간을 주기 위하여 20초간 기다린 후 용매를 air syringe로 건조하고 광중합시키며, Syntac single component의 경우는 한 번 도포하고 20초간 기다린 후 건조, 광중합하고 재차 두 번째 도포, 건조, 광중합하기도 한다. PQ1과 One Coat Bond의 경우는 발라준 후 문질러주도록(scrub) 권장하고 있다. 이처럼 해주는 이유는 점도도 낮추고 압박을 주어서 컨디셔닝된 상아질 표면과 상아세관 내 깊숙이까지 침투해 들어갈 수 있도록 하기 위해서이다. 다른 많은 단일용액형 상아질 접착제들은 2회 연속적으로 도포하도록 권장하고 있다.

어느 제품을 사용하든지 주의할 점은 상아질 접착제를 처리하여 노출된 상아질이 접착 레진에 의해 모두 덮여져야 하며, 그 표면은 콤포짓트 레진과 반응할 수 있는 레진이 남아 있도록 표면의 레진 용액에 의한 광택이 보이는 상태를 만들어 주어야 한다는 점을 기억해야 한다.

③ 상아질 접착제 처리 후 레진이 완전히 경화되고 술후 지각과민이 초래되는 것을 예방할 수 있도록 하기 위해서 상아질 접착제에 함유된 용매를 충분히 건조시켜주어야 한다. 또한, 접착 레진이 탈회된 상아질 저부까지 완전히 침투해 들어가고 레진층이 너무 두껍지 않으며 면이 고르게 되어 응력집중을 피할 수 있도록 하기 위해서는 압축공기를 사용하여 건조 및 평평하게 하기를 시행한다. 제품에 따라 1~5초까지 지시 사항은 다양하다. 이는 각 제품의 점도와 용매에 따라 그 차이가 있는 것이다.

이 때 주의할 점은, 처음부터 지나치게 세게 불면, 경화전의 표면 레진이 압축공기에 의해 밀려서 균일한 레진막이 덮여지지 않을 수 있기 때문에, 처음에는 에어 쉬린지를 접착면에서 약간 떨어져서 약하게 공기를 불어 용매를 충분히 날려버린 다음, 접착제의 점도가 높아지면 비로소 세게 불어 완전히 용매를 건조시켜 주어야 한다.

④ 접착제의 건조가 끝나면 콤포짓트 레진을 축성하기 전에 광중합을 시켜 콤포짓트 레진에 의해 광선이 도달하지 못해 혼성층의 중합이 불완전하게 되는 것을 방지하고, 콤포짓트 레진의 중합수축력에 견딜 수 있는 강도를 미리 갖추도록 한다.

⑤ 많은 제품들이 도포된 접착제를 광중합시킨 후, 붓끝에 남은 접착제를 표면에 추가적으로 발라준 후 광중합하지 않은 상태로 콤포짓트 레진을 축성하고 함께 중합시켜서, 접착성 레진과 콤포짓트 레진의 결합이 완벽히 이루어질 수 있게 권장하고 있다.

⑥ 여러 단일용액형 상아질 접착제 중에서 Optibond Solo와 Prime & Bond 2.1은 화학중합형 콤포짓트 레진에는 접착성이 나쁘다. 또한, Optibond Solo는 20 μm 두께의 필러가 함유된 접착제 층을 이루기 때문에 간접수복물과 함께 사용하기에는 적절치 않다. 그에 반해 Prime & Bond 2.1은 성분 내의 cetylamine hydrofluoride가 과민치아의 탈감작(desensitizing)에 효과적이어서, 인레이나 크라운 제작을 위한 치질삭제 후에 한 번만 칠해주어도 심한 과민증을 즉시 완화시켜준다고 한다. 또한 적절히 사용한다면 접착제를 중합시킨 후에도 간접수복물의 삽입 접착에 방해가 되지 않을 정도로 충분히 얇은 장점이 있다.

7) 자가부식 접착시스템

(1) 자가부식 접착시스템(selfetching adhesive system)의 출현 배경과 장점

Kiyomura (1987)는 상아질을 인산으로 30초간 산부식한 후 접착 레진 처리하고 콤포짓트 레진으로 수복하여 물속에 하중응력이 없이 5년간 보관한 결과, 레진-상아질 계면의 분리가 일어남을 보고하였다. 이는 인산에 의해 상아질이 과도하게 탈회되어 하부의 탈회된 부위까지

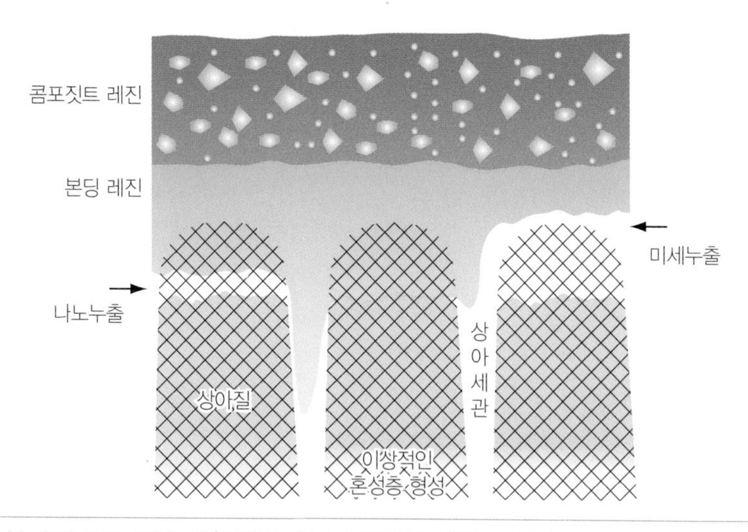

그림 11-14. 접착성 레진수복 시 발생되는 미세누출(우측)과 나노누출(좌측)을 보이는 모식도

상아질을 산처리하여 상아질 콜라겐이 노출된 후(밝은 빗금친 부분), 만일 레진이 탈회된 상아질의 콜라겐 망구조 층을 충분하게 침투하여 들어가지 못하면 노출된 콜라겐과 하방의 부분탈회된 무기결정들을 레진으로 완전히 에워싸지 못하여(좌측) 상아세관과 치아 외부 사이에 누출이 일어나게 된다. 이를 나노누출(nonoleakage, 좌측 화살표)이라고 한다. 또한, 레진이 노출된 콜라겐 망상구조를 전혀 침투하여 들어가지 못하거나 접착이 떨어지면 더 큰 틈새가 남아(우측) 미세누출(microleakage, 우측 화살표)이 생긴다. 이상적인 접착형태는 상아질 접착제가 하방의 비탈회된 상아질에 이르기까지 콜라겐 망상구조 사이를 잘 흘러들어가서 접착하는 것이다(중앙).

레진이 충분하게 침투해 들어가지 못하기 때문에 노출된 콜라겐 섬유망이 완전히 레진에 싸여진 혼성층이 형성되지 않아서 시간에 따라 변성되기 때문이라고 하였다.

최근 연구들에서도 레진으로 함침(encapsulation)되지 않은 무기결정 사이로의 나노누출(nanoleakage)은 레진이나 콜라겐을 가수분해하는 효소의 통로가 될 수 있으므로 산 처리에 의해 탈회된 모든 부위는 레진으로 대체되어야 할 필요성이 제시되고 있다. 즉, 상아질 접착제 사용의 장기적 성공 여부는 상아질과 레진 사이의 강한 결합뿐만 아니라 결합계면에서의 미세누출 및 나노누출이 없도록 산부식 처리에 의해 노출된 콜라겐섬유 사이나 부분탈회된 무기결정 사이 및 노출된 상아세관이 화학적 결합기전을 갖는 레진에 의해 채워져야 한다(그림 11-14).

자가부식 접착제인 제6세대 상아질 접착제는 상아질 표면의 컨디셔닝 역할을 인산 수용액(phosphoric acid solution, pH = 0.6~1) 대신 더 약한 산성의 단량체(mild acidic monomer)를 사용한다. 따라서, 인산에 의해서는 상아질이 10 μm 정도 부식되는 반면, 자가부식 프라이머에 의해서는 산부식 처리에 의해 탈회된 상아질 층이 1~2 μm로 얇아서 치질의 손상이 더 적다(그림 11-15). 또한, 산부식 동안 치질의 수산화인회석을 분해함과 동시에 그 자체가 칼슘 이온과 킬레이션 결합을 하기 때문에 상아질에 대한 과도한 산부식 작용의 우려가 적고(그림 11-16), 인산을 사용한 산부식 처리의 경우보다는 나노누출 우려가 더 없을 것으로 기대된다.

또한, 인산으로 산부식 처리를 시행한 경우는 수산화인회석 결정이 녹아나 물 세척에 의해 씻겨져 나가지만, 자가부식 상아질 접착제를 사용할 경우는 산-처리 후 물로 세척하지 않기 때문에 친수성 콜라겐 섬유에 무기 수산화인회석 결정이 붙어 있어서 레진의 젖음성이 더 우수한 장점이 있다.

그 외에도, 자가부식 접착제 시스템은 부식 후 물로 세척하는 과정이 없기 때문에 세척동안의 물의 압력에 의한 출혈이 없고, 찬 물에 의한 자극이 없으며 불쾌한 맛을 경험하지 않게 되는 장점도 있다. 또한, 자가부식 접착제가 도말층을 제거하고 상아질의 무기질을 부분 탈회시키는 동안에 그 자체가 콜라겐 층 사이사이로 스며들기 때문에, 인산을 사용하여 산부식 처리를 하는 경우에서 볼 수 있는 세척과정이 없다. 따라서 치료단계를 간소화할 수 있고, 인산용액을 사용한 후 세척하고 상아질 표면의 수분유지에 신경을 써야 하는 과정이 없기 때문에 술식 민감도가 낮다는 것이 큰 장점이다.

접착성 레진 시멘트의 경우에 있어서도 자가부식 프라이머 시스템에서 사용되는 다양한 접착성 레진 단량체들

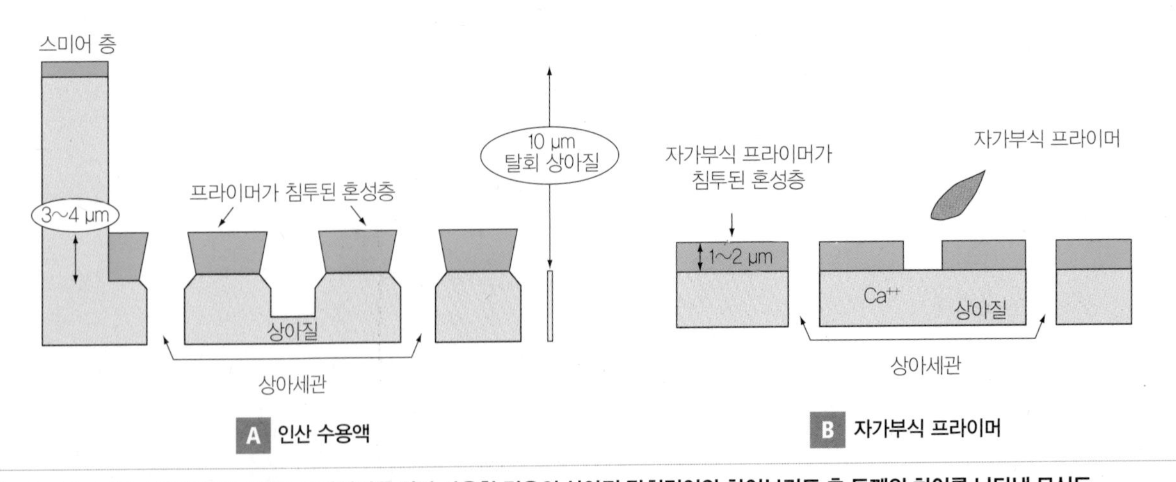

그림 11-15. 인산 수용액와 자가부식 프라이머를 각각 사용한 경우의 상아질 탈회깊이와 하이브리드 층 두께의 차이를 나타낸 모식도

A 인산 수용액으로 처리된 상아질의 탈회정도를 나타낸 모식도. 약 10 mm의 탈회 깊이와 약 3~4 mm의 하이브리드 층을 형성한다. **B** 자가부식 프라이머를 사용하여 처리된 상아질의 탈회정도를 나타낸 모식도. 스미어층과 탈회된 성분이 자가부식 프라이머와 반응하여 약 1~2 mm 두께의 하이브리드 층을 형성한다.

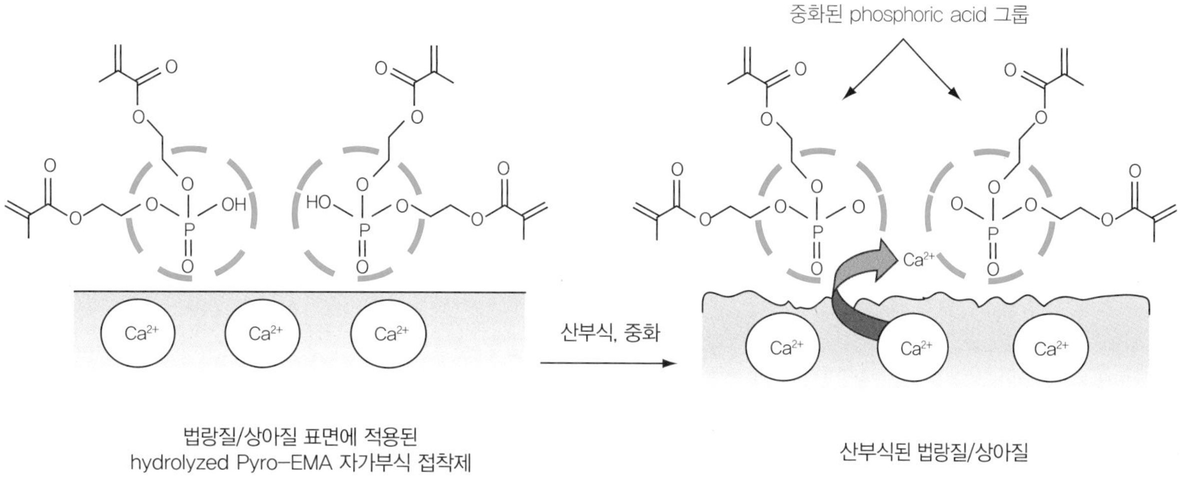

중화된 phosphoric acid 그룹
산부식, 중화
법랑질/상아질 표면에 적용된
hydrolyzed Pyro-EMA 자가부식 접착제
산부식된 법랑질/상아질

그림 11-16. 자가부식 접착제에 의해 치아 무기성분이 부분 탈회되면서, 접착제의 산성(acidity)은 칼슘과 킬레이션되어 접착을 이룸과 동시에 중화됨을 나타낸 모식도

A
B
C
BOND
PRIMER
BISCO
TYRIAN SPE
ONE-STEP PLUS

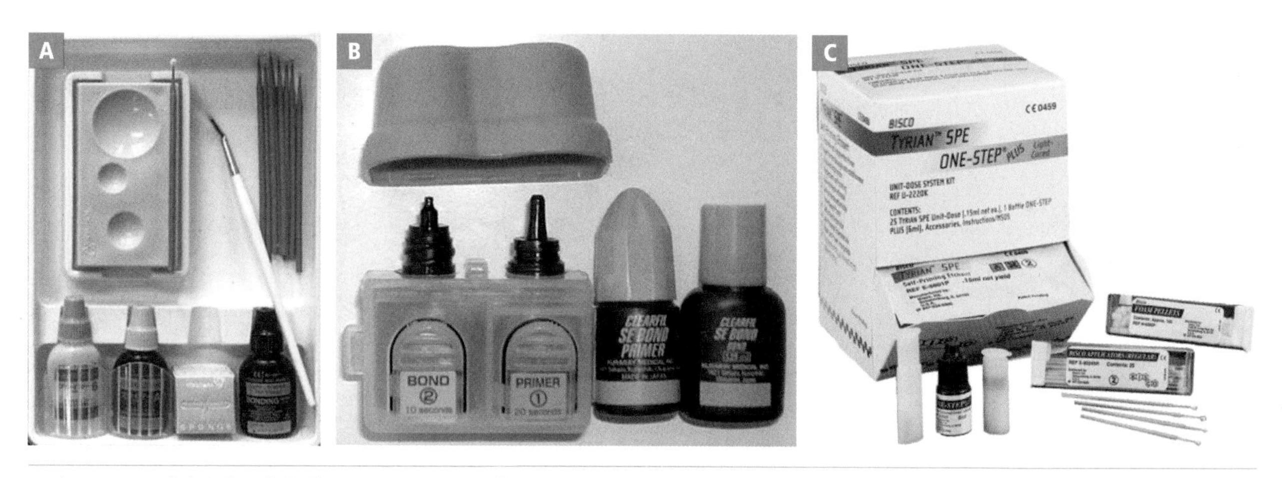

그림 11-17. 자가부식 프라이머(self-etching primer)를 사용하는 제6세대 Type Ⅰ 상아질 접착제

A Mac Bond II, B Clearfil SE Bond, C Tyrian SPE

(그림 12-32 참조)이 함유되어서 화학적 접착 기능을 부여한다.

(2) 자가부식 접착시스템의 사용 시 주의사항

자가부식 접착시스템은 많은 장점을 가지고 있지만, 사용 시 다음과 같은 주의사항과 한계점을 고려하여야 한다.

① 자가부식 접착시스템 중에서 제6세대 2형(그림 11-18)과 제7세대(그림 11-19)는 화학중합형 또는 이중중합형(dual-cured) 콤포짓트 레진과는 직접 접촉하여 함께 사용하지 않아야 한다. 왜냐하면, 자가부식 접착제를 중합한 후에도 표면에는 산소에 의해 중합이 방해받은 미중합된 산성의 레진 단량체 층(oxygen-inhibition layer)이 남아 있어서, 이것이 콤포짓

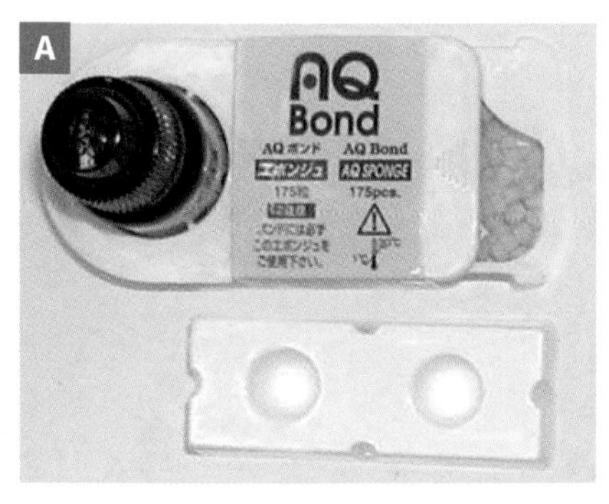

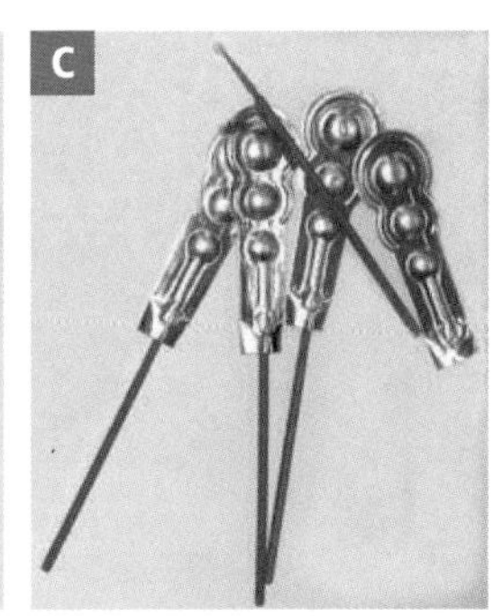

그림 11-18. 자가부식 프라이머를 사용하는 제6세대 Type II 상아질접착제
A AQ Bond, **B** One-up Bond F, **C** Prompt L-Pop

그림 11-19. 단일용액형 All-in-one 시스템인 제7세대 상아질 접착제

트 레진 내의 아민(amine) 중합촉진제와 반응하여 charge-transfer complex를 형성하고 콤포짓트 레진이 완전한 중합을 할 수 없게 만들어서 접착의 실패를 초래하므로 주의를 요한다(Tay 등 2001).

② 뿐만 아니라, 광중합형 콤포짓트 레진을 사용할 경우라도 콤포짓트 레진의 광중합 개시시간을 지연할 경우에는 나쁜 영향을 미친다. 이러한 현상은 다음과 같은 이유에서 초래된다. 즉, 자가부식 접착 레진은 3단계 접착시스템(multi-component adhesives)의 소수성 본딩 레진이 따로 있지 않고, 본딩 레진 역할뿐만 아니라 산부식과 프라이밍 역할을 하나의 용액으로 모두 할 수 있다. 또한 수분이 있는 상아질에 잘 침투해 들어갈 수 있도록 하기 위해 산성의 친수성 레진 단량체를 사용하고, 접착제의 필름두께도 얇은 편이다. 따라서, 수분의 확산이 쉬운 반투과성 막(semi-permeable membrane)이라고 할 수 있다. 그러므로, 콤포짓트 레진을 충전한 후 광중합을 개시하기까지 시간을 지체하면 하방 상아질로부터 수분이 접착 레진을 통과 확산하여 접착제와 콤포짓트 레진과의 계면에 수분을 함유한 레진 방울(globule)이 생기게 되어 접착실패의 원인이 된다. 여러 보고들에서 자가부식 접착시스템을 사용할 경우 콤포짓트 레진을 채워 넣은 후 광중합 개시 시기를 지연할 경우, 인장 접착강도가 지수적으로 감소됨이 보고된다(Tay 등 2001; Suh 등 2002).

③ 자가부식 접착제는 치질 탈회 후에 표면에서 씻어내지 않는다. 처음 적용 시는 산이지만 작용동안에 탈회된 치질 성분과 킬레이션되면서 중화되기 때문에 산성에 의한 문제는 없어 씻어내지 않는다. 깊은 상아질에 접착 시 인산을 사용한 total-etch 시스템에 비해 술 후 과민증을 초래할 가능성이 더 적다고 한다.

④ 자가부식 접착제를 치질에 적용 후에는 공기로 건조시켜 에탄올, 아세톤, 물과 같은 용매를 없애주어야 한다. Miyazaki 등(1999)은 법랑질에 자가부식 접착제를 사용하여 접착할 경우, 접착제를 건조시키는 시간을 0~30초까지 점차 증가시켰을 때 건조시간이

증가함에 따라 접착강도가 향상됨을 보고하였다. 이러한 보고처럼 자가부식 접착제를 적용한 후 충분히 치질 내로 스며들고 탈회치질 성분과 반응할 수 있는 여유를 준 후에는 충분한 건조가 필수적이다.

⑤ 자가부식 접착제는 산도가 인산에 비해 낮기 때문에 법랑질에 대해 적절한 탈회면을 얻기 위해서는 시간을 연장하거나, 법랑질 표면을 버(bur)로 약간 절삭한 후에 적용하면 접착강도가 크게 향상된다. 또한, 자가부식 접착제는 경화 상아질(sclerotic dentin) 또는 우식증에 인접한 상아질에는 전통적인 인산을 사용하여 산부식한 경우에 비해 접착강도가 낮기 때문에 주의해야 한다.

⑥ 자가부식 접착제 역시 치아에 적용 시 제품에 따라서 횟수에 차이는 있지만 1~3회 칠해줘서 표면에 충분한 레진 층이 고르게 칠해져서 접착제로 처리된 상아질 표면이 광택이 있을 정도까지는 칠해지도록

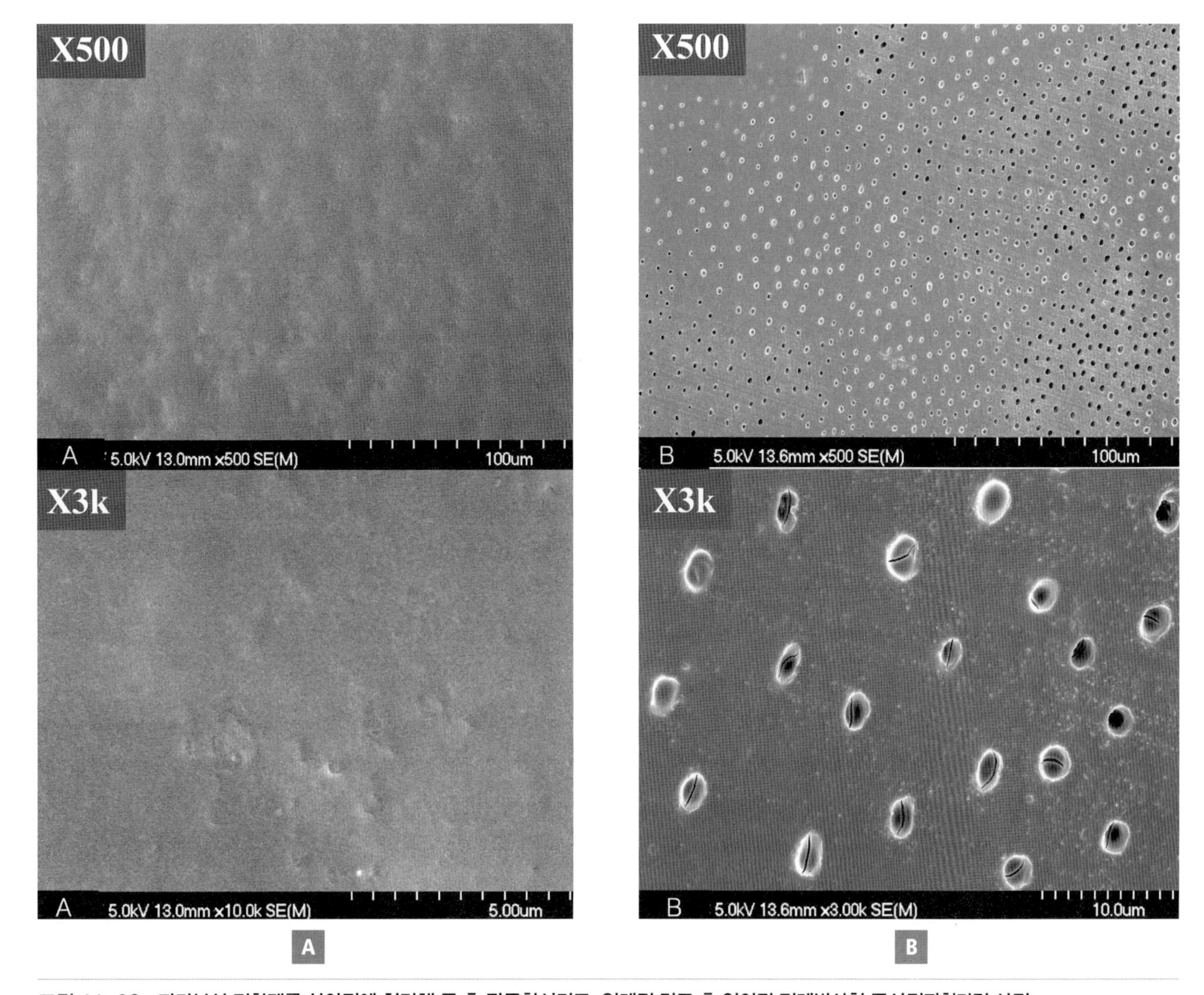

그림 11-20. 자가부식 접착제를 상아질에 처리해 준 후 광중합시키고, 임계점 건조 후 얻어진 전계방사형 주사전자현미경 사진

A 제품의 경우는 접착 레진이 상아질 표면을 균일하게 피복하고 있으나, B 제품의 경우는 제조자의 지침에 따라 처리를 하였는데도 접착 레진으로 채워지지 않은 노출 상아세관이 관찰된다. 레진 자체의 강도도 낮아서 상아세관 내에 채워진 레진이 광중합에 의해 크랙이 생긴 부분이 다수 관찰된다.

조절해주어야 하는 것에 유념해야 된다.

그림 11-20에서도 제품에 따라서는 자가부식 접착제의 적용을 수차례 반복해야 우수한 결과를 얻을 수 있음을 예상할 수 있다.(B) 제품은 접착강도 실험결과에서도 다른 자가부식 접착제에 비해 매우 낮은 접착강도 값을 보였다. 이러한 제품에서는 제조자의 지침사항을 고려함과 동시에 접착제로 처리된 상아질 표면이 광택이 있을 정도로 충분히 레진이 균일하게 피복되도록 칠해주는 횟수를 증가시켜주어야 할 것이다.

⑦ 가능하면 접착제의 자체 강도가 높아야 한다. 그림 11-20에서 알 수 있듯이 (B) 제품에서는 광조사에 의해 상아세관을 막고 있던 레진태그가 수축하여 상아세관 벽과 레진태그 사이의 결합이 파괴되고, 레진태그 자체에도 크랙이 형성되는 양상을 다수 관찰할 수 있다. 이러한 결과는 상아질 접착제의 요구사항 중에는 치질 내로 잘 침투해 들어가고 화학적인 결합을 하여야 되는 것 외에도, 그 자체가 강도를 가지며 수복해 주는 콤포짓트 레진의 중합수축으로부터 오는 응력을 감당해낼 수 있는 충분한 결합강도를 가져야 함을 말해준다. 따라서, 최근 제품들에서는 접착제 내의 강도를 증가시키기 위하여 나노필러가 함유된 접착시스템도 소개되고 있다.

이상에서 각 상아질 접착제의 접착 개념을 설명하였고, 각 제품의 사용 시 특히 주의해야 할 사항에 대해 살펴보았다. 상아질 접착제는 더 사용 술식이 간편하도록 지속적으로 개선되고 있으며, 많은 제품들이 용매로서 물 또는 물 · 에탄올을 채택하고 있고, 나노 크기의 필러를 첨가하여 자체 강도를 증진시키고 있으며, 더 화학적으로 안정적이며 강한 화학결합을 얻을 수 있는 재료를 이용하고 있다. 진정한 단일용액형 상아질 접착제인 자가부식 접착제는 술식이 더욱 간편하고, 상아질의 산부식 양이 적고 혼성층의 두께가 얇더라도 강한 결합 강도를 갖도록 개선되고 있다.

사용방법의 단순화는 재료의 사용 시 술자의 사용 부적절성에 따른 접착의 실패 빈도를 줄일 수 있고, 재료 사용 시 번거로움의 배제와 시술시간 절약에 따른 환자의 편이성이 증진되고 있다. 때문에 접착치의학에 있어 단일 용액형 접착시스템은 더욱 용이하고 성공적으로 사용될 것으로 전망된다. 최근에는 별도의 접착제의 도움 없이도 치질에 화학적으로 결합하는 자가접착 수복재(self-adhesive restorative materials)에 대한 연구가 진행되고 있다.

그림 11-21. 8세대 범용 접착시스템

8) 8세대 범용 접착시스템

최근에 소개되어 관심을 받고 있는 범용 접착제(universal bonding agent)는 대부분의 제품에서 10-MDP를 접착성 단량체 성분으로 함유하고 있고, 그 외에도 PEMTA, 4-MET, MCAP, GPDM을 단독 또는 10-MDP와 혼합해서 사용하는 제품도 일부 있다(그림 11-21). 10-MDP는 인산에스테르계 단량체로서 치아표면을 산부식시켜 부식된 공간으로 접착제가 침투해 들어가면 미세기계적으로 결합하고, 가수분해에 다른 접착성 단량체들에 비해서 더 저항성이 있는 칼슘염을 만들어 안정적인 화학적 결합을 하게 한다. 8세대 범용 접착시스템은 제품에 따라 차이는 있지만 다음과 같은 특징을 갖는다. ① 임상 상황에 따라 다양한 산부식(토탈-, 자가-, 선택적-산부식) 술식으로 사용할 수 있다. ② 별도의 경화촉진제(activator)나 프라이머를 사용하지 않고도 이중- 및 자가-중합 재료와 함께 사용할 수 있다.

③ 치아뿐 아니라 실리카계 세라믹, 지르코니아 및 금속성 수복물에 강한 접착성을 보인다. 또한, 기존 자가부식 접착제의 단점인 시간경과에 따른 상아질과의 접착력 감소 문제를 많이 해소하였다. 단량체의 소수성이 더 커서 시간 경과에 따른 가수분해로 인한 접착파괴에 덜 민감하고, 클로르헥시딘과 같은 항균제를 포함해서 콜라겐을 변성시키는 matrix metalloproteinases (MMPs) 방출을 감소하며, 다기능성 단량체를 함유하여 중합 후에는 고도로 가교된 고분자 구조를 만들어서 수분 분자의 영향을 차단하고 기계적 물성을 향상하였다.

하지만, 제품에 따라 범용으로 사용하는 효용성에 대해서는 차이가 있으니 아직까지는 관련된 평가보고들을 지속적으로 참고할 필요하며, 다음 사항을 유념하여 접착성을 향상시키면 좋다. 8세대 범용 접착시스템의 산도(pH) 제품에 따라 다양하여 1.5~3.2의 범위를 가진다. 산부식 정도가 인산 산부식액을 사용하는 경우에 비해서는 아무래도 약하기 때문에 법랑질에 대해서도 선택적 산부식 또는 토탈에칭을 하는 경우가 더 우수한 접착을 이룬다는 보고들이 있다. 8세대 상아질 접착제를 상아질 표면에 적용 시 문질러주면서 적용하고, 산부식되는 시간을 기다린 후, 반드시 수분 건조를 확실히 해주어야 접착성을 향상시킬 수 있다. 건조는 제조사가 가이드한 5~10초 건조보다는 15~30초 건조가 접착의 내구성을 위해서는 유리하다는 보고가 있다. 접착제의 적용시간과 건조시간은 충분히 하여 주어야 한다.

3. 침식부의 레진 수복

치경부 측의 침식(erosion) 등에 의한 5급 와동의 수복에는 금박(gold foil)이나 금 인레이, 아말감, 와동을 형성하지 않고도 치면에 화학적 결합을 하는 글라스아이오노머 시멘트, 산부식 술식을 사용하는 레진, 글라스아이오노머 시멘트로 이장하고 그 위에 레진을 충전하는 방법(sandwich technique) 등이 있다. 일반적으로 5급 와동의 절단면 측은 법랑질이 있지만, 치은 측에는 법랑질이 없고 시멘트 층과 상아질 층이 있는 경우가 많다. 따라서 레진수복 시 치은 측 와동벽은 변연누출이 더 생길 수 있어서, 이차우식, 치수자극, 술 후 지각과민 등을 야기할 수 있다. 그러므로 이런 경우는 상아질 접착제를 사용하여 치아와 화학적 결합을 유도하는 것이 좋다.

치경부 침식부의 레진 수복을 위해서는 먼저 경석가루(pumice powder)를 사용하여 치아 표면의 치태를 제거한다. 이 때 사용하는 경석(pumice)은 글리세린 부형제(vehicle)나 불소가 첨가되지 않은 것을 사용해야 한다. 글리세린은 법랑질의 산부식을 방해하고 레진의 결합이 잘 안 되게 하며, 불소는 법랑질의 산부식이 잘 안 되게 만들기 때문이다. 치면 세마 후에 상아질은 약간만 절삭하고 치은부 변연에 # 1/2이나 #1 라운드 버(round bur)를 사용하여 치은측 와동벽 상아질에 얕은 구(groove)를 형성하여 유지를 좋게 하고 미세누출을 적게 한다. 그 후 상아질 접착제로 처리한다.

또한 절단면 측(incisal wall) 법랑질은 사각(bevel)을 주어 법랑소주가 산의 작용에 대해 가능한 직각으로 배열하게 만들어 준 후, 법랑질을 산부식하고 본딩제를 처리한 후 콤포짓트 레진을 충전한다.

4. 포세린수리용 레진

포세린전장관의 포세린이 파절되었을 때 이를 수리하는 레진(porcelain repair resin)에는 포세린 표면과 결합을 도모하는 실란 프라이머와 하부의 금속색을 차단하는 불투명 레진(opaque resin) 및 본딩 레진과 콤포짓트 레진이 함유되어 있다. 충분한 결합강도를 얻기 위해서는 알루미나 분사를 하여 접착 표면적을 넓혀주고, 실란 프라이머, 불투명 레진 및 본딩 레진 처리를 한 후 유동성 콤포짓트나 일반 콤포짓트 레진으로 수리해 준다.

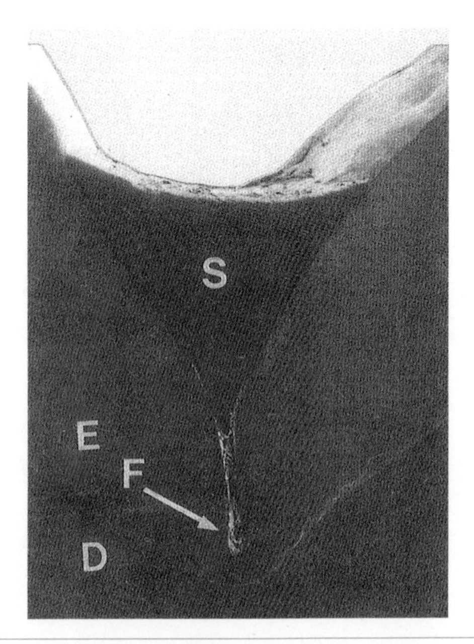

그림 11-22. 치면열구전색재(pit and fissure sealant)에 의해 교합면 상의 열구가 전색된 치아의 단면

S : 치면열구전색재, E : 법랑질, D : 상아질, F : 열구의 깊은 부위로 전색재가 완전히 흘러들지 못했지만, 전색재에 의해 밀폐되어 있다(×35).

5. 치면열구전색재

1) 정의

치아 교합면의 소와(pit)와 열구(fissure)는 일반적으로 좁고 구부러져 있어서, 압입된 음식물이나 세균이 닦여 나오기 어려워 이 치면열구에 충치가 발생하기 쉽다. 따라서 막 맹출된 구치의 소와나 열구를 예방적으로 전색하는 치면열구전색(pit and fissure sealing)을 시행하는 것이 좋다(그림 11-22). 이때 예방적 와동 확대는 하지 않으며 필요에 따라 법랑질 성형 등 법랑질 상에서의 치아삭제를 동반하기도 한다.

2) 치면열구전색재의 종류

치면열구전색재(pit and fissure sealant)는 경화기전에 따라 화학중합형과 광중합형으로 분류되며, 재료 성분에 따라서는 Bis-GMA 레진계와 글라스아이오노머계로 분류된다.

(1) Bis-GMA 레진계 치면열구전색재

충전용 콤포짓트 레진과 화학적으로 비슷하지만, 차이점이라면 좁은 치면열구에 쉽게 침투할 수 있도록 흐름성을 더 좋게 하기 위해 점도가 높은 Bis-GMA 단량체에 희석제 단량체(예로서 TEGDMA)가 혼합되어 있다. 필러첨

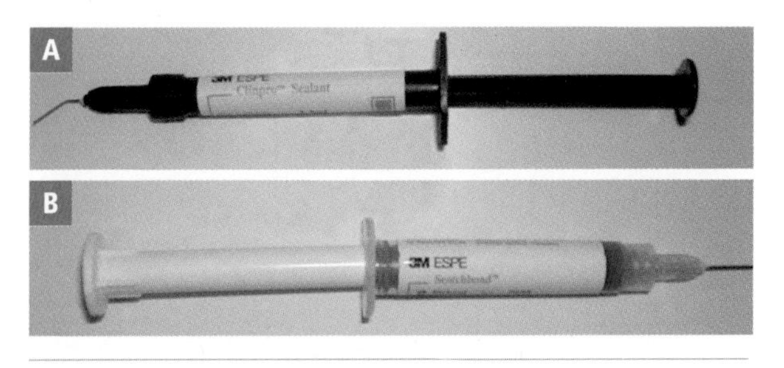

그림 11-23. Bis-GMA레진계 치면열구전색재

A Clinpro Sealant, **B** 산부식제

가형과 비첨가형이 있는데, 필러첨가형이 기계적 성질, 내마모도 및 내흡수성이 더 우수하다(그림 11-23).

(2) 글라스아이오노머계 치면열구전색재

산부식 처리 없이 치질과 화학적 결합을 하고, 불소의 방출로 인해 항우식 효과가 있으며, 광중합기가 필요하지 않다는 장점이 있다. 그러나 결합력이 산부식에 의한 레진계 전색재의 결합력보다 약하고, 점도가 높아 치면열구내로의 침투율이 낮으며, 초기용해도가 높기 때문에 전색재로 사용하기에 문제가 많다.

3) Bis-GMA계 치면열구전색재의 사용 방법

(1) Bis-GMA계 치면열구전색재의 사용 방법

Bis-GMA계 치면열구전색재는 먼저 탐침으로 소와와 열구의 잔사를 긁어내고, 러버컵이나 강모브러쉬(bristle brush)를 이용하여 치면을 세마(oral prophylaxis)한 후 물로 세척한다. 러버댐이나 코튼 롤(cotton roll)을 이용하여 치아를 격리하며, 코튼 롤을 이용한 경우는 산부식 후 교체해준다. 치아격리 후 청결한 공기(oil-free air)로 건조시키고, 습기나 타액에 오염되지 않도록 주의한다.

35% 인산을 사용하여 최소 15초 이상 그리고 60초를 초과하지 않게(일반적으로 영구치는 15~30초간, 유치는 60초) 치면열구 부위를 산부식시킨 후, 치면을 세척하고, 완전히 건조시킨다. 표면이 뿌연 백색 빛(chalky appearance)인지 확인하고, 불충분하면 재부식한다. 타액이 산부식된 표면에 닿은 경우는 5~10초 동안 다시 산부식하고 세척 후 건조한다.

그 후, 교합장애가 발생하지 않는 한도 내에서 소와와 열구의 깊은 부위까지 충분히 잘 흘러 들어갈 정도의 점도가 낮은 전색재를 주사기 바늘 또는 브러시를 사용하여 대상 열구에 도포하고 광조사(1 mm 이내 거리에서 20초간)한다. 화학중합 레진의 경우는 3~5분간 건조한 상태로 유지하여 경화시킨다.

표면에 남은 얇은 점성의 미반응 전색재 막은 알코올 스펀지를 이용하여 제거하고, 교합지를 사용하여 교합을 확인하고 높은 부위는 교합조정을 한다. 표면의 마무리 연마는 복합레진의 수복에 준하여 시행하는 것이 일반적이다. 3개월 후 탈락여부를 검사하고 6개월마다 지속적인 내원검사를 시행하고 탈락된 부위는 재도포한다. 치면열구전색재를 사용해 전색된 치아에서 전색재의 탈락이나 파절 및 인접치아의 우식이 발생하여 실패하는 경우가 일년에 약 5% 정도 된다는 보고가 있다.

(2) 글라스아이오노머 시멘트계 치면열구전색재의 사용 방법

25% 폴리아크릴산(polyacrylic acid)을 치면에 적용하여 30초 이내에 세척하고 완전히 건조시켜 치면을 깨끗하게 만든다. 경석가루는 열구에 박힐 수 있으므로 사용을 금한다. 연화된 시멘트의 작은 방울(bead)을 사용하여 열구를 전색한다. 얇은 왁스 시트를 경화가 완료될 때까지 물고 있게 한다. 바니쉬를 표면에 발라 반응이 종료될 때까지 표면을 보호하든지, 접착레진을 도포하고 광조사하여 경화시킨다.

■ 참고문헌

1. 박영준(2003). 치과수복을 위한 접착치학의 현황, 대한치과의사협회지 41(7):478-491.
2. Powers JM & Sakaguchi RL(2012). Craig's Restorative Dental Materials, 13th ed.
3. Asmussen E, Munksgaard EC(1988). Bonding of restorative resins to dentin: Status of dentin adhesives and impact on cavity design and filing techniques. Int Dent J 38:97-104.
4. Kenneth J. Anusavice(2013), Phillip's Science of Dental Materials 12th ed., W.B. Saunders.

치과용 시멘트 12

학/습/목/표

❶ 치과용 시멘트의 용도를 이해한다.
❷ 시멘트 유형에 따른 성분과 경화특성을 이해한다.
❸ 시멘트 유형별 조작방법을 익힌다.
❹ 시멘트 유형별 물리화학적 특성을 이해해서 임상 상황에 따라 선택할 수 있다.

치과용 시멘트는 ① 치아에 인레이나 금관(crown), 계속가공의치(bridge)와 같은 수복물이나 교정장치를 비롯한 여러 장치 등의 합착 및 고정을 위한 합착제(luting agent)로서의 용도, ② 형성된 와동을 영구 또는 임시적으로 충전하는 수복재(restorative materials)로서의 용도, ③ 치수를 보호하고 수복물의 하부 구조를 만들기 위한 와동 이장재(cement liner) 및 베이스(cement base)로서의 용도, 그리고 ④ 수술용 드레싱 용도로도 사용된다. 이처럼 임상 치의학에서는 다양한 종류의 치과용 시멘트를 사용하고 있다. 와동 바니쉬(varnish)와 같은 치수보호를 위한 재료도 그 적용특성 때문에 치과용 시멘트로 분류된다.

수복물의 합착(luting)이나 수복에 사용하는 시멘트는 다음과 같은 특성을 가지고 있어야 한다. 먼저 시멘트는 구강 내에서 용해도가 낮아야 하며, 기계적 유지와 화학적 결합에 의하여 치아 또는 수복물과 높은 결합력을 보여야 한다. 또한 수복물과 치아 사이의 계면에서 응력에 저항할 수 있는 강도와 파괴인성을 가져야 하며, 사용이 편리하고 생체에 적합하여야 한다.

치과용 시멘트로서 19세기부터 인산아연 시멘트(zinc phosphate cement, ZPC), 산화아연유지놀 시멘트(zinc oxide eugenol cement, ZOE) 및 실리케이트 시멘트(silicate cement) 등이 사용되어 왔으며, 인산아연 시멘트나 산화아연유지놀 시멘트는 현재에도 널리 사용되고 있다. 그 이후 우수한 생체적합성 및 치아와 화학적으로 결합하는 특성이 강조되면서 수복 치의학의 발전과 더불어 새로운 시멘트가 소개되기 시작하였는데, 폴리아크릴산(poly-acrylic acid)을 바탕으로 하는 폴리카복실레이트 시멘트(polycarboxylate cement, PC)와 글라스아이오노머 시멘트(glass ionomer cement, GI)가 개발되었다.

폴리카복실레이트 시멘트는 치수 자극이 적고, 인산아연 시멘트와 비슷한 강도, 용해도 및 접착성을 보여 인산아연 시멘트를 대체하게 되었다. 글라스아이오노머 시멘트는 불소를 방출하고 치아와 화학적 결합이 가능한 특성을 보여 수복물의 합착 및 충전에 널리 이용되고 있다.

아크릴 레진의 개발과 함께 1950년대부터 아크릴 시멘트가 등장하였으나 최근에는 중합이 가능한 Bis-GMA (Bisphenol A glycidyl dimethacrylate) 또는 다른 디메타크릴레이트를 주성분으로 하는 레진 시멘트(resin cement)

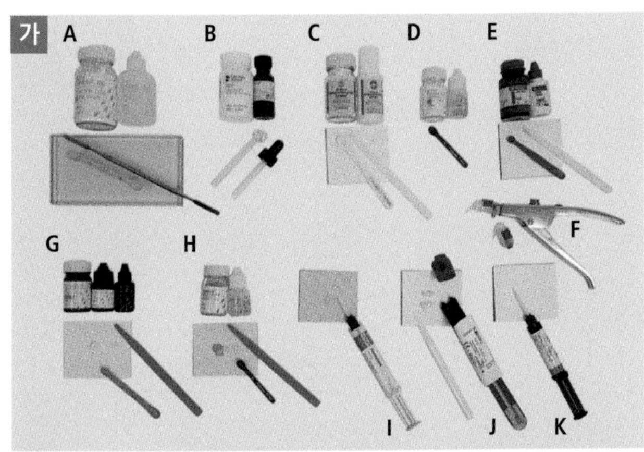

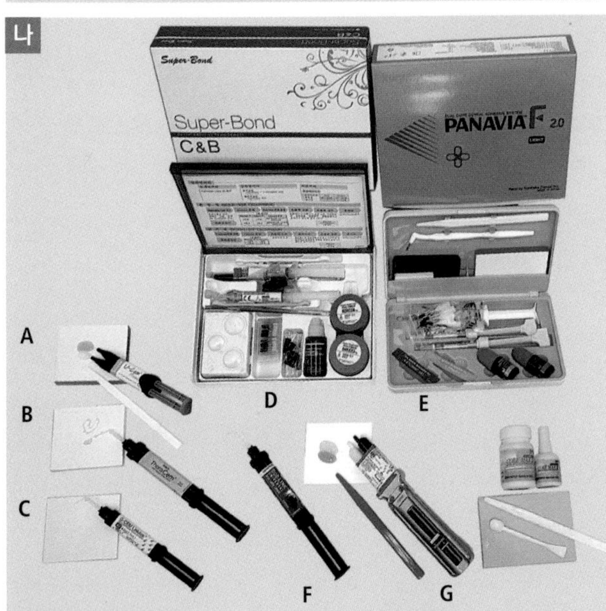

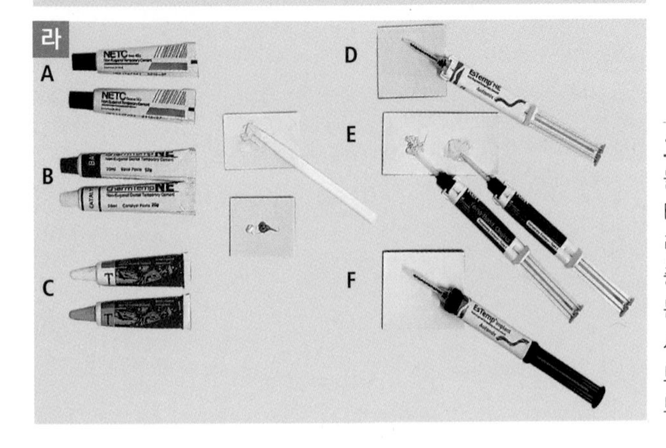

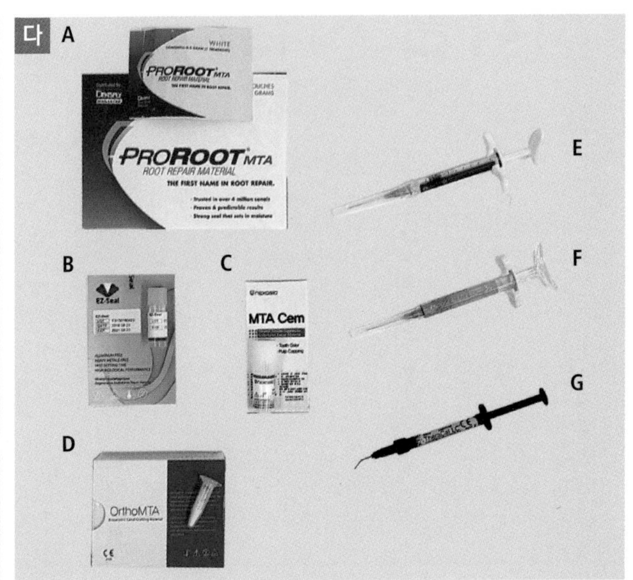

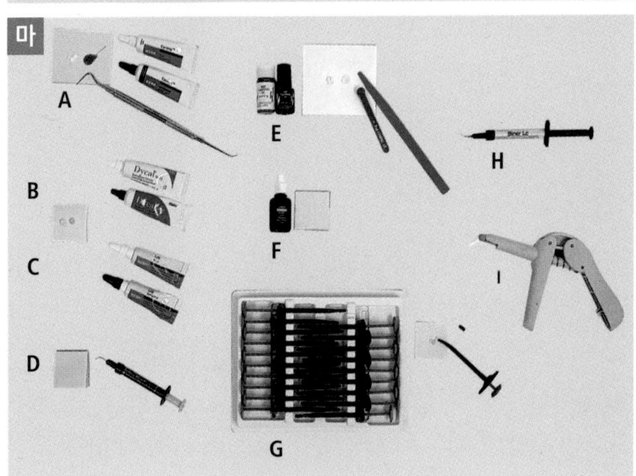

그림 12-1. 치과용 시멘트. **(가)** A 인산 아연, B 강화형 산화아연-유지놀, C 분말-용액형 폴리카복실레이트, D,E 분말-용액형 글라스아이오노머, F 캡슐형 글라스아이오노머, G 레진강화형 글라스아이오노머와 상아질 전처리제. H 금속강화형 글라스아이오노머, I 레진강화형 글라스아이오노머(자가중합, 정적혼합), J 레진강화형 글라스아이오노머(자가중합, 수동혼합, 클리커 분배시스템), K 레진강화형 글라스아이오노머(이원중합, 정적혼합). 각 재료 시스템은 두 가지 요소로 구성되어 있다. **(나)** 레진시멘트, **(다)** 칼슘실리케이트(MTA) 시멘트, **(라)** 임시합착용 시멘트, **(마)** 와동이장재 및 베이스용 시멘트. (나)~(마)에 대해서는 각 해당 섹션에서 각 재료 유형에 대해 설명된다.

가 접착성 단량체와 함께 간접 수복물과 교정용 브라켓의 합착에 사용되고 있다. 그 외에 레진과 글라스아이오노머의 장점을 겸비하도록 개발되어진 레진-강화형 글라스아이오노머 시멘트(resisn-modified glass ionomer cement, RMGI cement)와 콤포머(compomer)가 있다.

수산화칼슘 시멘트는 치수가 노출되거나 노출위험이 있는 깊은 와동에 이장재로 사용되어 수복 상아질(reparative dentin)의 형성을 돕는 작용을 한다. 그 외에 생활성(bioactive)을 갖는 인산칼슘 시멘트(calcium phosphate cement, CPC) 및 칼슘실리케이트 시멘트(calcium silicate cement, MTA) 등이 있다.

그림 12-1에 치과에서 사용하는 여러 종류의 시멘트를 보였다. 많은 종류의 치과용 시멘트는 분말-용액형 또는 2-연고형 형태로 공급되어, 혼합하면 화학반응이 시작된다. 용액은 일반적으로 산(양성자 공여체)이고, 분말은 염기성(알칼리성)이며 일반적으로 글라스 또는 금속 산화물로 이루어진다. 분말과 용액 사이의 반응은 일반적으로 산-염기 반응이며, MTA의 경우는 수화 반응을 한다. 반면, 레진 시멘트는 산-염기 반응에 의하지 않고, 대신 빛 또는 화학물질에 의해 활성화되는 중합반응을 통해 경화된다. 시멘트는 혼합되면 적당한 시간 내에 경화된다. 경화된 시멘트는 임시 또는 영구 수복재, 합착제, 또는 치수 보호를 위한 베이스로 사용되기에 충분히 강하다.

치과에서는 연고형의 점조도를 갖는 것으로부터 높은 유동성을 갖는 형태까지 다양한 점도의 시멘트가 사용된다. 보철물을 합착하기 위한 합착제는 딱딱한 조직과 고정성 보철물 사이의 계면을 따라 자유롭게 흐를수 있을 정도로 충분히 낮은 점도를 보여야하며, 보철물을 제 위치에 유지시키기 위해서는 양쪽 표면을 잘 적실 수 있어야 한다. 충치 형성과정 또는 와동형성으로부터 자극을 받거나 손상될 수 있는 치수에 대해서, 형성된 와동 내로 잘 흘러들어가고 경화되는 와동 바니쉬, 이장재, 또는 베이스와 같은 보호층 재료가 필요할 수 있다.

근관 내에 포스트를 고정하려면 더 점성이 높은 시멘트가 필요하다. 치근단부 충전을 위해서는 근첨부에서 녹아나지 않는 점성있는 페이스트가 요구된다. 치열 교정에 사용을 위해서 시멘트는 접착성이어야 하며, 밴드를 장착하기 위해서는 충분히 낮은 점도를, 그리고 브라켓을 접착할 때는 시멘트가 경화되기 전에 브라킷이 위치를 벗어나지 않을 정도의 충분한 점도를 가져야 한다.

이처럼 지금까지 다양한 치과용 시멘트가 개발되었으나 모든 경우에 사용할 수 있는 시멘트는 없으므로, 치과 임상에서는 사용되는 다양한 종류의 시멘트에 대한 특징을 이해하여 상황에 맞게 선택하고 정확한 조작법을 습득하여 사용하여야 한다.

표 12-1. 주요 치과용 시멘트의 특징

1858	1972	1975	1990	Today
인산아연시멘트 (ZPC)	글라스아이오노머 시멘트(GI)	레진계 시멘트	레진강화형 글라스아이오노머 시멘트(RMGI)	시멘트 선호도
가격저렴 오랫동안 검증됨	가격저렴 불소방출 중정도의 접착력	화학적 결합 심미성 불용성 광중합/이원중합 가능	중정도의 접착성 불소방출 지각과민 해소	• 대부분 RMGI • 레진시멘트: 자가접착형 또는 접착형
화학적 접착성 결여 용해성 술후 민감성	용해성 술후 민감성	가격 비쌈 중합 수축	가격 비쌈 약간의 용해성	

1. 치과용 시멘트의 종류

대부분의 치과용 시멘트는 분말과 액의 두 가지 구성 성분으로 공급되었지만, 점차 더 많은 제품들이 캡슐형으로 시판되어 아말감혼합기 등을 이용하여 혼합하거나, 2개의 연고 형태로 공급되어 같은 길이로 분배하여 손으로 혼합하거나 또는 튜브를 통해 배출되면서 자동으로 혼합되게 하여 사용한다.

현재 분말-용액형 치과용 시멘트에 사용되는 분말로는 산화아연이나 유리분말이 있고, 액은 크게 인산, 유지놀과 같은 킬레이트제, 폴리아크릴산 또는 폴리카복실산 및 레진 단량체로 분류할 수 있다. 산-염기 반응에 의하여 경화되는 시멘트의 분말과 액을 혼합하면 분말 입자에 산 용액이 접촉하여 입자 표면을 녹이면 결정질 또는 겔 상태의 기질이 생성되어 반응하지 않은 분말입자를 둘러싼다. 레진시멘트는 고분자 중합반응에 의해 경화된다. 치과용 시멘트는 결합제인 기질의 조성에 따라 ① 인산염계(phosphate-bonded), ② 페놀염계(phenolate-bonded), ③ 폴리카복실레이트계(polycarboxylate- bonded) 및 ④ 레진계(resin-bonded)의 4가지로 분류할 수 있다(그림 12-2).

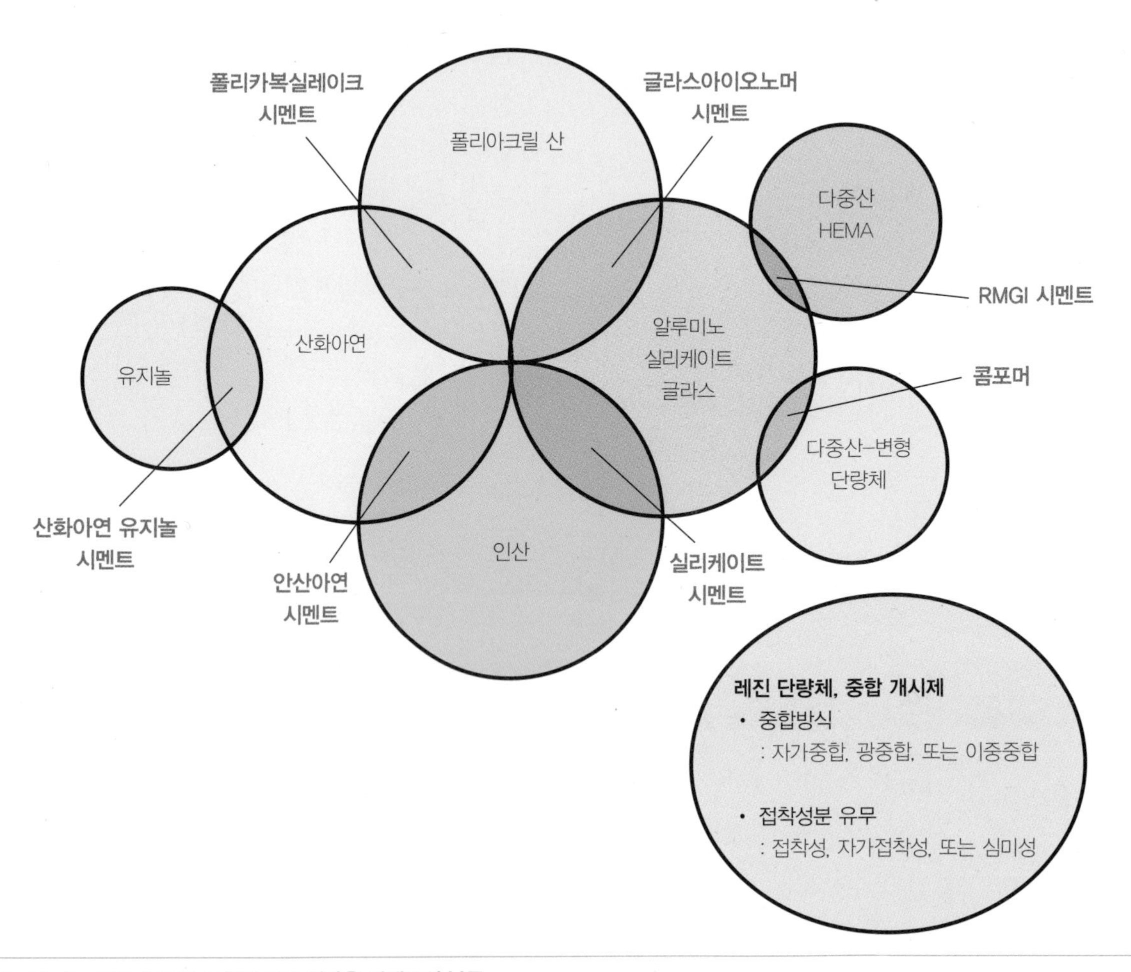

그림 12-2. 분말과 액의 조합에 따른 치과용 시멘트의 분류

2. 치과용 시멘트의 용도

치과용 시멘트는 다음과 같은 다양한 용도로 치과치료에 사용되고 있다.

1) 합착

간접 수복물을 합착하기 전에 시멘트를 선택할 때에는 간접수복물의 종류, 치아형성이 기계적 유지형태를 갖는지, 그리고 환자는 부기능성 습관은 없는지를 고려해야 한다.

합착용 시멘트는 젖음성과 흐름성이 좋아서 얇은 피막두께를 제공해야한다. 일차 점조도로 혼합한 시멘트는

표 12-2. 용도에 따른 치과용 시멘트의 종류

용 도	시 멘 트
최종 합착	
- 주조용 크라운, 인레이/온레이, 및 계속가공의치의 최종 합착	- 인산아연, 폴리카복실레이트, 글라스아이오노머, 레진강화형 글라스아이오노머, 접착성 레진, 복합레진(자가중합형), 강화형 산화아연유지놀, 콤포머
- 포세린, 세라믹, 콤포짓트 인레이/온레이 및 금속을 사용하지 않는 크라운의 최종 합착	- 레진강화형 글라스아이오노머, 레진시멘트(이원중합형), 접착성 레진시멘트
- 포세린, 세라믹, 콤포짓트 비니어	- 복합레진(이원 또는 광중합형)
- 레진접착형-계속가공의치(Maryland bridge)의 합착	- 접착성 레진
임시 합착	산화아연유지놀, 비유지놀 산화아연계
임시 수복용	산화아연유지놀, 강화형 산화아연유지놀, 인산아연, 폴리카복실레이트, 글라스아이오노머, 레진강화형 아이오노머, 콤포머
고강도 베이스	강화형 산화아연유지놀, 인산아연, 폴리카복실레이트, 글라스아이오노머, 레진강화형 아이오노머, 이원중합형 콤포짓트 레진
저강도 베이스	수산화칼슘(자가 또는 광중합형), 산화아연유지놀, 글라스아이오노머, 레진강화형 아이오노머, 인산칼슘, 상아질 접착 레진
이장재	현탁액의 수산화칼슘, 저점도 산화아연유지놀, 폴리카복실레이트, 저점도 글라스아이오노머(와동이 깊지 않은 경우), 레진강화형 글라스아이오노머, 인산칼슘, 칼슘실리케이트
바니쉬	희석된 레진
특수 용도	
- 치면열구전색	- 글라스아이오노머, 레진강화형 글라스아이오노머, 콤포머
- 교정용 밴드의 접착	- 불소함유 인산아연, 폴리카복실레이트, 글라스아이오노머, 레진강화형 글라스아이오노머, 콤포머, 복합레진
- 교정용 브라켓의 직접접착	- 아크릴 레진, 복합레진, 레진강화형 글라스아이오노머
- 근관치료용 포스트의 접착	- 글라스아이오노머, 레진강화형 글라스아이오노머, 레진, 접착성 레진
- 코어축성	- 레진강화형 글라스아이오노머, 금속강화형 글라스아이오노머, 복합레진
- 치주용 드레싱 팩	- 산화아연유지놀, 비유지놀 산화아연제재
- 치근관 밀폐용	- 산화아연유지놀, 글라스아이오노머, 칼슘실리케이트
- 근관 역충전	- 레진강화형 글라스아이오노머, 칼슘실리케이트

25 μm 이내의 피막두께가 될 수 있게 잘 흘러야 한다. 만일 점도가 높아서 보철물과 치아사이에 두꺼운 시멘트층이 있어서 변연부에서 구강용액에 노출되면 시멘트가 용해될 수 있다. 시멘트가 변연부에서 녹아나면 치태가 크라운 하방에 축적되어 충치가 재발될 수 있다. 일부 시멘트는 보철물을 치아에 화학적으로 결합하는 능력을 갖는다.

교정용 밴드를 치아에 접착할 경우 시멘트가 용해되면 밴드와 치면 사이에 박테리아가 누출되어 치아의 탈회가 일어날 수 있다. 이러한 우려는 불소유리 시멘트를 사용함으로써 일부 줄일 수 있다.

2) 수복

시멘트는 강도와 마모저항성이 낮고 용해도가 높기 때문에 영구수복재료로 잘 사용되지 않는다. 하지만 글라스아이오노머 시멘트는 불소를 유리하기 때문에 영구치 치경부의 5급 와동과 유치의 수복에 사용된다. 또한, 레진강화형 글라스아이오노머, 콤포머가 수복용으로 사용된다.

임시수복재료로서 치과용 시멘트가 이차 점조도로 연화되어 사용된다. 임시수복재료는 영구수복물을 해주기 위한 예약시간이 너무 길다거나, 치아가 증상이 있을 때, 그리고 깊은 우식증을 제거할 필요가 있을 때 해준다. 진정효과가 있는 임시수복을 해줌으로써 영구수복을 하기 위해 재내원할 때까지 치수의 반응을 지켜볼 수 있다. 임시수복은 인레이 치료를 기다리는 동안, 신경치료 사이에, 그리고 완전히 치료가 끝날 때까지 수주 또는 수개월이 요구될 때 해준다.

3) 치수보호

충치 박테리아로 부터의 영향, 수복재료 내에 함유된 화합물에 대한 생물학적 반응, 그리고 치질의 절삭은 치수자극을 초래할 수 있다. 치수자극은 또한 치수 가까이에 적용한 금속수복물의 열전도도에 의해서도 초래되며 치수 상방에 남아있는 상아질이 압축, 인장, 전단 응력을 견디기에 너무 얇아도 치수자극이 된다. 와동 바니쉬, 이장재, 베이스는 상아질과 수복재료 사이의 보호층 역할을 한다.

4) 수술용 드레싱

수술용 드레싱으로서 시멘트는 수술부위를 보호하고 환자가 편안하게 하며 지혈효과를 갖기 위해 사용된다. 대부분의 임상가들은 유지놀-미함유 드레싱을 선호하며, 광중합 또는 화학중합 형태로 제공된다. 이들 재료는 부드러운 퍼티상의 점조도로 혼합한다. 조직 상에 적용하면 경화되어 단단한 보호막이 된다.

5) 기타 용도

시멘트는 그 외에도 치면열구전색, 교정용 밴드의 접착, 교정용 브라켓의 직접 접착, 근관치료용 포스트의 접착, 코어 축성, 치주용 드레싱 팩, 치근관 밀폐용, 근관 역충전 용도로도 사용된다.

3. 치과용 시멘트의 조성과 반응형태

치과용 시멘트 각각의 조성과 반응성분을 표 12-3에 표시하였다. 시멘트의 조성을 파악함으로써 각 시멘트의 특성과 적절한 사용방법을 추측해볼 수 있을 것이다.

표 12-3. 치과용 시멘트의 반응 성분과 반응 기전

재료	조성과 반응성분	반응 형태
인산아연	분말: 산화아연과 산화마그네슘 용액: 인산, 물	산-염기 반응
산화아연-유지놀	분말: 산화아연 용액: 유지놀	산-염기 반응
산화아연-유지놀 (EBA변형)	분말: 산화아연 용액: 유지놀과 에톡시 벤조산(ethoxybenzoic acid, EBA)	산-염기 반응
아연 폴리카복실레이트	분말: 산화아연과 산화마그네슘 용액: 폴리아크릴산, 물	산-염기 반응
글라스아이오노머	분말: 불화알루미노실리케이트 글라스 용액: 폴리아크릴산, 다양성자 카복실산(polyprotic carboxylic acid), 물	산-염기 반응
레진강화형 글라스아이오노머	분말: 불화알루미노실리케이트 글라스, 화학중합형 및/또는 광중합형 개시제 용액: 폴리아크릴산, 수용성 메타크릴레이트 단량체, 물, 경화촉진제	광중합 또는 화학중합, 그리고 산-염기 반응
	분말: 불화알루미노실리케이트 글라스, 금속산화물, 불화나트륨, 화학중합형 개시제 또는 광중합형 개시제 용액: 디메타크릴레이트/카복실릭 단량체, 다기능성 아크릴레이트 단량체, 물, 경화촉진제(화학 중합형의 경우)	광중합 또는 화학중합, 그리고 산-염기 반응
	연고 A (비수용성): 불화알루미노실리케이트 글라스, 비반응성 필러, 반응성 단량체 연고 B (수용성): 비반응성 필러, 메타크릴레이트 변형 폴리알케노익 산, 수용성 메타크릴레이트 단량체, 물	광중합과 산-염기 반응
칼슘 알루미네이트/ 글라스아이오노머 하이브리드	분말: 칼슘 알루미네이트, 폴리아크릴 산, 타르타르산, 불화 스트론튬알루미늄 글라스, 불화 스트론튬 용액: 물	글라스아이오노머의 산-염기 반응과 칼슘 알루미네이트 시멘트의 수화반응
콤포머	단일연고: 메타크릴레이트 단량체, 산성 단량체, 불화알루미노실리케이트 글라스, 광개시제	광중합
	분말: 불화알루미노실리케이트 글라스, 금속산화물 불화나트륨, 화학중합형 및/또는 광중합형 개시제 용액: 디메타크릴레이트/카복실산 단량체, 다기능성 아크릴레이트 단량체, 물 경화촉진제(화학중합형의 경우)	광중합 또는 화학중합, 그리고 산-염기 반응
레진 시멘트	단일연고: 메타크릴레이트 단량체, 광개시제	광중합
	기저연고: 메타크릴레이트 단량체, 필러, 화학중합형 및/또는 광중합형 개시제 촉매연고: 메타크릴레이트 단량체, 필러 촉진제(화학중합형의 경우)	광중합과 화학중합, 또는 화학중합만
	분말: 폴리메틸메타크릴레이트 비드(점도증가 위해) 용액 1: 메타크릴레이트 단량체 용액 2: 촉매	화학중합
칼슘실리케이트 시멘트 (MTA 시멘트)	분말: 트리칼슘 실리케이트, 디칼슘 실리케이트계, 방사선 불투과제(산화비스무스, 지르코니아, 또는 산화탄탈륨), 칼슘 알루미네이트, 석고 용액: 물	실리케이트의 수화(hydration)

4. 합착의 원리

본 장에서는 먼저 일반적인 합착의 원리에 관하여 설명하고 이어서 각각의 시멘트의 특성을 설명한다.

시멘트를 이용하여 금속, 레진, 금속-레진, 금속-세라믹 및 세라믹 등으로 제작된 수복물과 전치용 라미네이트, 교정장치, 핀과 포스트 등을 치아에 합착하게 된다. 시멘트의 종류에 따라 특성이 다르므로 시멘트를 선택할 때에는 사용목적에 맞는 기능적, 생물학적 특성을 고려하여 선택하여야 한다. 최적의 사용조건을 갖기 위해서는 물리적, 생물학적 특성을 만족시켜야 하고, 작업시간, 경화시간, 점조도 및 합착 후 여분의 재료를 제거하기가 용이한 특성 등 사용상 편의성도 충족하여야 한다. 합착용 시멘트의 전형적인 물성 및 생물학적 특성은 표 12-4와 같다.

1) 수복물의 합착과정

합착용 시멘트는 25 μm 이하의 피막도(film thickness)를 보여야 한다. 수복물이 안착(seating)되는 정도는 시멘트의 점도, 형성된 지대치의 기울기(taper), 지대치의 높이, 진동법 적용 여부 및 시멘트 배출구(vent)의 설치 여부 등에 따라 달라지는데, 시멘트의 점도가 높은 경우에는 변연부에 두꺼운 시멘트 층이 남게 된다. 합착 후 여분의 시멘트를 제거하는 과정은 시멘트의 특성에 따라 달라진다. 수분을 함유한 시멘트는 여분의 시멘트를 제거한 후에도 장시간에 걸쳐 경화가 진행되는데, 이 때 시멘트가 수분에 오염되거나 또는 수분이 빠져 나오게 되면 강도나 용해도 등의 성질이 바뀌게 된다. 이것을 막기 위하여 수복물의 변연부위에 수분을 차단할 수 있는 바니쉬를 도포하는 것이 바람직하다.

2) 시멘트의 적용

시멘트는 크라운과 치아 사이의 공간이 완전히 밀봉되도록 크라운의 전체 내부 표면을 코팅하여 변연부를 약간 넘도록 해야 한다. 시멘트는 크라운 내면 부피의 약 절반을 채워야 하며(그림 12-3 B) 기포가 없어야 한다. 특히 교합면 부위에는 기포가 없어야 한다. 그렇지 않으면 저작력이 세라믹 보철물을 파괴할 수 있다. 전체 크라운 공간

표 12-4. 합착용도로 사용되는 치과용 시멘트의 대표적인 물성

시멘트	경화시간 (분)	피막도 (μm)	24시간 압축강도 (MPa)	24시간 간접 인장 강도(MPa)	탄성계수 (GPa)	물에 대한 용해도 (wt%)	치수 반응
인산아연	5.5	20	104	5.5	13.5	0.06	중간†
산화아연-유지놀	4.0~10	25	6~28	-	-	0.04	미약
폴리카복실레이트	6.0	21	55	6.2	5.1	0.06	미약
글라스아이오노머	7.0	24	86	6.2	7.3	1.25	미약 또는 중간
레진 강화형 글라스 아이오노머	4.25	11~22	85~185	18~26	2.5~7.8	1.00	미약 또는 중간
콤포머	4.0	36	165	-	3.6	0.69	중간
레진	2.0~4.0	< 25	70~172	40~77	2.1~3.1	0~0.01	중간
ISO 9917	2.5~8	25(최대)	50	자료없음	자료없음	0.20(max)	주석 참조†

† 참고: 실리케이트 시멘트의 심한 자극과 비교한 반응

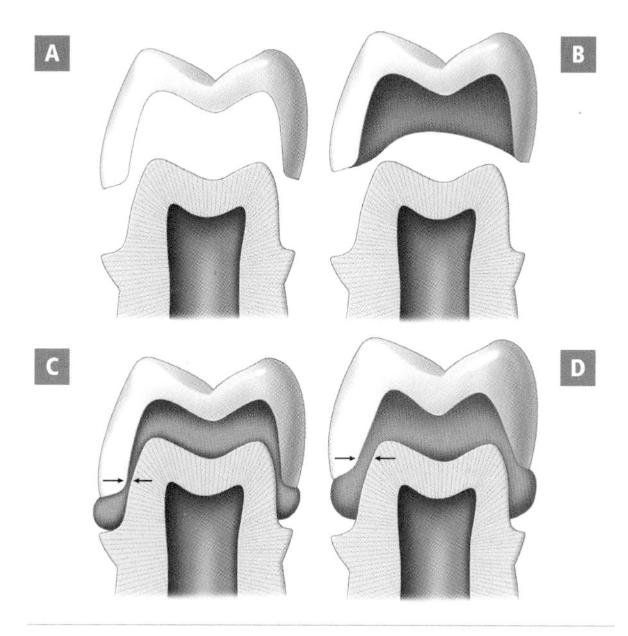

그림 12-3. 보철물을 시멘트로 합착하는 기전. A 고정성 보철물과 삭제된 치아. B 보철물 내면 전체에 시멘트를 도포한다. C 금관이 최종 안착 위치로 접근함에 따라 시멘트가 빠져나갈 공간이 줄어든다. D 지대치의 테이퍼가 크면 여분의 시멘트가 나갈 공간이 커진다.

을 시멘트로 채우면 기포가 생길 위험이 높아지고, 보철물을 장착(seating)할 시간과 압력이 더 필요하며, 과잉 시멘트를 제거하기 위한 노력이 더 필요하게 된다.

시멘트를 담은 크라운을 적절한 손가락 압력을 이용하여 눌러서 여분의 시멘트가 빠져 나오게 하여서 삭제된 치아에 크라운을 장착시킨다. 크라운을 가볍게 두드리거나 진동시키거나 또는 초음파 장치를 사용하면 크라운을 완전히 안착시키는데 도움이 될 수 있다. 환자에게 나무 설압자나 코튼롤과 같은 부드러운 물질을 물어보도록 하여 과잉 시멘트가 빠져나갈 수 있도록 한다(그림 12-3 C).

다음 세가지 특성을 가지면 크라운의 장착이 쉬워진다; ① 저점도 시멘트, ② 삭제된 치아의 큰 테이퍼(그림 12-3 D) 및 ③ 삭제된 치아의 낮은 높이. 하지만 테이퍼가 크고 치아 높이가 낮으면 유지력은 떨어진다는 것을 유념하여야 한다.

3) 여분 시멘트의 제거

크라운을 치아에 장착 직후에 여분의 시멘트가 크라운 변연 부위에 남게 된다. 여분의 시멘트 제거는 시멘트의 물성에 따라 달라진다. 인산아연 시멘트나 산화아연유지놀 시멘트는 인접한 표면이나 치아 또는 보철물에 달라붙지 않으므로 시멘트를 완전히 굳힌 후에 쉽게 제거할 수 있다. 주위 조직에 화학적 및 물리적으로 접착될 수 있는 글라스아이오노머 시멘트, 폴리카복실레이트 시멘트 및 레진 시멘트의 경우에는 장착이 이루어지자마자 여분의 시멘트를 제거하여서 시멘트가 보철물 외면이나 주위 치아에 달라붙지 않도록 해야 한다. 크라운 외면이나 주위 조직 표면에 바셀린 같은 분리제를 조심해서 도포하면 시멘트가 붙는 것이 방지되어 시멘트가 완전히 경화된 후에도 여분의 시멘트를 용이하게 제거할 수 있다. 그러나 분리제가 삭제된 치아 면이나 보철물의 변연에 도포되지 않도록 주의해야 한다.

일부 글라스아이오노머 시멘트 및 이원중합 레진 시멘트는 혼합이 시작된 후 약 1.5분에서 3분 안에, 그리고 산-염기 반응 또는 광경화에 의한 경화가 완료되기 전에 여분의 시멘트를 쉽게 제거할 수 있다. 이 정도 시점에서 시멘트는 어느 정도 강도는 얻었지만 변연부에서 떼어내는데 저항할 정도로 충분히 강하지는 않아서 변연부로 빠져나온 큰 과잉 시멘트 조각을 제거할 수 있다. 폴리카복실레이트 시멘트는 경화 전에 고무와 같은 상태가 된다. 이 단계에서 시멘트는 너무 질겨서 과잉 시멘트를 제거하려는 시도는 시멘트를 변연부로부터 부주의하게 잡아당겨지게 하거나 또는 보철물 내에 있는 시멘트의 일부가 제거되게 한다.

여분의 시멘트를 제거하는 술식은 일반적으로 제조업체에서 제공하는 사용설명서에 설명되어 있다. 치과의사가 어떤 시멘트를 사용하든, 보철물을 완전히 장착한 후에는 즉시 인접 치간 부위를 통해 매듭진 치실(knotted dental floss)을 크라운 변연 방향으로 향하게 하여 치실질하는 것이 좋다.

4) 수복물의 유지력

수복물과 치아의 합착은 기계적 결합, 화학적 결합 또는 이 2가지 기전이 동시에 작용한다. 합착용 시멘트는 보철물과 삭제된 치아 사이의 미세한 간격을 채우기 위해 고안되었다. 그림 12-4 A에서 나타난 것과 같이 삭제된 치아 표면을 확대해 보면 표면은 피크와 오목한 부분이 있어 미세하게 거칠고 피크들끼리만 접촉하고 나머지 부분은 빈 공간으로 남게 된다(그림 12-4 B). 접촉하지 않은 부분은 구강 용액의 흐름과 박테리아의 침입을 막기 위해 시멘트로 채워져야 하다. 두 표면사이에 부드러운 접착제를 배치하여 압력을 가하면 거친 표면 모양에 맞게 흘러들어가 공간을 채우고 두 피착면 에 대해 강한 물리적 인력을 만들어서 탈락을 방지한다(그림 12-4 C). 이 때 시멘트의 흐름성이 충분하지 못하면 깊은 부위까지 흘러들어가지 못해서 미세한 기포가 생겨(그림 12-4 D) 시멘트의 효율을 감소시킨다. 유지력을 증가시키기 위하여 치과용 시멘트는 화학적 결합이 필요한데, 폴리아크릴산을 사용하는 시멘트와 특별한 접착성 단량체를 함유한 접착성 레진시멘트 등에서는 화학결합이 일어난다. 폴리 아크릴산을 기본으로 하는 글라스아이오노머 시멘트(GIC)는 치아의 유기성분 및 무기 성분과 아크릴산이 착염을 형성하여 치아에 결합하며, 경화시간 후에도 계속 경화된다. 친수성 상아질 접착제는 산부식(acid etching)에 의해 생성된 상아질 내의 기공에 침투하여 이 또한 미세기계적 유지에 의해 높은 결합강도를 갖는다. 중합성 인산염, 4-META, 또는 10-MDP 등을 함유한 레진시멘트는 상아질 내의 칼슘과 화학적으로 결합한다.

5) 수복물의 탈락

고정성 수복물은 접착된 수복물 주위로 우식이 재발하거나 시멘트가 붕괴되어 파절되거나 녹아나는 등의 생물학적, 물리적 원인 또는 이 두 가지가 복합적으로 작용하여 탈락될 수 있다(그림 12-5). 시멘트의 피착면에 대한 접착력이 낮아서 접착면에서 떨어질 수 있고, 취성이 크고 강도가 낮은 시멘트로 합착한 수복물의 경우에는 시멘트 층이 파절되어 탈락할 수 있다. 구강 내에서 시멘트는 수분에 둘러싸인 상태가 되는데, 이때 변연부 시멘트는 용해

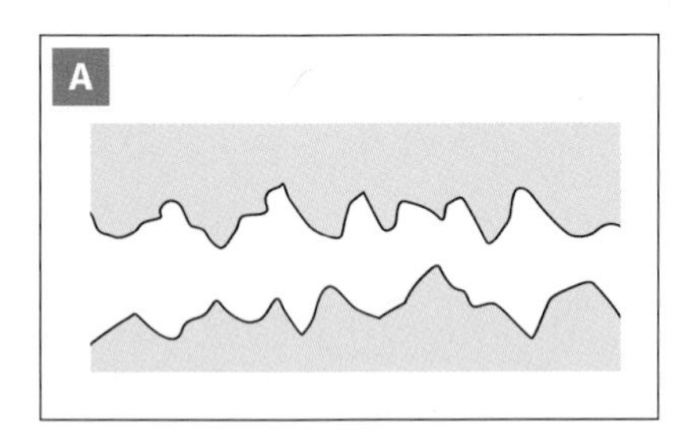

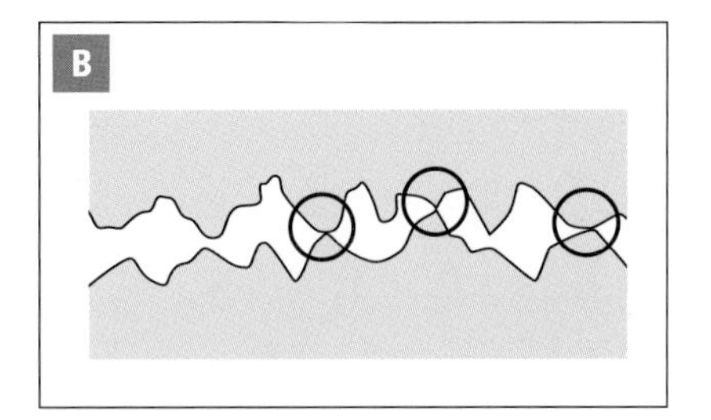

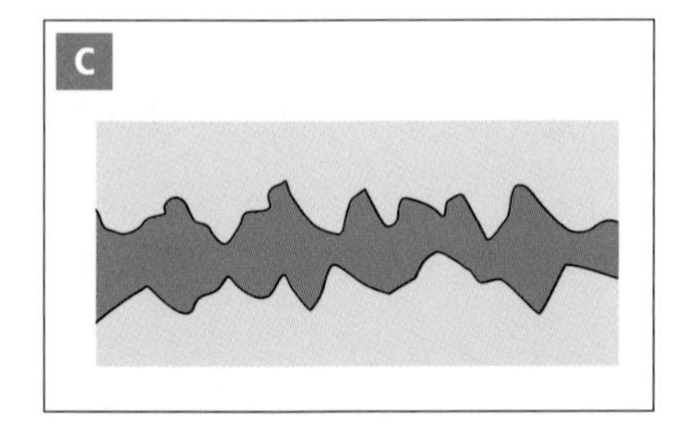

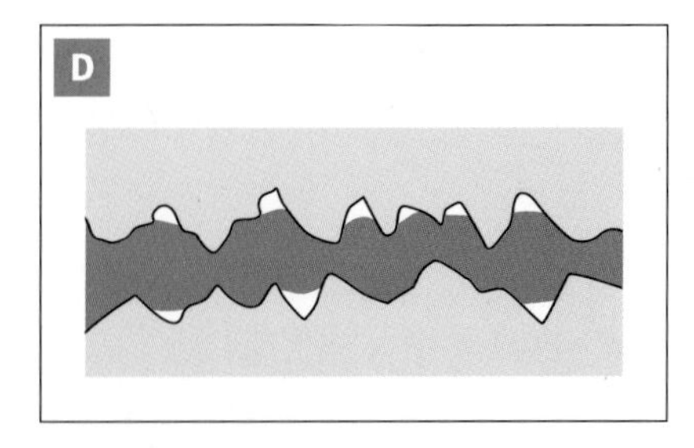

그림 12-4. 지대치-보철물 계면의 개략도 A 접착될 두 표면의 불규칙한 표면 모양. B 두 표면을 중간의 시멘트 층 없이 서로 접촉시켰다. 원으로 표시한 부분가 접점이다. C 시멘트 또는 접착제가 중간층이 된다. D 중간층 물질이 표면을 충분히 적시지 못하여 기포가 형성되었다(*Adapted from Anusavice KJ, Shen C, Rawls HR. Phillps' Science of Dental Materials. 12th ed. St. Louis: Elsevier; 2013*).

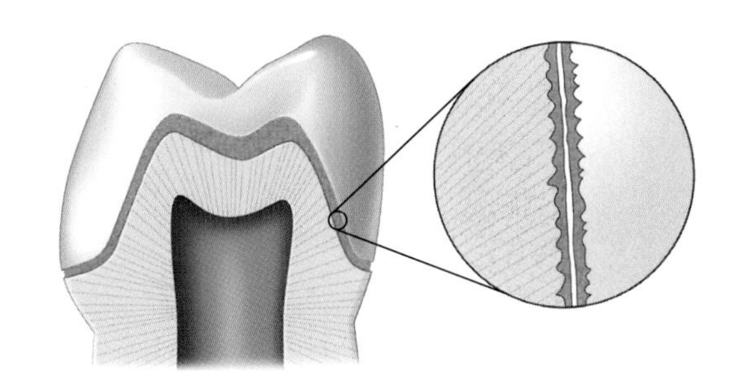

그림 12-5. 치과용 시멘트가 금관의 기계적 유지력을 제공하는 기전. 시멘트는 치아 조직과 보철물의 미세한 불규칙 표면에 침투하여 경화되면 이 부위는 금관을 제자리에 유지시키는데 도움이 된다. 확대사진은 시멘트 내부에 균열이 생겨 크라운의 탈락을 초래하게 됨을 보여준다(*Adapted from Anusavice KJ, Shen C, Rawls HR. Phillps' Science of Dental Materials. 12th ed. St. Louis: Elsevier; 2013*).

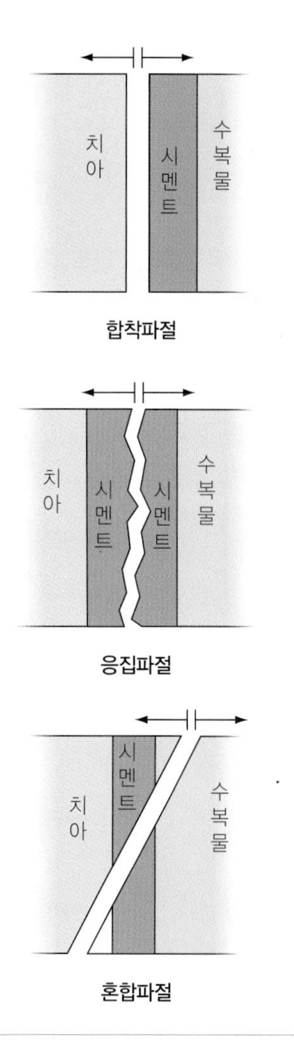

그림 12-6. 치아-시멘트-수복물 구조에서의 파절양상

되어 소실되므로 빈 공간을 만들 수 있으며 이곳에 치태가 침착되어 우식이 재발할 수 있다. 합착면 주위로 발생한 치아 우식으로 치질이 약해져서 수복물이 탈락될 수 있다.

수복물과 치아 사이에서 시멘트가 파절되는 양상은 합착파절(adhesive failure), 응집파절(cohesive failure) 및 혼합파절로 나눌 수 있다(그림 12-6). 고정성 수복물의 유지에는 일반적으로 다음의 몇 가지 인자가 관여한다. ① 피막도가 낮을수록 시멘트 자체의 결함이 적으므로 유지력이 크다. ② 결합력은 시멘트의 강도에 영향을 받으므로 인장강도뿐만 아니라 압축강도, 전단강도가 높을수록 유지력이 크다. ③ 시멘트가 경화 중에 크기 변화가 적을수록 유지력이 크다. ④ 화학결합이 가능한 시멘트의 유지력이 크다.

5. 인산아연 시멘트

인산아연시멘트(zinc phosphate cement, ZPC)는 산-염기 반응에 의해 경화되며 100년 이상 사용된 오랜 역사를 가지고 있는 치과용 시멘트이다. 하지만 치수 자극, 치아 조직에 대한 접착성 부족, 항우식성의 결여 및 유지력 부족 등의 결점이 있어서 최근에는 그 사용이 크게 감소하였다. 인산아연 시멘트는 주로 간접 수복물의 영구 합착제로 사용되며 교정용 밴드의 접착에도 사용된다. 인산아연시멘트는 전치부 세라믹 비니어와 같이 심미성이 요구되는 경우에는 적합하지 않다. 분말을 더 많이 추가하여 고강도 베이스와 임시수복재로도 사용된다. 한국산업표준 KS P ISO 9917-1호 수성 치과용 시멘트(Dentistry-Water-based cements-Part 1, Powder/liquid acid-base cements)에 따른 요구 조건을 표 12-5에 정리하였다.

표 12-5. 치과용 수성 시멘트의 요구 조건

화학적 유형	용도	최대 피막도 (㎛)	순경화시간(분)		최소 압축강도 (MPa)	최대 산 용해도 (mm/시간)	반투명도(C0.70)		최대 비소 함량 (mg/kg)	최대 납 함량 (mg/kg)
			최소	최대			최소	최대		
인산아연	합착용	25	2.5	8	50	0.30	-	-	2	100
폴리카복실레이트	합착용	25	2.5	8	50	0.40	-	-	2	100
글라스아이오노머	합착용	25	1.5	8	50	0.17	-	-	-	100
인산아연	베이스/이장재	-	2	6	50	0.30	-	-	2	100
폴리카복실레이트	베이스/이장재	-	2	6	50	0.40	-	-	2	100
글라스아이오노머	베이스/이장재	-	1.5	6	50	0.17	-	-	-	100
글라스아이오노머	수복용	-	1.5	6	100	0.17	0.35	0.90	-	100

(참고- KS P ISO9917-1 (2014); 치과 - 수성 시멘트 - 제1부 분말/액 산-염기 시멘트)

1) 성분

(1) 분말

분말의 주성분은 산화아연(ZnO)이며, 산화마그네슘(MgO), 이산화규소(SiO_2) 및 삼산화비스무트(Bi_2O_3) 등을 첨가하여 사용특성과 물성을 조절한다. 인산아연 시멘트의 분말과 액의 전형적인 조성은 표 12-6과 같은데 통상 10% 정도의 산화마그네슘을 첨가하여 분말의 하소(calcination)온도를 낮춘다. 실리카는 불활성 필러로 하소 과정에서 보조 역할을 한다. 비스무트 화합물은 혼합된 시멘트의 표면을 매끈하게 하지만 많이 넣으면 경화시간이 길어진다.

분말 성분을 1,000~1,300℃의 온도에서 4~8시간 정도 가열하여 용융된 덩어리로 만들고, 이를 분쇄하여 미세 분말로 만든 후 체로 걸러 적절한 크기의 분말로 만든다. 분말의 하소정도, 미립도 및 조성에 따라 분말과 액의 반응 정도가 달라진다. 인산아연 시멘트의 색상은 보통 연한 노란색이며 하소정도를 달리하여 분말의 색상을 조절하기도 하고 색소를 넣기도 한다. 일부 제조자는 교정용 밴드 하방의 치아가 충치가 생기는 것을 방지하기 위하여 불소를 첨가한다.

(2) 액

시멘트의 액은 85% 정인산(orthophosphoric acid) 수용

표 12-6. 인산아연 시멘트의 분말과 액의 조성

	성분	성분
분말	ZnO	90.2
	MgO	8.2
	SiO_2	1.4
	Bi_2O_3	0.1
	기타	0.1
액	H_3PO_4(유리산)	38.2
	H_2PO_4(Al, Zn과 결합)	16.2
	Al	2.5
	Zn	7.1
	H_2O	36.0

액에 알루미늄이나 아연 또는 그 화합물을 넣고 다시 물이 1/3 정도가 되도록 희석하여 만든다. 알루미늄이나 아연은 인산의 부분적인 중화를 일으켜 액의 반응도를 낮추는 완충작용을 나타내는데, 그 결과 반응 속도가 느려져서 매끈하고 잘 혼합된 시멘트를 얻을 수 있다. 액 중의 수분의 양은 이온화정도에 영향을 주어 경화시간을 변화시킬 수 있다. 액에 여분의 물이 들어가면 경화시간이 단축되며 물이 증발하면 경화시간이 연장된다. 따라서 시멘트 액의 조성은 항상 일정하도록 유지되어야 한다.

2) 경화반응

인산아연 시멘트의 분말과 용액을 혼합하면 화학적 반응이 시작되어 알카리성 분말의 표면성분이 산성 용액에 의해 용해된 후 산-염기반응에 의해 염을 형성되며 경화된다(식 12-1). 반응은 계속되어 불용성의 무정형 겔(amorphous zinc aluminophosphate gel)이 형성되며 완전히 경화된다(식 12-2). 경화체는 이 무정형 불용성 염이 잔존 산화아연 입자를 둘러싼 형태이다. 통상의 경화 과정에는 결정성 인산염이 나타나지는 않으나 경화 시 수분이 많으면 바람직하지 않은 hopeite 결정이 나타날 수 있다.

$$ZnO + 2H_3P0_4 \rightarrow Zn(H_2P0_4)_2 + H_20$$

(수용성 염)
soluble acidic
zinc phosphate

12-1

$$Zn(H_2P0_4)_2 + \text{잔존 } ZnO \rightarrow Zn_3(PO_4)_2 + xH_2O$$

(불용성 염)
insoluble amorphous
zinc orthophosphate

12-2

3) 특성

(1) 한국산업표준 KS P ISO 9917-1

인산아연 시멘트에 요구되는 특성은 표 12-5에 정리되어 있다.

(2) 점도

인산아연 시멘트를 혼합한 후 초기 점도를 측정한 결과 온도가 높을수록 점도가 더 높게 나타난다. 혼합 2분 후에 측정한 점도는 초기 점도보다 높으며, 높은 온도에서 더 큰 점도증가를 볼 수 있다. 따라서 혼합 후 즉시 수복물을 합착하는 것이 점도가 낮아서 유리하며, 합착이 지연되면 피막도가 증가하여 주조물을 완전하게 합착할 수 없다.

(3) 점조도(consistency)와 피막도

인산아연 시멘트는 용도에 맞게 점조도를 조절하여 사용한다. 합착용 점조도(그림 12-7 A).는 수복물의 합착에 사용하며 굳지 않은 상태에서는 끈기가 있으나 굳은 후에는 치아와 수복물 내면의 불규칙한 표면에서 기계적 유지력을 얻는다.

시멘트의 피막도는 수복물의 안착정도를 결정하며 수복물의 유지력에도 영향을 미친다. 잘 혼합된 시멘트의 낮은 피막두께는 우수한 유지력을 갖기 위해 필요한 긴밀한 접촉이 되게 한다. 합착용 인산아연 시멘트는 정밀한 수복물의 합착에 사용하며, KS P ISO 9917-1에서 규정한 최대 피막도는 25 μm이다. 베이스 또는 이장용의 경우 피막도에 관한 규정은 없다(그림 12-7 B).

인산아연 시멘트의 점조도는 수복물의 합착에 매우 중요하다. 시멘트 액에 분말을 많이 넣을수록 시멘트의 점조도는 증가한다. 정상 분액비보다 되게 혼합하면 시멘트가 주조물 아래에서 빠져 나오기 어려워 인레이나 금관이 완전하게 안착되지 못한다. 인산아연시멘트는 스파튤라로 끌어 올렸을 때 2~3 cm 정도 끌려올라와야 한다(그림 12-7 A).

점조도가 높을수록 피막도는 증가하고 수복물의 안착

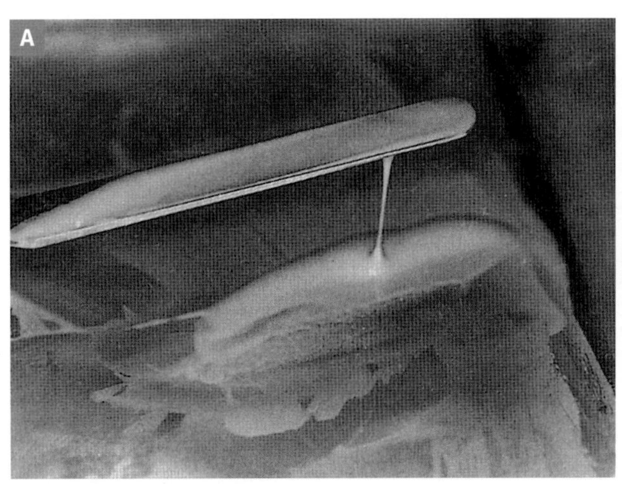
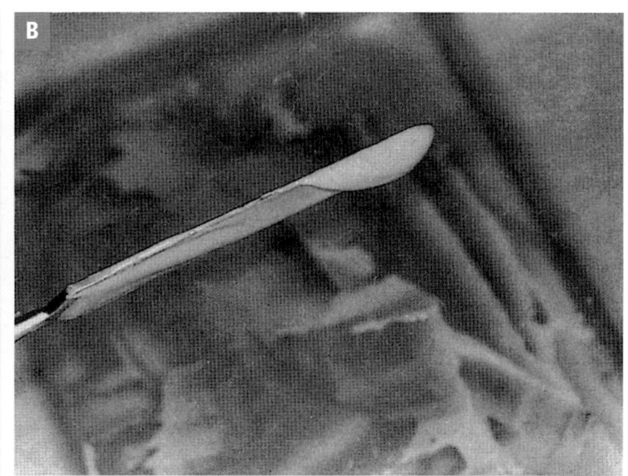

그림 12-7. 인산아연 시멘트의 점조도 A 합착용 점조도, B 베이스용 점조도

도 불완전해진다. 시멘트의 최종 피막도는 분말입자의 크기, 분액비 또는 점조도에 따라 달라진다. 또한 피막도는 합착할 때 수복물에 가한 압력 정도 및 압력을 가하는 방법에 영향을 받는다. 수복물 변연부 주위로 시멘트가 쉽게 빠져나갈 수 있으면 피막도가 낮아진다. 시멘트가 차지할 공간이 부여하기 위해서는 왁스모형을 제작하기 전에 지대치의 석고다이 위에 스페이서를 바른 후 납형을 제작하거나 주조체 내면을 전기화학적으로 부식시켜 내면에 공간을 만들어 준다. 열, 전기 및 화학물질로부터 치수를 보호하는 고강도 베이스용으로 사용하는 경우에는 그림 12-7 B와 같이 되게 혼합하여야 한다. 베이스 또는 임시충전용은 높은 분액비가 필요하며 혼합하는 방법은 유사하나 혼합시간은 90초 이상이다.

(4) 작업시간과 경화시간

시멘트를 혼합한 후 수복물을 합착하기 전에 위치를 조정할 시간이 필요하다. 적절한 작업시간은 수복물을 가압 장착하였을 때 점도가 낮은 상태가 유지되어 적정한 피막도를 얻을 수 있는 정도이어야 하며, KS P ISO 9917-1에 따르면 순경화시간은 합착용 점조도일 때 37℃에서 2.5~8분이어야 한다. 시멘트의 경화시간은 37℃, 최소 90% 상대습도에서 길모어 침(400 g)으로 측정한다. 베이스용 점조도로 혼합하였을 때에는 합착용보다 분말의 양이 많아져서 순경화시간은 약간 짧아진다(2~6분).

인산아연 시멘트의 경화속도에 영향을 주는 인자로는 분말의 조성, 입자 크기, 하소정도와 액의 완충정도, 수분함량과 같이 제조자가 조절할 수 있는 인자와 분액비, 혼합속도, 혼합온도, 혼합방법 및 액의 수분오염과 증발과 같이 사용자가 조절할 수 있는 인자가 있다.

일반적으로 온도가 높아지면 분자의 활성도가 높아져서 화학반응 속도가 빨라진다. 산화아연과 인산을 혼합하면 발열반응이 일어나는데, 충분한 두께의 혼합 유리판을 차게 하여 사용하면 반응열을 발산시킬 수 있어서 혼합 시 충분한 작업시간을 얻을 수 있다. 또한 분말을 용액에 분할하여 첨가하며 혼합하면 열발생을 줄일 수 있다.

① 분액비의 효과

액과 반응하는 분말의 표면적이 넓을수록 반응이 빨라지는데, 분말의 크기가 작거나 분말을 빠른 속도로 혼합하거나 또는 분액비가 높은 경우에 반응이 빨라진다. 특히 후자의 두 가지 요소는 사용자가 조절할 수 있다. 분말을 소량씩 액과 혼합하면 반응량과 그에 따른 발열량이 줄어들어 작업시간과 경화시간을 연장할 수 있고 보다 많은 분말을 동량의 액에 넣을 수 있어 유리하다. 분액비가 높으면 액과 반응할 수 있는 분말의 표면적이 넓어져서 경화시간이 짧아진다. 그러나 경화시간을 연장하기 위하여 분액비를 낮추면 여러 가지 물성이 저하되고 pH가 변화하므로 바람직한 방법은 아니다.

② 혼합판의 온도

작업시간과 경화시간을 조절하는 가장 좋은 방법은 유리 혼합판의 온도를 조절하는 것이다. 시멘트를 혼합할 때 온도가 높아지면 화학반응이 촉진되므로 경화시간은 짧아진다. 즉, 높은 온도의 혼합판을 사용하거나, 비교적 많은 양의 분말을 초기에 한꺼번에 혼합하였을 때 또는 시멘트를 넓게 펴서 혼합하지 않으면 경화시간은 짧아진다. 유리연판은 열확산을 시키기 위해 냉각시킨다.

③ 시멘트 혼합물의 수분 함량

액에 수분을 첨가하면 경화시간이 짧아지고 액의 농도가 진해지면 경화시간은 길어진다. 이것은 인산이 수분에 의해 희석되면 해리도가 높아져서 분말과의 반응이 빨라지기 때문이다.

(5) 강도

인산아연 시멘트의 강도는 분말과 액의 조성, 분액비, 혼합방법, 시멘트 취급방법 등에 영향을 받는다. KSP ISO 9917-1에서는 합착용 점조도로 혼합하였을 때 24시간 후 최소 압축강도가 50 MPa 이상이어야 한다고 규정하고 있다. 인산아연 시멘트의 파쇄강도(crushing strength)는 합착용 점조도로 혼합하였을 때 1시간 이내에 최종강도의 2/3에 도달할 만큼 빠르게 증가한다. 정확한 방법으로 혼합하고 분액비가 높으면 시멘트의 압축강도는 높아진다. 베이스용 시멘트는 합착용보다 더 높은 파쇄강도를 보인다. 그러나 정상 분액비보다 더 많은 분말을 추가하여 혼합한 경우 반응하지 않는 분말이 남게 되어 강도가 오히려 낮아진다. 인산아연 시멘트는 압축강도가 높은 반면 인장강도는 낮아 취성재료라고 할 수 있다.

일반적으로 인산아연시멘트는 단일 크라운과 길이가 긴 브릿지(long-span bridge)의 합착을 위해 적절한 강도와 강직도를 갖는다. 하지만, 레진 또는 레진강화형 글라스아이오노머 시멘트에 비해서는 더 약하다. 하지만 탄성률이 높아 영구 합착제로 사용할 때 탄성변형이 잘 되지 않으므로 저작압이 높은 부위에 장착되는 수복물의 합착에 유리하다.

경화가 끝나기 전에 시멘트가 물과 접촉하면 시멘트 액이 희석되고 시멘트 일부가 유리되어 취약한 표면이 된다. 따라서 시멘트가 완전히 경화되기 전까지 합착부위를 건조한 상태로 유지하여야 한다.

표 12-7은 혼합 조건이 인산아연 시멘트의 특성에 미치는 영향들을 정리하였다.

(6) 용해도와 붕괴(disintegration)

합착용 시멘트가 용해되거나 변성되면 미세누출, 과민증 및 2차 우식이 일어난다. 경화가 끝나지 않은 시멘트가 수분과 접촉하면 표면이 용해되어 성분의 유리가 시작

표 12-7. 인산아연 시멘트의 취급방법에 따른 물성 변화(↗: 증가, ↘: 감소)

조작	특성				
	압축강도	피막도	용해도	초기산도	경화시간
분액비 감소	↘	↘	↗	↗	
분말첨가속도 증가	↘	↗	↗	↗	↘
혼합온도 상승	↘	↗	↗	↗	↘
수분 오염	↘	↗	↗	↗	↘

된다. 즉, 인산아연 시멘트는 경화가 끝나기 전에 수분과 접촉하면 물성이 낮아진다. 경화가 끝난 시멘트라도 수분과 계속 접촉하면 용해되어 성분의 유출이 일어난다. KSP ISO 9917-1에서는 24시간 경화된 시편을 대상으로 0.1 M 젖산/나트륨젖산염 완충용액(pH 2.74)에 침적하였을 때 시간당 0.3 mm 이하의 침식 깊이를 요구한다. 구강 내에서 충전재로 사용하는 경우에도 시간이 지나면 상당량이 소실되는 것을 관찰할 수 있다. 이런 현상은 용해와 붕괴의 복합적인 결과로 일어나며, 이러한 이유로 인산아연 시멘트는 임시 수복재로 분류된다. 또한 마모, 교모 및 음식물에 의해서도 인산아연 시멘트의 붕괴가 촉진된다.

용해와 붕괴에 대한 저항을 높이려면 분액비를 높여야 한다. 그러나 시멘트는 구강 미생물에 의하여 생성되는 다양한 산에 지속적으로 노출되며 산의 일부는 음식이나 음료수로부터도 나오므로 실험실 시험으로는 구강 내에서 일어나는 시멘트의 붕괴저항성을 정확히 예측할 수 없다. 실험실 연구에서는 글라스아이오노머 시멘트의 용해도가 가장 높은 것으로 나타나나, 임상연구에서는 시멘트의 용해도를 비교한 결과 낮은 분액비로 혼합한 폴리카복실레이트 시멘트, 인산아연 시멘트, 폴리카복실레이트 시멘트, 전통적인 글라스아이오노머 시멘트 순으로 용해도가 높은 것으로 나타났다. 레진강화형 글라스아이오노머 시멘트는 중합가능한 레진 단량체를 함유하여서 종래의 글라스아이오노머 시멘트에 비해 용해도가 낮다.

(7) 크기 안정성

인산아연 시멘트는 정상적으로 혼합되어 경화된 후 수분과 접촉하면 수분을 흡수하여 약간 팽창한다. 이런 팽창은 이 후 약간 수축하는 경향으로 이어져 7일 후 측정하였을 때 0.04~0.06% 수축한다. 경화되지 않은 시멘트를 물속에 넣으면 물이 침투하여 부풀어 팽창되는 경향을 보이는데, 물에 부푼 시멘트는 부서지기 쉽다. 공기 중에 7일간 놓아두면 0.3% 정도 수축하는데 대부분은 초기 1시간 이내에 일어난다. 합착용으로 사용할 경우의 크기 변화는 시멘트의 두께가 매우 얇으므로 크게 수축되어도 문제가 적으나, 베이스나 임시수복물로 사용할 경우에는 두께에 따라 문제를 일으킬 수 있다.

(8) 산도

산화아연 분말과 인산을 혼합하면 초기 pH 증가 속도가 빠르다. 표 12-8은 합착용 시멘트의 혼합 후 시간 경과에 따른 pH 변화이다. 정상 분액비로 혼합하였을 때 혼합 2분 후 pH는 약 2이며 24시간 후의 pH는 5.5이다. 분액비를 높여도 pH 상승 속도와 48시간 후의 pH는 거의 변하지 않으나 분액비가 낮으면 최종 pH는 같으나 pH 상승 속도가 느리다. 그러므로 인산아연 시멘트를 자연치 수복물의 합착 또는 베이스로 사용할 때의 pH는 치수에 손상을 줄 가능성이 있으며, 낮은 pH가 치수에 미치는 영향은 수복물 삽입 후 초기 몇 시간 이내에 일어난다. 건강한 치아에서는 이런 치수반응이 가역적일 수 있으나 치수에 이

표 12-8. 합착용 시멘트의 pH 변화

시간(분)	인산아연	인산아연실리케이트	폴리카복실레이트	글라스아이오노머	
2	2.14	1.43	3.42	2.33	1.76
5	2.55	1.74	3.94	3.26	1.98
10	3.14	2.15	4.42	3.78	3.36
15	3.30	2.46	4.76	3.91	3.88
20	3.62	2.56	4.87	3.98	4.19
30	3.71	2.79	5.03	4.18	4.46
60	4.34	3.60	5.08	4.55	4.84
1,440(24시간)	5.50	5.55	5.94	5.67	5.98

미 손상이 있는 상태에서는 비가역적이 되어 치수괴사가 발생할 수 있다.

초기의 높은 산도는 치아삭제가 많아서 치수가 가까울 때에는 치수를 자극할 수 있다. 따라서, 와동형성이 깊을 때에는 수산화칼슘 및 산화아연유지놀 시멘트와 같은 저강도 베이스 또는 상아질 접착시스템을 사용하여 치수보호를 하는 것이 추천된다.

교정용 밴드를 인산아연 시멘트로 합착하고 제거하였을 때 접착부에 심한 탈회가 나타나는 경우가 있는데, 이는 밴드와 치아 사이의 시멘트가 녹아나면서 세균이 침범하기 쉬운 환경이 되었기 때문이다.

(9) 열전도 및 전기전도성

인산아연 시멘트의 주된 용도 중 하나는 금속 수복물 아래에 절연용 베이스로 사용하는 것이다. 인산아연 시멘트 베이스는 상아질보다는 떨어지나 효과적으로 열을 차단할 수 있다. 수분의 존재는 인산아연 시멘트의 열전도에 영향을 주지 않으나 전기절연성은 낮춘다. 인산아연 시멘트는 와동이 큰 경우 치수를 보호하기 위한 바람직한 열차단 베이스 재료이다.

4) 사용방법

인산아연 시멘트는 분말과 액을 반응시키는 방법에 따라 물성과 작업성에 차이가 난다(표 12-7). 적당량의 분말을 차게 한 혼합판 위에서 천천히 액과 혼합하여 적당한 점조도의 시멘트를 얻을 수 있다.

(1) 혼합판

산화아연과 인산을 혼합할 때 충분한 두께의 혼합 유리판을 차게 하여 사용하면 반응열을 발산시킬 수 있다. 혼합판의 온도는 보통의 습도조건에서 18~24℃가 적당하다. 혼합판의 온도가 이슬점 이하가 되면 표면에 물기가 응집되어 시멘트 액을 희석시키며 그 결과 경화시간이 짧아진다. 따라서 물기가 맺히지 않을 정도로 혼합판의 온도를 낮춰 주면, 인산아연 시멘트의 반응속도를 조절할 수 있다.

(2) 분액비

액에 분말을 어느 정도 넣는가에 따라 시멘트의 특성이 달라진다. 사용에 적합한 점조도를 유지하는 한도 내에서 가급적 많은 분말을 넣는 것이 바람직하다. 혼합할 때에는 미리 분말과 액을 계량하여야 하며, 이 때 분말을 별도로 약간 추가해 두어 필요한 경우에 사용한다.

인레이를 영구 합착하는데 필요한 시멘트의 액의 양은 대략 0.25 mL이나 한번에 혼합하는 양은 제조사에서 제공하는 점적용기의 크기에 따라 달라진다. 시멘트 분말과 액은 각 제조사마다 특성이 다르므로 제조사가 다른 분말과 액을 섞어 쓰면 예측할 수 없는 결과가 나오므로 섞어 쓰지 않아야 한다.

(3) 액의 보관

인산아연 시멘트 액은 마개가 있는 병에 보관하여야 하고 공기에 노출되지 않아야 한다. 액은 부분적으로 중화 희석된 인산으로 습도가 높은 공기에 노출되면 수분을 흡수하고, 건조한 곳에서는 시멘트 액으로부터 수분이 증발된다. 제품에 따라 마개를 열고 액을 계량하는 도중에도 심한 수분의 소실이 일어나기도 한다. 따라서 분말 양에 비해 통상 20% 정도 많은 액이 같이 공급되며, 액의 증발에 대비하여 제조사가 더 넣어둔 액은 사용 후 남으면 버려야 한다.

시멘트의 경화시간은 액의 수분 함량에 크게 영향을 받는데, 수분을 첨가하면 분말과의 반응이 보다 빨라지고 경화시간도 짧아지나 수분이 증발한 경우에는 경화시간이 길어진다. 만약 액이 깨끗하지 않거나 액에 결정이 보이면 더 이상 사용하지 않아야 한다.

(4) 혼합과정

처음에는 분말을 소량씩 액에 첨가하여 열 발생을 줄인다. 길고 좁은 스테인리스강 스파튤라를 사용하여 차게 한 혼합판의 넓은 면적을 사용하여 혼합함으로써 반응열을 발산시키는 것이 좋다. 만약 많은 양의 분말을 한꺼번에 액과 혼합하면 온도가 높아져 반응이 빨라지고 점조도를 조절하기 어려워진다.

혼합 초기에 분말을 천천히 조금씩 첨가하면 중화반응이 일어나서 발열량도 적어지고 좀 더 많은 양의 분말을 혼합 중간에 첨가할 수 있다. 마지막에 다시 소량씩 분말을 첨가하여 적절한 점조도가 되도록 한다. 즉, 혼합 초기와 끝에 분말을 소량씩 첨가함으로써 초기에는 액이 서서히 중화되게 하여 경화반응을 조절하고 마지막에는 적절한 점조도가 되도록 한다(그림 12-8).

만약 혼합 후 시멘트에 덩어리가 생기면 강도가 떨어지고 피막도가 커진다. 균질한 시멘트 혼합물을 만들려면 분말을 소량씩 액에 첨가하고 그때마다 15~20초 동안 충분히 혼합하여야 한다. 혼합시간은 60~90초가 적당하며 지나치게 길면 기질이 파괴되어 취약해진다.

(5) 냉동판 혼합법(frozen slab method)

보통 방법으로 혼합한 시멘트는 인레이나 금관을 영구합착할 수 있는 적절한 작업시간과 경화시간을 보인다. 그러나 교정용 밴드와 같이 한 번에 여러 개의 밴드를 합착하여야 한다면 작업시간은 길고 경화시간은 짧은 것이 유리하며 이런 경우 냉동판 혼합법을 이용할 수 있다. 이 방법은 혼합판을 6℃에 냉장시키거나 −10℃로 냉동시켜 사용하는데 혼합판 표면에 물기가 맺혀도 상관없다. 냉동판 혼합법을 이용하여 시멘트를 적당한 점조도로 혼합할 때, 분말의 양은 보통 혼합할 때보다 50~70% 정도 많이 첨가할 수 있다. 그러나 냉동판 혼합법으로 혼합한 시멘트의 압축 및 인장강도, 용해도는 보통 혼합한 경우와 차이가 없으며, 혼합판에 맺힌 물기가 혼합되는 시멘트로 들어가는 문제는 높아진 분액비로 인해 보상된다.

냉동판 혼합법을 사용하면 23℃ 혼합판을 사용한 경우

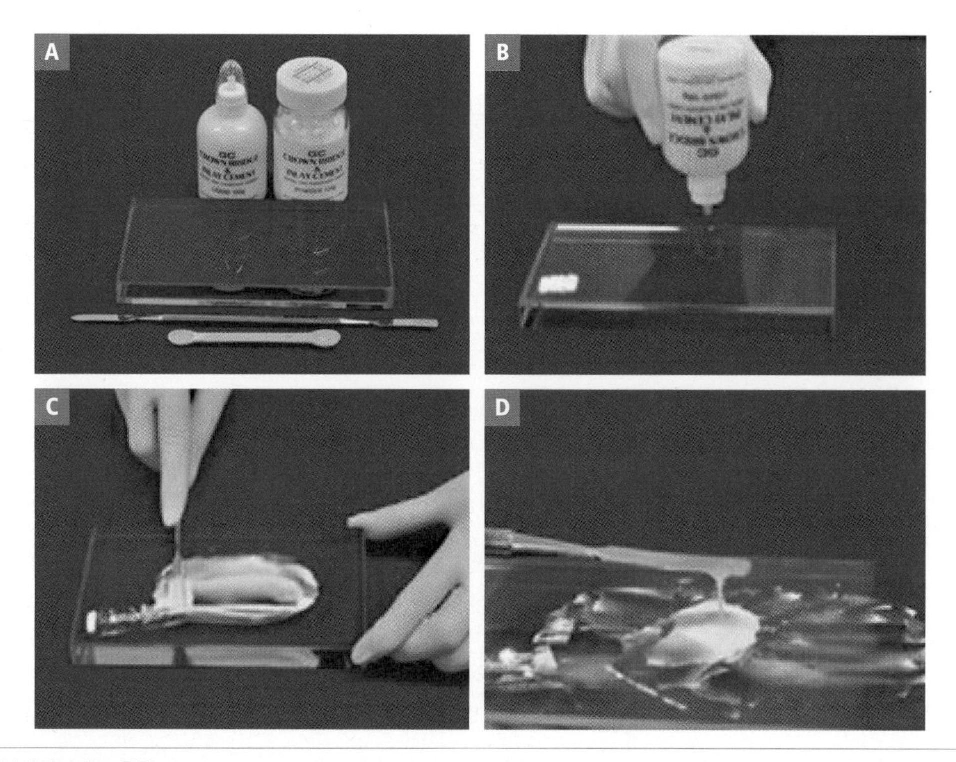

그림 12-8. 인산아연시멘트 혼합 A 시멘트 분말과 용액, 시원한 유리연판, 계량컵, 스파튤라를 준비한다. 다수의 교정용 밴드와 길이가 긴 브릿지를 합착할 때에는 냉동판 혼합법을 사용, B 분말을 혼합판 한쪽 끝 부위에 덜어놓고 4~6 조각으로 분할한다. 용액병을 흔든 후 수직으로 세워 혼합연판 중앙에 추천된 양을 떨군다, C 유리 혼합판의 넓은 면적을 이용해서 혼합하고, 총 혼합시간은 1분 30초가 넘지 않도록 한다, D 합착에 적합한 인산아연시멘트는 스파튤라로 끌어 올렸을 때 2~3 cm 정도 끌려 올라와야 한다.

와 비교하여 작업시간이 길어지고 경화시간은 20~40% 정도 짧아진다. 이 방법은 지대치가 여러 개인 가공의치의 합착에도 유용하다.

5) 개량형 인산아연 시멘트

동 또는 은을 첨가한 인산아연 시멘트는 약간의 살균효과가 있는 것으로 알려졌으나 그 외 장점은 종래의 시멘트와 비교하여 거의 없다. 1~3%의 불화주석을 첨가한 교정용 인산아연 시멘트는 불소를 방출하여 항우식 효과를 나타낸다.

실리코포스페이트 시멘트는 인산아연 시멘트와 실리케이트 시멘트의 복합물로 종래의 인산아연 시멘트에 비하여 투명도와 강도가 높으며 불소를 방출한다. 그러나 레진 또는 글라스아이오노머 등의 심미성 시멘트의 등장과 더불어 사용이 감소되었다.

인산아연시멘트	
장점	단점
1. 오랜 임상적 성공역사	1. 초기 치수자극
2. 낮은 피막두께	2. 기계적 접착만이 가능
3. 저렴함	3. 분배와 혼합이 술자의 테크닉에 민감함
4. 높은 강직도	4. 비교적 높은 용해도

표 12-9. 임시 충전용 산화아연유지놀 시멘트의 조성

	성분	성분
분말	ZnO	69.0
	Rosin	29.3
	Zinc stearate	1.0
	Zinc acetate	0.7
액	Eugenol	85.0
	Olive oil	15.0

6. 산화아연유지놀 시멘트

산화아연유지놀 시멘트는 산화아연과 유지놀을 주성분으로 하며 1890년대부터 치과계에서 사용되어 왔다. 산화아연유지놀 시멘트는 인산아연 시멘트에 비하여 강도가 현저하게 낮기 때문에 높은 강도가 필요 없는 부위에 주로 사용되며, 노출된 상아질에 대한 진정작용이 있어서 임시 수복재 또는 임시수복물의 합착제로 산화아연유지놀 시멘트가 가장 자주 사용된다. 유지놀에 알러지가 있는 환자의 경우에는 유지놀을 함유하지 않는 산화아연비유지놀 시멘트가 사용된다.

분말-용액형 또는 2-연고형의 형태로 시판되며, 2-연고형에서 하나는 기저재(base), 다른 하나는 촉매제(catalyst)로 라벨링된다.

1) 조성

표 12-9는 임시 충전용으로 사용되는 산화아연유지놀 시멘트의 전형적인 조성이다. 시멘트 분말은 주로 산화아연이며 로진을 첨가하여 경화 후 취성을 감소시키고, 스테아르산아연(zinc stearate)을 가소제로 첨가하며, 강도를 높이기 위하여 아세트산아연(zinc acetate)을 첨가한다. 분말은 조성 성분을 혼합하여 300℃로 가열한 후 분쇄한 것으로 분말의 크기는 경화 속도에 영향을 주는데 다른 조건이 같다면 입자가 작을수록 경화시간은 짧아진다. 시멘트 액은 유지놀에 올리브유를 가소제로 첨가한 것이다.

영구 합착용으로 사용하기 위해서는 2가지 방법으로 조성을 변화시킬 수 있다. 한 가지는 분말에 메틸메타크릴산 폴리머를 첨가하는 방법이고, 다른 한 가지는 분말에 알루미나를 첨가하고 액에는 에톡시벤조산(ethoxybenzoic acid, EBA)을 첨가하는 방법이다.

폴리머 강화형 산화아연유지놀 시멘트의 분말은 80%의 산화아연과 20%의 폴리메틸메타크릴레이트(PMMA)로 구성되며 유지놀 액을 사용한다. 이 시멘트는 고정성 수복물의 영구 합착에 이용할 수 있는 정도로 강도가 높

표 12-10. 산화아연유지놀 시멘트에 대한 한국산업표준 KS P ISO 3107

형태 및 등급	37℃에서의 경화시간(min)		24시간 후 압축강도(MPa)		피막도((μm)	산에 가용성 비소함량(mg/kg[a])
	최소	최대	최소	최대	최대	최대
제I형	1.5	10	-	35	25	2
제II형	1.5	10	5	-	N/A	2

N/A 해당없음
[a] mg/kg는 ppm과 같다. ppm은 더 이상 사용되지 않는 단위이다.

으며 베이스와 임시 수복재로 사용할 수 있다.

EBA-알루미나 강화형 산화아연유지놀 시멘트의 분말은 무게비로 70%의 산화아연과 30% 알루미나를 사용하는데, 경우에 따라 로진과 공중합체를 첨가하여 취성과 피막도를 낮추고 혼합 특성을 개선한다. 시멘트 액은 무게비로 62.5% ortho-EBA와 37.5% 유지놀로 구성되어 있다. 독특한 정향나무의 냄새가 나는 유지놀은 정향나무 기름의 유도체로서 종종 이에 과민성을 보이는 환자가 있다. 비유지놀 산화아연시멘트는 산화아연 분말과 방향족 오일을 주성분으로 하며, 그 외에 올리브유와 바세린, 올레산, 밀납 등을 첨가한다.

2) 경화반응

경화반응은 먼저 산화아연의 가수분해가 일어난 후 수산화아연과 유지놀이 반응하여 무정형의 유지놀산 아연(zinc eugenolate) 착염(chelate)를 형성하면서 경화된다. 발열 현상이 거의 나타나지 않으며 수분이 있어야 경화가 가능하다. 물이 반응을 개시하기 위하여 필요한데 반응의 부산물이기도 하다. 따라서 습한 환경에서는 산화아연유지놀 시멘트가 더 빨리 경화된다.

$$ZnO + H_2O \longrightarrow Zn(OH)_2$$
$$Zn(OH)_2 + \text{eugenol} \longrightarrow \text{Zn-eugenolate} + 2H_2O$$

3) 특성

산화아연유지놀 시멘트는 조성과 용도가 다양하다. 국제표준규격(ISO) 제3107호(2011) 산화아연유지놀/비유지놀 시멘트(Dentistry-zinc oxide/eugenol cements and zinc oxide/non-eugenol cements)에서는 산화아연유지놀 시멘트를 다음과 같이 분류하고 있으며 요구사항은 표 12-10과 같다.

- 제1형 : 임시 합착용
- 제2형 : 베이스와 임시수복용

(1) 경화시간

합착용은 인산아연시멘트와 같이 보통 4~10분의 경화시간이 필요하다. 그러나 빠른 경화가 요구되는 충전용이나 베이스용의 경우 사용방법에 따라 3분 정도로 경화시간을 단축할 수 있다.

경화시간은 분액비의 영향을 받는데 분액비가 높을수록 경화시간은 짧아지고, 유리 혼합판을 사용하는 경우 이슬점 이하로 내려가지 않는 한 혼합판의 온도가 낮을수록 경화시간이 길어진다.

여러 가지 염을 첨가하여 경화시간을 줄일 수 있는데, 수산화아연보다 더 수용성이며 아연 이온을 더 빨리 공급할 수 있는 아세트산아연(zinc acetate dihydrate), 프로피온산아연과 같은 아연 화합물이 특히 유용하다. 그 외 알코올, 빙초산, 소량의 물에 의해서도 경화가 촉진되며, 경화반응을 지연시키려면 글리콜을 이용할 수 있다.

(2) 압축강도

임시 합착용의 최대 압축강도는 35 MPa 이하여야 하며, 베이스와 임시수복용은 최소 5 MPa 이상의 압축강도를 보여야 한다. 임시 합착용 시멘트로 사용할 경우에는 어느 정도 유지력을 내면서도 필요할 때에 쉽게 제거할 수 있는 2가지 요구사항을 만족시키는 선에서 강도가 결정되어야 한다. 강화형 산화아연유지놀 시멘트는 강도가 향상되어 금관 또는 금관계속가공의치의 영구합착에도 사용할 수 있다.

(3) 피막도

영구 합착할 때 수복물이 완전하게 안착되기 위해서는 피막도가 중요하다. 초기 산화아연유지놀 시멘트는 피막도가 컸으나 현재는 25 μm 이하가 되도록 조절되고 있다.

(4) 생체적합성

혼합된 산화아연유지놀 시멘트의 산도는 pH가 7로 중성이어서 치질에 대해 매우 생체적합적이다. 항균성 덕분에 치수에 대한 진정작용이 있어 상아세관이 노출되어 있는 치아의 임시합착에 사용하면 좋다. 하지만 구강 점막이나 치수와 직접 접촉하면 자극이 된다. 치수 진정효과를 목적으로 사용할 때는 보호용 바니쉬나 와동 이장재를 사용하지 않도록 한다.

(5) 수복재료와의 관계

유지놀은 레진의 중합을 방해한다. 유지놀을 함유한 시멘트는 콤포짓트 수복재료 밑에 베이스로 사용하면 안된다. 경화 시 중합반응이 관여하는 레진강화형 글라스아이오노머 시멘트나 레진시멘트로 영구합착을 할 예정인 보철물의 임시합착제로 사용하면 안된다. 이런 경우는 산화아연비유지놀 시멘트가 적합하다.

4) 사용방법

일반적으로 임시 합착용 산화아연유지놀 시멘트와 비유지놀 산화아연 시멘트는 2개의 연고로 이루어져 있다. 각 연고는 같은 길이로 짜낸 다음 균일한 색깔이 될 때까지 혼합한다(그림 12-9 A~D). 임시 수복재로 사용할 경우 분말을 액에 첨가하여 사용 목적에 맞는 점조도가 될 때까지 뻑뻑한 스파튤라로 힘을 가하여 혼합한다. 일반적으로 분말이 많을수록 혼합된 시멘트의 점도가 높아지고 경화된 시멘트의 강도도 높아진다. 분말/용액형의 경우 용액에 분말을 적절한 점조도가 될 때까지 추가하며 혼합한다. 분말을 더 많이 추가하면 강도가 증가된다(그림 12-9 E~F). 산화아연유지놀 시멘트는 혼합초기에는 빡빡하지만 혼합을 진행함에 따라 유동성이 생긴다. 합착용 산화아연유지놀 시멘트의 점조도는 인산아연 시멘트와 비교하면 매우 높다. 환자의 얼굴에 묻은 ZOE 시멘트를 제거하기 위해서는 오렌지 기름이나 ZOE cleaner을 사용한다.

- **혼합방법** : 경화 시 발열반응이 일어나지 않으므로 차게 한 혼합판을 사용할 필요는 없다. 보통 사용하는 유지 패드는 청소가 쉬운 장점이 있으나 유리 혼합판을 써도 무방하다. EBA-알루미나 시멘트는 유리 혼합판이 권장되며, 분말을 소량씩 첨가할 필요가 없으므로 한꺼번에 섞어 완전히 혼합하고 마지막에 조금씩 넣어 점도를 조절하면서 충분히 혼합한다. EBA-알루미나 시멘트는 30초간 혼합한 후 60초간 크림상의 적당한 점조도가 되도록 문지른다. 유지놀 시멘트를 기구에서 제거할 때에는 오렌지유를 사용하면 쉽게 제거된다.

5) 용도에 따른 사용

(1) 임시 합착

재래형 산화아연유지놀 시멘트는 임시치관과 금관계속가공의치의 임시 합착용으로 사용할 수 있다. 실험실 시

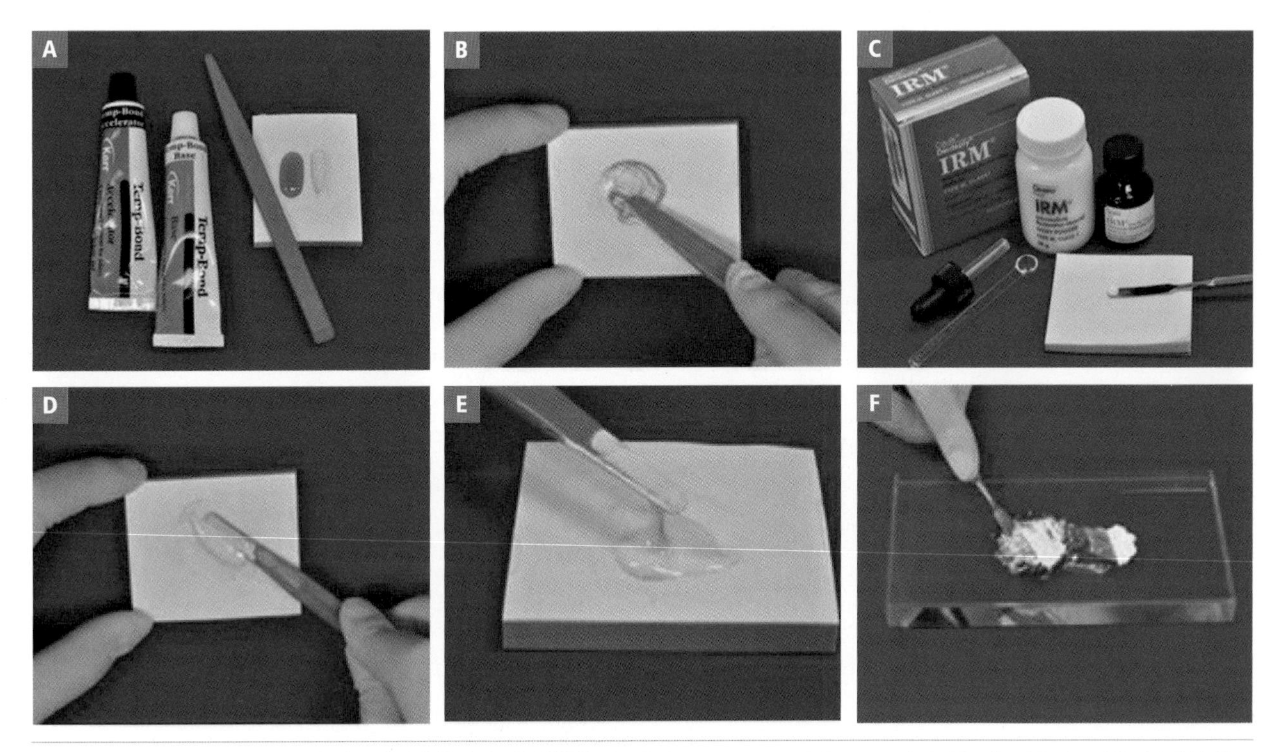

그림 12-9. 산화아연유지놀 시멘트(ZOE)의 혼합방법. 가. 합착용 점조도 **A** 단일 크라운의 합착에는 대개 각각을 1/2 인치 정도의 양이면 충분, **B** 스파튤라의 양날을 사용하여 8자 모양으로 혼합, **C** 혼합물이 부드럽고 크림상이 되며 혼합물을 함께 모은 후, **D** 스파튤라를 대고 들어 올릴 때 1인치가량 들어 올려진 후 끊어질 때가 합착용 점조도인 상태이다. 나. 임시수복용 및 베이스용 점조도; **E** 분말을 용액에 두 번에 나눠서 또는 한꺼번에 첨가한다, **F** 혼합한 시멘트를 둥근 볼이나 로프 형태로 말을 수 있고 더 이상 끈적거리지 않을 때가 임시수복용 및 베이스용 점조도이다.

험결과 산화아연유지놀 시멘트가 금속 수복물을 유지하는 정도는 압축강도에 비례한다. 임시치관 합착용 산화아연유지놀 시멘트의 압축강도가 15~24 MPa 정도일 때 유지력이 적당하고 제거가 쉬우며 청소가 용이한 장점이 있다. 산화아연비유지놀 시멘트는 유지놀 함유 시멘트보다 금속관에 대한 합착력이 떨어지고 경화도 느리지만, 임시 아크릴 치관의 중합을 방해하지 않는다.

(2) 영구 합착

EBA-알루미나 시멘트는 혼합이 쉽고 흐름성이 좋아 금관 및 고정성 국소의치의 영구 합착에 성공적으로 사용되어 왔으며, 피막도도 적절한 편이다.

(3) 베이스

6~39 MPa의 압축강도를 보이는 제품이 베이스로 사용되며 12~15분 후 최대강도에 도달한다. 보통 산화아연유지놀 시멘트 베이스는 인산아연 시멘트 베이스 하부에 사용되는데, 인산아연 시멘트의 강도는 산화아연유지놀 시멘트의 3배 정도이다.

(4) 임시수복

EBA-알루미나 시멘트의 물성은 임시 수복재로 적합한 것으로 판단된다. 많은 임상연구에서 이 시멘트는 사용이 간편하고 조각하기 쉬우며, 치수노출은 없으나 통증을 보이는 치아를 진정시키는 작용을 보였다. EBA-알루미나 시멘트는 증류수 내에서의 용해도는 낮으나 실제 구강 내에서는 붕괴 및 마모가 심하다.

폴리머 강화형 산화아연유지놀 시멘트를 2.6 g/0.4 mL의 비율로 되게 혼합하면 임시 수복재로서 EBA-알루미나 시멘트보다 더 우수하다. 산화아연유지놀 시멘트로 임

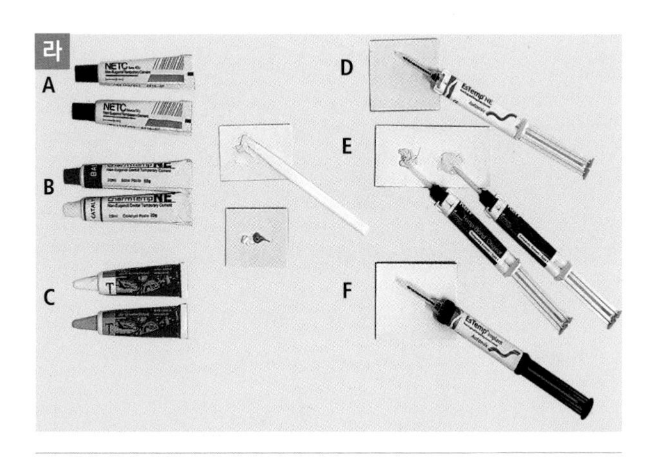

그림 12-10. A~C 산화아연-비유지놀 임시합착용 시멘트(2연고형, 수동 혼합), D 산화아연-비유지놀 임시합착용 시멘트(이중 카트리지, 정적혼합), E 산화아연-유지놀 및 -비유지놀 임시합착용 시멘트(이중 카트리지, 정적혼합); F 산화아연-비유지놀 임시합착 임플란트용 시멘트(이중 카트리지, 정적혼합)

시 충전하면 변연부의 파절이 발생할 수 있으나 2~10개월 동안 사용이 가능하다.

(5) 근관충전재

근관치료 시 사용되는 산화아연유지놀 시멘트 제재는 근관 충전재로 커타퍼챠(gutta percha)나 실버포인트와 함께 사용되며, 재래형과 치료용 충전재로 분류한다. 경화반응은 산화아연과 유지놀 사이에서 일어나고 레진은 혼합을 쉽게 하며 경화속도를 늦추는 역할을 한다. 바륨염이나 비스무트염 또는 은 분말을 첨가하여 방사선 불투과도를 높일 수 있다. 치료용 근관충전재는 요오드포름, 파라포름알데히드 또는 트리옥시메틸렌이 포함되어 있고 코어 재료 없이 치료용으로 쓰인다.

(6) 치주·외과용 산화아연유지놀 시멘트

산화아연유지놀 시멘트는 치은조직을 처치할 때 사용할 수 있으며, 수술 후 연조직을 드레싱할 때에도 사용한다. 시멘트를 낮은 점조도로 혼합하여 치은열구 위에 올려놓아 환자가 음식을 먹을 때 편안하게 하고, 시술부위의 동통을 완화하며 상피세포를 증식시키고 육아조직이 과다하게 발육되는 것을 막을 수 있다.

외과용 산화아연유지놀 시멘트는 경화시간이 충분히 길어야 사용하기 편리하다. 일반적으로 경화촉진제를 첨가하지 않아도 구강 내에 넣으면 습기와 열에 의하여 경화반응이 빨라진다. 시멘트는 해당 부위에 적용하여 모양을 만들기 쉽도록 부드러우면서도 원하는 형태를 유지할 수 있을 정도로는 단단하여야 한다. 조성성분을 보면 충전용보다 광물유, 아몬드유 등을 많이 넣어 가소성을 높이며 cotton fiber를 넣어 강도와 내구성을 증가시킨다. 이 밖에도 탄닌산은 경화지연과 지혈을 위하여 첨가하고, 맛과 색깔을 개선하기 위하여 방향족 기름과 착색제를 첨가하기도 하며, 항균성 제재로 클로르헥시딘을 넣기도 한다.

산화아연유지놀	
장점	단점
1. 다양한 용도 2. 치수에 대한 진정효과 3. 조작이 쉬움	1. 낮은 강도 2. 높은 용해도 3. 콤포짓트 수복의 하방에 사용할 수 없고, 레진시멘트나 레진강화형 글라스아이오노머 시멘트로 간접수복물을 합착하는 경우에는 사용할 수 없다.

7. 폴리카복실레이트 시멘트

폴리카복실레이트 시멘트도 산-염기 반응에 의해 경화된다. 이 시멘트는 치질의 칼슘과 친화력이 있어서 치질에 접착성 결합을 하는 첫 시멘트로서 1960년대에 개발되었다. 이 시멘트는 주로 간접수복물의 영구합착을 위해 사용되었지만, 분말을 추가로 첨가하여 고강도 베이스로도 사용된다.

1) 조성과 경화반응

폴리카복실레이트 시멘트는 분말과 액 또는 분말과 물을 혼합하는 형태로 공급된다. 일부 제조자는 아말감혼합기를 사용하여 혼합할 수 있는 미리 계량된 캡슐을 공급된다. 액은 폴리아크릴산의 수용액으로 구조식은 그림 12-11과 같다. 대부분의 시판 폴리카복실레이트 시멘트의 액은 25,000~50,000의 분자량을 가진 폴리아크릴산의 32~42% 수용액이다. 제조사는 중합체의 분자량을 조절하거나 또는 수산화나트륨을 첨가하여 pH를 조절하는 방법으로 시멘트 액의 점도를 조절한다. 또한 액에 이타콘산을 첨가하면 장기간 보관할 때 나타날 수 있는 액의 겔화를 막을 수 있다.

시멘트 분말은 인산아연 시멘트와 유사하여 주로 산화아연이며 소량의 산화마그네슘 또는 산화주석을 첨가한다. 이 외에 일부 제품은 강도를 높이기 위하여 산화알루미늄을 넣거나 실험적으로 스테인레스강 섬유를 넣기도 한다. 불화석을 넣으면 경화시간을 조절할 수 있고 강도나 사용특성을 개선할 수 있으나 불소 방출정도가 낮아 항우식성은 그다지 높지 않다. 시멘트 분말을 물과 섞는 제품은 폴리아크릴산을 15~18%로 분말 입자에 입힌 것이다.

폴리카복실레이트 시멘트의 경화반응은 분말의 표면과 산이 접촉하면 아연, 마그네슘 및 주석이온 등이 유리되고 이 이온들은 카복실기에 의하여 다중산 사슬(polyacid chain)에 결합된다(그림 12-12). 이로 인하여 가교화된 염이 형성되면서 무정형의 폴리카복실산아연(zinc polycarboxylate)겔을 형성하여 이것이 반응하지 않은 산화아연 입자를 둘러싸게 된다. 경화반응은 주위 온도에 따라 지연되거나 촉진된다.

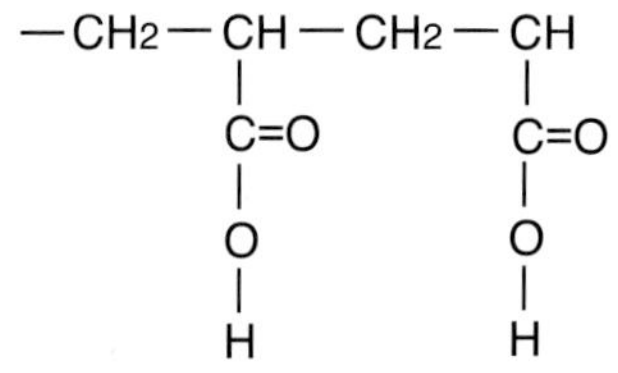

—CH2—CH—CH2—CH
C=O C=O
O O
H H

그림 12-11. 폴리아크릴산의 구조식

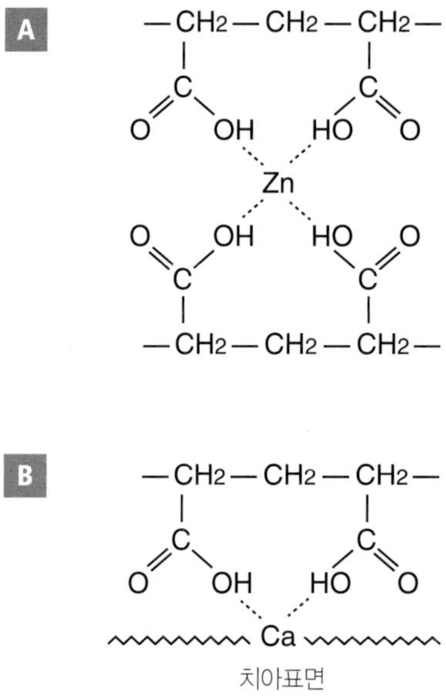

A
—CH2—CH2—CH2—
C C
O OH HO O
Zn
O OH HO O
C C
—CH2—CH2—CH2—

B
—CH2—CH2—CH2—
C C
O OH HO O
Ca
치아표면

그림 12-12. 카복실레이트 작용기 A 기질 생성, B 치아 구조와 결합.

2) 특성

(1) 한국산업표준 KS P ISO 9917-1

피막도, 순경화시간, 압축강도, 산 용해도 및 비소 함량 등을 규정하고 있다(표 12-5).

(2) 점도와 피막도

적정 분액비로 혼합하였을 때 폴리카복실레이트 시멘트는 인산아연 시멘트보다 점도가 높은 편이다. 그러나 유동학적으로 인산아연 시멘트는 뉴턴(Newtonian) 유동을 보이나 폴리카복실레이트 시멘트는 의가소성(pseudoplastic)을 보인다. 따라서 스파튤라로 혼합하거나 수복물을 장착시킬 때와 같이 전단속도(shear rate)가 높아지면 상대적으로 점도가 낮아진다.

폴리카복실레이트 시멘트의 초기점도는 온도가 18℃에서 25℃로 상승해도 별로 변화가 없고, 인산아연 시멘트보다 높다. 혼합 2분 후의 폴리카복실레이트 시멘트의 점도는 3가지 온도조건 모두에서 상당히 높아진다. 그러나 온도에 따른 점도 증가의 차이는 인산아연 시멘트에 비해 확실히 낮은 편이다. 이와 같이 폴리카복실레이트 시멘트의 초기점도는 인산아연 시멘트보다 높으나 2분 후에는 반대현상이 나타난다(그림 12-13). 일반적으로 폴리카복실레이트 시멘트의 피막도는 인산아연 시멘트보다 약간 높은 편이나 임상적으로 문제가 되지 않는다.

(3) 작업시간과 경화시간

폴리카복실레이트 시멘트의 작업시간은 인산아연 시멘트(5분)보다 짧아 2.5분 정도이나 분말을 냉장시키거나 차게 한 혼합판을 사용하면 작업시간을 연장할 수 있다. 그러나 시멘트 액을 냉장보관하면 점도가 지나치게 높아져 혼합이 어렵다. 표준 압입체로 눌렀을 때 충분히 단단하게 굳어서 자국이 생기지 않는 시간을 경화시간으로 하는데 혼합을 시작한 시점에서 7~9분 정도이다.

(4) 강도

임상연구 결과 70 MPa 이상의 압축강도를 보여야 수복물의 유지가 우수한 것으로 나타났다. 폴리카복실레이트 시멘트의 24시간 후 압축강도는 인산아연 시멘트의 98~133 MPa보다 낮은 57~99 MPa이다. 그러나 간접인장강도 측정법에 의한 인장강도(diametral tensile strength)는 폴리카복실레이트 시멘트가 인산아연 시멘트보다 40% 이상 높다. 인산아연 시멘트보다 취성이 낮으며 탄성률은 인산아연 시멘트의 1/3 정도이다.

(5) 치아와 수복물에 대한 결합강도

폴리카복실레이트 시멘트의 특징은 법랑질과 상아질에 화학적으로 결합할 수 있다는 점이다. 이는 폴리머 분자의 카복실기가 수산화인회석의 칼슘과 킬레이트 화합물을 만들 수 있기 때문이다. 법랑질과의 결합강도는 3~13 MPa이고 상아질과의 결합강도는 2 MPa로 보고되었다. 법랑질은 무기성분이 많고 비교적 균질하기 때문에 상아질보다 높은 결합력을 보인다.

폴리카복실레이트 시멘트의 주조 금합금에 대한 결합력은 표면처리에 따라 달라진다. 주조용 금합금 표면을 샌드블라스팅(sand blasting) 또는 전해산부식(electrolytic etching)하면 결합력이 증가한다. 그러나 임상적으로 합착강도가 증가하는지는 명확하지 않다. 폴리카복실레이트 시멘트는 법랑질과 화학적으로 결합할 수 있는 특성 때문에 교정용 브라켓의 직접합착에 사용되기도 하였으나 현재는 레진강화형 글라스아이오노머 시멘트나 콤포

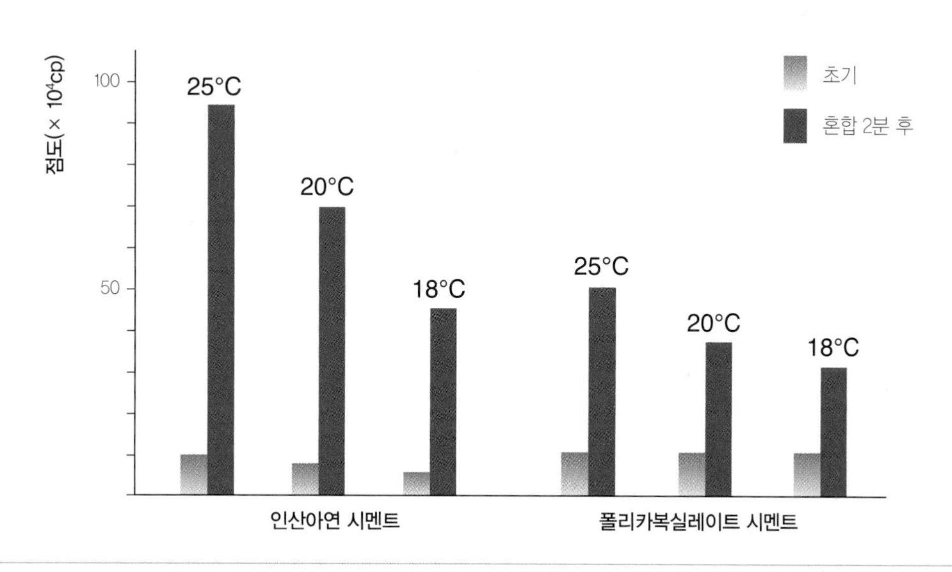

그림 12-13. 주위온도와 혼합 후 시간경과에 따라 나타나는 인산아연 시멘트와 폴리카복실레이트 시멘트의 점도 변화 (*Adapted from Vermilyea SG, Powers SM, Craig RG: J Dent Res 56:762, 1977*).

짓트 레진시멘트를 많이 사용한다.

(6) 용해도와 붕괴도

용해와 붕괴시험은 품질검사의 일환으로 시행하지만 증류수 내의 용해도와 생체 내 용해도가 항상 연관이 있는 것은 아니다. 전형적인 폴리카복실레이트 시멘트의 증류수에서의 용해도는 침지기간에 따라 0.1~0.6% 정도이다. 인산아연 시멘트와 유사하게 pH 4.5 이하의 유기산에 침지한 경우 용해도가 높으며, 생체 내에서는 인산아연 시멘트와 유사한 정도의 용해도를 보인다.

(7) 크기 안정성

폴리카복실레이트 시멘트는 37℃에서 경화되면 선 수축을 보인다. 수축량은 1일 후 젖은 시편에서 보이는 1%로부터 14일 건조된 시편에서 보이는 6%까지 다양하다. 경화 시 수축은 인산아연 시멘트보다 더 크고 빨리 시작된다.

(8) 산도

시멘트를 혼합한 후 표 12-8과 같은 산도변화를 보인다. 그러나 폴리카복실산은 해리도가 낮으며 폴리머의 분자량이 커서 치수로 침투하기 어렵고 pH 상승이 빨라 시술 후 과민증이 거의 없다. 폴리카복실레이트 시멘트가 유발하는 조직반응은 산화아연유지놀 시멘트와 유사하지만, 폴리카복실레이트 시멘트 아래에서는 수복상아질이 잘 형성된다.

(9) 생체적합성

폴리카복실레이트 산은 해리도가 낮으며 분자량이 커서 상아세관을 통과 하지 못하므로 생체친화성이 우수하고 미세누출이 적으며, 카복실기가 치아의 칼슘성분과 화학적으로 결합하므로 유지력이 우수하다. 조직학적 반응은 산화아연유지놀 시멘트와 유사하지만, 폴리카복실레이트 시멘트 아래에서 수복상아질 생성이 더 많은 것으로 보고된다.

3) 사용방법

분말-액 형의 경우 분액비는 1:1~2:1 정도이다. 물과 혼합하는 시멘트를 합착용으로 혼합할 때의 분액비는 5:1이다. 폴리카복실레이트 시멘트를 혼합하면 인산아연 시멘트보다 점도가 높아 보이나 요변성(thixotropy) 성질이 있다. 즉, 전단속도가 증가하면 점도는 감소하여 혼합할수록 유동성이 증가한다. 정확한 점조도로 혼합하면 스파튤라로 들어 올렸을 때 자체의 무게에 의하여 혼합판으로 다시 떨어지는 정도의 점성을 보여야 한다.

액의 계량은 혼합 직전에 하여야 수분 증발이 없고, 보통 유리판이나 유지 위에서 혼합한다. 분말을 반으로 나누어 한번에 절반씩 혼합하는 방법으로 총 30~60초간 혼합하며, 작업시간은 2분 30초~6분 정도이다. 4℃ 유리판에서 혼합하면 작업시간을 10~15분으로 연장할 수 있으며, 이때의 강도는 정상 혼합한 경우와 유사하다.

폴리카복실레이트 시멘트는 영구 합착용, 이장용, 베이스용 및 교정용 밴드의 정착에 사용할 수 있다. 높은 합착력을 얻기 위해서는 치아를 세척하여 시멘트와 치아가 긴밀하게 접촉하도록 하며, 전처리로는 10% 폴리아크릴산이나 말레산을 10~15초 동안 적용하고 물로 씻어낸다. 세척 후에는 방습을 철저히 해야 한다. 시멘트 혼합물은 표면에 아직 윤기가 남아 있는 동안만 사용이 가능하며 일단 표면의 윤기가 사라지면 시멘트가 섬유질처럼 되어 피막도가 증가한다.

폴리카복실레이트 시멘트	
장점	단점
1. 치질에 우수한 접착성 2. 치수에 자극성이 없음 3. 저렴함 4. 사용이 편함	1. 높은 용해성 2. 낮은 강도 3. 짧은 작업시간

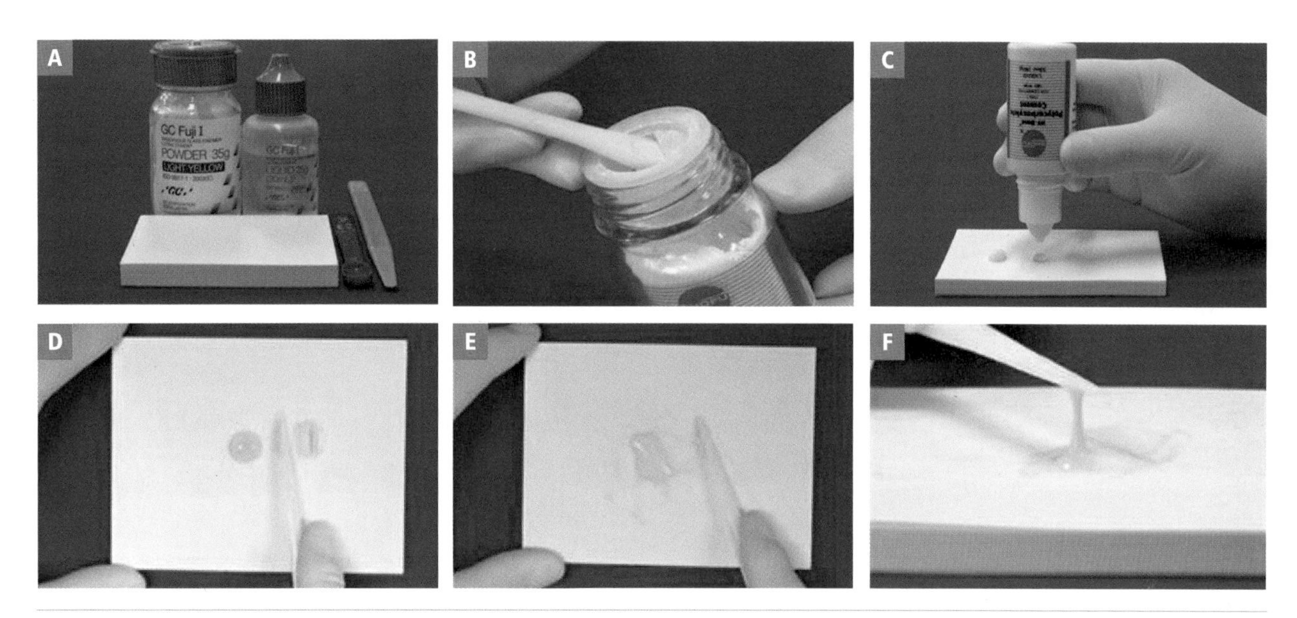

그림 12-14. **폴리카복실레이트 시멘트의 혼합** **A~C** 분말을 느슨하게 부풀린 후, 혼합판 위에 추천된 양을 덜어놓고, 용액을 흔든 후 혼합판 분말과 떨어져 떨군다. **라)** 제조자의 지시에 따라 분말을 용액에 두 번으로 분할하여 또는 모두 함께 추가한다. **E** 스파튤라의 양날을 사용하여 8자 모양으로 혼합한다. **F** 혼합물이 부드럽고 크림상이 되고, 혼합물을 모아 스파튤라를 대고 들어 올렸을 때 시멘트가 1인치 가량 따라 올라올 때가 합착용 점조도이다.
참고: 다른 시멘트의 경우에 비해 점조도가 약간 더 높고 광택이 있어 보인다. 스파튤라를 들어 올릴 때 혼합물이 거미줄의 가는 실처럼 따라 올려 진다면 그때는 너무 빡빡한 상태이다.

8. 글라스아이오노머 시멘트

글라스아이오노머 시멘트는 1970년대에 소개된 이래 많은 조성의 변경을 가졌다. 염기성 유리 분말(칼슘 플루오로 알루미노 실리케이트)과 산성 수용성 폴리아크릴산 사이의 산-염기 반응으로 경화되는 시멘트로 폴리알케노에이드 시멘트라고도 한다. 이 경화반응 동안 상당한 양의 불소 이온이 방출된다.

원래 용도는 5급 와동의 수복에서 시작되었으나 현재는 영구 합착제, 베이스, 1급이나 3, 5급 와동의 수복재, 코어용 재료 및 광중합형이 개발되면서 치면열구전색제까지 확대되어 가고 있다.

글라스아이오노머 시멘트는 레진 시멘트와 달리 친수성이며 성분 내에 물을 함유하고 있어서 어느 정도 수분이 있는 환경에서도 사용할 수 있고 치질에 화학적으로 결합한다. 또한 산-염기 반응에 의해 경화되기 때문에 수축이 작은 장점이 있다.

글라스아이오노머는 통상적인 글라스아이오노머 시멘트와 그의 물리적 성질을 개선하기 위해 레진성분이 첨가된 레진-변형 글라스아이오노머 시멘트로 분류된다. 두가지 모두 치아 법랑질과 상아질에 화학적으로 결합하고, 불소를 방출하며, 치질과 비슷한 정도의 열팽창 계수를 갖고, 친수성이다.

분말-용액형, 2연고형 및 캡슐화된 제형으로 이용된다.

1) 조성

글라스아이오노머 시멘트는 분말과 액 또는 물과 혼합하는 수경성 분말로 공급된다. 분말은 산이 침투하여 이온을 유리할 수 있는 유리이다. 방사선 불투과성을 높이기 위하여 바륨 유리나 산화아연을 넣기도 한다. 액은 보통 폴리아크릴릭산과 이타콘산을 2:1로 혼합하여 47.5% 수용액으로 만든 것이다.

글라스아이오노머 시멘트의 분말은 calcium fluoroaluminosilicate 글라스로 실리카(SiO_2), 알루미나(Al_2O_3) 및 불화칼슘(CaF_2) 세 가지 주요성분을 포함하며, 3성분 상태도에서 반투명한 특성을 갖는 대략 중심역역의 조성으로 제한된다(그림 12-15). 표 12-11에 대표적 조성을 표시하였다. 이들 혼합물(추가적으로 융제 *flux*로서 불화나트륨, 불화알루미늄, 인산칼슘 및 인산알루미늄을 또한 함유)을 고온에서 용융시킨 후 용융물을 급냉(quenching)하고 미세한 분말로 분쇄한다. 수복용은 50㎛ 이하, 합착용 및 이장용 글라스아이오노머 시멘트는 20 ㎛ 이하의 분말 입도가 되게 분쇄한다. 사용되는 글라스의 조성에 따라 경화 특성, 용해도, 불소방출 특성 및 굴절률 변화에 따른 심미성이 결정된다.

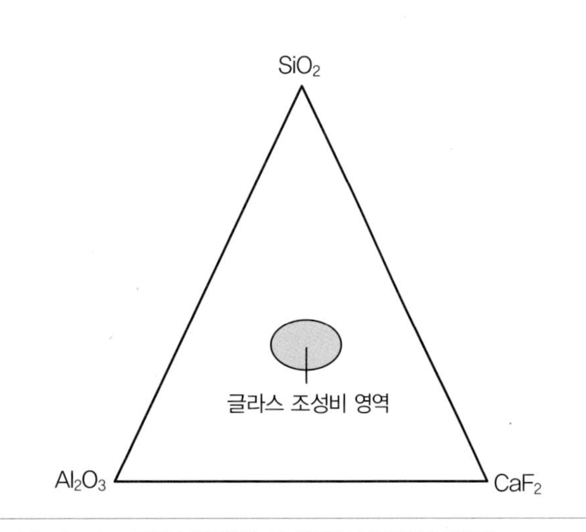

그림 12-15. 글라스아이오노머 시멘트 분말의 조성영역

표 12-11. 글라스아이오노머 시멘트 분말의 조성

성분	무게비(%)
SiO_2	29.0
Al_2O_3	16.6
CaF_2	34.3
Na_3AlF_6	5.0
AlF_3	5.3
$AlPO_4$	9.8

다중산(polyacid) 용액은 아크릴산과 이타콘산의 공중합체 또는 아크릴산과 말레산의 공중합체를 사용한다. 최근의 글라스아이오노머 시멘트에는 비닐 포스폰산(vinyl phosphonic acid)과의 공중합체를 사용하여서 강도와 용해저항성을 향상시켰다. 아크릴산과 함께 공중합되는 이타콘산, 말레산 및 포스폰산 내의 카복실 그룹의 길이가 달라서 아크릴산의 동종 중합체(homopolymer)보다 불규칙하기 때문에 폴리아크릴산 용액의 점도를 낮추고 분자간 수소결합에 의한 겔화를 방지한다(그림 12-16).

타르타르산(5%)은 경화촉진제로 작용하며 유리 분말로부터 이온이 유리되기 쉽게 해준다.

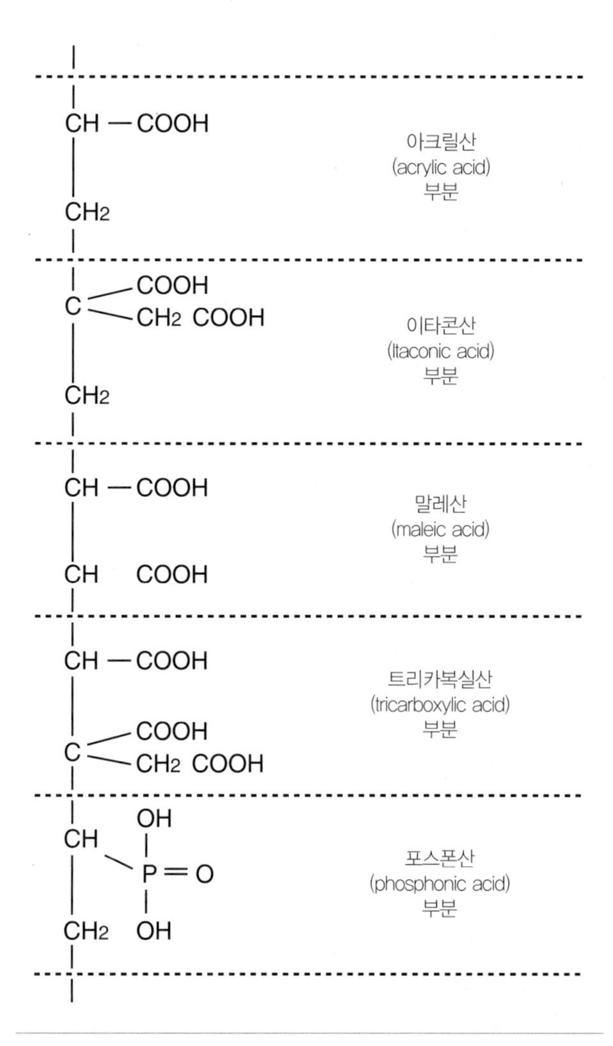

그림 12-16. 글라스아이오노머 시멘트의 폴리산을 만드는 다양한 알켄 산(alkencic acid)의 구조

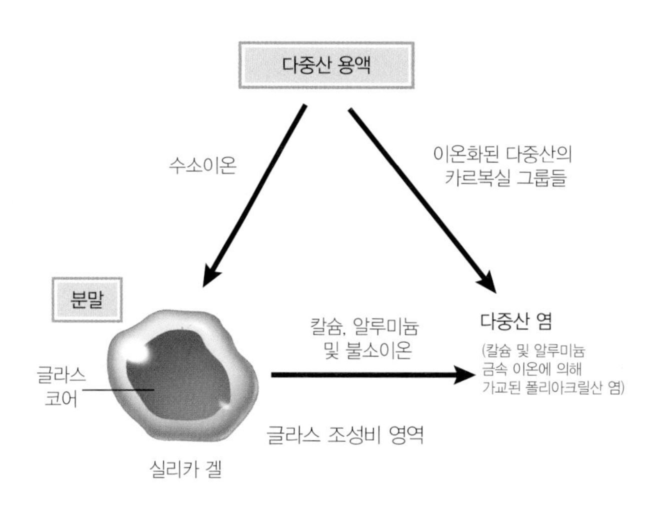

그림 12-17. 글라스아이오노머 시멘트에서 경화반응

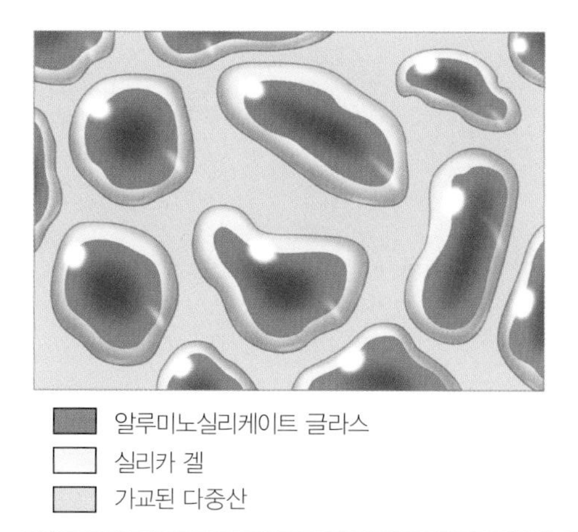

그림 12-18. 글라스아이오노머 시멘트의 구조

2) 경화반응

글라스아이오노머 시멘트의 경화반응은 액의 산성 고분자 다중산(polyacid)과 유리 분말 사이의 산-염기 반응에 의하며, 서로 겹치는 세 단계인 용해(dissolution), 겔화(gelation) 및 경화(hardening) 단계를 거쳐 경화된다(그림 12-17, 18). 이처럼 각 단계가 겹치며 경화되는 것은 글라스에서 유리되는 각 금속이온들의 방출속도 및 염기질(salt matrix)이 생성되는 속도가 다르기 때문이다(그림 12-19).

(1) 용해

시멘트를 혼합하면 폴리산은 유리 분말에 침투하여 Ca^{2+} Al^{3+}및 Na^{+}등의 양이온과 불소이온을 유리시키는데, 이들 이온은 액의 음이온과 반응하여 불용성 염의 겔을 형성한다.

시멘트 용액을 분말과 혼합하면 폴리산은 유리 분말의 반응하여 a^{2+} Al^{3+}및 Na^{+}등의 양이온과 불소이온을 유리시키는데, 이들 이온은 액의 음이온과 반응하여 불용성 실리카겔(silica-gel)을 형성한다(그림 12-20). 글라스 구조에서 더 느슨하게 결합되어 있는 칼슘이온이 먼저 유리된

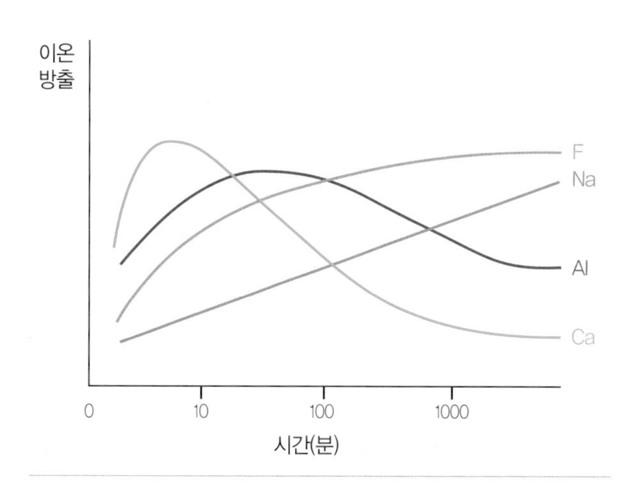

그림 12-19. 각 이온별로 글라스에서 이온이 방출하는 속도의 차이

```
          H             H             H             H
— CH2 — C — CH2 — C — CH2 — C — CH2 — C — CH2 —
          |             |             |             |
          C=O           C=O           C=O           C=O
          |             |             |             |
          O⁻            OH            O⁻            OH
          |                           |
          Ca2+                        Ca2+
          |                           |
          O⁻            OH            O⁻            OH
          |             |             |             |
          C             C=O           C             C=O
          |             |             |             |
— CH2 — C — CH2 — C — CH2 — C — CH2 — C — CH2 —
          |             |             |             |
          H             H             H             H
```

그림 12-20. 경화과정의 겔화 단계

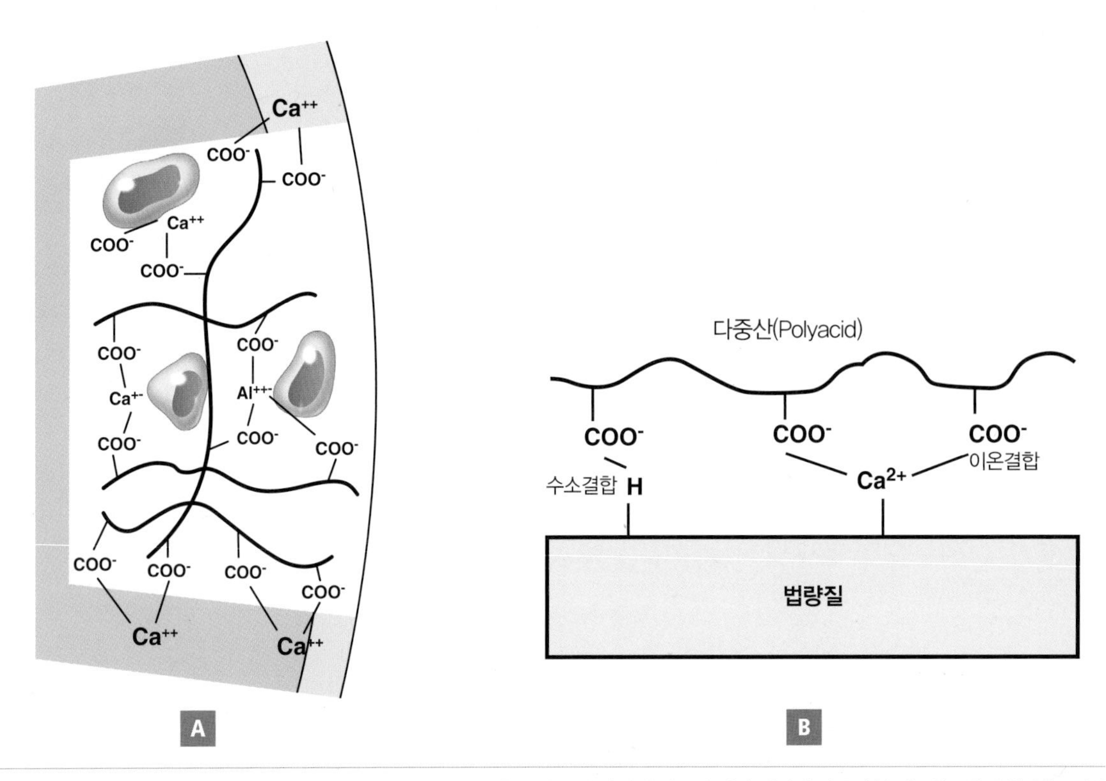

그림 12-21. A 글라스아이오노머 시멘트의 글라스 입자에서 용출된 금속이온과 다중산 사이의 가교에 의해 생성된 다중산염 네트워크에 묻혀 있는 미반응 글라스 입자, 그리고 다중산의 치아구조에 대한 접착 기전을 보이는 모식도. 진한 회색 입자는 폴리 아크릴산에 의한 공격의 결과로서 Al^{3+} 및 Ca^{2+} 이온이 유리로부터 용출될 때 형성되는 겔(연한 회색 음영 구조)로 둘러싸인 미반응 유리 입자를 나타낸다. Ca^{2+} 및 Al^{3+} 이온은 폴리 아크릴산의 COO^- 기와 폴리 염을 형성하여 가교 구조를 형성한다. 카복실기는 법랑질과 상아질에서 칼슘과 반응하다. B 글라스아이오노머 시멘트의 치아 법랑질에 대한 접착기전.

후 글라스 네트워크에서 분리되기 더 어려운 알루미늄 이온이 유리된다. 이들은 유리되어서 염 기질(salt matrix)을 형성한다. 나트륨과 불소이온은 경화에는 역할을 하지 않고 블화나트륨 형태로 결합하여 용출된다.

겔화 동안에 반응이 진행되기 위해서는 적당한 수분이 유지되어야 하지만, 수복물이 수분이나 혈액 또는 타액으로부터 보호되지 않으면 글라스 입자표면으로부터 용해된 금속이온들이 소실되어 다중산의 카복실 그룹과 반응할 수 없어서 경화가 제대로 되지 않고 재료가 약해지고 부슬부슬하고 광택이 없이 백탁하게 된다. 따라서, 재료가 수분의 유무조건에 가장 예민한 경화 초기 단계에는 특히 수복물의 건조와 수분오염 모두를 피해야 한다. 경화과정에서 시멘트가 탈수되면 균열이 생기며, 반대로 수분에 노출되면 기질을 형성하는 음이온이나 양이온이 용해된다.

(2) 경화

다중산 내의 카복실 그룹에서 유리된 수소이온에 의해 용출된 금속이온은 해리된 다중산의 COO- 그룹들과 반응하여 착염을 형성하여 경화된다(그림 12-21 A). 경화 초기의 3시간 동안은 Ca^{2+}이 폴리카복실산과 반응하여 칼슘염을 만들고, 이어서 Al^{3+}이 적어도 48시간 동안 반응하여 알루미늄염을 만들어 겔화 후 약 7일 동안 지속되는 경화반응 단계가 진행된다. 시멘트의 최종강도는 칼슘이온 보다는 3가의 알루미늄 이온의 가교에 의해 제공된다(그림 12-21 A). 최종 경화된 시멘트의 구조는 미반응된 글라스 입자가 실리카 겔에 의해 둘러싸여져서 칼슘과 알루미늄 이온에 의해 가교된 폴리아크릴산 염(calciumaluminum polysalt) 기질에 묻혀있는 구조이다.

3) 치아와의 결합기전

글라스아이오노머 시멘트가 경화되면서 법랑질과 상아질에 화학적으로 결합한다. 결합기전은 법랑질과 상아질 표면의 칼슘이온이나 인산이온과 산 중의 카복실기 사이에 이온결합성 반응이 일어나는 것으로 보인다(그림 12-21 B). 법랑질에 대한 결합력이 상아질보다 높은데, 이는 법랑질에 무기성분이 많이 들어있고 또한 형태적으로 균질하기 때문이다.

상아질을 산으로 세척한 후 염화제2철(ferric chloride) 용액으로 처리하면 결합력이 높아진다. 즉, 산은 상아질 표면의 도말층을 제거하고 Fe^{3+}은 상아질에 침착되어 시멘트와 이온결합을 한다.

4) 포장형태

포장형태는 분말-용액형(powder-liquid type), 무수 시멘트(anhydrous cement type)형 및 미리 정량된 캡슐형(pre-proportioned capsule type)이 있다.

① 분말-용액형(그림 12-1 가 D,E)의 경우는 정확한 분말-용액비를 계량하기 어렵고 부드러운 크림상 점조도를 얻기 위해서 대부분 분말의 함량을 적게 혼합하는 경우가 많아서 이에 따른 증가된 용해성과 느린 경화속도 등의 문제를 초래한다.

② 무수시멘트의 경우는 다중산을 동결건조시켜서 타르타르산과 함께 글라스 분말과 섞여 있어서, 함께 공급되는 빈 용기에 증류수를 담아 분말과 증류수를 섞어 사용한다.

③ 캡슐형(그림 12-1 가 F)은 정확한 분말-용액비로 미리 정량된 양이 캡슐에 넣어져서 사용 시 캡슐을 활성화하여 자동혼합기에서 혼합하여 사용하므로 물성이 항상 일정하고 더 우수하다.

5) 특성

글라스아이오노머 시멘트에 관한 KSP ISO 9917-1 내용은 표 12-5에 수록하였다.

(1) 피막도

합착용 글라스아이오노머 시멘트의 피막두께는 인산아연시멘트와 유사한 정도로 KSP ISO 9917-1에서 요구한 25 μm 이내의 기준을 만족한다.

(2) 경화시간

초기 제품의 글라스아이오노머 시멘트는 작업시간과 경화시간이 너무 길었지만, 타르타르산(tartaric acid)를 용액에 첨가함으로써 개선되었다. 타르타르산을 첨가하면 글라스 표면에서 용해된 칼슘이온과 반응하여 주석산 칼슘(calcium tartrate)를 생성하여 작업시간을 연장시키고, 폴리 아크릴산은 칼슘대신 알루미늄 이온과 반응하여 가교된 알루미늄 폴리아크릴산 염을 생성시키게 되어 경화속도를 빠르게 한다(그림 12-22).

유리의 조성과 입자크기를 조절하고 타르타르산을 첨가하여 최근에는 초기의 제품에 비해 특성이 훨씬 좋아져서(표 12-12) 이제는 글라스아이오노머 시멘트도 2분 정도로 빨리 경화가 되고 마무리 연마도 일찍 시작할 수 있게 되었다.

(3) 강도

합착용 글라스아이오노머 시멘트의 24시간 후 압축강도는 86 MPa로 인산아연 시멘트보다 낮으나 인장강도는 인산아연 시멘트와 유사하다. 폴리카복실레이트 시멘트와 달리 글라스아이오노머 시멘트는 간접인장강도를 측정할 때 취성파절이 나타난다. 글라스아이오노머 시멘트의 탄성률은 인산아연 시멘트보다 낮으나 폴리카복실레이트 시멘트보다는 높다. 글라스아이오노머 시멘트의 강성이 폴리카복실레이트 시멘트보다 높은 이유는 글라스 입자가 들어 있고 폴리머 사슬 사이에 이온결합이 일어나기 때문이다.

압축강도는 24시간 후부터 1년 후까지 계속해서 증가

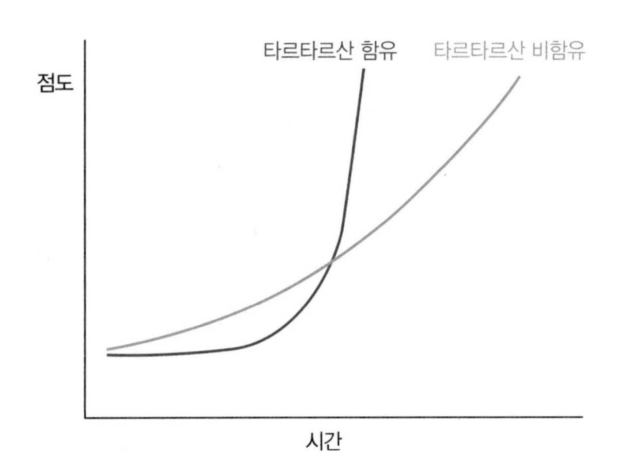

그림 12-22. 타르타르산이 글라스아이오노머 시멘트의 경화동안 점도변화에 미치는 영향

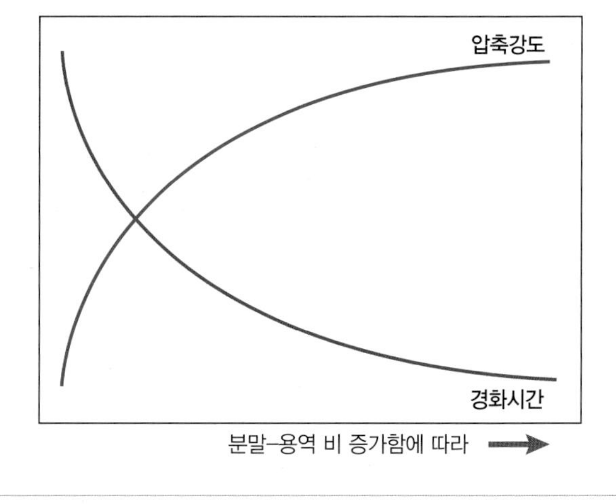

그림 12-23. 글라스아이오노머 시멘트의 분말-용액비의 변화에 따른 영향

한다. 충전용 글라스아이오노머의 압축강도는 이 기간 동안 160 MPa에서 220 MPa으로 증가하며 경화초기에 방습을 하면 빠르게 증가한다. 그러나 충전용 글라스아이오노머 시멘트는 파괴인성이 레진보다 낮고, 실험실 내 칫솔에 의한 마모시험이나 교합면 마모시험 결과 마모저항이 낮은 것으로 나타났다. 따라서 저작압을 많이 받는 부위에는 사용하기 어렵다.

분말-용액비를 증가하면 경화시간은 짧아지고 압축강도는 증가하므로(그림 12-23), 적절한 작업특성을 갖는 한도 내에서 분액비를 조절하여 강도를 조절할 수 있다.

(4) 결합강도

글라스아이오노머 시멘트의 가장 매력적인 특징은 상아질 및 법랑질에 직접 결합할 수 있는 점(그림 12-21 B), 그리고 불소이온을 유리하여 소아나 우식이환율이 높은 환자에 사용 시 장점이 있다는 점, 그리고 적층 충전할 필요없이 벌크충전이 가능하다는 점이다.

상아질의 콜라겐과는 수소결합을 하고 아파타이트와는 이온결합을 형성하여 상아질과 화학적 결합을 한다. 결합강도는 2-7 MPa 정도로 아주 높은 것은 아니지만 치경부 침식부에 적용하여 충분한 접착을 유지할 정도로 충분히 강한 편이다.

상아질에 대한 결합을 향상시키기 위해 상아질 표면을 폴리아크릴산(polyacrylic acid) 컨디셔너로 처리해주면, 치아표면의 도말층을 제거하여 매끄럽고 깨끗한 표면을 만들어서 결합력을 향상시킨다.

(5) 용해도

용해도는 증류수에서 측정하면 다른 시멘트보다 높다(표 12-4). 그러나 0.001 N 젖산용액에서의 용해도를 시험한 결과는 인산아연 시멘트나 폴리카복실레이트 시멘트보다 매우 낮았다.

표 12-12. 초기 및 최신 글라스아이오노머 시멘트의 특성

재료	혼합시간	작업시간	경화시간	연마개시
ASPA	60초	90초	6분	24시간 후
최신버전 GIC	20초	75초	2분	7분 후

글라스아이오노머 시멘트가 어느 정도 충분히 경화하기 위해서는 24시간이 소요되는데 그 이전에 수분과 접촉하면 용해되기 때문에 바니쉬로 보호층을 도포하여 최소한 1시간 이상 보호하여야 한다. 니트로 셀룰로오스나 아미드 레진과 같은 보호제가 사용되기도 했지만 최근에는 필러가 포함되어있지 않은 광중합 레진으로 보호막을 도포할 경우 더 오랫동안 벗겨지지 않고 잘 보호한다고 한다.

(6) 심미성

글라스아이오노머 시멘트는 글라스의 상분리와 굴절률 차이로 인해 콤포짓트 레진에 비해 좀 더 불투명하여서 치아와의 반투명도의 조화가 더 부족하다. 그래서 치경부 침식부나 심미적으로 크게 중요하지 않는 부위의 제3급 와동의 수복에 사용된다. 그러나, 글라스아이오노머 시멘트는 산-염기 반응에 경화되므로 레진과 달리 중합수축이 없으며 또한 와동벽과 화학적 반응에 의해 잘 접착되어 있으므로 변연부의 변색은 적은 편이다. 글라스아이오노머 시멘트 수복물은 처음 와동에 충전할 때에 비해서 완전히 경화된 후에는 투명도가 더 높아지기 때문에 더 어둡게 보인다.

(7) 생물학적 성질

글라스아이오노머 시멘트, 특히 수경성 글라스아이오노머 시멘트로 수복물을 합착한 후 치수 과민반응이 보고된 바 있다. 이것은 시멘트의 산도와 그 지속시간 및 점도에 의한 것이라고 설명하고 있다. 이런 반응은 합착용 시멘트에서 분액비가 낮은 경우에 주로 나타나고 베이스용이나 충전용 시멘트에서는 나타나지 않으며, 치수에 근접한 깊은 와동이나 이미 치수염이 시작된 치아에서 주로 나타나므로, 합착 면이나 와동 저면이 치수와 근접할 경우에는 치수보호가 선결되면 큰 문제는 아니다. 또한 합착 이전에 상아질의 수분을 완전히 제거하면 과민반응이 증가한다는 보고도 있다. 글라스아이오노머 시멘트는 불소를 방출하므로 항균성이 있다.

6) 적용

글라스아이오노머 시멘트(GI)는 다양한 용도로 사용된다. 즉, 수복물의 영구 합착, 유치의 수복, 우식예방 효과를 갖는 임시 수복, 응력이 낮은 부위의 수복, 제 III급 및 V급 수복, 샌드위치(라미네이트) 수복에서 베이스, 이장재, 소와열구전색제, 부분코어 축조, 유지형태가 좋은 치아에서 대부분 유형의 수복물 합착, 포스트의 합착, 교정용 밴드 및 장치의 합착에 사용될 수 있다. 글라스아이오노머 시멘트와 레진강화형 글라스아이오노머 시멘트(RMGI)는 모두 불소를 방출하기 때문에 우식 이환율이 높은 소아환자, 노인환자, 구강위생상태가 나쁜 환자 등에서 유리하게 사용될 수 있고, 법랑질을 탈회하는 정도가 낮으므로 교정용 밴드 합착용으로도 유용하게 사용된다. 치면열구전색제나 근관충전재로도 사용할 수 있으나, 습기와 건조에 민감한 반응을 보이므로 사용이 까다롭다.

7) 사용방법

(1) 상아질 표면 전처리

수복용 글라스아이오노머 시멘트와 치아와의 결합력을 증가시키기 위해서는 표면이 깨끗해야 하고 와동 형성 후 법랑질과 상아질에 남는 도말층을 제거하는 것이 유리하다. 퍼미스를 사용할 수도 있으며 이 용도로 만들어진 폴리아크릴릭산을 사용하기도 한다. 예를 들어 10% 폴리아크릴릭산을 솜뭉치에 묻혀 상아질 표면에 가볍게 문지르면서 30초간 적용한 후 물로 30초간 세척한다. 이 때 도말층은 제거되지만 상아세관 내에는 잔사가 남아 있다. 하지만 치수과민증이 있는 경우에는 상아질의 침투성을 높혀 치수반응을 높일 수 있으므로 이 방법은 추천되지 않는다. 치아표면의 침식(erosion) 부위에는 와동을 형성하지 않고 상아질이나 백악질을 퍼미스로 세척하고, 5초 이상 폴리아크릴릭산으로 처리한 후 물로 씻고 수복한다.

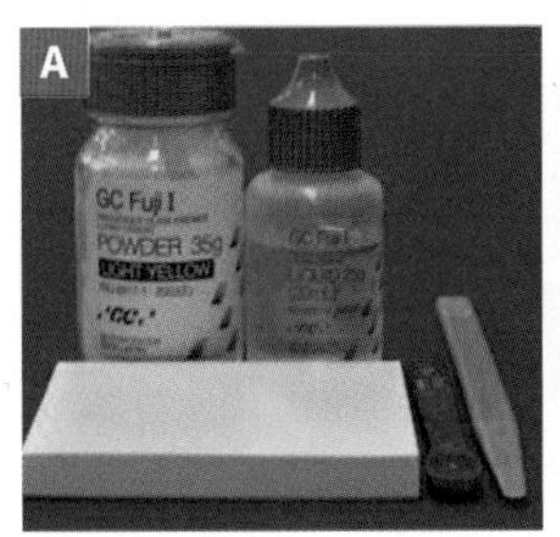

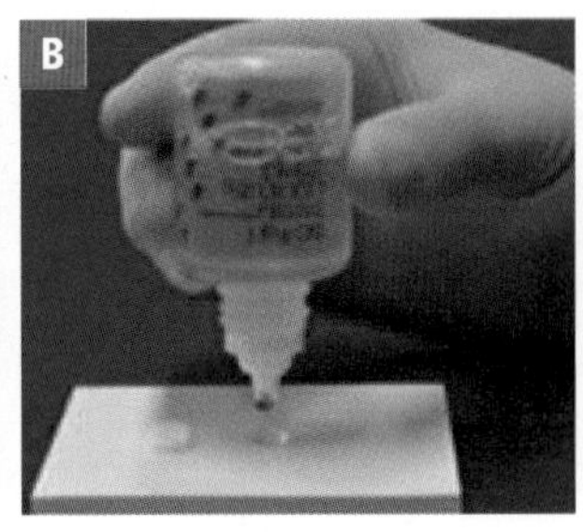

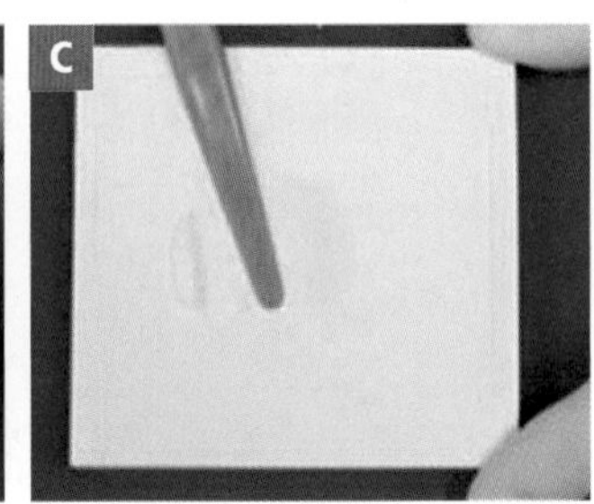

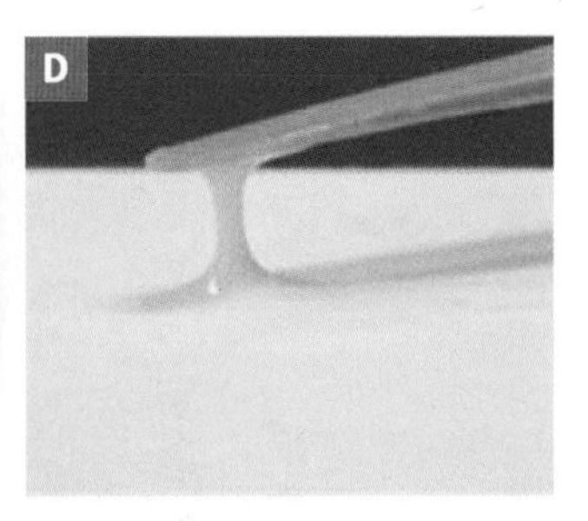

그림 12-24. 글라스아이오노머 분말과 용액, 혼합판, 계량 스푼 및 스파튤라를 준비한다. 분말을 혼합판 중앙에 덜어놓은 후 용액을 근접하여 수직으로 따르고, 2등분하여 골고루 혼합한다.

(2) 치수보호

만일 와동이 깊고 치수가 미세노출 정도로 와동저가 가깝다면 글라스아이오노머 시멘트를 적용하기 전에 치수에 근접한 부위에 수산화칼슘 이장재를 도포한 후 글라스아이오노머 시멘트를 적용한다. 수산화칼슘 이장재는 치수에서 이차상아질의 형성을 촉진하고 알칼리성으로 인해 우식발생을 예방하는 효과가 있다.

(3) 시멘트 혼합

분말-액형인 글라스아이오노머 시멘트의 분액비는 1.3:1~1.35:1 이며, 수경성 또는 저점도 용액으로 혼합하는 제품의 분액비는 3.3:1~3.4:1이다. 분말과 액은 유지나 유리판에 계량하여 분배하는데 이 때 시멘트 액은 혼합 직전에 분배하여야 적절한 농도를 유지할 수 있다. 분말은 두 부분으로 나누어 뻣뻣한 스파튤라로 혼합하고 혼합 시간은 30~60초로 한다(그림 12-24). 캡슐형 글라스아이오노머 시멘트는 혼합기를 이용하여 10초간 혼합하여 수복부에 직접 넣는다(그림 12-25). 작업시간이 상온(23℃)에서 2분 정도이므로 즉시 사용하여야 한다. 차게 한 혼합판(3℃)을 사용하면 작업시간이 9분으로 늘어나지만 압축강도와 탄성률이 낮아지므로 바람직한 방법은 아니다. 혼합한 시멘트 표면에 막이 생기기 시작하면 점조도가 급격히 증가하므로 사용할 수 없다.

(4) 표면 보호

글라스아이오노머 수복재를 적용한 후에 충분히 숙성될 때까지는 표면을 보호하는 것이 중요하다. 수복 후에 자연치의 치면 모양으로 만들어진 매트릭스를 수복물 외면에 댄 상태에서 경화시키면 표면이 매끈해지고 시멘트에서 수분이 소실되지 않으므로 균열이 생기는 것을 막을 수 있다. 매트릭스를 제거하고 연마한 후 바니쉬나 광중합형인 보호막을 도포하여 수복물과 수분이 접촉하지 않도록 한다. 천연(코팔) 또는 합성레진(셀룰로오스 아세테이트)을 유기용매에 용해한 코팅용액이 일반적으로 사용된다. 물과 접촉하면 중합되는 폴리우레탄 바니쉬와 니트로셀룰로오스(네일 바니쉬)는 투과성과 용해성이 낮아서 보호 코팅제로서 유용하다. 광중합 본딩레진이나 상아질 접착제도 밀봉효과가 좋고 오랫동안 유지될 수 있어서 효과적으로 사용할 수 있다. 레진 보호막을 도포할 경우 표면에 산소의 중합방해에 의한 끈적한 미중합된 층이 남을 수 있지만 쉽게 제거될 수 있고, 치은측 변연에 표면과 단층이 생긴 경우에는 차후 연마 시 쉽게 제거된다.

9. 레진강화형 글라스아이오노머 시멘트

글라스아이오노머 시멘트와 콤포짓트 레진의 장점을 이용한 레진강화형 글라스아이오노머(resin-modified glass ionomer, RMGI) 시멘트(그림 12-27 A~D)는 1980년대에 개발되어 합착제 또는 수복재로 사용된다. 이들은 하이브리드 글라스아이오노머 시멘트 또는 광중합형 글

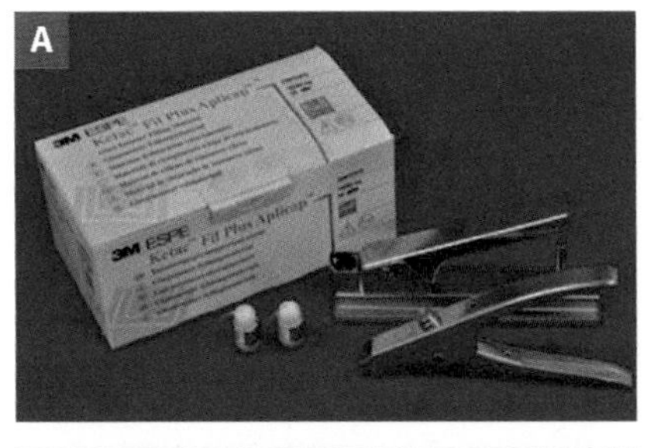

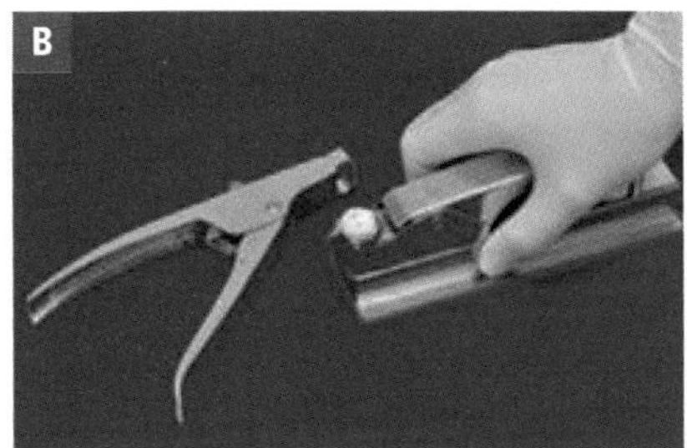

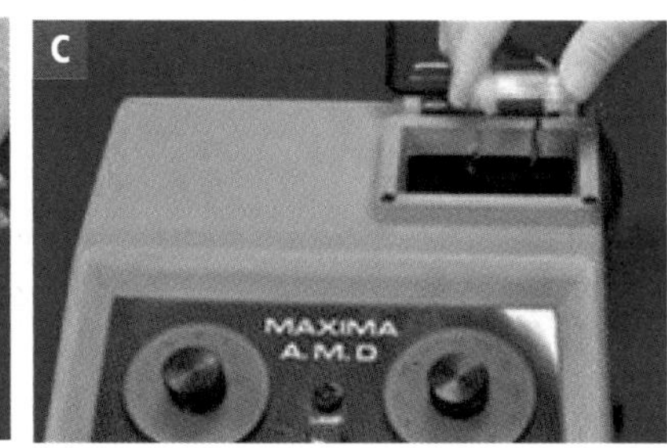

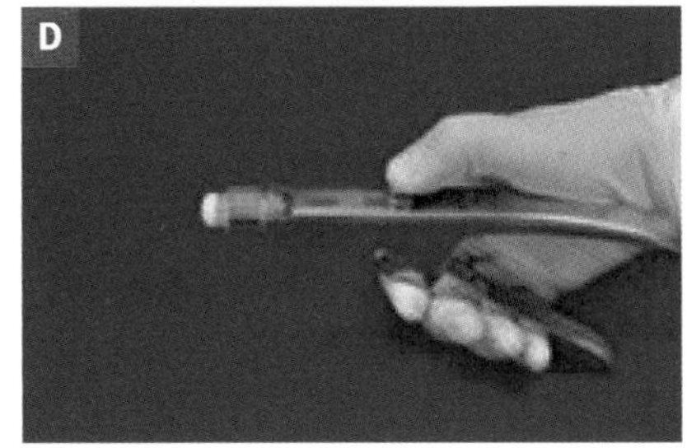

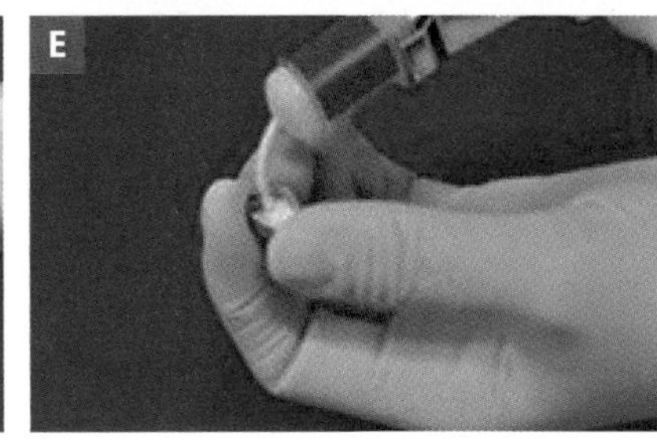

그림 12-25. **A** 캡슐형 글라스아이오노머 시멘트, **B** 미리 계량된 캡슐을 시멘트 활성기(cement activator)에 끼워 충분한 압력으로 핸들을 눌러 캡슐 내 분말과 용액 사이의 막을 깨뜨려 두 재료가 만나게 만든다, **C** 캡슐을 아말감 혼합기에 끼워 10~15초간 혼합한다, **D, E** 혼합된 캡슐을 시멘트 분배기에 끼운 후 분배기의 레버를 당겨 혼합된 시멘트를 분배기 팁으로부터 직접 크라운 내면에 채운다.

라스아이오노머 시멘트라고도 불리어지는데, 이런 명칭은 구체적이지 않고 콤포머와 혼동될 수 있으므로 권장하지 않는다. 글라스아이오노머 시멘트는 짧은 작업시간과 긴 경화시간, 낮은 강도와 낮은 인성, 건조시 균열, 그리고 산 공격에 대한 저항성 부족과 같은 주된 단점이 있지만, 글라스아이오노머 시멘트는 불소를 방출하고 접착성이어서 계속 사용된다. 글라스아이오노머 시멘트의 특성을 개선하고자 제조업자는 기존 글라스아이오노머 시멘트 용액의 일부를 수용성 메타크릴레이트계 단량체로 대체하여 광중합에 의해 경화되는 레진강화형 글라스아이오노머 시멘트를 개발하였다.

RMGI 시멘트는 레진시멘트에 비해서는 강도가 약하지만, 금속, 금속-세라믹 및 고강도 세라믹 수복물(리튬 디실리케이트, 지르코니아)과 금속 및 복합 섬유 포스트의 합착에 적합하며, 수분 조절이 어렵고 불소방출을 요할 때 좋은 선택이 된다. 2018년 Clinician's Report의 보고에 의하면 1,000여명의 치과의사를 대상으로 영구 합착용 시멘트로 가장 선호되는 시멘트 유형에 대해 설문한 결과, 선호하는 시멘트 유형의 분포는 60% 이상이 레진강화형 글라스아이오노머 시멘트를 선호하였고, 그 다음은 자가접착 레진시멘트, 접착형 레진시멘트, 글라스아이오노머 시멘트, 생활성 시멘트, 폴리카복실레이트 시멘트, 인산아연시멘트 순이었다. RMGI 시멘트는 합착 외에도 이장재, 베이스 및 수복용으로도 사용된다

단량체는 화학중합 또는 광 활성화 중합 또는 둘 다에 의해 중합되며, 글라스아이오노머 시멘트의 산-염기 반응은 중합과 함께 일어난다. 일부 레진강화형 글라스아이오노머 시멘트에는 비 반응성 필러가 포함되어있어 작업시간을 연장하고 초기 강도를 향상시키며 시멘트가 경화되는 동안 습기에 덜 민감하게 만들어졌다.

1) 조성 및 경화반응

분말-용액형 레진강화형 글라스아이오노머 시멘트의 용액 성분은 일반적으로 폴리 아크릴산 수용액, HEMA, 그리고 메타크릴레이트 기가 첨가된 폴리 아크릴산 공중합체를 함유한다. 분말 성분은 통상적인 글라스아이오노머 시멘트의 방사선 불투과성의 플루오로 알루미노 실리케이트 글라스 입자 외에 캄포퀴논과 같은 광개시제 및/또는 화학적 중합을 위한 개시제를 함유한다. 따라서 중합은 글라스아이오노머의 산-염기 반응과 메타크릴레이

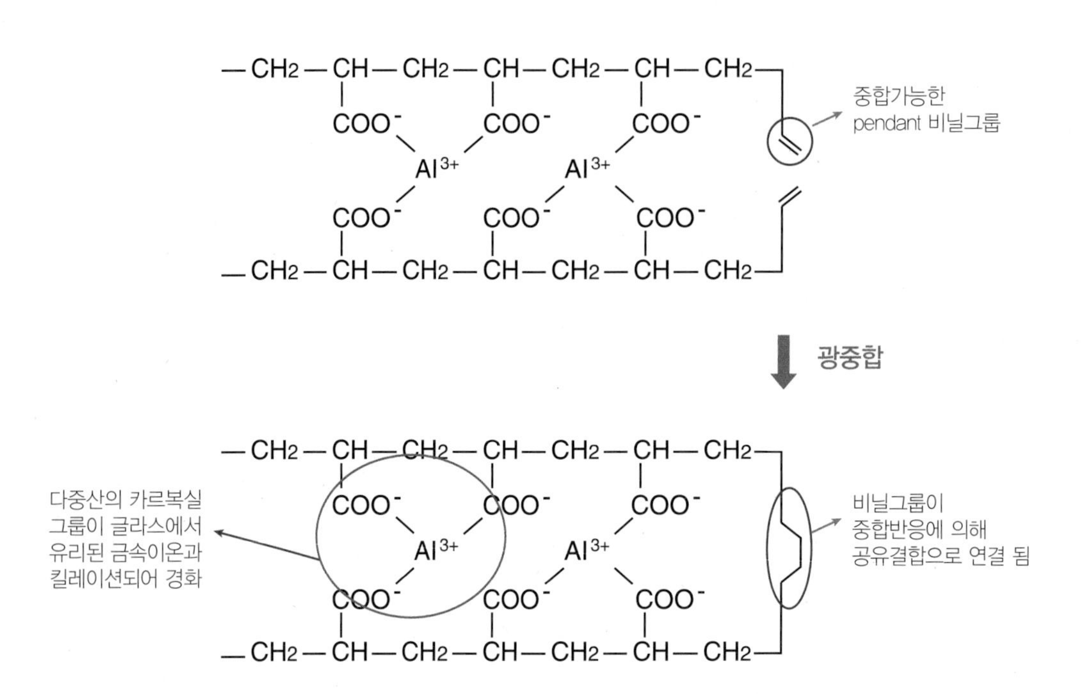

그림 12-26. 레진강화형 글라스아이오노머 시멘트의 경화과정 동안 산-염기 반응에 의한 경화와 광활성에 의한 가교에 의한 경화가 함께 일어난다.

트의 중합반응에 의하여 일어난다(그림 12-26).

레진 강화형 글라스아이오노머는 수복재 용도로도 만들어지는데, 이 경우에는 실리케이트 글라스 일부가 콤포짓트 레진에 포함되는 비반응성 실러로 대체되어 함유되고, 더불어 카복실 산 그룹의 양도 더 적다. 이러한 변화는 경화기전에 영향을 미치지는 않지만 접착성과 강도와 같은 특성을 변화시킨다.

산-염기 경화반응은 글라스아이오노머 시멘트의 경우와 본질적으로 동일해서 분말과 용액을 혼합하면 개시된다. 하지만 글라스아이오노머 시멘트에 비해 반응이 훨씬 느려서 상당히 더 긴 작업시간을 가진다

자가중합 분말-용액형(그림 12-27 A)의 경우 분말과 액을 30초간 혼합하며 작업시간은 2.5분 정도이다. 자가중합 2-연고형의 경우(그림 12-27 B,C) 카트리지에서 나온 재료가 자동(그림 12-27 B) 또는 수동(그림 12-27 C) 으로 혼합되어 경화된다. 이원중합형(그림 12-27 D)의 경우 일단 혼합되면 재료는 단 30초의 광조사에 의해 단단하게 경화될 수 있다. 빛에 의한 활성화에 의해 HEMA가 중합되고 공중합체를 함유한 재료는 메타크릴레이트 그룹부분이 추가적인 가교를 하여 중합되어서 빠르게 경화한다. 이 재료는 광활성화에 의한 중합이 완료된 후에도 일정 시간 동안 산-염기 반응을 통해 계속 경화되며, 빛에 노출되지 않더라도 재료는 약 15-20분 내에 결국 경화한다. 하지만, 광경화형 재료에서 갖는 문제를 역시 갖

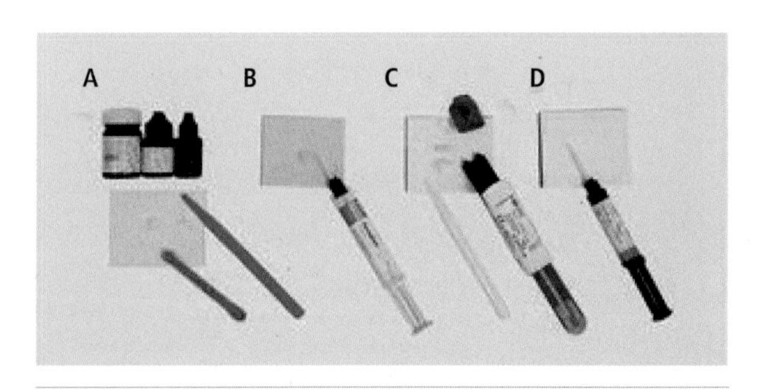

그림 12-27. RMGI 시멘트 **A** 레진강화형 글라스아이오노머와 상아질 전처리제, **B** 레진강화형 글라스아이오노머(자가중합, 정적혼합), **C** 레진강화형 글라스아이오노머(자가중합, 수동혼합, 클리커 분배시스템), **D** 레진강화형 글라스아이오노머(이원중합, 정적혼합)

는다. 즉, 한정된 중합깊이 때문에 incremental packing이 필요하고 중합수축이 발생하므로 치아와의 결합에 불리할 수도 있다.

2) 배급 시스템

초기의 RMGI는 분말-용액 형태(그림 12-27 A), 캡슐 형태, 최근에는 2-카트리지 형태(그림 12-27 B~D)로 공급되었다. 이들은 혼합 시 내부에 기공이 생기는 경우가 있어서 최근의 혼합 방법은 인상재 자동혼합기에서 사용한 것과 같은 정적 혼합(static mixing)방법으로(그림 12-27 B,D), 이중 카트리지 내의 재료를 혼합 팁을 통해 토출될 때 혼합된다. 정적 혼합의 장점은 시멘트에 공기를 혼입시키지 않으며 혼합을 완료하는데 시간이 덜 걸린다는 것이다.

레진강화형 글라스아이오노머 시멘트는 경화방법에 따라 제1급(화학중합형), 제2급(광중합형), 제3급(이원중합형)으로 분류한다(KSP ISO 9917-2 (2017)).

3) 특성

RMGI 시멘트는 GI 시멘트와 레진의 화학적 특성이 더해져서 많은 성질들이 크게 개선되었다(표 12-14). 이러한 접근방법에 의해 상아질과 법랑질에 대한 결합력이 증가되었고 불소를 방출하는 글라스아이오노머의 특성에 더해서 작업시간이 길고 일단 가시광선에 의해 조사되면 빠르게 경화되는 광경화 레진의 특성을 겸비하게 되었다. 수복물은 광중합 후 즉시 연마할 수 있으며, 강도와 탈수 및 산 공격에 대한 저항성이 크게 향상되었다.

(1) 결합강도

레진 성분이 경화된 시멘트의 인장강도를 보강하므로 법랑질 및 상아질에 대한 결합력은 글라스아이오노머 시멘트보다 동등하거나 또는 더 우수하다. 합착용 레진강화형 글라스아이오노머의 습윤 상아질과의 결합강도는 10~14 MPa이고 상아질 접착제를 사용하면 20 MPa까지 상승하므로 재래형글라스아이오노머 시멘트보다 높다. 법랑질에 대한 결합강도는 레진 시멘트에 비해서 낮아서 이는 교정용 브라켓의 제거를 쉽게 할 수 있는 장점이 된

표 12-14. 동일 제조사 글라스아이오노머 시멘트와 레진강화형 글라스아이오노머 시멘트의 특성 비교

성질	글라스아이오노머 시멘트	레진강화형 글라스아이오노머 시멘트
작업시간	2분	3분 45초
경화시간	4분	20초
압축강도	202 MPa	242 MPa
간접인장강도	16 MPa	37 MPa
전단결합강도 (우치 법랑질에 대한)	4.6 MPa	11.3 MPa
전단결합강도 (우치 상아질에 대한)	4.3 MPa	8.2 MPa

표 12-13. 레진강화형 글라스아이오노머 시멘트의 요구사항(KSP ISO 9917-2, 2017)

적용	피막도(μm)	작업시간	경화시간[a](분)	굴곡강도(MPa)
	최대	최소	최대	최소
합착용	25	1.5	8	10
베이스 또는 라이너용	-	1.5	6	10
수복용	-	1.5	6	25

[a] 1급과 3급 재료에 한 함. 광 활성화 없이 시험하는 3급 재료

다. 그들은 금속합금 및 고강도 세라믹에 대해 2~5 MPa의 초기 전단결합강도를 갖는다. 금속 합금에 대한 결합강도는 금속 프라이머를 사용하면 크게 향상된다. 메타크릴레이트 그룹이 존재하기 때문에 이 시멘트는 레진 콤포짓트에 잘 결합한다.

(2) 강도

레진강화형 글라스아이오노머는 글라스아이오노머에 비해 압축강도는 비슷하지만 인장강도는 더 높다.

(3) 용해도, 심미성, 산도, 불소방출

레진강화형 글라스아이오노머는 산성 용액에서 용해도가 낮다. 단량체를 첨가함에 따라 액과 입자의 굴절계수와 유사하게 되었기 때문에 투명도가 향상되었다. 혼합직후 pH는 약간 낮으나 시술 후 과민성이 거의 발생하지 않는 것으로 알려졌다. 불소방출량은 글라스아이오노머 시멘트와 거의 유사하다.

(4) 미세누출, 생체적합성

유감스럽게도, 레진계 콤포짓트의 메타크릴레이트 중합은 레진 강화형 글라스아이오노머가 전통적인 글라스아이오노머 시멘트에 비해서 경화 동안 더 많은 수축을 보이게 한다. 또한 물과 카복실산 함량이 더 낮기 때문에 시멘트가 치아에 젖는 능력도 더 작아서 전통적인 글라스아이오노머에 비해 더 많은 미세 누출을 보인다. 일부 보고에서는 단량체인 HEMA를 방출할 수 있는 레진강화형 글라스아이오노머에 의해 치수 염증과 알레르기성 접촉성 피부염과 같은 부작용을 보고한다. 즉, 레진강화형 글라스아이오노머는 전통적인 글라스아이오노머에 비해서는 생체적합성이 부족하다.

(5) 흡수성

레진 강화형 글라스아이오노머에는 HEMA가 함유되어 있어서 수분 흡수를 증가시키고 최대 약 8% 부피팽창을 야기한다. 레진 강화형 글라스아이오노머가 코어축조나 합착 시멘트로 사용될 경우 이러한 팽창은 올-세라믹 크라운 수복물의 파절을 초래할 수도 있다. 하지만, 최근의 *in vitro* 시험에서서는 올-세라믹 크라운을 자연치 또는 티타늄 지대치에 레진강화형 글라스아이오노머 시멘트를 사용하여 합착하여 물에 12개월 동안 보관한 후에도 균열이 발생되지 않은 보고가 있다.

RMGI 시멘트의 장점을 요약하면 ① 술후 지각과민증 발생빈도가 없거나 거의 없고 ② 사용 편의성 ③ GI보다 빠른 경화시간 ④ 우수한 접착성 ⑤ 불소 방출 능력 ⑥ 이원중합형의 경우 tack cure 중합에 의해 변연부 과잉 시멘트 제거가 쉽고 변연부 오염발생을 감소의 장점을 갖는다. 한편 다음과 같은 한계점도 있음을 유념하여 사용하도록 한다. 즉, ① 일부 임상케이스에서 치아삭제가 유지력이 약한 경우에는 접착력이 부족한 경우가 있고, 과도한 응력을 받는 경우에는 강도가 불충분하였다. 이러한 경우에는 레진 시멘트를 고려할 필요가 있다. ② RMGI는 반용해성(semi-solubility) 이어서 합착과정동안 건조한 접착부위가 유지되지 않는다면 수분오염 가능성이 있다. 이원중합형 제품은 tack cure가 가능하므로 이런 한계를 줄일 수 있다. ③ 레진 성분을 함유하고 있어서 약간의 수축에 기여하지만 그 정도는 레진시멘트처럼 우려할만하지는 않다. ④ 수복물 두께가 얇을 경우 투과되어 시멘트 색상이 보이면 심미성이 부족하다. 이런 임상상황에는 레진시멘트가 더 심미적으로 유리하다.

4) 적용

레진강화형 글라스아이오노머는 금속-세라믹 크라운, 계속가공의치, 금속 수복물 및 포스트 등을 영구 합착할 때 사용하며, 와동이장, 열구전색 실런트, 베이스, 코어축성, 임시 수복재, 교정 브라켓 합착, 손상된 아말감 코어 또는 교두의 수리 및 역근관충전 재료로 사용된다. 그러나 레진강화형 글라스아이오노머는 흡습성팽창을 일으켜 세라믹 수복물에 균열을 발생시킬 수 있으므로 저강도 올세라믹 수복물의 합착에는 권장되지 않는다.

어느 임상 적용이든 치아표면을 약한 산으로 표면 컨디

셔닝하는 것은 결합 형성에 필수적이다. 비 반응성 필러 입자를 함유하는 레진강화형 글라스아이오노머의 경우 치아 조직에 결합하기 위해 필요한 카복실산이 더 적기 때문에 상아질 접착제 시스템이 필요하다.

(1) 열구 실런트

저점도 레진강화형 글라스아이오노머나 전통적인 글라스아이오노머 시멘트는 치면열구전색 실런트로서 사용될 수 있다.

(2) 이장재와 베이스

이장재 또는 베이스로서, 레진 강화형 글라스아이오노머는 치아와 콤포짓트 수복물 사이의 중간 접착재료로서 작용한다. 레진 강화형 글라스아이오노머 이장재나 베이스는 레진 접착제의 술식 민감도를 감소시키고 불소에 의한 항우식 효과를 제공한다. 이 술식은 종종 샌드위치 술식이라고 불린다. 이 방법은 글라스아이오노머의 바람직한 특성과 콤포짓트 수복물의 심미성을 겸한다. 이 샌드위치 술식은 개별 환자의 충치 이환율이 보통 내지 높은 수준일 경우 제2급 및 5급 콤포짓트 수복물에 권장된다. 하지만, 레진 강화형 글라스아이오노머는 직접 치수복조 용도로는 적절하지 않다. 만일 직접 치수복조를 시행할 경우라면 레진 강화형 글라스아이오노머를 적용하기 전에 수산화칼슘이나 칼슘실리케이트 이장재를 사용하도록 한다.

(3) 수복

레진강화형 글라스아이오노머 시멘트의 단량체는 시멘트의 투명도를 높게 만든다. 불소 방출은 기존의 글라스아이오노머 시멘트와는 별 차이가 없지만, 레진강화형 글라스아이오노머의 간접 인장강도는 글라스아이오노머 시멘트에 비해 높다.

(4) 수복물의 합착

① 와동이 깊은 경우에는 와동 깊은 부위에 GI 또는 RMGI를 깔아주고 상아질 접착제 처리를 한 후, 레진계 콤포짓트 레진으로 충전을 하는 샌드위치(라미네이트) 술식을 사용하여 마칠 수 있다.

② 수복물을 합착 시 치아 삭제 유지형태가 좋은 치아의 경우에는 RMGI로 합착하고, 유지형태가 양호하지 못한 치아의 경우에는 수복물 내면과 삭제된 치면 모두에 본딩제를 바른 후 공기로 얇게 펴고, 수복물 내면은 광중합시키지 않은 상태로 자가접착 레진 시멘트로 접착한다.

③ 지르코니아, 금속, 금속-세라믹(PFM) 수복물 내면은 유지력을 증가시키기 위해 샌드블라스팅 또는 미세입자 다이아몬트 버를 사용하여 미세거칠기를 부여한 후 수복물 내면을 청소한 후(예로서 Ivoclean) 완전히 세척한다. 샌드블라스팅은 수복물의 강도를 고려하여 고강도 지르코니아 또는 금속에 한하여 시행한다. 그 후 MDP-함유 프라이머 처리를 한다.

④ 리튬 디실리케이트 수복물은 불화수소(HF) 산부식 또는 적절한 Etch and Prime 처리를 한다. 수복물의 시적 전에 수복물 내면에 실란-함유 프라이머를 바른다. 영구수복물을 임시 시적하여 점검한 후에 수복물 내면을 샌드블라스팅 또는 Ivoclean으로 세척하고, 수복물 내면에 실란-함유 프라이머를 재차 바른 후 공기로 가볍게 건조시킨다. 치아의 유지형태가 좋고 수복물의 두께가 충분한 치아의 경우에는 RMGI로 합착하고, 두께가 얇을 경우에는 자가접착 레진시멘트로 합착한다.

⑤ RMGI를 tack 광중합하여 변연부로 삐져나온 여분의 시멘트를 겔 상태로 쉽게 제거할 수 있게 한다.
⑥ GI와 RMGI 시멘트 둘 다 레진 시멘트에 비해 약간 불투명한 경향이 있다. 심미성이 중요한 전치부의 올세라믹 수복물의 합착에는 사용하지 않는다.

(5) 여분 시멘트의 제거

재래형 글라스아이오노머 시멘트와 이원중합형 레진시멘트(광조사 안한 경우)는 혼합 후 1.5~3분 후에 여분의 시멘트를 제거한다. 이원중합형 시멘트를 포함한 광중합 시멘트는 짧은 시간동안 중합시킨 후 여분의 시멘트를 제거한다. 폴리카복실레이트 시멘트는 굳기 전에 고무와 같은 상태가 되므로 여분의 시멘트를 제거할 때 주의하여야 한다. 반면, 시멘트가 너무 단단하게 굳은 후 제거하려면 변연봉쇄가 손상된다. 반면, 산화아연유지놀 시멘트와 인산아연시멘트처럼 취성이 있는 재료는 단단히 굳은 후 여분의 시멘트를 제거하는 것이 좋다.

10. 레진 시멘트

레진시멘트는 인레이, 고정성 가공의치, 포스트 및 교정장치의 합착에 이르기까지 광범위하게 응용된다. 최근 심미적 치료가 각광을 받으면서 치과용 레진과 세라믹 수복물의 사용이 증가하였으며, 레진시멘트는 저강도 세라믹 및 간접법에 의한 콤포짓트 수복물의 합착에 필수적인 재료이다. 특히 추가적인 유지력이 필요한 주조 수복물의 합착에도 유용하게 사용된다.

레진시멘트는 필러 분포와 개시제 함량을 조절하여 낮은 피막 두께와 적절한 작업 및 경화시간을 갖게 만들어진다. 수복용 콤포짓트 레진의 저점도 버전이라 할 수 있다. 유기 기질에는 Bis-GMA, UDMA 및 Bis-EMA와 같은 고분자량 단량체가 EGDMA나 TEGDMA와 같은 점도가 낮은 가교성 단량체들과 함께 함유되어있다. 무기필러의 함량은 부피비로 30%~66%를 함유하고, 실리카 입자와 함께 실란 처리된 방사선 불투과성 유리를 함유한다. 평균 필러 입자크기는 0.5~8.0 μm 사이의 분포를 가지며, 색소 및 불투명제 또한 포함한다.

1) 레진 시멘트의 분류

(1) 중합방식에 따른 분류

ISO 4049(2019) Dentistry-Polymer-based filling, restorative and luting materials (치과용 충전, 수복 및 합착용 레진)에서는 레진시멘트를 경화 방식에 따라 제1급 자가중합형, 제2급 광중합형 및 제3급 이원중합형으로 분류하고 있다(그림 12-28). 대부분 상용제품은 화학중합 기전과 광활성 기전을 겸비한 이원중합형이다. ISO 4049에서는 레진시멘트의 요구사항을 표 12-15와 같이 규정하였다.

이원중합형 레진시멘트는 편안한 작업시간을 가지며 필요할 때 광중합 시키면 되고, 또 빛이 도달하지 않는 부위에서도 높은 중합 변환율을 갖는다. 자가중합형(1급) 및 이원중합형(3급) 레진시멘트는 일반적으로 수동혼합 또는 자동혼합 2-연고 시스템(베이스 및 촉매)이다. 자가중합 및 이원중합 재료는 불투명하거나 또는 반투명

표 12-15. 레진 시멘트의 물리, 화학적 요구사항(ISO 4049:2019)

재료 구분	요구사항				
	피막도[a] 최대(μm)	작업시간 최소(초)	경화시간 최대(분)	수분 흡수도 최대(μg/mm³)	용해도 최대(μg/mm³)
제1급	50	60	10	40	7.5
제2급	50	-	-	40	7.5
제3급	50	60	10	40	7.5

[a] 제조사가 제시한 값보다 10 μm 이상 높으면 안 된다.

할 수 있으며, 세라믹 수복물의 합착을 위해 사용되는 재료는 보통 몇 가지 색상이 제공된다. 광중합형(2급) 재료는 라미네이트 세라믹 비니어 (심미성 시멘트) 또는 교정용 브라켓의 합착에 사용된다. 비니어의 합착에 사용되는 일부 심미성 레진시멘트에는 색 선택에 도움이 되는 글리세린 기반 수용성 '시범 페이스트(try-in paste)'가 포함되어 있다.

(2) 별도의 접착제 필요 유무에 따른 분류

① 접착형 레진시멘트(adhesive resin cement)는 접착력을 높이기 위하여 합착제와 함께 사용한다. 저분자량의 모노머로 희석한 디메타크릴레이트 올리고머(Bis-GMA, UDMA 등), 실란 처리한 글라스 필러, 개시제와 촉진제를 포함하며, 피막두께 감소를 위해 필러 크기와 함량을 수복용보다 감소하였다. 색상, 반투명도, 변연부 심미성 등은 수경성 합착용 시멘

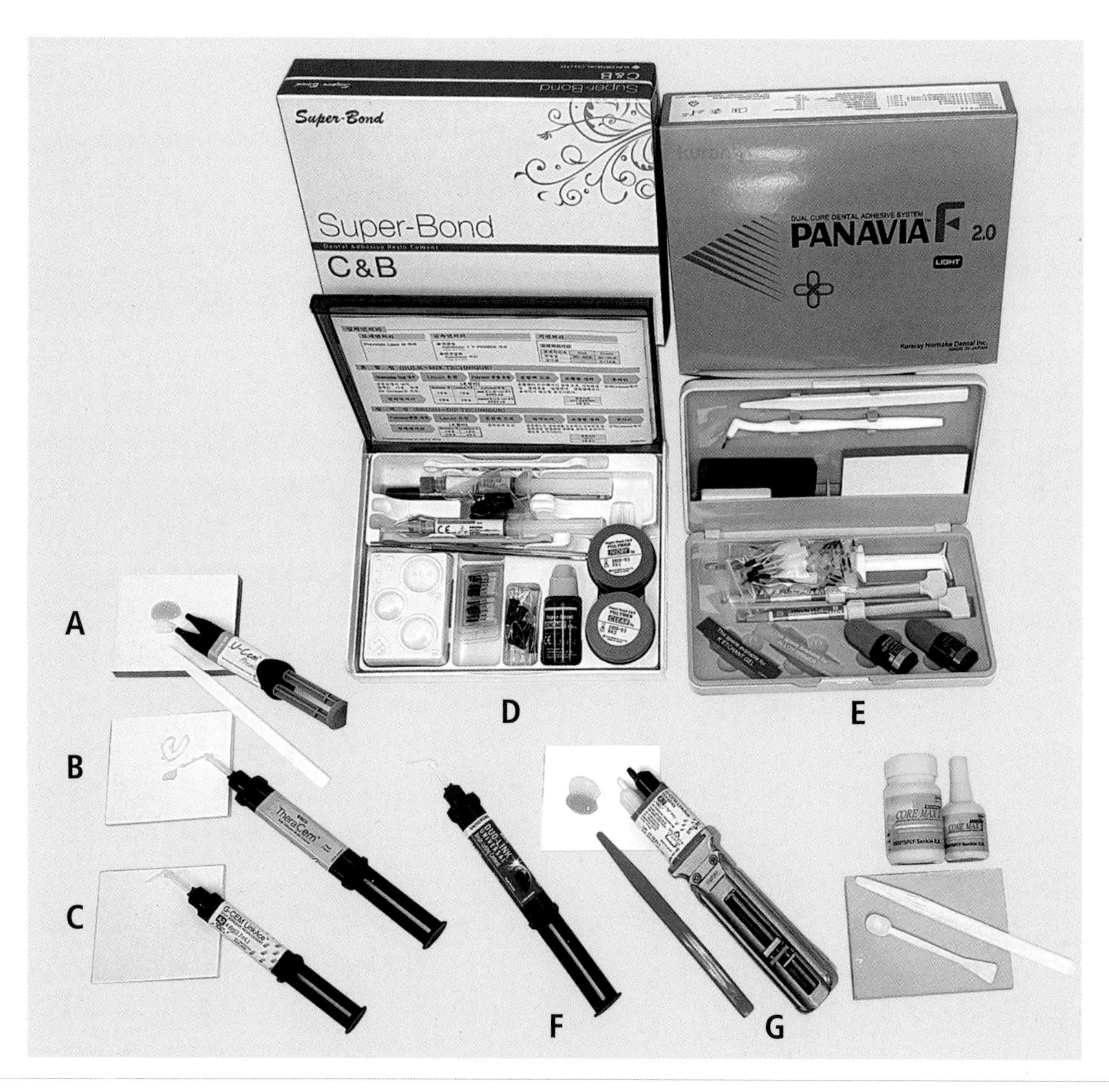

그림 12-28. 상용 레진 시멘트 A 이원중합 자가접착 레진시멘트(2-연고형, 수동혼합), B,C 이원중합 자가접착 레진시멘트(2-연고형, 정적 혼합); D 분말-용액형 자가중합 자가접착 레진시멘트, E 이원중합 접착형 레진시멘트, Oxyguard 포함, F 이원중합 자가접착성 레진시멘트(정적 혼합), G 이원중합 자가접착 레진시멘트(수동혼합), H 자가중합 분말-용액형 레진시멘트, 코어축조 및 포스트 접착에 사용.

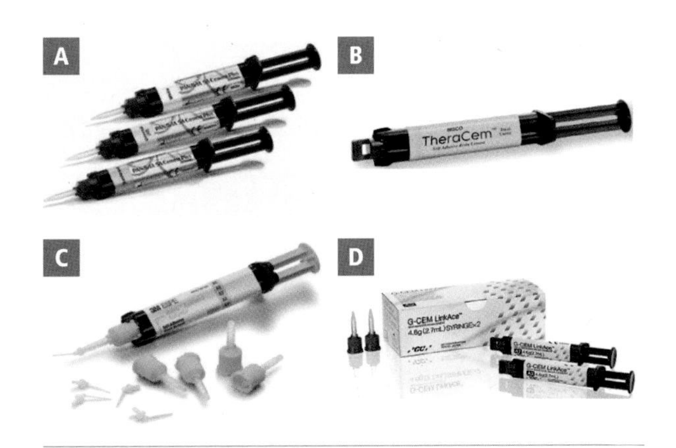

그림 12-29. 대표적인 자가접착형 레진시멘트. A Panava SA Cement Plus (Kuraray Noritake Dental), B TheraCem (Bisco), C RelyX Unicem 2 Automix SelfAdhesive Resin Cement (3M), D G-CEM LinkAce (GC America).

트보다 우수한 특징을 가진다. 어떤 제품은 전통적인 무기 필러를 포함하지 않고 단량체 용액과 촉진제만을 사용하며, 시멘트의 점도 조절은 다양한 양의 고분자 비드와 혼합함으로써 조절한다.

② 자가접착형 레진시멘트(self-adhesive resin cement)
산부식, 프라이밍, 및 본딩제 처리 단계가 필요없이 보철물을 깨끗한 지대치에 직접 단 하나의 재료로 합착할 수 있는 시멘트이다(그림 12-29). 이 유형의 시멘트는 매달린(padent) 그룹으로서 인산과 같은 산성 측쇄를 갖는 변형된 디 메타크릴레이트 단량체를 사용한다. 치아 표면과 접촉하면 산성 그룹은 치질의 칼슘 이온과 결합하여 시멘트를 소위 자가접착형 레진 시멘트(self-adhesive resin cement)로 만든다. 즉, 산부식성을 갖는 접착성 모노머를 함유하므로 치아와 수복물 사이에서 접착 결합을 유도한다. 접착제와 함께 사용하는 접착형 레진시멘트에 비해 결합력이 낮으며, 친수성인 접착성 단량체를 함유하므로 적용 후 수분흡수와 탄성계수 저하 등의 문제가 나타날 수 있다.

③ 심미성 레진시멘트(esthetic resin cement)

2) 조성 및 경화반응

레진시멘트는 자유라디칼 중합에 의해 경화되어 필러 입자들을 둘러싸는 치밀하게 가교된 중합체 구조를 형성한다. 레진 시멘트는 성분 내의 레진의 종류와 필러의 다양성과 배합비율 차이로 물리적 특성이 매우 다양하다. 필러는 레진 기질과 잘 결합해서 내구성과 내마모성이 있는 재료를 만들기 위해 실란으로 처리되어있다.

레진 시멘트는 자가중합, 광중합, 또는 이원중합 시스템에 의해 경화된다. 최근 레진 시멘트는 대부분 이원중합형(dual-cured) 제품이다. 광중합형 레진 시멘트는 보철물 하방에 시멘트가 불완전 중합될 수 있는 가능성 때문에 이제는 덜 일반적이지만. 포세린 비니어의 합착에 유용하게 사용된다. 레진 강화형 글라스아이오노머와 같이 다양한 분배 시스템이 있다(그림 12-28).

자가중합형의 경우, 캠퍼퀴논(camphorquinone)과 3차 아민이 광활성화 반응을 개시하기 위하여 한쪽 페이스트에 들어있고, 자가중합 활성화제인 벤조일 퍼옥사이드가 촉매 페이스트에 들어있다. 아민은 양성자 공여자로서 기능하여 자유라디칼 생성의 촉진제로 작용한다.

콤포짓트 레진 기질 내에 아민이 존재하는 것은 임상적으로 관련된 우려를 갖게 한다. 첫째, 아민은 시간이 지남에 따라 분해되어 시멘트의 변색을 초래한다. 둘째, 아민 촉진제는 산성의 접착제와 접촉하면 불활성화되어, 광활성화가 없는 상태에서 시멘트 중합이 일어나면 중합전환율에 영향을 미쳐서 수복물의 결합실패를 초래할 위험이 증가된다. 이원중합형의 경우 빛을 조사하면 캠퍼퀴논이 여기되어(excited state) 아민분자와 결합하여 자유라디칼(free radical)을 생성한다. 광조사가 없는 상태에서는 아민-퍼옥사이드(amine-peroxide) 시스템의 산화-환원 반응에 의해 자유 라디칼이 생성된다. 성장하고 있는 중합체 사슬이 다른 중합체 사슬 내의 미반응된 탄소 이중결합을 만나면 가교결합(crosslinking)이 생성된다.

자가중합 개시제와 광중합 개시제의 상대적인 양은 제품에 따라 크게 다르다는 점을 유념해야한다. 결과적으로 어떤 제품은 높은 수준의 중합전환율을 달성하기 위

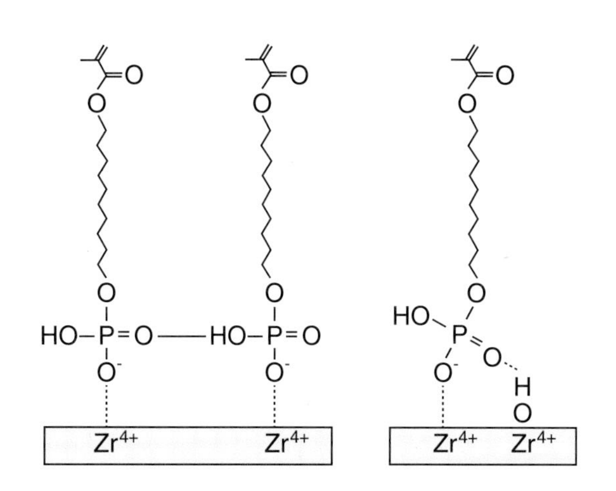

그림 12-30. 10-MDP 접착성 단량체의 지르코니아 수복물 표면과의 접착 기전 수화된 지르코니아 표면의 OH 그룹과의 수소결합, 그리고 지르코니아의 Zr^{4+} 양이온과 10-MDP 기능그룹의 $P-O^-$ 음이온 사이의 화학결합이 함께 접착에 기여한다.

해 광활성화에 더 의존적이며, 또 어떤 제품은 광조사 없이도 화학중합 활성화에 의해 빨리 경화된다.

자가중합형이나 이원중합형 레진시멘트는 시간이 지나면서 변색이 되는 경향이 있으므로 전치부 수복물의 합착을 위해서는 광중합형 레진시멘트가 적절하다. 단 빛이 수복물을 통과해서 레진시멘트를 중합해야 하기 때문에 두께가 얇은 라이미네이와 같은 수복물의 합착에 적당하다.

최근에는 이원중합 레진시멘트 중에서 변색의 원인이 되는 3차 아민 대신 다른 성분을 사용하여 변색의 원인을 줄이는 제품이 있다(예: RelyX Unicem, NX3, G-Cem LinkAce, Maxcem Elite).

4-META계 시멘트의 하나인 Super-Bond (C&B)는 자가중합형 레진시멘트로 용액에는 접착성분인4-methacryloxyethyl-trimellitic anhydride (4-META)와 메틸메타크릴레이트 단량체가, 그리고 분말은 폴리(메틸메타크릴레이트)로 구성되어 있으며 촉매인 TBB (tri-butylborane)에 의하여 활성화된다(그림 12-28 D). 인산염계(phosphonate) 시멘트의 하나인 Panavia는 접착성분으로 methacryloxyethylphenyl phosphate를 함유하는 2-연고형 레진시멘트로서 Bis-GMA 레진과 실란 처리한 석영 필러로 구성되어 있다. 인산염계는 산소와 접촉하면 중합이 지연되므로 경화중에는 수복물의 변연에 산소와의 접촉을 차단하기 위한 겔을 도포한다(그림 12-28 E). 인산염계의 인산기는 치아의 칼슘이나 금속산화물과 반응한다. 어떤 제품에는 Bis-GMA에 중합가능한 인산에스테르인 10-MDP (10-methacryloyloxydecamethylene phosphoric acid)가 함께 들어있다. 레진시멘트에 함유된 접착성 단량체로는 HEMA, 4-META, 카복실산, 그리고 MDP와 같은 유기 인산염(organophosphate)이 포함된다(그림 12-30, 32).

3) 특성

① 기계적 성질

레진시멘트의 기계적 성질은 필러 함량과 유기 기질의 중합 전환율에 의해 결정된다. 일반적으로 필러 함량이 높고 중합 전환율이 높으면 기계적 물성이 높아진다. 이원중합형 시멘트의 중합전환율은 자가중합 모드에서는 50% ~ 73%, 광중합이 추가되면 67% ~ 85% 정도로 더 높다. 이원중합 및 광중합 레진시멘트의 압축강도는 180~300 MP a 정도로 자가중합형 레진시멘트들에 비해 훨씬 더 높다. 굽힘강도는 80~100 MPa로서 ISO표준 4049에 규정한 최소 요구치(50 MPa이상)보다 높다. 탄성계수는 제품별로 4~10 GPa까지 크게 차이가 있다. 이원중합 시멘트의 경우 시멘트가 광경화되면 기계적 성질이 약간 더 높아진다.

② 피막두께, 흡수 및 용해도

ISO 표준 방법에 따라 측정된 피막 두께는 13~20 ㎛ 정도로서, ISO 4049에 의해 요구되는 50 ㎛ 이내 값보다 작았다. 레진시멘트의 흡수도 및 용해도는 레진-강화형 글라스아이오노머 시멘트에 비해 훨씬 작았다. 레진 시멘트는 구강용액에는 거의 녹지 않는다.

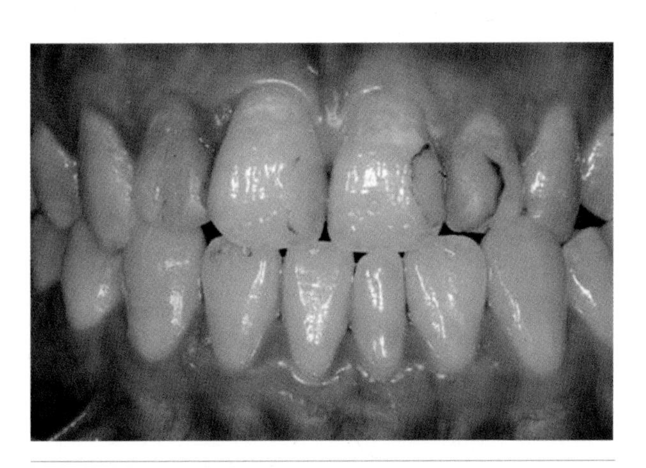

그림 12-31. 수복물 변연부의 미세누출에 의한 변색

③ 결합강도 및 중합수축

레진시멘트의 상아질에 대한 초기 전단결합강도는 12~18 MPa 정도이다. MDP는 인산염 그룹과 칼슘 또는 금속 산화물과의 반응에 의해 치질, 세라믹 및 주조금속에 결합할 수 있다. 레진시멘트의 수축률은 2~5 % 사이이다. 레진시멘트의 중합수축에 의해 중합응력이 발생하여 결함이 생길 수 있다. 일반적으로 이원중합된 시멘트가 광경화 될 때는 경화반응이 자가중합 반응보다 빠르기 때문에 레진 콤포짓트가 딱딱해지기 전 수축을 수용할 수 있는 점성적 흐름을 위한 여유가 없어서 높은 중합응력 값을 발생시킨다. 레진시멘트가 유기기질의 유리화점에 상응하는 중합 전환율에 도달한 후에는, 모든 수축은 응력 형성에 기여한다. 계면에서의 응력이 접착제 층의 상아질 또는 법랑질에 대한 결합강도를 초과하면, 결합실패 및 수축 간극(gap)의 형성이 발생할 수 있다. 그럴 경우 시멘트 변연 라인은 장기간 임상사용 후 변색으로 인해 눈에 띄게 된다(그림 12-31).

④ 생체적합성

레진시멘트로부터 방출된 단량체는 포유동물 세포에 세포독성이 있다고 알려져 있다. 이원중합 레진시멘트는 자가 중합만 한 경우에는 광중합 시킨 경우에 비해 초기 세포독성이 더 높았다. 접착제가 필요한 시스템의 경우 레진 프라이머는 산부식에 의해 탈회된 콜라겐 섬유들 사이로 침투하고 레진 태그는 불리한 치수 반응을 감소시킨다.

4) 자가접착형 레진시멘트

자가접착형 레진시멘트(self-adhesive resin cement)는 단일 재료가 산부식(etching), 프라이밍 및 본딩 역할을 겸비한 레진계 시멘트 종류로서, 별도의 산부식 및 본딩 제품 및 절차가 필요하지 않게 되므로 간접수복물의 합착을 크게 단순화시켜서 최근에는 술식의 단순화와 물성의 향상으로 인해 이 유형의 레진시멘트 사용이 크게 증가하였다.

이 유형의 제품 중 1세대는 분말-용액형으로 공급되어 손으로 또는 분쇄 가능한 캡슐을 사용하여 혼합되어야했다. 최신 세대는 정적 믹서(statci mixer)를 통해 자동 혼합할 수 있는 2-연고형(two-paste system)으로 제공된다. 혼합된 재료는 초기 불소 방출을 제공하고 술후 민감도가 낮다. 이들 재료는 주조합금 단일 수복물 및 브릿지, 금속-세라믹 크라운 및 브릿지, 세라믹(비니어 제외) 수복물 및 간접법으로 제작되는 콤포짓트 레진수복물의 합착에 사용된다. 기성 포스트와 고강도 세라믹의 합착에도 만족한 결과를 얻을 수 있다.

(1) 조성

전통적 레진시멘트에 비해 이 2-part 자가접착 레진시멘트의 두드러진 특징은 산성의 기능성 모노머가 어느 한 쪽에는 포함되어 있어서 치아 표면을 산부식하고 동시에 다른 단량체와도 결합하여 자체강도를 갖는 역할을 한다. 그림 12-32에 최근 자가접착성 레진 시멘트에 많이 사용되는 대표적인 기능성 산성 모노머들을 보인다.

대부분의 상용 제품에는 인산염(phosphate) 및 포스포네이트(phosphonate)를 기반으로 하는 중합성 단량체가 포함되어 있다. 대표적인 단량체로는 2-methacryloxy-ethyl phenyl hydrogen phosphate (Phenyl-P), 10-MDP,

BMP

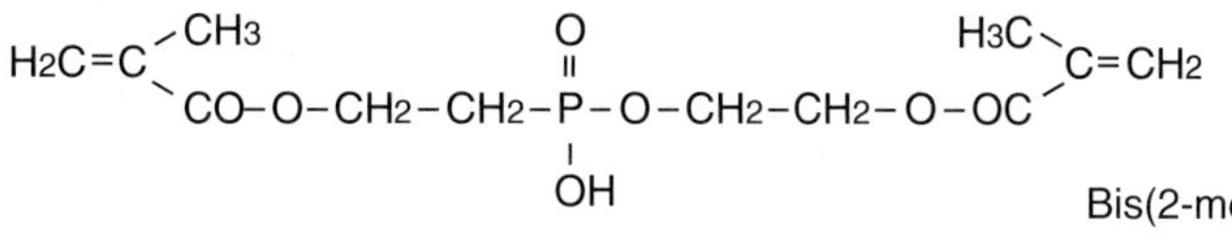

Bis(2-methacryloxyethyl) acid phosphate

MDP

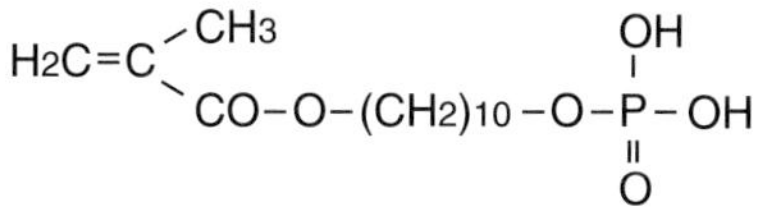

10-methacryloyloxydecyl dihydrogen phosphate

PENTA-P

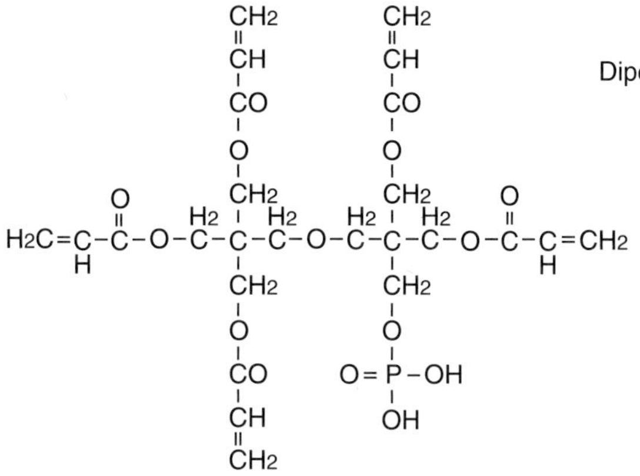

Dipentaerythritol penta-acrylate monophosphate

Phenyl-P

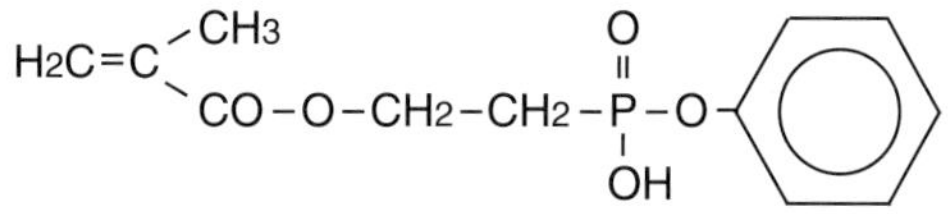

2-methacryloxyethyl phenyl hydrogen phosphate

PMGDM

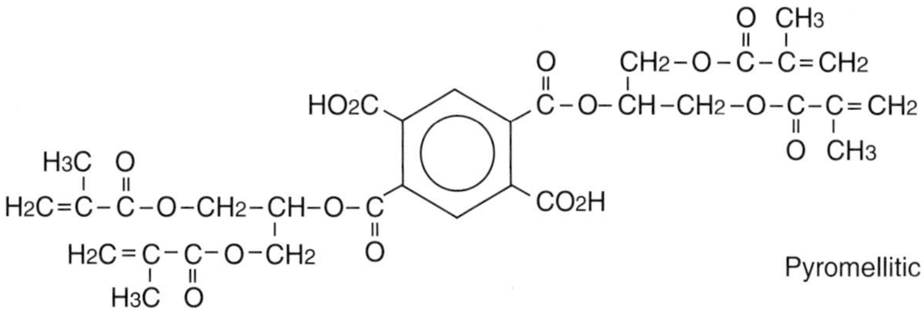

Pyromellitic glycerol dimethacrylate

4-META

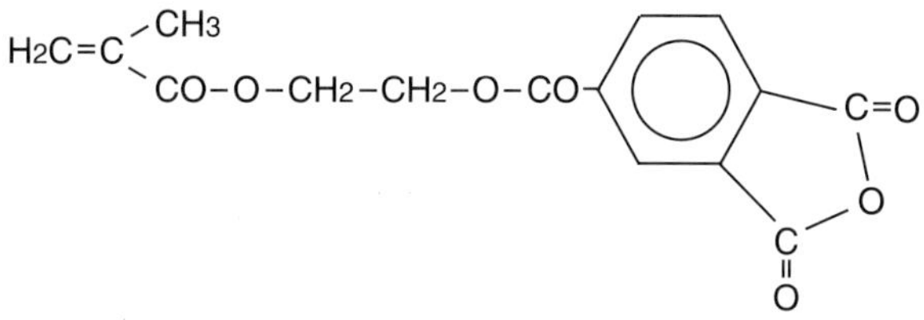

4-methacryloxyethyl trimellitic anhydride

그림 12-32. 자가접착성 레진 시멘트에 사용되는 대표적인 기능성 산성 모노머

Bis (2-methacryloxyethyl) acid phosphate, and dipentaerythritol pentaacrylate monophosphate (Penta-P) methacrylate가 있다. 그 외에도 카복실산 그룹을 갖는 단량체인 4-META 또는 pyromellitic glycerol dimethacrylate (PM-DM)와 같은 단량체를 함유한 제품도 있다. 이들 접착성 모노머 중에서 특히 인기있는 단량체는 MDP로서 많은 임상적 성공을 거둔 제품인 일본 Kuraray 사의 자가부식 시스템 제품인 SE Bond에 들어있는 성분인데, 최근 특허 기간이 만료되면서 이제 다른 많은 회사들이 이를 이용하여 자가부식 접착시스템 제품을 소개하고 있다.

이와 같은 기능성 단량체 외에도 Bis-GMA, glycerol dimethacrylate, UDMA 및 HEMA와 같은 일반적인 메타크릴레이트 단량체가 다양한 비율로 함유된다. 또한 불활성 필러와 광개시제도 함께 포함된다.

다른 튜브의 연고에는 산성이 아닌 중합가능한 레진과 플루오로알루미노실리케이트 글라스(글라스아이오노머 시멘트 분말의 fluoroaluminosilicate glass)와 같은 산을 중화하는 필러가 소량 함유되어있다. 특정 제품에 따라 불활성 필러 및 광개시제가 포함될 수 있다. 혼합된 시멘트의 총 필러 함량은 약 질량비로 70%(대략 부피비 50%) 함유된다. 이는 수복용 콤포짓트 레진의 필러함량보다는 현저히 낮다.

(2) 경화반응과 구조

일차적인 경화기전은 자가중합 또는 이원중합에 의한 자유라디칼 중합을 통한 것이다. 혼합 시멘트의 초기 pH는 약 2여서 치아의 무기성분을 산부식 시킬 수 있다. 실험실 연구에서 포스페이트 및 카복실레이트의 산성 그룹이 치아 하이드록시 아파타이트의 칼슘과 결합하여 메타크릴레이트 네트워크와 치아 사이에 안정적 부착을 형성할 수 있음을 보여주었다. 이후 단계에서 일부 시멘트 제품에서 잔류 산성도는 인산 및 카복실산 그룹과 알칼리성 글라스 사이의 반응에 의해 중화된다. 경화된 시멘트의 구조는 실란 층에 의해 충전제 입자에 공유결합 형태로 결합된 가교된 중합체이다. 카복실산 그룹과 글라스에서 유리된 이온 사이의 이온 가교가 또한 일부 존재할 수 있다.

(3) 특성

① 생체적합성

자가접착 레진시멘트는 생체적합성 측면에서 일반 레진시멘트 및 산-염기 시멘트보다 더 높은 세포독성을 나타낸다. 이원중합 모드로 사용되면 세포독성은 더 줄어든다. 이들의 기계적 성질은 상용 제품에 따라 다르지만, 일반적으로 종래의 레진시멘트보다 다소 낮다. 자가접착 시멘트를 사용하는 동안 임상적으로 중요한 이점은 자가접착형 레진시멘트로 수복한 경우 술후 과민증 발생률이 접착형 레진시멘트 또는 전통적인 고정성 보철물용 시멘트에 비해 술후 과민증 발생 우려가 더 낮다는 점이다. 이것은 상아질을 인산으로 산부식할 필요가 없기 때문인 것으로 생각된다. 특히 TheraCem은 글라스 필러와 칼슘실리케이트 필러가 함께 들어있어서 칼슘이온 및 불소이온을 방출하며 혼합 수 분 이내에 산성에서 알칼리성 pH로 바뀌는 특징이 있다.

② 기계적 성질

몇몇 인기있는 상용 자가접착 레진시멘트의 강도, 경도 및 마모에 대해 평가한 연구보고는 파절 및 마모 저항성이 기존의 레진시멘트에 비해 유사하거나 약간 낮을 수 있음을 시사한다. 굽힘강도는 50~100 MPa 범위이고 압축강도는 200~240 MPa이다. 낮은 범위의 값들은 일반적으로 자가중합 모드로 시험된 시멘트에 대한 값인 반면, 높은 값은 광중합한 시멘트에 대한 것이다.

③ 결합강도

자가접착 레진시멘트의 치질에 대한 접착은 미세기계적 맞물림(micromechanical interlocking), 그리고 시멘트의 산성 그룹과 치아의 하이드록시 아파타이트 사이의 화학적 상호작용에 의해 이루어진다고 여겨진다. 자가접착 레진시멘트의 법랑질에 대한 초기 전단결합강도는 3~15 MPa로 다양하며, 레진시멘트와 글라스아이오노머 시멘트의 중간정도이다. 상아질에 대해서 일부 제품은 레진시멘트에 필적하는 결합강도를 갖는다. 자가접착 레진시멘트는 상아질 표면을 다른 전처리를 별로 하지 않고도 상아질 표면에 잘 접착할 수 있도록 하기 위해 설계되었다. 그러나, 법랑질에 대한 결합은 인산 산부식제를 사용하는 경우만큼은 강하지 못하다. 제조자에 의해 권장되는 일부 상아질 접착제는 자가접착 레진시멘트와 함께 사용될 수 있다. 만일 와동 변연부에 법랑질이 충분히 있는 경우에는, 자가접착 레진시멘트를 사용하는 경우라도 법랑질을 인산으로 산부식하는 것이 권장된다 금속 합금과 고강도 세라믹에 우수한 결합강도를 보인다.

④ 기타 성질

자가접착 레진시멘트의 불소함량은 낮으며, 글라스아이오노머 및 레진강화형 글라스아이오노머 시멘트와 달리, 불소이온의 방출은 시간이 지남에 따라 빠르게 감소한다. 자가접착 레진시멘트에서 불소의 유익한 효과는 임상적으로 입증되지 않았다. 피막두께는 15~20 ㎛ 이다. 종래의 레진시멘트와 달리, 미반응된 산 성분이 남아있으면 수분흡수를 증가시킨다.

(4) 임상 적용

자가접착형 레진시멘트는 크라운 및 브릿지, 인레이, 온레이, 포스트&코어, 임플란트 수복물, 접착성 브릿지, 스플린트 등 다양한 수복물 표면에 대해 접착한다.

별도의 산부식 또는 프라이머를 사용하지 않아도 되므로 기술 민감도가 낮고, 술후 과민증 우려가 낮다. 여분의 시멘트를 청소하기가 쉽고 광중합 및 이원중합이 가능하다는 장점이 있다. 반면, 제품에 따라 시간이 지남에 따라 색상이 변할 수 있고, 최종경화 후 제거할 경우에는 청소가 어려울 수 있다.

자가접착 레진시멘트를 사용할 경우 변연부로 삐져나온 과잉 시멘트는 tack-cure 한 후 깨끗이 제거할 수 있다 (그림 12-33).

만일 삭제된 치아의 유지형태가 부족하다고 생각되면, 수복물을 프라이머로 처리 그리고/또는 상아질 접착제를 사용하는 것이 바람직하다. 타액오염을 피하기 위해서 잘 격리하여 시술한다.

많은 자가접착형 레진시멘트는 작업시간은 1분 정도이고, 수복물을 안착 후 변연부로 삐져나온 여분의 시멘트를 2~5초간 부분 중합(tack-cure)한 후 쉽고 깨끗하게 제거할 수 있다. 최종경화는 10초간 광중합하여 얻게 된다.

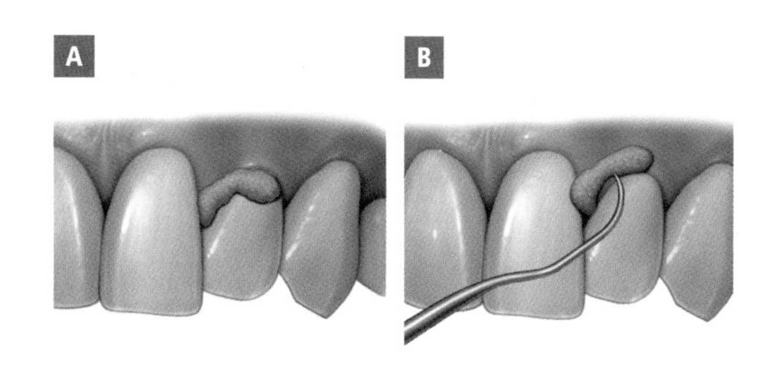

그림 12-33. A 여분의 시멘트가 크라운 변연부로 삐져나와 있다. B 변연부로 삐져나온 여분의 시멘트를 광조사기를 사용하여 부분 중합하면 여분의 시멘트를 깨끗이 한 덩어리로 제거할 수 있다.

- 용도: 크라운 및 브릿지, 인레이, 온레이, 포스트&코어, 임플란트 수복물, 접착성 브릿지, 스플린트

5) 심미성 레진시멘트

심미성 레진시멘트(esthetic resin cement)는 광중합-only 또는 이원중합 제품이 있다. 일부 심미성 레진시멘트 키트는 광중합 시멘트 만을 포함해서 얇은 비니어나 인레이/온레이와 같은 올세라믹 수복물에 사용하기에 적합하다. 광중합만 되는 심미성 레진시멘트 내에는 아민 촉진제가 들어있지 않으므로 색안정성이 우수하다. 이원중합 레진시멘트에는 아민 경화촉진제가 들어있어서 시간이 경과함에 따라 이 아민촉진제가 산화되어 색상이 변하는 단점이 있다. 하지만, 최근의 인기있는 심미성 레진시멘트들은 독자적인 광개시제를 함유하여서 높은 광중합 효율을 보이면서 색안정성이 우수한 제품들이 인기가 있다. 광중합형 및 이원중합형이 있다. Variolink Esthetic는 독자적인 Ivocerin 광개시제를 함유하여서 높은 광중합 효율을 보이면서 색안정성이 우수해서 글라스-세라

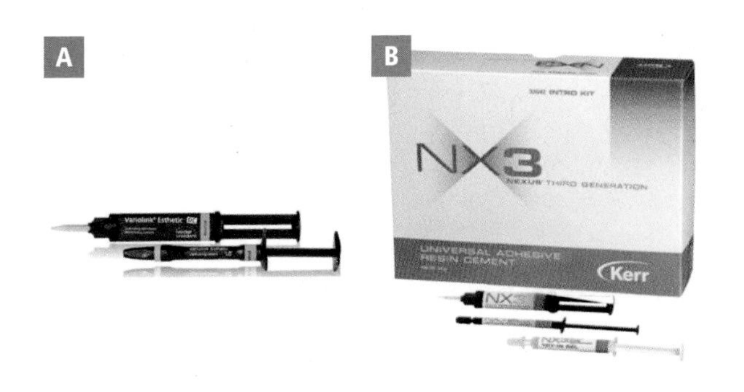

그림 12-34. 심미성 레진시멘트. **A** Variolink Esthetic (Ivoclar Vivadent), **B** NX3 Nexus Third Generation (Kerr Restoratives)

믹, 리튬 디실리케이트, 콤포짓트 수복물의 심미적 합착에 유용하게 사용된다(그림 12-34 A).

이들 심미성 레진시멘트는 인산으로 치아를 에칭하고 수복물을 프라이밍 한 후 레진시멘트를 적용한다. 대부분 제품들은 다양한 색상의 재료를 제공하고 각 색상별로 try-in 페이스트가 함께 포함되어있다.

6) 레진 시멘트의 특성 및 사용방법

레진 시멘트의 상아질에 대한 결합강도는 콤포짓트 레진과 유사한 정도이며, 단량체는 치수를 자극할 수 있으므로 상아질의 두께가 얇은 경우(0.5 mm 미만)에는 자극성분이 침투하는 것을 방지하기 위해 수산화칼슘이나 글라스아이오노머를 사용한 치수보호가 중요하다. 구강 내 용액에는 거의 불용성이며 조성, 희석제의 농도 및 필러 함량에 따라서 제품 간에 차이가 있다.

접착형 레진 시멘트는 상아질 사이의 결합력을 높이기 위하여 상아질 접착제를 병용할 수 있다. 포세린이나 콤포짓트 레진의 피착면을 분사연마하거나 화학약품으로 처리(silanation)하여 레진 시멘트와의 합착력을 높일 수 있다. 실리카를 함유하는 세라믹의 경우 실란처리를 하지만, 지르코니아 세라믹과 같이 실리카를 함유하지 않는 경우에는 실란처리가 큰 효과를 가지지 못한다. 결합력을 높이기 위하여 상아질 접착제 또는 법랑질, 상아질, 금속 및 세라믹 등과 결합하는 다기능 결합제와 병용하여 사용한다. 자가접착형 레진시멘트는 재료 자체에 산부식성과 화학적 접착성이 있는 단량체를 함유하고 있고 최근의 제품들은 결합강도도 충분하고 여분의 시멘트를 청소하기에 편한 장점을 가지고 있다.

화학중합형 레진시멘트는 모든 유형의 수복물의 합착에 적합하다. 이들은 분말-용액형 또는 2-연고형으로 공급되며, 종이 패드 상에서 20~30초간 혼합된다. 화학적 활성화는 매우 느려서 연장된 작업시간을 제공하고 화학반응이 계속 진행됨에 따라 강도가 증가한다. 수복물을 장착한 직후에 여분의 시멘트를 제거하는 것이 바람직하다.

광중합형 레진시멘트는 빛을 투과하는 얇은 세라믹 수복물이나 레진 수복물을 합착할 때 사용하는데, 두께가 1.5 mm 미만인 세라믹이나 레진 브라켓의 합착에도 사용할 수 있다. 광중합 시간은 수복물이나 브라켓의 빛 투과도와 시멘트의 두께에 따라 다르지만 40초 이상 조사할 것을 권장하고 있다.

이원중합형 레진시멘트는 화학중합형 시멘트와 비슷하게 혼합이 필요하다. 캡슐의 정적 혼합(static mixing)과 캡슐형 분쇄혼합은 수동혼합의 필요성을 크게 대체했다. 시멘트가 광조사에 노출될 때까지는 경화가 천천히 진행되다가, 광조사를 하면 시멘트는 빠르게 경화된다. 이들 이원중합형 시멘트는 광투과성 보철물의 두께가 2.5 mm 이상으로 두꺼울 때는 사용하면 안 되고, 이럴 때는 화학중합형 시멘트로 합착을 한다. 여분의 시멘트 제거는 수복물을 장착한 직후 또는 제조업체의 사용 지침에 명시된 대로 특정 시간동안 기다린 후에 시행한다. 이원중합형 레진시멘트의 압축강도는 100~340 MPa로 충분한 강도를 갖는다.

(1) 세라믹 수복물의 합착

일부 치과용 세라믹 수복물은 반투명하며 합착용 시멘트의 색상은 세라믹 수복물의 심미성에 영향을 줄 수 있다. 레진 시멘트는 세라믹 수복물의 파절가능성을 낮추고 최적의 심미적 외관을 생성하기 위해 사용될 수 있는 색

합착 조건		RMGI	자가접착형 레진시멘트	접착형 레진시멘트	심미성 레진시멘트 (이원중합 또는 광중합)
세라믹 수복물의 강도	지대치 삭제형태 (유지형태)				
낮음 (장석계 세라믹, 루사이트 강화 세라믹)	좋은 경우			O	O
	나쁜 경우			O	O
중간 (리튬 디실리케이트 강화 세라믹)	좋은 경우	O	O	O	O
	나쁜 경우			O	O
약간 높음 (고투명성 지르코니아)	좋은 경우	O	O	O	O
	나쁜 경우			O	O
높음 (지르코니아)	좋은 경우	O	O	O	O
	나쁜 경우			O	O

상 범위가 넓기 때문에 올-세라믹 인레이, 크라운 및 브릿지의 합착에 가장 적합한 시멘트이다.

만일 세라믹 보철물이 장석계 포세린과 같이 실리카 기반 소재인 경우, 보철물 내부 표면은 불화수소산으로 산부식한 후 치과기공실 또는 진료실에서 합착 전에 실란 코팅을 한다. 하지만 알루미나 및 지르코니아계 세라믹과 같이 실리카를 함유하지 않은 세라믹에는 산부식 및 실란 처리가 효과적이지 않다.

지르코니아 크라운의 합착시 지대치의 유지형태가 좋은 경우는 전통적인 자가접착 시멘트를 사용하고, 지대치의 유지형태가 나쁠 경우에는 합착 전에 치아 면을 상아질 접착제로 처리하는 접착형 레진시멘트(adhesive resin cement)가 권장된다.

중합깊이가 문제가 되지 않는 얇은 세라믹 비니어, 레진계 수복물, 세라믹 또는 플라스틱 교정용 브라켓의 직접 접착에는 광중합 레진 시멘트가 추천된다. 여분의 시멘트를 빠져나가게 하기 위해 가벼운 압력을 가해서 보철물을 장착한 후, 여분의 시멘트를 광조사하지 않고 보철물 일부만을 점 중합(spot curing)하여 보철물이 제 위치에 안정하게 있게 한다. 그런 후 변연부에 삐져나온 여분의 시멘트를 깨끗하게 제거한 후 제조자가 권장하는 특정 시간동안 나머지 부분을 광중합한다.

레진 시멘트를 세라믹 보철물의 색상과 맞추기 위해 일부 제품은 시멘트와 동일한 색조인 수용성의 시범(try-in) 재료를 제공하다. 시범 겔(try-in gel)은 시멘트와 같은 방식으로 적용하여 보철물을 장착해보아서 외관이 심미적인지를 평가한다. 이 과정은 임상의가 심미적 외관에 만족할 때까지 다양한 색조의 시범 겔을 사용하여 반복해 볼 수 있다. 적절한 시멘트 색상을 선택한 후에는 잔여 시범 페이스트를 치아에서 헹궈내고 보철물을 물 스프레이로 철저히 씻는다. 최종 합착은 선택된 시범 겔과 동일한 색상의 시멘트를 사용하여 완료한다.

세라믹의 강도와 지대치 삭제의 유지형태(retentiveness)에 따른 시멘트 선택 지침을 위 표에 강조 표시하여 보인다. 해당되는 합착조건에서는 O 표시가 되어있는 유형의 시멘트를 선택하는 것을 권장한다.

(2) 고분자 수복물의 합착

레진계 비니어, 인레이, 온레이, 크라운 및 고정식 치과 보철물은 레진 시멘트로 합착된다. 기계적 접착을 위해 거칠기를 증가시키기 위해서 중합체 표면은 연마재로 블라스팅 되어져야 한다. 일부 고분자 보철시스템은 보철물 제작에 사용되는 것과 동일한 단량체를 기반으로 한 특수 접착제를 가지고 있다. 중합시키기 전에 가교된 고분자 보철물 내로 접착제가 잘 침투하고 확산될 수 있도록 30분 정도까지 충분한 시간동안 기다린다.

(3) 금속 보철물의 합착

비귀금속 보철물의 접착면은 전기화학적으로 산부식을 하거나, 0..4~0.7 MPa의 공기압에서 30~50 μm 크기의 알루미나 입자로 연마재 블라스팅(grit blasting)하여 거칠게 한다. 일부 접착시스템은 접착 촉진제를 함유하는 금속 프라이머를 포함한다. MDP 또는 4-META계 레진을 함유하는 레진 시멘트를 사용하는 경우, 비귀금속 표면의 산화물 형성은 결합강도에 기여한다. 상온에서 안정한 산화물이 없는 귀금속에 대한 결합을 향상시키기 위해서는 귀금속 상에 얇은(약 0.5 μm) 주석 층을 전기화학적으로 증착하고 이를 적절한 온도로 가열하여 주석 산화물 표면을 형성할 수 있다. 귀금속 및 비귀금속 합금 표면에 실리카가 코팅된 알루미나 입자를 블라스팅하여 실리카를 금속 표면에 코팅할 수 있다. 그 후 금속표면을 실란처리하면 레진시멘트에 대한 접착이 향상된다.

(4) 교정용 브라켓의 합착

교정용 본딩은 부착된 장치에 약 2년 동안 가해지는 힘을 견딜 수 있을 정도로 충분히 강하면서도 장치를 제거 시에는 치아에 미치는 영향이 최소가 되게 깨져 제거될 수 있어야 한다. 교정용 브라켓의 본딩을 위해서 접착부를 수분으로부터 적절히 격리하고 법랑질 표면의 산부식을 한다. 브라켓의 치아와 접착 면은 금속 브라켓의 경우에는 금속 메쉬, 그리고 세라믹 또는 폴리머 브라켓의 경우는 유지성 딤플(dimple) 또는 굴곡(ridge)과 같은 기계적 유지형태가 있어야한다. 세라믹 브라켓 베이스는 콤포짓트 레진의 레진기질에 무기 필러를 결합시키는데 사용되는 유기 실란(organosilane)으로 미리 코팅된다. 폴리 카보네이트 브라켓은 메틸메타크릴레이트 단량체를 함유하는 용매로 프라이밍한다.

브라켓 및 치아에 대한 기계적 및 화학적 접착은 조기 탈락을 방지하기 위해 중요하다. 구강에 시멘트가 노출되기 때문에 치료 과정동안 결합강도가 점차 떨어지고 브라켓 제거는 쉬워져서 오히려 바람직하다. 브라켓 제거시 탈락은 치아법랑질 내부에서 생기면 안되고, 치아/시멘트 계면에서 또는 조금 덜 바람직하게는 시멘트/브라켓 계면 사이에서 브라켓이 떨어지는게 바람직하다. 교정용 밴드는 일반적으로 글라스아이오노머 시멘트로 합착한다. 시멘트를 공기로 불어 건조시켜 시멘트를 약하게 하면 브라켓 제거가 용이해진다.

(5) 임시 수복물 합착을 위한 레진시멘트

임시수복물을 위한 레진시멘트는 페이스트-페이스트 시스템으로, 이원중합형과 광중합형이 있다. 그들은 치아 색이고 상당히 반투명하기 때문에 구강의 심미적인 부위에서 임시 수복물의 합착에 유용한다. 그들은 청소하기 쉽고 일부는 불소를 방출한다. 최종 시멘트가 또한 레진일 때에는 임시 수복물을 레진시멘트로 합착하면 최종 시멘트의 중합을 손상시킬 수 있는 유지놀이 사용되지 않기 때문에 유용하다. 임시 수복물의 합착에 사용되는 콤포짓트 레진시멘트의 압축강도는 25~70 MPa로서 영구 합착에 사용되는 콤포짓트 레진시멘트 보다 압축강도가 상당히 낮다.

11. 콤포머

콤포머는 글라스아이오노머 시멘트의 치질에 대한 접착 및 불소방출 능력과 콤포짓트 레진의 내구성을 동시에 추구하기 위하여 1990년대 초에 개발된 재료이다. 글라스아이오노머 시멘트의 글라스 입자를 물이 없는 다중산(polyacid)-변형 단량체 및 적절한 개시제와 함께 혼합하여 제조된다. 즉, 다중산(polyacid)이 단량체의 곁사슬로 붙은 변형된 단량체를 포함하여서 글라스와 산-염기 반응도 하고 고분자 중합반응도 하는 다중산-변형 콤포짓트(polyacid-modified composite)이다. 불소를 방출하며 타액이 있는 조건에서 산-염기 반응이 일어난다. 금속 수복물과 금속-세라믹 크라운을 합착할 때 주로 사용한다. 콤포머는 제1급 및 2급 수복을 위해 레진 콤포짓트와 비슷할 정도의 성능을 보이며, 교정용 밴드의 합착제로서도 사용할 수 있다.

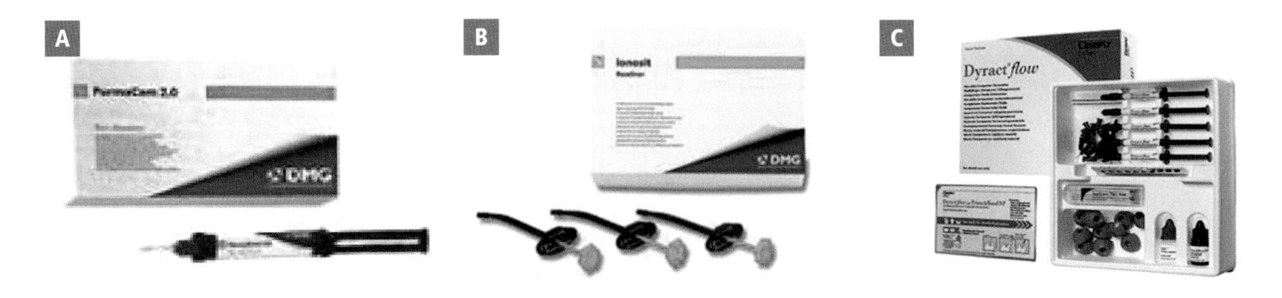

그림 12-35. 대표적인 콤포머 **A** 2-연고형 콤포머(합착용, 정적 혼합 static mixing), **B** 단일성분 콤포머(유치 충전 및 이장용, 광중합), **C** 단일성분 콤포머(수복용, 광중합, 키트 내 접착제 포함).

1) 조성과 경화반응

콤포머는 일반적으로 수복치료를 위한 단일 연고형 광중합형 재료이며(그림 12-35 B, C), 합착을 위한 2-연고형 또는 분말-용액 시스템도 있다(그림 12-35 A). 수복용은 보통 단일 연고로 구성되며 광중합형이다. 실리케이트 글라스, 불화나트륨, 물이 들어있지 않은 다중산에 의해 변형된 단량체로 구성되는데, 산성 단량체가 광중합되면서 경화된다.

수복용 콤포머는 구강 내에서 타액 중의 수분을 흡수하여 기질의 산성 기능그룹과 글라스 입자 사이에 산-염기 반응을 일으켜 불소가 방출된다. 수분을 함유하고 있지 않으므로 재래형 글라스아이오노머 및 레진강화형 글라스아이오노머와는 달리 자가 합착성(self-adhesive)이 아니며 적용하기 전에 상아질 접착제가 필요하다.

합착용 콤포머는 2-연고형이나 분말-용액형으로 제공된다. 합착용 분말은 strontium aluminum fluorosilicate 글라스, 불화나트륨 및 자가 또는 광중합 개시제로 구성되며, 용액은 중합 가능한 카복실산-변형 메타크릴레이트와 다기능성 아크릴레이트/포스페이트 단량체, 디아크릴레이트 단량체 및 물을 함유한다. 물을 함유하고 있어서 자가 결합성이 있으며 혼합하면 제한적인 산-염기반응이 일어난다.

2) 사용방법 및 특성

① 단일 연고형인 수복용 콤포머는 글라스아이오노머나 레진강화형 글라스아이오노머보다 불소 방출량이 적다. 주로 제3급 및 5급 와동과 같이 응력이 적은 와동의 수복에 사용되며, 글라스아이오노머 수복물이나 콤포짓트 레진의 대안으로서 사용된다. 콤포머를 적용하기 전에 치아를 산부식하고 상아질 접착제를 도포한 후 충전하며(그림 12-35 C), 콤포짓트 레진과 유사한 방법으로 마무리한다. 치아 사이의 결합력은 상아질 접착제를 사용한다면 레진강화형 글라스아이오노머의 접착강도와 비슷하거나 더 높다.

② 분말-용액형 합착용 콤포머 시멘트는 용액 내의 물이 혼합물을 산성으로 만들기 때문에 레진강화형 글라스아이오노머 시멘트처럼 자가접착형이며 주로 금속 수복물의 합착에 사용한다. 이 유형의 콤포머는 수복물에만 묻혀서 손가락 압력으로 접착한다. 혼합 종료 90초 후에 겔 상태가 되므로 이 이전에 여분의 시멘트를 제거한다. 광중합형 콤포머는 변연을 광중합하여 수복물을 안정화할 수 있으며 화학중합형은 구강 내에서 약 3분 이내에 합착을 완료해야 한다.

③ 수복용 콤포머가 중량비로 3.5% 정도까지의 수분을 흡수하는 것은 산-염기 반응을 완료하고 그에 따라 불소가 방출되기 위한 바람직한 과정이다. 하지만,

콤포머가 식염수 용액에 저장될 때 흡수에 의해 압축강도와 굴곡강도가 감소하였다. 모든 콤포머가 제5급 와동 수복에서 만족할만한 임상 결과를 보이는 것은 아니며, 콤포머 시멘트의 색안정성은 수분 흡수에 의한 표면의 굴절률 변화와 음식물에 의한 착색이 원인이 되어 우려가 된다.

콤포머를 치면열구전색제로 사용한 24개월의 임상 연구결과는 변연부 완전성을 제외하고는 레진계 콤포짓트 실런트와 비슷한 결과를 보였다고 보고한다.

12. 인산칼슘 시멘트

인산칼슘 시멘트(calcium phosphate cement)는 골전도 및 골유도 특성으로 인해 치조골과 악골 결합 수복, 이장재, 베이스 및 치수복재제로 사용되는 분말-용액형 수경성 시멘트로서 수동 혼합형과 기계식 혼합형이 있다.

용액은 중합가능한 친수성 레진 및 첨가제가 들어있는 인산칼슘으로 포화된 수용액으로, 수경성 인산칼슘 분말(예로서, 디-, 트리- 또는 테트라-칼슘 포스페이트)과 혼합하면 경화된다.

이 시멘트는 강도가 낮고 잘 용해된다. 점진적인 경화 과정에 의해 수산화인회석(hydroxyapatite)를 생성하기 때문에 주된 용도는 골재생에 사용되며, 치수복조재로의 사용도 수산화칼슘만큼 효과적인 것으로 밝혀졌다. 연구에 따르면 인산칼슘 시멘트로 우식 이환된 상아질 상에 이장을 하였을 때 3개월 후 이장 부위 하방 약 30 μm 깊이까지 훨씬 더 많은 칼슘과 인 함량을 보였으며, 이 미네랄 함량은 건전한 상아질에서의 함량 범위를 보였다.

인산칼슘 시멘트의 시험방법과 요구사항을 규정한 KS P ISO 7419(2018)에 의하면 최소 25 MPa 이상의 압축강도를 가져야 하며, 생체 활성은 KS P ISO 23317의 시험방법에 의한 시험에서 생체 활성을 나타내야 한다. 중금속 함량과 방사선 불투과성의 경우 KS P ISO 9917-1 시험방법에서 비소, 납 함량은 각각 1 mg/kg, 10 mg/kg을 초과하지 않아야 한다.

13. 칼슘실리케이트 시멘트

포틀랜드 시멘트와 거의 동일한 조성의 화합물을 기반으로 하는 새로운 유형의 칼슘실리케이트(calcium silicate) 치과용 시멘트가 최근 근관치료용으로 우수한 임상 결과의 보고와 함께 더 폭넓은 적용증에 사용되고 있다(그림 12-36). 이 재료는 밀폐능력과 생체적합성이 좋아서 유용하다. 포틀랜드 시멘트는 1824년에 영국의 Joseph Aspidin에 의해 발명된 이래, 1878년 Witte는 독일에서 포틀랜드 시멘트를 근관을 충전하는데 사용하는 임상증례를 발표했다. 그러나 포틀랜드 시멘트형 재료는 1990년대까지 일반적 치료에 사용되지는 않았다. 치과용으로 사용된 첫 번째 제품은 산화 칼슘(CaO), 산화 알루미늄(알루미나, Al_2O_3) 및 이산화 규소(실리카, SiO_2)를 혼합하여 수

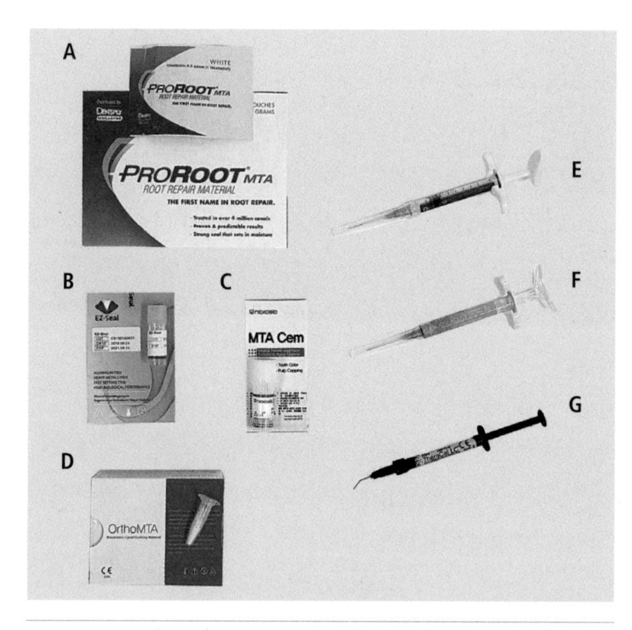

그림 12-36. 칼슘-실리케이트 시멘트. **A~D** 수경성 분말 MTA (**A** ProRoot MTA, **B** EZ-Seal, **C** MTA-Cem, **D** OrthoMTA), **E** 근관 실링용 단일연고형 MTA (E, One-Fil, **F** Endoseal MTA), **G** 광중합형 이장 및 베이스용 MTA (TheraCal LC).

경성 세라믹 화합물로 만든 것으로서, 광물성 삼산화물 응집체(mineral trioxide aggregate, MTA)라고 불리었다. 치과용 수경성 칼슘실리케이트 시멘트는 오랫동안 그리고 지금도 MTA시멘트라고 함께 불리어진다.

1) 조성 및 경화반응

(1) 조성

MTA시멘트 분말의 주된 상은 트리칼슘 실리케이트(tricalcium silicate), 디칼슘 실리케이트(dicalcium silicate) 및 방사선 불투과성 필러이다. 일반적으로 소량의 삼칼슘 알루미네이트(ricalcium aluminate) 및 황산칼슘(calcium sulfate)도 들어있다(표 12-16).

일부 MTA 유형의 제품에는 탄산칼슘(calcium carbonate) 또는 테트라칼슘 알루미노 페라이트(tetracalcium aluminoferrite)가 포함되어 있다. 일반 포틀랜드 시멘트와 달리 치과용 MTA 제품에는 방사선 불투과성 물질(보통 비스무스 산화물, 지르코니아 또는 탄탈륨 산화물)을 포함하고 있어서 방사선 상에서 구별될 수 있게 한다.

(2) 경화반응과 특성

① 경화반응

MTA는 물과 반응하여 경화되며, 규산칼슘 수화물(calcium silicate hydrate)과 수산화칼슘(calcium hydroxide)의 단단한 매트릭스로 구성된 pH 약 12정도의 강 알칼리성 시멘트를 만든다. 이들 수화물은 원래의 규산칼슘 입자의 표면에 형성되어 수화는 점진적으로 안쪽으로 진행된다.

초기 MTA 제품의 경화시간은 길어서 초기 경화시간이 약 165분이고 최종 경화시간은 6시간 미만 정도로 길었다. 이런 긴 경화시간은 이 시멘트를 사용하기에 큰 단점이었는데, 최근에는 다양한 방법에 의해 경화시간을 크게 짧게하여 그 사용이 편리하게 되었다. MTA 제품의 취급특성을 개선하고 경화시간을 감소시키기 위해서 고분자, 염화칼슘과 같은 염화물, 및 감수제(water-reducing agent)를 함유한 새로운 조성의 MTA 제품이 소개되어 이들은 칼슘 실리케이트 분말의 용도를 확장시켰다.

② 특성

MTA가 경화되면 0.1% 미만으로 팽창되어 근관치료에서 특히 중요한 차단층(barrier)을 만드는데 도움이 된다. 물과 혼합하면 MTA 시멘트의 pH는 수산화칼슘이 생성되면서 빠르게 상승한다. MTA가 생체적합성 재료로서 큰 성공을 이룬 것은 이 재료가 항박테리아 및 항진균성이 있도록 역할을 해주는 MTA 경화체 내의 수산화칼슘 덕분이다. MTA 시멘트는 글라스아이오노머 시멘트보다 세포독성이 적으며, 시험관내 시험에서 인산완충용액 내에서 하이드록시 아파타이트 결정이 표면에 형성되어 이 시멘트가 특별히 생체활성이게 만든다.

MTA를 치근단 절제술(apicoectomy)에 사용했을 때 치근단 상에 백악질과 같은 층이 생성되었다.

표 12-16. 수화 전 MTA 분말의 상

세라믹 상	중량%
삼칼슘 실리케이트: $(CaO)_3 \cdot SiO_2$	45~75
이칼슘 실리케이트: $(CaO)_2 \cdot SiO_2$	7~32
방사선 불투과성 필러: Bi_2O_3 또는 Ta_2O_5	20~35
삼칼슘 알루민산염: $(CaO)_3 \cdot Al_2O_3$	0~13
사칼슘 철 알루민산염: $(CaO)_4 \cdot Al_2O_3 \cdot Fe_2O_3$	0~18
석고: $CaSO_4 \cdot 2H_2O$	2~10

2) 임상 적용

MTA는 처음에는 신경치료 수술시 치근단 충전에 사용되었지만, 그 용도는 생활치수 치료(치수 복조 및 치수절단술식 시 드레싱) 및 치근단 충전, 치근단 형성술(apexification), 치근천공 수리, 치근흡수 수리, 근관충전 및 근관실링과 같은 치근단 조직과 접촉하는 술식까지 그 적응증이 확장되었다.

MTA의 높은 pH로 인해 부식성이어서 점막 표면손상

을 유발할 수 있기 때문에 MTA는 점막과 접촉하지 않아야 하며, 과잉재료는 구강으로부터 제거되어야 한다.

MTA는 대략 4:1~2:1 사이의 광범위한 범위의 분말/용액비에서 경화된다. 하지만 대부분의 MTA 제품은 3:1의 분말/용액비를 갖는다. MTA를 혼합하려면 분말을 유리 연판위에 덜어 놓은 후 그 옆에 키트에 들어있는 용기를 사용하여 용액 한 방울을 떨군다. 빳빳한 금속 스파튤라를 사용하여 퍼티와 같은 점조도에 도달할 때까지 분말을 점진적으로 용액에 추가하며 철저하게 혼합한다. 혼합된 재료는 장갑을 낀 손가락으로 굴리며 비벼 로프형태로 만든 후에, 치근단 충전 또는 천공된 부위에 삽입하기 위해 스파튤라를 사용하여 작은 조각으로 자른다. 일반적으로 스파튤라, 작은 아말감 캐리어 또는 응축기를 사용하여 MTA를 시술부위로 섬세하게 운반하는데 사용한다. 만일 혼합 된 MTA를 즉시 사용하지 않으면 수분이 많은 거즈를 재료 위에 덮어 탈수를 방지할 수 있다. 만일 건조가 발생하면 이 시멘트는 경화시간이 많이 길기 때문에 처음 1시간 이내에는 물을 조금 추가하여 좀 더 혼합한다. MTA를 적용하기 전에 지혈이 되지 않으면, MTA가 점차 경화되는 동안 혈액이 모세관 작용을 통해 스며들어 MTA가 변색될 수 있다.

(1) 근관치료 용도

MTA시멘트는 신경치료 시 드레싱용으로서 수산화칼슘의 사용을 대체하기 시작했다. 예를 들어, 수산화칼슘 분말은 치근이 완전히 형성되기 전에 치아가 괴사될 때 치근단 형성을 위해 소독제 재료로서 사용되어왔다. 이 경우 드레싱은 치아가 제자리에 남아 있고 정상적인 치근형성이 이루어지도록 도와준다. 치근단 형성술(apexification) 절차는 치수제거, 근관 성형 및 세척, 도말층 제거, 근관 소독, 그런 후 치근단에서 osteocementum의 형성을 촉진하기 위해 수산화칼슘을 덮어줘서 마무리되었다. 수산화칼슘 분말은 상아세관을 막고 산을 중화시키며, 유해한 치수반응을 감소시키고, 근관성형 후 잔존 조직을 용해시키며, 석회화된 치근단 조직 장벽(barriet) 생성을 유도하여 유치가 제자리에 남아 있고 치근단이 성장을 완료할 수 있도록 한다. 수산화칼슘은 또한 유치에서 생활치수 절단술(pulpotomy) 후에 드레싱용으로, 그리고 근관치료 동안 임시로 치근관 내 약제로서 사용된다.

MTA 시멘트와 tricalcium phosphate (TCP) 슬러리 또한 이러한 적응증에 사용되었다. 일반적으로 수산화칼슘 드레싱은 제 위치에 그대로 두거나 3개월마다 교체하지만, MTA 시멘트는 불용성 고체로 경화되므로 교체할 필요가 없어서 장점이 된다.

(2) 치수복조 용도

치수 노출을 치료하기 위한 MTA의 점조도는 더 유동성이게 한다. 식염수, 0.5%~1.0% 차아염소산 나트륨 희석액 또는 기타 상용 지혈제로 적신 면봉을 사용하여 노출 부위에 압력을 가해 출혈을 멈추게 한다. 재료는 Dycal applicator나 시술부위에 접근할 수 있는 기타 유용한 기구로 적용한다.

레진강화형 글라스아이오노머 이장재 또는 유동성 콤포머를 MTA 위와 그 인접주변의 상아질 위에 적용한 후 경화시킨다. 나머지 와동은 산부식한 후 접착제 및 콤포짓트 레진을 적용한다. 콤포짓트 레진 또는 글라스아이오노머는 MTA 바로 위에 적용할 수도 있다. 그러나, 산은 MTA를 분해시키고 경화를 방해하기 때문에 산부식제는 MTA에 도포하면 안된다. 치수는 MTA 시멘트에 인접한 치수부위에 상아질 차단층(dentinal barrier)이 형성되는지를 보며 치수반응을 정기적으로 평가한다.

3) 특성

(1) 수복용 재료와의 적합성

연구에 따르면 굳고있는 MTA 위에 적용한 글라스아이오노머 시멘트는 칼슘염이 계면에 형성되더라도 MTA의 경화에 영향을 미치지 않는다. 경화 시간, 글라스아이오노머 시멘트의 균열 초래, 또는 글라스아이오노머와 MTA 사이의 전단 결합강도에는 변화가 관찰되지 않았다. 습한 조건에서 48시간 동안 경화한 MTA에 대한 콤포짓트 레진 및 콤포머의 결합에 대한 연구에 따르면, 토탈 에칭 단일용액 접착제를 사용하면 결합강도가 더 높아졌다. 결과는 제품마다 다를 수 있다. 이러한 효과를 확인하려면 더 많은 연구가 필요하다.

(2) 기계적 성질

MTA시멘트의 수화 반응은 약 28일 동안 지속되며 이 기간 동안 강도는 약 50 MPa로 증가한다. 24시간 압축강도는 아말감, 중간 수복용 ZOE 및 ZOE-EBA 재료에 비해 상당히 낮다. 그러나, 3주 후에는 ZOE, 수산화칼슘 및 MTA 시멘트 사이에 압축강도는 유의한 차이를 보이지 않는다. 굽힘 강도는 금속 또는 콤포짓트 레진에 비해 MTA 시멘트는 낮다. 근관내 포스트 재료에 대한 MTA의 결합강도는 높지 않아서 포스트의 유지를 위해서는 사용되어서는 안된다. 경화된 MTA는 매우 불용성이며 치근관 실링재료에 대한 표준인 ISO 6876에서 요구되는 경화팽창 허용치보다 낮은 경화팽창을 보인다(30일 후 3% 이내 용해도, 0.01% 이내 팽창).

14. 임플란트용 시멘트

임플란트 크라운을 지대주에 부착하는데 사용하는 임플란트용 시멘트는 크라운 변연부를 삐져나온 여분의 과잉시멘트가 말끔히 제거될 수 있어야 임플란트 주위염이 생기는 경우를 예방할 수 있다. 사용되는 비율은 RMGI 시멘트 52%, 레진 시멘트 19%, 산화아연유지놀 시멘트 11%, 비유지놀 산화아연 시멘트 7%, GI 시멘트 5%, 카복실레이트 시멘트 2%, 인산아연시멘트 2%, 기타 2% 정도의 비중으로 사용된다(Clinician's Report, 9 (9), 2016). 치은 하방에 부주의하게 남아있는 여분의 시멘트가 방사선상에서 관찰될 수 있도록 높은 방사선 불투과성이 바람직하다.

임플란트용 시멘트는 반영구적 레진 임플란트 시멘트로서 약간의 유연성과 중간정도의 강도를 갖고, 필요할 경우 크라운을 제거 시 손상없이 제거될 수 있어서 임플란트 합착에 사용된다. 임플란트나 지대주의 정렬이 이상적이지 않을 경우, 환자가 심한 이갈이 이력이 있는 경우 등 위험 요인이 있을 경우 사용한다.

임플란트 상부크라운 영구합착 시멘트로는 RMGI 시멘트와 레진시멘트가 가장 많이 사용된다. 그 외에도 카복실레이트 시멘트, 글라스아이오노머 시멘트, 레진강화 산화아연 시멘트가 사용될 수 있다. 임플란트 크라운의 임시합착 시멘트는 유지놀의 함유 여부에 상관없이 산화아연 시멘트는 임플란트 지대주에 최종 크라운을 합착하는데는 일반적으로 적합하지 않다. 비교적 낮은 강도와 접착력을 갖는 시멘트가 임시 치관을 합착하는데 적당하다.

시멘트를 크라운에 담을 때는 여분의 시멘트가 최소화되도록 크라운의 치경부 1/3부위와 변연부 근처에 시멘트를 얇은 층으로 쓸어 담도록 하고, 크라운을 시멘트로 채워서는 안된다.

15. 치수 보호를 위한 시멘트

치수를 열 또는 화학적 자극으로부터 보호하기 위한 재료가 와동 형성된 치아에 사용된다. 예를 들어, 금속 수복물은 우수한 열전도체이어서 뜨겁거나 차가운 음식을 섭취할 때 열민감도가 높게 된다. 인산을 함유한 시멘트, 직접충전 레진 및 일부 글라스아이오노머 시멘트(GIC)는 화학적 자극을 유발하다.

아말감 또는 콤포짓트의 수축은 치수 자극뿐만 아니라 변연누출을 유발할 수 있다. 이러한 자극으로부터 치수를 보호하기 위해 와동 바니쉬(varnish), 이장재(liner) 및 베이스(Base)는 수복재료에 대한 보조재료로서 사용되어왔다. 이러한 제재 중 일부는 충치예방 효과를 제공할 수도 있다. 이러한 용도에 사용되는 대부분의 재료는 시멘트이지만 일부는 그렇지 않다. 예를 들어, 코팔 바니쉬 및 수산화칼슘은 시멘트가 아니지만 치수를 보호하는 능력이 있기 때문에 여기에서 시멘트와 함께 기술된다.

1) 와동 바니쉬

바니쉬는 시멘트나 충전물로부터 유출되는 자극물질을 차단하고 수복물과 치아의 경계면에 구강액이 침투하는 것을 막는다. 상아질에 바니쉬를 도포하면 시술 후 지각과민증을 완화시킬 수 있다.

(1) 조성 및 특성

바니쉬는 코팔(copal), 로진(rosin) 또는 합성레진을 아세톤, 클로르포름, 에테르와 같은 유기용매에 녹인 용액이다(그림 12-37). 그 외에 클로로부탄올, 티몰 및 유지놀과 같은 약제를 첨가하기도 한다. 치아에 바니쉬를 도포하면 휘발성인 용매는 즉시 증발하여 얇은 레진 막을 치면에 남기게 된다.

바니쉬 막은 금속 수복물의 변연부나 와동 벽에서 미세누출을 완전히 차단할 수는 없지만 감소시키는 것으로 알려져 있으며, 그 결과 시술 후 과민증도 줄일 수 있다. 또한 상아세관 내로 아말감 부식물이 침투하는 것을 막아서 아말감 수복 후에 나타나는 변색을 예방할 수 있다. 레진 수복재 아래에 사용하면 바니쉬 막이 파괴되는데, 그 이유는 수복용 레진 내의 단량체가 이 막을 녹여 버리기 때문이다. 바니쉬는 얇은 막이어서 기계적 강도를 갖거나 열차단 효과를 나타낼 수 없다. 피막도는 2~40 μm로 다양하고 상아질에 대한 접촉각은 53~106°이다. 바니쉬 막이 완전하게 생기기 위해서는 치면에 바니쉬가 잘 퍼지게 도포하여야 한다.

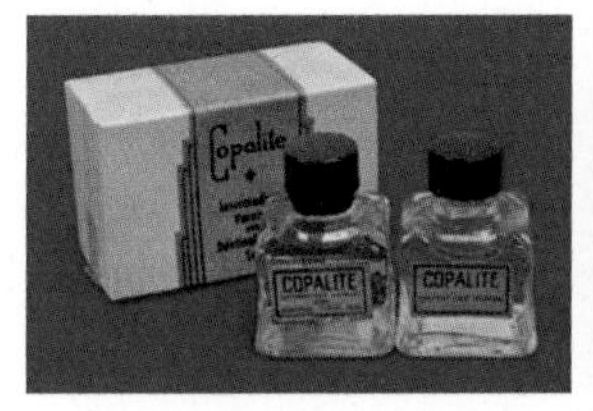

그림 12-37. 바니쉬의 사용 와동형성을 마친 치아의 상아질을 건조시킨다. 코튼펠렛에 바니쉬를 묻힌 후 재빨리 상아질 표면에 바른다. 30초 동안 압축공기로 건조시킨다. 그런 후 다음 전과 같이 바니쉬를 2차로 바르고 다시 건조시킨다. 완전히 건조시킨 후 충전물이나 수복물을 삽입한다.

바니쉬는 인산이 상아질에 침투하는 것을 감소시킬 수는 있어도 막을 수는 없다. 그 이유는 유기용매가 증발하면서 바니쉬 막에 작은 구멍이 생기기 때문이다. 따라서 연속적인 바니쉬 막을 만들기 위해서는 얇게 여러 번 도포해야 하고 이렇게 하는 것이 진한 농도의 바니쉬를 한 번 도포하는 것보다 효과적이다. 코팔 바니쉬는 오랫동안 잘 사용되었지만 그것은 수개월 동안에 걸쳐서 씻겨져 나가기 때문에 더 이상 많이 사용되지는 않는다. 최근에는 법랑질과 상아세관 모두를 밀봉시키는 상아질 접착제가 바니쉬 용도로 많이 대체 사용되고 있다.

(2) 사용방법

바니쉬는 일회용의 작은 면봉에 적셔서 얇게 도포하고 가볍게 공기를 불어 건조한다. 한 층이 마르고 나서 다시 다음 층을 도포하여야 한다. 또한 매회 도포 시마다 새 면봉을 사용하여 바니쉬를 오염시키지 않아야 하며, 바니쉬 내의 용매가 증발되는 것을 막기 위하여 사용 직후 마개를 닫아야 한다. 일반적으로 바니쉬 포장에는 희석제(thinner)가 1병 더 들어있는데, 이 용매로 바니쉬가 진해지면 희석하여 사용한다. 희석제는 치아 외면에 묻은 바니쉬를 제거할 때 사용할 수 있다.

(3) 적용

바니쉬는 인산아연 시멘트로부터 산이 침투하는 것을 막기 위하여 상아질에 도포하거나, 금속 수복물 주위에 타액의 유입을 방지하기 위하여 법랑질 및 상아질에 도포한다. 그러나 레진계 재료와는 같이 사용할 수 없는데, 이는 단량체가 바니쉬 막을 파괴하기 때문이다. 바니쉬는 레진이 치면을 적시는 것을 방해할 수 있다. 바니쉬는 치수에 근접한 상아질에 인산아연 시멘트 베이스를 하는 경우에 베이스 아래에 도포하며, 저강도 베이스나 이장재 아래에는 바니쉬를 도포하지 않는데 이때는 베이스 위에 바니쉬를 도포한다. 글라스아이오노머 시멘트와 같은 접착성 재료나 콤포짓트 레진에 대한 접착제가 사용되는 경우에는 바니쉬는 사용하지 않는다.

2) 와동 이장재

와동 이장재(cavity liner)는 바니쉬와 같이 시멘트나 수복재로부터 자극물이 치수로 유입되는 것을 막고 새로 삭제된 상아질의 지각과민성을 줄이기 위하여 사용한다. 이 장재는 바니쉬와 달리 약간의 치료효과를 보이며 수산화칼슘의 특성으로 수복상아질의 형성을 촉진할 수 있다. 수산화칼슘은 항균성이 있고 pH가 높으며 손상된 치수상에 2차 상아질의 형성을 자극하여 장기적으로 치수를 보호하기 때문에 많은 와동 이장재 및 시멘트계 재료의 주요 성분이다.

(1) 조성과 경화반응

이장재는 수산화칼슘을 메틸에틸케톤(methyl ethyl ketone)이나 에틸알코올과 같은 유기용매 또는 메틸셀룰로오즈의 수용액에 부유시킨 현탁액이다. 메틸셀룰로오즈는 점도를 높이는 역할을 한다. 이장재에는 아크릴 중합체 입자나 황산바륨을 첨가하기도 하며, calcium monofluorophosphate와 같은 불화물을 첨가한 제품도 있다. 와동 바닥에 적용하면 휘발성 용매는 증발되어 치면에 얇은 수산화칼슘 이장재 막이 남게 된다.

와동 이장재로서 많은 제품들은 수산화칼슘을 저점도 산화아연유지놀 시멘트, 글라스아이오노머 시멘트 또는 레진시멘트에 첨가한 것들이 판매된다. 수산화칼슘 이외에도 최근에는 인산칼슘 및 칼슘실리케이트 성분을 포함한 이장재들이 사용된다(그림 12-38).

수산화칼슘 이장재는 일반적으로 직접 및 간접 치수복조, 그리고 유치에서 생활치수 절단술을 시행한 다음 드레싱용으로 사용된다. 칼슘실리케이트 시멘트(MTA)는 경화되면서 수산화칼슘을 형성하는 새로운 와동 이장 재

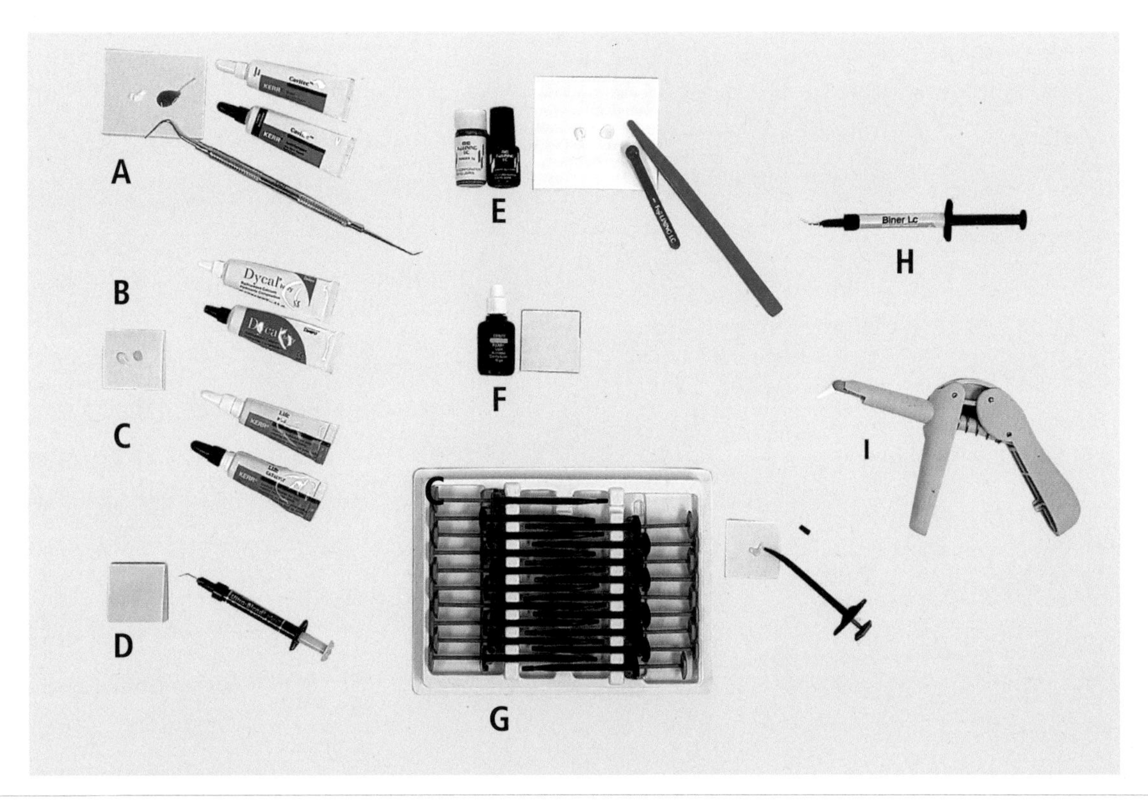

그림 12-38. 와동 이장재 및 베이스 **A** 2-연고형 산화아연유지놀(Cavitec), **B,C** 2-연고형 수산화칼슘(Dycal, Life), **D** 광중합형 단일연고형 수산화칼슘(Ultra-Blend plus), **E** 이원중합형 분말-용액형 글라스아이오노머 (GC Fuji Lining LC), **F** 광중합형 수산화인회석/글라스아이오노머(Cavalite), **G** 광중합형 콤포머(Ionosit), **H** 광중합형 인산칼슘(Biner LC), **I** 광중합형 레진(SDR, 글라스필러, 유동성).

료이다. MTA와 수산화칼슘은 모두 혈액과 구강액 내의 이산화탄소에 노출되면 탄산칼슘으로 전환되어 항균 효과가 감소된다. 포름크레졸(formocresol)은 수산화칼슘이 사용되는 생활치수 치료에 사용되었으나 주요 성분인 포름알데히드의 독성과 발암성으로 인해 이젠 점차 사라지게 되었다.

(2) 특성 및 사용방법

이장재는 충분한 기계적 강도나 단열 능력을 갖지는 않지만, 치수로 이동하는 산을 중화시킬 수 있으며 2차 상아질의 형성을 유도할 수 있다. 결국 수산화칼슘은 탄산칼슘이 되어서 불활성이게 된다. 수산화칼슘 이장재는 용해되기 쉬우므로 와동의 변연부에 남아 있지 않아야한다. 그렇지 않으면 변연부가 제대로 밀봉이 안된 것이다.

이장재에 불화물을 첨가하여 영구수복물 주위에 이차우식을 억제하고, 과민반응을 완화하는 효과는 법랑질과 상아질에 불소가 흡수되는 정도에 따라 달라진다. Calcium monofluorophosphate가 첨가된 이장재를 사용한 경우 치아와 수복용 레진 사이에 세균이 존재하지 않았다. 이 장재는 점조도 낮고 상아질 표면에 쉽게 퍼지므로 붓이나 작은 볼형태 두부를 같는 이장재 적용기구(dycal applicator)로 도포할 수 있다.

3) 시멘트 베이스

이장재와는 달리 시멘트 베이스는 열 손상, 갈바니 쇼크 및 화학적 자극으로부터 치수를 보호하기 위해 수복재료 아래에 0.75 mm 이상되게 두꺼운 층으로 적용된다. 큰 아말감 충전물을 갖는 치아가 온도변화를 받을 경우 베이스에 의해 절연되어있지 않으면 치수에 더 심각한 영향을 미친다. 일반적으로 인산아연 시멘트와 산화아연유지놀 시멘트가 사용되며, 폴리카복실레이트 시멘트와 빠른 경화형 글라스아이오노머 시멘트도 일부 사용된다. 표 12-17은 인산아연 시멘트 및 산화아연 시멘트가 포틀랜드 시멘트, 코르크판, 유리보다는 절연 능력이 낮지만 금속보다 우수한 절연체임을 보여준다. 폴리카복실레이트, 글라스아이오노머 및 수산화칼슘 시멘트의 절연 능력도 이 범위 내에 속한다. 실제로 열전달은 더 복잡하여서 재료의 열용량, 두께 및 밀도에 의존한다.

표 12-17. 시멘트 베이스와 기타 일반재료의 열전도도

재료	열전도도 (W/m·K)
인산아연 시멘트 (건조)	1.26
인산아연 시멘트 (습윤)	1.63
산화아연-유지놀	1.67
코르크 보드	0.04
석고 보드	0.17
포틀랜드 시멘트	0.29
유리	1.01
지르코니아 세라믹	1.7
얼음	2.18
스테인레스강	15.9
순금	297

베이스 시멘트는 와동의 디자인, 직접 수복재료 및 와동 바닥 또는 벽에 대한 치수강의 근접성을 고려한 후에 선택하여야한다.

① 생물학적 특성

인산아연 시멘트는 단열을 위한 효과적인 베이스이지만, 낮은 pH는 치수를 보호하기 위해 시멘트 하방에 와동 이장재를 필요로 한다. 하지만 인산아연 시멘트가 과량의 산을 갖지 않는 빡빡하고 끈적거리지 않으며 퍼티와 같은 점조도로 혼합되면 치수와 접촉하는 낮은 pH의 위험이 최소화된다.

수산화칼슘, 산화아연유지놀, 폴리카복실레이트 및 글라스아이오노머 시멘트는 수복재료로부터 자극성 성분이 침투되는 것을 막는 효과적인 차단재이다. 글라스아이오노머를 베이스로 사용하는 경우, 치수노출이 발생할 가능성이 높을 때는 깊은 부위를 보호하기 위해서 먼저 수산화칼슘 이장재를 적용해야 하다.

아말감 또는 직접충전 금박 수복 시 베이스 시멘트를 사용하여도 미세누출이나 산 침투가 방지되지는 않는다. 와동 바니쉬 또는 상아질 접착제가 수복물의 밀폐성을 위해 필요한 경우에는, 베이스의 종류에 따라 재료의 적용 순서를 달리해야 한다. 만일 인산아연 시멘트 베이스를 사용한다면, 베이스를 적용하기 전에 와동 벽에 바니쉬를 한다. 보다 생체적합성인 시멘트 베이스(예를 들어, 수산화칼슘, 산화아연유지놀, 폴리카복실레이트 및 글라스아이오노머 시멘트)의 경우에는 베이스 시멘트를 먼저 깔아준 다음에 베이스가 경화된 후 와동 바니쉬를 발라준다. 레진계 콤포짓트의 경우에는 수산화칼슘 및 글라스아이오노머 시멘트는 적절한 베이스 시멘트이다.

MTA는 절연성, 항균성 및 알칼리성이기 때문에 베이스로도 사용된다. 그러나 현재 사용 가능한 제품은 경화 특성이 느린다. 따라서 MTA는 주로 특수한 경우의 재료이다.

② 기계적 특성

베이스가 모든 측벽에서 치아조직에 의해 지지되는 제1급 와동을 수복하는 경우는 제2급 와동 수복의 경우에 비해 더 낮은 강도가 요구된다. 아말감 수복물의 경우, 수산화칼슘 및 산화아연시멘트는 효과적인 베이스 시멘트이다. 비교적 연성이 있는 직접충전 금 수복물의 경우, 인산아연 시멘트, 폴리카복실레이트 시멘트 또는 글라스아이오노머 시멘트와 같은 더 강한 고강도 베이스 시멘트가 적절하다. 와동 바닥에 수산화칼슘 또는 산화아연유지놀 시멘트 이장재가 필요한 경우 이장재는 고강도 베이스로 덮여야 한다.

시멘트 베이스는 재료를 충전하는 동안의 힘과 저작력에 견딜 수 있을 정도로 충분히 강해야 한다. 수복재료 충전은 베이스 시멘트의 초기 경화 후에 해야 하다.

(1) 저강도 베이스

저강도 베이스로는 2개의 연고로 되어 있는 수산화칼슘이나 산화아연유지놀 시멘트를 사용한다. 이런 재료를 일반적으로 이장재, 중간 베이스, 치수복조제(수산화칼슘의 경우에만) 등으로 부르며, 글라스아이오노머나 레진 등도 저강도 베이스로 사용할 수 있다. 수산화칼슘과 산화아연유지놀 시멘트는 2개의 연고형으로 되어있어 서로 다른 색의 연고를 같은 길이로 유지패드에 짜서 균일한 색깔이 될 때까지 혼합하여 사용한다.

수산화칼슘은 깊은 와동이나 직접치수복조(direct pulp capping)에 사용한다. 수산화칼슘은 항균작용을 보이므로 우식 상아질이 남아있는 경우 간접치수복조에도 사용할 수 있다. 깊은 와동에는 산화아연유지놀 시멘트를 적용하여 산이 침투하는 것을 막고 치수과민증을 감소시킨다. 수산화칼슘과 산화아연유지놀 시멘트는 고강도 베이스 아래에 적용할 수 있다.

① 수산화칼슘

2개의 연고형으로 기저제 연고는 텅스텐산칼슘(calcium tungstate), 제3인산칼슘(tribasic calcium phosphate) 및 산화아연이 글리콜 살리실레이트에 들어있다. 촉매제 연고는 ethylene toluene sulfonamide에 수산화칼슘, 산화아연 및 스테아르산아연(zinc stearate)이 들어있다. 경화반응은 수산화칼슘과 살리실레이트가 반응하여 무정형의 칼슘 디살리실레이트가 생성되어 경화된다. 텅스텐산칼슘이나 황산바륨과 같은 필러를 첨가하면 방사선 불투과성을 보인다. 광중합형 수산화칼슘은 수산화칼슘과 황산바륨을 UDMA에 분산시켜서 레진이 광중합되는 기전을 이용한다. 수산화칼슘 이장재는 수복상아질 형성을 촉진하고 인산을 함유하는 시멘트에서 유출되는 산을 중화하는 역할을 한다.

수산화칼슘은 인장강도, 압축강도 및 탄성률이 고강도 베이스보다 낮다. 경화시간은 2.5~5.5분으로 다양하며, 압축강도는 24시간 동안 증가한다. 5종의 제품을 비교한 결과 압축강도는 10분 후에 6~14 MPa이었고, 24시간 후에는 10~27 MPa이었다. 수산화칼슘은 탄성률이 낮아 수복물을 지지해야 하는 부위에는 사용할 수 없으나 아말감을 충전할 때 가해지는 응축력은 견딜 수 있다.

수산화칼슘을 두꺼운 층으로 만들면 열차단이 가능하

지만 0.5 mm 이상의 두께로 적용하는 것은 바람직하지 않으므로, 실제적으로는 고강도 베이스를 이용하여 열차단을 하는 것이 바람직하다. 수산화칼슘의 용해도는 높은 편인데 치료효과를 보이기 위해서는 필요한 성질이긴 하지만, 어느 정도가 바람직한지는 명확하지 않다. 수산화칼슘을 적용하고 산부식을 하거나 바니쉬를 도포할 때에는 용해되지 않게 주의하여야 한다. 수산화칼슘으로 베이스를 하고 장시간이 경과하면 와동 내에서 없어지는 제품도 있으나 그 원인은 명확하지 않다.

시판 수산화칼슘 베이스의 pH는 9~11정도의 알칼리성을 띤다. 반응하여 칼슘 디살리실레이트를 만들고 남은 수산화칼슘은 치수와 근접한 부위에서 수복상아질의 형성을 촉진하여 치수와 수복물 간의 장벽역할을 하게하며, 항균작용을 보인다. 광중합형 수산화칼슘 베이스의 pH는 11.9이고, 산에 의한 용해도가 낮으며(0.5% 미만) 증류수에 24시간 침지 후 용해도는 1.0% 미만이고 압축강도는 80 MPa로 높다. 그러나 2개의 연고형 수산화칼슘 베이스는 항균성이 있으나 광중합형은 항균성이 없다.

이 베이스 재료의 장기적 성공률과 유지여부에 관한 불확실성, 그리고 상아질 본딩시스템의 발전으로 인해 이 재료의 사용은 크게 감소되었다.

② 산화아연유지놀 시멘트

제2형 산화아연유지놀 시멘트를 저강도 베이스로 사용한다. 2개의 연고로 되어있고 각각 산화아연과 유지놀이 들어 있으며, 기름이나 필러를 첨가하여 연고형태로 만들었다. 반응 후에는 단단하게 굳으며 습도나 온도상승에 따라 경화반응이 촉진된다.

산화아연유지놀 시멘트는 경화된 수산화칼슘보다 취약하다. 유지놀은 치수 진정작용이 있으나, 콤포짓트 레진의 중합을 방해하므로 같이 사용하는 것은 피해야 한다.

(2) 고강도 베이스

고강도 베이스는 열, 전기 및 화학 자극으로부터 치수를 보호하며, 기계적 지지를 얻기 위하여 사용한다(그림 12-39). 높은 분액비로 혼합하며 강화형 산화아연유지놀 시멘트, 인산아연 시멘트, 폴리카복실레이트 시멘트, 이원중합형 콤포짓트 레진, 자가중합형 및 광중합형 글라스 아이오노머 등을 사용한다.

레진을 저강도 또는 고강도의 베이스로 사용하는데, 저강도 베이스용 레진은 광중합형 UDMA계 레진으로 바륨 유리나 황산바륨 필러, 불화나트륨 등을 함유하고 있다. 고강도 콤포짓트 레진 베이스는 이원중합형으로 연고형이다. Bis-GMA 레진, 친수성 희석제, 불소를 방출하는 유리 필러, 방사선 불투과성을 나타내는 바륨 유리 등으로 구성되어 있으며, 상아질 접착제를 같이 사용한다. 법랑질 및 상아질과의 결합강도는 14 MPa 정도이다.

베이스로 사용되는 시멘트는 이차 점조도(볼이나 로프 형태로 감아 말을 수 있게 빡빡하고 퍼티와 같은 베이스로서 사용하기 적당한 응축 가능한 재료의 점조도)로 혼합한다. 높은 분액비로 혼합하므로 합착용보다 높은 강도와 탄성률을 보인다. 고강도 베이스 재료 중에서는 인산아연 시멘트가 가장 강하고 강화형 산화아연유지놀 시멘트가 가장 약하다. 고강도 베이스의 수복물 지지력에 관한 응력분석 결과 베이스의 두께와 탄성률에 따라 변위 정도가 영향을 받았다. 즉, 베이스와 수복재료의 탄성률이 맞지 않으면 경계부위에 인장응력이 발생하여 베이스나 수복물이 파절될 수 있음을 의미한다. 인산아연 시멘트를 아말감의 베이스로 사용하는 것이 바람직하며 1급

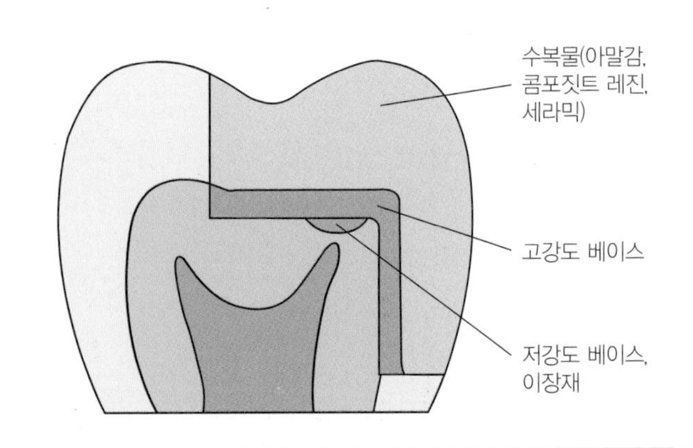

그림 12-39. 수복물과 고강도 베이스, 저강도 베이스 및 이장재의 관계

와동의 콤포짓트 레진 아래에는 인산아연 시멘트, 글라스아이오노머, 폴리카복실레이트 시멘트를 사용하는 것이 좋다. 고강도 베이스는 수복물 하방에 0.75 mm 이상 두께로 사용할 경우 열차단 효과가 나타난다. 그 외에 화학적 자극으로부터 치수를 보호하고 응축력과 교합압에 저항하는 역할을 한다. 와동형성이 너무 깊어서 치수 상방 잔존 상아질이 2 mm 이내이면 많은 치과의사들은 일단 시멘트 베이스를 깔아줌으로써 수복재료에 대한 기계적 지지층 역할을 하게한다.

16. 요약

모든 영구합착 시멘트는 크게 두가지 범주 중 하나로 분류될 수 있다.

① 전통적인 시멘트(인산아연시멘트, 폴리카복실레이트 시멘트, 글라스아이오노머 시멘트, RMGI 시멘트)는 본질적으로 합착제에 의해 제공되는 미세기계적 유지력에 의존하는 간격(gap)을 메우는 충전재이다. RMGI 시멘트는 약간 더 높은 강도와 합착력, 손쉬운 세척 및 낮은 용해도를 보이기 때문에 이 범주에서 가장 일반적으로 사용된다.

② 레진 시멘트(자가접착성 레진시멘트, 접착형 레진시멘트 및 심미성 레진시멘트)는 기존 시멘트의 단점을 해결하기 때문에 선택을 받고 있다. 즉, 치아 구조에 대한 높은 결합강도, 심미성 및 용해저항성이 좋다. 레진시멘트는 미세 기계적 유지와 화학적 결합 모두에 의존한다.

시멘트를 선택할 때는 우선 합착될 세라믹 수복물의 강도와 치아삭제의 유지형태 정도를 보아서 선택과정을 택하는 것이 좋다. 일반적으로 심미성이 많이 요구되는 경우에는 비교적 낮은 강도의 글라스세라믹(예로서 장석계, 루사이트 강화, 리튬디실리케이트 강화 세라믹)이 사용되기 때문에, 접착형 레진시멘트 또는 심미적 레진시멘트와 같은 고강도의 시멘트를 선택하면 수복물의 전체적인 강도를 보강하는 장점이 된다. 반면, 지르코니아와 같은 고강도의 세라믹이 유지형태가 좋은 지대치에 사용될 경우는, 추가적인 강도증진을 시멘트에 의존할 필요가 없기 때문에 자가접착성 레진시멘트나 RMGI 시멘트와 같이 낮은 강도의 시멘트가 사용될 수 있다.

산화아연-유지놀 시멘트는 합착용 시멘트 및 임시 수복물로서 생체적합성 재료이지만, 이 시멘트의 특성과 취급 특성은 인산아연시멘트, 글라스아이오노머 및 레진 시멘트와 같은 다른 장기간 합착용 시멘트보다 열등하다. 하지만, 산화아연-유지놀 시멘트는 임플란트-지지 지대주에 고정성 보철물을 합착하는 경우에는 필요할 시 보철물의 제거가 용이해서 유용하게 사용된다.

폴리카복실레이트 시멘트는 치수에 무해하고 치아 조직에 접착성이 있다. 이 시멘트는 환자가 술후 과민증 이력이 있는 경우에 종종 사용되지만, 작업시간이 짧아서 단일 또는 3-유닛 고정성 보철물에 사용에만 제한된다.

글라스아이오노머 합착용 시멘트는 치아 조직에 접착하고, 불소를 방출하며, 인산아연시멘트보다 용해 저항력이 크며, 탄성률이 더 낮은 것을 제외하고는 인산아연시멘트와 유사한 기계적 특성을 가지고 있다. 글라스아이오노머 시멘트는 인산아연 시멘트가 사용되는 케이스에 종종 사용될 수 있으며, 반투명성을 가지고 있어서 일부 세라믹 보철물의 합착을 위해 유용하게 사용될 수 있다. 그러나 강도가 낮기 때문에 약한 그리고 얇은 세라믹 보철물의 합착에는 적합하지 않다. 이 시멘트는 교정 밴드의 합착에 유용하게 사용된다. 불소방출 능력으로 인해 글라스아이오노머 시멘트는 2차 우식으로 인해 실패한 수복물을 대체하거나 상수도수 불소화가 시행되지 않는 지역의 환자에 사용되는데 최우선적으로 선택될 수 있는 재료이다. 글라스아이오노머 시멘트의 주요 단점은 최종 강도를 얻기까지의 숙성과정이 느리다는 점이다.

레진강화형 글라스아이오노머 및 콤포머 시멘트는 글라스아이오노머 시멘트와 레진 시멘트의 장점들을 결합한 재료이다.

레진강화형 글라스아이오노머 시멘트는 이장재, 열구

전색제, 베이스, 코어 축성용, 그리고 교정용 밴드의 합착에 사용된다.

콤포머는 금속 보철물을 합착하는데, 또는 큰 응력이 가해지지 않는 부위의 수복재로서 사용된다.

레진 시멘트는 구강내 용액 내에서 용해되지 않으며 파괴 인성은 다른 시멘트들에 비해 높다. 초기의 레진 시멘트는 접착제를 사용하여 상아질에 결합하고 법랑질에 접착을 형성했다. 최근에는 자가접착 레진시멘트가 사용된다. 레진 시멘트는 모든 케이스의 합착에 사용될 수 있다. 특히 유지력이 좋지 않은 보철물과 심미적 요구가 매우 높은 올-세라믹 보철물에 유용하게 사용된다. 레진 시멘트의 경우에는 수복물이나 교정장치를 부착한 직후에 여분의 시멘트를 제거하는 것이 중요하다. 초기경화가 일어나거나 광중합하기 전에 여분의 시멘트를 제거해야 한다. 레진 시멘트의 탄성계수는 일반적으로 인산아연 시멘트의 탄성계수보다 낮지만, 이 점이 레진 시멘트로 합착한 세라믹 보철물의 파절저항성에 영향을 미치지는 않는 것으로 보인다.

수산화칼슘 및 MTA는 치수 복조에 적합하다. MTA 및 칼슘 알루미네이트 글라스아이오노머 시멘트(calcium aluminate GIC)의 소개로 치과적 적용에서 수성 시멘트의 역할이 증가했다. MTA 시멘트는 수산화칼슘 시멘트와 같이 무기질에 대한 치유 특성을 가지면서도 더 높은 강도를 가져서 생활치수치료 및 근관치료에 적합하다. 칼슘 알루미네이트 글라스아이오노머 시멘트의 초기 강도는 글라스아이오노머의 경화에 의존하며 칼슘 알루미네이트의 수화를 통해 최종 강도가 증가한다. 교정 및 근관치료와 같은 치과 치료 분야에서는 여기에 설명된 시멘트들의 변형을 통해 임상사용에 있어서 특별한 요구들을 만족시킨다. 수성시멘트는 근관치료에 있어서 특히 유용하게 사용되고 있으며, 교정치과의사는 레진시멘트와 글라스아이오노머 시멘트의 특수한 버전 또는 특성이 조합된 재료를 사용하여 혜택을 받는다.

참고문헌

1. Albers HF. Tooth-Colored Restoratives, 8th ed. Santa Rosa: Alto Books; 1996.
2. Anusavice KJ, Shen C, Rawls HR. Phillps' Science of Dental Materials. 12th ed. St. Louis: Elsevier; 2013.
3. Brauer GM. New developments in zinc oxide-eugenol cement. Ann Dent. 1967;26(2):44-50.
4. Christensen CJ. Marginal fit of gold inlay casting, J Prosthet Dent. 1966;16:297-305.
5. Craig RG, Power JM, Wataha JC. Dental Materials, Properties and Manipulation, 8th ed. Mosby, 2004.
6. Dilorenzo SC, Duke ES, Norling BK. Influence of laboratory variables on resin bond strength of an etched chrome-cobalt alloy. J Prosthet Dent. 1986;55:27-30.
7. Ferracane J. Materials in Dentistry, JP Lippincott. 1995.
8. Ferracane JL, Stansbury JW. Self-adhesive resin cements chemistry, properties and clinical considerations. J . Oral Rehabilitation. 2011;8(4):295-314.
9. Gladwin M, Bagby M. Clinical Aspects of Dental Materials, Philadelphia: Lippincott Williams & Wilkins; 2000.
10. Magne P, Paranhos MPG, Burnett Jr LH. New zirconia primer improves bond strength of resin-based cements. Dent Mater. 2010;26(4):345-352.
11. McCabe JF, Walls AWG. Applied Dental Materials, 9th ed. Oxford: Blackwell Publishing; 2008.
12. Noort RV. Introduction to Dental materials. 3rd ed. Edinburgh: Mosby Elsevier; 2007.
13. O'Brien WJ. Dental Materials and Their Selection, 2nd ed. Quintessence Publishing Co.; 1997.
14. Pilo R, Kaitsas V, Zinelis S, Eliades G. Interaction of zirconia primers with yttria-stabilized zirconia surfaces. Dent Mater. 2016;32(3):353-362.
15. Powers JM, Watanabe F, Lorey RE. In vitro bonding of prosthodontic adhesives to dental alloys. J Dent Res. 1988;67:479-483.
16. Qvist V, Manschert E, Teglers PT. Resin-modified and conventional glass ionomer restorations in primary teeth: 8-year results. J Dent. 2004;32:285.
17. Sakaguchi RL, Ferracane JL, Powers JM. Craig's Restorative Dental Materials. 14th ed. St. Louis: Elsevier; 2019.
18. Smith DC. A new dental cement. Br Dent J. 1968;125:381-384.
19. Smith DC, Normal RD, Swartz ML. Dental Cements: Current Status and Future Prospects in Restorative Dental Materials, an Overview, London: Quintessence Publishing Co; 1985.
20. Vermilyea SG, Powers SM, Craig RG. Rotational viscometry of a zinc phosphate and a zinc polyacrylate cement. J Dental Res. 1977;56:762-767.
21. Wilson AD, McLean JW. Glass-Ionomer Cement. Chicago: Quintessence Publishing; 1988.

아말감

13

학/습/목/표

❶ 아말감을 분류하고 각 아말감의 경화반응을 이해할 수 있다.
❷ 각 아말감의 성질과 취급법을 이해하고 적용할 수 있다.
❸ 치과용 수은의 취급 시 주의사항을 이해한다.

수은을 함유하는 합금을 아말감(amalgam)이라고 한다. 수은과 결합하기 전의 합금, 즉 아말감 합금은 은-주석 합금에 구리와 소량의 아연을 다양한 양으로 첨가한 것이다. 치과용 아말감에서는 수은이 아말감 합금과 반응하여 아말감화(amalgamation)된다. 수은은 상온에서 액체이기 때문에 고체 금속과 혼합될 수 있다. 아말감 합금 분말과 수은을 기계적으로 혼합하는 과정을 혼합(trituration)이라고 하고, 치과의사는 혼합 후 가소성이 있는 아말감 덩어리를 기구로 응축(condensation)하여 여분의 수은을 제거하면서 와동 내에 충전한다. 아말감 합금 입자가 수은과 반응한 후 경화(setting, hardening)되어 새로운 수복물인 아말감이 완성된다.

아말감은 임상적으로 높은 성공률을 나타내는 수복 재료이다. 수복물과 치아 사이의 계면을 따라 형성되는 부식산물이 계면을 채움으로써 적절하게 수복된 아말감은 누출이 감소한다. 아말감 수복물의 결함은 재료 자체보다는 치과의사의 부적절한 취급 또는 환자의 불량한 관리에서 주로 기인한다.

최근 세계적으로 아말감의 사용이 빠른 속도로 감소되고 있다. 이는 콤포짓 레진과 같은, 보다 심미적인 대체 재료의 개발, 수은의 위해성 및 환경오염 문제와 관련이 있다.

1. 아말감 합금

1) 조성

아말감 합금은 기본적으로 은(Ag)과 주석(Sn)으로 구성되어 있고, 구리(Cu), 아연(Zn), 팔라듐(Pd)과 같은 다른 원소들을 함유한다. Ag와 Hg는 경화되는 동안 아말감의 크기 변화를 결정하는 화합물을 만든다.

Ag는 경화를 촉진하고 경화팽창과 강도를 증가시키며, Hg와의 반응성을 좋게한다. 또한 크리프(creep)를 감소시킨다. 일반적으로 아말감 합금은 67~70%의 Ag를 함유하지만 현재 많은 합금은 더 적은 양을 가지고 있다. Sn은 25~27% 정도 함유되는데, 일반적으로 Ag와 반대되는 작용을 한다. Sn은 Hg에 대한 용해도가 크므로 아말감화를 촉진하고 경화팽창을 감소시키며 크리프를 증가시킨다. 또한 강도와 경도를 감소시키는데, Sn이 Hg와 반응하여 형성되는 화합물은 약하고 부식이 되기 쉽다.

Cu는 Ag와 유사하게 작용하여 강도, 경도, 경화 팽창 및 변색을 증가시키고, 크리프를 감소시킨다. 초기에는 Cu의 양이 6% 미만이었지만, 1970년대 이후 그 이상의 Cu가 함유되면 성질이 더욱 우수해진다는 것이 증명되어 현재는 거의 모든 합금이 6% 이상의 Cu를 사용하고 있다. Cu함량이 6% 이하인 아말감 합금을 저동(low-copper) 또는 재래형(traditional) 합금이라고 부르고, 이보다 많은 것을 고동(high-copper) 합금이라고 한다. 일반적으로 고동 아말감 합금은 저동 아말감 합금보다 우수한 특성을 가진다.

0.01~1%의 Zn을 함유한 합금을 아연함유(zinc-containing) 합금이라고 부르고, Zn이 0.01% 이하인 경우를 무아연(non-zinc) 합금이라고 한다. 합금의 용융기술이 발달함에 따라 최근에는 Zn을 전혀 사용하지 않은 합금도 개발되었다. Zn은 산소와 쉽게 반응하므로 산소가 다른 성분과 결합하는 것을 막아 다른 금속의 산화를 최소화시킨다. 임상적으로 아연을 첨가하면 초기 부식을 억제하고 변연 적합도를 높이는 장점이 있다. 하지만 아연함유 합금의 수분 오염은 아말감의 비정상적인 팽창을 초래할 수 있으므로 주의가 필요하다.

2) 형태

(1) 저동 아말감 합금

6% 이하의 Cu를 가지는 합금으로, 절삭형(lathe-cut type)과 구상형(spherical type)의 2가지 유형이 있다(그림 13-1).

① 절삭형 합금(lathe-cut alloy)

금속원소를 배합하고 용융, 주조, 열처리 과정을 거쳐 균일조성의 주괴(ingot)를 만든 후, 선반으로 절삭하여 작은 입자로 제조하는 합금을 절삭형 합금이라고 한다(그림 13-1 A). 이 입자를 체(sieve)로 쳐서 아말감 합금에 맞는 입자만을 거른 뒤 분말 형태 그대로 사용하거나, 일정한 크기와 무게가 되도록 압축하여 정제형(pellet)으로 제조한다. 정제형인 경우 아말감혼합기(amalgamator)로 분쇄하여 아말감화 시킨다.

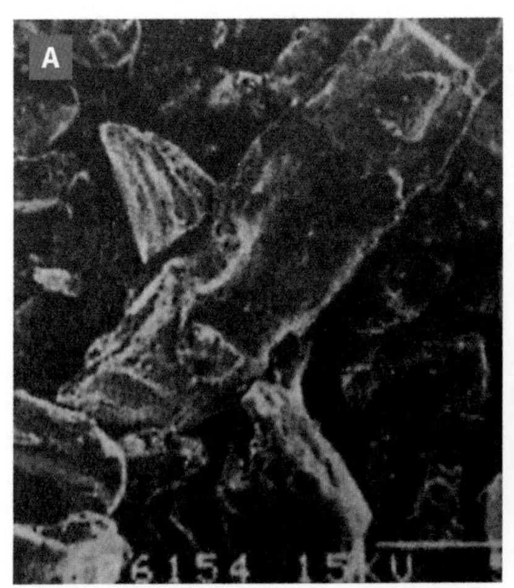

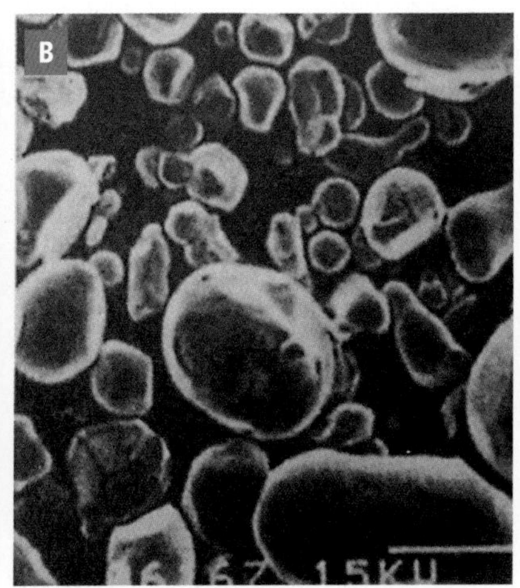

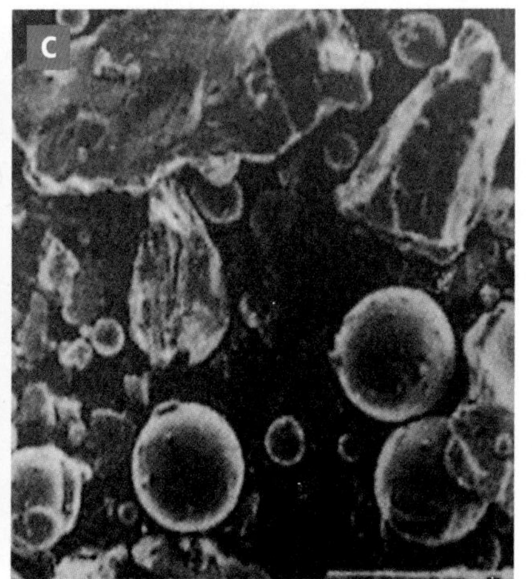

그림 13-1. 아말감 합금의 입자형태 A 절삭형, B 구상형, C 혼합형

② 구상형 합금(spherical alloy)

절삭형보다 우수한 물성을 얻기 위하여, 분사과정(atomizing procedure)을 통해 작은 구상형을 가진 분말 입자를 제조하는 방법이 개발되었다. 냉각된 비활성기체(Ar, He) 속으로 용융된 합금을 미세한 안개처럼 분사해 고체화시키면 작은 구상형 입자가 형성된다(그림 13-1 B). 이는 절삭형과 마찬가지로 분말형과 정제형으로 공급되고 있다. 구상형 합금은 절삭형 합금보다 10% 정도 적은 양의 수은에 의해서도 아말감화가 가능하고, 적은 응축압을 가하여 와동에 충전할 수 있다. 또한 입자의 크기가 작으므로 아말감 수복물의 표면이 매끄럽고 광택이 있으며, 연마성과 부식에 대한 저항성이 우수하다.

(2) 고동 아말감 합금

저동 아말감 합금은 광범위한 변연부 변형 또는 파손이 문제가 되어 최근에는 거의 사용되지 않고, 현재는 이보다 우수한 특성을 가진 고동 아말감 합금이 주로 사용된다. 고동 합금은 상대적으로 은의 양이 적기 때문에 저은(low-silver) 합금이라고 부르기도 한다. 일부 합금은 10% 이하의 구리를 함유하지만 최고 30%의 구리를 포함하는 경우도 있다. 일반적으로 우수한 임상적 결과를 얻기 위해서는 최소 11%의 구리가 필요하다. 고동 아말감 합금에는 혼합형과 단일조성형의 두 가지 기본적인 형이 있다.

① 혼합형 합금(admixed alloy)

재래형 저동 합금과 구리가 많은 은-구리 공정 합금의 2가지 분말을 혼합하여 구리의 총량을 증가시킨 합금이다. 이는 재래형 아말감이 소개된 이후 아말감 합금 조성에 생긴 첫 번째 주된 변화였다. 저동 합금은 절삭형이고 고동 합금은 구상형으로, 결과적으로 이 2가지가 혼합된 합금이므로 혼합형 합금이라고 부른다(그림 13-1 C). 상품화된 혼합형 합금에서 구리의 총량은 9~20%이다. 잔존 아말감 합금 입자가 많아지고 기질이 감소되므로 전체적으로 아말감은 강화된다.

② 단일조성형 합금(unicompositional alloy)

아말감 합금의 전체 Cu 함량을 증가시킬 수 있는 또 다른 방법은, 은-주석-구리의 삼원 합금을 제조 시 미리 구리의 양을 증가시키는 것이다. 이 합금은 한 가지 분말로 구성되어 있으므로 단일조성형 합금이라고 부른다. 구리의 함량은 제조회사에 따라 최저 13%부터 최고 30%까지 다양하다. 은은 40~60%, 주석은 22~30% 정도이며, 소량의 인듐과 팔라듐이 포함된 제품도 있다.

2. 아말감화

아말감화는 수은과 은-주석 합금 입자의 표면이 접촉하면 일어난다. 분말이 혼합될 때 입자의 외부에 있는 은과 주석이 수은에 용해되고, 동시에 합금 입자 내로 수은이 확산된다. 이러한 아말감화 반응의 일반식은 다음과 같다.

치과용 아말감 합금 + 수은
→ 치과용 아말감 + 미반응 합금 입자

1) 저동 아말감 합금

저동 아말감 합금이 Hg와 혼합되면 Hg는 합금의 주성분인 γ상(Ag_3Sn)과 반응하는데, γ입자의 표면에 있는 Ag와 Sn이 Hg에 용해되기 시작하고, Ag_2Hg_3 (γ_1상)와 $Sn_{7-8}Hg$ (γ_2상)이 석출된다. Ag의 Hg에 대한 용해도가 Sn보다 낮기 때문에 γ_1상은 γ_2상보다 더 빨리 석출된다.

혼합 직후에는 합금 분말과 액체 수은이 동시에 존재하게 되어 가소성을 가진 덩어리가 된다. 수은이 합금 입자를 용해시킴에 따라 γ_1과 γ_2결정이 계속 성장한다. 수은이 점차 감소함에 따라 아말감은 경화된다. 저동 아말감 합금과 수은 사이에 일어나는 반응은 다음과 같은 반응식으로 정리할 수 있다.

$Ag_3Sn(\gamma) + Hg \rightarrow Ag_2Hg_3(\gamma_1) + Sn_{7\text{-}8}Hg(\gamma_2) + Ag_3Sn$ (미반응 γ)

따라서 전형적으로 경화된 저동 아말감은 그 표면이 수은에 용해되고 작아진 미반응 입자가 γ_1상과 γ_2상에 둘러싸여 있는 복합물이다(그림 13-2). 아말감의 성질은 위의 반응식에 나타나 있는 3가지 상에 의해 결정된다. 가장 강한 상은 원래의 γ상이고, 가장 약한 것은 γ_2상으로, γ_2상은 γ상 또는 γ_1상보다 더 쉽게 부식이 일어난다. γ_1상에 소량의 Sn이 포함되어 있는 경우도 부식에 의해 소실될 수도 있다. 결국 아말감 수복물의 강도와 부식 저항성은 각 상의 상대적인 비율에 달려있다고 할 수 있다. 또한 미반응 γ상의 비율이 높은 경우라도 합금 입자가 기질에 둘러싸여 있지 않으면 아말감은 약화될 수 있다.

2) 고동 아말감 합금

고동 아말감 합금은 기존의 저동 아말감 합금에서 생성되는 γ_2상을 최소화한다. 고동 아말감 합금이 Hg와 혼합되면 저동 합금의 경우와 같이 Ag와 Sn이 Hg에 용해되고 Hg가 입자 사이로 확산된다. γ_1상이 형성되고 그 결정이 석출된다. 이 때 Sn은 Hg보다 Cu에 친화성이 크기 때문에 Cu_6Sn_5(η'상)이 형성된다. 이로 인해 γ_2상의 형성이 억제되어 부식저항성과 강도가 향상된다. γ_2상의 형성을 효과적으로 억제하는데 필요한 Cu의 양은 12% 정도라고 알려져 있다. 혼합형과 단일조성형 합금의 경화기전은 다음 반응식과 같이 약간의 차이가 있다. 단일조성형 입자는 $Ag_3Sn(\gamma)$와 $Cu_3Sn(\varepsilon)$로 구성되어 있고, 혼합형이나 단일조성형 모두 최종반응산물에 $Sn_{7\text{-}8}Hg(\gamma_2)$상 대신 $Cu_6Sn_5(\eta')$상이 형성된다.

• 혼합형

$Ag_3Sn(\gamma)$ + Ag-Cu(공정) + Hg

$\rightarrow Ag_2Hg_3(\gamma_1) + Sn_{7\text{-}8}Hg(\gamma_2)$+Ag-Cu(미반응)+$Ag_3Sn$(미반응$\gamma$)

↓

2차반응: $Cu_6Sn_5(\eta') + Ag_2Hg_3(\gamma_1)$+Ag-Cu(미반응)

• 단일 조성형

$[Ag_3Sn(\gamma) + Cu_3Sn(\varepsilon)] + Hg \rightarrow$

$Ag_2Hg_3(\gamma_1) + Cu_6Sn_5(\eta') + [Ag_3Sn(\gamma) + Cu_3Sn(\varepsilon)]$(미반응)

경화된 아말감의 미세구조의 모식도는 그림 13-2에 나타나 있다. 즉, 반응 결과 γ상이 core가 되고, γ_1, γ_2, η'의 각 상에 의해서 만들어진 기질로 연결되는 미세구조가 얻어진다.

3) 아말감의 각 상의 성질

• γ상(Ag_3Sn): 수은과 반응하지 않는 아말감 합금의 원래 상으로, 수은과 반응하지 않은 상태이므로 강하고 부식저항성이 크다.

• γ_1상(Ag_2Hg_3): 경도가 크고 강도가 γ상과 γ_2상의 중간 정도이다. 취성이 크다(brittle). 순수물질로 구성된 경우, γ_1상이 가장 부식저항성이 높으나, 실제로는 주석, 은, 구리가 서로 용해되어 부식저항성이 달라진다. 저동합금인 경우 γ_1상 내부에 주석의 함량이 높아져서 γ_1상의 부식저항성이 γ상보다 낮아진다.

• γ_2상($Sn_{7\text{-}8}Hg$): 강도와 경도 모두 제일 낮고 부식저항성도 취약하며 흐름성이 큰 상이다.

• η'상(Cu_6Sn_5): 부식저항성이 γ상이나 γ_1상보다는 낮지만 γ_2상보다는 높다.

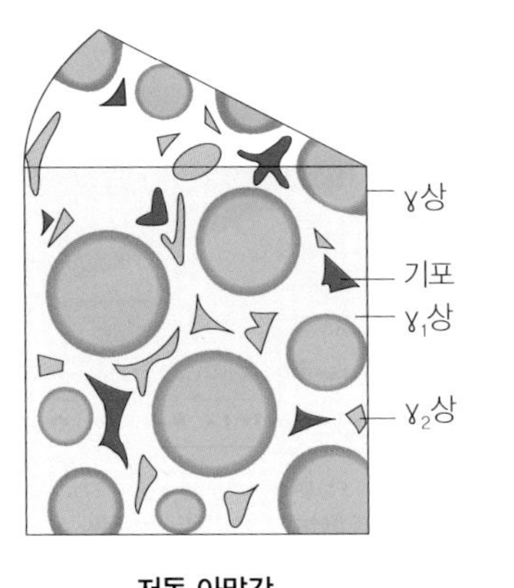

저동 아말감

합금의 표층이 Hg에 용해되어 새로운 γ_1상과 γ_2상이 생긴다. 미반응 부분은 core(γ상)가 되고, 그 사이를 메우는 새로운 상을 매트릭스(γ_1, γ_2상)라고 한다.

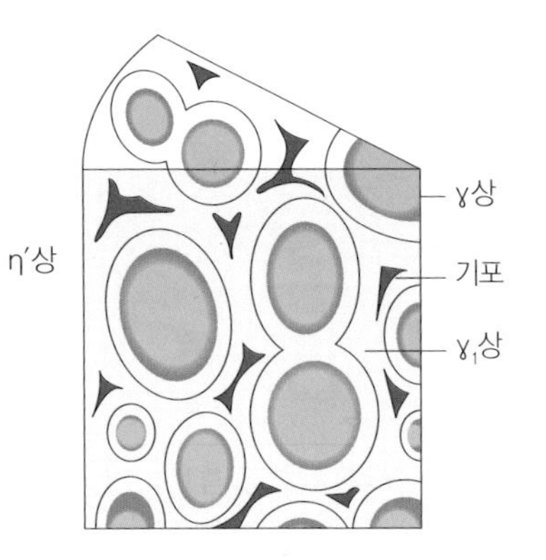

고동 혼합형 아말감

Sn이 Hg와 결합하여 γ_2상을 만드는 대신에 Cu와 결합하여 대단히 강한 η'상을 만든다. core의 주위에 환상의 η'상이 둘러싼다. 매트릭스 내에서 γ_2상은 관찰되지 않는다.

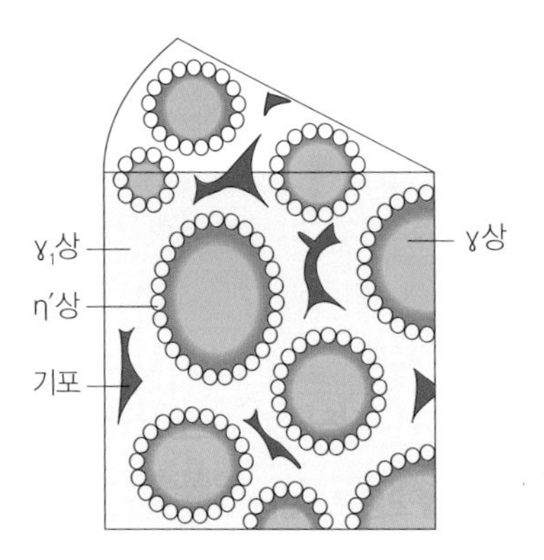

고동 단일조성형 아말감

단일조성형에서는 미반응 합금 입자의 주위에 과립상의 η'상이 띠를 이루면서 둘러싸고 있다. 매트릭스 내에서 γ_2상은 관찰되지 않는다.

그림 13-2. 아말감 경화물의 미세구조의 모식도

3. 아말감의 성질

1) 체적 안정성

(1) 체적 변화

아말감은 사용 방법에 따라 수축 또는 팽창이 일어날 수 있지만, 이상적으로 체적 변화가 작아야 한다. 합금과 수은을 혼합하면 입자가 용해되고 γ_1 상이 형성되면서 수축이 일어난다. 그 후 γ_1결정이 성장하면서 충돌하게 되고, 이는 외부로 압력을 생성하여 팽창할 수 있다. γ_1기질이 경화된 후에는 γ_1결정의 성장으로 인한 기질의 팽창은 일어날 수 없고, 대신 γ_1결정이 수은을 포함하고 있는 틈을 따라 수은과 반응하여 계속 성장한다. 체적은 약 6-8시간 후부터 거의 일정해지므로 24시간 후의 수치를 최종값으로 한다. 체적 변화가 시작될 때 혼합물 내에 충분한 수은이 있다면 팽창이 일어나고 그렇지 않다면 수축이 일어날 것이다. 따라서 낮은 수은/합금 비와 높은 응축압을 적용하면 혼합물 내에 수은을 감소시켜 수축을 일으킨다. 또한 긴 혼합 시간, 작은 분말 입자를 사용하면 경화와 수은의 소비를 촉진하여 수축을 일으킨다.

과거의 아말감은 입자의 크기가 크고 수은/합금 비가 높으며 혼합시간이 길어 팽창이 일어났지만, 현대의 아말감은 입자의 크기가 작고 수은/합금비가 낮으며 혼합시간이 짧아 수축이 일어나는 경향을 나타낸다(그림 13-3). 한국산업표준 KS P ISO 24234에서는 아말감의 24시간 후

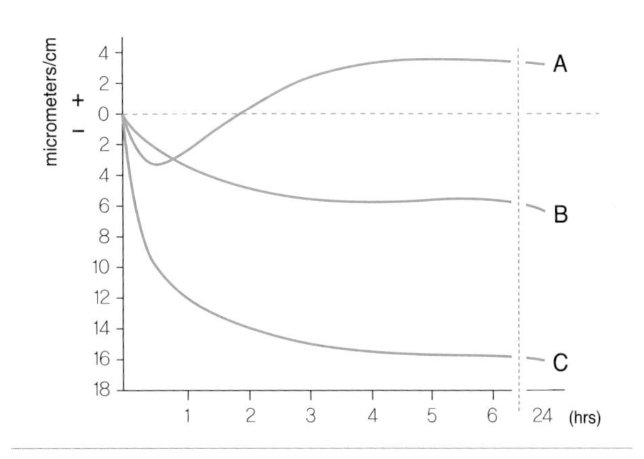

그림 13-3. 아말감 크기변화
A 고동 혼합형, B 고동 단일조성형, C 저동 절삭형

의 크기 변화를 -0.1~+0.2%로 규정하고 있다.

(2) 수분 오염에 의한 팽창

아연함유 아말감 합금이 경화되는 도중 수분에 오염이 되면 아래의 반응식과 같이 수소기체를 발생하게 된다.

$$Zn + H_2O \rightarrow ZnO + H_2$$

아말감 내에 갇힌 기체는 압력을 발생시켜 충전하고 약 일주일후부터 지연팽창(delayed expansion)이 시작되고 이는 몇 달간 지속되어 400 μm/cm (4%) 이상에 이른다. 이로 인해 환자가 동통을 느낄 수 있다.

오늘날 많은 아말감 합금들은 아연을 함유하지 않기 때문에 지연팽창의 문제는 적다고 할 수 있다. 특히 소아인 경우 구강 내에서 건조상태를 유지하기가 곤란하기 때문에 무아연 합금이 유리하다. 그러나 무아연 합금이라도 수분에 오염이 되면 부식저항성 및 강도가 저하되므로, 합금의 아연함유 여부에 관계없이 혼합 또는 응축 과정 동안 수분에 오염되지 않도록 주의해야 한다.

2) 강도

표 13-1에 나타나 있듯이 저동 아말감은 고동 아말감보다 7일 후의 압축강도가 낮다. 임상에서는 환자가 최종강도에 도달하기 전에 저작을 하게 되므로 특히 1시간 후의 강도가 중요하다. 아말감을 혼합하고 나서 20분 후의 압축강도는 7일 후 압축강도의 6% 정도이고, 1시간 후의 압축강도는 7일 후 압축강도의 15~20%이며, 8시간 후의 압축강도는 7일 후 압축강도의 85~90%로, 빠르게 충분한 강도에 도달하지 못한다. 따라서 아말감 충전 후 최소 8시간 동안은 부드러운 음식만을 섭취하도록 하는 것이 좋다. 조기에 저작압을 가하게 되면 조기 내부 응력이 생겨 차후 파절을 유발할 수 있다. 고동 아말감은 저동 아말감에 비해 상당히 빠른 속도로 강도가 증가하고 또한 더 높은 강도를 갖는다는 점에서 유리하다. 한국산업표준 KS P ISO 24234에서는 1시간 후의 압축강도를 80 MPa 이상으로 규정하고 있다.

아말감은 압축에는 잘 견디지만 강한 인장응력이나 굽힘응력에 잘 견디지 못하고 파절이 일어날 수 있다. 고동 아말감의 인장강도는 저동 아말감보다 크게 높지 않다.

아말감의 강도를 조절할 때 수은 함량은 매우 중요하다. 완전한 아말감화가 가능하도록 충분한 양의 수은이 필요하다. 하지만 수은의 함량이 그 이상으로 높은 경우에도 강도의 저하가 일어난다. 저동 합금과 고동 혼합형 합금에서 수은 함량이 54% 이상으로 증가하면 강도는 현저히 감소한다. 고동 구상형 합금에서도 수은 함량 증가에 따른 강도의 감소를 보이는데 강도의 감소가 일어나는 임계 수은 함량은 고동단일조성형 합금이 저동 합금과 고동 혼합형 합금보다 낮다. 고동 아말감의 경우는 γ_2상이 조금만 존재하더라도 약해지게 되므로, 수은/합금비를 최소화하여 과도한 수은이 γ_2상을 만들지 않도록 해야 한다.

또한 응축 시 수은을 많이 짜내어 수은의 비율을 감소시키는 것이 좋다. 절삭형 아말감의 경우 기포의 생성을 최소화하고 수은의 함량을 줄이기 위해서 더 높은 응축압이 필요하다. 반면 구상형 아말감은 약한 응축압으로도 적절한 강도를 가질 수 있다.

3) 크리프(Creep)

재료에 영구변형이 일어나지 않을 정도의 작은 하중을 장시간 가했을 때 나타나는 길이 변화를 크리프라고 한다. 아말감의 크리프는 7일 후가 되어 완전히 경화된 시

표 13-1. 저동 및 고동 아말감의 물리적 성질

아말감	압축강도 MPa		인장강도 MPa	크리프 (%)
	1시간	7일	1시간	
저동 절삭형	145	343	60	2.00
고동 혼합형	137	431	48	0.40
고동 단일조성형	262	510	64	0.13

편을 3시간 동안 일정 압축 하중 하에 놓아 측정한다. 한국산업표준 KS P ISO 24234는 최대 3%의 크리프를 허용한다. 표 13-1에 나타난 바와 같이 저동 합금은 고동 합금보다 높은 크리프값을 갖는다.

크리프값이 낮으면 아말감의 변연파절이 감소하는 경향이 있으나 크리프가 1% 이하인 경우에는 고동아말감의 크리프와 변연파절 간의 상관관계가 거의 없다. 즉 일정 크리프값 이하에서는 별다른 차이가 없는 것이다.

크리프는 결정입계 사이의 미끄러짐에 의해 일어나므로 γ_1상과 γ_2상이 많이 형성되는 재래형 아말감에서는 크리프값이 크지만, 고동 단일조성형 아말감에서는 η'상이 결정입계 사이에 형성되어 미끄럼을 방지하므로 크리프값이 낮다. 수은/합금비가 증가하거나, 혼합시간이 짧거나 길면, 또한 혼합 후 응축을 지연시키면 크리프가 증가한다.

4) 변색, 부식, 변연파절

환자의 구강 내에 적용된 아말감에서 일반적으로 관찰되는 실패는 수복물 주변의 이차 우식, 수복물 파절, 변연부 손상과 과도한 크기 변화, 변색, 부식 등을 들 수 있다.

변색 정도는 개인의 구강위생과 재료 자체에 관련이 있다. 변색은 부식을 막아주는 부동태화의 과정에서 일어나기도 하고, 흑색의 은 황화물 때문에 나타나기도 한다. 이러한 변색은 심미적으로 좋지는 않지만 반드시 부식이나 조기 실패를 의미하는 것은 아니다.

과도한 부식은 재료 내부와 외부의 기포를 증가시키고 변연파절을 가져오므로, 결국 강도가 저하된다. 저동 아말감에서 가장 부식이 잘 되는 상은 γ_2상이고, γ상과 γ_1상은 쉽게 부식되지 않는다. γ_2상은 그물구조이기 때문에 수복물 전반에 걸쳐 부식이 나타난다. 부식은 γ_2상에 있는 주석이 tin oxychloride로 바뀐 결과이며 이 때 수은도 유리된다. 유리된 수은은 반응하지 않은 감마상과 반응하여 추가로 γ_1상과 γ_2상이 형성된다. 이런 과정을 거쳐 기포가 형성되고 강도가 저하된다. 이처럼 아말감의 부식은 γ_2상이 가장 문제가 되므로 수은/합금 비가 높아서는 안된다. 고동 합금은 경화 후에 γ_2상이 없고 η'상은 부식저항성이 우수하여 저동 아말감보다 부식이 적다.

아말감 수복물의 실패율은 다른 수복재료보다 낮은 것으로 알려져 있다. 아말감 수복물과 치아의 계면에서 금속면을 따라 부식이 일어나면, 시간이 지남에 따라 부식산물이 그 자리에 축적되어 변연을 봉쇄하는 자가봉쇄 수복물(self-sealing restoration)을 형성할 수 있다. 즉, 계면에서 부식이 일어난 아말감 수복물은 외관상으로는 의심스러울 수 있으나 오히려 미세누출은 감소할 수 있다. 일반적으로 고동 아말감은 부식저항성이 높으므로 저동 아말감에서보다 부식이 적게 일어난다.

또한 아말감의 부식은 이종 금속 간의 갈바니즘(galvanism)에 의해 진행된다. 즉 아말감 내부의 γ, γ_1, γ_2, η'상의 전위차에 의해 부식이 진행될 수 있다. 또한 아말감 수복물이 금 합금 수복물과 접촉되면 두 합금의 전위차로 아말감의 부식이 발생할 수 있다. 부식 과정으로 인하여 수은이 유리되고 이것이 금 합금을 오염시키며 아말감 수복물을 약하게 할 수 있다.

따라서 아말감 수복물에서 나타나는 부식이 일부 이로운 점을 가지고 있더라도 여전히 바람직한 현상은 아니다. 아말감 수복물의 부식을 최소화하기 위해 매끄럽고 균일한 표면을 만들도록 노력해야 한다. 화학적 또는 전기화학적 반응에 의해, 또는 이종 금속 간 전위차에 의해

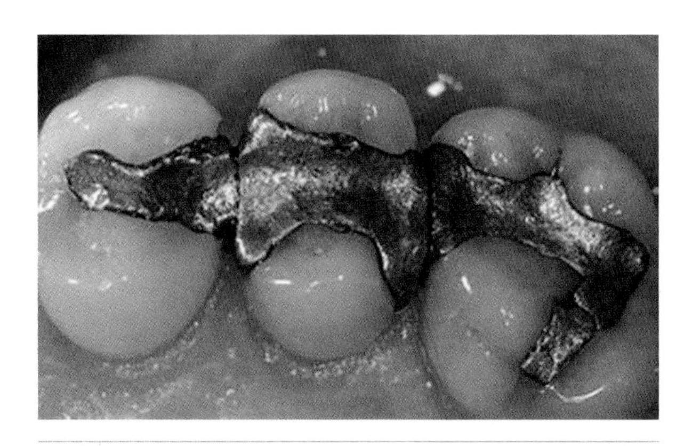

그림 13-4. 광범위한 변연부 변형을 나타내는 아말감 수복물

부식이 진행되면 수복물의 강도가 저하되고 변연파절이 일어나 수복물의 수명을 단축시키게 된다.

아말감 수복에서 일어나는 가장 흔한 결함 또는 실패 유형은 그림 13-4와 같은, 치아와 아말감의 경계부에서 발생하는 변연파절(marginal breakdown, ditching)이다. 이런 상태는 시간이 지나면서 거의 모든 아말감 수복물에서 발생한다. 변연부가 파절되면 음식잔사, 미생물 등이 침투하여 이차 우식이 생길 수 있다. 아말감과 인접치질의 파절원인으로 다음 몇 가지를 들 수 있다. 합금의 크리프값이 높을수록 변연파절은 명백히 증가한다. 변연부 위의 수은함량이 높아지면, 강도는 낮아지고 파절가능성이 증가한다. 치과의사가 수복물을 부적절하게 조각하고 연마하면 변연부에서 법랑질에 걸치는 얇은 아말감 층이 남게 된다. 이러한 얇고 깨지기 쉬운 모서리는 교합압을 견디지 못하므로, 시간이 지남에 따라 파절이 일어나고 변연부가 노출되어 그대로 남는다. 변연파절의 또 다른 원인은 아말감의 부식으로, 그 결과 수복물의 변연이 약해져 파절되기 쉽다. 따라서 고동 합금의 선택이 이와 같은 변연파절을 줄일 수 있다고 생각된다.

4. 아말감의 조작

최근에는 우수한 치과용 아말감 합금이 많이 개발되어 시판되고 있으므로, 수복물에 결함이 있다면 그 원인은 재료 자체보다도 부적절한 취급에 달려 있다고 할 수 있다. 따라서 아말감 합금의 선택에서부터 술식 전 과정을 바르게 수행하는 것이 중요하다.

1) 아말감 합금의 선택

아말감 합금의 선택에서 혼합의 용이성, 경화속도, 표면의 활택도, 공급형태와 그 편의성 등의 요소는 사용하는 치과의사가 결정할 수 있다. 일반적으로 재래형인 저동 합금보다는 고동 단일조성형 합금을 선택하는 것이 좋으며, 미세입자형, 구상형 그리고 무아연 합금을 선택하도록 한다.

2) 합금과 수은의 비율

수은은 아말감 수복물의 임상 결과에 중요한 역할을 한다. 아말감 수복물의 수은 함량은 매우 다양하지만 잘 수복된 아말감은 50% 이하의 수은을 함유한다. 치과용 아말감 혼합 시 필요한 수은의 양은 수은/합금비 또는 혼합에 사용되는 수은의 백분율로 규정할 수 있다. 그 비율은 아말감 합금의 종류 또는 치과의사의 취향 등에 따라 변할 수 있으나, 아말감의 점조도와 물리적 성질은 수은의 양에 영향을 받으므로 정확한 수은/합금비를 지키는 것이 중요하다. 미리 계량된 합금과 수은이 격막에 의해 분리되어 있는 일회용 혼합캡슐은 이러한 면에서 볼 때 유리하다고 할 수 있다.

아말감에서 수은/합금비는 합금의 발전과 함께 꾸준히 감소되어 50% 정도의 낮은 비율의 수은을 사용하는 Eames technique 또는 최소 수은 술식(minimal mercury technique)이 도입되었다. 특히 최소 수은법을 사용하는

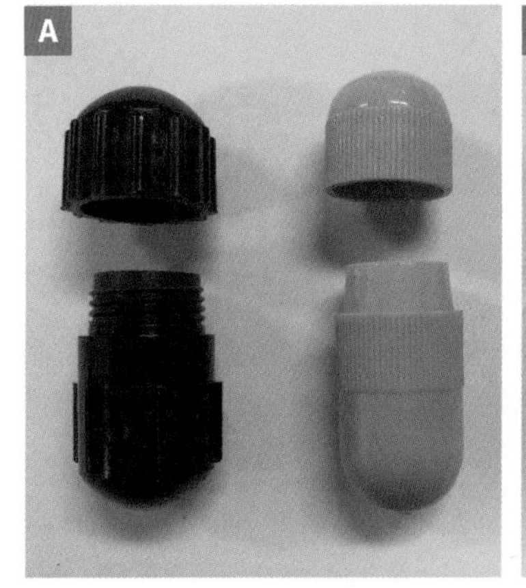

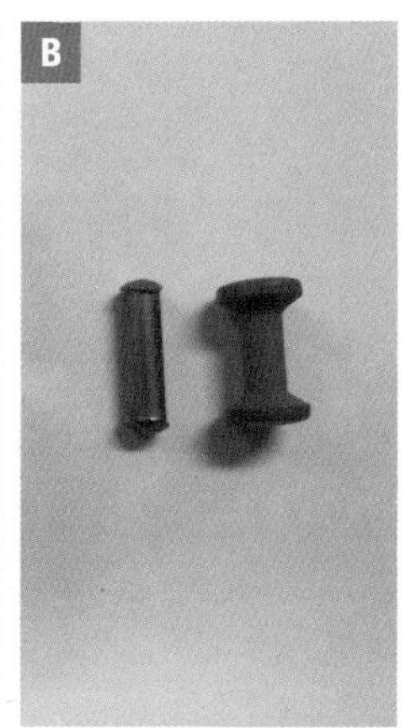

그림 13-5. 아말감 혼합기로 자동혼합되는 재사용이 가능한 캡슐(A)과 진동자(B)

합금들은 0.5% 정도의 미세한 수은 변화에도 물성에 현저한 영향을 받을 수 있으므로 정밀하게 다룰 필요가 있다. 최근의 미리 정량된 캡슐의 아말감은 대부분 무게비 42~45%의 수은으로 제조된다.

아말감 혼합 시 개개의 입자가 수은에 충분히 젖을 수 있도록 해야 한다. 수은이 충분히 젖지 못하면 아말감의 강도는 현저히 저하된다. 저동 합금은 수은 함량이 54~55% 이상 되면 압축강도, 인장강도 및 전단강도가 현저하게 감소한다. 고동 혼합형 합금은 55% 이상의 수은을 함유하게 되면 강도를 상실하고 고동 단일조성형 합금은 약 50% 수준에서 강도의 감소를 가져온다. 이러한 경우 인장강도와 전단강도 역시 감소하고 크리프는 눈에 띄게 증가한다. 하지만 수은의 양이 너무 적어도 강도는 크게 감소한다. 그 원인은 첫 번째로 미반응 합금입자들과 상호 결합할 기질이 충분히 형성되지 못하기 때문이고, 두 번째로 이러한 혼합물은 뻣뻣하고 과립형태이며 응축이 어려워 쉽게 기포가 형성되기 때문이다.

3) 혼합

혼합(trituration)의 목적은 수은과 아말감 합금을 아말감화하는 것이다. 합금입자들은 수은의 침투를 막는 얇은 산화막으로 둘러싸여 있는데, 혼합에 의해 합금의 산화막이 제거되고 깨끗한 금속이 노출되어 즉시 수은과 반응하게 된다.

20세기 전반에는 합금 분말과 수은을 수동으로 혼합하였다. 아말감을 좀 더 정확하게 정량하고 혼합하기 위하여 합금 정제, 수은 분배기, 재사용이 가능한 캡슐, 진동자, 아말감 혼합기의 사용이 도입되었다.

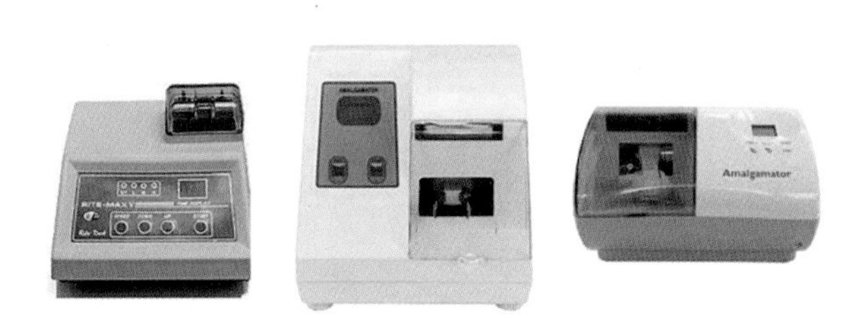

그림 13-6. 여러 가지 기계식 아말감 혼합기

아말감 합금은 표준중량의 분말을 압축하여 정제 모양으로 만든 것을 캡슐에 넣어 사용한다. 수은은 자동적으로 표준량을 떨어뜨릴 수 있는 병을 이용하여 캡슐에 넣는다. 금속 또는 플라스틱으로 된 작은 진동자(pestle)(그림 13-5)를 캡슐에 넣고 아말감 혼합기를 이용하여 자동적으로 혼합되게 한다. 이 과정을 통해 혼합물이 캡슐의 진동자와 충돌하게 된다. 현재 혼합 시간과 속도를 조절할 수 있는 다양한 기계식 혼합기가 시판되고 있다(그림 13-6).

정확한 혼합량은 1회에 아말감 합금 400~800 mg과 이에 맞는 수은이 적당하다. 800 mg 이상이 되면 충분한 혼합이 되지 않고 400 mg 이하가 되면 과 혼합이 된다. 와

A

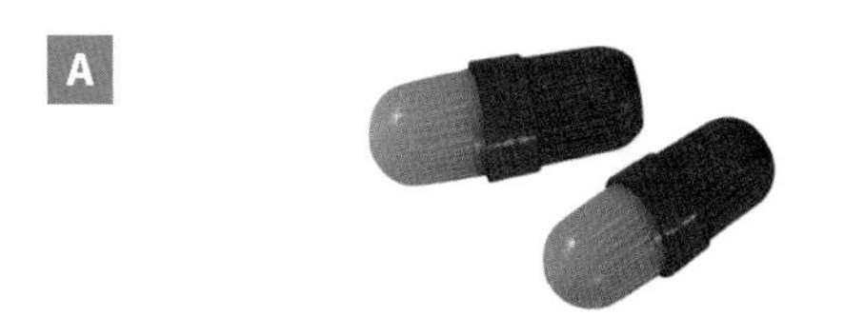

B

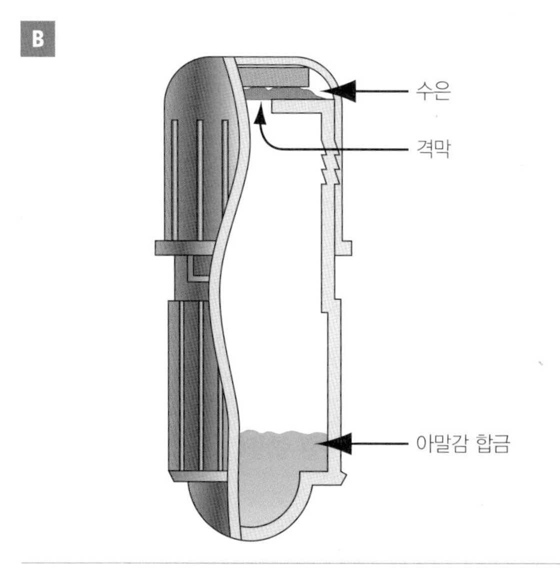

그림 13-7. 아말감 혼합기를 위해 만들어진 미리 정량된 캡슐

A 미리 정량된 캡슐, B 미리 정량된 캡슐의 도해. 수은과 분말이 격막에 의해 분리되어 있으며 혼합 전에 격막을 파괴해야 한다. (*From Rinne VW: J Dent Res 62: 116-117, 1983*).

동이 커서 800 mg 이상이 필요할 때는 여러 번 혼합하여 충전한다. 정제형 아말감 합금 1정의 무게는 389 mg 정도이므로 1회에 2개 이상 혼합해서는 안 된다. 혼합 후 진동자를 제거하고 1~2초간 다시 혼합을 한다. 이 과정을 섞음(mulling)이라고 하는데, 보다 균질한 아말감을 얻을 수 있고 아말감이 한 덩어리가 되어서 나오기 때문에, 캡슐 내부를 깨끗이 할 수 있을 뿐만 아니라 취급이 용이해진다. 캡슐 내에 아말감 잔류물이 남아서 굳어버리게 되면 다음 아말감 연화 시 오염의 원인이 된다.

현대의 치과용 아말감은 미리 캡슐에 들어 있는 합금과 수은으로 만들어져 있다. 그 내용물은 격막에 의해 나누어져 있다가 혼합 시(그림 13-7) 격막이 깨져 섞이게 된다. 미리 캡슐에 정량되어 들어있는 아말감은 편리할 뿐만 아니라 사용 또는 혼합 전에 재료가 오염되는 것을 방지할 수 있는 등 여러 가지 장점을 가지고 있다.

국제환경보호(UNEP)의 일환으로 국제수은협약이 체결되었는데, 이 협약에 따르면 수은의 국가 간 이동이 철저히 금지된다. 따라서 치과용 아말감도 제품 내에 수은이 담긴 형태로 판매되는 정량화된 캡슐제품만 사용해야 하는 시기가 도래하였다.

4) 혼합물의 점조도

대부분의 아말감 합금은 기계식 혼합기의 종류에 따른 혼합 시간과 속도를 제시하고 있다.

적절하게 혼합된 아말감은 한 덩어리로 뭉쳐지고 표면에 광택이 나게 되며 부드러운 우단과 같은 점조도를 갖는다. 이런 상태의 아말감은 다루기 최적의 상태로 강도는 증가하며 표면은 더욱 활택해져서 부식에 대한 저항성도 증가한다. 이 단계를 넘어서 혼합을 계속하면 과도한 열이 발생하고 혼합물은 너무 빨리 경화되어 결국 작업시간이 부족하게 된다. 반면 혼합물이 한 덩어리로 뭉치지 못하고 나뭇결 모양이 되면 혼합이 부족한 상태를 의미하는 것이다. 이러한 혼합물은 수복물 내에 수은이 과잉되게 남게되어, 결국 강도가 현저히 감소하고 조각 후 표면이 거칠어지므로 부식이 잘 될 뿐 아니라 변연파절도 쉽게 일어나게 된다.

5) 응축

혼합된 아말감을 와동에 충전하는 과정을 응축(condensation)이라고 한다. 이것은 혼합된 아말감을 와동에 완전하게 적합시키고 기포를 감소시키며, 과잉된 수은을 제거하는 것이 목적이다.

아말감은 혼합 후, 형성된 와동 내에 즉시 충전하고 응축해야 한다. 혼합 후 응축을 지연시킬수록 수은이 많이 남게 되어 강도가 저하되고 크리프가 증가하게 되며, 혼합된 아말감의 가소성(plasticity)이 떨어져 와동에 잘 접합되지 않는다. 아말감을 혼합하고 응축을 5분 동안 지체하면 압축강도는 40% 정도 감소한다. 만약 와동이 크거나 응축이 3~4분 이상 필요한 경우에는 2회에 걸쳐 응축하는 것이 좋다.

6) 마무리

아말감을 와동에 응축한 후 정확한 해부학적 형태를 부여하기 위하여 수복물을 조각한다. 표면과 변연은 burnisher로 가볍게 문질러 활택하게 한다. 이 술식은 과거에는 표면에 수은 함량이 많아져 표면 경도나 부식저항성이 낮아진다는 이유로 금기사항이었으나, 현재는 최소 수은법을 사용하기 때문에 유해한 결과가 없고 오히려 표면 거칠기가 10배 정도 감소하는 것으로 보고되었다.

7) 연마

아말감은 표면이 거칠면 음식물 잔사의 부착이 증가하므로, 광채가 나고 평활한 면이 되도록 연마를 해야 한다. 완전히 연마하면 아말감의 수명도 길어진다. 아말감의 최종 연마는 충전 후 적어도 24시간 이후에 해야 한다. 조기 연마(premature polishing)는 경화되는 아말감의 구조를 파괴하기 때문이다. 최근에 개발된 고동 단일조성형 아말감은 초기 강도가 높아서 혼합한 후 8~10분부터 연마가 가능하므로, 환자의 내원 횟수를 줄일 수 있다는 장점이 있지만, 이런 경우에도 24시간 이후에 연마하는 것이 바람직하다. 연마는 저속으로 부드럽게 물을 뿌리면서 충전물의 중심에서 변연 방향으로 시행한다. 아말감의 표면 온도가 60℃ 이상이 되면 수은이 유리될 수 있으므로 주의가 필요하다.

8) 아말감의 경화 속도

아말감은 원하는 정도의 강도에 빠르게 도달하지 못한다. 고동 단일조성형 아말감의 1시간 후 압축강도는 혼합형보다 높으므로, 수복 직후 파절 가능성이 감소한다. 일반적으로 환자에게 수복 후 적어도 8시간 동안 강한 저작력이 아말감 수복물에 가해지지 않도록 주의시킬 필요가 있다. 그 시간까지 아말감은 일반적으로 최종 강도의 70%에 도달한다.

9) 아말감 접착술

아말감 수복물은 형성된 와동 벽에 근접할 뿐이고 결합하지 않는다. 미세누출을 줄이고 아말감 수복물의 내구성을 향상시키기 위하여, 상아질 접착제를 아말감 수복에 적용하는 술식이 연구되어 왔다. 특히 이 술식은 큰 아말감 수복에 적용될 수 있다. 구상형 아말감이 혼합형 아말감보다 더 빨리 응축되므로 아말감 접착술에서 선호된다.

아말감 접착술은 어느 정도 치질을 강화시킬 수 있고, 변연누출과 술후 과민증을 감소시키는 부수적인 효과를 가지고 있다고 알려져 있다. 하지만 장기적인 연구 결과 미세누출 면에서 상아질 접착제의 사용은 큰 장점은 없는 것으로 나타났다.

아말감에서 변연 파절 등의 문제가 있을 경우, 그 아말감을 수리할 필요가 있다. 따라서 새 아말감과 이전의 아말감 사이의 결합이 중요하다. 하지만 수리한 아말감의 굴곡강도는 수리하지 않은 아말감의 50%에 미치지 못한다. 계면에서의 부식, 타액 오염 등이 새 아말감과 이전의 아말감 사이의 결합을 방해한다. 따라서 아말감 접착술은 이러한 아말감의 수리에도 적용되었다. 하지만 상아질 접착제는 아말감과 아말감 사이의 결합에 큰 효과를 보이지 않는 것으로 보고되었다. 또한 아말감 접착술이 유지형태를 뚜렷하게 증가시키는지도 확실하지 않으므로 와동 형성 시 적절한 유지형태가 부여되어야 한다.

5. 수은과 생체적합성 문제

아말감은 때로는 수은과 동일시되어 그 위험성이 과대평가된 경우가 많다. 수은의 부작용은 다음과 같이 환자에 대한 수은의 영향, 치과 종사자에 대한 수은의 영향, 환경 문제로 나누어 생각할 필요가 있다.

1) 환자에 대한 수은의 영향

아말감의 수은에 의해 환자에게 나타날 수 있는 부작용에는 알레르기와 독성 반응이 있다. 전형적으로 알레르기 반응은 가려움, 홍반, 재채기, 호흡곤란 및 부종 등의 증상을 나타내는 항원-항체반응이다. 이러한 부작용은 아말감 치료를 받은 환자의 단지 1% 이하에서만 발생한다.

수은은 우리 주위에 산재되어 있으며 물, 공기, 음식 등을 통해서 어떤 형태로든 우리 몸으로 섭취된다. 완전히 반응한 아말감 수복물에서 유리되는 수은은 극히 낮은 정도이고, 정상적인 상황에서 수은은 생화학적인 분해 과정을 거쳐 배출된다. 아말감에 의한 수은 노출의 잠재적인 가장 중요한 경로는 수은 증기이지만, 수복물을 충전하는 동안에는 수은 증기에 대한 노출 시간이 아주 짧고 저작

동안 방출되는 수은 증기의 총량은 극히 낮다.

이와 같이 환자에 대한 아말감의 영향이 미미하다고 하더라도, 아말감을 이용한 치료를 행하는 동안 주의를 기울이는 것이 좋다. 아말감 충전 시 아직 경화하지 않은 아말감 역시 어느 정도 수은 증기를 유리시킬 수 있다는 것을 인지하고 러버댐, 흡입기를 이용해 구강 내 수은 증기의 확산을 방지해야 한다. 아말감의 초기 경화가 이루어지면 재료는 견고해지고 증기압은 크게 감소한다. 아말감에서 γ_1상은 매우 낮은 용융점을 가지므로 열을 발생시키는 연마과정은 충분한 주수 하에 저속으로 시행해야 한다. γ_1상의 용융이 일어나면 아말감 표면에 수은이 많은 액체상을 만들어 반짝이게 되는데, 이를 잘 된 연마로 오해할 수 있다. 고속 핸드피스로 아말감 수복물을 제거할 때에도 수은 증기의 발생을 감소시키도록 해야 한다.

2) 치과 종사자에 대한 수은의 영향

아말감 사용에 의한 건강상의 위험은 환자보다는 치과 종사자가 훨씬 크다고 할 수 있다. 치과의사와 보조원은 수은 중독의 위험에 매일 노출될 수 있다. 치과 종사자에 대한 수은의 위험은 주로 수은 증기에 의한 흡입에 의해서이다. 수은 증기는 색, 냄새, 맛이 없고, 최대 안전노출 정도의 농도에서도 쉽게 감지할 수 없다. 아말감을 다룰 때 치과의사 또는 보조원이 수은 증기를 흡입하면 실제로 위해작용이 있을 수 있으나, 최근에는 아말감을 다루는 기술의 향상으로 이러한 증례는 거의 보고되지 않았다.

치과에서 수은의 위생에 대한 권고 사항이 표 13-2에 제시되어 있다. 진료실을 잘 환기하는 것이 가장 간단하고 효과적인 방법이다. 아말감을 다룰 때 나오는 폐기물, 과잉의 수은 등은 적절한 방법으로 잘 처리해야 한다. 또한 실제적

표 13-2. 치과에서 수은의 취급에 관한 권고사항

1. 수은이나 아말감을 다루는 데 관련된 모든 사람들에게 수은 증기의 잠재적 위험과 효과적인 수은 위생 업무의 필요성에 관해 교육시킨다.
2. 치과 진료실 내에서 수은 증기 발생의 잠재적 원인 요소에 대해 알려 준다(수은 유출; 아말감 조각이나 사용한 캡슐의 방치; 아말감 혼합; 아말감 충전, 연마, 제거; 아말감에 오염된 기구의 가열; 누출이 있는 캡슐이나 수은 용기). 치과 종사자는 또한 아말감 폐기물의 적절한 처리법에 대해서 알고 있어야 하며 환경 문제에 대해서도 인식하고 있어야 한다.
3. 환기 장치와 외부의 배기 장치로 신선한 공기가 잘 순환되는 곳에서 작업한다. 에어컨이 있다면 주기적으로 필터를 교환해준다.
4. 주기적으로 진료실 내 공기의 수은 증기를 측정한다. 수은 유출이 일어났거나 의심되는 경우, 진료실 내 수은 증기 농도에 염려가 되는 경우에는 반드시 측정을 해 본다. 수은 증기 분석기는 신속한 결과를 보여주며 특히 유출이나 정화 후의 신속한 평가를 내리는 데 적합하다.
5. 유출 오염과 정화에 용이한 작업 공간 설계를 사용한다. 바닥은 반드시 비 흡수성이고 이음새가 없으며 청소하기 쉬워야 한다.
6. 미리 캡슐로 저장된 합금만을 사용한다. 대량의 수은과 합금의 사용은 중단한다.
7. 덮개가 부착된 아말감 혼합기를 사용한다.
8. 아말감을 조작할 때 주의를 기울인다. 수은이나 막 혼합된 아말감이 피부에 닿지 않도록 한다.
9. 가능하면 캡슐에 저장된 합금을 사용 후 일회용 캡슐에 다시 담는다. 폐기물 처리 법률에 따라 적절하게 처리한다.
10. 아말감 연마나 제거 시에 고성능 흡입기를 사용한다. 흡입 시스템은 배출 장치나 필터를 부착해야 한다. 아말감 찌꺼기를 제거하기 위해 주기적으로 확인하고 필터를 청소하거나 교환한다.
11. 모든 아말감 조각을 모아서 건조하거나 정착액이 담긴 밀폐된 용기에 저장한다. 아말감 조각은 물에 보관해서는 안 된다. 건조된 곳에 보관한다면 열었을 때 수은 증기가 날아갈 수 있다. 방사선 정착액에 보관한다면 정착액의 특수한 폐기가 필요하다.
12. 아말감 조각과 찌꺼기는 법률에 따라 적절하게 처리한다. 재생업체를 선택할 때 정부의 허가 기준을 만족하는지 확인한다. 환경 법률의 특성 때문에 폐기물 발생인(치과 등)은 다른 사람에 의해 잘못 처리되었을 경우 법률적으로 책임을 져야할 수도 있다.
13. 수은에 오염된 물품의 처리는 밀폐된 자루에 담아 규정에 따라 처분한다.
14. 트랩 용기, 테이프 혹은 상품화된 청소 도구를 사용하여 유출된 수은을 청소한다. 가정용 진공청소기는 사용하지 않는다.
15. 진료실에서는 지정된 복장만 착용한다.

※ The American Dental Association Council on Scientific Affairs: J Am Dent Assoc 130:1125-1126, 1999에서 일부 수정 후 인용되었음.

인 노출 수위를 주기적으로 측정하는 것도 필요하다.

3) 환경 문제

아말감 사용에 있어서 가장 문제가 되는 것은 아말감 폐기물의 관리에 있다. 현재 각국에서 아말감의 사용을 금지 또는 제한하는 것은 수은 자체의 독성보다는 아말감 폐기물이 환경에 미치는 영향 때문이다. 이에 대한 규정은 국가 별로 상이한 면이 있고 아직 명확하게 정해져 있지는 않지만, 치과 종사자는 현재 아말감 폐기물의 처리 및 관리에 대하여 마련되어 있는 규정을 지키도록 해야 한다.

6. 아말감의 미래

아말감은 1830년대에 소개된 이래로 오랜 역사를 가진 기본적인 치아 우식에 대한 수복 재료이다. 오늘날 복합 레진 등 대체 수복 재료의 심미성과 이점이 부각되면서 수복재로서 아말감의 사용은 점점 감소되고 있는 추세이고, 미래에는 아말감이 더 이상 사용되지 않을지도 모른다는 전망도 있다. 아말감의 사용을 크게 감소시키는 가장 중요한 요인은 수은의 위해성에 있다기보다는 아말감 폐기물의 환경오염에 대한 문제라고 할 수 있다.

아말감은 치과 역사 상 다른 어떠한 수복 재료보다 더 많은 치아를 보존하게 해 주었다. 그 이유는 아말감이 무엇보다도 사용하기 쉽다는 데 있을 것이다. 또한 아말감은 내구성과 마모저항성이 우수하여 법랑질을 거의 마모시키지 않는다. 아말감은 누출과 세균 침투에 대해 자가 봉쇄 기능을 가진다. 세균은 복합 레진에 비해 아말감 표면에 잘 부착되지 않는다. 아말감을 대체할 수 있는 심미 수복 재료는 안전하지만 접근이 쉽지 않고 기술적으로 더 복잡한 대안이다.

참고문헌

1. 김경남(1991). 아말감. 임상치재1(3).
2. 김경남(1991). 치과용 수은. 임상치재1(4).
3. 김경남, 김광만 등(1999). 치과재료학, 고문사.
4. 김광만, 김경남 등(1985). 수종 국산 치과용 아말감 합금의 물리적 성질에 대한 비교 연구. 대한치과기재학회지 12:7-15.
5. 김지연, 배현경 등(1988). 치과용 아말감 합금의 X선회절 및 EPMA에 의한 조성분석과 미세구조의 관찰. 대한치과기재학회지 15:117-126.
6. 배현경, 김경남(1988). 수종 치과용 아말감 합금의 세포 독성에 관한 실험적 연구. 대한치과기재학회지 15:95-104.
7. 이종률(1985). 조기 연마술이 수종 아말감 합금의 기계적 성질에 미치는 영향. 대한치과의사협회지 23:281-285.
8. Combe EC, Burke FJT, Douglas WH(1999). Dental Biomaterials, Kluwer Academic Publishers.
9. International Organization for Standardization(2004). ISO 24234 Dentistry-mercury and alloys for dental amalgams.
10. Kenneth J. Anusavice(2013), Phillip's Science of Dental Materials 12th ed., W.B. Saunders.
11. O'Brien WJ(1989). Dental materials. Properties and selection, Quintessence Publishing Co. Inc.
12. Phillips RW, Moore BK(1994). Elements of dental materials for dental hygienests and dental assistants, 5th ed., W.B. Saunders Co.
13. Sakaguchi R, Ferracane J, Powers J (2019). Craig's Restorative Dental Materials, 14th ed.

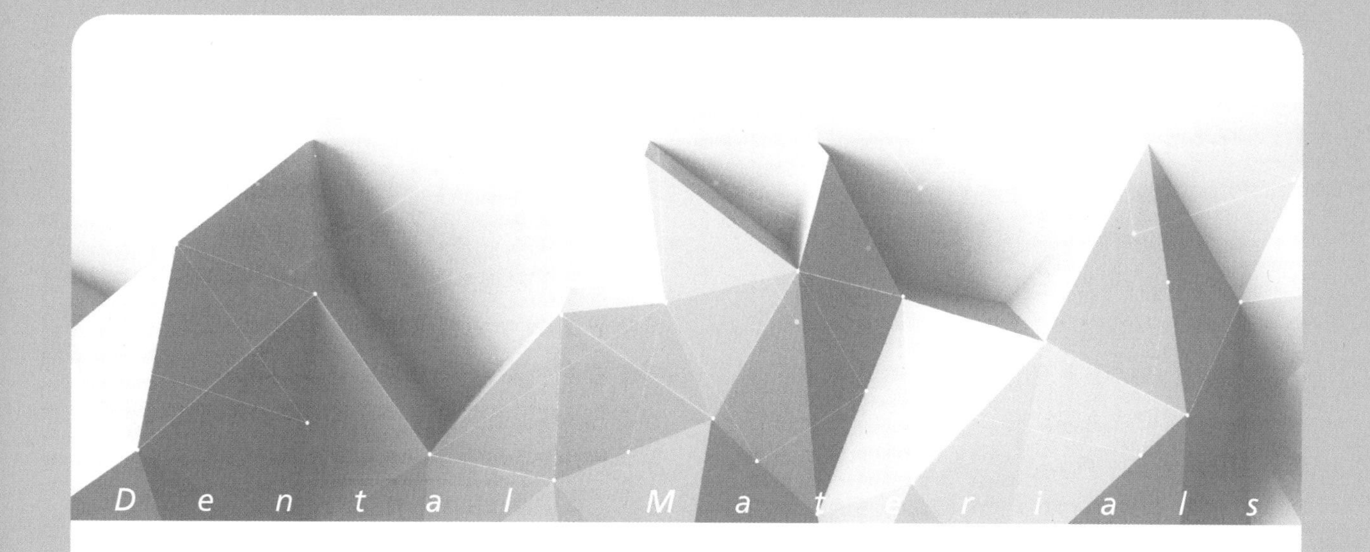

PART V

간접 수복재료

금속 수복재료 14

Ⅰ 귀금속 합금

학/습/목/표

❶ 각 원소의 역할을 이해한다.
❷ 치과용 금합금을 분류하고 사용목적에 따라 선택할 수 있다.
❸ 금합금의 열처리의 원리를 이해하고 적용할 수 있다.

금합금 그리고 기타 귀금속 합금은 치과에서 주조용 재료, 선재 등으로 사용되고 있다. 금은 내식성이 아주 뛰어나서 산, 알카리에도 잘 침식되지 않고 광택을 잃지 않는다. 또한 연성과 전성이 높고 주조성도 양호한 것 등, 치과용으로 적당한 성질을 많이 갖고 있다.

하지만 순금은 그 자체로는 너무 연하여 교합력에 충분히 견딜 수 없기 때문에 강도를 높이기 위해, 혹은 가격을 낮추기 위해 합금의 형태로 사용되는 경우가 많다. 합금은 주로 금에 다른 귀금속 원소, 혹은 동과 아연 등과 같은 비귀금속 원소가 첨가되어 만들어진다. 다른 금속을 첨가하여 합금을 만들면 기계적 성질은 치과의 용도에 맞게 개선되지만, 내식성은 다소 나빠진다.

1. 귀금속 합금의 기초

1) 합금 성분의 성질

(1) 금(Au)의 성질

금(gold, Au)은 황금색의 찬란한 색을 갖고 있고 가공성과 안정성이 있기 때문에, 옛날부터 소중하게 여겨져 왔다. 원자번호는 79, 원자량은 196.967, 융점은 1064.43℃로서 동보다 20℃ 낮고, 밀도는 19.32 g/cc로서 높다. 결정구조는 면심입방격자로 격자정수는 a=4.07864 Å, 원자반경은 1.44 Å이다. 금은 전기의 양도체이며, 전도도는 은, 동 다음이다.

금은 아주 연하고 금속 중에서 가장 전연성이 풍부하다.

금은 산소 및 유황과는 반응하지 않으므로 공기 중에서 안정하다. 구강 내에서 변색하는 경우가 있지만 부식하는 경우는 없다.

금과 6개의 백금족 원소인 백금(Pt), 팔라디움(Pd), 이리디움(Ir), 로디움(Rh), 오스미움(Os), 루데니움(Ru)을 귀금속(noble metal)이라고 하고, 귀금속과 은(Ag)을 고가의 금속(precious metal)이라고 한다.

(2) 은(Ag)의 성질

은(silver, Ag)은 독특한 은백색의 밝은 광채를 갖고 있어 옛날부터 많이 애용되고 있다. 원자번호는 47, 원자량은 107.8682, 융점은 961.93℃, 밀도는 10.50 g/cc이다. 결정구조는 면심입방격자로 격자정수는 a=4.0862 Å, 원자반경은 1.44 Å이다. 금속 중에서 전기 및 열의 전도율이 제일 높다. 은은 가시광선의 전부를 반사하기 때문에 은백색을 나타낸다. 이 가시광선의 반사율은 금속 중에서 최고이다.

은은 경도가 낮다. 따라서 단독으로는 치과재료로 사용할 수 없으므로 다른 원소를 첨가하여 기계적 성질을 향상시킨다. 은의 전연성은 금 다음으로 우수하다.

은은 보통상태에서는 산소와 반응하지 않고, 금처럼 내식성이 우수한 원소이다. 그러나 황(S) 이온을 함유하는 용액에 의해 그리고 S를 함유하는 가스가 있는 공기 중에 방치하면 검게 변색한다. 이것은 은이 갖고 있는 특징의 하나인 황화 현상으로, 황화수소 및 아황산가스와 쉽게 반응하여 황화은이 생기기 때문이다. 황화합물을 포함하는 음식(예: 계란의 노른자)으로 인해 흑색 혹은 흑갈색의 황화물이 형성되어 변색을 일으킬 수 있다. 따라서 은이 다량 함유된 합금은 황화를 어떻게 방지하는가가 중요하다. 은의 황화를 방지하기 위해서 합금화를 하고 있다. 은을 함유하는 합금에 소량의 팔라디움을 첨가하면 구강 내에서의 부식이 방지된다.

$$2Ag + H_2S \rightarrow Ag_2S + H_2$$

은의 치과용 금합금에 대한 영향은 합금 내의 은-동(Ag-Cu)계의 제한된 고용으로 인해 석출경화가 생길 수 있다. 금에 은을 첨가하면 급속히 황금색이 소실되고, 은 25%로는 약간 녹색을 띠게 된다. 은은 합금을 백색화하는 경향이 있고, 다량의 동이 황금색의 금합금을 붉게 하는 것을 중화시킨다. 그러나 치과용 합금에서는 변색 가능성 때문에 그다지 은이 많이 첨가되어 있는 것은 사용되지 않고, 보통 20% 이하이다. 융해된 은은 산소 같은 기체를 용해하고 고체로 될 때 산소를 배출하여 주조체에 다공성을 야기하기도 한다.

(3) 동(Cu)의 성질

동(구리, copper, Cu)은 적색의 금속으로 은, 금과 함께 옛날부터 사용하던 금속이다. 동은 연성과 전성이 좋은 금속이고, 은 다음 가는 전기의 양도체이다. 원자번호는 29, 원자량은 63.546, 융점은 1,084.87℃, 밀도는 8.96 g/cc이다. 결정구조는 면심입방격자이고, 원자반경은 1.28 Å이다.

금-동(Au-Cu)의 2원계 합금 상태도에서 금과 동은 모든 비율에서 고용되는 전율고용체를 이룬다. 금에 동이 첨가되면, 융점이 떨어지고 고용체 강화가 생겨 합금은 강화되며 시효경화처리를 가능하게 해준다.

또한 합금에 붉은 색을 띠게 하고, 내식성을 저하시킨다. 금에 비해 밀도가 반 정도여서 합금의 밀도를 낮추고, 강도와 경도를 높인다. 구강 내에서 변색과 부식을 방지하고 주조성을 향상시키기 위해, 치과용 금합금에는 동을 다량 첨가해서는 안 된다.

(4) 백금(Pt)의 성질

백금(platinum, Pt)은 은백색의 금속으로 내식성이 높고 융점이 높으며 가공성이 풍부하여 가공이 용이하다. 원자번호는 78, 원자량은 195.08, 융점은 1,769.0℃, 밀도는 21.45 g/cc이다. 결정구조는 면심입방격자로 격자상수는 a=3.9235 Å, 원자반경은 1.39 Å이다.

백금은 내식성이 아주 우수하여 대기 중에서 가열하더라도 거의 산화되지 않는다.

치과용 금합금을 고용체 강화시키고 합금의 부식 저항을 향상시킨다. 금합금을 백색화시키는데 효과가 커서, 10% 정도의 첨가에 의해 금합금의 황금색은 사라진다.

백금은 금합금의 융점과 재결정온도를 상승시킨다.

(5) 팔라디움(Pd)의 성질

팔라디움(palladium, Pd)은 다른 금속과 합금을 만들기 쉽고 백금보다 비교적 싸고 가볍기 때문에 합금으로 많이 사용된다. 융점이 높고 가공성이 풍부하다. 원자번호는 46, 원자량은 106.42, 융점은 1,555℃, 밀도는 12.02 g/cc이다. 결정구조는 면심입방격자로 격자상수는 a=3.8902 Å, 원자반경은 1.37 Å이다.

팔라디움의 화학적 성질은 백금과 비슷하지만, 산에 대한 저항성은 백금족 원소 중에서 가장 낮다. 팔라디움은 은의 황화를 방지하는데 우수한 효과가 있다.

합금을 경화시키고 부식 저항을 향상시키는 효과가 비슷하여 치과용 금합금에서 백금의 대용으로 자주 사용된다. 팔라디움도 금합금을 백색화시킨다. 가열되면 수소 기체를 다량 흡수하는 성질이 있다. 팔라디움과 백금은 융점을 상승시키므로 주조용 합금에 다량 함유되어서는 안 된다.

(6) 기타 성분의 성질

아연(zinc, Zn)은 원자번호가 30, 원자량이 65.38, 융점이 419.58℃, 밀도가 7.133 g/cc이다. 아연은 융점이 낮아서, 합금에 첨가됨에 따라 합금의 융해온도는 현저히 떨어진다. 아연은 1~2% 정도 치과용 금합금에 함유되어 있으며, 합금의 융해 혹은 주조 시에 탈산제(deoxidizer)로 작용한다. 합금의 융해 시 다른 성분, 특히 동(Cu)이 산화되기 전에 먼저 산화하여 합금 자체의 산화를 방지하는 작용을 한다. 아연은 산화 아연으로 되어 스래그(slag)로 제거된다.

주조체의 결정립을 미세화시키면 주조체의 기계적 성질이 향상된다. 결정립 미세화에는 융점이 높은 백금족 원소가 일반적으로 유효하며, 특히 미세화의 목적으로 이리디움(iridium, Ir), 혹은 루데니움(ruthenium, Ru) 등이 50 ppm (0.005%) 정도 첨가되기도 한다. Au-Cu-Pd 합금에 로디움(rhodium, Rh)의 첨가는 1.9 at%까지는 결정립 미세화에 효과적이나 많이 첨가되면 다른 상의 석출이 생긴다.

인디움(indium, In)은 은이 주성분인 합금에 첨가되며, 융점이 155.4℃로 아주 낮아 첨가에 의해 합금의 융점은 현저히 저하된다. 니켈(nickel, Ni)은 금합금에 소량 첨가되어도 합금을 백색화시키고 강도와 경도를 높인다.

2) 치과용 금합금의 상태도

치과용 금합금은 기본적으로 금-은-동(Au-Ag-Cu) 3원계 합금이며 팔라디움, 백금, 아연이 소량 첨가되어 있다. 이러한 금합금은 황금색을 띠고 충분한 강도와 구강 내에서 변색저항이 있으며 융해온도가 상대적으로 낮다. 치과용 금합금은 Au-Ag-Cu의 3원계를 기초로 하여, 황금색을 계속 유지하면서 성질의 개선을 도모하고 있다. 은과 동의 양은 사용목적에 따라 다르지만 치과주조용 금합금에서는 은과 동의 양이 비슷하게 들어 있다.

많은 귀금속 함량은 구강 내에서 변색과 부식을 최소화 내지는 방지하며, 귀금속의 높은 밀도는 치과주조에 쓰이는 원심주조방법에서 주조성을 향상시킨다.

(1) 금-동계

금-동(Au-Cu)계(그림 14-1)의 2원 상태도에서 금과 동

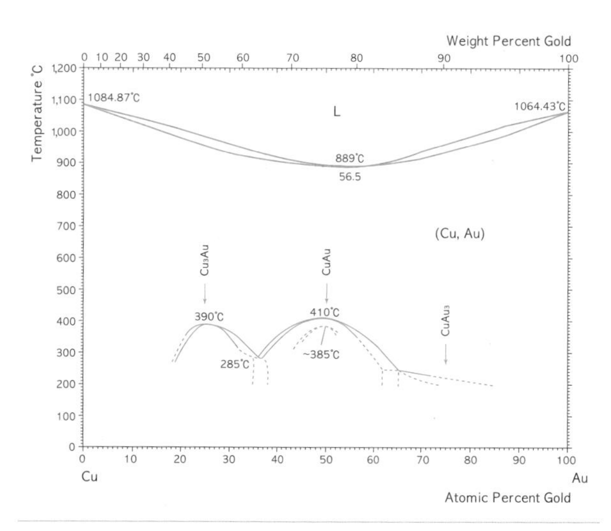

그림 14-1. Au-Cu계 상태도

은 모든 비율에서 고용하는 전율고용체를 이룬다. 액상선과 고상선이 근접하며 또한 한 점에서 만나는데, 이러한 합금은 유핵조직(cored structure)을 형성하는 경향이 적다. Au-Cu계 합금의 융해온도는 금 또는 동의 융점보다 낮다. 금에 동을 첨가하면 합금의 융해온도가 급격히 하강하여 Au 80.1 wt%(56.5 at%)에서 889℃라는 최저융해온도를 보인다.

중량으로 약 40~85% 금이 함유된 Au-Cu계 합금은 고온에서 α상이나, 저온에서는 $AuCu_3$, AuCu 등의 규칙격자가 생긴다. 따라서 열처리를 적절히 한다면 약 40~85% 금함량 범위에서 규칙화가 생긴다. 금과 동이 원자비로 1:1인 합금은 410℃ 이상에서 α상, 410~385℃에서 AuCu Ⅱ형 규칙격자가 형성되고, 385℃ 이하에서 AuCu Ⅰ형 규칙격자가 형성된다(그림 14-2).

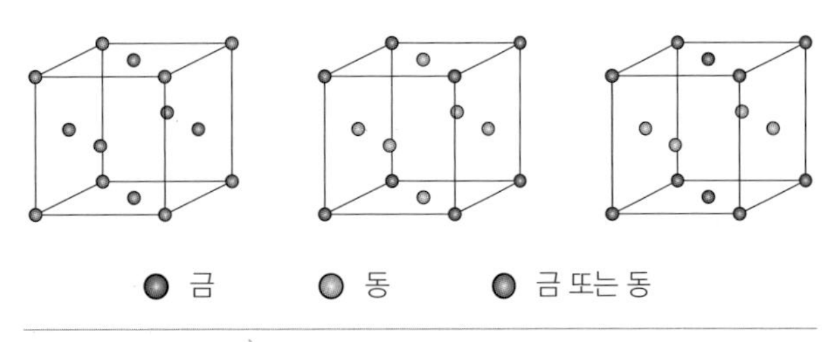

그림 14-2. Au-Cu계에서 α상, $AuCu_3$ 규칙격자, AuCu Ⅰ형 규칙격자의 원자배열

(2) 금-은계

금-은(Au-Ag)계(그림 14-3)의 2원 상태도에서 금과 은은 모든 비율에서 고용하는 전율고용체를 이루며, 액상선과 고상선이 근접하기 때문에 유핵조직(coring)을 형성하는 경향이 적다. Au-Ag계 합금은 은의 첨가에 의해서 융점이 별로 떨어지지 않으며, 결정구조도 모두 면심입방격자이고 원자반경도 유사하므로 기계적 성질에 큰 변화를 주지 않는다. 따라서 Au-Ag계 합금은 Au-Cu계 합금보다 연하다.

(3) 금-백금계

금-백금(Au-Pt)계(그림 14-4)의 2원 상태도에서 금과 백금은 액상에서는 모든 비율에서 고용하는 전율고용체를 이루나, 고상에서는 고용한도를 가진다. 유핵조직을 형성하는 경향이 크며, 백금의 첨가는 합금의 융점을 급격히 상승시킨다.

(4) 금-팔라디움계

금-팔라디움(Au-Pd)계(그림 14-5)의 2원 상태도에서 금과 팔라디움은 전율고용체이다. 팔라디움 첨가는 합금의 융점을 급격히 상승시킨다.

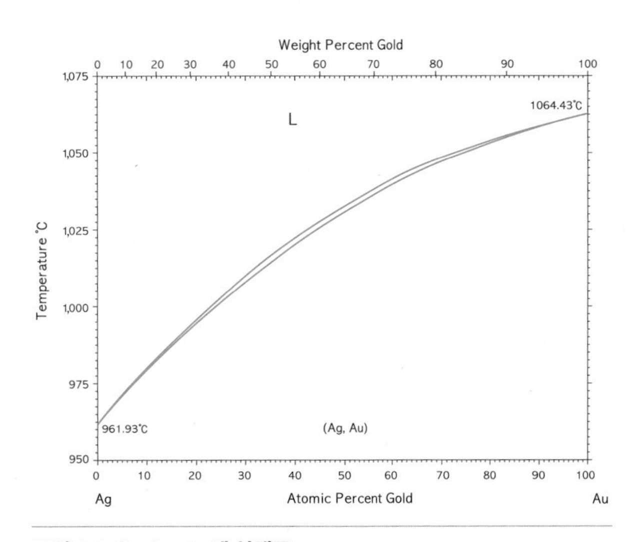

그림 14-3. Au-Ag계 상태도

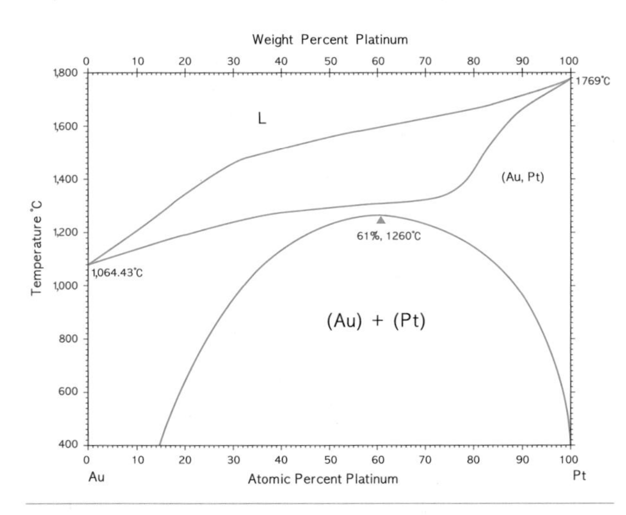

그림 14-4. Au-Pt계 상태도

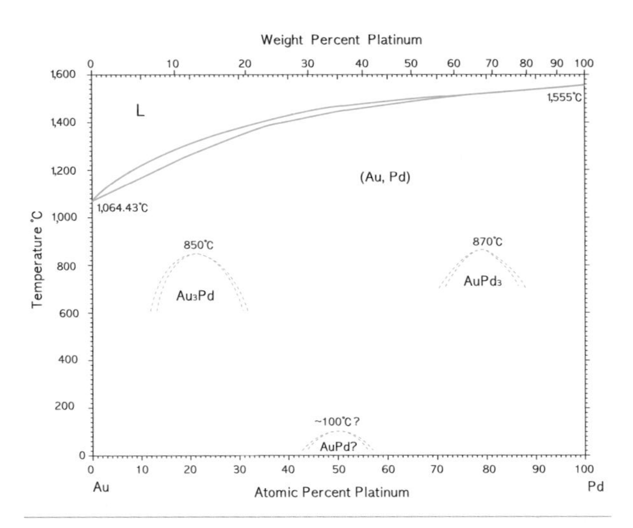

그림 14-5. Au-Pd계 상태도

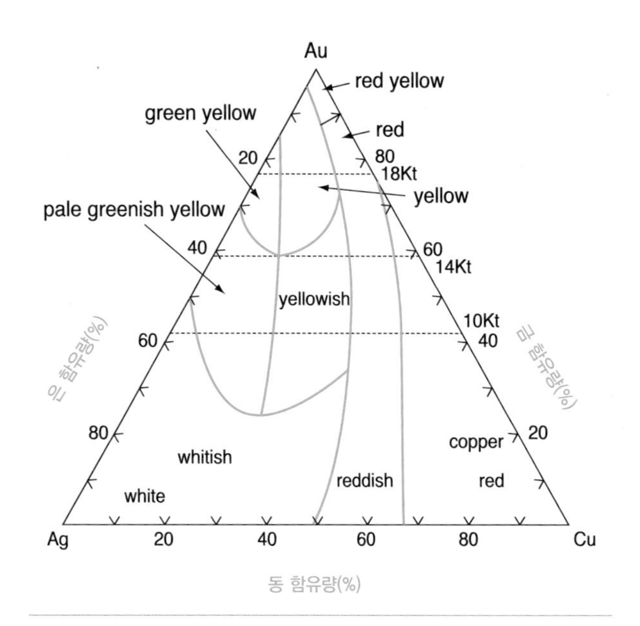

그림 14-6. Au-Ag-Cu계의 중량 조성에 따른 색

(American society for metals: Metals handbook, 9th ed., Vol. 2, American society for metals, Ohio, 1979, p 680)

(5) 금-은-동계

치과용 금합금은 기본적으로 금-은-동(Au-Ag-Cu) 3원계이다. 첨가하는 은, 동의 비율을 바꾸는 것에 의해 강도, 경도, 색을 상당한 범위에서 조정할 수 있고, 또한 전성과 연성에 별로 영향을 주지 않는 이점이 있다. 이 3원계로 충분한 성질을 얻을 수 없는 경우는 백금, 팔라디움, 아연, 니켈 등을 첨가하여 개선한다.

Au-Ag-Cu계 합금의 색은 조성에 따라 다르다(그림 14-6). 금이 많이 첨가되어 있으면 황금색이고, 은이 많이 첨가되어 있으면 백색, 동이 많이 첨가되어 있으면 적색을 띤다. Au-Ag-Cu계 합금에서 융해온도는 약 770~1,050℃ 범위이며, 800℃ 이하로도 된다. Au-Ag-Cu계 합금에서 금이 다량 함유되면 고용체가 형성되나 은과 동이 많으면 2상으로 분리된다.

3) 금 함유량 표시법

금합금에서 금 함유량의 표시는 백분율(%), 카라트(carat, k), 천분율(fineness)로 한다. 이들의 관계는 %/100=k/24=fineness/1,000이다. 금 함유량의 표시는 백분율로 하는 것이 좋다. 순금의 경우, 99.9% 순도인 금은 three nine, 99.99%에는 four nine 등으로 부르기도 한다.

일반적으로 금합금의 금 함유량 표시는 카라트로 표시되는 경우가 많다. 카라트는 금 혹은 k의 기호로 표시한다. 24k는 100%의 금으로 된 순금을 나타내고, 18k 금 합금에는 금이 18/24, 75%가 들어 있다. 카라트는 금의 품위를 나타내는 목적에만 사용되고, 은과 백금 등의 경우에는 사용되지 않는다.

천분율은 백분율에 10을 곱하면 구할 수 있다. 18k 금은 75% 금이며 750 fine으로 표시한다. 금속납(solder)은 보통 천분율로 표시된다. 예를 들어, 16-650 금속납(solder)는 16k 주조금에 사용되는 650 fine의 금속납이다.

2. 치과주조용 금합금

인레이, 금관 및 계속가공의치, 국소의치의 금속수복물

은 구강 밖에서 주조하여 구강조직에 장착한다. 이 때 사용되는 치과주조용 금합금은 항복강도, 인장강도, 연신율, 그리고 경도 같은 기계적 성질 및 적합도, 변색과 부식에 대한 저항도 같은 임상적 요건을 갖추어야 한다.

주조용으로 사용되는 합금은 융점이 비교적 낮아야 하고, 산화되어 성분변화를 일으키는 일이 적어야 하며, 주조수축이 작아야 한다. 또한 녹으면 유동성이 좋아야 하고 기체의 흡수가 적어야 한다.

1) 분류

치과주조용 금합금(dental casting gold alloy)의 분류에 과거에는 미국치과의사협회 규격(American Dental Association Specification, ANSI/ADA 규격 ADAS)이 널리 이용되었고, 이를 바탕으로 하여 한국산업표준 KS P ISO가 도입되었다.

현재의 한국산업표준 KS P ISO 22674에서의 분류는 치과주조용 금합금뿐만 아니라 치과주조용 비귀금속합금에 이르기까지 광범위한 조성의 치과용 합금을 대상으로 표 14-1에 나타낸 바와 같이 성분과 무관하게 기계적 성질에 따라 6가지 종류로 분류하고 있다. 이때 치과용 납착재료, 교정장치용 금속재료 (선재, 브라켓, 밴드 및 스크류)는 제외한다. 본서에서는 한국산업표준 KS P ISO 22674에 기초한 분류를 중심으로 기술한다.

2) 조성

치과주조용 금합금에는 팔라디움, 백금 아연 등 여러 가지 원소가 첨가되어 있지만, 기본적으로는 금-은-동(Au-Ag-Cu) 3원계이다. 치과주조용 금합금의 조성은 성질에 영향을 미친다. Ⅰ형에서 Ⅳ형의 금합금으로 갈수록 금 함유량은 적어지고 구리의 함유량이 많아지므로 열처

표 14-1. 한국산업표준 KS P ISO 22674:2009에 의한 치과용 합금의 분류

종류	용도	0.2% 영구변형 항복강도 $R_{p0.2}$ MPa 최소	파절 후 연신율 % 최소	탄성률 GPa 최소
0형	낮은 하중에 견디는 하나의 치아 고정식 수복물 (예: 작은 비니어로 덮인 단면 인레이, 비니어 크라운) 비고: 전기주조 또는 소결로 제조한 금속-세라믹 금관용 금속재료도 제 0형에 속함	-	-	-
1형	낮은 하중에 견디는 하나의 치아 고정식 수복물 (예: 비니어 또는 비니어 없는 단면인레이, 비니어크라운)	80	18	-
2형	하나의 치아 고정식 수복물 (예: 다수의 면을 갖는 크라운 또는 인레이)	180	10	-
3형	다수의 유닛의 고정식 수복물 (예: 브리지)	270	5	-
4형	높은 힘을 받는 얇은 박편에 적용 (예: 가철성 부분 의치, 클래스프, 얇은 비니어 크라운, 넓은 길이를 갖는 브리지 또는 좁은 단면을 갖는 브리지, 바, 어태치먼트, 상부구조를 유지하는 임플란트)	360	2	-
5형	높은 강직성과 강도가 동시에 요구되는 곳에 적용 (예: 얇은 가철성 부분의치, 얇은 단면을 한 부분, 클라스프)	500	2	150

리에 의한 경화효과를 얻을수 있다. 또한 치과주조용 금합금은 800~1,100℃의 공기-아세틸렌 화염에서 녹고, 석고계 매몰재에서 주조될 수 있도록 하기 위해서는 융점이 낮은 금속을 적당량을 함유하고 있어야 한다.

합금의 조성은 제조회사에 따라 약간 다르나, 보통 금의 함량이 적으면 동의 함량이 많다.

3) 용도와 기계적 성질

표 14-1의 KS P ISO 0~I형에 해당하는 금합금은 항복강도가 180(MPa) 미만인 연질의 합금으로, 20~22k의 고금합금이 여기에 속한다. 이 형은 열처리에 의해 경화되지 않고, 강도가 낮고 연신율은 18% 이상으로 높으며, 황금색을 띤다. 0~I형 금합금은 Ⅲ급 및 Ⅴ급 와동 같이 그다지 큰 응력을 받지 않는 곳에 사용된다.

KS P ISO의 Ⅱ형에 해당하는 금합금은 항복강도가 180 이상으로 Ⅰ형 금합금보다 더 단단한 중질의 합금이며, 대부분의 인레이와 금관에 사용된다. 최근 심미적 충전재의 개발로 인하여 Ⅰ형과 Ⅱ형 금합금의 사용이 감소하였다.

KS P ISO의 Ⅲ형에 해당하는 금합금은 항복강도가 270 이상인 경질의 합금이다. Ⅲ형 금합금은 계속가공의치에 사용되며, 큰 응력을 받는 곳에 사용된다. Ⅲ형 금합금은 열처리에 의해 경화가 될 수 있다.

KS P ISO의 Ⅳ형에 해당하는 금합금은 항복강도가 360 이상인 초경질의 합금으로, 경화열처리에 의해 경도와 인장강도는 높아지는 반면에 연신율은 낮아진다.

KS P ISO의 Ⅰ형에 해당하는 금합금은 항복강도, 인장강도, 경도가 낮으나 Ⅳ형의 금합금으로 갈수록 항복강도, 인장강도, 경도는 높아진다. Ⅴ형은 금합금 보다는 주로 비귀금속 합금에 해당된다.

일부 치과용 금합금에서 기계적 성질을 향상시키기 위해 열처리를 시행하는데 국소의치용 또는 길이가 긴 가공의치(long-span bridge)에 쓰이는 Ⅳ형 금합금에 주로 경화 열처리를 행한다. Ⅰ형과 Ⅱ형 금합금은 주조된 상태에서도 사용에 충분한 기계적 성질을 갖고 있으며, 열처리에 의해 효과적으로 경화되지 않는다. Ⅲ형과 Ⅳ형 금합금은 경화 열처리에 의해 항복강도, 인장강도, 경도는 높아지나 연신율은 낮아진다. Ⅰ형에서 Ⅳ형의 금합금으로 갈수록 금 함유량은 적어지고 구리의 함유량이 많아지므로 열처리에 의한 경화효과를 얻을수 있다.

4) 주조

금합금은 공기-아세틸렌 화염을 사용하여 녹인다. 가열온도는 합금의 융점보다 약 100℃ 정도 높게 하고, 가열을 충분히 하여 완전히 녹도록 하여야 한다. 그렇지 않으면 불완전한 주조체가 된다. 산화로 인한 주조체의 오염을 방지하기 위하여 지나친 가열을 피해야 하고, 환원대(reducing zone)의 불꽃을 사용해야 한다. 그리고 융제(flux)를 사용해야 한다.

주조 후, 남은 금속의 재사용은 경제적인 면에서 피할 수 없는데, 다른 형의 합금을 혼합하여 사용하여서는 안된다. 또한 2~3회 이상 사용되어서는 안 된다. 왜냐하면 탈산제인 아연이 기화되어 소실되기 때문이다. 이런 경우는 같은 형의 새로운 합금을 50% 이상 섞어서 사용한다.

3. 치과용 금합금의 대용합금

치과주조용 금합금의 조성은 전통적으로 귀금속 함량이 중량으로 최소 75% 이상이었다. 높은 귀금속의 함량은 구강 내에서 변색과 부식을 최소화 내지 방지하고, 귀금속의 높은 밀도는 치과 주조에 사용되는 원심주조법에서 주조성을 향상시킨다. 그러나 경제적인 이유로 금의 함량이 낮은, 보다 저렴한 대용합금이 개발되어 주조용 합금으로 현재 널리 사용되고 있다.

조성은 아주 다양하나, 많이 사용되고 있는 것을 크게 두 군으로 나누면, 금과 팔라디움이 중량으로 약 50~60%인 저금합금(low carat alloy)과, 주성분인 은이 약 70~75%

정도 함유되어 있고 팔라디움이 25~30% 정도 함유되어 있는 은-팔라디움(Ag-Pd)계 합금으로 분류할 수 있다.

저금합금이라는 용어의 정의는 정해져 있지 않지만, 통상 16k 이하를 말한다. 현재 국내에서는 금의 함량이 적은 반면에 은, 팔라디움, 동의 함량이 많은 합금이 널리 시판되고 있다. 단순한 Au-Ag-Cu 3원합금의 경우 14k, 12k로는 구강 내에서 변색 및 부식이 일어나기 쉽지만, 다른 백금족 원소가 함유되어 있으면 내식성이 저하되지 않는다. 은-팔라디움계 합금에는 금이 함유되어 있지 않은 것도 있다.

금의 함량이 적은 대용합금은 저렴하면서도 치과주조용 금합금과 거의 비슷한 기계적 성질, 조작법을 갖고 있다.

1) 성분의 영향

(1) 은

은(Ag)의 장점은 전연성이 좋기 때문에 쉽게 가공이 가능하고 주조성이 좋으며 금에 비해 가격이 싸다. 그러나 단점으로는, 쉽게 황화되어 황화 은(Ag_2S)의 피막을 만들어 표면이 검게 변색하고, 융해된 은은 산소 같은 기체를 용해하고 고체로 될 때 산소를 배출하여 주조체에 다공성을 야기하기도 한다.

(2) 팔라디움

팔라디움(Pd)은 내황화성을 향상시키고, 융점이 1,555℃로 아주 높아 합금의 융해온도를 상승시킨다. 팔라디움은 약 6% 이상 첨가되면 합금을 백색화시키고, 25% 이상의 첨가에 의해 은의 황화를 거의 완전히 방지할 수 있고, 기계적 성질도 떨어뜨리지 않지만 25% 이상이 함유되면 융해온도가 높아져서 곤란하다. 주조성을 좋게 하기 위해서는 가능한 한 팔라디움의 양을 적게 해야 한다. 또한 가열된 팔라디움은 수소 기체를 많이 흡수하는 성질이 있다.

(3) 금

금(Au)은 내식성과 주조성을 개선시킨다. 동의 첨가에 의한 내식성 저하를 방지하기 위해서는 금의 첨가가 유효하다. 금은 동과의 반응에 있어서 융점을 낮추는 효과가 있다. 금의 첨가는 은의 절대량을 감소시키므로, 은의 황화를 방지하기 위한 팔라디움의 필요량도 적게 하는 효과가 있게 된다.

(4) 동

동(Cu)의 첨가는 합금의 융해온도를 낮추고, 강도를 증가시킨다. 융점의 저하는 주로 은과의 공정반응에 의한 것이다. 동의 첨가는 여러 성질의 개선에 유리하지만, 다량 함유되면 내식성의 저하를 초래한다.

Ag-Cu계는 부분고용체를 갖는 공정합금계로 은에 대하여 동의 고용한계가 낮기 때문에 2상 분리가 일어나 단일상의 합금보다 내식성이 떨어진다.

(5) 기타 성분

아연(Zn)은 탈산제로 작용하고, 합금의 융점을 낮춘다. Ag-Pd계 합금에는 보통 아연, 인디움(In), 주석(tin, Sn)같은 저융점의 비귀금속이 소량 들어 있다. 이러한 성분은 융해된 금속의 유동성을 증가시켜 주조성을 향상시킨다.

2) 성질

(1) 금속색

팔라디움은 합금을 백색화시키는 영향이 은보다도 훨씬 크다. 금 대신에 팔라디움의 함량이 많아질수록 합금은 황색에서 백색으로 된다. 팔라디움은 은에 의한 녹색화와 동에 의한 적색화를 감소시킨다.

(2) 기계적 성질

항복강도, 인장강도, 경도, 연신율 등의 기계적 성질은 치과주조용 금합금의 Ⅲ형, Ⅳ형과 대체로 유사하며, 열처리에 의해 기계적 성질을 개선하는 것도 가능하다.

(3) 변색과 부식

금의 함량이 적으므로 변색 및 부식 저항이 낮다. 부식은 쉽게 되지 않으나, 가장 심각한 잠재적인 단점은 구강 내에서 합금 표면에 검은 황화 은 피막의 형성(Ag_2S)에 의한 변색 가능성이다. 이러한 변색은 심미적으로 좋지 않다.

일반적으로 귀금속 함량이 적을수록 변색 가능성이 높다. 팔라디움이 첨가되면 변색 및 부식에 대한 저항성을 높여준다. 25% 이상의 팔라디움이 첨가되면 은의 황화가 거의 완전히 방지되어 구강 내에서 안정한 합금을 얻는 것이 가능하다.

은을 많이 함유하고 있는 합금의 최대 단점은 내황화성이 낮다는 것이다.

3) 주조

융해온도는 합금의 조성에 따라 다양하나 치과주조용 금 합금에 비하여 약간 높은 약 1,000℃ 전후이기 때문에, 치과주조용 금합금에서와 같이 공기-아세틸렌 화염으로 녹이는 것이 가능하고 석고계 매몰재로 주형을 만들 수 있다.

1,100℃ 이상인 경우에는 주형온도를 높게 하여 주조해야 하기 때문에 석고계 매몰재를 사용해서는 안 되고, 고온에 견디는 인산염계 매몰재를 사용하여야 한다. 그리고 공기-아세틸렌 화염으로는 합금을 충분히 녹일 수 없으므로 산소-아세틸렌 화염이나 고주파유도가열로 등을 사용한다.

은, 팔라디움은 공기-아세틸렌 화염으로 융해 시 높은 온도에서 각각 산소, 수소를 다량 흡수하는 경향이 있는데, 이것이 주조체의 다공성을 야기하기도 한다. 따라서 장시간 가열은 피해야만 한다.

주조성은 금속의 밀도가 높을수록 좋다. 그러므로 금의 함량이 많을수록 주조체는 더 정밀하게 된다. 금의 함량이 적은 합금은 상대적으로 낮은 밀도로 인해 주조성이 떨어진다. 따라서 치과에서 이용하는 원심 주조법에서 흔히 변연부가 짧게 될 가능성이 있다. 합금은 일반적으로 융점이 높으면 주조성이 나빠진다.

4) 경제성

같은 부피를 갖는 금관의 주조체에서, 밀도가 낮은 합금은 밀도가 높은 합금에 비하여 적은 중량이 들기 때문에 합금 구입가격의 차이 이상으로 경제적이다. 금속은 중량에 의한 가격(cost/unit weight)으로 판매되고 있으나, 경제성은 체적에 의한 가격(cost/unit volume)으로 비교하여야 한다. 은과 팔라디움의 밀도는 금과 백금의 약 반 정도이므로 은-팔라디움계 합금 혹은 은이 많이 함유된 합금은 경제적인 재료이다. 이들 대용합금의 가격은 전통적인 치과주조용 금합금과 비귀금속 합금의 중간 정도로 금합금에 비해 저렴하다.

4. 금속-세라믹금관용 귀금속 합금

일반적으로 합금은 인장강도나 압축강도 같은 기계적 성질이 우수하나, 특유의 금속색을 갖고 있으며 부식이 될 수 있다. 포세린은 금속에 비해 취성이 높고 충격강도, 인장강도, 전단강도 등 강도가 낮으나, 압축강도가 높고 우수한 심미성을 갖고 있다. 주조체의 노출된 면에 포세린을 소성(firing)하여, 금속의 강도와 포세린의 심미성을 동시에 갖는 수복물, 즉 금속-세라믹금관(metal-ceramic crown, 도재소부금관, porcelain fused to metal crown, PFM crown)을 치과수복물로 이용할 수 있다(그림 14-7).

금속-세라믹용으로 사용되는 합금은 귀금속 합금과 비귀금속 합금으로 크게 분류할 수 있다. 초기에는 귀금속 계통의 합금, 특히 금이 85% 이상인 금합금만이 사용되었지만, 근래에는 사용되는 금속의 종류가 현저히 다양해져 저카라트 금합금, 팔라디움계 합금, 니켈계 합금 등도 널리 실용화되어 있다.

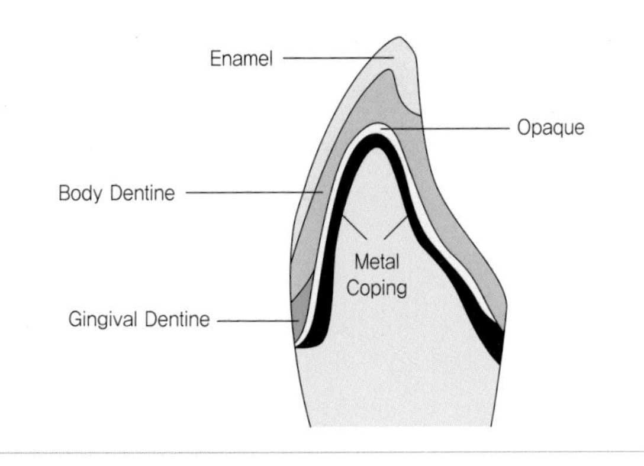

그림 14-7. 금속-세라믹의 단면

(McLean, J. W.: The science and art of dental ceramics, Vol. 2, Quintessence publ. Co., Chicago, 1980, p 30)

1) 포세린의 성질과 합금의 요구사항

(1) 포세린의 성질

포세린의 소성온도는 포세린이 융착될 금속의 융해온도보다 100~150℃ 정도 낮아야 한다. 그렇지 않으면 포세린을 소성할 때 합금이 변형될 수 있다. 포세린의 열팽창계수는 $13\sim14\times10^{-6}/℃$이며 금속보다 $0.5\sim1\times10^{-6}/℃$만큼 낮아야 한다. 왜냐하면 포세린은 인장보다 압축에 강하기 때문에 냉각시키고 나서 압축상태로 있게 하기 위해서이다.

(2) 합금의 요구사항

금속-세라믹용 합금은 주조체의 노출된 면에 포세린을 소성하기 때문에 치과주조용 합금과 다른 점이 있다.

포세린이 소성될 때, 합금이 소성온도에 견딜 수 있도록 합금의 융해온도는 포세린의 소성온도보다 높아야 한다. 금속-세라믹용 귀금속 합금의 융해온도는 보통 1,150℃ 이상이다. 포세린과 합금은 강력한 결합을 이루어야 한다. 포세린의 열팽창계수는 금속보다 약간 낮아야 하나, 합금과 포세린의 열팽창계수가 근사하지 않으면 경계부의 결합이 완전하지 않게 된다. 특히 포세린이 깨어지기 쉬운 600℃ 이하에서는 합금의 열팽창계수가 포세린의 열팽창계수와 비슷하여야 한다. 또한 합금은 탄성계수가 높아야 한다. 탄성계수가 높으면 합금의 변형이 적어져서, 합금에 결합된 포세린에 응력이 가해지는 일이 적게 된다.

2) 조성과 성분의 영향

금이 85% 이상으로 귀금속 함량이 매우 많은 합금에서는 백금, 팔라디움을 첨가해서 합금을 경화시키면서 융해온도를 높이고, 포세린과 합금 사이의 결합이 잘 되게 하기 위해 인디움과 주석을 첨가한다. 경제적인 문제로 인하여 귀금속의 함량이 적은 저카라트 금합금 혹은 팔라디움-은(Pd-Ag)계 합금을 사용하기도 한다.

(1) 금합금

금속-세라믹용 귀금속 합금 중에서 금이 아주 많이 함유된 합금인 금-팔라디움-백금(Au-Pd-Pt)계 합금은 황금색이며, 금속-세라믹용 합금으로 처음 사용된 합금이다. 이 합금에 금은 중량으로 85% 이상, 팔라디움은 약 6%, 백금은 약 4% 정도 들어있고 철이 합금을 강화시키는 성분으로 함유되어 있다(표 14-2).

금(Au)은 변색이 잘 되지 않으나, 매우 연하고 금속-세라믹용으로는 융해온도가 너무 낮으며 열팽창계수는 너무 높다. 백금(Pt)은 금을 경화시키고 융해온도를 상승시키고 열팽창계수를 낮춘다. 팔라디움(Pd)도 융해온도를 상승시키고 열팽창계수를 낮춘다. 은(Ag)은 포세린에 변색을 초래하므로 없거나 적게 포함시킨다.

인디움(In)과 주석(Sn)은 합금 표면에 산화물의 막을 형성하여 소성하는 동안에 포세린과 결합하여 포세린과 금속의 결합에 기여한다. 철(iron, Fe)은 합금의 경화에 중요한 성분이다. Au-Pd-Pt 3원계 합금에 철을 첨가하면 시효경화가 생기는데, 이것은 포세린의 소성온도에서 서랭하는 동안 생성되는 $FePt_3$ 석출물에 의해 일어난다.

동(Cu)은 금속-세라믹용 금합금에서는 함유되어서 안 된다. 0.05% 이하의 함유로도 포세린의 융해 시 산화구리가 생겨 포세린에 녹색을 띠게 하기 때문이다.

표 14-2. 금속-세라믹용 귀금속 합금의 조성범위(wt.%)와 색

종류	Au(%)	Pt(%)	Pd(%)	Ag(%)	Cu(%)	기타(%)	귀금속의 총량	색
Au-Pt-Pd	84~86	4~10	5~7	0~2	-	Fe, In, Re, Sn 2~5	96~98	Yellow
Au-Pd	45~52	-	38~45	0	-	Ru, Re, In 8.5, Ga 1.5	89~90	White
Au-Pd-Ag	51~52	-	26~31	14~16	-	Ru, Re, In 1.5, Sn 3~7	78~83	White
Pd-Ag	-	-	53~88	30~37	-	Ru, In 1~5, Sn 4~8	49~62	White
Pd-Cu	0~2	-	74~79	-	10~15	In, Ga 9	76~81	White

금이 약 50% 정도 함유된 금합금은 금의 함량이 적은 대신에 팔라디움 혹은 은이 많이 함유되어 있다. 철과 백금이 함유되지 않으며 주로 고용체 강화로 강화된다.

(2) 팔라디움-은계 합금

주로 경제적인 이유로 팔라디움과 은을 주성분으로 하는 합금이 시판되고 있다. 이것은 금의 가격 상승에 기인하지만, 금속-세라믹용 합금은 대부분 구강 밖으로 노출되지 않기 때문에 특별히 황금색일 필요가 없기 때문이기도 하다.

Pd-Ag계 합금에는 팔라디움이 약 60% 정도 함유되어 있고, 나머지는 약 30~35%의 은이 인디움, 주석과 함께 들어 있다.

Pd-Ag계 합금의 문제점은 많이 함유되어 있는 은이 포세린의 소성 시 합금표면에 산화물을 생성하여 포세린에 녹색을 띠는 것이다. 이러한 변색은 포세린을 소성하는 동안 은의 기화와 확산을 줄여 방지할 수 있다.

(3) 팔라디움-동계 합금

상대적으로 가장 나중에 개발된 합금으로 팔라디움이 중량비로 약 70%-80% 함유되어 있고, 금은 없거나 매우 소량이며 구리는 약 15% 까지 함유되어 있고 갈륨이 약 9% 함유된다. 이러한 구리의 많은 함량은 금합금에서는 포세린의 변색을 일으키고 포세린과의 결합에 문제를 야기하여 금기시 되지만, 팔라디움의 함량이 높은 합금에서는 문제를 일으키지 않는다. 일부 합금에서는 다소 두꺼운 산화막이 생기는 경향이 있으며 강도는 좋은 편이나 팔라디움-은계 합금보다 처짐저항성이 낮다.

3) 심미성

금속색은 포세린의 소성으로 감추어진다. 그러나 전치부에 있어서는 심미성을 좋게 하기 위해서는 금속관이 황금색인 것이 나으며, 특히 변연부에서의 심미성이 우수하다. 회색의 합금은 변연부가 치은 아래에 있더라도 회색을 띠는 경향이 있어 심미적으로 좋지 못하다.

4) 기계적 성질

일반적으로 귀금속 합금은 경도와 탄성계수가 비귀금속 합금보다 낮으나 밀도가 높다(표 14-3). 포세린의 단단한 유지를 위해서는 합금의 탄성계수가 높은 것이 좋다.

금속-세라믹용 귀금속 합금의 성질은 대부분 유사하나, 금속-세라믹용 귀금속 합금 중에서 귀금속의 함량이 96~98%인 Au-Pd-Pt계 합금은 다른 귀금속 합금에 비하여 인장강도, 항복강도, 탄성계수, 연신율, 경도가 낮다. 금이 약 50% 정도이고 팔라디움이 많이 함유된 저카라트 금합금과 Pd-Ag계 합금은 단단하다.

Pd-Ag계 합금을 제외한 대부분의 금속-세라믹용 귀금속 합금은 소성과정 중에 경화된다. 합금에 함유되어 있는

표 14-3. 금속-세라믹용 귀금속 합금의 기계적 성질과 주조온도

종류	인장강도 (MPa)	0.2% 항복강도 (MPa)	탄성계수 (GPa)	연신율 (%)	비커스경도 (VHN, kg/mm²)	밀도 (g/cm³)	주조온도 (℃)
Au-Pt-Pd	480~500	400~420	81~96	3~10	175~180	17.4~18.6	1,150
Au-Pd	700~730	550~575	100~117	8~16	210~230	13.5~13.7	1,320~1,330
Au-Pd-Ag	650~680	475~525	100~113	8~18	210~230	13.6~13.8	1,320~1,350
Au-Ag	550~730	400~525	95~117	10~14	185~235	10.7~11.1	1,310~1,350
Pd-Cu	690~1,300	550~1,100	94~97	8~15	350~400	10.6~10.7	1,170~1,190

미량의 주석과 인디움에 의해 석출경화가 일어난다고 생각되고 있다. 이러한 경화는 미리 합금을 급랭 처리해 두는 쪽이 유효하다. 소성이 끝난 금속-세라믹을 특정의 온도에서 열처리하는 것은 적당하지 않다. 철을 함유하는 합금에서는 철-백금(Fe-Pt)간의 반응에 기인한 경화도 있다.

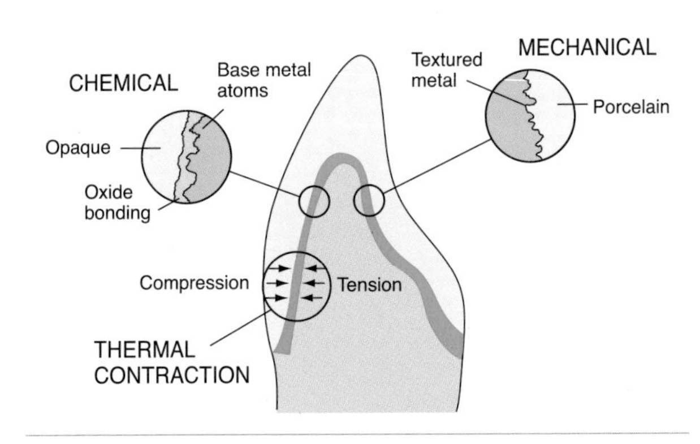

그림 14-8. 포세린과 금속-세라믹금관용 귀금속 합금의 결합
(McLean, J. W.: The science and art of dental ceramics, Vol. 1, Quintessence publ. Co., Chicago, 1979, p. 72)

5) 포세린과 금속-세라믹용 귀금속 합금과의 결합

금속-세라믹용 귀금속 합금과 포세린 간의 결합은 3가지 요소에 의해 되는 것으로 생각되고 있다. 융해된 포세린이 울퉁불퉁한 거친 금속 표면에 긴밀히 접촉하여 기계적 결합(mechanical bonding)을 이룬다(그림 14-8).

만약 냉각되는 동안 포세린이 합금보다 덜 수축한다면, 금속의 냉각수축(thermal contraction)에 의해 포세린이 압축상태로 있게 되어 결합을 이루게 된다. 따라서 포세린과 합금의 열팽창계수가 고려되어야 한다. 합금과 포세린의 열팽창계수는 근사하면서도 포세린의 열팽창계수가 금속보다 약간 낮아야 한다.

합금성분 중에서 주석이나 인디움이 소성되는 동안에 산화물의 표면막을 형성하여 포세린과 결합하는 화학적 결합(chemical bonding)을 이룬다. 가열 시에 생긴 합금 표면의 산화물, 특히 산화물을 생성하기 쉬운 인디움과 주석의 산화물이 포세린 속에 확산해서 결합을 하는 것이라고 알려져 있다. 만약 주조된 합금의 표면을 산으로 처리한다면 화학적으로 결합될 수 있는 산화물을 제거하여 약한 결합을 초래한다.

포세린과 합금 사이 경계부에 기포의 발생은 금속-세라믹 제작의 문제점이다. 기포가 생기면 결합이 약하게 된다. 주의를 기울여 기공을 한다면 합금과 포세린 간에 강력한 결합이 생긴다.

6) 주조

금속-세라믹용 귀금속 합금의 주조방법은 치과주조용

금합금의 주조방법과 거의 비슷하다. 그러나 합금의 융해온도가 높아 주형온도를 700℃ 이상으로 하여 주조를 해야 하기 때문에 석고계 매몰재를 사용하지 않고 인산염계 매몰재나 실리카계 매몰재를 사용한다.

금이 약 50% 정도이고 팔라디움이 많이 함유된 저카라트 금합금과 Pd-Ag계 합금은 융점이 비교적 높기 때문에 주조성은 Au-Pd-Pt계 합금에 비해 떨어진다. Pd-Ag계 합금의 융해는 기체를 사용한 화염보다 전기유도방식으로 하면 기체 흡수로 인한 주조체의 다공성을 방지할 수 있다.

5. 치과용 귀금속 합금 선재

치과용 귀금속 합금 선재(wire)는 국소의치의 유지장치(clasp)로 사용되며, 구강 내에서 사용되므로 다른 치과용 금속과 같이 우수한 내식성이 요구된다. 과거 교정학의 초창기에는 금합금 선재가 교정용 선재로 사용되었으나, 경제적인 이유로 지금은 사용되지 않고 비귀금속계 선재가 주로 사용되고 있다.

6. 납 및 납접

치과용 금속재료는 납접(납착, soldering) 혹은 용접(welding)으로 접합된다. 용접은 다른 금속의 첨가없이 금속과 금속을 잇는 것으로, 금속과 금속을 가열 또는 가압하여 접합을 시킨다.

납접과 경납접(brazing, hard soldering)은 융해온도가 낮은 제3의 금속인 납(solder)을 융해하여 금속과 금속을 잇는 것을 말한다. 일반적으로 융해온도가 425℃ 이하의 온도를 갖는 납-주석(lead-tin) 합금 같은 연납으로 할 때는 납접이라 하고, 425℃ 이상의 융해온도를 갖는 경납으로 할 때는 경납접이라 한다. 치과에서는 425℃ 이상의 온도에서 접합을 하기 때문에 경납접이라고 할 수 있지만 일반적으로 납접이라고 한다. 치과주조용 귀금속 합금은 납접을 통하여 접합된다.

1) 치과용 납

(1) 치과용 납의 성질

납접할 때, 납접되는 합금이 녹는 것을 방지하기 위해서는 납의 융점이 납접되는 합금의 융점보다 100℃ 이상 낮아야 한다. 납의 조성은 납접되는 합금의 조성에 근접하여야 하고, 변색 및 부식 저항이 높아야 한다. 납의 색은 납접되는 합금의 색과 비슷해야 한다. 그리고 융해된 납은 납접되는 부위에서 유동성이 있어야 한다. 또한 납은 납접되는 합금만큼 강도가 높아야 한다. 그러나 강도는 납접 부위의 위치, 형태, 크기에 따라서도 달라진다.

납의 조성은 납접되는 합금의 조성에 가까우면 색이 비슷해진다. 또한 전위차가 작아져 변색 및 부식이 적게 된다. 그러나 융점차가 작아져서 조작이 힘들어진다.

(2) 금납

금납(gold solder)의 조성은 아주 다양하나, Au-Ag-Cu계를 기초로 하고 있으며, 융점을 낮추기 위해 아연(Zn), 주석(Sn) 등이 소량 첨가되어 있다. 금은 내식성에 기여하고, 아연과 주석은 공정합금을 이루어 융해온도 범위를 낮춘다. 금납은 금합금을 접합하는 목적으로 사용되고, 납접부의 강도도 충분하며, 열처리에 의해 연화 및 경화가 될 수 있다. 18k에 사용되는 금납은 일반적으로 Au 65%, Ag 16%, Cu 13%, Zn 4%, Sn 2%와 같은 전형적인 조성을 갖고 있으며, 융해온도가 750~800℃ 정도이다.

원칙적으로 금납의 금함량은 납접되는 합금의 금함량보다 약간 적어야 한다. 왜냐하면 금함량이 적은 금납이 융해온도가 낮고, 유동성이 높다. 일반적으로 금함량이 적은 금납은 많은 것보다 유동성과 경도가 높고, 금함량이 많은 금납은 변색 및 부식 저항이 높다. 금납의 선택에 있어서는 금납의 높은 유동성과 기계적 성질이 변색 저항보다 중요하다.

납은 일반적으로 유동성이 좋고 잘 퍼져야 하지만, 동시에 납접부의 내식성도 무시할 수 없다. 또한 극단적으로 색이 다른 것도 바람직하지 못하다. 그 때문에 금납은 접합되는 합금과 유사한 성분과 조성을 갖는 것이 바람직하다.

치과용 금납은 간혹 16-650 solder와 같이 숫자로 표시되는 경우도 있는데, 이것의 의미는 16 k의 주조용 금합금에 사용되는 천분율 650인 금납을 의미한다. 융해온도는 750~900℃ 정도이고, 변색 및 부식 저항이 우수하며, 대부분의 치과용 금합금에 사용하기 적당하다. 가끔 제조회사는 14 karat, 16 karat라고도 표시하는데, 이것은 금납의 금함량이 아니라 납접되는 금속의 금함량을 나타낸다.

(3) 은납

은납(silver solder)은 Ag-Cu계 합금으로 융해온도를 낮추기 위해 아연(Zn)과 카드뮴(cadmium, Cd)이 들어 있다. Ag-Cu계 합금은 공정의 형성으로 은납의 융해온도가 낮아진다. 융해온도는 650~750℃이고 변색 저항이 금납보다 못하다.

은납은 은합금을 납접하기 위해서만이 아니고 철계 합금, 스테인리스강, 코발트-크롬계 합금, 니켈-크롬계 합금 등, 비귀금속 합금에도 사용되고 있다. 유동성은 좋지만 기계적 성질은 떨어지는 것이 많다. 치과에서는 교정용 장치의 제작과 같이 비교적 강도를 기대하지 않는 경우에 사용되고 있다.

2) 납접

(1) 납접의 방법

치과에서의 납접은 두 가지 방법으로 시행한다. 하나는 자재 납접법(freehand soldering)으로 손 혹은 기구로 잡고 있으면서 가는 불꽃으로 납접하는 방법이며, 교정용 또는 다른 장치를 납접할 때에 이용된다. 가열하는 부위가 좁고 단시간에 끝낼 수 있기 때문에 납접되는 재료에 대한 가열의 영향은 적지만, 위치가 부정확하게 되기 쉽다.

다른 하나는 매몰 납접법(investment soldering)으로 금관 또는 비슷한 단위 수복물을 납접하여 계속가공의치를 제작할 때 사용된다. 매몰 납접법은 납접되는 부분을 납접용 매몰재로 고정하여 납접하는 방법으로, 일반적으로 계속가공의치 등과 같이 정확도가 요구되는 수복물의 납접에 사용된다.

(2) 금납을 사용한 매몰 납접

① 납접용 매몰재

납접용 매몰재(soldering investment)의 성분은 주조용 석고계 매몰재와 비슷하다. 내화성 재료가 크리스토발라이트인 것보다 석영인 석고계 매몰재가 바람직하다. 왜냐하면 석영을 내화성 재료로 한 석고계 매몰재는 열팽창계수가 낮기 때문이다. 경화팽창도 낮은 매몰재가 바람직하다. 경화팽창은 납접할 틈의 간격을 변화시켜 변형을 초래하기 쉽다. 그리고 납접용 매몰재는 납접하는 동안 불꽃의 열에 깨어지지 않고 견디어야 한다.

② 납접할 틈의 간격

접합될 금관 및 인공치를 작업모형에 정위치시킬 때 융해된 납이 납접되는 부위의 틈에 모세관 작용으로 들어가도록 0.1~0.2 mm 정도의 적당한 틈을 유지해야 한다. 납접 시 변형을 방지하면서 납접 부위가 적당한 강도를 갖게하기 위해서는 두 부분 사이의 알맞은 간격이 중요하다.

③ 납접 시 주의사항

적당한 융해온도를 갖는 납을 선택해야 한다. 그리고 납이 충분한 유동성을 갖도록 납접되는 부위를 깨끗이 해야 하고, 융제는 적당량 사용되어야 한다. 융제가 지나치게 많거나 완전히 융해되지 않으면 융제가 융해된 납에 끼어 들어간다.

가열 시 온도가 높은, 엷은 청색을 띤 환원대(reducing zone)의 불꽃을 이용하여 충분히 가열해야 한다. 불충분하게 가열하면 납의 유동성이 낮아진다. 납이 흐르면 즉

시 불꽃을 제거하여 지나친 가열을 피해야 한다. 지나치게 가열을 하면 납의 성분 중에서 낮은 융해점을 가진 비귀금속 성분의 기화 또는 산화로 작은 기포 또는 얽은 자국이 생겨 강도가 낮아진다.

(3) 금속-세라믹에서의 납접

융해온도가 높은 금속-세라믹용 금합금 혹은 Pd-Ag계 합금의 경우는 접합될 금관 및 인공치를 인산염계 매몰재로 매몰한다. 금속관을 납접하고 나서, 포세린을 금속관에 소성할 때 금속-세라믹용 납은 연화되어서는 안 된다. 그러므로 융점이 높은 특별한 납을 사용해야 된다.

(4) 스테인리스강 선재의 납접

스테인리스강 선재의 납접은 가능한 빠른 시간 내에 시행되어야 한다. 왜냐하면 지나친 가열은 납접부분과 인접하는 부분의 재결정화와 결정립 성장을 초래하여 선재의 성질을 저하시키기 때문이다. 스테인리스강 선재의 납접에서 은납을 사용하고, 금납을 사용하지 않는 것은 금납의 융해온도가 높기 때문이다. 금납의 높은 융해온도는 선재의 과도한 가열을 초래하여 은납을 사용할 때보다 선재의 성질을 더 저하시킨다. 스테인리스강 선재의 납접에서 사용되는 융제는 스테인리스강의 부동태 산화막을 용해할 수 있는 불화물(fluoride) 융제이다.

3) 융제와 항용제

(1) 융제

금속이나 합금의 융해, 납접할 때 산화를 방지하기 위하여 첨가하는 것을 융제(flux)라고 한다. 납접될 금속 표면에 산화막 등이 있으면 납은 흐르지 않는다. 융제는 융해 시 생성된, 주로 산화구리인 금속산화물을 흡수, 제거하여 산화물 생성에 의한 융해금속의 유동성 저하를 방지하고, 납접하는 동안 납접되는 접착면과 납의 표면을 융제의 막으로 피복하여 산소와 금속의 접촉을 차단함으로써 산화를 방지하여 표면의 청정을 유지한다. 그러므로 융제는 납보다 융해온도가 낮고, 쉽게 기화되지 않아야 효과적이다.

붕사(borax, $Na_2B_4O_7 \cdot 10H_2O$), 또는 플루오르화 칼륨(potassium fluoride) 같은 불화물이 융제로 사용된다. 일반적으로 붕사는 금합금에 사용되고, 플루오르화 칼륨은 부동태(passivity) 산화막을 용해할 수 있기 때문에 특히 크롬을 함유하는 합금에 사용된다. 불화물을 포함하는 어떤 융제는 가열되면 유독한 불화물을 발생하는데, 이것을 흡입해서는 안 된다.

납접 부위에 융제를 가하고 나서 가열하면, 융제가 먼저 녹아 흘러 금속의 표면을 덮게 된다. 이렇게 녹은 융제의 막은 공기로부터 금속을 보호함으로써 표면 산화물의 형성을 억제한다.

(2) 항용제

납접할 때 납이 납접 부위 이외에는 흐르지 말아야 한다. 이러한 흐름을 제한하기 위해 항용제(antiflux)가 사용된다. 융제나 납을 첨가하기 전에 항용제로 합금 표면에 선을 긋는다. 납은 흑연으로 된 부분으로는 흐르지 않게 된다. 보통 연한 연필이 사용된다.

7. 치과용 금합금의 열처리

1) 열처리의 방법

가공변형 및 주조편석을 없애기 위한 소둔과 기계적 성질을 바꾸는 것을 목적으로 하는 시효처리로 대별된다 (그림 14-9).

(1) 용체화 처리

석출형 합금 및 규칙화형 합금에서는 안정한 상의 수와 종류가 온도에 따라 다르다. 이와 같은 합금을 변태온도 이상의 온도로 가열해서, 그 온도에서 평형한 고용체(solid solution)로 만드는 열처리를 용체화처리(solution treatment)라고 한다. 고온에서 안정한 단상의 고용체를 실온에서 얻을 수 있도록 하려면, 상변태를 저지하기 위해 급냉(quenching, 담금질)하여야만 한다. 이렇게 급냉된 상태는 안정하지 않지만, 실온에서 원자의 확산속도는 무시할 수 있을 정도로 낮다.

용체화처리의 결과, 실온에서 비평형상인 불규칙 고용체 및 과포화 고용체가 얻어지지만, 이 경우 용질 농도만이 아니고 공공(void) 농도에 대해서도 과포화로 되어 있는 것이다.

(2) 시효처리

시효처리(aging)는 용체화처리된 과포화 고용체를 변태온도 이하에서 재가열하는 방법, 용체화온도로부터 시효온도로 직접 담금질하는 직접시효, 미국치과의사협회규격 제5호에 규정되어 있는 방법, 용체화온도로부터 실온 부근까지 서냉하여 변태온도를 통과시키는 방법이 있다(그림 14-9). 이러한 열처리는 합금의 기계적 성질 개선을 목적으로 행해지며, 이 현상을 시효경화(age hardening)라고 부르고 있다. 시효경화는 비평형상태에서 평형상태에로의 구조 변화에 기인한다.

(3) 소둔

가공경화된 합금을 재결정온도 이상으로 가열하면 회복, 재결정, 결정립 성장 등의 현상에 따라 합금은 연화하는데, 이러한 열처리를 소둔(annealing, 풀림)이라고 한다. 만약 국소의치 유지장치(clasp)의 조정과 같은 냉간가공을 하였다면, 응력제거소둔(stress-relief annealing)을 시행하여야 한다.

또한 주조 시 합금이 응고할 때에 성분금속이 편석되는 경우가 있다. 편석을 확산시켜 균일한 농도로 하기 위한 열처리를 균질화 소둔이라고 하며, 상변태와 무관한 열처리이다. 주조 후 합금을 급랭시키면 백금을 함유하는 금합금에서는 유핵조직이 생기기 쉽다. 이러한 편석(segregation)을 감소 또는 제거하기 위해, 고온에서 원자를 확산시키는 균질화 처리(homogenizing)를 시행한다.

2) 치과용 금합금의 열처리에 의한 경화효과

Au-Ag-Cu 3원계는 조성에 따라 2상 분리와 규칙화가 일어나는 특징이 있어, 적당한 열처리에 의해 경화될 수 있다.

(1) 규칙격자 변태에 의한 경화

고온에서 각 성분원자는 격자점에 아무렇게나 배치한 불규칙 고용체로 되어 있지만, 이것을 변태온도 이하로 냉각하면, 이종 성분금속의 원자농도가 간단한 정수비로 표시되는 원자쌍을 형성해서 규칙적인 배열로 되는 것을 규칙격자 변태라고 한다.

Au와 Cu가 원자비로 1:1인 AuCu 합금은 고온에서 불규칙격자(α상)이나, 385℃ 이하에서 면심정방 초격자(fct superlattice)인 AuCu I형 규칙격자를 형성한다(그림 14-1). 면심입방격자(fcc lattice)인 불규칙격자(α상)에서 면심정방격자인 AuCu I형 규칙상의 출현을 적절히 조절하면 효

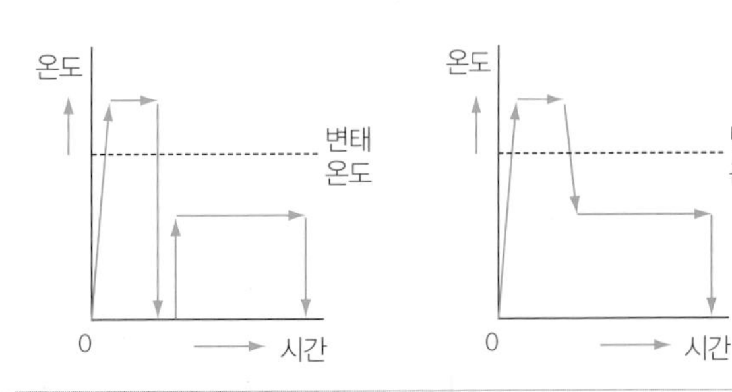

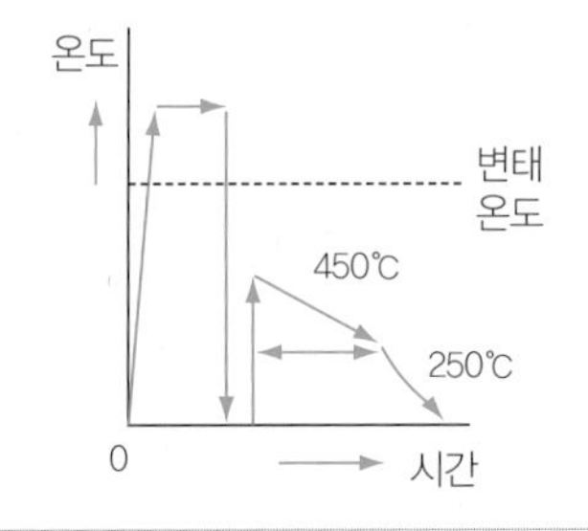

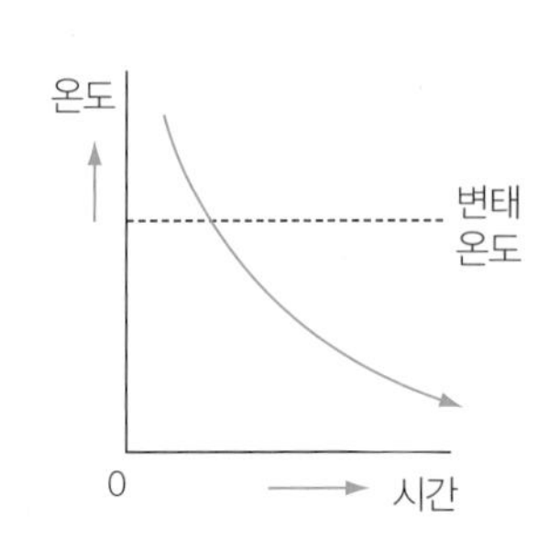

그림 14-9. 열처리 방법

과적으로 경화가 일어난다.

불규칙상태에서 a=b=c=0.3915 nm인 면심입방격자가 규칙상태에서는 a축 방향에는 약 1.3% 팽창하고, c축 방향에는 약 6.2% 수축한다. 이 때문에 규칙상 주변의 모상(matrix)에서 변형장(strain field)이 생겨 경화한다. 경화는 불규칙고용체 내부에서 AuCu I형 규칙격자의 핵이 모상에 정합(coherent)하게 생성하기 때문에 발생하는 정합변형에 기인한다(그림 14-10).

Au와 Cu가 원자비로 1:1인 AuCu 합금은 385~410℃에서는 사방정인 AuCu II형 규칙격자가 형성된다. 이것은 AuCu I형규칙격자의 단위포가 b축 방향으로 5개 나열할 때마다 (a+c)/2씩 어긋나서 역위상 경계(anti-phase boundary)를 가진다.

$AuCu_3$는 불규칙격자(α상)와 동일한 면심입방격자이기 때문에 합금의 여러 성질 변화에 효과가 적으며, 또한 동이 다량 함유되면 변색 저항이 낮아진다. 그러므로 황금색 치과용 금합금은 비교적 금이 많이 함유된 62~92.5 wt.% 금함량 범위이며, 치과용 금합금의 경화에 관련되는 규칙격자는 AuCu 규칙격자 (I, II형)이다.

Au-Cu계 합금은 열처리에 의해 연화 혹은 경화가 되며, 필요에 따라 연화와 경화를 반복할 수 있다. 이러한 연화 및 경화는 Au-Cu 규칙격자가 형성되는 조성범위에서 생긴다. 치과용 금합금에는 금과 동 이외에도 다른 금속이 함유되어 있다. 열처리에 의한 연화 및 경화의 가능 여부는 합금 내의 함유량이 아니라 금과 동의 상대적인 조성에 의존한다.

치과용 금합금을 변태점 이상의 온도인 650~850℃(보통 700℃)에서 가열하거나, 혹은 붉게 달구어서 적당한 시간 동안(약 10분간) 유지한 후, 물속에서 급랭하여 용체화 처리시키면, 합금은 연하고 연성이 높으며 강도가 낮아지는데, 이것을 연화열처리(softening heat treatment)라고 한다. 급랭을 하면 상변태가 저지되어 규칙화가 생기지 않는다.

연화된 합금을 시효처리하면 규칙화된 초격자가 형성되어 강도와 경도가 증가하고 연성이 감소하는데, 이것을 경화열처리(hardening heat treatment)라고 한다. 경도와 강도는 높아지지만, 연성이 낮아진다. 열처리에서는 가열하는 온도, 가열하는 시간, 냉각속도가 중요한 요소이다.

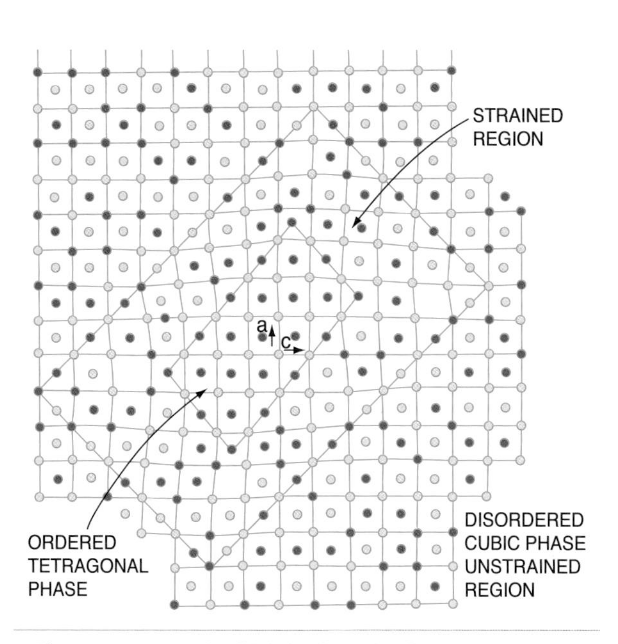

그림 14-10. AuCu의 규칙화에 의한 격자 변형

(Hirabayashi, M., and Weissmann, S.: Study of CuAu I by transmission electron microscopy, Acta Metall., 10:25–36, 1962)

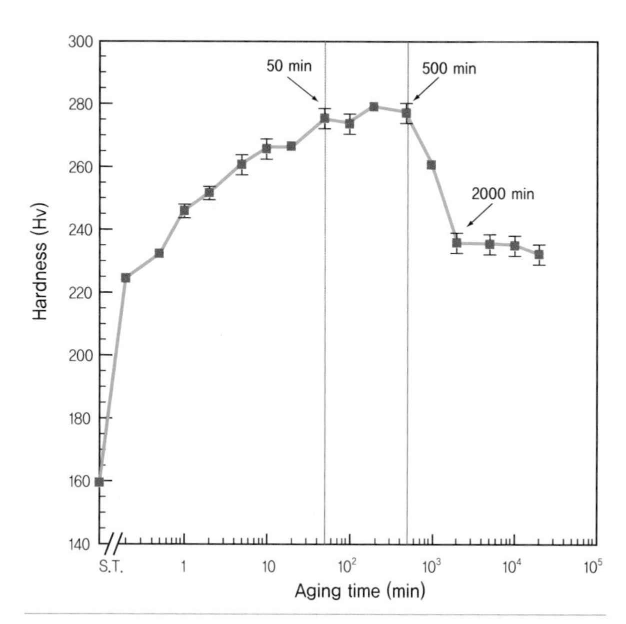

그림 14-11. 350℃에서 Au-Cu-Ag-Pd계 합금의 시효시간에 따른 경화효과

시효처리는 원자의 확산에 의해 규칙화 혹은 석출이 생길 수 있는 일정한 온도와 충분한 시간 동안 유지해야 한다(그림 14-11).

치과주조용 금합금에서는 일반적으로 700℃에서 실온까지 노랭(furnace-cooling)시키거나, 450℃에서 250℃까지 30분 이상 서랭하고 나서 급랭시키거나, 350~450℃에서 약 10~15분 동안 유지한 후 급랭시킨다. 그러나 조성이 다르면 가열온도, 가열시간, 열처리의 효과가 변한다. 시효온도는 합금의 조성에 따라 다르지만, 치과주조용 금합금의 경우는 보통 250~450℃에서 시효처리를 하고, 시효시간은 보통 15~30분으로 한다. 적당한 시간과 온도는 실제 시행할 때 각 시판품 제조회사의 지시를 따르면 된다.

IV형 금합금에 주로 열처리가 행하여지고, III형 금합금도 열처리로 여러 성질이 향상되나, I형 및 II형 금합금은 열처리에 의해 효과적으로 경화되지 않는다.

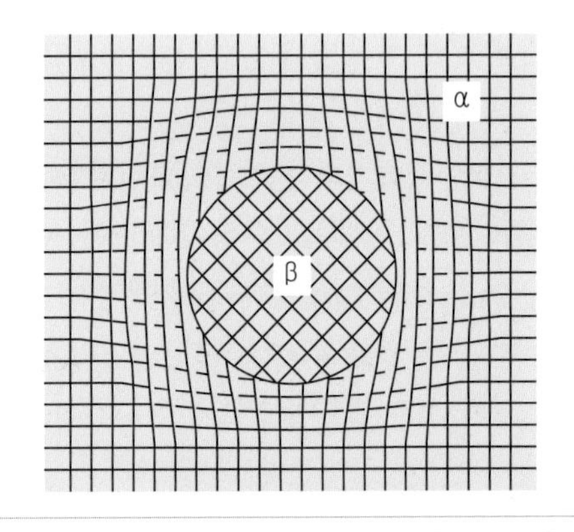

그림 14-12. *α*고용체에 *β*고용체의 석출에 의한 격자 변형

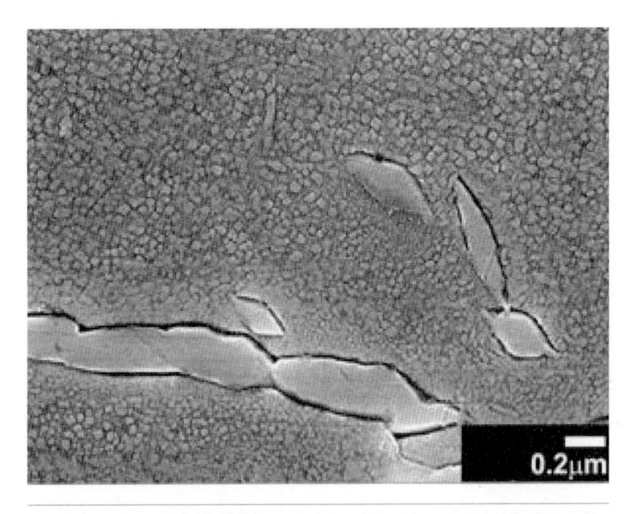

그림 14-13. 어떤 치과용 금합금을 열처리하여 높은 경도치를 나타낼 때의 주사전자현미경상으로 기지에 생성된 아주 미세한 석출물을 보여준다.

(2) 석출에 의한 경화

어떤 조성의 합금에 용체화처리를 시행하여 과포화 고용체를 얻는다. 이것을 적절한 온도에서 시효처리하면 조성이 다른 두 상으로 분해한다. 이 현상을 석출이라고 한다(그림 14-12,13).

치과용 Au-Ag-Cu 합금의 조성이 Ag-rich상과 Cu-rich상으로 된 2상 영역에 위치한다면 시효처리에 의해 석출이 일어나 경화된다. 이때 아주 미세한 층상조직으로 된, 정합한 입계 석출물에 의해 경화되는 경우도 있다.

참고문헌

1. Kim HI, Shiraishi T 등(1993). 귀금속을 포함하는 치과 주조용 대용합금의 특성, 대한치과기재학회지 20:59-66.
2. American Dental Association(1972). Guide to dental materials and devices, 6th ed., American Dental Association.
3. American Dental Association(1976). Guide to dental materials and devices, 8th ed., American Dental Association.
4. American Dental Association(1983). Dentists' desk reference: Materials, instruments and equipment, 2nd ed., American Dental Association.
5. American society for metals(1979). Metals handbook, Vol. 2, 9th ed., American society for metals.
6. Anderson JN(1976). Applied dental materials, 5th ed., Blackwell scientific publ., Oxford, pp. 128–141.
7. Bates JF, Knapton AG(1977). Metals and alloys in dentistry. International Metals Reviews, 39–60.
8. Council on Dental Materials and Devices(1974). Status report on palladium-silver-based crown and bridge alloys. J Am Dent Assoc 89:383–385.
9. Council on Dental Materials, Instruments and Equipment(1980). Status report on low-gold-content alloys for fixed prostheses, J Am Dent Assoc 100:237–240.

10. Hirabayashi M, Ogawa S(1956). An X-ray study of ordering process in CuAu single crystals. J Phys Soc Japan 11:907-914.
11. Hirabayashi M, Weissmann S(1962). Study of CuAu I by transmission electron microscopy. Acta Metall 10:25-36.
12. International Organization for Standardization(2004). ISO 1562: Dentistry-Casting gold alloys.
13. Kim HI, Choi SK(1974). Age-hardening behavior and structural changes in a commercial dental Au-Ag-Cu-Pd alloy, J Kosombe 15:3.
14. O'Brien WJ(2008). Dental Materials and Their Selections, fourth ed., Quintessence Publishing Co. Inc.
15. Sakaguchi R, Ferracane J, Powers J(2019). Craig's Restorative Dental Materials, 14th ed.

Ⅱ 비귀금속 합금

학/습/목/표

❶ 비귀금속 합금의 용도에 대해서 이해한다.
❷ 각 원소의 역할을 이해한다.
❸ 귀금속과의 특성의 차이를 설명할 수 있다.

비귀금속 합금(base metal alloys)은 치과 영역에서 장치물이나 기구 등으로 널리 이용되어 왔다. 주조용 Co-Cr 및 Ni-Cr 합금은 오랫동안 국소의치의 구조물(frame work)로 사용되어 왔고, 이 부분에 있어서는 ISO 규격의 Ⅳ형에 해당하는 금 합금을 거의 대체하고 있다.

ISO 규격의 Ⅳ형에 해당하는 금 합금의 대용으로 개발된 Ni-Cr 합금은 금관 가공의치용으로 사용되고 있다. 또 Ni-Cr과 Co-Cr 합금은 금속-세라믹용 금속 수복물로도 사용되고 있다.

주조 및 가공용 비귀금속 합금의 치과 영역에서의 이용을 살펴보면 다음과 같다.

① 주조용 Co-Cr 합금
- 국소의치 구조물(partial denture frame work)
- 금속-세라믹용 금속

② 주조용 Ni-Cr 합금
- 국소의치 구조물
- 금관 가공의치(crown and bridge)
- 금속-세라믹용 합금

③ 가공용 스테인리스강
- 보존용 기구
- 교정용 선재 및 브라켓
- 기형관(preformed crown)

④ 가공용 Co-Cr-Ni 합금 : 교정용 선재

⑤ 가공용 Ni-Ti 합금 : 교정용 선재

⑥ 가공용 Ti 합금
- 임플란트
- 금관
- 가공의치
- 교정용 선재

비귀금속 합금(base metal alloys)은 치과 영역에서 장치물이나 기구 등으로 널리 이용되어 왔다. 주조용 Co-Cr 및 Ni-Cr 합금은 오랫동안 국소의치의 구조물(frame work)로 사용되어 왔고, 이 부분에 있어서는 ISO 규격의 Ⅳ형에 해당하는 금 합금을 거의 대체하고 있다.

ISO규격의 Ⅳ형에 해당하는 금 합금의 대용으로 개발된 Ni-Cr 합금은 금관 가공의치용으로 사용되고 있다. 또 Ni-Cr과 Co-Cr 합금은 금속-세라믹용 금속 수복물로도 사용되고 있다.

주조 및 가공용 비귀금속 합금의 치과 영역에서의 이용을 살펴보면 다음과 같다.

① 주조용 Co-Cr 합금
- 국소의치 구조물(partial denture frame work)
- 금속-세라믹용 금속

② 주조용 Ni-Cr 합금
- 국소의치 구조물
- 금관 가공의치(crown and bridge)
- 금속-세라믹용 합금

③ 가공용 스테인리스강
- 보존용 기구
- 교정용 선재 및 브라켓
- 기형관(preformed crown)

④ 가공용 Co-Cr-Ni 합금 : 교정용 선재

⑤ 가공용 Ni-Ti 합금 : 교정용 선재

⑥ 가공용 Ti 합금
- 임플란트
- 금관
- 가공의치
- 교정용 선재

공업 분야에서는 용도에 따라 다양한 새로운 합금들이 개발되고 있으며, 이들 합금 가운데에는 치과 영역에서 다양하게 사용할 수 있는 것들도 있다.

Ta, Ti, Mo, V, Ga 등과 같은 금속들의 용도가 늘고 있고, 이들 금속의 합금들과 Cr, Ni, Co, Cu, Al, Mn 합금들이 치과 영역에서 다양하게 사용될 수 있는 물리적, 화학적 성질을 갖도록 개발되고 있다.

치과 영역에서 금 합금을 대신하여 사용되는 금속과 그의 합금들이 구강 내에서 사용되는 경우 다음과 같은 요구조건들을 충족시켜야 한다.

① 환자나 조작하는 사람에게 독성이나 알레르기 반응이 없어야 한다.
② 구강 내의 환경에서 장치물의 부식이나 물리적 성질의 변화가 없어야 한다.
③ 조작과 그의 사용이 치과의사나 숙련된 기술자가 사용할 수 없을 정도로 어려워서는 안 된다.
④ 강도, 전도도, 융점, 열팽창계수와 같은 기계적 및 물리적 성질이 만족스러워야 한다.

이와 같은 사항들을 종합해 볼 때 치과 영역에서 사용되는 비귀금속 합금은 물리적, 화학적, 생물학적 성질들을 종합적으로 구비하여야 한다.

1. Co-Cr 합금

Co-Cr 합금은 기계적 성질 및 내식성이 뛰어남과 동시에 생체와의 적합성도 우수하여 치과용 의치상, 바, 클래스프, 교정용 선재 등의 용도에 널리 이용되고 있다. 또한 생체적합성이 좋기 때문에 정형외과 영역에 있어서 인공관절용 재료로도 활용되고 있다. 그러나 이 합금은 고융점으로 주조수축이 큰 것과, 주조성형 및 성형 후의 연마가 어렵다는 단점이 있다.

1) 조성금속

(1) Co

Co는 원자번호 27, 원자량 58.93, Fe족에 속하는 금속원소로 회백색의 광택이 있고, 융점 1,492℃, 비점 3,185℃, 비중 8.8, 열팽창계수 12.4×10^{-6}/℃, 전성, 연성도 있지만, C, Mn 등을 미량 포함하면 취약해진다. 난용성, 불휘발성, 강자성으로 대기 중에 장시간 방치하여도 표면이 약간 부식될 뿐 큰 변화는 없다. 산에 서서히 녹아 수소를 발생하고 Co (Ⅱ)염을 형성한다. 철과 같이 초산에 대해서 부동태(passivity)화 된다. 또 원자가는 2^+ 또는 3^+으로 착염을 만들기 쉽고, 체내와 구강 내에서 쉽게 이온화하여 조직과 세포에 대해서 강한 자극성이나 독성을 나타낸다. Co는 Co-Cr 합금을 형성하는 기본 원소로 일반적으로 Co의 함량이 증가하면 합금은 경화되어 취성을 나타낸다. 따라서 Co를 다량 포함하는 Co-Cr 합금은 주조 후의 연마나 적합을 위한 조정이 곤란하게 된다. 현재에는 Co의 일부를 Cr과 합금하기 쉬운 Ni이나 Fe 등으로 치환한 합금 조성도 이용되고 있다.

(2) Cr

Cr은 원자번호 24, 원자량 51.99, 광택이 있는 은백색의 금속으로, 융점 1,895℃, 비점 2,660℃, 열팽창계수 8.4×10^{-6}℃이다. 상온에서 매우 안정하고 공기 또는 수중에서 쉽게 산화되지 않지만 염산과 황산에 용해한다. 원자가는 2, 3, 4, 5, 6이고 강자성을 나타낸다. 비귀금속계 합금에서의 필수 원소는 Cr으로 치밀한 산화피막의 형성에 의한 부동태화 기구에 의하여 구강 내 환경에서 안정성을 유지할 수 있기 때문이다. 공업용 스테인리스강에 있어서도 최저 12%의 Cr을 포함하는 것이 바람직하며, 합금 조성에 따라 다르지만 일반적으로 10~32%의 Cr이 포함되어 있다. Cr이 다량 첨가된 경우는 합금이 취약해지며, 이는 고온에서의 산화나 불순물 원소(N, C, S 등)와의 반응에 의해 주조성이 저하되고 결정입계에서 편석에 의해 취약해지며 균열의 원인이 되기 때문에 35% 이상의 함유는 피하는 것이 좋다.

(3) Mo

Mo은 수지상정의 성장을 억제하고 결정립을 조금이긴 하지만 미세화 시키며, 합금의 강도를 증가시키는 반면, 합금의 탄화를 조장하는 경향을 보인다.

(4) 그 외의 미량첨가 원소

미량첨가 원소로서 C, Si, Mg, P, Al, Mn, W, Be 등이 있다. 이들 원소는 탈산효과나 결정립의 미세화에 의해 기계적 성질을 개선하는 것을 목적으로 첨가되어 왔다. 융점이 높은 비귀금속계 합금의 경우에 금 합금에서 사용되는 붕사, 붕산 등의 융제를 이용하여 산화물을 제거하는 것이 어렵기 때문에 산소와의 결합력이 강한 Mn, Si, Ca 등의 원소를 합금 중에 미리 넣어 용해 중에 생기는 산화물을 제거한다. 탄소는 Co, Cr, W, Mo 등의 금속과 탄화물을 형성하여 주조 후 냉각하는 동안 가장 늦게 응고하여 결정립 경계에 나타나서 합금을 경화시킨다. 필요한 양보다 0.2% 이상 첨가되면 합금은 경하고 취약하게 되어 치과용으로 사용할 수 없게 된다. 한편 탄소 함량을 0.2% 이하로 감소시키면 항복, 인장강도를 감소시켜서 이 역시 치과용으로 사용할 수 없게 된다. 이 때문에 매식용 Co-Cr 합금에 대해서 ASTM은 탄소의 함유량을 0.35% 이하로 규제하고 있다. 약 3~6%의 Mo 첨가는 합금의 강도향상에 기여한다. 초기의 합금에는 W을 첨가하여 강도를 증가시켰으나, Mo보다도 연성을 더욱 감소시킨다. 최근의 국소의치용 합금에서는 W의 경화원소의 역할을 주로 Mo로 대체하였다. Be은 합금의 융점을 낮추고 주조성을 좋게 함과 더불어 주조 후의 표면을 깨끗하게 하고, 기계적 성질에 있어서도 결정립을 미세화 시켜 합금을 강화시킨다. 그러나 독성이 강하기 때문에 합금에 첨가하는 양은 2% 이하가 좋은 것으로 되어 있다.

2) 주조용 Co-Cr 합금

주조용 Co-Cr계 합금은 우수한 내구성 이외에도 강도, 강성, 내열성 등이 뛰어나고, 골조직과의 친화성이 좋아 외과적으로 인조골로 많이 사용되어 왔다.

주조용 Co-Cr 합금은 Stellite로 더 잘 알려져 있다. Co 45~75%, Cr 15~25% 이외에 W, Mo이 첨가되어 있으며, 내열성이 좋고, 강도가 높아 공구재료 또는 내열성 재료로 사용되어 왔다. 치과용으로는 Vitallium을 주조상으로 사용한 이래 국소의치의 구조물로 널리 사용되고 있다.

(1) 조성

Co-Cr 합금의 상태도를 그림 14-14에 나타내고 있다. Co-Cr 합금은 구강 내에서 귀금속계 합금에 필적하는 내식성을 나타낸다. 이 내식성은 합금 내에 포함되어 있는 Cr에 의해 합금 표면이 부동태화 하여 안정화되기 때문이다. 따라서 생체 내에서 부동태화를 위해서는 Cr의 함유량이 중요하고, 적어도 12% 이상의 Cr 함유량이 필요하다.

일반적으로 Co-Cr계에서 Cr을 20~25% 정도 포함하면 매우 경화되어 보철용 재료로는 부적절하지만, Cr의 양은 내식성을 유지하기 위하여 낮출 수 없고 또 Cr의 양이 많을수록 합금의 융점은 저하된다. Co-Cr 합금에 Ni을 첨가하면 Ni의 양에 따라 연화하므로 주조용 Co-Cr 합금은

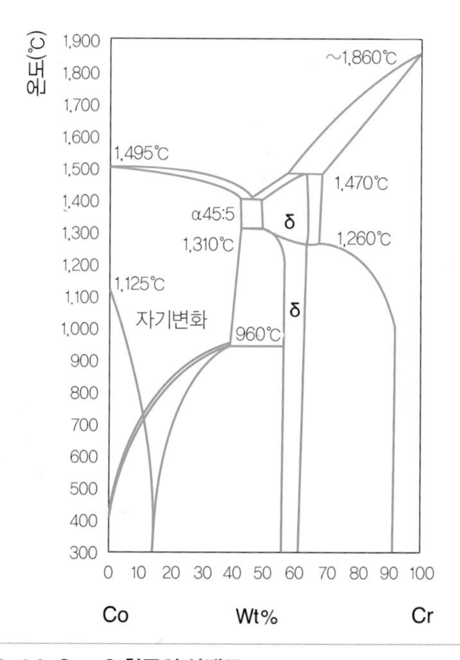

그림 14-14 Co-Cr합금의 상태도

표 14-4. 주조용 Co-Cr 합금의 조성과 기계적 성질

합금	Co	Cr	Ni	C	Mn	Si	P	S	Mo	Fe
A	62.1	31.4	0.10	0.15	0.68	0.16	-	-	5.80	0.60
B	62.1	28.0	0.48	0.43	-	0.68	-	-	5.40	0.35
C	62.5	26.2	2.10	0.37	0.71	0.92	0.01	0.04	5.00	1.70
D	61.1	31.6	0.29	0.40	0.71	0.63	-	-	4.41	0.58
E	44.0	28.3	24.40	0.10	0.70	1.10	-	-	-	-

합금	융점(℃)	인장강도(kg/mm²)	연신율(%)	항복강도(kg/mm²)	경도(HV)	용도
A	1,446	66.0	4.0	40.0	265	치과용
B	1,420	83.0	1.5	52.0	370	치과용
C	1,396	81.0	1.6	50.0	364	치과용
D	1,385	65.4	1.5	50.6	380	의치상용
E		63.0	1.2	52.0	378	외과용

표 14-5. 주조 조건에 의한 기계적 성질의 변화

주조 조건	인장강도	연신율
주조온도 높다	약간 감소	증가
주형온도 낮다	증가	약간 감소
냉각속도 늦다	약간 증가	감소
반복 사용	감소	증가

Ni의 함유량으로 연성을 조절할 수 있다. 그 외에 탄성, 강도를 개선하기 위하여 Mo, W을 첨가하기도 한다.

일반적으로 Co-Cr 합금은 주조조건에 따라 결정립도가 크게 달라지며, 열처리에 의한 탄화물 석출로 그 성질은 크게 변한다. 탄소는 보통 0.2% 정도 함유하며, 그 이상이 되면 탄화물을 형성하여 취성을 나타낸다. Mn, Si을 탈산제로 사용하면 주조성이 개선되지만 합금 중에 많이 남게 되면 취성을 나타낼 수 있다. 불활성가스나 진공분위기 중에서 용해하여 합금의 산화를 방지하면 합금의 기계적 성질은 더욱 개선된다.

(2) 일반적 성질

JIS 규격의 T6115C에 규정되어 있는 범위에서 합금화된 여러 종류의 시판 Co-Cr 합금의 기계적 성질(표 14-4)을 보면, 경화열처리한 제4형의 금 합금과 거의 필적한 성질을 나타낸다. 경도(HV)는 280~400으로 치과용 합금 중에 가장 경한 합금에 속하므로 연마에 특별한 장치가 필요하다.

인장강도는 63~83 kg/mm², 연신율은 보통 10% 이하이며 대부분 2~5% 정도이다. 주조한 Co-Cr 합금의 탄성계수는 금 합금의 약 2배로 2,000~2,500 kg/mm² 정도이다. 즉, Co-Cr 합금의 굴곡강도나 강성이 금 합금의 2배 정도 된다는 것을 의미한다. 융점은 1,300~1,400℃이며 주조수축률은 2.1~2.3% 정도로 높은 편이다. 비중은 8~9로 금 합금의 약 1/2 정도이다.

Co-Cr 합금에서 주조 조건에 의한 기계적 성질의 변화를 표 14-5에 나타내었다.

표 14-6. 가공용 Co-Cr 합금 선재의 조성 및 기계적 성질

조성(wt%)							항복강도 (kg/mm²)	인장강도 (kg/mm²)	연신율 (%)
Co	Cr	Ni	Fe	Mo	W	C			
29.9	20.3	16.1	24.5	0.84	2.40	0.07	74.5	108.5	25.6
27.1	22.1	45.0	-	0.45	1.74	0.08	101.8	120.0	6.0
32.7	17.5	10.0	28.6	-	2.00	0.06	100.9	119.6	12.2
46.0	20.0	25.0	-	4	4	-			
40.0	20.0	35.0	-	4	1	-			

3) 가공용 Co-Cr 합금

Co-Cr 합금은 내식성이 충분하고 경도가 높지만, 가공도가 낮기 때문에 Co의 일부를 가공성이 좋은 Ni 혹은 Fe로 치환하거나 합금의 탄소량을 일정한도 내로 억제함으로써 가공성이 좋은 합금을 만들 수 있다. 치과용으로는 주로 교정용 선재, 클래스프, 바 등으로 사용된다. 시판 Co-Cr 선재의 조성 및 기계적 성질을 표 14-6에 나타내었다.

Co, Cr의 함유량이 많은 것은 경도가 높고 Ni의 양이 많을수록 연성을 나타내게 된다. 내열성, 탄성, 가공성을 개선하기 위하여 Mo, W, V 등을 포함하는 경우가 많다.

보통의 Co-Cr 합금은 금 합금과 같이 열처리 효과를 나타내지는 않지만 α상에 가까운 Co 30%, Cr 40%, Ni 30% 부근의 조성과 Co 45%, Cr 35%, Ni 20% 부근의 조성에서는 경화성을 나타낸다. 첨가원소로는 B, Be이 효과적이고 연화 후 500~700℃로 가열하여 경화시킨다.

석출경화성의 Co-Cr 합금은 주로 교정용 선재로 많이 사용된다. 경화의 원인은 CO_3Mo의 석출 또는 적층결함 부분에 용질원자의 편석 때문으로 알려져 있다.

2. Ni-Cr 합금

Co-Cr 합금에 비해서 유연하고 연성이 큰 것이 특징이다. 치과용으로서는 선재로서 바, 클래스프, 교정용 선재 등에 사용되고 있으며, 판재로서는 압인상, 유치의 임시 금관 등으로 사용되고 있다.

1) 조성

Ni은 원자번호 28, 원자량 58.69, Fe족에 속하는 은백색의 금속으로 융점 1,455±1℃, 비점 약 3,075℃, 비중 8.9, 열팽창계수 12×10^{-6}/℃, 강자성을 나타낸다. 연성은 Fe와 유사하다. 공기 및 습기에 대해서 Fe보다 안정하며 산화되기 어렵고, 알칼리에는 침식되기 매우 어렵지만 산에는 녹는다. 산화물, 유화물, 어떤 종류의 착염을 제외하고 원자가는 보통 2이다. 세포독성을 가지고 있으며 조직 자극성이 있고, 발암성이나 알레르기 반응을 나타내는 것으로 되어 있어, 스웨덴, 노르웨이, 핀란드에서는 Ni 합금의 사용이 금지되고 있다. 그러나 이러한 생물학적 현상은 Cr의 합금에 의해 거의 소멸되는 것으로 되어 있어, 미국이나 일본에서는 치과용 합금으로 이용하고 있다.

표 14-7. 주조용 Ni-Cr 합금의 조성과 기계적 성질

합금	조성(wt%)			인장강도 (kg/mm²)	연신율 (%)	경도 (HV)	비중	융점 (℃)
	Ni	Cr	기타					
A	84	9	7	35.0	19.2	90	-	1,310
B	78	12	Mo 7	52.7	10.3	174	-	1,330
C	85	10	5	60.0	4.0	130~230	8.31	1,300
D	84	8	Mo 3	39.0	15.0	120	8.10	1,280

표 14-8. 가공용 Ni-Cr 합금의 조성

재료	조성(wt%)					
	Ni	Cr	Cu	Fe	C	계
A(板)	89.97	6.24	0.82	0.41	0.13	97.37
B(板)	87.03	4.95	6.27	0.37	0.12	98.74
C(線)	80.35	11.42	0.39	2.01	0.12	94.29

2) 그 외의 미량 첨가 원소

Ni을 포함하는 합금에서 Ti은 Ni과 Al의 금속간 화합물(Ti_3Al, TiAl)을 형성한다. 이 화합물은 석출강화로 합금의 인장강도, 항복강도를 현저하게 증가시키는 것으로 알려져 있다. Ni 합금에서 1%의 Be 첨가는 합금의 융점을 100℃ 정도 낮추어 주며, 또 Si과 Mn는 Ni 합금의 유동성과 주조성을 증가시킨다. 또한 이 합금의 주조를 진공이나 아르곤 분위기에서 하지 않으면 질소가 존재하게 되어 주조체에 취약한 성질을 더해주게 된다.

최종 주조체의 질소함량이 0.1% 이상이면 주조체는 연성을 잃게 된다. 비귀금속 주조용 합금에서 적은 양의 C, N, O는 최종 주조물의 성질을 효과적으로 바꿀 수 있기 때문에 기계적 성질에 있어서 현저한 변화를 가져올 수 있다. 또한 주형온도, 용융 금속의 온도, 주입선 크기와 배열도 조성의 변화만큼이나 최종 주조물의 성질에 영향을 미칠 수 있다.

3) 주조용 Ni-Cr 합금

시판 Ni-Cr 합금의 조성과 기계적 성질은 Co-Cr 합금에 비해서 인장강도가 작고 연성이 크다(표 14-7). ISO 규격과 비교해보면, Ni-Cr 합금은 type Ⅱ, Ⅲ 금 합금에 상응하나, 고융점, 주조성, 주조수축률 등 몇 가지 문제점을 안고 있다. 즉 고융점과 큰 주조수축률 때문에 내열성이 높은 매몰재를 필요로 하고, 적합성은 금 합금에 비해 약간 떨어지지만 임상적으로는 금속-세라믹용 의치로 이용된다. 또 Co-Cr 합금과 같이 주조조건에 의한 기계적 성질의 변화가 크기 때문에 주조에는 충분한 주의가 필요하다.

4) 가공용 Ni-Cr 합금

Fe족에 속하는 Ni은 Fe와 비교하여 화학적으로 안정하지만 Cr을 첨가하면 내식성이 더욱 개선된다. 가공용 Ni-

표 14-9. 가공용 Ni-Cr 합금선의 기계적 성질

상태	인장강도 (kg/mm²)	탄성계수 (kg/mm²)	연신율 (%)	경도 (HB)
어닐링 재	66.5	21,700	25~35	142~157
가공재	115.4		0~1	201~225
선재	140.0		0	–

표 14-10. 금속-세라믹용 Ni-Cr 합금

조성(wt%)						인장강도 (kg/mm²)	탄성계수 (kg/mm²)	연신율 (%)	경도 (HV)	비중	결합강도 (kg/mm²)
Ni	Cr	기타									
80	9	Al	3~5			55.6	20.6	16.2	269	8.0	9.7
69	16	Co	3.50	Fe	0.37	62.2	26.4	3.4	347	8.0	5.0
		Mo	4.68	Ir	4.68						
		Sn	5.98								
70	21	Fe	2.02			–	–	–	250	–	–
		Si	2.32								

Cr 합금의 조성은 Ni이 82~90%이고, Cr은 판상용에는 5~8%, 선재용에는 11~14%, 그 외에 Cu, Fe, Mo 등이 포함되어 있다(표 14-8).

또 기계적 성질은 표 14-9과 같고, 금관, 바, 클래스프나 교정용 선재로 널리 이용되고 있다. Co-Cr 합금과는 달리 납착 시의 가열에 의해 연화되기 쉬운 것이 결점이다.

5) 금속-세라믹용 Ni-Cr 합금

최근 귀금속 값의 폭등에 의해 치관수복 재료로 비귀금속 합금의 활용이 크게 늘고 있고, 미국과 일본에서는 전체 금속-세라믹용 합금 가운데 70% 이상이 Ni-Cr 합금으로 만들어지고 있다.

금관과 포세린의 결합기전으로서는 ① 기계적 결합, ② Van der Waals 결합 및 화학적 결합, ③ 포세린의 압축력으로 대별된다.

Ni-Cr 합금에서 결합형식은 합금에 첨가되어 있는 Sn, In, Al 및 Fe 등의 미량 첨가원소가 가열에 의해서 금속표면으로 확산되고, 선택적으로 산화되어 산화물로 석출된다. 이렇게 생성된 금속산화물과 포세린 중의 금속산화물 사이에 상호 확산이 일어나고 그 결과 강한 결합을 나타내게 된다.

Ni-Cr 합금에서는 합금표면에 NiO, $NiCr_2O_4$, Cr_2O_3 등의 산화물을 생성하고 금속산화물-포세린 상호간에 화학적 결합이 확립된다. 이 경우에는 생성되는 산화물층의 두께와 그 물성이 접착강도에 큰 영향을 미친다. 따라서 합금표층을 제어하기 위해서는 표 14-10과 같이 미량원소의 첨가에 의한 개선효과가 꽤 크다. 그러나 Be은 독성이 크고 그 첨가량은 2~4%가 한도인 것으로 알려져 있다.

이상 Ni-Cr, Co-Cr 합금에 대해서 각각 살펴보았으나 다음의 사항에 대해서 종합적으로 정리해 보고자 한다.

먼저 이들 합금의 열처리이다. 초기에 부분의치상 보철물에서 사용된 비귀금속 합금은 주로 Co-Cr 합금이었고 그 조성도 간단하다. 이들 합금은 1,000℃에서 1시간 동안 가열하여도 기계적 성질이 적절히 변하지 않는다. 오늘날 부분의치상 보철물로 사용되는 비귀금속 합금은 더욱 복잡한 조성을 가지게 되어 현재 복합 Co-Cr 합금, Ni-Cr 합금, Fe-Cr 합금들이 사용되고 있다. Co 합금의 열처리는 항복강도와 연성을 감소시키는 것으로 알려져 있고, 따라서 국소의치에 납착이나 용접을 할 필요가 있을 때 가능한 한 최저의 온도로 최단시간 동안 가열할 필요가 있다.

일반적으로 시판되는 Ni-Cr 합금의 조성을 살펴보면 Be을 포함한 것과 포함하지 않은 것으로 구분된다. 대부분의 합금은 60~80% Ni, 10~27% Cr, 2~14% Mo을 포함한다. Be을 포함하는 경우에는 1.6~2.0%가 포함되어 있으며, 소량의 Al, C, Co, Cu, Ga, Be, Mg, Nb, Si, Sn, Ti, Zr 등을 포함한다. 또 Co-Cr 합금은 53~67% Co, 25~32% Cr, 2~6% Mo을 포함한다. Be과 Ni을 포함하는 합금의 경우 금속 증기나 분진 등에 노출되지 않도록 주의를 기울일 필요가 있다. Be분진에 대한 안전 표준은 하루 8시간 동안 2 $\mu g/m^3$이고, 30분 이하의 노출시간과 25 $\mu g/m^3$이 상한선으로 되어 있다. 이와 같은 Be을 포함하는 합금의 주조, 마무리 작업, 연마 동안에는 흡인, 여과 장치가 필요하다.

또, Ni을 포함하는 경우 알레르기 반응이 문제가 된다. Ni에 대한 알레르기 반응도는 남성보다 여성의 경우가 5~10배나 높고, 여성의 5~8%가 민감성을 나타내고 있다. 그러나 구강 내의 Ni 합금의 수복물과 민감성 사이에는 상관관계가 없는 것으로 밝혀졌다. Ni에 알레르기 반응을 보인 전력이 있는 환자에게는 Ni을 포함하지 않는 Co-Cr 합금이나 Ni을 포함하지 않는 합금을 사용하여야 한다. Ni에 대한 안전 표준은 일주일 40시간 동안 공기 중 15 $\mu g/m^3$이다. Ni이나 Be을 포함하는 금속 분진에 대한 환자의 노출을 최소화하기 위하여 고속 분출장치를 사용하여야 한다.

마지막으로 이들 비귀금속 합금의 다른 용도를 살펴보면 주조용 Co-Cr 합금은 가철식 국소의치 수복물 이외의 용도로 골파절 수술 시 bone plates, screws, splints로 쓰이고 있다. 수술용으로서도 Co-Cr 합금이 많이 사용되고 있고, 장시간 매식되어 사용하여도 유해 작용이 없는 것으로 증명되었다. 이와 같이 널리 사용될 수 있는 것은 낮은 용해도, 금속 자체의 불활성, 염증반응을 보이지 않는 점 등 때문이다.

3. 스테인리스강(Stainless Steel)

스테인리스강은 Cr, Ni, Mn, C 등을 포함한 Fe 합금을 말한다. 치과용으로 사용되는 스테인리스강은 주조하여 사용되지 못하고, 가공용으로 쓰인다. 현재 치과에서 스테인리스강은 주로 교정용 장치물, 파일 및 리머 등의 보존용 기구의 용도로 사용된다. 스테인리스강은 임시용 공간유지장치(space maintainer), 기제 금관(prefabricated crown) 이외의 임상이나 기공용 장치의 용도로 사용되고 있다.

외과용 오스테나이트 강은 18% 크롬과 8% 니켈이 함유된 철-탄소(0.05%) 합금으로 크롬은 부식 저항성을 증가시키고 니켈은 오스테나이트 구조를 안정화시키는 역할을 한다. 니켈 알레르기 반응이 있는 환자에게는 사용해서는 안 된다. 합금은 주로 가공금속 또는 열처리 상태로 사용되고 높은 강도와 연성이 있으므로 취성 저항성이 있다.

1) 조성

여러 종류의 스테인리스강 중에서도 316 L (ASTM F138, F139), grade 2가 가장 많이 사용되고 생체 내에서 일어나는 부식을 감소시키기 위해서 탄소가 0.03%가 들어 있다. L은 탄소가 적게 들어 있다는 low의 의미이다. 316 L 합금은 철 60~65%, 크롬 17~19%, 니켈 12~14%를 주성분으로 하고 소량의 질소, 망간, 몰리브덴, 인, 실리콘, 황 등을 함유하고 있다. 첨가된 합금 성분은 금속 표면과 미세구조에 영향을 준다. Cr은 금속 표면에 산화막

표 14-11. 주요 페라이트계 스테인리스강의 성분(%)과 용도

강종 (STS)	화학성분					인장강도 (kgf/mm²)	특성과 용도
	C	Si	Mn	Cr	기타		
405	0.06	0.05	12.5	12.5	Al 0.2	46	低C13Cr에 Al을 첨가하면 용접성 개량, 내산화성, 성형성, 용접성, 내식성 좋음. 430에 Mo 첨가하여 염분에 대한 내식성 향상
430	0.06	0.50	16.5	16.5		53	
434	0.06	0.50	17	17	Mo 0.9	54	

Cr_2O_3를 형성하여 부식 저항성을 높여주나 면심입방격자인 오스테나이트상(austenitic phase)보다 더 약한 체심입방격자인 페라이트상(ferritic phase)을 안정화시키는 단점이 있다. 몰리브덴과 실리콘 역시 페라이트상 안정제(ferrite stabilizer)이다.

페라이트상의 형성을 방지하기 위하여 오스테나이트상 안정제(austenitic stabilizer)인 니켈을 첨가한다. 탄소의 함량을 줄이는 가장 큰 이유는 부식 때문이다. 탄소 함량이 0.03%를 초과하면 $Cr_{23}C_6$가 생성된다. 이 탄화물은

탄소의 함량이 많고 온도가 증가하면 입자 경계에서 석출되어 탄화물을 성장시킨다. 또한 입자 경계부위의 크롬을 흡수하여 표면에 Cr_2O_3 형성을 방해한다.

2) 미세구조와 기계적 특성

ASTM 규격에 의하면 316 L의 바람직한 상은 단일상 오스테나이트(FCC)이어야 하고 페라이트상(BCC), 또는 카바이드상과 황화물과 같은 함유물이 없어야 한다고 규정되어 있다. 함유물은 불결한 제조과정에서 포함될 수 있으며 함유물 부근에서 공식(pitting corrosion)이 일어난다.

3) 종류

스테인리스강은 그 조성으로부터 Cr계와 Cr-Ni계로 대별되며, 또 금속조직에 따라서 마르텐사이트계, 페라이트계, 오스테나이트계, 오스테나이트 · 페라이트계, 석출경화계의 5종류로 분류된다.

(1) Cr계 스테인리스강

① 마르텐사이트계 스테인리스강

Cr을 12~18%로 하고 탄소 함량을 높게 하여 고온의 오스테나이트 조직에서 급랭함으로써 마르텐사이트 조직을 얻는 스테인리스강으로 13 Cr 스테인리스강이 대표적이다. 이 강은 탄소량과 열처리온도를 적당히 선택하여 우수한 기계적 성질이 얻어지고 Cr의 양도 많아서 내산성, 내열성이 있으므로 기계구조용강으로 용도가 넓다.

② 페라이트계 스테인리스강

12~18% Cr과 0.10% 이하의 C를 함유하며 Cr의 함량이 높기 때문에 가열해도 γ 구역을 통과하지 않고 페라이트와 탄화물의 상이 된다. 따라서 열처리에 의한 재질의 개선은 할 수 없으므로 기계적 성질은 떨어진다. 그러나 가열, 냉각해도 소입이 되지 않으므로 용접이 용이하고 또 함량이 높아서 내식성이 좋다. 체심입방격자(BCC)의 결정구조를 가지며 강자성이다.

18 Cr 강이 대표적인 강이며 마르텐사이트계에 비하여 내식성, 성형성이 우수하므로 가정용품, 자동차 부품 등에 사용된다. 표 14-11에 대표적인 강의 성분과 용도를 표시한다.

③ 고순도 페라이트계 스테인리스강

페라이트계 스테인리스강이 오스테나이트계에 비하여

표 14-12. 고순도 페라이트계 스테인리스강의 성분 예(%)

강종(ASTM)	C	Si	Mn	Cr	Mo	N	비고
18Cr-2Mo	< 0.025	< 1.00	< 1.00	17.5~19.5	1.75~2.50	< 0.035	Ti, Nb 첨가 ASTM에는 29Cr-4Mo, 29Cr-4Mo-2Ni강. JIS에는 30Cr-2Mo강도규격화되어 있음.
26Cr-1Mo	< 0.010	< 0.40	< 0.40	25.0~27.0	0.75~1.50	< 0.015	

인성, 연성이 낮고 내식성이 떨어지는 주원인은 C, N가 높기 때문이다. AOD법(아르곤 · 산소탈탄법)이나 VOD법(진공산소탈탄법) 등의 정련기술을 이용하면 강 중의 C, N을 줄일 수 있고 또 C, N에 대한 안정화 원소인 Ti 또는 Nb를 첨가하기도 하여 성형성, 용접성, 내식성, 그리고 인성을 개선한 것이 고순도 페라이트 스테인리스강이다. 표 14-12에 보듯이 고Cr에 Mo를 첨가함으로써 오스테나이트계 이상의 내식성이 나타나며 응력부식균열이나 공식 또는 틈 부식에 강한 특징이 있다.

(2) Cr-Ni계 스테인리스강

① 오스테나이트계 스테인리스강

Cr 12~26%, Ni 6~22%를 함유하는 Fe-Cr-Ni 합금이며 고용화 열처리상태에서 오스테나이트 조직이 되고 우수한 인성, 연성, 내식성을 갖는다. 결정구조는 면심입방격자(FCC)이고 비자성이다. Fe-Cr-Ni 합금의 소둔상태의 조직도를 보면 가장 경제적인 조성은 18% Cr, 8% Ni인 것을 알 수 있다. 이것이 대표강인 18-8 스테인리스강이며 이로부터 개량된 각종 강이 발달하고 있다.

② 오스테나이트 · 페라이트계 스테인리스강(2상 스테인리스강)

2상(dual phase) 스테인리스강은 Cr 20~25%, Ni 4~8%를 함유하고 이것에 Mo, Cu, N 등을 단독 또는 복합적으로 첨가한 것으로 기지는 페라이트(50~80%)와 오스테나이트의 2상혼합의 미세조직이다. 이 강의 특징은 다음과 같다.

- 고Cr에 Mo, N를 함유하는 강종은 내해수성이 우수하고 오스테나이트계에 비하여 값이 싸다.
- 페라이트계만큼 응력부식균열에 강하지는 않으나 오스테나이트계보다는 저항성이 높다.
- 입계부식에 대한 저항성이 높다.
- 페라이트계에 비하면 인성과 용접부의 내식성이 좋고 가공성도 좋다.
- 오스테나이트계에 비하여 강도가 높으며 고용화처리 상태에서 18-8계의 약 2배의 항복강도을 갖는다.

③ 석출경화계 스테인리스강(강력 스테인리스강)

석출경화계(precipitation hardening, PH계)는 스테인리스강에 Al, Ti, Nb, Cu, Be, P 등의 석출경화성 원소를 첨가한 강이며 강도가 높고 마르텐사이트계에 비하여 성형성, 용접성 및 내식성이 우수한 특징이 있다. 또 경화열처리온도가 마르텐사이트계의 소입온도보다 낮으므로 열처리 시의 변형이 적은 장점이 있다. 석출경화계는 석출을 일으키는 기지의 조직에 따라서 마르텐사이트계, 세미오스테나이트계, 오스테나이트계, 2상계로 분류된다.

부식 저항성을 최대화하기 위해서는 표면 부동태화가 필요하다. 대부분의 합금은 틈 부식과 공식이 주로 발생한다. 그러므로 부동태 산화막을 유지하도록 주의해야 한다. 어떤 경우에는 갈바닉 전위가 부식을 유발하여 문제가 발생한다. 예를 들면, 귀금속이나 비귀금속 합금으로 만들어진 브리지가 스테인리스강으로 된 임플란트 고정체와 접촉했다면 조직 사이에서 전기회로가 형성된다. 만약에 브리지와 임플란트가 서로 접촉이 안 되어 갈바닉 쌍이 형성되지 않으면 각각 독자적으로 기능을 하게 된다.

스테인리스강의 경우, ASTM F-4에서는 표면의 부동태화를 첫 번째 조건으로 규정하고 있다. 이는 부식 저항성을 최대로 하고자하는 의미이다. 임플란트용 합금 중 이 합금에서 틈 부식과 공식이 가장 흔히 발생하므로 사용할 때는 산화막 상태를 잘 유지하는 것을 고려해야 한다. 이 합금은 니켈을 함유하고 있으므로 니켈에 대해서 과민성이 있는 환자에게 사용하는 것을 피해야 한다. 마찬가지로 사용하기 전에 스테인리스강이 변형되었다면 부식 발생을 최소화하기 위해 스테인리스강을 재부동태화 시켜야 한다.

철합금계는 갈바닉 전위차를 형성하므로 티타늄, 코발트, 지르코늄과 접촉하면 부식이 발생한다. 동일한 악궁 내에 1개 이상의 합금이 존재할 수 있다. 다른 금속과 마찬가지로 적절하게만 사용되면 합금은 붕괴 없이 기능을 잘 할 수 있다. 기계적 성질과 가격 면에서는 다른 합금보다 유리하다.

4) 부식저항

스테인리스강의 부식저항은 합금 중에 존재하는 Cr의 존재에 의해서이다. 순철에 이와 같은 특징이 나타나기 위해서는 적어도 12%의 Cr이 필요하게 된다.

Cr은 표면에 강하게 붙어있는 산화피막에 의해서 부식저항이 커지고, 이 피막은 기지의 금속이 반응하는 것을 막게 된다. 이와 같은 현상을 부동태라고 하고, 부동태의 정도는 합금의 조성, 열처리, 표면의 조건, 장치물에 가해지는 응력, 장치물이 놓여지는 환경 등에 영향을 받는다.

치과 영역에서 장치물을 조작하는 동안 과도하게 가열하거나 연마재나 반응성을 나타내는 세척제의 사용 또는 기간에 걸쳐 구강 상태가 불량하면 스테인리스강 합금의 특성이 변하거나 없어질 수 있다.

18Cr-8Ni 스테인리스강의 오스테나이트계는 변색(tarnish)에 대한 가장 큰 저항을 나타낸다. 이들 합금에서 Cr과 Ni은 Fe과 고용체(solid solution)를 형성하고 이것이 부식에 대한 저항성을 높여준다. 이러한 합금은 acetic acid나 lactic acid 혹은 황화물(sulfur compound)에 의해서 영향을 받지 않는다. 재료의 시편 표면이 깨끗하고 잘 연마되어 있으면 부식저항은 증가하고, 불규칙하면 전기 화학적 작용이 증가되는 것으로 알려져 있다.

금이나 은의 납(solder)에 의한 스테인리스강의 납접(soldering)은 서로 다른 금속 사이에서 일어나는 전기 화학적 부식이나 스테인리스강 선재의 국부적인 조성의 차에 의해서 스테인리스강의 성질을 크게 감소시킬 수 있다.

5) 스테인리스강 교정용 선재

교정용 스테인리스강 선재는 교정용 기구에 의해서 쉽게 변형되고, 한 번 변형되면 조작에 의해서 선재에 형성된 응력을 제거시키기 위해 450℃에서 1분간 열처리를 하여야 한다.

스테인리스강 장치물의 납착에는 숙련을 요하고 적절한 재료의 사용이 요구된다. 또 붕사융제(borax flux)의 사용은 좋지 못하고, 성공적인 납접 접합부를 얻기 위해서는 불소를 포함하는 융제의 사용이 필요하다. 금이나 은의 납이 사용되고, 은납이 대부분의 금납보다 사용하기 쉽고 더 강한 납접 접합부를 얻을 수 있다. 또 은납의 융점은 600~650℃로 대부분의 금납보다 약간 낮으므로 납접 작업 중에 일어날 수 있는 과열현상을 피할 수 있는 장점이 있다. 한편 금납을 사용하였을 경우 납접 접합부 부근의 강도가 은납을 사용했을 때보다 낮다. 금납과 불소용제(fluoride flux)를 사용하고 열원으로는 교정용 블로우토치를 사용하여 최소한의 열을 가하였을 때 접합부 중심의 온도는 700℃이고, 최대한의 열을 가하였을 때 800℃이다. 이것은 평균 납착온도가 약 750℃인 것을 의미한다. 접합부에서 1 mm 떨어진 곳의 온도는 650℃, 3 mm 떨어진 곳은 635℃, 5 mm 떨어진 곳은 440℃이다. 이는 납접 접합부에 인접한 부분의 강도는 저하하는 것을 의미한다.

(1) 성질

귀금속을 포함하지 않는 교정용 선재에 대한 ANSI/

표 14-13. 귀금속을 포함하지 않는 교정용 선재에 대한 ANSI/ADA 규격 No. 32

	Type I(low resilience)	Type II(high resilience)
Flexure yield strength at 2.9-degree offset, (MN/m^2)	1,700(min.) 2,400(max.)	2,500(min.)
Number of 90-degree bend cycles (minimum)	< 0.018-inch diameter 15	> 0.025-inch diameter 5

표 14-14. 스테인리스강 선재의 기계적 성질

Property	0.014-inch diameter		0.022-inch diameter	
	As received	Stress relieved*	As received	Stress relieved*
Proportional limit, (MN/m^2)	1,200	1,380	1,060	912
Yield strength, 0.1% offset (MN/m^2)	1,680	1,950	1,490	1,640
Tensile strength, (MN/m^2)	2,240	2,180	2,040	2,160
Hardness (Knoop), (kg/mm^2)	525	572	536	553
Cold-bending, number of 90-degree bends	37	45	13	21

*열처리는 482℃에서 3분 간 행함

ADA 규격 제32호에는 제1형(low resilience)과 제2형(high resilience)로 구분되어 있다.

표 14-13은 이들에 대해서 요구되는 굴곡항복강도를 나타내고 있다.

표 14-14은 응력완화를 하지 않은 경우와 한 경우에 있어서 두 가지 굵기의 교정용 선재의 기계적 성질을 열거해 두고 있다. 반경 0.014 inch 선재의 비례한도 및 항복강도의 값이 0.022 inch 선재보다 더 높다는 사실에서 이 크기의 선재를 만드는데 더 많은 양의 냉간가공이 가해졌다는 것을 알 수 있다. 이들 선재의 인장강도를 제외한 성질들은 응력완화 열처리에 의해 증가된다.

표 14-15는 스테인리스강 선재의 인장, 굴곡, 비틀림의 성질을 Ni-Ti, β-Ti 선재와 비교하고 있다. 세 가지 선재 중에 스테인리스강 선재가 가장 높은 항복강도, 탄성계수와 가장 낮은 springback (항복강도/탄성계수)을 보이고 있다.

6) 스테인리스강제 보존용 기구

보존 영역에서 많은 기구들이 사용되고 있다. 이것들은 손으로 사용하는 것과 엔진에 장착해서 사용하는 기구들로 구분할 수 있다.

가장 많이 사용되는 기구로는 K형의 근관용 파일이나 리머 등이 있다. 이러한 기구들은 스테인리스강 선재를 기계 가공하여 정사각형이나 삼각형의 단면을 갖게 하고, 이들을 꼬아서 나선형의 절삭면(cutting edge)을 갖도록 한다.

(1) 성질

rhombohedral형 파일은 굽힘 실험에서 K형 파일보다 낮은 강성(stiffness)을 나타내고, 단면적의 크기가 증가함에 따라 나타나는 강성의 증가는 적고 더 균일하다.

Rhombohedral형 파일은 어떤 방향으로 회전시켰을 때에도 K형 파일보다 낮은 강성을 나타낸다. 반시계 방향으

표 14-15. 교정용 선재의 인장, 굴곡, 비틀림 성질

Property		18-8 Stainless Steel	Ni-Ti	β -Ti
Tension	0.1% yield strength (MN/m²)	1,200	343	960
	Elastic modulus (GN/m²)	134	28.40	68.600
	Springback (YS/E) (10^{-2})	0.890	1.40	1.220
Bending	2.9-degree offset yield strength (MN/m²)	1,590	490	1,080
	Elastic modulus (GN/m²)	122	32.30	59.800
	Spring rate (mm-N-degree)	0.800	0.17	0.370
Torsion	Spring rate (mm-N-degree)	0.078	0.02	0.035

로 실험하였을 때 두 형의 파일 모두 적은 작은 회전각에서 파열하였고, 그 결과 취성파괴의 양상을 보였다. 따라서 근관에서 파일을 감을 때 반시계 방향의 경우 주의를 기울일 필요가 있다.

한국산업표준 KS P ISO 3630에서는 여러 가지 크기의 보존용 파일과 리머의 형성, 토크와 각변위(angular deflection)의 최소값, 굽힘의 경우 강성의 최대값 등을 규정하고 있다.

기계적 실험은 시계 방향으로 이루어지고 반시계 방향에 대한 요구조건은 없으며, 또 규격에 따라 실험하였을 때 스테인리스강의 기구들이 부식에 대한 저항성을 가질 것을 요구하고 있다. 한편 KS P ISO에는 없지만 임상적으로 중요한 성질은 절삭능이다. 절삭능을 측정하기 위해서는 기구가 절삭할 때의 상태를 그대로 재연할 수 있는 기구가 필요하고, 이것을 위해 상아질을 사용하여 실험하였으나 결과값의 차이가 많이 났고 이는 치질의 경도차에 따르는 생물학적 차이에 기인하는 것으로 여겨졌다. 이와 같은 문제를 해결하기 위하여 연구자들은 아크릴 시편을 사용하여 절삭능을 평가한다. 파일의 절삭능은 각 시편에 따라서도 다르지만 여러 번 반복하면 파일에 대한 결과는 재현성이 있었다. 그리고 파일의 마모는 절삭능에 영향을 미치지 않았다. 건열 혹은 염에 의한 소독에 의해서 스테인리스강의 절삭능에는 감소가 없었지만, 고압소독은 절삭능의 감소를 가져온다.

7) 기제조한 비귀금속 금관

스테인리스강으로 만든 금관은 1950년대에 소개되었고, 특히 치질의 치관부가 없어졌거나, 충치가 심한 어린이에 대한 유치의 영구수복용으로 많이 사용된다.

표 14-16에는 스테인리스강의 조성과 그 기계적 성질을 나타내고 있다. 비교를 위해 기재 금관으로 사용되는 Ni 합금, 임시 기재 금관으로 사용되는 Sn 합금, 그리고 Al 합금의 성질을 같이 나타내고 있다. 스테인리스강과 Ni 합금의 기계적 성질이 비슷하고 연신율로 나타내는 연성이 큰 것이 금관의 임상적 사용에서 중요하다. 거기에 적절한 경도와 강도를 가지므로 영구수복용으로 구분된다. Sn 합금과 Al 합금의 임시용은 높은 연성을 나타내지만, 너무 연하고 낮은 항복강도와 인장강도를 나타내기 때문에 스테인리스강과 Ni 합금에 비해 낮은 마모저항을 나타낸다.

표 14-16. 기제조한 비귀금속제 금관의 기계적 성질

유형		항복강도(MN/m²)	인장강도(MN/m²)	연신율(%)	경도(HB)
Permanent types	Stainless steel 17%-19% Cr, 9%-13% Ni, 0.08%-0.12% C, 0.4%-0.6% Ti	248	593	55	154
	Nickel base 76% Ni, 15.5% Cr, 8% Fe, 0.04% C, 0.35% Mn, 0.2% Si	207	519	42	210
Temporary types	Tin base 96% Sn, 4% Ag	24.8	31.7	49	19
	Aluminum base 87% Al, 1.2% Mn, 10% Mg, 0.7% Fe, 0.3% Si, 0.25% Cu	41.4	110	40	28

4. 가공용 Co-Cr-Ni 합금

원래 시계용 스프링으로 사용되었던 Co-Cr-Ni 합금은 Elgiloy (Elgin, IL, USA)라는 이름으로 1950년에 교정용 선재로 개발되었다. 스테인리스강과 마찬가지로 Elgiloy의 부식 저항성은 선재 표면에 크롬산화물(Cr_2O_3)을 쉽게 형성하기 때문에 증가된다. Co-Cr-Ni 합금은 여러 가지 치과용 장치에 선재나 밴드로 사용된다. 교정용 선재는 냉간가공의 종류에 따라 여러 종류의 amneaj (냉간가공의 양에 따라)로 제공되고 있으며, soft, ductile, semi-spring, spring으로 구분되며 청(연성), 황(유연성), 녹(반탄성), 적(탄성)의 4가지 색으로도 구분되어 있다. Blue Elgiloy는 만져보면 "부드러운 느낌"을 갖고 있어 원하는 모양으로 쉽게 조작할 수 있으며, 열처리를 통해 강도와 탄성력을 상당히 증가시킬 수 있기 때문에 가장 많이 사용한다.

구입한 상태 그대로의 Elgiloy 성질은 스테인리스강의 선재와 비슷하지만 스테인리스강에서 응력완화를 위해 사용되는 열처리(482℃에서 7분)에 의해서는 성질이 변한다.

1) 조성

Elgiloy는 40% Co, 20% Cr, 15% Ni, 15.8% Fe, 7% Mo, 2% Mn, 0.16% C, 0.04% Be로 구성되어 있다. 조성을 비교해보면 이 합금은 스테인리스강보다는 주조용 비귀금속 합금에 가깝다. 저온처리는 상변화와 응력완화를 가져온다. 과도한 열처리는 오히려 취약하게 만든다.

2) 조작 및 성질

Elgiloy의 조작과 납착기술은 스테인리스강 선재와 유사하다. Elgiloy 선재는 불소융제를 사용하여 은납으로 납착하거나 점용접에 의해서 붙일 수 있다. 선재의 굽힘시험 시의 강성은 각 템퍼에 따라 거의 비슷하고 영구변형이 나타나는 각은 soft에서 스프링으로 갈수록 증가한다. 482℃에서 7분간의 열처리는 영구변형을 나타내는 강도를 증가시킨다. 교정용 선재의 기계적 성질을 표 14-15에 나타내었다.

5. 가공용 Ni-Ti 합금

Nitinol로 알려진 가공용 Ni-Ti 합금은 1972년 교정용 장치물의 선재로서 소개되었다.

Nitinol은 높은 탄성에너지, 적은 변형능과 온도에 의한 형상기억효과를 나타낸다.

1) 조성

공업용 합금은 55 wt.% Ni과 45 wt.%의 Ti으로 구성되어 있고 온도전이영역(Temperature Transition Range, TTR)을 나타낸다.

TTR 온도 이하에서 합금은 소성적으로 가공될 수 있고, 합금은 TTR보다 낮은 온도에서 높은 온도로 가열하면, 온도 유기에 의한 결정학적 변태가 일어나 합금은 원래의 형상으로 되돌아간다. 교정용 합금도 TTR 온도를 37℃ 부근으로 가져오기 위하여 1.6% Co를 포함하고 있다.

2) 조작

Nitinol 선재는 특별한 굽힘 기술을 필요로 하고 예리한 각형을 만들거나 완전한 루프(loop) 형태로 굽혀지지 않는다. 따라서 선재는 미리 torque를 주거나, 미리 각도가 주어져 있는 브라켓과 같이 사용하는 것이 바람직하다. 이 합금은 납착이나 용접되지 않기 때문에 선재는 반드시 기계적으로 접합되어야 한다.

3) 성질

표 14-15에서는 교정용 스테인리스강, Ni-Ti 합금, β-Ti 합금의 기계적 성질을 비교해 두고 있다. Ni-Ti 합금이 가장 낮은 탄성계수와 항복강도를 나타내고 가장 높은 springback ability를 보인다.

그림 14-15, 14-16에서 알 수 있는 바와 같이 Ni-Ti 합금은 가장 낮은 spring rate를 나타내지만, 세 합금 중 굽힘과 비틀림에 있어서 가장 높은 탄성에너지(resiliency)를 나타낸다. 가장 낮은 탄성계수와 가장 높은 탄성에너지는 이상적으로는 선재가 작용하는 동안에 더 작고, 균일한 힘이 가해지며, 치아의 변형범위가 더 넓다는 것을 의미한다.

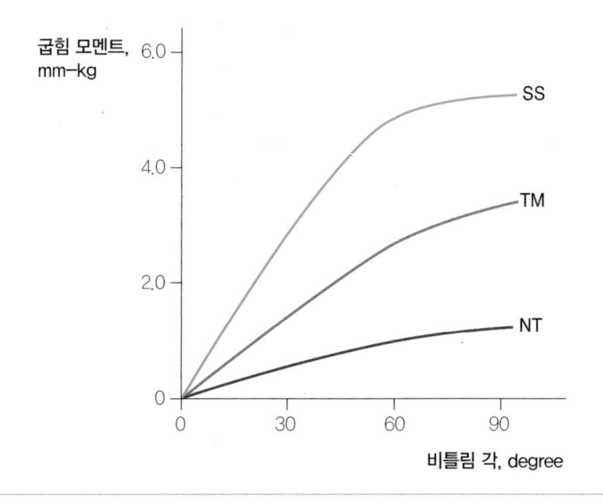

그림 14-15. 0.019×0.025 inch의 사각 선재의 비례한도까지의 축적에너지 비교(굴곡 실험의 경우)
SS (stainless steel), TM (β-Ti), NT (Nitinol)

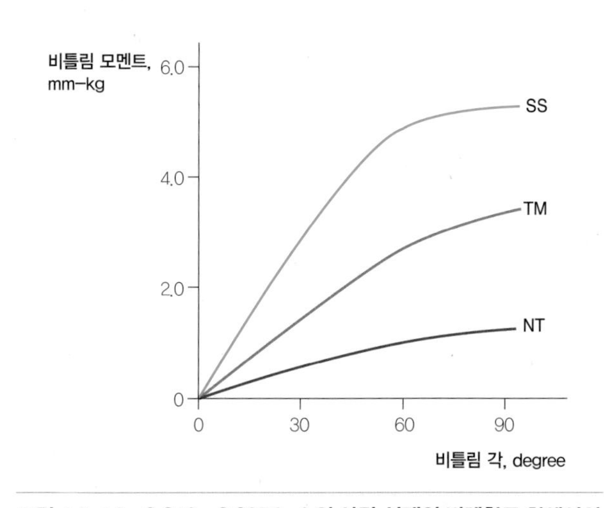

그림 14-16. 0.019×0.025 inch의 사각 선재의 비례한도 하에서의 축적에너지의 비교(비틀림 실험의 경우)
SS (stainless steel), TM (β-Ti), NT (Nitinol)

6. 티타늄 및 티타늄 합금

1) 티타늄

티타늄은 200여 년 전에 영국의 승려인 William Gregor에 의해서 발견되었으나 150년 동안 거의 사용되지 못했다. 지표면에 존재하는 모든 원소들 중에서 9번째로 많으며 그리스 신화에 나오는 Titan을 따서 Gregor가 티타늄이라고 명명하였고, 1795년에 독일의 화학자 Martin Heinrich Klaproth에 의해서 강도가 구체화되었다. 티타늄은 순수 상태로 자연에 존재하지 않고 금홍석 내에서 산화형태로 존재한다. 95% 이상이 이산화티타늄(TiO_2) 형태로 존재하고 1년 생산량은 300만 톤이다. 티타늄의 원자번호는 22이고 원자량은 47.9이다. 지표면에서 알루미늄, 철, 마그네슘에 이어 4번째로 풍부한 금속원소이다. 티타늄은 호주의 사막, 브라질, 캐나다, 미국 등지에서 주로 생산된다. 생산량의 대부분이 이산화티타늄으로 전환되어 페인트에 사용되고 단지 5~10%만이 금속형태로 사용된다. 순티타늄은 약한 비자성재료이다. 원자번호 22이므로 밀도는 알루미늄(13)과 철(26)의 중간 정도이다. 그러나 흔히 사용되는 알루미늄, 철과는 달리 티타늄은 정제과정과 작업이 매우 어렵다. 원광석 중에서 공업적 가치가 있는 것은 금홍석(rutile, TiO_2,~60% Ti)과 티탄철광(ilmenite, TiO_2, · FeO,~30% Ti)이다.

현재 티타늄 제련법은 사염화티타늄을 불활성가스 분위기 중에서 Mg로 환원하여 sponge Ti을 얻는 Kroll법과 나트륨(Na)으로 환원하는 Hunter법이 있다. 티타늄과 티타늄 합금은 450℃까지의 온도에서 강도 · 중량비가 높고 내식성도 좋으므로 새로운 구조용 재료로 많이 사용된다. 스펀지 티타늄에는 4종(KSD 2353)이 있으며 1종은 Ti > 99.6 wt.%, BHN < 105, 2종은 Ti > 99.4 wt.%, BHN < 120, 3종은 Ti > 99.3 wt.%, BHN < 140, 4종은 Ti > 99.2 wt.%, BHN < 160이다. 또 공업용 티타늄에 순티타늄(commercial pure)이 있고 3종으로 분류되어 있다. 특히 인성을 보강하기 위하여 불순물 함량을 적게 한 ELI급 티타늄(extra low interstitial)이 시판되고 있다.

순티타늄은 우수한 생체적합성 때문에 임플란트 재료로 가장 많이 사용되고 있다. 티타늄은 반응성이 매우 높고 공기 또는 체액에 접촉하면 산화된다. 이러한 반응은 생체부식을 최소화하기 때문에 임플란트 재료에 바람직하다. 10 Å 두께의 산화막은 순티타늄 절단면에서 1/1,000초 이내에 생성된다. 전형적으로 티타늄은 질산 수용액에서 더욱 부동태화 되어 두껍고, 내구성이 있는 산화막을 형성한다.

순티타늄은 산소를 최대 0.5 wt.% 함유하고 질소, 탄소, 수소와 같은 소량의 불순물이 들어있다. 가장 흔한 합금의 형태는 90 wt.% 티타늄, 6 wt.% 알루미늄, 그리고 4 wt.% 바나듐이다. 티타늄의 밀도는 4.5 g/cm³으로 강보다 40% 정도 더 가볍다. 티타늄은 무게에 비하여 높은 강도를 보인다. 티타늄은 스테인리스강이나 코발트-크롬 합금 탄성계수의 약 ½정도이다. 그러나 이 값은 그림 14-17에서 보듯이 골 탄성계수의 5~10배에 해당한다. 그럼에도 불구하고 임플란트의 디자인이 응력을 적절히 분배하는데 중요한 역할을 한다.

(1) 티타늄의 물리적 성질

티타늄은 비교적 비중이 작고 융점이 높으며 열전도율과 도전율이 낮은 특징이 있으며, 또 882℃에서 α-Ti이 β

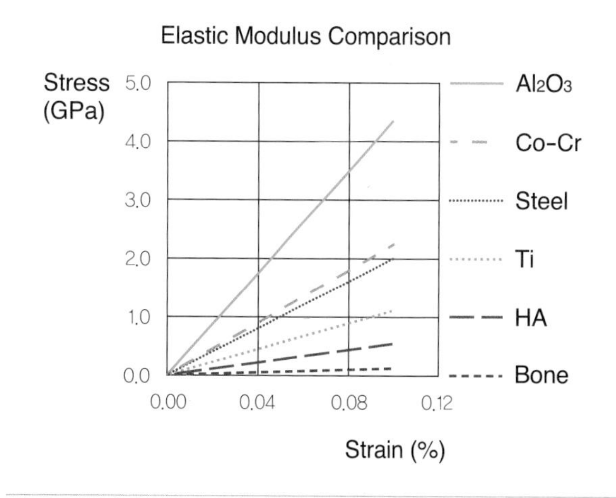

그림 14-17. 치과용 임플란트재와 골의 탄성계수를 비교한 응력-변형곡선

-Ti으로 변태한다(그림 14-18). 고온의 β-Ti은 아무리 급냉하여도 β상을 상온에 가져올 수 없으며 침상의 α-Ti 조직이 된다. 표 14-17는 Ti의 물리적 성질이다. Ti의 불순물로서 O, N, C 등은 Ti의 결정구조에서 격자점이 사이에 들어가는 침입형(interstitial) 불순물이라 말하고 Fe 등은 격자점을 차지하는 치환형(substitutional) 불순물이라고 한다. 불순성분 중 O는 고용도가 커서 약 15 wt.%(33 at.%)에 이르는 특징이 있다. 또 O는 융점 및 α→β 변태온도를 상승시킨다. 전기저항도 O량의 증가에 따라 증가하고 열전도율과 비열이, 다른 금속에 비하여 작은 것도 Ti의 특징이다.

(2) 티타늄의 화학적 성질

① 내식성

Ti은 매우 활성이 커서 고온산화와 환원제조 시의 취급곤란의 원인이 되고 있다. 그러나 상온 부근의 물이나 공기 중에서는 부동태피막이 형성되어 금이나 백금 다음으로 우수한 내식성을 갖는다. 산화성의 환경(질산, 크롬산 등)에서는 매우 안정하고 중성 또는 환원성 환경에서도 억제제의 병용이나 공기의 취입 등으로 안정성을 향상시킬 수 있다. 또 국소적 부식인 공식, 틈부식을 거의 일으키지 않고 용접가공이나 소성가공 등 화학 장치의 제조 · 조립시공의 영향을 받은 부위도 모재에 비하여 내식성에 큰 차이가 생기지 않으며 응력부식균열의 발생사례도 극히 적은 것이 Ti의 장점이다. 또한 티타늄과 그 합금은 표면이 산화막으로 피복되면 금속이온이 유출되지 않기 때문에 우수한 내식성을 가지고 있으며 특히 스테인리스강의 결점인 응력부식이 거의 없다는 장점을 갖고 있다.

표면에 형성된 산화막에 대해서 이론적인 면과 임상적인 면으로 연구를 해야 한다. 이론적으로는 Nernst 방정식과 pH-전위도표(Pourbaix diagram)를 사용하여 표층의 산화막 형성과 부식에 대한 안정성을 설명할 수 있다. 임상적으로는 완전히 평활한 면과 결점이 없는 금속이 아닌 경우, 또는 생체환경에 매우 공격적인 이온(염소이온과 수산화이온)이 존재한다면 이론적인 설명과는 일치하지 않는다. 금속이 부동태화 되었다는 것은 부식이 전혀 되지 않는다는 것이 아니라 표면에 존재하는 보호막에 의해서 부식속도가 현저히 감소된다는 것을 의미한다. 공학적인 환경에서는 이 정도의 느린 속도는 허용될 수 있으나 임플란트가 존재하는 생리적인 환경에서는 매우 느린 부식속도일지라도 부작용을 일으킬 수 있다.

응력은 금속의 환경과 기계적 변화를 일으키고 금속과 산화막의 특성을 변화시킨다. 응력 부식에 의한 미세균열 발생과 응력에 의한 피로는 임플란트의 기계적 실패를 일으키므로 임플란트에서 아주 중요하다. 이 경우에서, 응력은 시간, 온도 및 부식 환경과 조합하여 더 큰 효과를 나타낼 수 있다. 티타늄을 생리식염수에서 인장응력과 전류를 가한 실험실 연구에서는 이러한 현상이 발생하였지만 생리적인 환경에서 티타늄의 응력 부식에 의한 미세균열 발생은 잘 알려지지 않았다. 이론적으로 티타늄은 생리적 환경에서 이런 현상이 쉽게 일어날 수 있다. 6% 이상의 알루미늄을 첨가하면 $TiAl_3$ 복합물을 형성하여 이 문제를 해결할 수 있다. 바나듐을 첨가하면 $TiAl_3$ 복합물 형성을 억제하여 부식에 의한 부식생성물을 현저히 감소시킨다. 티타늄 합금은 부식에 의한 피로 저항성이 높으므로 부식에 의한 피로 저항성에 대하여 매우 높은 강도가 필요로 하는 부위에 사용된다.

국소적으로 발생하는 부식은 금속 표면에 존재하는 다양한 화학적 성분에 의하여 결정된다. 주조 과정 중에 함유되는 주조체의 불순물이나 기계적 밀링과정, 또는 절삭과정 중에 발생하는 표면 오염으로 인해 일어날 수 있다. 오염된 부위에서는 산화막의 보호효과가 감소되어 부식에 이르게 된다. 흠과 같은 표면 결함이나 밀링은 산화막에 영향을 주고 붕괴되어 격리된 부위를 형성한다. 이 형태의 붕괴는 틈 부식(crevice corrosion)과 공식을 일으킨다. 임상에 사용되는 티타늄 합금의 경우에는 이 형태의 부식발생은 드물다.

② 산화막

대기에 노출되면 대부분의 금속은 산화막을 형성한다. 이론적으로 티타늄은 여러 산화물을 형성할 수 있다. TiO, TiO_2, Ti_2O_3가 있으며 이 중에서 TiO_2가 가장 안정

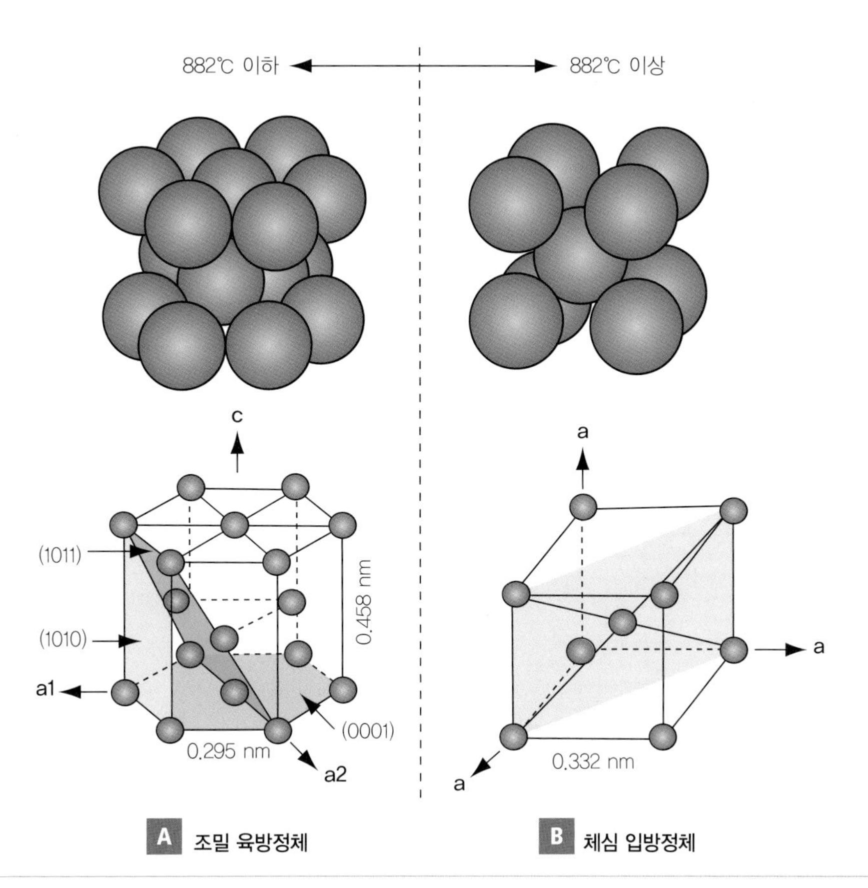

그림 14-18. 순티타늄의 동소변태

표 14-17. 티타늄의 물리적 성질

• 밀도(20℃)	• 4.54 g/cm^3(α형)
• $\alpha \rightarrow \beta$ 변태에 의한 용적변화	• 5.5%
• 융점	• 약 1,668℃
• $\alpha \rightarrow \beta$ 변태점	• 약 882℃
• 열팽창계수(20℃)	• 8.5×10^{-6}/℃
• 열전도도	• 0.035 cal/cm/cm^2/℃/sec
• 비열(25℃)	• 0.126 cal/g
• 도전율(Cu에 대하여)	• 2.2%
• 고유저항(0℃)	• 80 $\mu\Omega$-cm
• 결정구조 α형(상온)	• 조밀육방형(a=2.95Å, c=4.65Å, c/a=1.587)
• β형(882℃ 이상)	• 체심입방형(a=3.32Å at 900℃)

하므로 생리적 조건에서 가장 많이 사용된다. 이 산화물은 티타늄이 공기에 노출되면 수 1/1,000초 내에 10 Å 두께의 산화막이 저절로 형성되고 1분 내에 이 산화막은 100 Å 두께가 된다. 미식품의약국에 의하면 치과용 임플란트는 질산액에서 부동태막을 형성한 후에 시판되어야 한다고 규정되어 있지만 티타늄은 이런 자연스러운 방식

으로 부동태막이 형성된다. 이론적으로 보면 이 산화막은 생리적인 상태에서는 파괴되지 않는다. 티타늄 합금에 포함된 티타늄의 농도가 85~95% 정도가 되어야 순티타늄과 같은 부동태를 유지할 수 있다.

임플란트가 인체에 들어오면 산화막과 생체환경 간의 계면에서는 복잡한 반응이 시작된다. 산화막에서는 이온이 발생하여 금속으로부터 외부로 확산되며 생체환경으로부터 산화막으로 이온이 들어온다. 그러므로 체내에서 형성된 산화막은 공기에서 형성된 산화막과는 다를 수도 있다. 이 막의 형성 속도와 성분은 매우 중요하다.

부동태화에 대한 정확하고 일반적인 정의는 없지만 임플란트가 산화되고 생리적 환경 하에서 산화막이 파괴되지 않으면 이 금속은 부동태화되었다고 말할 수 있다. 티타늄처럼 생리적 환경 하에서 부동태화되는 금속은 극소수이다. 티타늄과 티타늄 합금은 표면에서 TiO_2를 형성하여 쉽게 부동태화되고 부식 저항성을 증가시킨다. 그러므로 임플란트 매식 때 흔히 발생하는 표면 흠집은 저절로 쉽게 회복된다.

부동태 상태에서는 TiO_2의 용해성은 매우 낮다. 시간이 지남에 따라 금속 표면의 변화는 거의 없으나 조직 내에 티타늄이 축적되는 것을 볼 수 있다. 인체조직 내의 정상적인 티타늄 양은 50 ppm이다. 임플란트가 있는 연조직 주위의 티타늄 양은 보통 100~300 ppm 정도이다. 이 정도의 양은 주위조직의 변색을 유발한다. 이 정도의 용해속도는 부동태화 된 임플란트용 금속 중에서는 가장 낮은 것이며 인체에서 견딜만한 정도이다.

③ 고온산화

Ti은 Al 등과 같이 원래는 활성인 원소이나 상온에서도 표면에 보호성이 있는 견고한 엷은 산화피막이 형성되어 내부를 보호한다. 그러나 수백도 이상의 고온에서는 산화피막의 치밀성이 없어져서 산소가 피막층을 쉽게 확산하여 내부 금속의 산화가 진행된다.

이 고온산화의 진행도는 $\alpha \leftrightarrow \beta$ 변태온도 상하에서 다르며 변태온도 이하의 α상에서는 1시간에 산화영향층의 두께는 0.1~0.2 mm 정도로 적으나 변태온도 이상의 β상에서는 변태온도 직상에서 0.2~0.3 mm, 1,000℃ 이상에서는 약 1 mm에 이른다.

산화피막에 접하는 표면에서는 산소농도가 모재부분보다 커서 산화는 시간의 흐름에 따라 직선적으로 커지므로 엷은 제품이나 구조용 재료의 인성을 해치게 된다. 따라서 고온열처리 작업을 할 때에는 고진공이나 아르곤가스 분위기에서 실시하여야 한다.

Ti은 산소뿐 아니라 고온의 공기, CO나 CO_2에 의하여 산화물을 형성하며 또 질소나 질소를 품은 가스 중에서는 보호성이 낮은 질화물 피막을 형성하고 가스성분이 모재에 흡수되어 재질을 해친다. 또 연소 폐가스에 의해서도 이와 같은 반응에 의해서 재질을 악화시키므로 티타늄재의 온도환경을 수백도 이하로 설계하는 것이 요구된다.

이상과 같은 600℃ 이상의 고온에서는 재질이 악화하는 것이 Ti의 단점이나 이것을 개선하기 위해서 Al을 첨가하면 내산화성을 향상시킬 수 있고 또 고온에서 보호성을 갖는 피막가공기술이 연구 개발되고 있다.

(3) 티타늄의 기계적 성질

Ti의 기계적 성질의 특징은 다음과 같다.

- 불순물에 의한 영향이 크다.
- 연신재에서는 그 섬유조직에 따른 이방성이 나타난다.
- 6방정 금속이므로 소성변형에 제약이 많고, 항복강도 · 인장강도의 비가 1에 가깝다.
- 상온에서 300℃ 부근의 온도구역에서도 강도의 저하가 명백히 나타난다.

① 경도

경도는 간단하게 측정할 수 있고 또 다른 기계적 성질과 깊은 관계가 있으므로 유용한 성질이다. 재료의 대표치로서는 보통 브리넬경도(HB)가 쓰이나 용접이나 가공의 영향을 검토할 때와 얇은 제품에 대해서는 비커스경도(HV)가 쓰인다. HB값은 순티타늄과 같은 순수한 재료에서는 불순물 포함량 외에 인장강도, 변형거동 등 사용상의 중요한 정보를 제공해 준다.

② 인장강도, 항복강도

순티타늄 중 순도가 가장 높은 것의 인장강도는 약 30 kgf/mm²으로 Al이나 탄소강보다도 크고 항복강도/인장강도의 비는 0.75~0.85로 상당히 높다. 이들 값은 불순물량이 증가하면 증가한다. 연신은 이들 값과 반대가 되며 불순물량이 어느 한도를 넘으면 0에 가깝게 된다. 연신값의 저하는 인성과 소성가공성의 저하를 가져오며 불순물 중 산소량은 용접, 열처리, 고온 가공 등의 2차 가공작업에서도 흡수 증가하므로 최종 제품의 값을 파악할 필요가 있다.

인장성질과 시험온도와의 관계를 보면, 약 300℃ 부근까지 인장강도와 항복강도이 급격히 감소되는데 이는 순티타늄 중의 산소의 강화작용이 상온부근에서 크기 때문이다. 300~450℃ 사이에서 완만하게 저하하는 것은 고온에서의 표면산화에 기인한다.

③ 피로강도, 크리프강도

티타늄의 피로강도는 인장강도 값의 50% 이상으로 크다. 이 비를 다른 재료와 비교하면 Al에서는 약 30%, 강력 Al 합금에서 약 50%이다.

회전굽힘 피로시험에서 시험편에 반복하중을 주면 약한 발열이 생기므로 수냉하면 공기에서보다 피로강도가 크다. 순티타늄은 높은 온도에서 크리프 변형이 나타나는데 약 300℃ 부근에서 특유의 한계응력을 나타내며 상온의 인장강도 21 kgf/mm²를 한계로 하여 이 이하에서는 크리프를 일으키지 않으나 이 응력을 넘으면 급속히 크리프를 일으킨다. 이 한계크리프 응력은 그 온도의 항복강도보다 크므로 티타늄을 구조재료로 약간 온도가 높은 장소에서 사용할 때에 적합하다.

④ 탄성계수

티타늄 및 티타늄 합금의 비중과 탄성계수는 다른 생체 금속재료에 비해 약 절반수준이다. 이것은 강도는 높으면서 탄성계수가 다른 금속들보다 자연골의 탄성계수에 가깝다는 것을 의미한다. 그러나 티타늄계의 금속은 내마모성이 낮기 때문에 인공관절의 접합부분에 문제가 있고 또 대단히 활성을 띄우기 때문에 주조하려면 특수한 장비가 필요한 단점이 있다(표 14-18).

표 14-18. 각종 재료의 탄성계수

재 료	탄성계수(GPa)
골	20
316 L 스테인리스강(SUS)	200
주조재 코발트-크롬합금	200
가공재 코발트-크롬합금	230
순티타늄	100
Ti-6Al-4V	100
PMMA bone cement	2

2) 티타늄 합금

(1) 티타늄 합금 일반론

Ti의 성질을 개선하기 위하여 첨가되는 합금원소는 Al, Sn, Mn, Fe, Cr, Mo, V 등이며, 이러한 원소의 효과를 금속 조직적으로 분류하면 Ti의 α상을 안정화하고 α상 구역을 확대하는 원소와 β상을 안정화하고 β상 구역을 확대하는 원소로 나눌 수 있다.

중요한 실용합금은 α+β 조직의 것이며 α상을 안정화하는 원소는 α상 중에 많이 고용하고 이러한 원소는 열처리 효과를 주지 못하며 다만 고용체 형성에 의하여 합금이 강화될 뿐이다. 예를 들면 Al은 α상을 강화시킨다. 또 β상을 안정화하는 원소는 β상 중에 많이 고용하고 예를 들면 7% Mn 합금에서는 α상 중에 1% Mn 이하, β상 중에 12% Mn 이상 고용하여 β상을 강화한다. β상 안정화원소의 첨가로써 열처리 효과가 주어지며 열처리하면 강화된다. 그러나 열처리성이 있음으로써 용접성은 나빠진다.

티타늄 합금은 Ti에 비하여 내식성은 일반적으로 악화되며, 이것을 개선하는 합금원소로서는 Mo, Ta, Zr, V이 있고, 특히 Mo은 15~20% 첨가로써 내산성은 현저하게 개선되나 가공이 곤란해진다. 또 Pt, Pd 등을 첨가하면 내산성이 향상된다.

(2) 티타늄 합금의 성질

티타늄 합금은 그 기본이 되는 상이 6방정의 α형 합금, 입방정의 β형 합금, 그리고 α+β형 합금으로 구별된다.

① α형 합금

이 합금은 다른 형의 티타늄 합금보다 상온 강도가 낮으나 저온 안정상이므로 수백도의 고온이 되어도 취약한 천이상인 ω상(β → β + ω → β + ω + α → β + α)이 석출할 염려가 없어서 내열티타늄 합금의 기본이 되며 용접성도 좋다. Al, Sn, Zr 등을 첨가하여 α상을 고용강화한 단일상이며 가공성은 6방정이므로 β 합금에 비하여 떨어지나 Zr, V, Mo 등의 원소를 소량 첨가하여 가공성과 합금조직의 개선을 도모한다.

α형 합금에 주로 첨가되는 Al은 내산화성과 고온강도를 향상시키고 수소취성을 방지하나 6% 이상 첨가하면 α규칙상(Ti_3Al)이 생겨 인성이 저하한다. 알루미늄은 α상 안정제(α – phase condition stabilizer)이며 강도를 증가시키고 무게를 감소시킨다. 저온용 재료로써도 α형 합금이 적합하므로 ELI 품위의 스펀지 티타늄으로 제조한 α형 합금이 실용화되고 있다. Ti-5Al-2.5Sn 합금이 여기에 속한다.

② α+β형 합금

α형과 β형의 특징을 겸비하도록 열처리 조건에 의해서 재료 특성을 조절할 수 있다. Al, V, Mo, Nb, Ta, Cr, Mn, Fe, Co 등의 원소를 첨가하나 Ti-6Al-4V 합금이 대표적인 합금이며 강도는 97~122 kgf/mm² 정도이고 인성이 높으며 소성가공성, 용접성, 주조성도 좋아서 사용하기 쉽고 신뢰성이 큰 합금이다.

치과용 임플란트에 가장 많이 사용되는 티타늄 합금은 α상과 β상이 공존하는 다양한 형태이다. 이 중에서 6 wt.% 알루미늄과 4 wt.% 바나듐이 들어 있는 Ti-6Al-4V 합금이 가장 흔히 쓰인다. 이 합금을 열처리 하면 매우 우수한 물성과 기계적 성질을 갖는 좋은 임플란트 재료가 된다(표 14-19). 가볍고 강하며 피로와 부식에 대한 저항성이 매우 높다. 골보다는 약간 강성이지만 탄성계수는 순티타늄을 제외한 다른 임플란트용 금속에 비해서 골에 가장 가깝다. 이러한 특성은 골과 임플란트의 계면에 작용하는 응력을 분산시키는 역할을 한다.

표 14-19. 티타늄 합금의 기계적 성질

재료	항복강도 (10^7 N/m²)	인장강도 (10^7 kgf/mm²)	연신율 (% in 50mm)
순티타늄	59	66	36
Ti-6Al-4V	105	120	23

③ β형 합금

이 합금은 고농도 합금이므로 강도가 크고 또 입방정이므로 소성가공성도 좋다. V, Mo, Nb, Ta 등의 β 안정화 원소를 첨가함으로써 β↔α변태온도가 낮아져 저온에서는 변태가 늦어지므로 공냉에 의하여 β상을 잔류시킬 수 있는 준안정형 β 합금도 있다. 바나듐은 β상 안정제(β – phase condition stabilizer)이다.

보통 β형 합금은 준안정상인 잔류 β상을 이용하므로 열처리에 의하여 또는 α상과 금속간 화합물을 석출시켜 인장강도 160 kgf/mm²인 고강도 제품이 얻어지나 시효 열처리에 따라서는 천이상인 ω상이 생겨 재료를 취화시키는 문제가 있다. 이 합금은 용접성과 내식성도 좋으므로 현재 각종 합금이 개발되고 있다. Ti-11.5Mo-6Zr-4.5Sn과 Ti-15Mo-5Zr 합금이 여기에 포함된다(표 14-20).

(3) 티타늄 합금의 열처리

티타늄 합금의 열처리 방법은 다른 금속과 마찬가지로 그 목적에 따라 잔류응력제거(stress relief), 용체화처리(solution treatment), 소둔(annealing) 및 시효(aging) 등의 방법이 있다. 이러한 열처리는 티타늄 합금의 평형 및 비평형과 관계되기 때문에 조성에 따라 열처리 방법과 시간 및 온도 등이 결정된다. 따라서 티타늄의 열처리는 잔류응력 제거, 결정립 크기, α상과 β상의 분율과 형상 등의

표 14-20. 순티타늄과 열처리한 티타늄 합금의 기계적 성질 비교

합금형	합금명(조성 %)	열처리	인장강도 (kgf/mm^2)	항복강도 (kgf/mm^2)	연신율 (%)	비고
α형	순티타늄 1종(O<0.15)	가공재	28~42	>17	>27	수치의 범위는 불순물
	순티타늄 2종(O<0.20)	가공재	35~52	>22	>23	과 가공도
	순티타늄 3종(O<0.30)	가공재	49~63	>35	>18	
	Ti-Pd, Pd (0.12~0.25)	소둔	43	32	>26	내식성 양호
	Ti-5Ta	소둔	40	30	6.0	내식성 양호
	5-2.5 (5Al-2.5Sn)	소둔	87	83	18.0	α형 초기개발
	5-2.5ELI	소둔	78	65	20.0	
	8-1-1 (8Al-1V-1Mo)	소둔	112	105	15.0	고강도
	6-2-4-2-S (6Al-2Sn-4Zr2Mo-0.1Si)	소둔	91	-	15.0	내열, 내크리프
	IMI685 (6Al-5Zr-0.5Mo-0.25Si)	소둔	108	90	12.0	내열, 내크리프
α + β형	6-4 (6Al-4V)	소둔	101	93	14.0	용도 많음
	6-4 (6Al-4V)	시효	119	113	10.0	
	6-4ELI	소둔	91	84	15.0	극저온 인성
	6-2-4-6 (6Al-2Sn-4Zr-6Mo)	시효	129	120	10.0	고온강도 큼. 소입성
	6-6-2 (6Al-6V-2Sn)	시효	130	119	10.0	고온강도 큼. 소입성
	IMI 679 (11Sn-5Zr-2.5Al-1Mo-0.25Si)	시효	130	116	11.0	고온특성 좋음
β형	13V-11Cr-3Al	시효	130	125	8.0	초기개발품
	β III (11.5Mo-4.5Sn-6Zr)	시효	141	134	11.0	가공성 좋음. 강력
	BC (4Mo-8V-6Cr-3Al-4Zr)	시효	147	140	7.0	가공성 좋음. 강력
	10V-2Fe-3Al	시효	125	118	8.0	가공성 좋음. 강력
	8Mo-8V-2Fe-3Al	시효	133	126	8.0	가공성 좋음. 강력
	15-5 (15Mo-5Zr)	시효	160	-	7.5	가공성 좋음. 내식성
	15-5-3 (15Mo-5Zr-3Al)	시효	150	147	14.0	가공성 좋음. 강력

특성을 변화시키는 작업이라 할 수 있다. 순티타늄의 경우는 상온에서 α의 단상이기 때문에 잔류응력 제거나 회복 및 재결정을 위한 열처리만이 가능하며, α+β 합금의 경우 α상과 β상의 형상과 분율을 변화시켜 층상조직(lamellar structure), 등축조직(equiaxed structure), 혼합조직 등의 다양한 미세조직과 기계적 특성을 얻을 수 있다. 또한 준안정 β형 합금은 용체화처리 후 시효처리에 의해서 β 기지에 α상을 석출시켜 경화시킬 수 있다.

3) 가공용 β-Ti 합금

β-Ti 합금으로 알려진 Ti-Mo 합금은 가공용 교정용 선재로 1979년에 소개되었다. 스테인리스강과 Elgiloy와 비교하여 β-i 합금 선재는 낮은 탄성계수, 높은 spring-back, 낮은 항복강도, 높은 연성, 용접성, 부식저항을 나타낸다.

(1) 조성

순 Ti은 882℃ 이하에서는 조밀육방격자의 결정격자 형태를 나타내고, 그보다 더 높은 온도에서는 체심입방격자를 나타낸다. 이와 같은 구조를 각각 α, β 로 부른다. β형태의 티타늄은 성분원소를 첨가함으로써 상온에서 안전하게 존재하게 할 수 있다.

치과에서 사용되는 β-Ti 합금은 78 wt.% Ti, 11.5 wt.% Mo, 6 wt.% Zr, 4.5 wt.% Sn로 되어 있고, 가공용 선재로

공급된다.

(2) 조작

β-Ti 선재는 쉽게 형상을 변형시킬 수 있다. 접합은 전기저항 용접에 의해 이루어질 수 있다. 적절한 용접조건에 의해서, 냉간가공된 조직에 최소한의 변형을 가져올 수 있다.

(3) 성질

β-Ti 합금의 인장, 굴곡, 비틀림 실험 시의 기계적 성질을 스테인리스강과 Ni-Ti 합금 등과 비교하여 표 14-15, 그림 14-15, 그림 14-16에 나타내고 있다. β-Ti 합금의 항복강도, 탄성계수는 스테인리스강과 Nitinol의 중간값을 나타내고 있다. 변형능과 용접능은 Nitinol보다 양호하며 스테인리스강이나 Elgiloy 선재보다 더 큰 변형범위(working range)를 나타낸다.

참고문헌

1. 이용태, 김승언 등 공저(2003). 꿈의 신소재 티타늄, 한국철강신문.
2. Craig RG(1978). Dental Materials: A Problem-Oriented Approach, CV Mosby Company.
3. Kenneth J. Anusavice(2013), Phillip's Science of Dental Materials 12th ed., W.B. Saunders
4. McCabe JF(1985). Anderson's Applied Dental Materials, Blackwell Scientific Publications.
5. O'Brien WJ(1989). Dental Materials: Properties and Selections, Quintessence Publishing Co. Inc.
6. O'Brien WJ(2008). Dental Materials and Their Selections, fourth ed., Quintessence Publishing Co. Inc.
7. O'Brien, Ryge(1978). An Outline of Dental Materials and Their Selection, W.B. Saunders Co.
8. Sakaguchi R, Ferracane J, Powers J(2019). Craig's Restorative Dental Materials, 14th ed.
9. Williams D(1990). Concise Encyclopedia of Medical & Dental Materials, Pergamon Press.

세라믹 수복재료

15

학/습/목/표

❶ 세라믹 재료의 기본 특성을 파악해야 한다.
❷ 포세린의 조성과 소성에 대하여 이해하여야 한다.
❸ 치과용 금속-세라믹 수복의 제작과정과 특성을 파악해야 한다.
❹ 치과용 올세라믹 수복재의 종류와 제작법 및 특성을 알아야 한다.
❺ 치과용 세라믹 수복재의 취약성과 파절양상을 설명할 수 있어야 한다.

세라믹이라는 용어는 성형, 소성 등의 공정을 거쳐 만들어지는 비금속성 무기재료로 정의된다. 인류사회에서 세라믹스의 사용은 아주 오랜 역사를 가지고 있으며, 현대사회의 생활과 과학기술에서도 여전히 중요한 위치를 차지하고 있다. 치의학의 발전과정에서 세라믹스는 심미수복재 및 임프란트용 생체재료 또는 석고, 매몰재 등의 치과 기공재료로서 중요한 역할을 해왔다. 본장에서는 수복재로 사용되는 치과용 세라믹 재료들의 조성과 특성을 다룬다.

세라믹 재료는 이온결합과 공유결합의 강한 원자간 결합으로 인하여 금속 또는 폴리머와 달리 일반적으로 높은 경도, 내열성, 불활성 등의 특성을 지니고 있다. 세라믹스의 화학적 불활성, 색조의 재현성, 전기 및 열 절연성 등은 치과용 수복재료의 장점이 된다. 치과용 수복재료로써 세라믹스는 특히 광학적 특성의 다양한 표현이 가능하여 우수한 심미성을 가지고 있다. 또한 세라믹 재료는 생체활성 세라믹을 제외하고 높은 화학적 내구성을 지녀 구강내에서 금속 또는 폴리머에 비교하여 위해한 물질을 거의 유출시키지 않으며, 구강내에서 표면의 높은 활택성과 치태 침착에 대한 저항성을 오래 유지할 수 있는 장점이 있다. 그러나 세라믹스의 높은 경도는 수복물 자체의 마모(wear) 저항성에 기여하나, 반대로 대합 자연치나 다른 수복물을 마모(abrasion)시킬 위험성이 있다.

반면 세라믹스는 구조적으로 금속, 폴리머 재료에 비하여 파절에 대한 저항성이 약하다. 이러한 세라믹스 고유의 취성(brittleness)은 세라믹스 수복의 적용범위를 제한하고 있다. 그러나 최근 소재와 가공기술의 발전으로 치과용 세라믹스의 이러한 결점은 점점 극복되어 가고 있어 앞으로 심미수복재로서 무한한 가능성을 보여주고 있다. 또한 금속이나 폴리머 재료들에 대한 생체안전성 논란과 대중의 심미 수복에 대한 높은 요구로 치과용 수복재에서 세라믹스의 비중이 매우 높아지고 있다.

일반적으로 세라믹스의 종류는 산화물 세라믹스(oxide ceramics), 비산화물 세라믹스(nonoxide ceramics), 도기

(earthen ware, grazed ware)와 자기(china, porcelain)로 구분되는 전통 세라믹스(traditional ceramics), 무정형의 글라스(glass) 및 결정화 유리인 글라스세라믹스(glass-ceramic)로 구분된다. 비산화물 세라믹스(SiC, Si_3N_4, ZrB_2 등)는 치과용 수복재로 이용되지 않는다. 그러나 Al_2O_3, ZrO_2와 같은 산화물 세라믹과 글라스세라믹은 치과용 세라믹스 수복 재료로 활발히 사용되고 있다. 치과용 포세린(porcelain)은 규산염(SiO_2) 글라스와 여러 가지 광물결정들이 혼합되어 있는 유리질 세라믹이다.

성공적인 치과용 세라믹 수복을 위하여 치과의사와 치과기공사 및 관련 종사자는 세라믹 재료의 일반적 특성과 치과용 세라믹 재료의 조성, 장단점 및 기계적 성질의 한계 등을 잘 파악하고 있어야 한다.

1. 세라믹 수복의 역사

인류가 선사시대부터 사용되어 온 것으로 보이는 상아나 동물의 뼈로 만들어진 인공치아는 구강 내 부패 등 많은 문제점을 가지고 있었을 것이다. 이것으로부터 해방되기 시작한 것은 18세기 말 포세린으로 제작된 틀니가 소개되었을 때부터 일것이다. 그 뒤로 19세기말부터 장석-석영-점토 성분의 투명도가 높은 포세린들이 의치 등에 사용되었으며, 1900년대 초부터는 포세린 재킷관(porcelain jacket crown, PJC)이 소개되었다. 그러나 낮은 기술수준으로 인하여 당시의 세라믹 재료들은 대부 분 취성을 극복하지 못하고 많은 수복물의 파절을 경험하였다.

이러한 배경에서 포세린을 금속에 융착시키는 방법이 추진되었다. 여러가지 시도가 있었으나 이 가운데 가장 큰 공헌은 1962년 Weinstein 등의 루사이트(leucite) 결정을 함유하는 포세린의 조성을 개발하여 금속과 성공적으로 결합할 수 있게 한 것이다. 이 개발로 오늘날의 금속-세라믹(metal-ceramic) 수복이 가능하게 되어 치과용 세라믹 수복의 신기원이 되었다. 이 금속-세라믹 수복 시스템은 주조 금속 기저부 위에 세라믹(포세린)을 축성, 소성하여 금속의 우수한 기계적 특성과 포세린의 심미성을 결합시킨 것으로 지금도 널리 사용되고 있다. 이러한 수복물은 PFM (Porcelain-fused-to-metal), PBM (Porcelain bonded to metal), ceramometal 등의 용어로 사용되고 있으며, 최근에는 metal-ceramic이란 용어가 주로 사용되고 있다. 현재 약 수십 여종의 금속-세라믹 수복용 포세린이 사용되고 있으며, 여기에 적합한 다양한 치과용 합금이 개발되어 사용되고 있다. 그러나 금속-세라믹 수복물은 제작과정의 복잡성과 기저부 금속으로 인한 빛의 차단으로 높은 심미성의 구현에는 한계를 가지고 있다.

치과용 세라믹 수복에서 또 하나의 큰 발전은 금속을 사용하지 않는 올세라믹(all-ceramic) 수복물의 등장이다. McLean과 Hughes (1965)는 처음으로 글라스에 알루미나(Al_2O_3) 입자를 분산시켜 강도가 증가된 치과용 aluminous 포세린을 소개하였다. 그러나 이들 올세라믹 수복물도 입자의 분산이나 치밀도의 증가로 재료의 불투명성은 완전히 해결되지는 못하였다. 따라서 심미성을 갖는 세라믹 수복물을 제작하기 위해서는 위해서는 강도는 높으나 불투명한 세라믹은 코어(core)로 제작하고 외부에 투명도가 높은 포세린 층을 입혀야 한다. 올세라믹(all-ceramic) 수복은 금속을 사용하지 않아 금속-세라믹 수복물보다 심미성과 생체적합성이 우수하다. 초기의 올세라믹 수복물들은 낮은 강도로 인하여 많은 실패를 겪었다. 그러나 근래 치과용 세라믹의 조성과 가공기술의 발전으로 기계적 성질이 상당히 향상되어 뛰어난 강도와 파괴인성을 갖는 세라믹스만으로 수복물의 제작이 가능하게 되었다. 제작 기법에 있어서도 컴퓨터를 이용한 가공법 등으로 치과용 세라믹스의 발전은 계속되고 있다.

2. 치과용 세라믹 수복재의 분류

세라믹 수복에는 다음과 같은 다양한 범주의 치과용 세라믹스가 사용되고 있다.

- 루사이트 함유 포세린(conventional leucite-containing

porcelains)
- 루사이트 강화 포세린(leucite-reinforced porcelains)
- 초저융 포세린(ultra-low-fusing porcelains)
- 결정화 유리(lithium disilicate glass-ceramics)
- 글라스 용융침투 알루미나/지르코니아 복합 세라믹 (glass-infiltrated alumina/zirconia ceramics)
- CAD/CAM 세라믹스(CAD/CAM ceramics)
- 지르코니아(zirconia)

치과용 세라믹스는 재질, 용도, 가공법, 하부구조재 등에 따라 여러 가지로 분류될 수 있다. 재질에 따라서는 장석 포세린(feldspathic porcelain), 루사이트 강화 포세린(leucite-reinforced porcelain), 알루미나 포세린(aluminous porcelain) 및 유리침투 알루미나(glass-infiltrated alumina, zirconia, spinel), 알루미나, 지르코니아(zirconia) 그리고 글라스세라믹 등으로 분류된다.

용도별로 분류하면 포세린 인공치, 금속-세라믹스(metal-ceramics), 베니어(veneer), 인레이, 치관, 고정성 국소의치(fixed partial denture)용 세라믹으로 분류된다. 또한 가공법에 따라 소결(sintering), 주조(casting), 또는 기계가공(machining) 세라믹 등으로 분류할 수 있다.

치과용 세라믹스는 응축(condensation), 소결(sintering), 주입 성형(injection molding), 주조 및 열처리(casting and ceramming), 슬립 캐스팅(slip-casting), 소결 및 유리 침투(sintering and glass-infiltration), 그리고 컴퓨터를 이용한 설계 및 가공(CAD/CAM) 등 기계가공에 의하여 수복물로 제작된다.

3. 치과용 포세린

1) 조성

천연 장석(feldspar), 석영(quartz), 점토(clay, kaolin)를 원료로 하는 세라믹 소결체를 white ware (백도자기)라고 한다. 포세린도 이러한 white ware의 한 형태에 속하며 오늘날의 치과용 포세린은 실리카(SiO_2), 칼리장석($K_2O \cdot Al_2O_3 \cdot 6SiO_2$)과 소다장석($Na_2O \cdot Al_2O_3 \cdot 6SiO_2$) 등을 용융시켜 만든 유리질 세라믹이다(그림 15-1). 표 15-1은 일반적인 치과용 포세린의 화학조성을 나타낸 것이다. 실리카 외에 알루미나(Al_2O_3), 칼리(K_2O), 소다

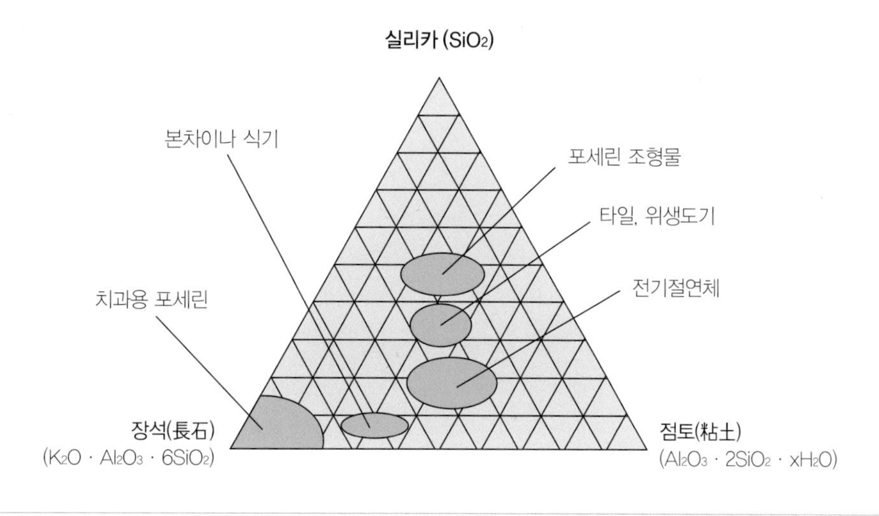

그림 15-1. 실리카-장석-점토로 이루어진 백색 도자기 (white ware)의 조성

표 15-1. 일반적인 치과용 포세린의 화학성분

	저온용융형 포세린			금속-세라믹용 포세린		초저융 포세린
성분	Aluminous	Dentin	Enamel	Dentin	Enamel	Dentin
SiO_2	35.0	66.5	64.7	59.2	63.5	60~70
Al_2O_3	53.8	13.5	13.9	18.5	18.9	5~10
Na_2O	2.8	4.2	4.8	4.8	5.0	10~15
K_2O	4.2	7.1	7.5	11.8	12.3	10~15
B_2O_3	3.2	6.6	7.3	4.6	0.12	0~1
CaO	1.1	2.1	1.8	-	-	1~3
소성온도(℃)	980	980	950	900	900	650~700

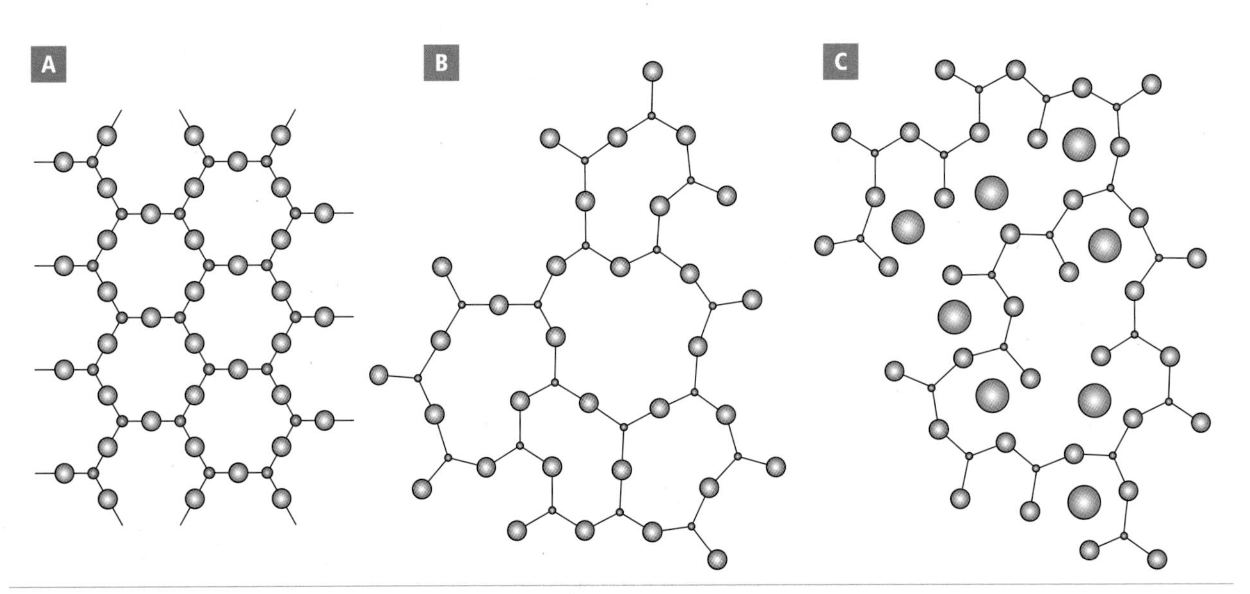

그림 15-2. A 실리카의 결정구조, B 실리카 글라스의 그믈구조, C 소다-석영 글라스. 내부의 큰 입자는 Li^+, Na^+, K^+ 등의 유리 조절제

(Na_2O) 등이 심미성, 소성온도, 열팽창계수, 용해도를 조절하기 위하여 첨가되고 이외에 B_2O_3, CaO 등이 소량 첨가된다. 치과용 포세린에 사용되는 장석은 매우 순도가 높은 흰색이다. 따라서 자연치의 색조를 표현하기 위해서는 착색제를 반드시 첨가해야 한다.

2) 글라스의 용융온도 조절

실리카는 결정상인 석영, 크리스토발라이트, 트리디마이트와 비정질인 용융된 실리카(fused silica)의 네 가지 형태로 존재할 수 있다. 용융 실리카 즉 실리카글라스는 글라스의 기본구조가 되는 사면체 공유결합의 삼차원 그물구조를 가져 용융온도가 매우 높다(그림 15-2). 금속-세라믹 수복물의 기공 과정에서 사용하는 포세린의 융점이 높다면 소성 시 기저부 합금이 용융되어 금속 프레임의 처짐(sag)이 일어나게 된다. 따라서 용융 실리카 글라스를 치과용 합금 위에서 용융시켜 금속-세라믹 수복물을 제작하는 것은 용이하지 않다. 또한 이 용융 실리카의 열팽창계수도 금속보다 매우 낮아, 합금과 열팽창계수의 조화를 이루기 어려워 강한 금속-세라믹 결합을 만들 수 없다. 따라서 치과용 포세린용으로 사용하기 위하여는 실리카 글라스의 용융온도를 낮추고, 열팽창계수를 증가시킬 필요가 있다.

실리카 글라스의 특성은 구조를 바꿈으로 가능해진다. 실리카 사면체의 결합은 Na, K, Li 같은 이온에 의하여 붕괴된다. 이렇게 되면 실리카의 삼차원 그물구조는 많은 선상 체인을 함유하게 되어 원자들의 이동이 쉬워지고 결과적으로 글라스의 점도(viscosity), 연화온도(softening temperature)가 낮아지고, 열팽창계수는 증가한다. 이와 같은 작용을 유리 조절(glass modification)이라 한다. 그러나 유리 조절제(glass modifier)가 너무 많이 첨가되면 글라스의 화학적 내구성이 떨어지고, 어떤 글라스들은 결정화가 일어나 실투현상(devitrification)이 발생할 수 있다. 그러므로 글라스의 적절한 용융온도와 화학적 내구성 사이에서 균형을 취해야 한다. 유리 조절제를 적절히 첨가하면 소성온도가 다른 여러 가지 치과용 포세린을 생산할 수 있다. 치과용 포세린은 그 소성온도에 따라 다음과 같이 분류된다.

고온용융형(high-fusing)	> 1,300℃
중간용융형(medium-fusing)	1,100~1,300℃
저온용융형(low-fusing)	850~1,100℃
초저온용융형(ultra-low fusing)	< 850℃

고온용융형과 중간용융형은 의치용 포세린 인공치아(porcelain denture teeth)의 대량생산에 사용한다. 저온용융형과 초저온용융형은 금속-세라믹 또는 올세라믹 수복물의 제작에 사용한다. 그러나 현재 치과 기공소에서 의치용 인공치아를 직접 제작하고 있지는 않기 때문에 일반적으로는 고온소성용(850~1,100℃)과 저온소성용(<850℃)으로 간단히 구분하여 사용하기도 한다.

치과용 포세린 수복물의 외면은 첨가형 유약(add-on glaze, enamel)처리 또는 자가광택처리(self-glazing)를 시행한다. 자가광택처리란 표면을 연마한 후 재소성을 하면 글라스상이 국소적으로 연화되고 표면에서 결정 입자들이 침전하여 매우 얇은 유리질 표층이 형성되어 광택이 나타나는 것을 말한다. 첨가형 유약에 의한 광택처리는 유약에 유리 조절제가 많이 함유되어 있어 소성온도가 낮은 장점이 있다. 그러나 다량의 유리 조절제의 함유는 화학적 내구성을 취약하게 하여 구강 내에서 성분의 용출현상이 발생하고 광택이 약해질 수 있다.

일반적으로 글라스는 습한 환경에서 균열의 저속 성장(slow crack growth) 현상이 나타난다. 이것은 표면에서 하이드로늄 이온(H_3O^+)이 글라스 내의 나트륨이나 다른 금속 이온과 치환되기 때문에 일어나며, 세라믹스에 있어서 강도저하를 일으 킨다. 치과용 포세린 수복물이 성공적으로 장착되었으나 갑작스런 조기 파절은 이와 같은 현상에 기인하는 경우가 많다.

3) 장석(Feldspar)

장석은 천연광물로 금속-세라믹 치관용 포세린 및 그 외 치과용 글라스 또는 세라믹의 원료로 사용된다. 칼리장석($KAlSi_3O_8$)을 여러 산화물들과 혼합하여 고온에서 용융하면 백류석(leucite, $KAlSi_2O_6$) 결정과 글라스상을 형성한다. 이 때 급랭하여 얻어진 분말(frit)은 치과용 포세린 분말로 사용한다. 루사이트는 K_2O-Al_2O_3-SiO_2계 광물 결정으로 장석유리(8~10×10^{-6}℃)보다 매우 큰 열팽창계수(20~25×10^{-6}℃)를 가지고 있다. 따라서 루사이트 결정 입자를 15-25% 함유한 치과용 포세린은 금속의 열팽창계수(14x10^{-6}/℃)와 유사하게 만들어 주고 금속-세라믹간 융착을 가능하게 한다.

포세린 분말은 높은 온도에서 글라스상이 연화되면서 입자간 물질의 확산이 용이해져 입자들의 융합과 수축이 일어나는 소성과정에 의하여 치밀한 유리질 세라믹이 된다. 이러한 치과용 포세린의 소성(firing) 현상은 액상소결(liquid phase sintering)의 일종이며, 입자들의 표면적 감소로 인한 에너지의 감소가 소결 구동력(driving force)이 된다.

4) 기타 성분

치과용 포세린은 기본적으로 potassium-sodium aluminosilicate 글라스의 성분과 불투명제, 착색제로 구성되어 있다. 자연치의 여러 색조를 내기 위하여 여러 가지 금속 산화물과 글라스, 장석분말로 제조한 색조 프릿을 착색제로 첨가하며 금속 산화물의 종류에 따라 색상이 다양하게 나타난다. 다양한 색조를 나타내기 위한 착색제로는 황갈색의 산화티타늄(titanium oxide), 라벤더빛의 산화망간(manganese oxide), 갈색의 산화철(iron oxide), 청색의 산화코발트(cobalt oxide), 녹색에는 산화동(copper oxide)이나 산화크롬(chromium oxide)을 사용한다. 과거에는 자연치아의 형광빛(fluorescence)을 내기 위하여 산화우라늄도 사용하였으나 부작용을 우려하여 최근에는 란탄화합물(lanthanide earth)로 대치되었다. 불투명성(opacity)이 필요한 오팩 포세린 분말에는 투광성이 사라지도록 산화세륨(cerium oxide), 산화주석(tin oxide), 산화티타늄(titanium oxide) 및 산화지르코늄(zirconium oxide)을 첨가하여 제작한다.

5) 특성

유리와 같은 비정질 재료는 불규칙한 구조를 가지며 결정질 구조에서 볼 수 있는 슬립면이 없이 취성 파절이 일어나는 성질을 가지고 있다. 또한 취성(brittleness)이 높은 재료의 강도는 아주 작은 흠(defect)이나 균열(crack)에 의해 좌우된다. 그러므로 금속과 같은 연성이 있는 재료와는 달리, 인장응력을 받으면 균열선단부(crack tip)가 날카롭게 형성되어 균열이 빠르게 전파되는 파괴가 일어나 낮은 강도를 나타낸다(그림 15-3). 그러나 반대로 균열을 닫게 하는 압축응력에는 재료의 저항력이 높다. 이런 이유로 치과용 포세린의 인장강도(~35 MPa)가 압축강도(~520 MPa)보다 훨씬 낮은 취성을 나타나게 한다.

치과용 포세린은 소성 시 명확한 용융점을 보이지 않고

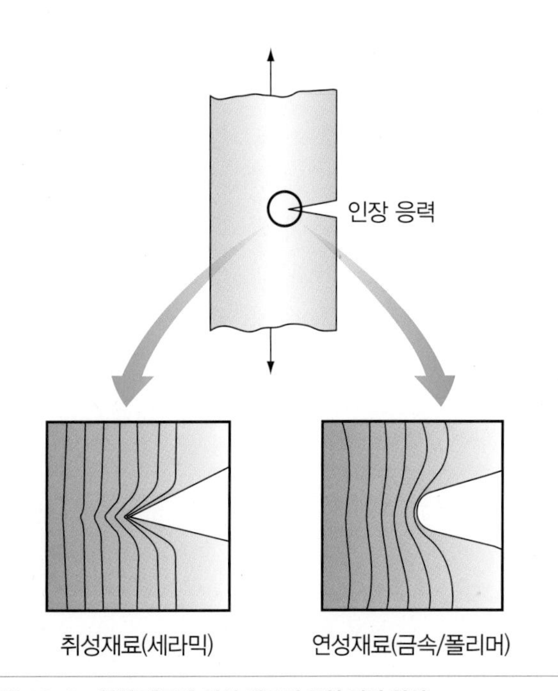

그림 15-3. 취성 재료와 연성 재료의 균열 전파 양상

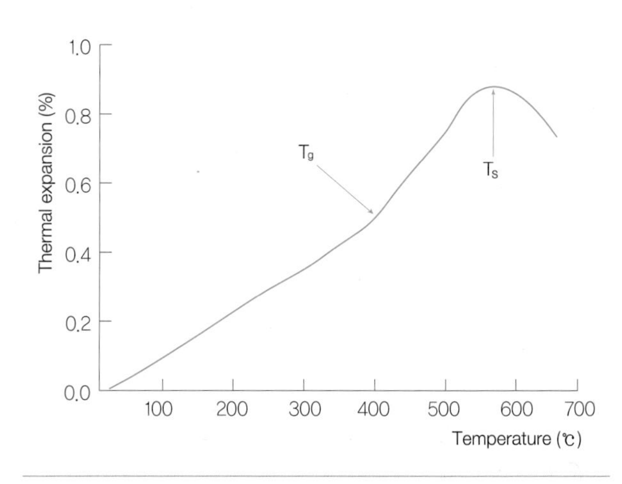

그림 15-4. 치과용/포세린의 전형적인 열팽창곡선

T_g (glass transition temperature), T_s (softening temperature)

점진적인 점도의 감소를 보이다가 유리 전이(glass-transition) 영역에서는 갑작스런 점도의 감소를 보인다. 이 유리 전이온도(T_g) 위에서는 흐름성이 높아지고 유리질의 소결이 시작된다. 글라스 재료의 이러한 특성은 글라스의 전형적인 열팽창곡선(그림 15-4)에서 빠른 열팽창으로 나타난다. 따라서 T_g 이하의 온도까지는 고체의 특성을 보이나 가열이 계속되면 포세린은 유리 연화점(T_s)에 이르러 변형이 일어나며 점탄성을 보인다. 이 후에는 흐름성이 매우 커지며 이 때 금속면에서 포세린의 융착이 일어나고 이후 냉각과정을 거쳐 굳어진다.

4. 치과용 포세린의 광학적 성질

포세린 수복물의 가장 큰 장점은 투명도와 명도, 채도를 인접치와 조화시킬 수 있어 심미성이 뛰어나기 때문이다. 그러나 포세린의 광학적 성질은 법랑질이나 상아질과 달라 자연치아의 색조와 광택을 완벽하게 재현하는 것은 매우 어렵다. 자연치아의 법랑질은 상아질 위에 있는 결정질 층으로서 법랑소주와 그 사이를 연결하는 유기질로 구성되어 있다. 법랑소주와 이 연결 물질의 굴절률이 서로 다르고 치면에 따라 하부 상아질의 양이 달라 광선의 굴절과 반사 및 분산에 영향을 미치게 된다. 즉 빛이 반사되거나 굴절되어 흩어지면서 우리 육안에는 투명하거나 깊이를 느낄 수 있게 한다. 광선이 치아 면에 부딪히면 그 일부는 반사되고 나머지는 법랑질을 통과해 흩어진다. 상아질에 도달하는 광선도 흡수되거나 반사되어 다시 법랑질 내에서 산란된다. 전치 절단연과 같이 상아질이 없는 부위라면 빛이 투과되고 결과적으로 절단연 부위는 치경부보다 투명하게 보인다. 이와 같이 입사광선의 에너지(E)는 산란(scattering), 반사(reflection), 흡수(absorption), 투과(transmittance) 에너지로 변환되며 흡수광선 중 일부는 형광현상(fluorescence)을 나타낸다.

햇빛이나 조명기구에서 나오는 자외선이 치아나 수복물에 닿았을 때 방출되는 에너지의 일부는 빨강, 주황, 노랑색과 같은 하나 이상의 광선으로 전환된다. 따라서 광원에 따라 치아나 재료는 다른 색으로 보이기도 한다. 예를 들어 대낮의 햇빛 속이나 백열등, 형광등의 광원에 따라 수복물과 인접치아의 색조 조화가 다르게 보일 수 있다. 이 같은 현상을 조건등색(metamerism)이라고 하며 치과의사와 치과기공사는 심미 수복물 제작 시 이러한 광학적 특성을 충분히 고려해야 한다.

치과용 포세린은 산화물을 이용해 다양한 색조를 나타내는 것이 가능하다. 치과의사는 색조견본(shade guide)을 사용해 색을 선택한다(그림 15-5). 그러나 색조견본은 금속-세라믹 수복물처럼 금속 기저부가 없고 실제 수복물과 달리 일률적인 형태로 제작된다. 따라서 올바른 색조 재현을 위해서는 주의 깊은 사용이 필요하다.

포세린관을 제작하는 과정에서 불투명포세린인 오팩(opaque)과, 여러가지 색조의 바디(body) 포세린을 층상으로 쌓아 색조를 조정할 수 있다. 간편한 방법은 표면에 첨가형 유약과 유사한 성분의 착색용 유약처리를 하여 외부에서 색을 조정하는 것이다. 그러나 이러한 표면 착색의

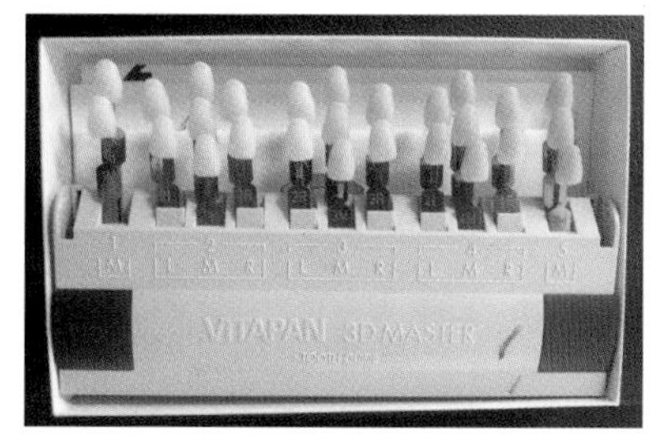

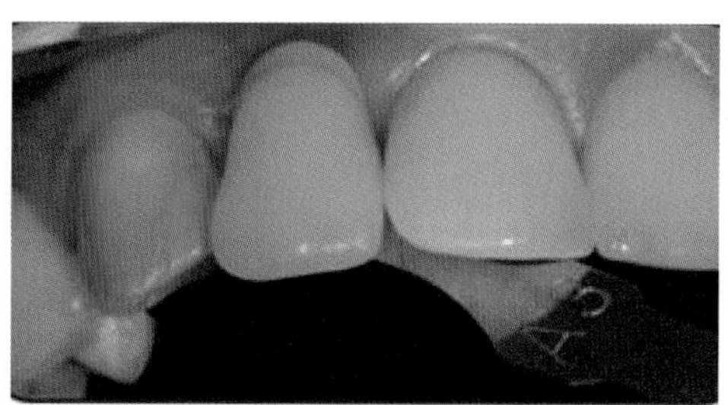
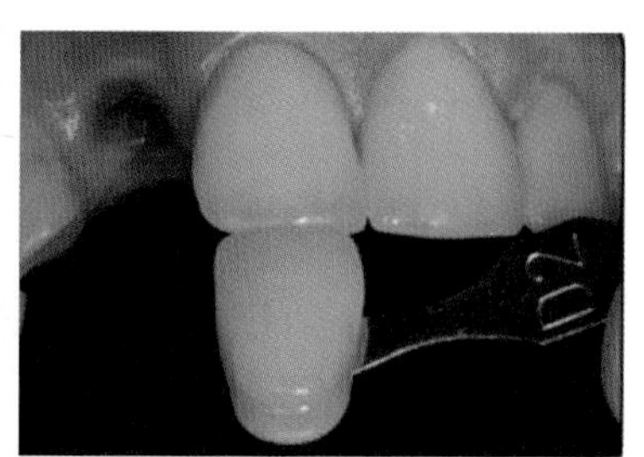

그림 15-5. 색조견본과 사용 예

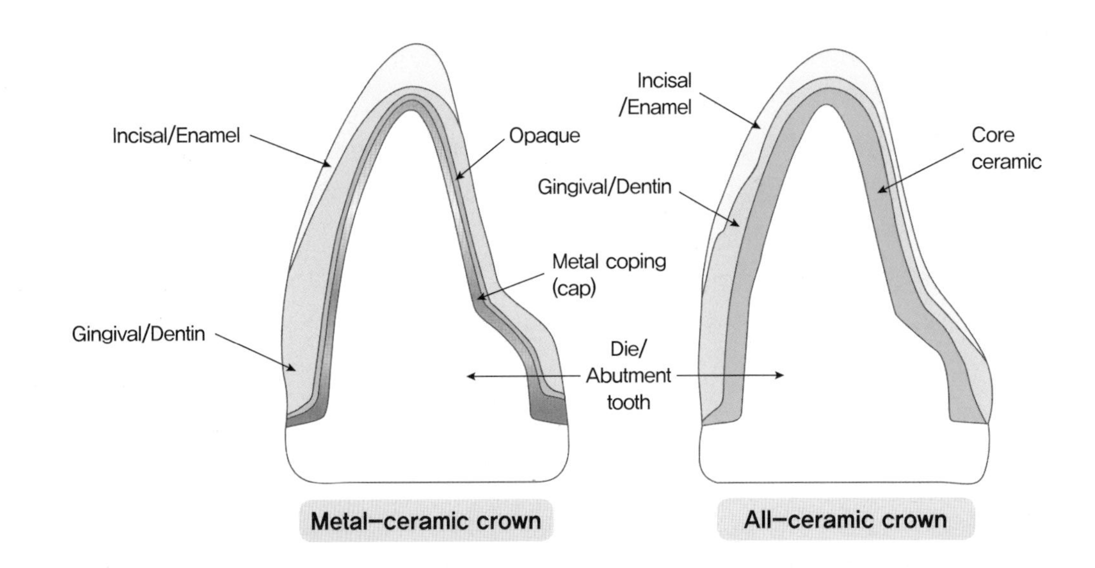

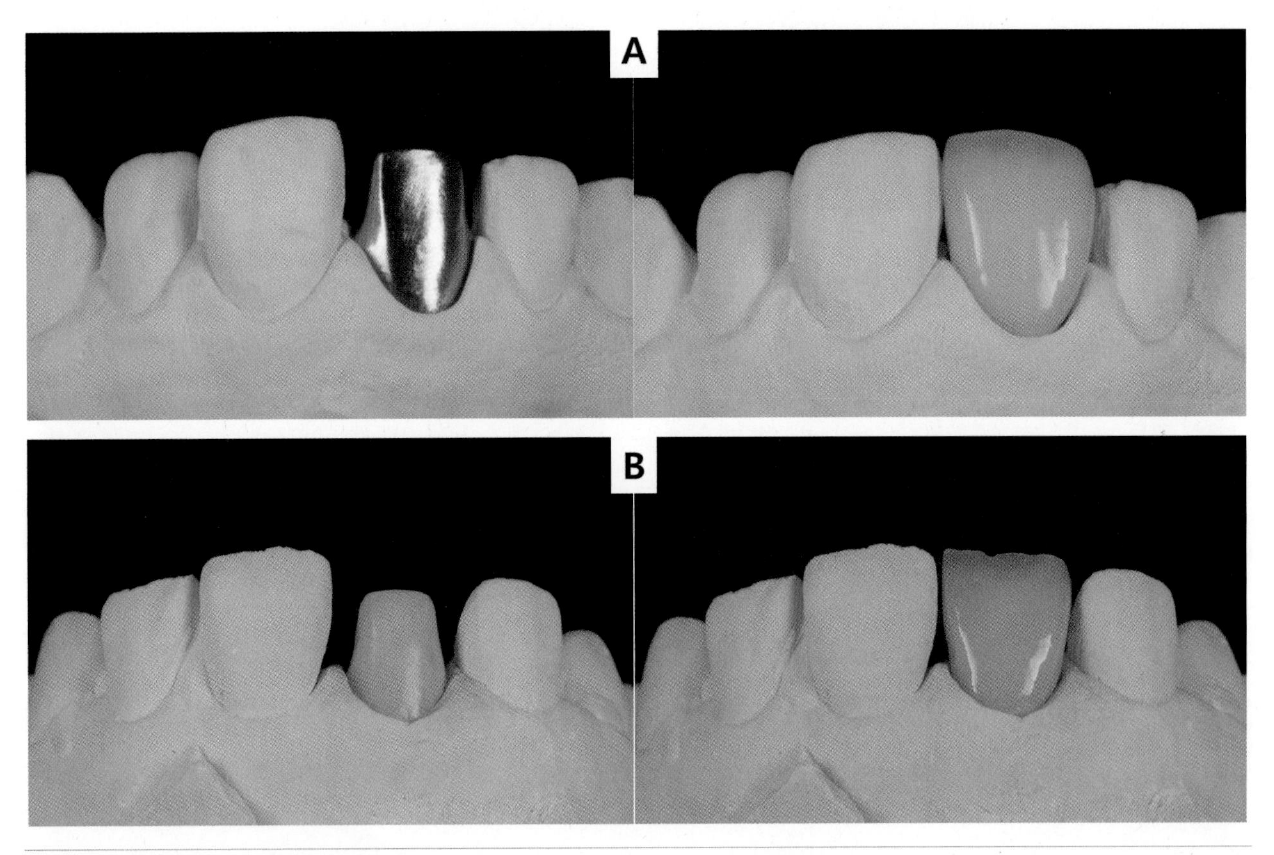

그림 15-6. 금속-세라믹 치관과 올세라믹 치관의 모식도 및 실제 제작 예. A 금속 코핑과 완성된 치관, A 올세라믹 코어와 완성된 올세라믹 치관. (치과기공사 HBA제공)

단점은 투명도가 낮고 앞에서 언급하였듯이 화학적 내구성이 낮아 구강내에서 탈색 또는 변색이 발생할 수 있다.

투명도는 포세린 수복물의 심미성에서 중요한 성질이다. 일반적으로 포세린 분말의 입자가 크고 소성 후 기포가 적을 경우에 투명도가 우수해진다. 미세 입자의 분말을 사용하면 표면의 광택은 좋아지나 작은 기포가 많아져 불투명해진다.

소성 방법에 있어서도 진공소성을 하면 투명하면서도 윤택한 표면의 포세린을 만들 수 있다. 불투명(opaque) 포세린은 치아색과 유사하기는 하나 하부 금속을 덮기 위해 사용하는 것으로 투명도가 매우 낮거나 불투명성이다. 바디 포세린의 투명도는 20~35%이고 에나멜 포세린은 투명도가 가장 높아 45~50%이다. 포세린관의 외층 에나멜 포세린은 투명성이 높아 수복물의 전체 색조는 내부 불투명 포세린이나 바디 포세린의 색으로부터 영향을 받는다. 내부 불투명 포세린층 표면으로부터의 반사광과 바디 층의 투과광이 혼합되어 색깔이 결정되므로 이들 두 층의 두께의 비율에 따라 색조가 달라진다.

5. 금속-세라믹 수복 (Metal-Ceramic Restorations)

오늘날 금속-세라믹 수복은 고정성 보철물의 큰 부분을 차지하고 있다. 그러나 이 수복 시스템을 이용하여 전치부에서 완벽한 심미성을 표현하기는 매우 어렵다. 특히 금속-세라믹 수복물은 순면 치경부의 변연에서 치은의 퇴축이나 치은의 금속착색으로 어두운 선을 나타낼 수 있다. 이런 경우에는 금속이 없는 올세라믹 수복이 도움이 될 수 있겠으나, 금속을 사용해야만 하는 경우는 포세린 변연부(collarless metal margin, butt-joint margin)로 제작하여 금속 코핑이 외부로 보이지 않게 하는 방법들이 있다.

그림 15-6은 금속-세라믹과 올세라믹 수복물의 비교 모식도이다. 금속 코핑의 순면은 0.3~0.5 mm의 두께로 여기에 약 0.3 mm의 불투명 포세린이 덮여지며, 바디포세린은 약 1 mm의 두께를 갖는다. 대개의 금속-세라믹 수복물은 주조한 금속코핑을 사용하는 것이 일반적이나, 최근에는 코핑을 주조 이외의 다른 방법들(소결, 기계가공, 스웨이징 등)도 소개되었다.

준비된 금속 코핑(기저부)에는 포세린층을 입혀주어야 하는데, 이과정에서 우수한 금속-세라믹 수복물을 제작하기 위해서는 몇 가지 원리와 기술이 필요하다. 일반적으로 포세린의 소성전 분말의 응축방법에 따른 치밀도와 소성온도 및 그 과정이 최종 포세린 수복물의 성질에 영향을 미친다.

1) 포세린의 응축(Porcelain condensation)

PFM 또는 PJC을 위한 포세린은 미세한 분말로 공급되며 물이나 다른 부형제와 혼합하여 사용한다. 이 분말 슬러리는 세심한 응축과정을 거치면 조밀하게 뭉치도록 치과용 포세린 제품들은 입도 분포가 조절되어 있다. 분말 입자를 치밀하게 응축시키면 소성수축이 감소하며, 기공(porosity)을 줄이는 장점이 있다. 분말의 응축은 바이브레이터, 스파튤라, 붓 등을 사용하여 다음의 방법으로 이루어진다. 첫 번째 방법은 금속 프레임 위에서 약한 바이브레이션을 가하는 것이다. 이때 쌓아놓은 젖은 분말로부터 스며 나온 과잉의 수분은 깨끗한 티슈로 흡수하면(blotting) 응축이 일어나게 된다. 두 번째는 작은 스파튤라로 젖은 분말을 쌓아 매끄럽게 하는 것이다. 이렇게 하면 잉여수분은 표면으로 나오게 된다. 붓을 이용하는 방법은 건조 분말을 추가하여 표면에서 수분을 흡수하도록 하는 것이다. 이 때 건조분말은 붓을 사용하여 젖어 있는 포세린을 쌓은 부위의 반대쪽으로 추가한다. 물이 건조분말 방향으로 끌리면서 젖은 입자들은 서로 잡아당기게 된다. 어느 방법이건 물의 표면장력이 구동력이 되어 포세린 입자들이 치밀하게 모이게 되어 분말의 응축이 일어난다.

2) 소성과정(Firing procedure)

소성의 목적은 분말 입자들을 열에너지에 의하여 서로 융착시켜 수복물의 형태로 만드는 것이다. 그러나 이 때 장시간의 소성이나 반복소성을 하면 몇 가지 화학반응이 일어날 수 있다. 가장 중요한 변화는 루사이트(leucite) 결정의 함량변화이다. 루사이트는 매우 큰 열팽창(=수축)계수를 갖는 결정이기 때문에, 글라스 매트릭스에서의 함량변화는 포세린의 열수축계수에 크게 영향을 미친다. 그 결과 하부 금속과 열수축계수 부조화를 일으켜 냉각 시 응력에 의한 균열이 발생할 수 있다.

소성을 위하여 응축과정을 거친 금속-세라믹 수복물은 내화트레이에 얹어 예열된 노(muffle)의 입구 또는 하부에 놓아 건조시킨다(~650℃). 이것은 응축된 젖은 상태의 포세린을 노에 직접 넣으면 급격하게 증기가 발생하여 기공이 생기거나 파절이 일어날 수 있기 때문이며 이때 잔류 수분은 증발된다. 약 5분의 예열과정이 끝난 후 포세린을 퍼니스(furnace) 안에 넣고 소성과정을 시작한다. 그림 15-7은 치과용 포세린의 전형적인 소성과정의 온도 스케쥴을 나타낸다. 포세린 수복물의 오팩-상아질-에나멜 층의 소성 과정에서 열에 의한 형태 붕괴를 막기 위하여 내부에서 외부층으로 갈 수록 소성온도가 조금씩 낮은 것을 알 수 있다.

소정과정 시 장시간의 소성이나 반복소성을 하면 몇 가지 화학반응이 일어날 수 있다. 가장 중요한 변화는 루사이트(leucite) 결정의 함량변화이다. 루사이트는 매우 큰 열팽창계수의 결정이기 때문에 함량변화는 포세린 층의 열팽창계수에 영향을 미치고 하부 금속과의 열팽창(수축) 부조화를 일으켜 응력을 발생시킬 수 있다.

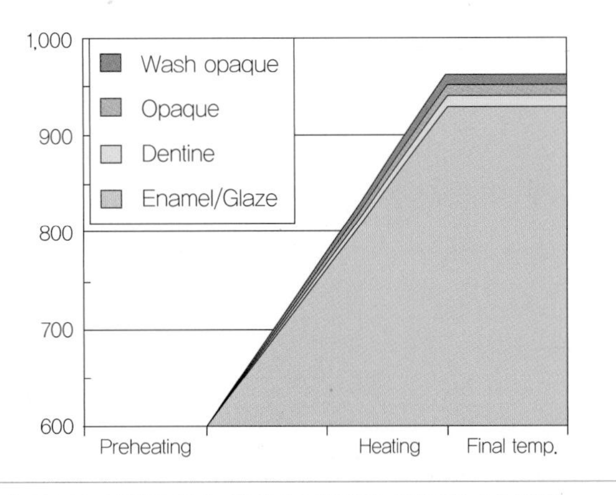

그림 15-7. 치과용 금속-세라믹 포세린의 전형적인 소성과정

소성의 초기온도에서는 입자간 공극들이 퍼니스 내의 분위기로 채워지고, 소결이 시작됨에 따라 포세린 입자들은 접촉결합과 응축을 하게 된다. 온도가 상승함에 따라 포세린 내의 글라스는 점점 흐름성이 높아지면서 빈 공간을 채운다. 그러나 점도가 높기 때문에 빈 공간의 공기는 완전히 빠져나가지 못하고 잔류기공(residual pores)으로 남게 된다. 치과용 포세린에서 이러한 기공을 줄이기 위하여서는 진공소성이 필요하다.

진공소성을 하게 되면 퍼니스 내부의 기압이 진공 펌프에 의하여 대기의 십분의 일까지 감소하면서 포세린 입자들도 이런 압력을 받게 된다. 온도가 상승되면서 입자들은 서로 소결되고 일부 빠져나가지 못한 기공들은 포세린 내부에 폐쇄된다(closed pores). 그러나 최종 소성온도의 약 55℃ 이하에서 진공상태가 해제되면 내부의 기압은 0.1 atm.에서 1.0 atm.으로 상승되고, 이때 열 배의 압력 상승으로 닫힌 기공들은 원래의 크기보다 1/10로 압축되며 기공의 총 체적도 줄어들게 된다.

3) 유약과 색조재(Glazing and shading materials)

PFM, PJC, 포세린 라미네이트 비니어, 세라믹 인공치 등 모든 포세린 수복물은 자연치와 같은 외양을 나타내기 위하여 스테인(stain)과 유약(glaze) 포세린을 사용한다. 글레이즈 포세린의 용융온도는 다량의 유리 조절제 첨가에 따라 치과용 포세린 여러 유형 가운데 가장 낮으며, 화학적 내구성도 비교적 낮다. 스테인 재료도 색조를 갖는 유약이라고 할 수 있다. 따라서 앞에서 언급한 화학적 내구성에 문제가 있으나, 현재 사용되고 있는 대부분의 글레이즈는 두께가 50 μm 이상일 때 적절한 내구성을 갖는다.

포세린의 착색을 영구적으로 유지하는 하나의 방법은 내부 착색법(internal staining)이다. 이것은 단순히 표면에 표현하는 것보다 수복물에 훨씬 자연감을 줄 수 있다. 그러나 색조를 변경할 때는 기존의 포세린 층을 전부 제거해야 하는 단점이 있다.

4) 소성된 포세린의 특성

포세린 분말의 응축 방법과 정도 및 소성온도와 소성과정은 완성된 포세린의 특성(선수축, 체적수축, 굽힘강도, 및 비중)에 큰 영향을 미친다. 소성된 포세린의 선수축률은 저융 포세린과 고융 포세린의 경우 각각 약 14%, 11.5%이다. 과도한 소성을 행할 경우 수축률은 더 커지며, 저융과 고융 포세린의 체적수축률은 각각 32~37%, 28~34%로 대략 선수축률의 3배에 이른다. 소성된 포세린의 비중은 2.4 g/cm^{3}로 포세린의 종류에 따른 차이는 거의 없다.

포세린의 굽힘강도는 표 15-2에서 보는 바와 같이, 자가광택처리(글레이징)를 시행한 포세린의 강도가 하지 않은 거친 표면의 포세린보다 높다. 이는 표면의 미소결함들을 글레이징을 통해 무디게 하여(crack blunting) 응력이 결함들에 집중되고 균열이 발생되는 것을 최소화했기 때문이다. 따라서 광택처리는 포세린에서 균열의 전파를 억제하는데 효과적이라 할 수 있다. 그러나, 이러한 광택면을 다시 삭제하면 굽힘강도는 반으로 줄어들 것이다. 보통 포세린 수복물을 치아에 접착 후 치과의사에 의해 교합면이 삭제될 수 있다. 그러나 이때 광택면을 제거하고 거친 상태로 그냥 두면 포세린은 현저히 약해질 수 있다. 이러한 상황에서 가장 좋은 해결책은 표면을 Sof-Lex (3M), Shofu porcelain polishing kit (Shofu) 등의 적절한 기구를 사용하여 세심하게 연마하는 것이다. 연마를 통해 표면의 거칠기를 줄이고 표면 결함을 제거할 수 있기 때문이다. 또한 포세린 면이 잘 연마되었을 때 대합치 또는 대합 수복물의 마모도 줄일 수가 있다.

그러나 글레이징 처리만으로 장석 포세린의 표면결함을 제거할 수 없다. 일반적으로 거친 면을 세심하게 연마한 다음 광택처리를 하는 것이 연마과정 없이 글레이징 처리만 한 면보다 더 활택한 연마면을 얻을 수 있으며 재료의 강도면에서도 유리하다.

5) 냉각(Cooling)

포세린 수복물의 소성 후 실온으로 냉각 시 어떠한 처리 방법이 적절한가에는 많은 논란이 있을 수 있다. 일반적으로 급랭하면 열충격에 의하여 포세린 표면에 균열을

표 15-2. 치과용 포세린의 소성조건에 따른 굽힘강도의 예_(from McLean JW, Hughes TH. Br Dent J 1965; 119:251)_

분 류	소성조건	표면상태	강도 (MPa)
포세린	대기소성	삭제가공	76
		글레이징	141
	진공소성	삭제가공	80
		글레이징	132
알루미나 함유 포세린	대기소성	삭제가공	136
		글레이징	139
순수 알루미나			519

발생시킬 수 있다. 반면 반복소성이나 수복물의 서냉은 어떤 종류의 포세린에서는 열팽창계수의 변화를 일으켜 인장응력을 발생시켜 균열을 야기할 수 있다. 특히 금속과 세라믹이 결합된 PFM 수복물의 경우 냉각 과정 중 좀 더 복합적인 문제가 있을 수 있다. 따라서 이론적으로 해결하기 보다는 사용 재료에 따라 다소 경험에 의존할 수 밖에 없다. 냉각 중에는 먼지 등의 오염으로부터 보호하기 위하여는 소성로에서 꺼내어 글라스 용기 내에서 냉각시키는 것이 좋다.

6) 금속-포세린 수복 시스템의 특성과 결합

금속-세라믹 수복용 합금과 포세린의 조합은 몇 가지 조건을 갖추어야 한다. 포세린이 코핑 금속에 결합하기 위하여 소성온도가 금속에 비하여 충분히 낮아야 하며, 금속에 근접한 열팽창계수를 가져야 한다. 금속-세라믹 수복용 금합금은 소성과정에서 코핑의 처짐(sag), 크립, 용융을 방지하기 위하여, 인레이나 크라운 브리지용 금합금보다 훨씬 높은 용융점을 가지고 있다. 또한 이들 금합금은 철, 인듐, 주석 같은 비귀금속을 소량(~1%) 포함하고 있어 산화 열처리 과정(degassing)동안 표면에서 포세린과의 결합을 일으키는 산화층을 형성한다(그림 15-8). 포세린과 금속 사이의 결합은 일차적으로 화학결합의 양상을 가지며 금속표면에서 기계적인 맞물림이 거의 없어도 결합을 형성할 수 있다.

또한 금속과 포세린의 열수축계수의 부조화에 의하여 결합실패가 발생할 수 있다. 포세린에 바람직하지 않는 잔류응력이 생기지 않도록 금속과 세라믹의 열팽창(수축) 계수는 조화를 이루어야 한다(그림 15-9). 온도의 상승에 따라 균일하게 팽창하는 금속과 달리 치과용 포세린은 온도 범위에 따라 열팽창(수축)률이 달라지기 때문에 포세린의 열팽창이나 수축을 금속에 정확하게 조화시키기는 어렵다. 예로 열수축계수 차이($\Delta\alpha$)가 $1.7\times10^{-6}/℃$일 때 954℃에서 실온까지 냉각시 응력모사에 의한 계산에 의하면, 금속-포세린 계면과 인접한 포세린에서 280 MPa의 전단응력을 발생시킬 수 있는 것으로 알려져 있다. 이러한 상황에서는 포세린의 자발적 파절이 일어나 결합실패가 발생한다. 그러나 이때 금속과 포세린 어느 쪽에 열팽창계수가 큰가 또는 그 크기의 정도에 따라 파절양상은 다르게 나타날 수 있다(그림 15-10, 15-11).

교합합이 이러한 수복 시스템에 가해지면 열수축 부조화($\Delta\alpha$)에 의한 인장응력과 합쳐져 금속과의 결합실패를

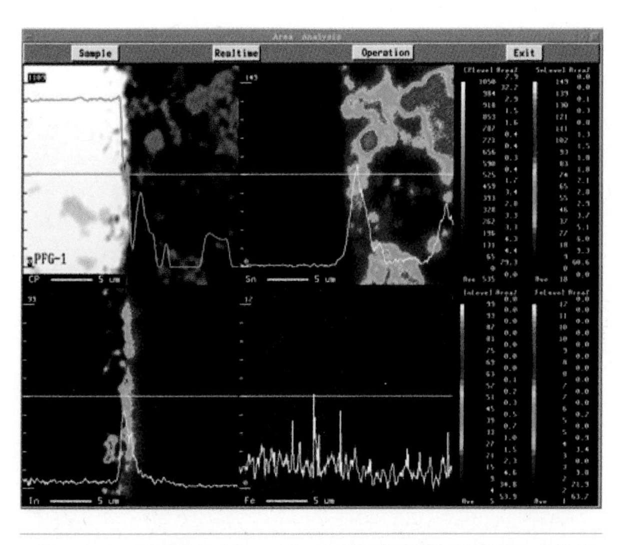

그림 15-8. 치과용 금속(Au-Pt)-세라믹 계면에서 WDS/EDS분석도

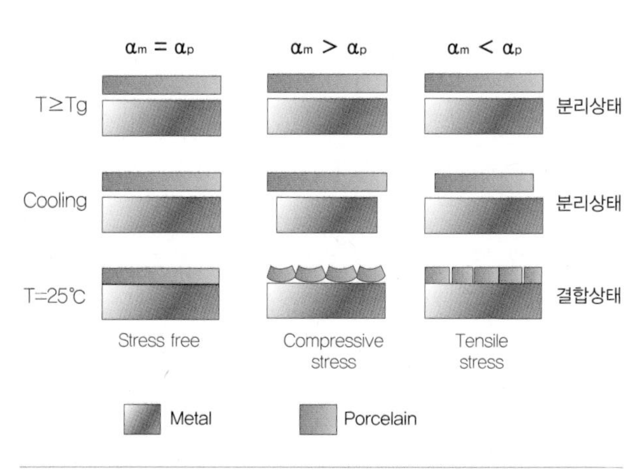

그림 15-9. 금속-세라믹 결합 시스템에서 열팽창계수의 차이에 따른 응력발생의 양상

더 쉽게 야기할 수 있다. 그러나 일반적으로 $\Delta\alpha$가 $0.5\times10^{-6}/℃$ 이하의 금속-세라믹 시스템에서는 극심한 응력집중이나 구강 내 하중을 받는 경우를 제외하고는 거의 파절이 일어나지 않으며 이러한 관계를 열적 조화 시스템(thermally compatible system)이라고 부를 수 있다. 그러나 $\Delta\alpha$가 $0.5\sim1.0\times10^{-6}/℃$ 이상의 많은 금속-세라믹 수복물들도 구강 내에서 장기간 사용되고 있는 경우도 많다. 따라서 $\Delta\alpha$만으로 금속세라믹수복물의 계면결합실패를 단순히 예상하기는 어렵다. 또한 이 때 금속과 포세린층 어느 쪽의 열팽창계수가 큰가에 따라 형성되는 응력의 방향이 달라진다. 이에 따르면 금속의 열팽창계수가 포세린의 열팽창계수보다 커야 내부로의 압축응력이 형성되어 금속세라믹 결합에 유리하다. 그러나 그림 15-11에서와 같이 그 차이가 일정수준을 넘으면 역시 결합실패가 일어난다.

금속-세라믹 시스템에서 금속에 요구되는 또 하나의 중요한 특성은 앞에서 언급하였듯이 고온에서의 처짐 현상(sag)에 대한 저항성이 있어야 하며, 또한 코핑용 합금은 탄성계수가 높은 것이 좋다. 합금의 탄성계수가 높으면 세라믹에 가해지는 응력을 금속층이 효과적으로 분산하여 파괴를 방지할 수 있기 때문이다.

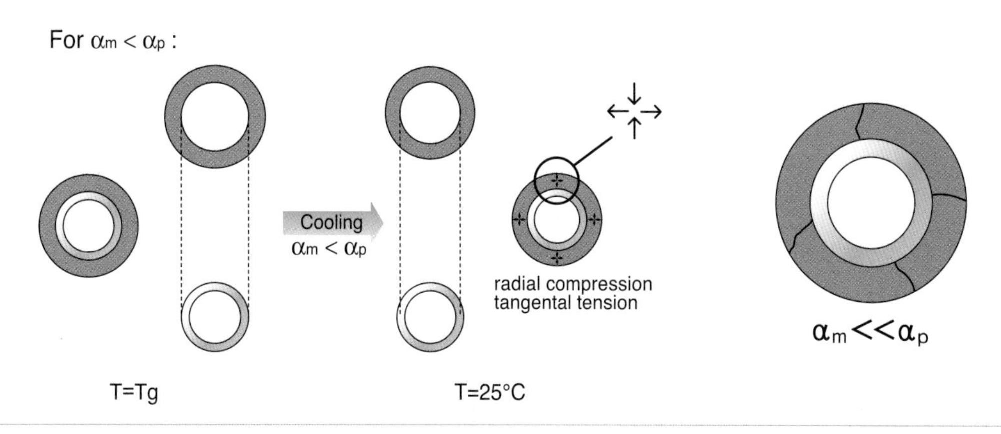

그림 15-10. 금속보다 포세린의 열팽창계수가 큰 경우($\alpha_m < \alpha_p$), 포세린-금속 결합체가 소성 후 글라스 전이온도 이하로 냉각 시 생성되는 응력의 방향과 파절양상

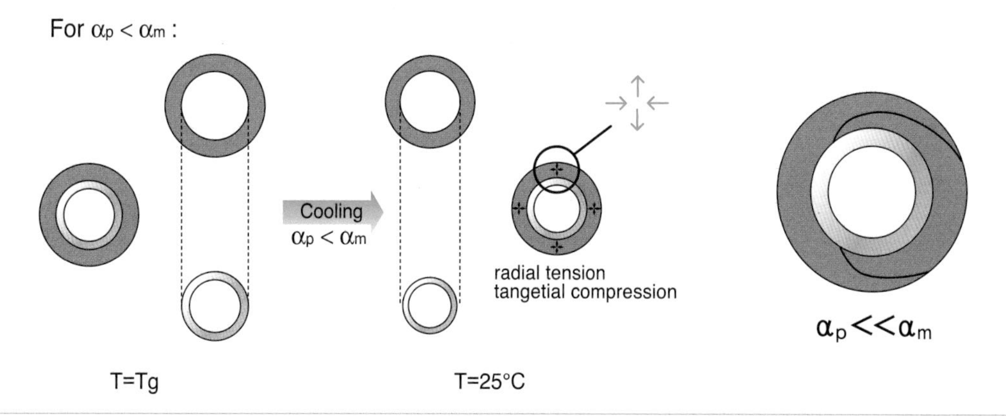

그림 15-11. 포세린보다 금속의 열팽창계수가 큰 경우($\alpha_p < \alpha_m$), 포세린-금속 결합체가 소성 후 글라스 전이온도 이하로 냉각 시 생성되는 응력의 방향과 파절양상

6. 금속-세라믹 수복용 코핑의 제작

금속-세라믹 수복물에 사용하는 금속 코핑은 그동안 대부분은 주조에 의하여 제작되어 왔으나 최근 다양한 방법들이 사용되고 있다. ① 주조 금속 코핑(귀금속 및 비귀금속 치과용 합금, cpTi), ② CAD-CAM 가공 금속 코핑(Co-Cr, cpTi), ③ 석고 다이에 압접한 금속박 코핑, ④ 석고 다이에 형성하는 금속전착 코핑.

상대적으로 두꺼운 주조금속의 코핑 대신에 지대치 다이에 백금박을 압접하여 코핑을 만들고 여기에 포세린을 적용하여 수복물을 제작하면 포세린을 위한 공간이 더 확보되어 심미성 높은 수복물을 제작할 수 있다. 이 때에도 포세린과 백금박과의 결합을 증진시키기 위하여 주석을 도금하여 가열하면 산화막이 형성되어 포세린과의 결합이 가능하게 된다.

Renaissance (Unikorn)와 Captek (Leach and Dillon), Sunrise (Tanaka Dental Products) 등은 주조과정 없이 금속-세라믹 치관의 금속 코핑을 제작할 수 있도록 고안된 것들로 작은 커피용 필터와 같은 모양의 판상 금합금이다.

GES system (Gramm Dental, German)은 전착공정(electrodeposition)을 통하여 순금의 코핑을 얻어 사용한다. 그러나 이와 같은 시스템들은 최근 금값의 상승으로 사용이 줄고 있다. 고온 주조에 의하여 특성이 저하될 수 있는 티타늄 금속이나 일부 비귀금속 합금들은 최근 치과용 CAD-CAM 장비를 이용하여 금속의 코핑을 가공하고 있다.

1) 금속-세라믹 수복물의 제작

금속 코핑은 대개 0.3~0.5 mm의 두께로 주조되며 그 과정은 인레이 및 치관의 주조과정과 동일하다. 그러나 용융온도가 높기 때문에 인산염계 매몰재를 사용한다. 주조체는 포세린과의 강한 결합을 위해서 깨끗하게 다루어야 하며, 잔류물을 제거하고 산화물을 형성하기 위하여 포세린 퍼니스에서 일정한 온도로 가열한다. degassing으로 불리는 이러한 과정은 대개의 합금에서 실제 합금 내부조직으로부터 탈기가 이루어지는 것은 아니나, 이때 포세린-금속 결합에 필수적인 산화층을 합금표면에 형성한다(그림 15-12).

합금 표면의 청결상태는 포세린과의 결합에 매우 중요

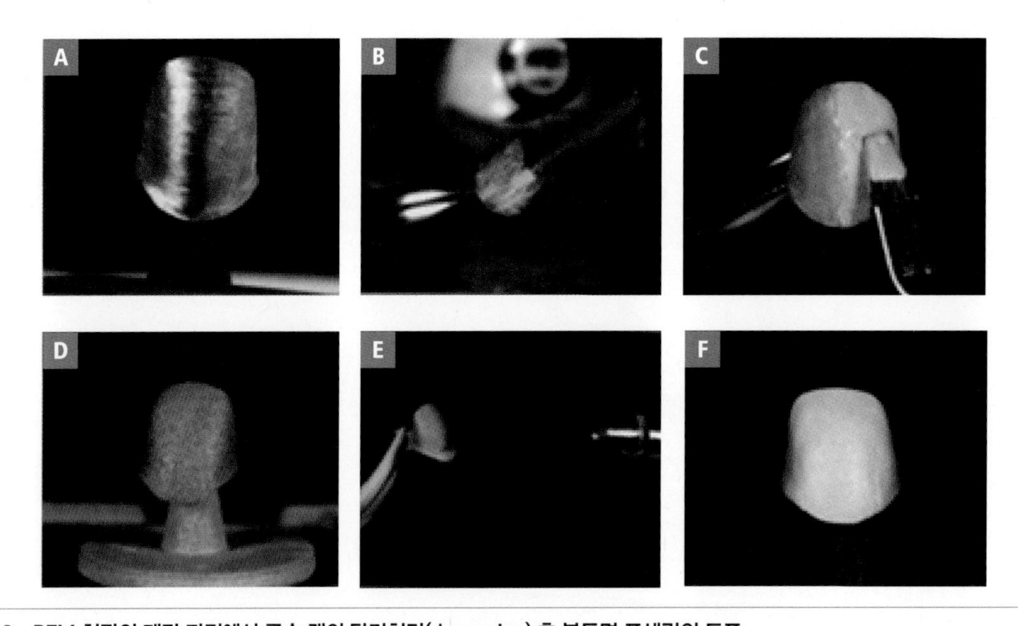

그림 15-12. PFM 치관의 제작 과정에서 금속 캡의 탈기처리(degassing) 후 불투명 포세린의 도포
A 표면 연마된 금속 캡, B 샌드 블라스팅 과정, C 탈기처리된 금속 캡, D 1차 불투명 포세린 도포, E 2차 불투명 포세린 도포, F 불투명 포세린 도포된 금속 캡

한 사항이며, 맨손으로 기공 작업 시 손가락의 지방분이 금속 표면을 오염시킬 수 있기 때문에 탈기처리는 모든 금속-포세린 시스템에서 반드시 필요하다. 산화막이 과도하게 형성되었거나 오염된 경우 세라믹 스톤 또는 다이아몬드 버로 처리하여 깨끗하게 할 수 있으며, 마지막으로 고 순도의 알루미나 분말에 의한 분사를 시행하면 포세린과의 깨끗한 기계적 유지면을 얻을 수 있다.

오팩 포세린은 대략 0.3 mm의 두께로 코팅 또는 응축하여 소성한다. 그런 다음 약 1 mm 두께로 바디-에나멜용의 투명한 포세린으로 응축하여 소성과정과 형태수정을 반복하여 치아형태를 만든다. 이렇게 세라믹 수복물의 완성까지 5~6회의 소성 사이클을 거치고 최종적으로 표면에 글레이즈 광택면을 얻어 완성한다.

오팩 포세린의 응축 전에 여러 가지 결합제(bonding porcelain)들이 이용될 수 있다. 이들은 대개 옅은 액상으로 금속표면에 적용되며 오팩 포세린과 같은 방법으로 소성한다. 이와 같은 재료는 비귀금속에서 지나친 산화층의 생성을 억제하여 금속-세라믹 결합을 증진시키며, 금과 같은 귀금속 성분의 결합제는 금속 산화막의 어두운 색을 효과적으로 차단하여 심미성을 증진시키는 두 가지 기능이 있다.

2) 크립 또는 처짐(Creep or sag)

귀금속 함량이 높은 일반적인 치과용 합금은 융점이 상대적으로 낮아 고온(~980℃)이 되면서 creep 또는 sag가 일어난다. 이러한 현상을 줄이려면 합금이 고온에서 2차상의 석출에 의하여 분산강화효과가 있도록 적절한 조성을 가져야 한다. 니켈-크롬과 같은 비귀금속 합금의 고상점(용융온도범위의 최하점)은 금합금보다 매우 높다. 그러므로 비귀금속 합금은 금합금보다 일반적으로 소성과정 중 처짐 현상이 거의 일어나지 않는다.

7. 포세린과 금속의 결합

PFM 수복물에서 금속과 세라믹의 높은 결합강도는 성공적인 수복물의 필수적 조건이다. 금속-세라믹 결합은 기본적으로 크게 ① 포세린과 금속의 기계적 맞물림(mechanical interlocking), ② 포세린-금속 계면의 화학적 결합(chemical bonding)의 두 가지로 설명된다. 그외 van der Waals 힘도 존재한다고 볼 수 있으나 미미하다. 일반적으로 화학결합이 금속-세라믹 결합의 주 인자로 여겨져 왔으나 일부 시스템은 기계적 맞물림에 의한 결합이 주 결합을 이룬다. 많은 연구에서 부착성 산화막을 형성하는 합금은 포세린과의 강한 결합을 보이고, 반면 산화막의 부착성이 약한 합금은 약한 결합을 보이는 것으로 알려졌다. 따라서 금속-세라믹 수복용 합금의 산화거동이 결합상태를 좌우하는 것으로 알려졌다. 일부 팔라듐은 합금은 외부보다 내부로 산화막을 형성하며 이러한 합금은 기계적 결합이 필요하다.

그동안 금속-세라믹간의 결합강도 측정을 위하여 다양한 방법들이 소개되고 사용되어 왔으나 결합강도를 정확히 측정할 수 있는 시험방법은 찾기 어렵다. 한국산업표준 KS P ISO 9693 치과용 금속-세라믹 수복시스템을 위한 국제규격은 금속과 세라믹의 결합강도를 3점 굽힘시험을 통하여 산출하고 있으며 최소 25 MPa의 결합강도를 요구하고 있다(그림 15-13).

임상에서 금속-세라믹 수복물의 파절은 드문 편이나 합금 또는 포세린의 조합이 맞지 않을 때 빈번하게 일어날 수 있다. 금속-세라믹 시스템의 몇 가지 실패의 예는 그림 15-14에 소개되었다. 제I형의 실패는 금 코팅제(gold bonder)를 너무 두껍게 사용하는 등 금속 표면에 산화막이 형성되지 않았을 때 일어날 수 있다. 산화층이 너무 두껍게 형성되면 제V형의 결합실패가 일어난다. 제III형은 포세린 층에서의 응집실패(cohesive failure)가 일어난 것으로, 이것은 역으로 금속과 포세린의 우수한 결합 상태를 의미한다. 일반적으로 결합실패와 응집실패가 혼재되어 있다. 그러나 금속-세라믹 결합강도가 포세린의 인장강도와 비슷하거나 인장강도보다 높으면 이와같은 포세

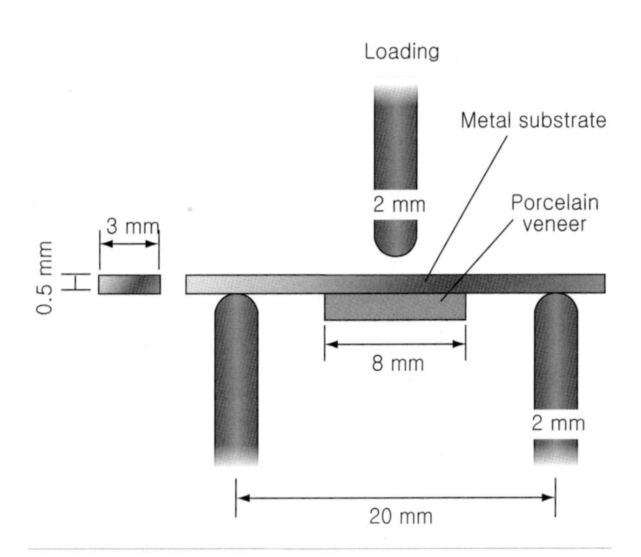

그림 15-13. 치과용 금속-세라믹 수복 시스템의 결합 강도 측정을 위한 3점 굽힘시험*(한국산업표준 KS P ISO 9693)*

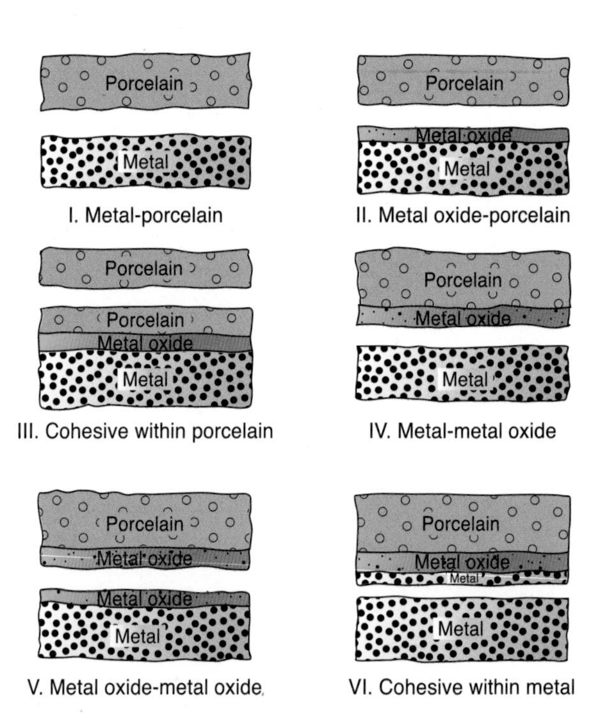

그림 15-14. 포세린 결합실패의 분류
Type III와 VI은 금속-세라믹(포세린)간 결합력이 각각 재료의 인장강도보다 높을때 나타날 수 있는 응집파절을 나타낸다.
(from O' Brien: Dental Materials and Their Selection, 2nd ed. 1997).

린 층에서의 응집실패(파절)이 일어난다. 이것은 일반적인 금합금-포세린의 결합력(약 35 MPa)이 치과용 포세린의 인장강도와 유사한 것으로 증명이 된다. 만일 금속-세라믹의 전단결합 시험에서 전단결합 강도가 110~150 MPa 정도로 측정되고 포세린의 응집실패가 보였다면, 이것은 결합강도라기 보다 포세린만의 단순한 전단강도가 측정된 것이라고 볼 수 있다. 따라서 결합강도 시험은 매우 주의를 기울여야 한다. 제Ⅳ, Ⅴ형의 결합 실패 양상은 티타늄-세라믹 시스템에서 빈번하게 일어난다. 즉 산화막이 지나치게 형성이 되거나 산화막과 모금속의 결합력이 약해서 발생한다고 볼 수 있다.

8. 금속-세라믹스의 장·단점

금속-세라믹 수복의 장점은 심미성과 파절저항성을 동시에 확보할 수 있는 점이다. 또한 아크릴릭 레진 베니어 수복물과 달리 PFM 수복물은 구강 내에서 거의 마모되지 않으며 포세린의 색변화가 없어 심미성이 오래 유지된다. 일반적으로 잘 제작된 PFM 치관은 PJC 치관보다 내구성이 우수하며, PFM 치관과 브리지 수복물의 실패율은 7.5년 동안 2.3%정도로 보고되고 있다. 그러나 수복물의 길이가 긴 PFM 브리지의 경우 휨 왜력(bending strain)을 받아 균열이 생기거나 파절할 수 있어 수복물의 적절한 설계가 필요하며, 교합관계 또한 매우 중요하다. PFM 수복물의 또 다른 장점은 PJC에 비교하여 교합면이나 설면에서의 치아 삭제량이 적다는 것이다.

금속-세라믹 수복물의 포세린 파절을 막기 위해서는 금속구조물의 강성이 높아야 포세린의 탄성계수는 비교적 높으나 인장강도와 전단강도는 낮다. 세라믹은 파절강도와 비례한계가 거의 일치하게 나타나 결과적으로 포세린의 탄성변형을 허용할 수 없다. 따라서 PFM의 견고성을 유지하기 위해서는 탄성계수가 높은 금속을 사용하더라도 어느 정도의 두께가 필요하다. 인공 치관의 모양은 그 자연 치아의 해부학적 형태를 갖추어야 한다. 그러므로 파절 저항성과 심미성이 높은 PFM 수복물을 제작하기 위하여는 지대치의 충분한 삭제를 통한 공간이 확보되어야 한다.

치과용 금속-세라믹 수복물의 단점은 비금속을 사용시 합금의 부식, 특히 Ni 함유금속의 생체안전성, 올세라믹 수복에 비하여 상대적 불투명성, 귀금속 코핑의 사용시 높은 제작비용 등을 들 수 있다. 금속-세라믹 수복 시스템은 최근 올세라믹 수복 시스템의 등장과 더불어 사용이 줄고 있으나 여전히 고정성 보철치료의 주요한 수복 형태이다.

9. 수복물 색조 선택

재료의 광학적 특성은 앞에서 기술하였으나 여기에서는 심미 수복에서 색조의 선택 요령에 대하여 설명한다. 치아나 수복물의 색을 선택하는 것은 술자의 눈이 피로해지기 전에 하는 것이 좋으므로 진료를 시작한 직후 가장 먼저 색을 선택하도록 한다. 환자의 입술이나 안면의 두터운 화장, 큰 보석장식 등은 색조의 선택에 영향을 미칠 수 있다. 변색이 있는 치아는 퍼미스로 닦아 깨끗하게 한다. 치과 진료실의 광원은 치과 진료용 전등(operatory light)이 아니라 색조를 보완한 형광등(color-corrected fluorescent lighting), 혹은 창문 근처의 자연광을 이용한다. 만약 눈이 노란색에 피로함을 느끼면 먼저 파란 색의 냅킨이나 벽을 보아 눈의 피로를 더는 것이 필요하다. 색조를 선택할 때 대개 구강 내에서 채도가 가장 높은 견치의 색을 참고하여 그 환자의 기본 색조를 선택한다. 먼저 정확한 색조 그룹을 선택하고 나서 색조견본의 같은 범위 내에서 적절하게 조화되는 색을 찾는다. 색조의 선택 시는 수복물을 서로 다른 광원(자연광이나 백열등)에 비추어 보아 조건등색(metamerism)을 피해야 한다.

치과의사가 포세린의 색조를 선택할 때 이상적인 조명은 북쪽 창에서 들어오는 자연광으로 광선의 파장이 균형을 이루고 있어 유리하다. 흐린 날씨라면 색깔이 보다 회색으로 보이고 광선이 붉은 벽돌색에서 반사되면 핑크색이 나타난다. 따라서 가능하면 색조의 선택은 2개 이상의 광원 하에서 시행해야 한다. 그 중 하나는 반드시 북쪽에서 온 자연광이어야 하고 가급적 약간 구름이 낀 한낮에 시행하는 것이 좋다. 일반적으로 약간 어두운 색(명도가 낮은)을 선택하면 밝은 색을 선택할 때보다 색조의 차이가 발생할 가능성이 작다고 한다. 또한 치과기공사는 가급적 색조를 선택한 진료실과 같은 파장의 광선 밑에서 포세린의 색을 조절해야 한다. 금속 코핑이 없는 포세린 올세라믹 치관의 경우 색조에 영향을 미칠 수 있는 또 하나의 변수는 접착용 시멘트의 색이다. 인산아연 시멘트와 같이 불투명한 것보다 글라스아이오노머 시멘트나 레진 시멘트와 같이 투명한 것이 좋다. 특히 올세라믹 수복물에서는 레진 시멘트 등의 색을 선택하여 수복물의 색조를 조절하는 효과를 얻을 수 있다.

10. 세라믹 재료의 강화 메커니즘

일반적으로 재료의 강도는 원자간 결합력에 의하여 탄성계수의 1/10 정도로 예측된다. 그러나 실제의 강도는 이론상의 강도보다 1/100 이하로 떨어진다. 이것은 재료의 표면결함에 응력이 집중되어 나타나는 현상(stress concentration)으로 설명할 수 있다. 특히 세라믹스는 가공 혹은 제작과정 중에 결함(defect)이나 재료내부의 응력으로 인하여 균열(crack)이 쉽게 발생하고 여기에 응력이 집중되면서 균열이 쉽고 빠르게 퍼져나가 취성 파괴가 일어나게 된다. 따라서 압축응력보다 인장응력에 의해 파절되기 쉬우며 충격에 약하다. 이러한 세라믹 재료를 강화하기 위한 전형적인 방법은 균열의 진행을 막거나 방해할 수 있는 입자를 분산시키는 것이다. 결국 분산 입자의 종류와 형상 및 그 함량에 따라 세라믹 복합체의 파괴거동이 달라지고 기계적 특성에 중대한 영향을 미친다.

최근의 치과용 올세라믹스는 취약한 글라스 기지상에

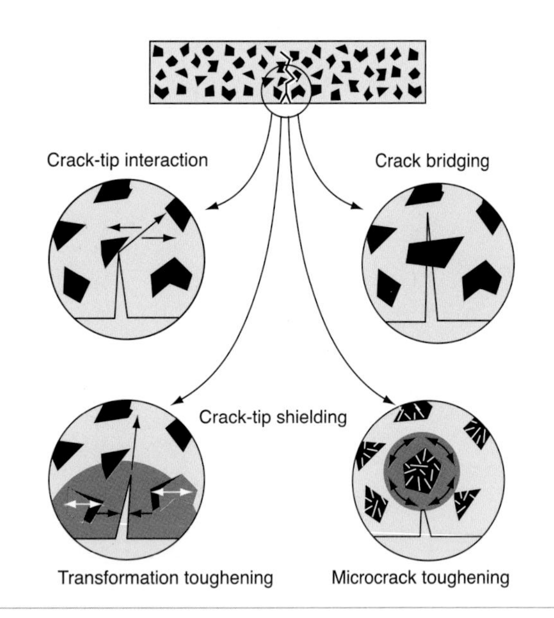

그림 15-15. 세라믹에서 응용되고 있는 강화기구

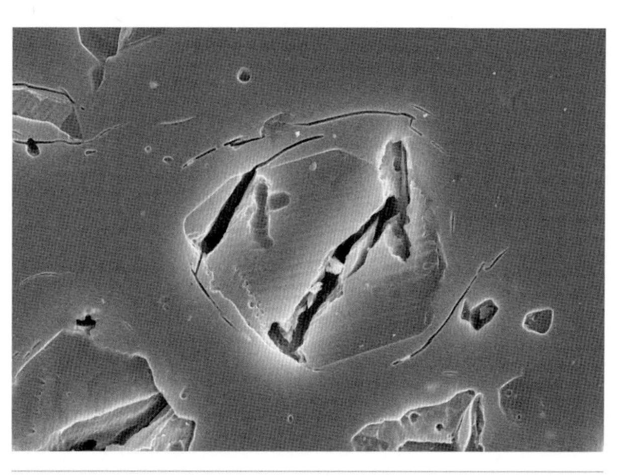

그림 15-16. 루사이트 함유 치과용 세라믹 루아시트 입자 주위에서 미세균열을 관찰할 수 있다.

고강도 · 고인성의 알루미나, 지르코니아 입자들을 분산시켜 글라스-입자 복합세라믹으로 사용하거나, 순수 알루미나 또는 지르코니아 소결체를 이용한다. 치과용 세라믹에서 응용되는 몇 가지 강화기구는 그림 15-15에 묘사되어 있다.

1) 고강도 입자의 분산

알루미나(Al_2O_3) 같은 강한 입자가 글라스에 분산되면 진행하는 균열 첨부(crack tip)는 알루미나 입자와 조우하여 통과할 수 없게 되거나 진행을 방해하는 작용(crack-tip interaction 또는 crack bridging)으로 세라믹의 강도는 높아진다. 이 방법은 세라믹의 기본적인 강화법으로 글라스 용융침투 알루미나(glass-infiltrated alumina) 치과용 세라믹의 높은 기계적 성질도 이와 같은 원리에서 비롯된다.

입자에 의한 분산강화법의 또 한 예는 글라스-세라믹스(glass-ceramics) 또는 결정화 유리로 열처리하면 내부에서 결정상들이 새롭게 핵이 생성되고 성장(growth)한다. 이처럼 석출된 결정상은 균열의 진행을 방해하고 재료의 강도와 인성을 증진시키는 역할을 한다. 따라서 분산 입자의 종류, 형상과 크기 그리고 그 함량은 세라믹스의 기계적 성질에 큰 영향을 미친다.

2) 응력장 형성에 의한 균열 차단

글라스의 매트릭스에 높은 열팽창계수의 입자가 분산이 되면 소성 후 냉각 시 입자 주변에 접선방향(tangential)의 인장응력과 직각방향(radial)의 압축응력으로 미세균열과 응력장(stress field)이 형성되게 된다(그림 15-16). 이와 같은 응력장은 외부로부터 오는 균열의 진행을 방해하여 강화 효과를 일으키며 이러한 현상을 미세균열 강화(microcrack toughening)라고 한다. 치과용 포세린에 금속의 열팽창계수와 조화를 이루게 하기 위하여 첨가하는 루사이트($\alpha \approx 20\text{-}25 \times 10^{-6}$ ℃$^{-1}$)는 글라스 기지상($\alpha \approx 8 \times 10^{-6}$ ℃$^{-1}$)과의 열팽창계수 차이로 응력장을 만든다.

지르코니아도 다음의 설명과 같이 결정상의 변태와 동반하는 입자의 팽창이 응력장을 만들어 높은 기계적 특성을 갖게 된다.

3) 지르코니아의 상변태

이트리아(Y_2O_3)나 마그네시아(MgO)에 의하여 부분 안정화된 지르코니아(PSZ, partially stabilized zirconia) 입자는 응력을 받으면 정방정(tetragonal) 결정이 단사정(monoclinic) 결정으로 바뀌는 상변태와 함께 약 3%의 체적팽창을 동반하여 주위에 압축응력을 만든다. 이 응력장 또한 크랙의 진행을 막거나 전파속도를 늦춰 세라믹의 강화 효과가 발생한다(그림 15-15). 이러한 결정구조 변태에 의한 강화(transformation toughening) 작용이 있는 지르코니아 세라믹은 의료용 및 치과수복용 재료로 이용되고 있다. 현재 3~5 mol% 이트리아로 부분 안정화된 지르코니아인 3~5Y-TZP 세라믹이 치과용 CAD-CAM 재료로 가장 널리 이용되고 있다. 이러한 TZP (tetragonal zirconia polycrystalline) 세라믹은 기존 치과용 세라믹 수복재 가운데 가장 높은 강도를 나타낸다.

11. 치과용 올세라믹 재료와 제작법

올세라믹 수복은 금속을 사용하지 않아 심미성이 매우 높으며 생체안전성 문제도 일으키지 않는다. 그러나 세라믹 고유의 취성으로 인하여 파절이 상대적으로 쉽게 발생할 수 있는 위험성이 있다. 금속-세라믹 수복은 개발 초기부터 현재에 이르기까지 주요 보철물로 계속 사용하고 있으나, 한편으로 더 높은 심미성에 대한 욕구는 올세라믹 수복에 대한 개발을 이끌었다. 초기에는 올세라믹 재료로서 금속을 사용하지 않는 장석질 포세린이 주류를 이루고 있었다. 1960년대 McLean과 Hughes가 유리에 알루미나 입자를 분산시킨 강화형 포세린을 개발하여 본격적인 올세라믹 수복 시대를 열었다. 이 알루미나 강화 포세린의 강도도 기존과 비교하면 훨씬 증가하기는 하였으나 임상에서의 파절 저항성은 높지 않았다. 그러나 이후 수많은 올세라믹 재료와 수복시스템이 개발되어 오늘날 심미 수복의 주류를 이루고 있다. 제작법에서도 기존의 내화모형에서 소성하는 방법에서 벗어나 다양한 방법들이 개발되었다. 이제 올세라믹 수복은 금속-세라믹 수복보다 더 높은 심미성을 원하는 환자, 금속에 알레르기를 보이는 환자들에게 반드시 권장하고 있다.

지금까지 수많은 세라믹 수복재료와 시스템이 등장하였다. 따라서 이에 대한 분류가 필요하다. 올세라믹 수복재는 제작법에 따라 축성용 분말 슬러리 포세린(powder slurry porcelain), 주조 또는 열가압 성형(hot-pressing) 세라믹, 슬립 캐스팅(slip casting) 세라믹, CAD/CAM 가공성(machinable) 세라믹의 범주로 나누어진다. 이들은 다시 재질의 종류에 따라 글라스세라믹스(glass-ceramic), 글라스침투 세라믹(glass-infiltrated ceramics), 지르코니

표 15-3. 치과용 세라믹 수복재료의 유형

Type	Composition	Processing	Elastic modulus (GPa)	Flexure strength (MPa)*	Indication
Glass-ceramics	leucite lithium disilicate	Pressing CAD/CAM	80 100	100-150 350-400	Inly/Onlay, Laminate, Crown, Anterior bridge
Polycrystalline ceramics	3Y-TZP 4Y-PSZ 5Y-PSZ	CAD/CAM	200 200 200	1000-1200 600-1000 400-600	Inly/Onlay, Crown, Anterior & Posterior Bridge
Resin-matrix ceramics	resin nanoceramic PICN	CAD/CAM	7-10 25	140-200	Inly/Onlay, Laminate, Crown

*3-point flexure test

아와 같은 advanced ceramic으로 분류될 수 있다. 과거에는 재료의 형태와 제작법이 연관을 보여왔다. 그러나 고강도/고인성의 새로운 올세라믹 수복재료의 등장에 따라 과거의 재료들은 시장에서 급속히 사라지고 치과용 CAD/CAM 시대의 도래와 함께 새로운 분류가 필요하다. 이에 따라 Gracis 등(2015)은 폴리머 기질에 고함량의 세라믹 필러를 함유하는 CAD/CAM 하이브리드 재료들도 포함하여 최근의 세라믹 수복재료를 다음과 같이 분류하고 있다. 표 15-3에는 현재 사용하고 있는 치과용 세라믹 수복재들의 조성과 가공법, 기계적 특성을 정리하였다.

- **글라스 기질 세라믹**(glass-matrix ceramics): 글라스 상이 있는 세라믹으로 CAD/CAM용 글라스 세라믹
- **다결정질 세라믹**(polycrystalline ceramics: 글라스 상을 포함하지 않는 지르코니아와 같은 미세 결정의 소결체
- **레진 기질 세라믹**(resin-matrix ceramics): 레진 기질에 세라믹 입자를 다량 혼합하고 고온고압에서 제작한 CAD/CAM 가공용 하이브리드 세라믹

1) 글라스 기질 세라믹(Glass-matrix ceramics)

글라스 기질의 글라스-세라믹 또는 결정화 유리는 열처리를 통하여 고함량의 결정화가 이루어지는 세라믹 재료를 말한다. 이러한 세라믹에 형성되는 침상 또는 판상의 결정입자들은 균열의 진행을 방해하여 결과적으로 결정화도에 따라 강도 및 파괴인성이 높아진다. 약 55 vol%의 운모 결정을 함유하는 Dicor (Dentsply)는 처음으로 소개된 치과용 주조 세라믹 제품이다. Dicor의 심미성과 변연 적합도는 매우 우수하나 상대적으로 낮은 강도로 인하여 높은 파절율을 보여 현재는 사용하고 있지 않다.

금속-세라믹용 포세린은 백류석(leucite) 결정을 함유하는 글라스-세라믹의 일종이라고 볼 수 있다. 백류석 결정 30-40 vol% 입자를 함유하는 세라믹을 백류석 강화 포세린(leucite-reinforced porcelain)이라고 한다 (그림 15-17A). 현재 올세라믹 수복물로 주로 사용하고 있는 글라스-세라믹 재료들의 결정는 lithium disilicate 결정 (e.Max, Ivoclar)과 zirconia-reinforced lithium disilicate (Celtra Duo, Dentsply) 등이다(그림 15-17 B,C). 이들은 약 60 vol%의 미세 결정을 가지고 있으며 류사이트 세라믹 보다 높은 기계적 성질을 가지고 있어 인레이, 온레이, 치관 및 케이스에 따라서 전치부 브리지까지 적용할 수 있다.

치과용 글라스 세라믹은 고온에서 가압하여 주형 내로

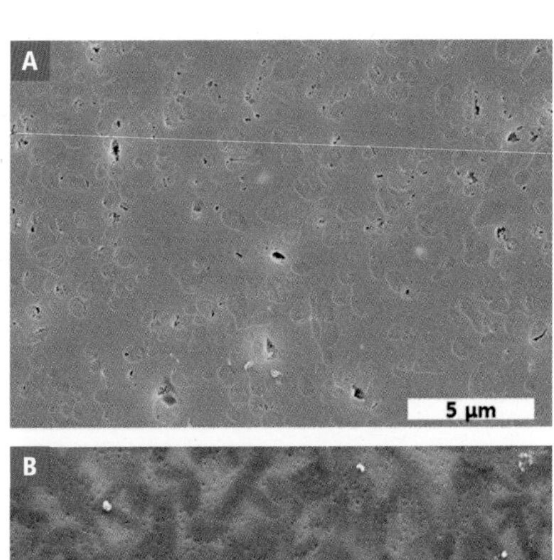

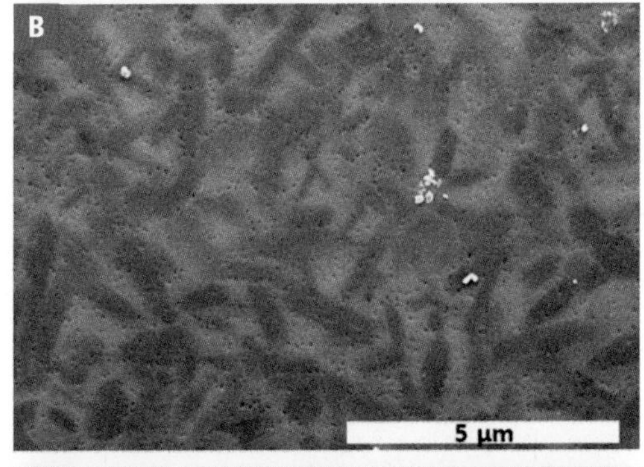

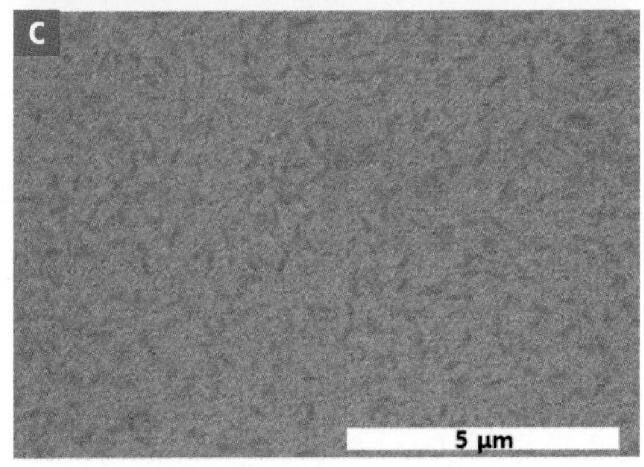

그림 15-17. 올세라믹 재료로 사용하는 치과용 글라스 세라믹 재료
A leucite glass-ceramic, **B** lithium disilicate, **C** zirconia-reinforced lithium disilicate.

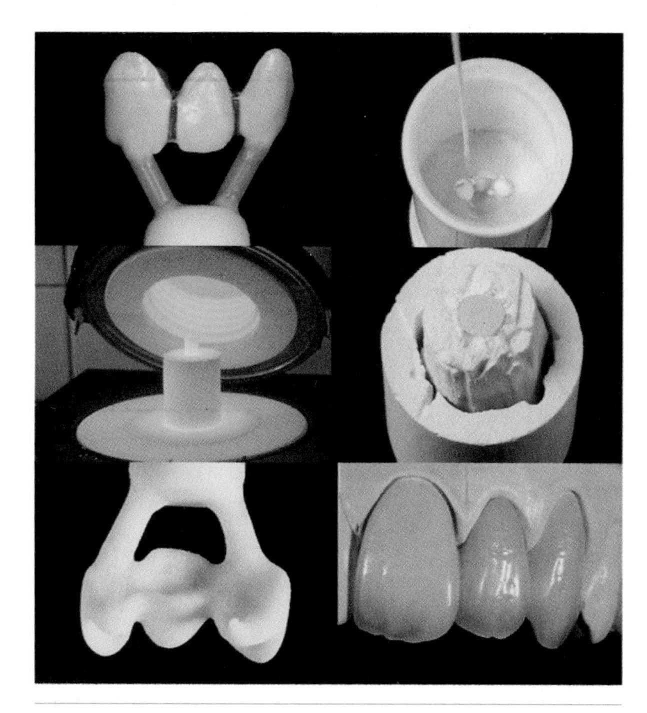

그림 15-18. Empress2 가압성형 세라믹스의 제작과정

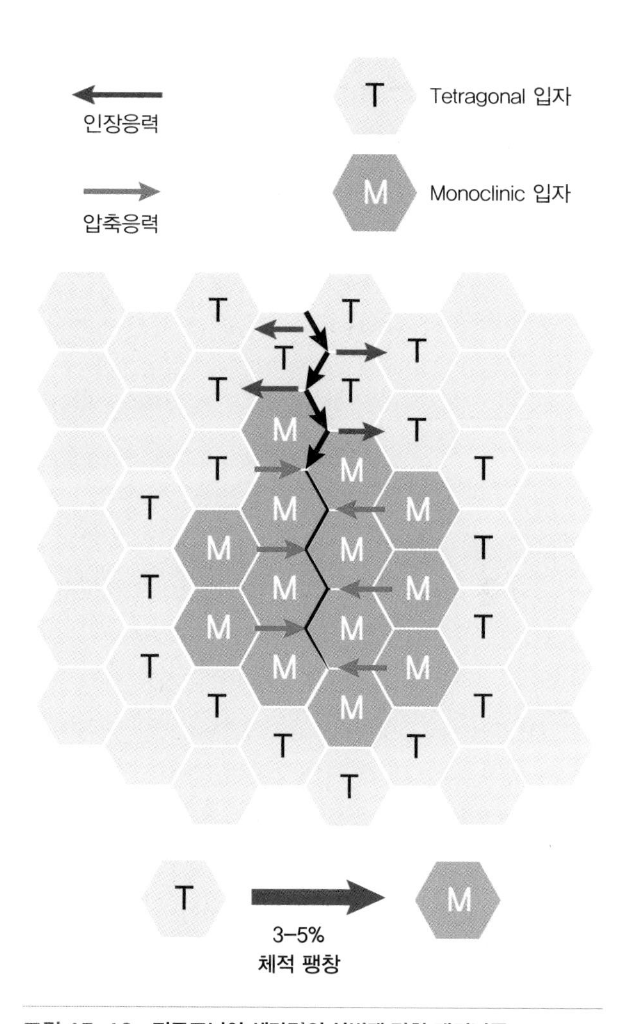

그림 15-19. 지르코니아 세라믹의 상변태 강화 매커니즘
T tetragonal 정방정 결정, M monoclinic 단사정 결정

주입하는 열가압 성형법으로 수복물을 제작한다. 이 방법은 왁스소환 주조법과 같은 방식으로 인산염 매몰재 내부의 몰드에 세라믹의 연화 온도에서 10-20분간 유지 후 주입하여 수복물의 형태로 만드는 방식이다. 냉각 후에는 매몰재에서 꺼내고 다시 착색과 글레이징을 거치거나 또는 포세린 비니어에 의하여 최종 수복물을 완성한다(그림 15-18). 최근 치과용 CAD/CAM이 널리 퍼지고 사용 가능 재료도 확대되고 있으나, 글라스-세라믹의 열가압 성형법은 기계가공 방식과 비교하여 상대적으로 복잡하나 수복물의 적합도는 우수한 평가를 받고 있어 세라믹 인레이/온레이의 제작에 아직 널리 사용되고 있다.

2) 다결정질 세라믹(Polycrystalline ceramics) : 지르코니아

유리질이 없는 미세한 결정 입자의 소결체인 다결정질 세라믹으로 알루미나(Al_2O_2)와 지르코니아(ZrO_2)가 있으나 지르코니아가 대표적 치과용 올세라믹 수복재로 사용하고 있다. 순수 지르코니아는 상온에서는 단사정(monoclinic) 결정상을 가지며 온도가 상승함에 따라 1170℃에서 정방정(tetragonal)으로 바뀌며, 2370℃에서 입방정 결정상으로 변한다. 이러한 지르코니아에 CaO, MgO, Y_2O_3 등 산화물을 첨가하면 상온에서 정방정이 일부 잔존하게 되며 이를 부분안정화 지르코니아라고 부른다. 이 부분안정화 결정들은 외력으로 인한 균열 에너지를 만나면 t → m 상의 상변태가 일어난다. 이때 결정상은 3-5%의 체적

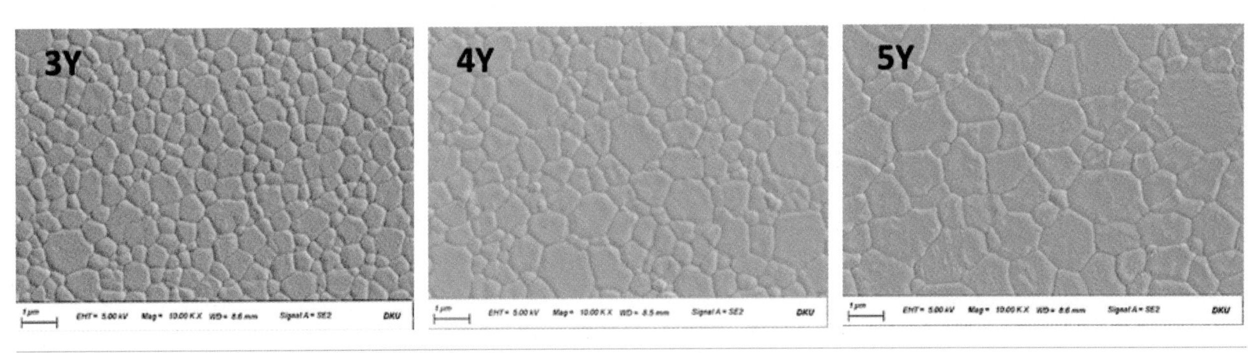

그림 15-20. **여러가지 이트리아 함량의 지르코니아 세라믹 미세구조**

팽창이 동반하며 주위에 압축응력장이 형성되고 파괴 균열의 성장을 억제할 수 있게 되는 상변태 강화(transformation toughening)가 일어나 높은 기계적 특성을 갖게 된다(그림 15-19). 특히 3 mol% yttria를 첨가한 정방정 지르코니아(Tetragonal Zirconia Polycrystalline, TZP)는 뛰어난 강도와 인성을 가지고 있어 산업용뿐 아니라 CAD/CAM에 의하여 치과용 올세라믹 수복재로 사용하고 있다.

3Y-TZP는 순백색의 세라믹으로 강도는 높으나 유리질 세라믹에 비하여 상대적으로 높은 밀도(6.05 g/cm^3)와 함께 불투명도가 높다. 따라서 심미성을 위하여 치아색 지르코니아 수복물을 제작하기 위하여는 비니어 포세린을 축성하거나 스테인 처리를 해야 한다. 지르코니아에 이트리아 함량을 4-5 mol%까지 높이면 입방정(cubic)상이 증가하여 partially stabilized zirconia (PSZ)라고 부르고 있다. 이들 4Y-PSZ, 5Y-PSZ 세라믹은 3Y-TZP 보다 투명도가 높아 비니어층 없이 full-contour 치관 보철물로 사용하고 있다. 이와 같은 full-contour 지르코니아 수복물은 포세린 층의 chipping 파절이 없어 각광을 받고 있다. 그러나 이트리아 함량이 높은 지르코니아 소결체는 평균 입자 크기가 커지며 재료의 기계적 특성이 상대적으로 낮아진다(그림 15-20). 따라서 재료의 선택 시 심미성과 파절 저항성을 고려해서 사용해야 한다. 치과용 지르코니아 수복물은 모두 CAD/CAM 가공으로만 제작한다.

3) CAD-CAM 세라믹스(기계가공 세라믹스)

치과용 CAD/CAM 시스템은 인레이, 온레이 혹은 올세

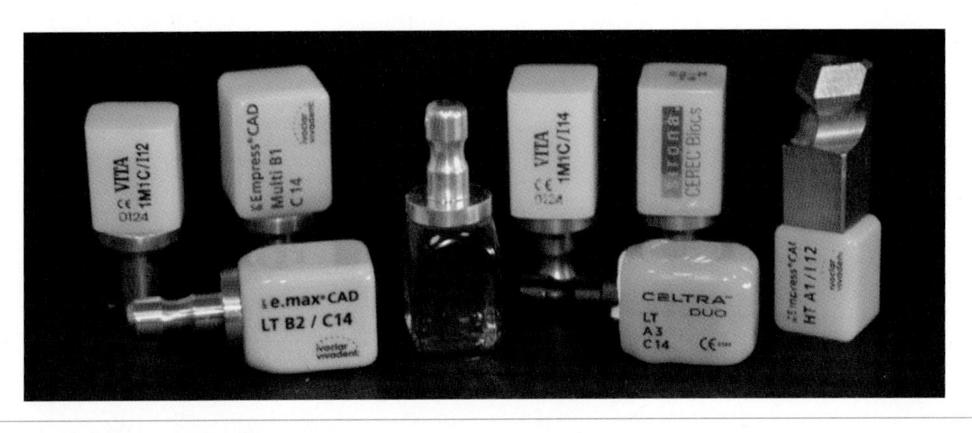

그림 15-21. **치과용 CAD/CAM 글라스 세라믹 블럭**(from J Adv Prosthodont 2017;9:486-95)

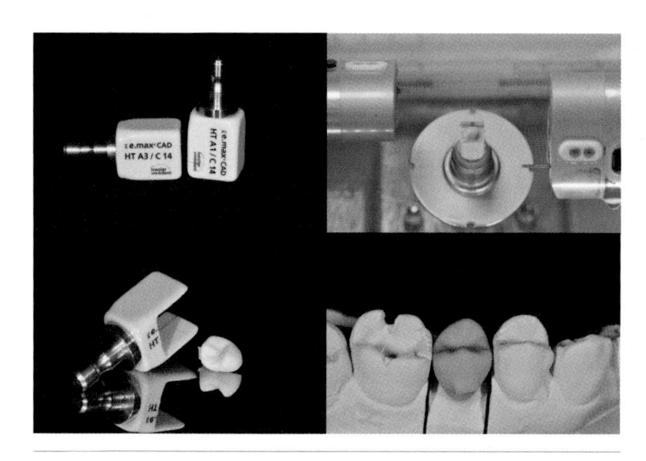

그림 15-22. **치과용 CAD-CAM 가공 시스템(Cerec, Sirona Dental)**
(치과기공사 CBJ 제공)

라믹 치관을 다이아몬드 절삭 기구 등으로 컴퓨터 가공기를 이용하여 제작하는 방법이다. 절삭공구를 사용하는 기계 가공 시 유리와 같이 취성이 높은 재료는 손상이 심하거나 파절이 일어난다. 고강도 세라믹들은 지나치게 단단하여 기계 가공 시간이 길고 경제성이 없다. 따라서 치과용 CAD/CAM 가공에는 leucite-reinforced, lithium disilicate, zirconia-reinforced lithium disilicate 글라스-세라믹(결정화 유리)들이 많이 이용된다. 그림 15-21, 15-22는 현재 사용하고 있는 치과용 글라스-세라믹 블록 제품들과 CAD/CAM 가공을 나타낸다.

최근의 연구결과들은 CAD-CAM 시스템에 의하여 제작된 수복물의 변연 정밀도는 기존의 제작법에 의한 수복물과 거의 차이가 없는 것으로 보고하고 있다. CAD/

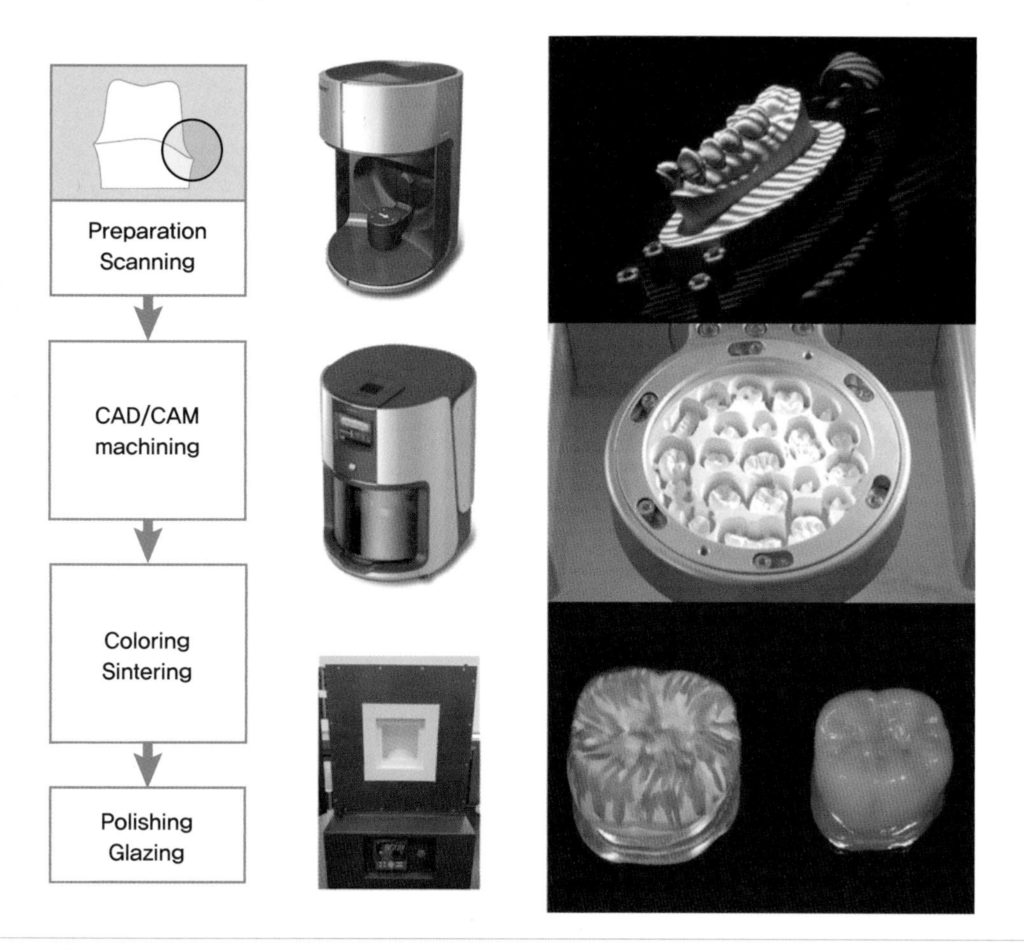

그림 15-23. **CAD/CAM을 이용한 지르코니아 수복물의 제작과정**

CAM 수복물의 단점은 기구가 비싸고 형성한 치아의 상을 얻는데 매우 숙련된 조작이 필요하다는 점이다. 그러나 CAD/CAM 세라믹 블록제품은 기공실 제작의 세라믹 보철물에 비하여 내부 결함이 거의 없어 기계적 성질에 대한 신뢰도가 높은 것이 장점이 있다.

현재 치과용 CAD/CAM 수복 재료는 지르코니아 세라믹이 주류를 이루고 있다. 지르코니아는 기계적 성질은 매우 우수하며 구치부 세라믹 치관이나 브리지의 제작까지 적용이 가능하다. 지르코니아 분말의 소결은 일반적으로 1400℃ 이상의 높은 온도가 필요하며 이때 분말 사이의 공간이 사라지면서 치밀한 소결체가 된다. 따라서 포세린 소성로의 사용온도를 훨씬 웃돌며 고온의 내화 모형재가 필요하고 기존의 금속-세라믹 제작법으로는 불가능하다.

이러한 어려움을 해결하기 위하여 가소결한 지르코니아 블럭을 CAD/CAM으로 확대가공하고 최종 소결 시키는 방식이 Filser 등(2001)에 의하여 처음으로 도입되었다. 먼저 적당한 크기의 분말 성형체를 액체 내에서 정수압을 가하고 이 지르코니아 블록을 850-1050℃에서 1차 소결(presintering)한다. 다음 이를 CAD/CAM으로 최종 소결 시 수축량만큼 확대 가공한 후 1400-1550℃에서 소결하는 방식이다(그림 15-23). 1차 소결은 지르코니아의 부분 소결 상태로 만들어 다공성이 있으나 기계 가공이 가능하게 한다. 정수압 처리한 가소결 블록은 최종 소결 시 약 20%의 선수축이 모든 방향에서 일정하게 일어난다. CAD/CAM에서는 이 수축량만큼 확대 가공하여 보상하는 것이다. 등장 초기에는 소결 지르코니아를 1:1로 가공하는 CAD/CAM 도 등장하였으나 경제성의 이유로 시장에서 사라졌다. 이후로 지르코니아 CAD/CAM 시스템은 지르코니아 재료의 높은 기계적 강도와 투명도 그리고 우수한 적합도로 치과용 심미 수복에서 높은 인기를 갖고 있으며 앞으로도 계속 중요한 위치를 차지할 것이다.

치과용 세라믹의 최신 규격 ISO 6872(2019)에서는 표와 같이 분류하고 적용 부위에 따라 사용할 수 있는 세라믹 재료의 최소 권장 평균강도 및 최대 용해도를 제시하고 있다.

4) 레진 기질 세라믹(Resin-matrix ceramics)

레진 기질에 세라믹 입자를 함유한 복합레진은 광중합에 의한 직접 수복에 주로 사용하나, 구강 외에서 모형 상에서 만들고 중합시켜 복합레진 인레이, 온레이 등의 간접 수복물로도 사용하여왔다. 그러나 최근 CAD/CAM의 보급과 함께 기계 가공이 가능한 resin-composite block (RCB)가 등장하여 널리 사용되고 있다. 이 재료들은 Bis-GMA나 UDMA 기질에 나노 실리카 또는 실리카-지르코니아 클러스터를 함유하고 고온과 고압에서 중합시킨다. 이러한 재료들은 광중합 수복재료에 비하여 높은 기계적 특성을 가지며 복합레진의 일종임에도 기계 가공성과 높은 세라믹 함량으로 레진 나노세라믹으로도 불린다. RCB의 또 다른 형태는 세라믹 필러 네트워크 사이에 폴리머 기질이 침투되어 있는 PICN (polymer-infiltrated-ceramic-network)로 불리는 일종의 하이브리드 세라믹이다. 이 재료들은 모두 CAD/CAM가공에 적합하도록 블록 형태로 공급하고 있다 (그림 15-24).

5) 글라스 용융침투 코어 세라믹스 (Glass-inflitrated core ceramics)

이 세라믹 재료는 먼저 미세한 알루미나 분말 슬러리를

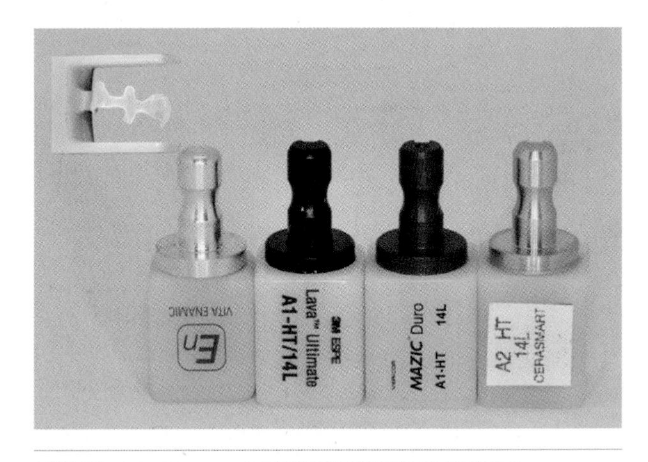

그림 15-24. Empress2 가압성형 세라믹스의 제작과정

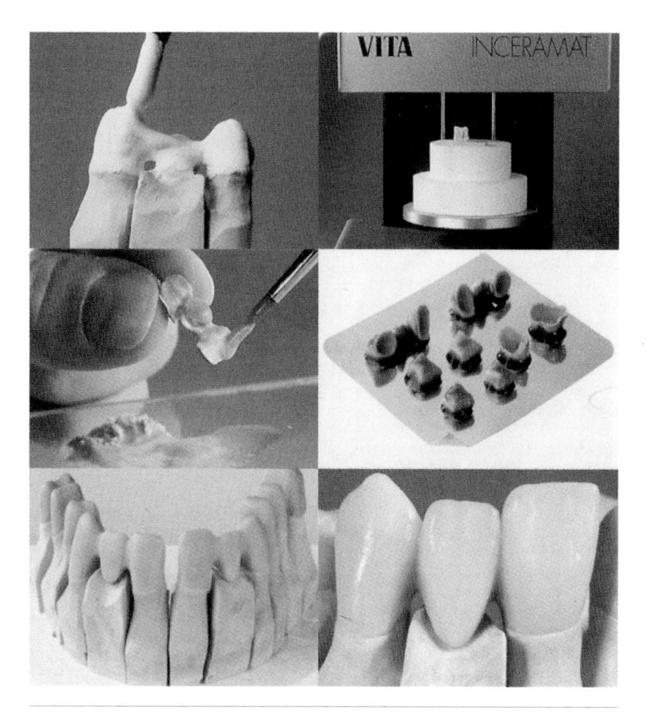

그림 15-25. In-Ceram(Vita) 수복물의 제작과정

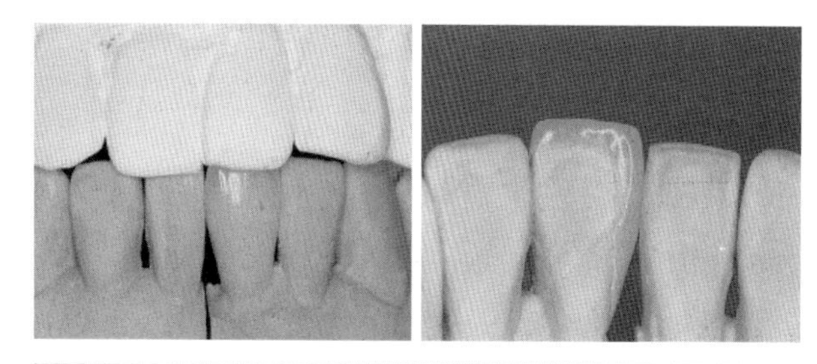

그림 15-26. 제작된 포세린 라미네이트의 순면과 설면

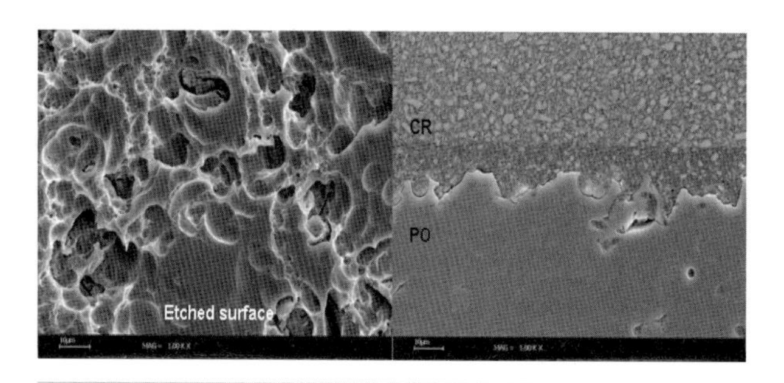

그림 15-27. HF에 식각된 치과용 포세린(PO)과 컴포짓트 레진(CR)의 접착 계면

슬립 캐스팅으로 만들로 다공성이 있는 부분 소결체를 만든다. 여기에 1100℃에서 란타나 (La_2O_3) 함유의 글라스를 용융 침투시켜 입자 함유량 ~70%의 고강도의 복합체를 얻는다(그림 15-25). 이 세라믹 재료의 강도는 지르코니아에 비하여 낮으나 글라스-세라믹을 포함하여 기존의 다른 올세라믹 재료에 비하여 매우 높다. 지르코니아 세라믹이 등장하기 전까지는 전치부는 물론 구치부의 단일 치관 및 브리지의 사용해 왔으나 지르코니아 세라믹의 등장 이후 현재는 사용이 급격히 감소하였다.

6) 세라믹 베니어, 인레이 및 온레이 수복

전치부에서 변색치 또는 형성부전의 전치 수복에 치아 순면만 삭제하여 얇은 두께로 수복하는 포세린 라미네이트 베니어 수복은 성공률 높은 심미 수복물이다. 이러한 세라믹 베니어 수복은 치관 수복에 비해 보존적인 치료법이다. 그러나 포세린 베니어의 심미성과 수명은 사용하는 레진 시멘트에 의한 합착이 큰 영향을 미치므로 기술적으로 까다로운 술식이다(그림 15-26). 치과용 포세린과 글라스 세라믹은 약한 불산(hydrofluoric acid)에 의해 부식되면 산부식 법랑질과 같은 유지형태가 생겨나 강한 접착을 얻을 수 있다(그림 15-27). 구치부 치아에서도 포세린 인레이나 온레이를 산부식과 레진 시멘트를 사용하여 수복할 수 있다. 글라스-세라믹, 지르코니아 등 세라믹 수복물은 장착 후 대합치를 마모시킬 수 있기 때문에 교합조정 후에는 반드시 광택연마가 필요하다.

이와 같은 세라믹 수복물은 내화모형에서 분말을 직접 축성하고 소성하여 제작할 수 있으나 최근에는 열가압 성형, 기계가공을 많이 이용하고 있다. 거의 모든 치과용 세라믹이 인레이 및 온레이의 제작이 가능하나 라미네이트 베니어의 제작에는 투명도가 높은 포세린 또는 글라스-세라믹 재료가 적합하다.

치과용 세라믹 수복물의 합착은 일반적으로 광중합 또

표 15-4. 임상 적용과 용도에 따른 치과용 세라믹 수복재료의 분류와 권장 기계적/화학적 특성값(ISO 6872)

Class	적용	강도와 화학적 특성	
		최소 평균 굽힘강도 (MPa)	최대 용해도 $\mu g \cdot cm^{-2}$
1	a. 금속 또는 세라믹 코어의 비니어 세라믹 b. 단일 세라믹: 전치부 치관, 비니어, 인레이/온레이	50 3-point 40 4-point	100
2	a. 단일 세라믹: 레진 접착 전치부/구치부 단일 치관 b. 레진 접착용 코어 세라믹 (단일치관용)	100 3-point 90 4-point	a. 100 b. 2000
3	단일 세라믹: 비접착성 전치부/구치부 단일 치관	300 3-point 265 4-point	100
4	a. 비접착용 코어 세라믹 전치부/구치부 단일 치관 b. 구치를 포함하지 않는 3-unit 브리지용 코어 세라믹	300 3-point 265 4-point	2000
5	구치를 포함하는 3-unit 브리지용 코어 세라믹	500 3-point 440 4-point	2000
6	4-unit 이상의 브리지용 코어 세라믹	800 3-point 710 4-point	100

는 이중중합 레진 시멘트가 추천되고 있다. 그러나 고강도의 코어 세라믹들은 종래의 시멘트에 의한 합착도 가능하다. 세라믹 수복물의 합착 시 가장 주의해야 할 점은 합착 후 내면에 기포가 남는 것이다. 이 기포들은 교합압의 응력 집중을 일으켜 세라믹 수복물의 조기 실패를 가져 올 수 있기 때문이다. 표 15-4는 ISO 6872(치과용 세라믹스)에서 제시하는 여섯 등급의 세라믹 수복물에 있어서 임상적용과 용도에 따른 재료의 최소 강도 값을 나타낸다. 세라믹 수복물의 파절을 최소화하기 위해서는 각 조건에 부합하는 재료를 선택하는 것이 바람직하다.

12. 세라믹 수복물의 설계 (Design of Ceramic Restorations)

재료의 기계적 강도가 높다면 수복물의 두께를 줄일 수 있고, 이에 따라 필요한 치아 삭제를 줄일 수 있어 심미 수복물의 디자인에 유리하다. 따라서 세라믹 재료의 기계적 특성은 재료 선택에 중요한 요소이다. 세라믹스의 기계적 성질은 일반적으로 일축 또는 이축 굽힘강도(flexural strength)와 재료에서 균열의 진행에 대한 저항성을 나타내는 파괴인성(fracture toughness)으로 평가된다. 취성재료의 기계적 성질은 측정방법과 시편의 형상 및 표면처리상태(grinding, polishing, glazing)에 따라 매우 다르게 나타나기 때문에 주의 깊게 측정하고 분석할 필요가 있다. 또한 실제 수복물과 같은 다층상 구조에서는 막대 또는 디스크 시편에서의 강도 값이 세라믹 크라운 또는 브리지의 강도로 그대로 반영되지는 않는다. 따라서 올세라믹 수복재료의 기계적 특성 시험에는 규격화 시편의 단순 시험 뿐 아니라, 층상 구조를 갖는 시편의 시험 및 세라믹 수복물의 파절 시험 등 다양한 방법이 동원된다.

성공적인 세라믹 수복을 위해서는 세라믹 재료 고유의 취성을 극복할 수 있는 설계가 필요하다. 즉 가급적 세라믹 보철물에 인장응력이 발생하지 않도록 설계하는 것이 중요하다. 따라서 지대치를 형성할 때 예리한 우각부를 없애고 포세린의 모양이나 두께의 급격한 변화가 없도록 설계하여 응력이 집중되지 않도록 하는 주의가 필요하다.

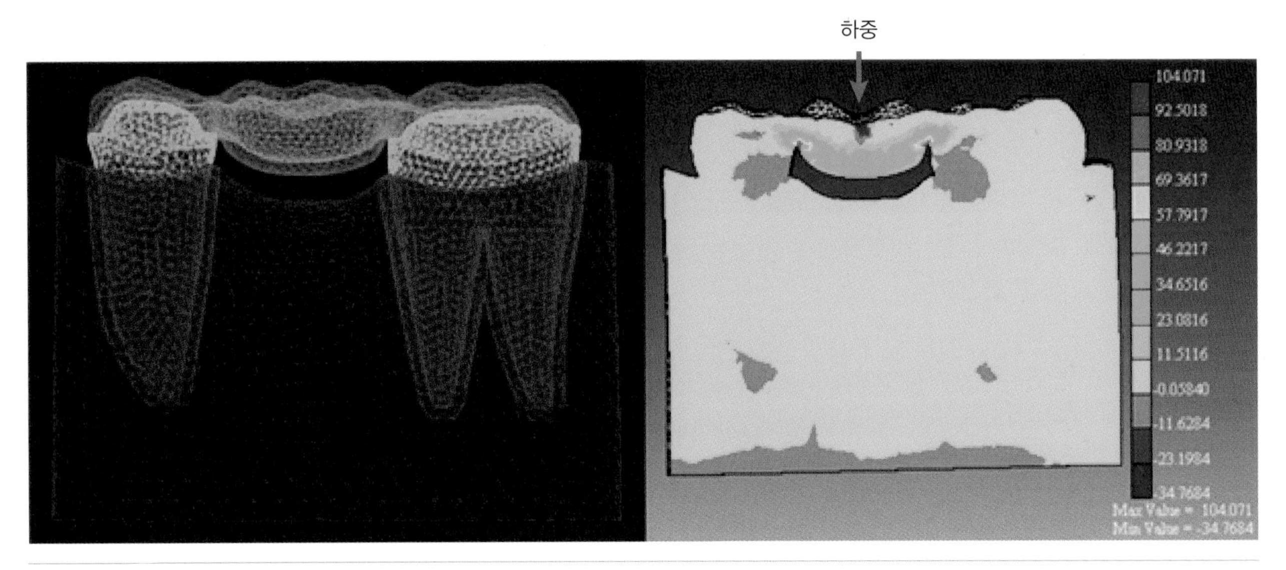

그림 15-28. 올세라믹 FPD의 유한요소 분석 예

세라믹 코어와 포세린층으로 구성된 올세라믹 치관 수복물에서는 접촉손상에 의해 표층 포세린의 박리 파절 즉 치핑(chipping)이 빈번하게 일어날 수 있다. 또한 올세라믹 고정성 국소의치(FPD)에서는 지대치와 가공치 연결부(connector)에서는 응력의 집중이 일어난다. 유한요소분석법(Finite Element Analysis, FEA)에 의한 치과용 수복물의 응력 분포를 통해 보면 올세라믹 FPD의 파절은 주로 gingival embrasure 부위에서 인장응력이 집중되어 일어남을 알 수 있다(그림 15-28). 그러므로 연결부의 높이와 두께를 증가시키면 FPD의 파괴저항성을 높일 수 있다. 그러나 동시에 심미성과 치주 건강에 위해할 수 있으므로 유의해야 한다.

1) 인장응력의 최소화

일반적으로 강도가 상대적으로 낮은 유리질 세라믹만으로 된 올세라믹 치관(PJC)은 치관 내면에서 큰 인장 응력이 집중되는 구치부에서는 사용하기 어렵다. 전치부에서도 수평피개가 적으면서 수직피 이러한 인장응력을 견디기 위해서는 보다 강한 코어세라믹을 선택해야 한다. 올세라믹 수복물과 달리 금속-세라믹 수복물에서는 금속 코핑을 사용하기 때문에 인장응력으로 인한 세라믹의 휨을 최소화할 수 있어 파절 저항성이 상대적으로 높다고 볼 수 있다.

2) 응력상승원의 발생 억제

응력상승원(stress raiser)이란 취성 재료에서 응력집중을 일으키는 결함 부위를 말한다. 세라믹 수복물의 설계 시 포세린 내부의 응력상승원이 없어야 한다. 기공과정에서 기포 및 이물질은 혼입, 소결 부족 등 세라믹 수복물의 결함이 발생할 수 있으며 이러한 결함들은 응력상승원이 되고 세라믹 수복물의 예기치못한 파절의 원인이 될 수 있다.

날카로운 예각부가 남아 있는 지대치에서 제작된 세라믹 수복물은 내면에 인기되는 예각부에 응력 집중을 일으킬 수 있으며, 수복물의 두께의 변화가 심하게 이행되는 부위에서도 응력 집중이 일어난다.

13. 세라믹 수복물에서의 강화처리

세라믹 수복물은 내부의 결함뿐만 아니라 외부의 결함에서 균열이 진행되어 쉽게 파절되며 낮은 기계적 성질의 원인이 된다. 세라믹 수복물을 강화하는 가장 보편적인 방법은 표면에 잔류 압축응력층을 형성하는 것이다. 표면에 압축응력이 존재하면 외부로부터의 인장응력은 먼저 이 압축응력을 상쇄한 후에야 포세린에 균열을 일으킬 수 있다. 예를 들어 표면에 -50 MPa의 압축응력을 갖도록 처리한 경우 인장강도가 50 MPa인 포세린이라면 +100 MPa의 인장력을 받아야 파절이 일어난다. 즉 이것은 보통의 포세린에 비해 인장강도가 2배 증가한 것을 의미한다. 따라서 이와 같은 응력을 잔류시키는 방법은 치과용 세라믹 수복물에 직접 적용할 수 있는 효과적인 강화법이 될 수 있다. 치과용 포세린의 표면에 잔류 응력을 유도할 수 있는 몇 가지 방법이 있다.

1) 화학적 강화법(Chemical tempering)

포세린의 Na^+ 이온을 크기가 더 큰 K^+ 이온으로 치환하는 이온교환(ion exchange)에 의한 강화법이다. 글라스의 일반적인 구성 성분인 Na은 비교적 작은 직경을 가지고 있으며 용융시킨 KNO_3 용액에 담그면 K 이온이 글라스 표면의 Na 이온과 치환된다. K 이온은 Na 이온보다 크기가 35% 더 크므로 원래 나트륨이 있던 자리에 비집고 들어가게 된다. 이러한 stuffing작용으로 글라스 표면에 압축응력이 발생한다(그림 15-29). K에 비하여 더 큰 Rb을 이용하거나, Li-Na의 이중이온교환법이 연구되어 더 큰 강화효과를 보여주었다. 이온교환처리에 의한 심미성의 손상은 거의 없는 것으로 알려졌다. 그러나 강화한 포세린의 표면을 연마하거나 산에 노출시키면 표면에 제거된 만큼 강화효과가 저하되므로 이온교환처리는 수복의 최종단계에서 실시해야 한다.

2) 열템퍼링(Thermal tempering)

글라스 재료를 강화하는 가장 오래되고 일반적인 방법은 열템퍼링에 의한 물리적 강화(physical strengthening)법이다. 포세린을 연화상태에서 급랭시키면 내부(Tc)와 표면부(Ts)의 냉각속도의 차이로 인해 잔류응력이 발생한다.

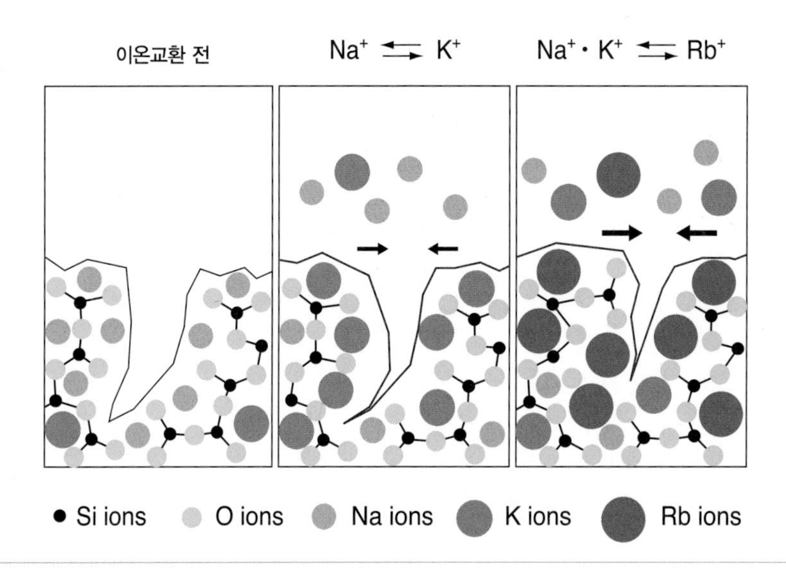

그림 15-29. 포세린 표면에서 이온교환 강화의 모식도 화살표는 응력의 세기를 나타냄

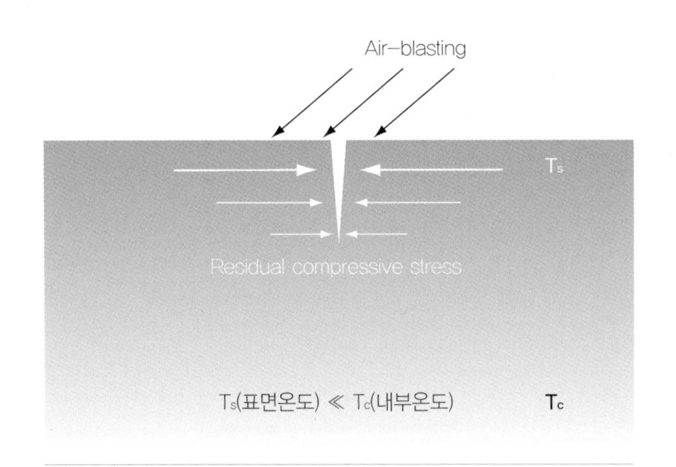

그림 15-30. 열템퍼링에 의한 표면 잔류 응력상태

즉 내부보다 표면이 먼저 식게 되면 수축되는 비율의 차이(T_s<<T_c)로 인해 표면에 압축응력이 형성되게 된다(그림 15-30). 이와 같은 열템퍼링 강화법은 용융상태의 표면에 직접 공기를 분사시켜 급냉시키는 것으로 자동차 유리나 다이빙 마스크의 강화유리제조 등 타 기술 분야에서 많이 이용된다.

소성 후 포세린소성로에서 바로 꺼내어 냉각시키는 치과용 포세린의 일반적인 기공과정은 그 자체로도 미약하지만 열템퍼링의 효과를 어느 정도 거둘 수 있다. 그러나 열강화법은 냉각속도 즉 강화효과의 조절이 어렵고 수복물의 변형이 발생할 가능성이 있으므로 유의해야 한다.

3) 층상 구조에서의 잔류 응력

치과용 세라믹 수복물은 금속-세라믹 또는 세라믹-세라믹 층상 구조를 가지며 바깥쪽에서부터 내부로 압축응력 상태가 되게 하여 외부로부터의 인장력에 저항하는 것이 이상적이다. 금속-세라믹 보철물에서 금속의 열팽창계수가 약간 더 높을 때 소성 후 냉각 시 포세린보다 금속이 더 수축하게 된다. 이때 두 층간의 열팽창계수의 미세한 부조화로 포세린층에 잔류 압축응력이 형성된다. 이러한 인접층간의 열팽창계수 차이를 이용한 강화법은 코어세라믹에 심미성 포세린을 입히는 올세라믹 수복물에서도 적용될 수 있으며, 일반 글라스나 세라믹 제품의 제조과정에서 이용하기도 한다.

그러나 한 연구에서는 접합상태의 두 재료에 있어서 결합에 최대 허용 $\Delta\alpha$는 $0.2\sim1.0\times10^{-6}/℃$라고 보고하였다. 금속의 두께 또한 잔류응력에 영향을 미친다. 그러므로 성공적인 수복물 제작을 위하여 금속 코핑 또는 코어세라믹과 포세린의 열적성질이 조화를 이루는 조합이 사용되어야 한다.

14. 치과용 세라믹의 마모성

치과용 세라믹 수복물의 단점 중 하나는 구강 내에서 세라믹과 대합되는 자연치아 또는 다른 수복재를 마모(abrasion)시키는 것이다. 세라믹 수복재료와 자연치아 법랑질의 마멸(wear)은 표면의 미세파절(microfracture)로 인하여 일어난다. 즉 세라믹 수복물 표면의 돌출부분에 응력이 집중되고 미세파절이 일어나며, 두 재료사이의 경도의 차이로 인하여 표면이 파여지고 마모입자와 구강내 타액 등의 환경으로 인하여 침식이 일어나고 손상이 가속된다.

거의 모든 치과용 세라믹 수복재는 법랑질을 마모시키며 그 양은 함유 입자의 크기, 양, 마모 매질에 영향을 받는다. 일반적으로 결정 입자가 작고 잘 분산되어 있는 치과용 포세린은 법랑질 마모를 줄일 수 있다. 그러나 표면이 거칠거나 기포 등이 상존할 때 마멸은 심해진다. 법랑질의 마멸을 줄이기 위하여 세라믹 수복물의 표면은 정기적으로 높은 수준으로 연마면을 유지해야 한다.

포세린의 글레이징은 일반적으로 표면 거칠기를 줄이지 못한다. 따라서 교합조정 후는 반드시 광택 연마 또는 연마와 글레이징처리가 바람직하다. 또한 견치가이드 교합, 조기접촉점의 제거, 정기적인 포세린 면의 재연마 등은 마모를 줄일 수 있는 방법이다.

탄산음료에 장기간 노출 시는 치아의 마멸이 더 심해지

는 것으로 보고되고 있다. 또한 장시간의 산성 불화물의 도포는 세라믹 수복물의 표면을 침식에 의하여 거칠게 만들 수 있으므로 주의해야 한다. 이러한 경우는 반드시 재연마가 필요하다.

15. 세라믹스 수복물의 임상 성과

수복물의 수명은 술자와 환자들에게는 가장 큰 관심사이며 수복시스템의 성패를 결정하는 중요한 요인이다.

금속-세라믹 치관이나 금속-세라믹 고정성 국소의치(FPD)의 생존율은 90%/10년 또는 97%/7.5년 이르는 것으로 보고되고 있다. 그간 많은 올세라믹 보철물은 금속-세라믹에 비하여 상대적으로 더 낮은 수명을 보였다. 그러나 지르코니아가 등장하고부터 지르코니아 보철물도 매우 안정적인 수명을 보이고 있다. 아직 더 많은 데이터가 필요하나 최근까지 볼 때 적절한 적응증과 재료의 선택이 따를 때 금속-세라믹 수복물을 대체할 수 있을만한 성적을 보이고 있다.

일반적으로 심한 이갈이 또는 부정교합 환자의 경우는 일반적으로 올세라믹 보다 금속-세라믹 수복물을 사용이 요구된다. 올세라믹 FPD는 연결부에서 응력이 집중되어 조기 파절이 일어날 수 있다. 그러므로 구치부에서 FPD를 위한 지대치 치관의 길이가 짧거나 지대치간 거리가 긴 경우 올세라믹스보다 금속-세라믹 시스템이 유리하다. 이와같이 성공적인 치과용 세라믹 수복을 위해서는 적절한 재료의 선택과 설계에 있어서 많은 요인들을 충분히 고려해야 한다.

참고문헌

1. Anderson JC, Leaver KD, Rawlings RD, Alexander JM(1985). Materials Science, 3rd ed., VNR.
2. Choi BJ, Yoon S, Im YW, Lee JH, Jung HJ, Lee HH(2019). Uniaxial/biaxial flexure strengths and elastic properties of resin-composite block materials for CAD/CAM. Dent Mater 35(2):389-401.
3. Christensen GJ(1983). The use of porcelain-fused-to-metal restoration in current dental practice: A survey. J Prosthet Dent 56:1-3.
4. Clark AE, Anusavice KJ(1991). Engineered Materials Handbook Vol. 4, ASM International.
5. Craig RG, Power JM, Wataha JC(2000). Dental Materials; properties and manipulation, 7th ed., Mosby.
6. Denry I, Kelly JR(2008). State of the art of zirconia for dental applications. Dent Mater 24(3):299-307.
7. Denry I, Kelly JR(2014). Emerging ceramic-based materials for dentistry. J Dent Res 93(12):1235-1242.
8. International Organization for Standardization(1999). ISO 9693: Metal-ceramic dental restorative system.
9. International Organization for Standardization(2015). ISO 6872: Dentistry-Ceramic materials.
10. Jone DW(1983). The strength and strengthening mechanisms in dental porcelains, In: Proceedings of the first international symposium on ceramics, Quintessence Publishing Co., 83-141.
11. Kelly JR, Denry I(2008). Stabilized zirconia as a structural ceramic: an overview. Dent Mater 24(3):289-298.
12. Kelly RJ, Nishimura I, Campbell SD(1996): Ceramics in dentistry. Historical roots and current perspectives. J Prothet Dent 75:18-32.
13. Kenneth J. Anusavice(2013), Phillip's Science of Dental Materials 12th ed., W.B. Saunders.
14. Kingery WD, Bowen HK, Uhlmann DR(1976). Introduction to ceramics, 2nd ed., John Wiley & Sons.
15. Lee H-H, Kon M, Asaoka K(1999): Fracture toughness and durability of chemically or thermally tempered metal-ceramic porcelain, Biomed Mater Eng 9:135-43.
16. Mackert JR(1993). Advances in dental ceramic materials. Transactions of Second International Congress on Dental Materials 78-88.
17. McLean JW, Hughes TH(1965). The reinforcement of dental porcelain with ceramic oxides. Br Dent J 119:251.
18. O'Brien WJ(1997). Dental Materials and Their Selection, 2nd ed., Quintessence Publishing Co.
19. Raigrodski AJ(2004). Contemporary all-ceramic fixed partial dentures: a review. Dent Clin N Am 48:531-544.
20. Rosenblum MA, Schulman A(1997). A review of all-ceramic restoration. J Am Dent Assoc 128:297-308.
21. Sakaguchi R, Ferracane J, Powers J(2019). Craig's Restorative Dental Materials, 14th ed.
22. Seghi RR, Sorensen JA(1995). Relative flexural strength of six new ceramic materials. Int J Prosthodont 8:239-246.
23. Weinstein M, Katz S, Weinstein AB(1962). Fused porcelainto-metal teeth, US Patent No. 3052982.
24. Zhang Y, Lawn BR(2018). Novel Zirconia Materials in Dentistry. J Dent Res 97(2):140-147.
25. Zhang Y, Lawn BR(2019). Evaluating dental zirconia. Dent Mater 35(1):15-23.

의치용 폴리머

16

학/습/목/표

❶ 의치상용 레진의 분류를 이해한다.
❷ 열중합형 레진과 자가중합형 레진의 성질의 차이를 이해한다.
❸ 의치 및 기타 보철관련 레진에 대해서 학습하고 이해한다.

의치상은 금속으로 제작할 수도 있지만, 1937년 폴리메틸메타크릴레이트(polymethyl methacrylate, PMMA)가 의치상 재료로 도입된 이래 대부분 중합체를 이용하여 제작하고 있다. 폴리메틸메타크릴레이트는 열가소성 레진이지만 치과에서는 대개 열가소성을 이용한 방법으로 몰딩하지 않고, 중합체 분말을 메틸메타크릴레이트(PMMA) 용액과 혼합하여 사용한다. 용액은 분말을 용해시켜 점점 점도가 높아지며, 밀가루 반죽(dough)과 같은 상태가 되면 수조 내에서 가열하거나 상온에서 화학적으로 활성화한 뒤 중합시키면 균질의 단단한 의치상이 된다.

의치상으로 사용될 수 있는 중합체로는 폴리아크릴릭 에시드 에스테르(polyacrylic acid esters), 폴리메틸메타크릴릭에시드 에스테르(polymethyl methacrylic acid esters), 폴리비닐 에스테르(polyvinyl esters), 폴리스티렌(polystyrene), 고무강화 폴리메틸메타크릴릭에시드 에스테르, 폴리카보네이트(polycarbonates), 폴리설폰(polysulfones) 등이 있다.

본 장에서는 의치상용 레진의 분류 중, 특히 열중합형과 자가중합형 레진의 성분 차이와 성질, 조작법, 의치 수리용 레진과 이장용 레진 등이 소개된다(표 16-1). 또한 아크릴릭 레진은 보철분야에서 다양하게 응용되는데, 인

표 16-1. 열중합 레진과 자가중합 레진의 성분과 중합방법 비교

	제 1형 제 1급	제 2형 제 1급
액	단량체	단량체
	중합억제제	중합억제제
	가소제	반응촉진제(3차 아민)
	가교제	가소제
		가교제
분말	중합체	중합체
	개시제	개시제
	색소, 유백제	색소, 유백제
	가소제	가소제
	착색된 유기질 섬유	착색된 유기질 섬유
	무기질 충진재	무기질 충진재
중합 개시방법	가열	3차 아민

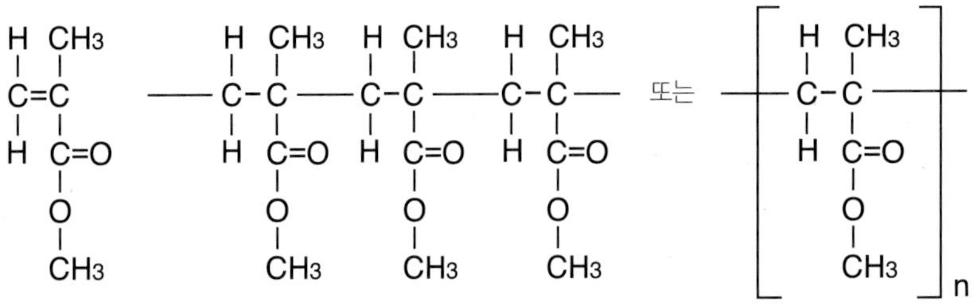

또는

메틸메타크릴레이트 폴리메틸메타크릴레이트

공치, 계속가공의치의 전장(facing), 개인용 트레이, 총의치 제작 시의 기초상(record base), 임시 치관, 악안면 보철재료 등으로 쓰이며 이에 대한 간략한 설명이 있을 것이다.

1. 의치상 레진의 분류와 요구조건

임상적으로 적합한 의치상용 재료는 다음의 요구사항을 만족해야 한다.

① 강도가 충분해야 한다.
② 적당한 열팽창계수, 열전도도를 가져야 한다.
③ 체적안정성이 있어야 한다.
④ 중합되기 전후 모두 화학적 안정성이 있어야 한다.
⑤ 타액에 용해되지 않으며 흡수성이 낮아야 한다.
⑥ 맛과 냄새가 없어야 한다.
⑦ 생체적합성이 있어야 한다.
⑧ 자연감이 있어야 한다.
⑨ 색조의 안정성이 있어야 한다.
⑩ 플라스틱, 금속, 세라믹에 접착력이 좋아야 한다.
⑪ 제작과 수리가 용이해야 한다.
⑫ 가격이 저렴해야 한다.

의치상용 레진은 한국산업표준 KS P ISO 20795-1:2008에 따라 다음과 같이 분류될 수 있다.

- 제1형 열중합형 재료(Heat-cured materials)
  - 1급 분말과 액
  - 2급 플라스틱 케이크(Plastic cake)
- 제2형 자가중합형 재료(Auto-cured materials)
  - 1급 분말과 액
  - 2급 분말과 액(유입형 레진)(Powder and liquid for pour-type resins)
- 제3형 열가소성 재료(Thermoplastic blank or powder)
- 제4형 광중합형 재료(Light-cured materials)
- 제5형 마이크로파중합 재료(Microwave-cured materials)

2. 의치상 레진의 조성

1) 열중합형 레진

열중합 의치상용 레진은 분말과 액 또는 플라스틱 케이크 형태로 공급된다.

(1) 액

사용되는 단량체(monomer)는 주로 메틸메타크릴레이트(분자량: 100.12, 비중: 0.94)이나 다른 단량체를 첨가하여 변형시킬 수 있다. 중합억제제인 하이드로퀴논이 약 0.003~0.1% 정도 함유되어 보관 시 중합반응을 저지한다. 가소제(plasticizer)는 중합체의 유리전이온도(Tg)를 낮추고, 탄성과 파괴인성을 증가시킨다. 분자 내 두 개의 이중결합을 가지고 있는 글리콜 다이메타크릴레이트(glycol dimethacrylate)같은 가교제(cross-linking agent)를 2~14% 첨가하면 미세한 표면 균열(crazing)의 저항성을 증가시키고, 용해도와 물 흡수도를 감소시킨다.

(2) 분말

중합체 분말은 대부분 폴리메틸메타크릴레이트이며, 개시제(initiator)로서 벤조일퍼옥사이드(benzoyl peroxide)를 0.5~1.5% 함유하고 있다. 폴리메틸메타크릴레이트 같은 순수한 중합체는 투명해서 치은과 같은 색을 내기 위해 색소(pigments)를 첨가한다. 불투명성을 부여하기 위해 유백제(opacifier)를 첨가하는데 주로 산화 티타늄이나 산화아연이 사용된다. 구강점막의 실핏줄을 재현하기 위해 착색된 나일론이나 아크릴 합성 섬유를 넣는다. 중합체의 분자량이 높을수록 단량체에 매우 서서히 녹기 때문에 분말의 용해도를 증가시키기 위해 가소제를 첨가한다. 의치상을 강화시키기 위해 유리 섬유나 규산 지르코늄(zirconium silicate)과 같은 무기질 필러를 첨가하면 강성(stiffness)과 열전도도가 증가되고, 열팽창계수는 감소된다. 실란 커플링제로 이들 입자를 처리하여 의치상 레진과 잘 결합하도록 하는 것이 중요하다. 폴리에틸렌(polyethylene) 섬유나 폴리아라미드(polyaromatic polyamide) 섬유도 의치를 강화시키는데 사용된다.

(3) 플라스틱 케이크 형태

의치상 재료로써 아크릴릭 비닐(vinyl acrylics)같은 고분자재료가 겔(gel) 형태로 되어있다. 이 겔은 분말과 액과 같은 성분이나 분말과 액의 성분이 혼합되어 두꺼운 판(sheet) 형태로 공급된다. 반응촉진제인 3차 아민은 겔에 첨가할 경우 중합개시제와 반응하게 되므로 자가중합형은 이 형태를 사용할 수 없다.

2) 자가중합형 레진

자가중합형 레진은 autopolymerizing resin, self-curing, 상온중합(cold-curing), 화학중합(chemical-curing) 레진 등으로 불린다.

(1) 분말과 액

성분은 열중합형 레진과 거의 같지만, 열중합형 레진은 열에 의해 개시제가 활성화되는 반면 자가중합형은 3차 아민에 의해 화학적으로 활성화되는 차이가 있다. 즉, 반응촉진제인 3차 아민이 액에 들어있어 개시제인 벤조일퍼옥사이드를 분해시켜 자유라디칼(free radical)을 발생시킴으로써 실온에서 단량체의 중합이 일어나게 한다.

(2) 유입형 레진(pour type denture resin)

성분은 분말과 액으로 된 폴리메틸메타크릴레이트 자가중합형 레진과 비슷하지만, 큰 차이점은 분말 입자의 크기가 매우 작다는 것이다. 보통 유동성(fluid) 레진이라 불리는데, 단량체와 혼합하면 흐름성이 매우 좋아 진다.

3) 광중합형 레진

기질(matrix)로는 우레탄 다이메타크릴레이트(urethane dimethacrylate), 충진재로 초미세 실리카가 들어있고 광개시제가 포함되어 있다. 점토와 같은 점조도를 가진 판 형태나 로프(rope) 형태로 공급되며 빛이 차단되도록 포장되어 있다. 모형상에서 직접 의치상의 형태를 성형하며, 가시광선영역 파장(420~600 nm)의 할로겐 램프의 빛에 의해 광증감제가 여기되어 자유 라디칼을 발생시켜 중합된다.

4) 마이크로파중합 레진

폴리메틸메타크릴레이트는 마이크로파에너지에 의해서도 중합될 수 있다. 이 술식에는 특별한 조성의 레진, 그리고 금속제가 아닌 플라스크(flask)가 필요하다. 통상적인 전자렌지로 중합에 필요한 열에너지를 공급한다.

3. 의치상 레진의 조작법과 반응

의치상 재료는 여러 형태로 공급된다. 이러한 재료들을 이용하여 총의치나 국소의치의 의치상을 제작하는 여러 방법들을 소개하고자 한다.

보철학에서 사용되는 의치의 제작 과정을 간략히 살펴보면 다음과 같다. 무치악부위의 인상을 채득하여 작업모형을 제작하고, 그 위에 기초상(record base)을 형성한 후 인공치를 배열하고 왁스를 첨가하여 치은의 형태를 재현한다. 이렇게 형성된 왁스 의치(waxed denture)를 플라스크 내에 석고로 의치매몰(flasking)하고, 석고가 경화되면 왁스와 기초상을 제거한 후 레진 분리제를 바른 다음 왁스가 차지하고 있던 주형(mold)에 의치상 재료를 넣어 각각의 방법에 따라 중합시킨다. 의치상 재료의 중합 후 완성된 의치를 플라스크에서 제거(deflasking)한 뒤 연마한다.

1) 열중합형 레진

(1) 배합

중합체 분말과 단량체 용액의 비율은 대개 체적비로 3:1이 되게 혼합한다. 단량체는 분말입자를 완전히 적실 수 있을 정도로 충분하여야 한다. 단량체의 양이 너무 많으면 중합수축이 커지고, 병상 형성시간(dough-forming time)이 길어지며 기포가 생길 수 있다. 단량체의 양이 너무 적으면 중합체 분말이 충분히 젖지 못해 조작이 어렵게 되고, 최종 의치의 질이 떨어진다.

적절한 점조도가 얻어질 때까지 밀폐된 용기에서 혼합해야 단량체가 기화되는 것을 막을 수 있다. 분말과 용액을 적절한 비율로 배합하더라도 이를 잘 혼합하지 못하면 제작된 의치는 강도가 낮고, 기포가 많으며, 색깔이 좋지 않게 된다.

(2) 단량체와 중합체의 반응

분말과 액을 혼합하면 다음과 같이 뚜렷한 5가지 반응단계를 거쳐 경화한다.

① 1단계(sandy stage)에서는 아직 분자단계에서의 상호작용이 일어나지 않아 중합체 분말은 변화가 없다. 단량체 용액이 분말을 축축이 적시면서 물에 젖은 모래 알갱이와 같은 상태가 되고, 약간 유동성이 있으나 점착성은 없다.

② 2단계(sticky 또는 stringy stage)가 되면 분말의 표면이 단량체에 녹아나기 때문에 손가락이나 기구 등을 대면 끈적거리는 상태가 된다.

③ 3단계 병상기(doughy stage)가 되면 단량체 용액 내에 용해된 중합체가 증가하게 되나 동시에 아직 용해되지 않은 중합체도 많이 존재하게 된다. 이 단계를 병상기라고 하며 이 단계에서는 유연한 반죽(dough)처럼 더 이상 끈적거리지 않고 용기표면에 달라붙지 않는다. 그러므로 가압성형(compression molding)에 의해 몰드에 레진을 채워 넣는 것은 이 시기가 가장 적당하다.

④ 4단계(rubbery or elastic stage)에 이르게 되면 단량체가 기화되거나 분말 내부로 깊이 침투하여 단량체가 다 소진된다. 이 때는 고무와 같은 탄성을 갖는 상태로 가소성이 상실되므로 몰드에 채워 넣기 힘들다.

⑤ 5단계(stiff stage)에서는 자유 단량체(free monomer)가 기화되어 임상적으로 혼합물은 매우 건조하고 기계적 변형에 저항성을 갖는다.

(3) 병상 형성시간(dough-forming time)

혼합체가 혼합시작부터 병상 단계에 도달하는데 소요되는 시간으로 미국치과의사협회(ANSI/ADA) 규격 제12호에서는 40분 이내로 규정하고 있으나 실제적으로 대부분의 레진이 10분 이내에 병상기에 도달한다. 이것은 단량체 용액 내에서 중합체 분말의 용해도에 좌우되는데, 중합체 분말 입자의 크기가 작을수록 용액 내에 분말이 빨리 녹아 병상 형성시간이 짧아진다. 온도가 증가하면 병상기에 빨리 도달하므로 혼합용기를 따뜻한 물속에서 가열하면 병상 형성시간이 짧아지지만, 55℃ 이상이 되면 중합이 급격히 진행되어 레진을 몰드에 채우기 어렵게 되기 때문에 주의해야 한다.

(4) 작업시간(working time)

작업시간은 레진이 병상기를 유지하는 시간으로서, 미국치과의사협회(ANSI/ADA) 규격 제12호에서는 적어도 5분 이상으로 규정하고 있다. 주위 온도의 영향을 많이 받는데, 재료를 냉장고에 보관함으로써 작업시간을 증가시킬 수 있다. 하지만 상온이 되었을 때 수분이 생겨 강도와 심미성을 저해할 수 있으므로 밀폐된 용기에 저장하고 상온이 될 때까지 열지 않도록 한다.

(5) 가압 성형법(compression molding technique)

① 주형(mold) 형성 준비

플라스크의 하함 내에 바로 혼합한 석고를 붓고, 왁스 의치가 제작된 모형(그림 16-1 D)을 위치시켜 1차 의치 매몰(flasking)을 한다(그림 16-1 F). 석고가 경화되면 석고 분리제를 바르고 플라스크의 상함을 위치시킨 후 다시 석고를 혼합하여 구치의 교두정과 전치의 절단면이 노출되는 수준까지 석고를 붓는다(2차 의치 매몰, 그림 16-1 G,H). 석고가 경화되면 다시 석고 분리제를 바르고, 플라스크의 나머지 부위(cap 부위)에 석고를 붓고(3차 의치 매몰) 플라스크의 뚜껑을 덮는다(그림 16-1 I). 이와 같은 3회에 걸친 의치 매몰방법은 완성된 의치를 플라스크로부터 제거하는 과정에서 cap 부위를 먼저 제거하면 치아의 교합면과 절단면이 노출되어 치아의 위치를 식별하기 쉽기 때문에 치아를 손상시키지 않고 의치를 제거하는데 도움이 된다.

3차 매몰한 석고가 경화되면 상함과 하함을 분리한 뒤, 기초상과 왁스를 제거하면 치아는 상함의 석고에 남게 되고, 의치상 레진이 들어갈 주형(mold)이 형성된다(그림 16-1 J).

② 레진 분리제

주형 공간이 형성되었으면 석고로 된 주형 표면과 의치상용 레진이 직접 접촉하지 않도록 분리제를 발라 주어야 한다. 그 이유는 ① 석고로부터의 물이 레진으로 침투되면 레진의 광학적, 물리적 성질뿐만 아니라 중합도에 영향을 미친다. ② 단량체에 용해된 중합체나 자유 단량체가 석고 표면으로 스며들면 그 부분이 의치상과 융합된다. 그 결과로 경화된 의치상의 물리적, 심미적 성질을 저해할 수 있다.

과거에는 얇은 주석박(tin foil sheet)을 사용했다. 하지만 비용과 노동력이 많이 들어 주석박 대체물로서 셀룰로스 락카(cellulose lacquer)와 알지네이트 화합물, 비눗물, 전분(starch)을 포함하는 용액을 사용하게 되었다. 현재는 수용성 알지네이트 용액이 가장 많이 사용되는데, 이것을 석고 표면에 적용하면 불용성의 얇은 칼슘 알지네이트 막을 남긴다.

분리제는 인공치에 바르면 의치상과의 결합이 저해되므로 주의한다. 의치상 레진이 들어갈 공간에 균일하게 바르고 건조시킨다(그림 16-1 K).

③ 주형에 레진 전입(packing)

주형에 넣는 레진의 양이 너무 많으면, 두께가 두꺼워지고 인공치의 변위가 일어날 수 있다. 레진의 양이 너무 적으면 의치상에 확연한 결함을 야기한다.

병상기의 레진을 인공치가 남아있는 플라스크의 상함에 넣고(그림 16-1 L), 하함의 주형에 레진이 붙는 걸 방지하기 위하여 폴리에틸렌이나 셀로판 시트(sheet)를 레진과 하함 사이에 위치시키고 플라스크를 조립한다. 유압기로 조립된 플라스크에 서서히 압력을 주면 병상기의 레진이 주형 공간에 균일하게 흘러들어가고 여분의 레진(flash)이 주변으로 빠져나온다(그림 16-1 M). 플라스크가 완전히 닫히면, 상하함을 분리하고 폴리에틸렌 시트를 제거한 다음, 주변으로 빠져나온 과량의 레진을 조심스럽게 제거한다. 다시 새 폴리에틸렌 시트를 덮고 플라스크를 재조립하여 여분의 레진이 남지 않을 때까지 시험폐쇄(trial closure)를 수차례 반복한다. 과량의 레진이 제거되지 않은 상태로 중합되면 의치의 교합고경(vertical dimension)이 증가하게 된다.

더 이상 여분의 레진이 생기지 않으면 폴리에틸렌 시트를 제거한 후 플라스크를 재조립한다(그림 16-1 N). 열중합형 의치상용 레진의 경우 수조에서 중합시키고, 자가중합형 레진의 경우 실온에서 중합시킨다.

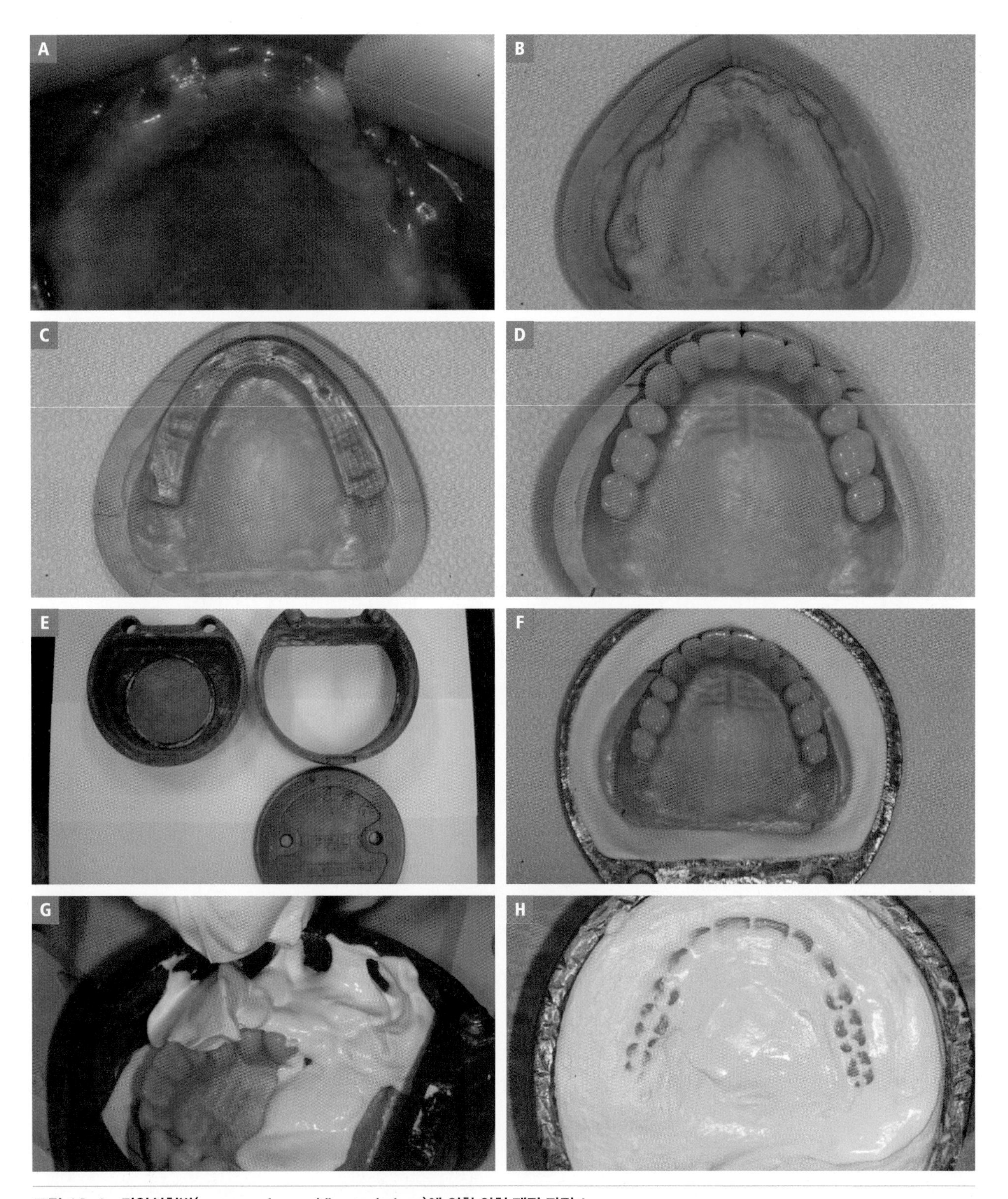

그림 16-1. 가압성형법(compression molding technique)에 의한 의치 제작 과정 1
A 발치 후의 구강 내 사진, B 작업모형, C 아크릴릭 레진으로 제작한 기초상(record base)과 왁스로 제작한 occlusal rim, D 완성된 왁스 의치, E 플라스크의 구성: 왼쪽 위부터 시계방향으로 하함, 상함, 뚜껑, F 플라스크의 하함에 왁스 의치를 석고로 1차 의치매몰(flasking), G 하함의 석고가 굳은 뒤 석고 분리재를 바르고 상함에 2차 의치매몰, H 상함에 2차 의치 매몰된 상태

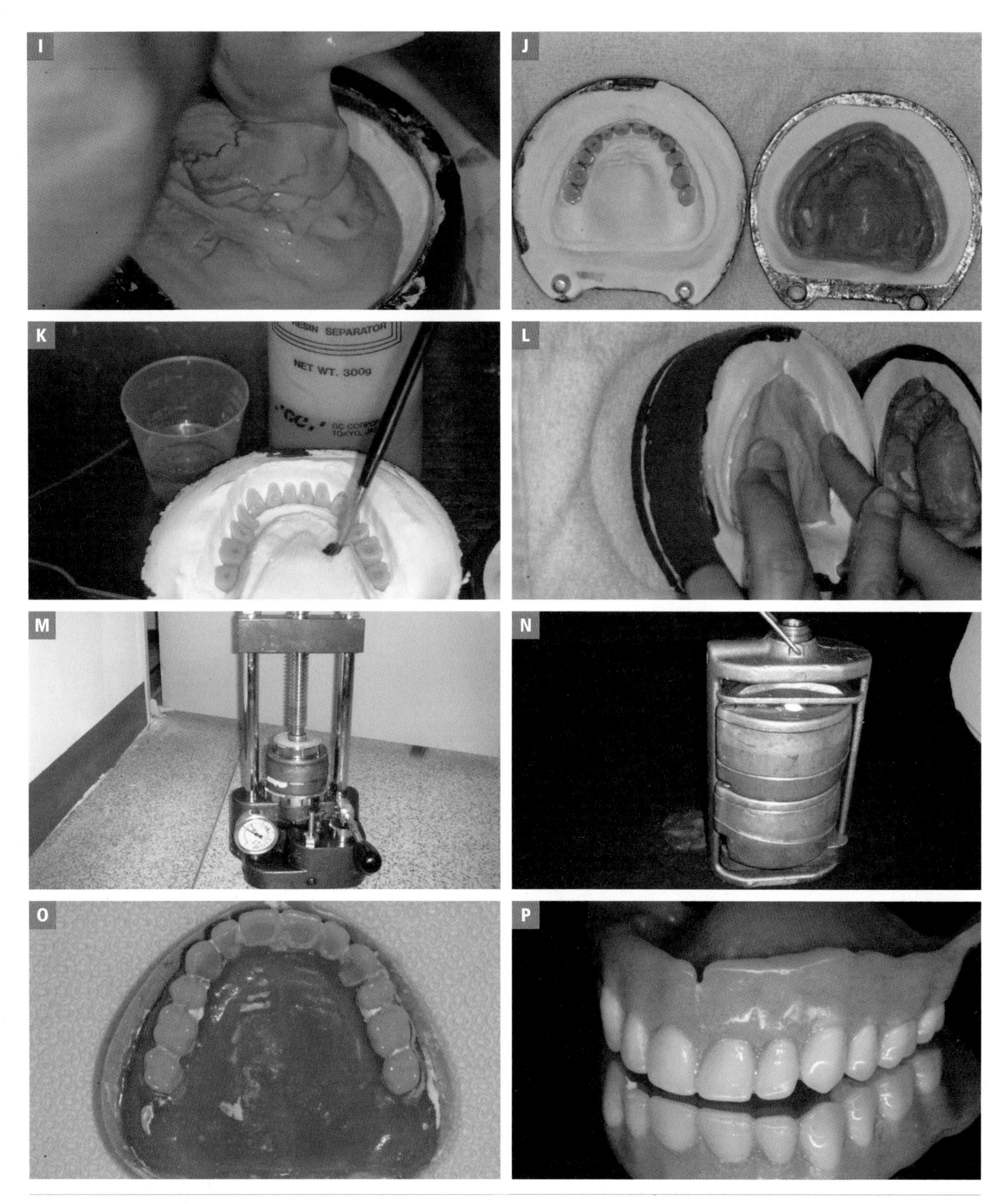

그림 16-1. 가압성형법(compression molding technique)에 의한 의치 제작 과정 2

I 3차 의치 매몰, J 석고가 굳으면 왁스와 기초상 제거 후 왁스 wash-out, K 인공치를 제외한 부위에 레진 분리재 도포, L 의치상용 레진 혼합 후 병상기에 전입(packing), M 유압기로 가압하여 시험폐쇄(trial closure)하고 여분의 레진 제거, N 바이스(vice)로 플라스크 고정 후 중합, O 플라스크에서 제거(deflasking), P 완성된 의치*(사진: 원광대학교 치과대학 보철학교실 조득원)*

(6) 주입 성형법(injection molding technique)

주입 성형법으로 중합될 수 있는 열중합 의치상 레진이 있는데, 특별한 플라스크가 필요하다(그림 16-2 A). 플라스크의 하함에 석고를 부은 후 왁스 의치가 제작된 모형을 위치시킨다. 석고가 경화된 후 왁스 의치에 레진이 들어갈 수 있도록 주입 실린더를 위치시키고, 주입선(sprue)을 부착한다(그림 16-2 B). 상함을 위치시킨 후(그림 16-2 C) 석고를 부어 의치 매몰을 완료한다. 기초상과 왁스를 제거한 뒤(그림 16-2 D) 플라스크를 조립하고 레진 분말과 액을 섞고 진동혼합기에서 혼합하여(그림 16-2 F) 고정된 플라스크의 주입구에 위치시킨다(그림 16-2 G). 그 위에 압력기구를 연결하여 실온에서 6 bar의 압력으로 레진을 주입하고(그림 16-2 H), 수조에 위치시켜 중합시킨다(그림 16-2 I).

가압 성형법과 같은 시험폐쇄 과정이 필요 없고, 적절한 압력을 가해주면 레진이 중합되는 동안 레진이 부가적으로 주형 공간으로 주입될 수 있어 중합수축을 상쇄시킬 수 있다. 논란이 있긴 하지만, 가압 성형법에 의해 제작된 의치와 비교해보면 임상적으로 정확도가 약간 더 높다.

단량체 용액과 중합체 분말을 혼합해서 사용하는 방법과 폴리스티렌과 같은 열가소성 레진을 가열하여 연화시킨 상태에서 높은 압력을 가해 몰드에 주입시키는 방법이 있다.

2) 열중합형 레진의 중합과정

(1) 중합 개시

병상기 레진의 온도가 60℃ 이상이 되면 개시제인 벤조일퍼옥사이드가 분해되어 자유라디칼을 생성한다. 즉, 열이 반응촉진제의 역할을 한다. 자유라디칼은 단량체 분자와 반응하여 새로운 자유라디칼을 생성시키고, 이는 다시 다른 단량체 분자에 붙어 중합은 정지반응이 일어날 때가지 계속된다. 대개 낮은 온도에서 중합시킬수록 중합시간은 길어지고 중합체의 분자량은 커진다.

(2) 온도 상승

발열반응으로 방출된 열의 양은 중합된 의치의 성질에 영향을 미친다. 아크릴릭 레진은 70℃ 이상으로 온도가 상승하면 많은 양의 벤조일퍼옥사이드가 활성화되어 급격한 중합반응이 일어나 레진 내부의 온도가 급격히 상승한다.

(3) 중합 사이클(polymerization cycle)

의치상용 레진을 기포 발생 없이 얇은 부위까지 완전히 중합시키기 위해 권장되는 방법은 세 가지가 있는데, ① 끓이는 단계 없이 74℃의 수조에서 8시간 이상 두거나 ② 74℃의 수조에서 8시간 중합한 후 100℃에서 1시간 가열하는 방법, ③ 74℃의 수조에서 2시간 중합한 후 100℃로 1시간 가열하는 방법이 있다.

레진을 74℃ 이상으로 급격하게 가열하면 재료 내에 내부응력이 생겨 의치를 플라스크에서 제거(deflasking)할 때, 응력이 이완되면서 의치의 변형이나 인공치 주변에 균열(crazing)이 생길 수 있다. 중합 사이클 완료 후 플라스크를 실온까지 서서히 식혀야 한다. 급냉시키면 레진과 석고 주형의 열수축의 차이에 의해 의치가 변형된다. 일반적으로 중합 후 수조에서 꺼내어 상온에서 30분간 식힌 후 찬 수돗물에 15분간 냉각시킨다. 완성된 의치를 플라스크로부터 제거한 후(그림 16-1 O), 연마하여 환자에게 장착하기 전까지 물속에 보관한다.

3) 자가중합형 레진

(1) 가압 성형법(compression molding technique)

자가중합형 레진의 가압 성형법에 의한 제작 과정은 열중합 레진의 경우와 근본적으로 동일하다. 자가중합 레진의 경우는 분말과 액을 혼합하자마자 중합반응이 시작되기 때문에 작업시간은 열중합 레진보다 짧다. 주형의 형성이나 레진의 전입과정은 열중합 레진과 같다. 단, 작업시간이 제한되어 있어 시험폐쇄를 2회 이상 하기 어려우므로 적당량의 레진을 전입하여 시험폐쇄의 수를 최소화하는 것이 중요하다. 시험폐쇄를 위한 충분한 시간을 갖

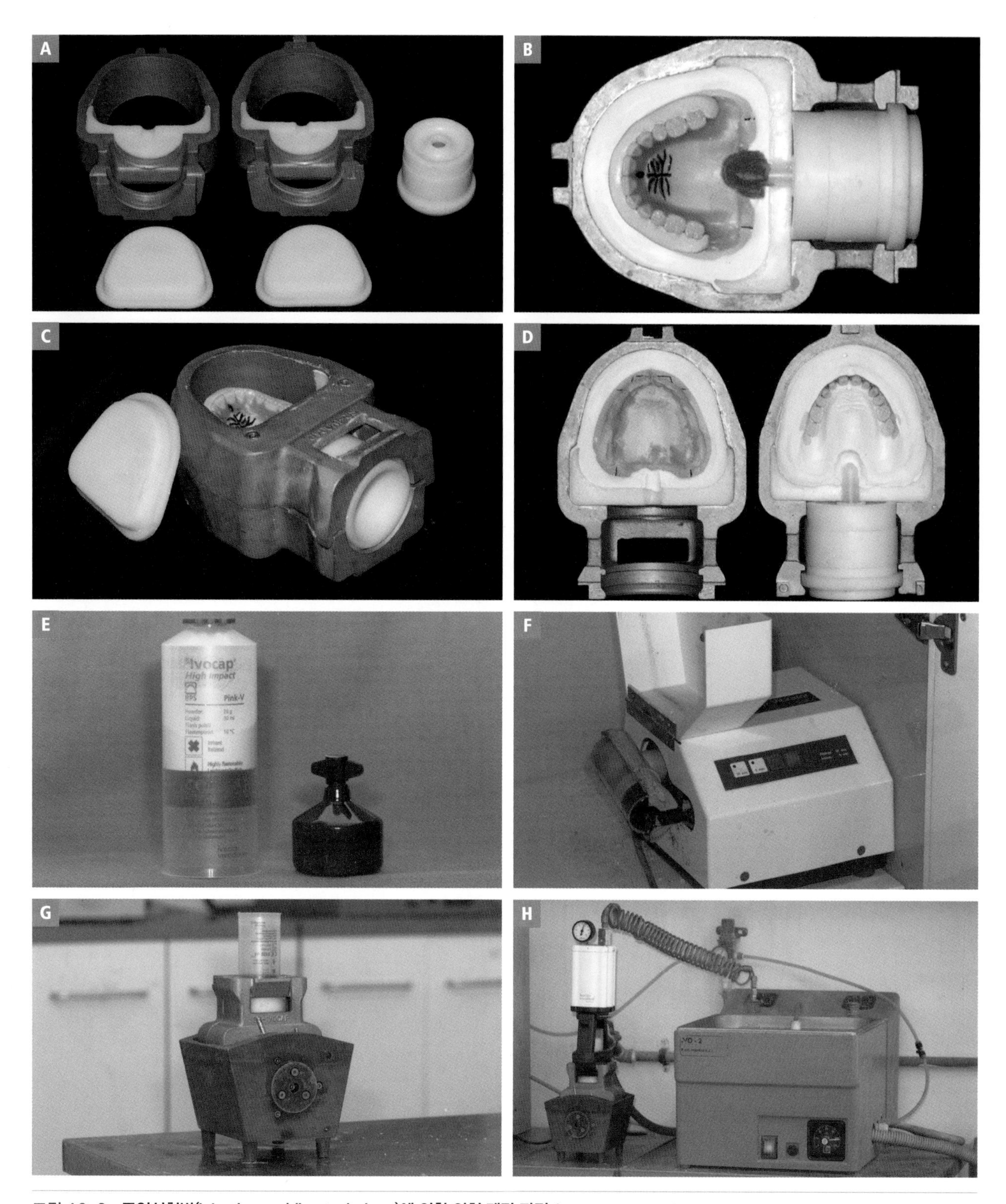

그림 16-2. 주입성형법(injection molding technique)에 의한 의치 제작 과정 1
A 주입성형법용 특수 플라스크, 왼쪽부터 하함 및 상함과 각각의 뚜껑, 주입 실린더, B 왁스의치의 1차 매몰 후 레진주입을 위한 주입 실린더 부착 및 스프루 연결, C 2차 매몰 전 상함 위치, D 2차 매몰 후 왁스 wash, E 주입성형법에 사용되는 레진의 분말과 액, F 분말에 액을 넣은 뒤 진동혼합기에 위치시켜 혼합, G 플라스크를 클램핑 프레임에 넣어 고정 후 혼합된 레진 위치, H 압력기구를 연결하여 6 bar의 압력으로 5분간 레진 주입

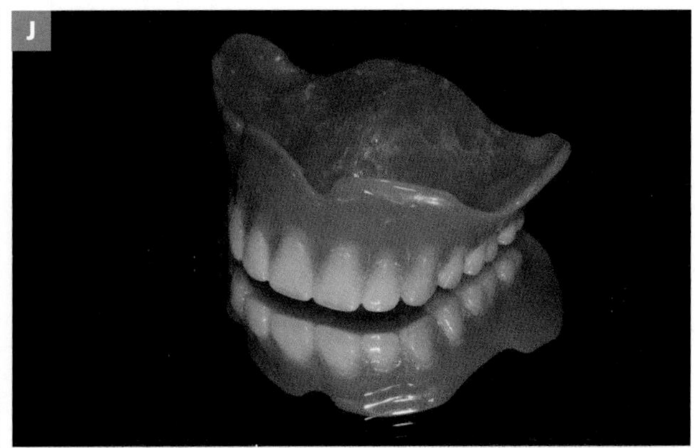

그림 16-2. 주입성형법(injection molding technique)에 의한 의치 제작 과정 2
I 100℃로 예열된 수조에 넣어 35분간 중합, J 완성된 의치*(사진: 원광대학교 치과대학 보철학교실 김치윤)*

기 위해 개시반응 단계를 연장시킬 수 있는데, 단량체 용액과 혼합용기를 냉장고에 보관해 온도를 낮추면 중합속도가 느려져 병상기에 좀 더 오래 머물 수 있다.

플라스크를 최종폐쇄(final closure)한 후에는 중합되는 동안 압력이 유지되어야 한다. 레진의 초기경화는 최종폐쇄 30분 후에 일어나지만 중합이 완료된 것은 아니므로 최소한 3시간 이상 압력을 유지해야 한다. 역시 발열반응이지만 중합시의 온도상승은 열중합형보다 낮아 단량체의 기화에 의한 기포발생의 우려는 없다.

(2) 유동성 레진법(fluid resin technique)

제2형 2급의 유입형 레진의 분말과 액을 혼합하면 매우 흐름성이 좋은 상태가 된다. 이 레진을 주형에 붓고 압력을 가한 상태에서 실온에서 경화시킨다.

① 술식

왁스 의치와 모형을 유동성 레진법 전용의 플라스크에 위치시킨다(그림 16-3 A,B). 가역성 하이드로콜로이드(hydrocolloid) 제재로 플라스크를 채운 후 겔화시킨다(그림 16-3 C). 왁스 의치를 모형과 함께 제거한 후 고무 플러그를 빼고, hole 형성기구로 레진을 주입할 주입선(sprue)과 배출구(vent)를 형성한다(그림 16-3 D,E). 모형으로부터 왁스와 기초상을 제거한 뒤 인공치를 아가 음형 내에 주의해서 재위치시키고, 분리제를 바른 모형을 주형 내의 원래 위치로 되돌린다(그림 16-3 E). 분말과 용액을 혼합하여 주입선을 통해 주형내로 부으므로(그림 16-3 F,G) 시험폐쇄 과정이 필요 없다. 플라스크를 압력밥솥 같은 용기에 넣고 압력을 가한 상태로 두는데, 실온에서 30~45분 정도가 필요하지만 그 이상이 더 바람직하다.

레진의 경화 후 아가를 제거하여 의치를 꺼내고(그림 16-3 H), 주입선과 배출구를 제거하여 의치를 완성한다(그림 16-3 I,J).

② 장점

이 술식의 장점은 의치 제거 과정 중 인공치의 파절 우려가 적고, 설비가 열중합 레진에 비해 저렴하다. 하이드로콜로이드는 재활용이 가능하며, 왁스 의치 매몰(flasking), 완성된 의치 제거(deflasking)와 연마가 간단해진다. 또한 시간이 적게 들고, 시험폐쇄를 할 필요가 없어 금속구조(metal framework)를 가진 국소의치에서 유리하다.

③ 단점

제작 과정 동안 치아의 위치변화, 레진 주입 시 기포 함입, 의치상과 레진 인공치 사이의 결합력 저하, 기공 술식에 민감한 단점이 있다. 또한 중합수축이 크기 때문에 열중합 레진보다 정확도가 약간 떨어진다.

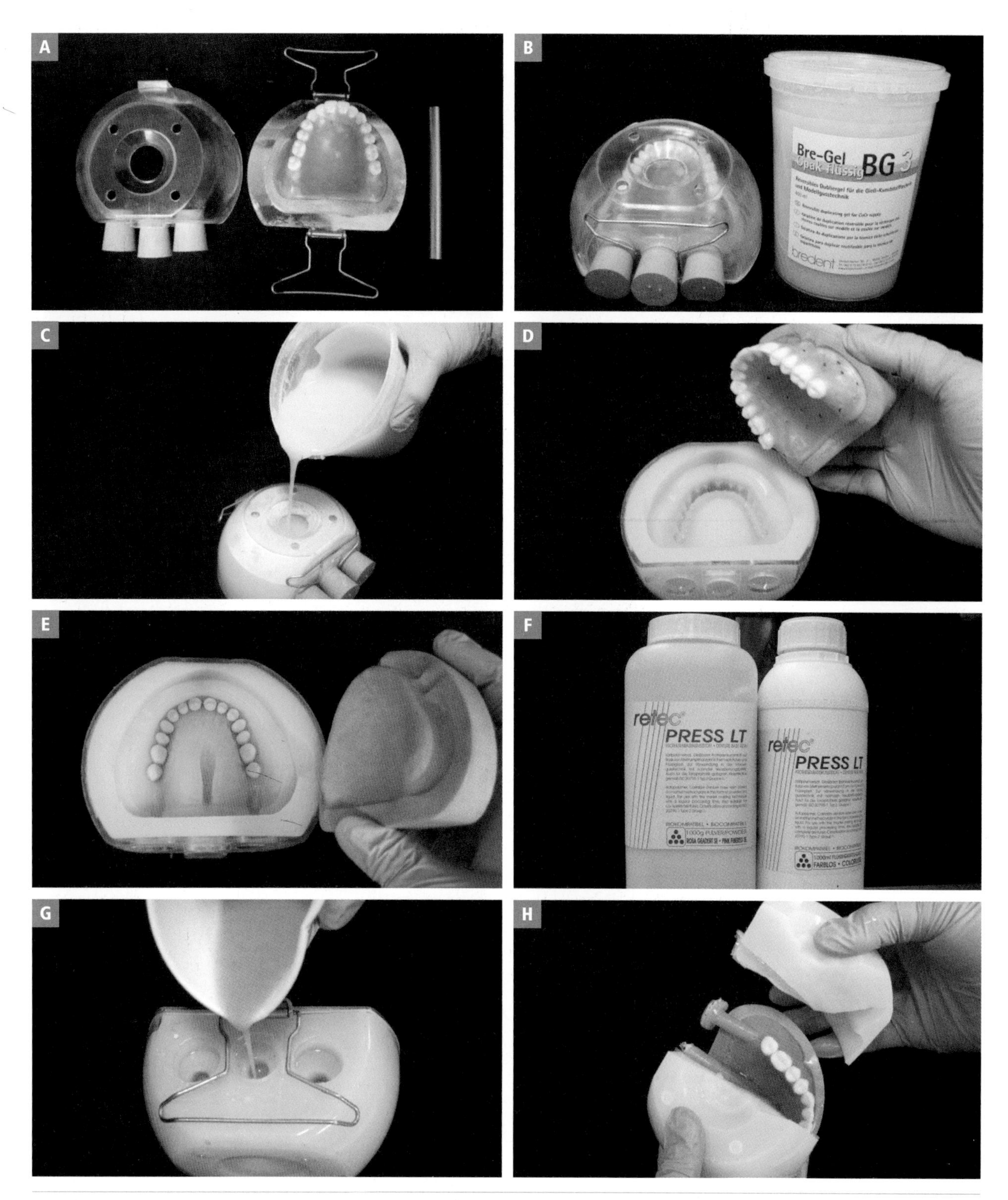

그림 16-3. 유동성 레진법(fluid resin technique)에 의한 의치 제작 과정 1

A 특수 플라스크, 받침과 그 위의 왁스 의치, hole 형성기구, B 왁스 의치를 넣고 플라스크 조립, 모형복제용 아가, C 아가를 녹여 플라스크에 부음, D 아가가 굳으면 왁스 의치 제거 후 아가에 구멍을 3개 뚫음, E 인공치를 아가 음형에 재위치시키고 작업모형도 재위치, F 유입형 레진의 분말과 액, G 가운데 구멍으로 혼합된 유동성 레진을 주입하면 양쪽의 구멍은 vent가 됨, H 아가 제거

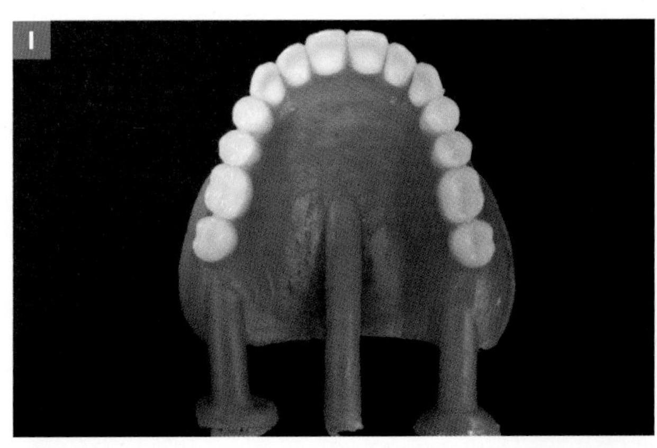

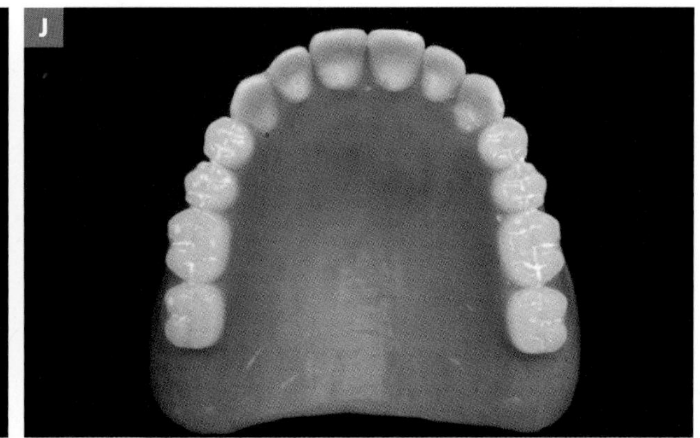

그림 16-3. 유동성 레진법(fluid resin technique)에 의한 의치 제작 과정 2
I 스프루와 vent 제거, J 완성된 의치*(사진: 원광대학교 치과대학 치과생체재료학교실 유상희)*

이러한 단점을 보완하기 위해 레진을 주형 내로 주입할 때 원심 주조나 주입성형(injection molding) 방식을 응용할 수 있다.

④ 성질

이렇게 제작된 의치는 열중합 레진보다는 물리적 성질이 약간 떨어진다. 유동성 레진은 혼합 후 시간이 지남에 따라 레진의 점도가 증가하기 때문에 의치의 기포를 줄이고, 미세한 부위를 잘 재현하기 위해서는 레진 혼합 후 가능한 빨리 주형에 부어야 한다.

4) 광중합형 레진

광중합형 의치상용 레진은 모형상에서 직접 성형하여 가시광선으로 중합시키는 것으로, 플라스크 내 의치 매몰, 가열중합, 플라스크로부터 제거 등의 작업이 없으므로 절차가 간단하고, 중합시간이 짧아서 의치의 제작 과정이 대폭 간략화되었다.

(1) 술식

왁스 의치의 구강 내 시적 후 인공치 교합면에 대고 판형(template)을 제작하는데, 작업모형상에 재위치시킬 수 있도록 세 개의 기준점을 함께 만든다. 판형을 중합시킨 후 작업모형에서 인공치와 왁스, 기초상을 제거한다. 작업모형에 분리제를 바르고, 판(sheet) 형태의 광중합 레진을 모형면에 압접하고 변연부를 다듬어 중합시킨다.

작업모형의 기준점을 중심으로 판형을 재위치시키고, 판형의 원래 위치에 인공치를 적합시킨다. 인공치 하부에 광중합 레진을 채우고 중합시킨다. 의치의 외형을 형성한 후 최종적으로 광중합 챔버(chamber) 내에서 중합시킨다.

(2) 성질

경도와 강도는 크지만 충격에 약간 약하다. 수축이 적고 의치상의 적합성이 좋은 반면, 인공치와의 접착성이 낮으므로 접착제를 필요로 한다.

5) 마이크로파중합 레진

이 술식의 장점은 기존의 열중합에 의한 방법보다 더 깨끗하고, 빠르게 중합된다는 것이다. 물리적 성질과 의치의 적합성(fit)은 열중합 레진과 비슷하다.

6) 재료의 보관

레진은 제조자가 지시한 적정 온도에서 보관하고, 사용기한을 엄수하는 것이 좋다. 기한이 지나면 작업성과 완성된 의치의 화학적, 물리적 성질에 영향을 미칠 수 있다. 분말과 액으로 된 형태는 화학적으로 안정되어 있어 유효기간이 길지만, 겔 형태로 공급되는 아크릴릭 비닐은 반드시 냉장고에 보관해야 하며, 유효기간도 1~2년으로 짧다.

분말의 경우 보관하는 동안 중력에 의해 가벼운 성분과 색소는 용기의 바닥으로 가라앉으므로, 사용 전 분말을 잘 흔들어 주어야 한다. 단량체 용액은 빛이 투과하지 않는 용기에 휘발성 성분의 증발을 막기 위해 밀봉해서 보관한다. 또한 사용 중 단량체 용액이 중합체 분말에 조금이라도 오염되면 용액의 점성이 높아지거나, 심하면 굳게 되므로 주의한다.

4. 의치상 레진의 특성

1) 열중합 레진과 자가중합 레진의 특성 비교

자가중합형 레진의 중합도는 열중합 레진보다 떨어지는데, 이것은 자가중합 레신 내의 잔류 단량체 양이 상대적으로 더 크다는 것을 의미한다. 잔류 단량체는 가소제로 작용해서 의치의 굴곡강도를 감소시키고, 구강점막의 자극원이 된다. 낮은 중합도로 인해 자가중합 레진의 중합수축량이 열중합보다 작고, 실온에서 중합되어 열중합 레진에서처럼 열중합 과정에 생긴 응력을 받지 않으므로 의치의 체적안정성은 증가하게 된다. 색안정성은 자가중합형 레진 내의 3차 아민이 산화되기 쉽기 때문에 열중합 레진에 비해 떨어지며, 변색을 방지하기 위해 안정제(stabilizing agent)를 첨가할 수 있다.

2) 기계적 성질

(1) 강도와 탄성계수

의치의 파절은 갑자기 의치를 떨어뜨렸을 때 일어나며 이것은 재료의 충격강도와 관련이 있다. 또한 제작에 오류가 있었거나 오래 사용해서 반복응력이 누적되어 피로현상이 일어나 파절된다. 의치는 굴곡강도 시험이 구강내에서와 비슷한 조건의 응력이 가해지기 때문에 임상적으로 중요하다.

의치상용 레진의 강도는 레진의 조성, 제작 술식 및 구강 내 환경에 달려 있지만, 가장 중요한 결정인자는 중합도이다. 중합도가 증가하면 레진의 강도와 탄성계수는 증가하기 때문에 열중합 레진의 중합 사이클이 매우 중요하다. 중합시간이 길수록 물리적 성질은 좋아진다. 레진 중합 시 의치의 두꺼운 부위가 얇은 부위보다 반응열이 많이 발생되므로, 두꺼운 부위의 중합도가 더 높아져 강도도 더 높다. 따라서 상악의치의 경우에는 구개부위가 치조제 부위에 비해 약하다. 레진의 물 흡수량과 온도가 증가할수록 강도와 탄성계수는 낮아지며, 특히 레진의 유리전이온도(Tg)에 근접할수록 탄성계수는 감소한다.

일반적으로 자가중합형 레진의 중합도는 열중합형보다 낮아 잔류 단량체는 더 많고, 강도와 강성(stiffness)은 감소한다. 따라서 국제표준규격(ISO 20795-1: 2008)에 따르면 자가중합형의 굴곡강도와 굴곡계수의 최소 요구수치가 열중합형보다 낮다(표 16-2).

표 16-2. 국제표준규격(ISO) 20795-1:2008에 따른 의치상용 레진의 요구사항

요구사항	최소 굴곡강도[MPa]	최소 굴곡탄성계수[MPa]	최대 잔류 단량체 양[wt%]	최대 흡수도[μg/mm^3]	최대 용해도[μg/mm^3]
Type 1, 3, 4, 5	65	2,000	2.2	32	1.6
Type 2	60	1,500	4.5	32	8.0

(2) 충격강도

충격강도란 재료에 갑자기 충격이 가해져 파괴되었을 때 재료 내에 흡수되는 에너지로 측정된다. 표면결함이 있으면 충격강도는 크게 감소된다. 재료에 가소제를 첨가하면 충격강도는 증가하지만 비례한도, 탄성계수와 경도 등의 감소가 뒤따른다. 따라서 다른 성질의 감소 없이 충격강도만 증가시키는 것이 바람직하다.

충격강도를 향상시킬 목적으로 스티렌계 고무로 강화시킨 내충격성 레진의 충격강도(impact strength)가 가장 높다.

(3) 크리프(creep)

의치상용 레진은 점탄성적 특성이 있어 항복강도 이하의 응력이라도 지속적으로 가해지면 영구변형이 일어나는 크리프 현상을 일으킨다. 크리프 속도는 온도, 응력, 잔류 단량체, 가소제의 양이 증가함에 따라 증가한다. 응력이 낮을 때는 큰 차이가 없으나 응력이 증가하면 자가중합 레진이 열중합 레진보다 크리프 속도가 더 빨리 증가한다. 가교제의 첨가로 크리프를 감소시킬 수 있다.

3) 잔류 단량체

열중합 레진의 잔류 단량체는 0.2~0.5%인데 반해, 자가중합 레진은 3~5%에 이른다. 열중합 레진은 가열온도가 너무 낮았거나 가열시간이 너무 짧으면 잔류 단량체가 증가한다. 대부분의 중합이 완료된 후 1시간 정도 100℃로 가열하면 잔류 단량체를 크게 감소시킬 수 있다.

자가중합형 레진의 경우 완성된 의치를 플라스크로부터 제거하기 전에 가능한 완전한 중합을 시켜야 의치의 변형이 없고, 단량체에 의한 자극을 줄일 수 있다. 따라서 실온에서 3시간 이상 중합시킨 후 30분~1시간가량 끓이면, 잔류 단량체를 현저하게 감소시키고 물성을 증가시킬 수 있다.

국제표준규격(ISO 20795-1:2008)에서는 자가중합형 레진의 잔류 단량체 허용치를 최대 4.5 wt% 이하, 그 외의 레진은 2.2 wt% 이하로 규정하고 있다.

4) 물 흡수도

물을 흡수하면 의치의 체적변화가 야기되는데, 이 변화는 가역적으로 물에 담갔다 건조시킬 경우 팽창과 수축이 반복된다. 그러나 자주 되풀이 될 경우 의치에 비가역적인 변형이 일어날 수 있으므로, 의치를 구강 내에서 뺀 경우는 물속에서 보관하도록 해야 한다.

폴리메틸메타크릴레이트 분자의 극성에 의해 수분 흡수가 촉진되나 주된 흡수 기전은 확산에 의한 것이며 오랜 시간동안 천천히 흡수된다. 물분자가 폴리메틸메타크릴레이트에 침투하면 중합체 사슬 사이에 자리 잡아 사슬 간격을 벌려 중합체가 약간 팽창하게 된다. 또한 물이 가소제로 작용하여 중합체 사슬의 응집을 방해하여 중합체의 기계적 성질을 저하시킨다.

아크릴릭 레진이 물을 흡수하여 무게가 1% 증가되면 0.23%의 선팽창이 일어난다. 물 흡수에 의한 선팽창량이 중합에 의한 열수축량과 거의 같아 의치의 중합수축을 보상해 준다는 의견도 있다. 따라서 의치를 제작하고 환자에게 장착해주기 전까지 물속에 보관하면 중합수축을 보상하고 잔류 단량체를 일부 용출시키는 효과가 있다.

확산계수는 보통 레진의 종류, 두께와 온도에 따라 다르지만, 자가중합 레진이 열중합 레진보다 약간 더 크다. 일반적으로 의치가 물에 완전히 포화되어 평형을 이루기까지 약 17일 정도가 필요하다. 가압성형에 의해 제작된 열중합 레진은 오랜 시간 물에 보관된 뒤 약간 수축되는 경향이 있고, 가압성형에 의해 제작된 자가중합 레진은 약간 팽창하는 경향이 있으나 임상적으로 이 차이는 무시할 만하다.

국제표준규격(ISO 20795-1: 2008)에서는 일정 크기의 레진을 물속에 7일간 보관 후 레진의 단위 면적당 무게 증가를 32 μg/mm³ 이내로 규정하고 있다.

5) 용해도

아크릴 레진은 구강 내 대부분의 용액과 유기용매에 대해서 거의 녹지 않지만, 방향족 탄화수소(aromatic hydrocarbon), 케톤(ketone), 에스테르(ester)에는 약간 용해된다. 당뇨병 환자의 호흡 중에 발생하는 아세톤(CH_3COCH_3)은 대표적인 케톤인데, 의치상용 레진의 용해도를 증가시킬 수 있음을 고려해야 한다. 또한 알코올은 일부 의치상의 균열을 초래하고, 가소제로 작용하여 유리전이온도를 낮춘다. 가교제는 물 흡수도에는 별 영향을 미치지 않지만, 유기용매에 대한 용해도를 현저하게 낮춘다.

6) 중합수축

메틸메타크릴레이트 단량체가 폴리메틸메타크릴레이트로 중합될 때 밀도가 0.94 g/cm^2에서 1.19 g/cm^2로 변하며 이 밀도의 변화는 체적을 21% 수축하게 한다. 그러나 열중합 레진의 일반적인 분말-용액비로 혼합할 경우 혼합물의 약 1/3만 용액이므로, 중합시 체적수축은 약 7% 정도 일어난다. 광중합 레진의 중합수축은 약 3%로 낮은데, 이것은 단량체로 분자량이 높은 저분자 물질(oligomer)을 사용하기 때문이다. 열중합 레진의 높은 체적수축률에도 불구하고 임상적으로 사용할 수 있는 것은 두 가지 이유 때문이다. 수축이 의치의 모든 면에서 균일하게 발생하므로 의치와 하부조직과의 적합성이 임상적으로 크게 영향 받지 않는다. 그리고 체적수축 외에 선수축(linear shrinkage)을 고려해야 하는데, 선수축이 의치의 적합성에 크게 영향을 미친다. 체적수축이 약 7%이면 선수축은 약 2% 정도인데, 실제로는 물흡수에 의해 보상되기 때문에 1% 이하이다.

선수축에 가장 크게 영향을 미치는 것은 열중합 레진의 열수축이다. 열중합된 레진의 냉각과정에서 초기에는 레진이 아직 연화된 상태이기 때문에 주위 석고와 같은 속도록 수축한다. 그러나 레진이 유리전이온도에 이르면 레진이 굳으면서 주위 석고와 다른 비율로 수축하기 시작하는데, 이로 인해 의치의 변형이 생길 수 있다. 열수축률은 레진의 조성에 따라 다르다.

자가중합형 레진은 열중합 레진에서와 같은 열수축이 없고 열중합 레진보다 중합수축이 적으므로 의치의 적합도가 더 좋다.

7) 기포

의치 표면이나 내부에 기포가 존재하면 물리적, 심미적, 위생적으로 위해하다. 내부의 기포는 의치상의 강도를 저하시키고, 표면의 기포는 의치의 세척을 어렵게 하며 의치의 외관을 심미적으로 부적절하게 만든다. 또한 기포는 응력 집중부위가 되어 응력이 완화될 때 의치가 변형되게 한다.

기포 발생의 원인은 여러 가지가 있는데, 첫째는 단량체의 기화에 의해 생긴다. 의치상용 레진의 단량체 용액인 메틸메타크릴레이트의 끓는점은 물의 끓는점보다 약간 높은 100.8℃이다. 반응 시 레진 내의 온도가 미중합 단량체의 끓는점보다 높게 되면, 단량체 성분은 끓게 되고 의치의 내면에 기포가 생성된다. 의치의 표면에서는 반응열이 주위 석고로 전도되므로 단량체가 끓지 않지만, 의치상 레진은 열전도도가 매우 낮기 때문에 두꺼운 부위의 중앙에서는 주위로 열확산이 잘 되지 않고 단량체의 끓는점 이상으로 온도가 상승하게 되기 때문에 내부에 기포가 발생하게 된다.

둘째, 분말과 액이 적절하게 혼합되지 않았을 때 생긴다. 이 때는 단량체의 농도가 더 높은 부분이 생기고, 중합 시 이 부분에서만 더 많은 수축이 일어나 기포가 생길 수 있다. 이 때는 표면과 내부 모두에서 기포가 발생할 수 있다. 이를 예방하려면, 분말과 액 비율을 정확하게 지키고, 적절하게 혼합하며, 병상기에서 재료가 가장 균질하게 되므로 레진 전입을 병상기가 될 때까지 기다리는 것이 중요하다.

셋째, 중합되는 동안 플라스크에 가해지는 압력이 부족

해도 기포가 발생할 수 있는데, 이 때 기포의 모양은 둥글지 않고 불규칙하며 재료의 중앙에 생기기보다 재료 전체에 걸쳐 균일하게 분포되어 있다.

넷째, 주형 내에 레진의 양을 부족하게 넣었을 때 생긴다.

다섯째, 유동성 레진(fluid resin)을 혼합하고 주입하는 동안 기포가 생길 수 있는데, 이 때의 기포는 크기가 크다. 조심스럽게 혼합하고 주입선과 배출구를 주의해서 부착해야 한다.

8) 크기 안정성

의치의 제작 과정에서 중합수축과 열수축 등에 의해 응력이 발생하는데 이 응력이 억제되어 있다가 이완되면 재료의 변형을 야기할 수 있다. 또한 의치의 연마 도중 지나친 열이 발생하면 재료 내의 잔류응력을 이완시켜 의치가 변형될 수 있다. 하지만, 의치의 변형은 모형으로부터 중합된 의치를 제거할 때 가장 많이 발생된다.

의치를 제작하고 42일간 물속에 보관한 후 시행한 의치의 크기 안정성 평가에서 자가중합형 유동성 레진(적절한 압력하의 45℃에서 중합), 마이크로파중합 레진, 광중합 레진이 열중합 레진보다 높은 정확도를 보였다. 열중합 레진 중에서는 과거에는 주입 성형법에 의한 의치가 가압 성형법보다 부정확했지만, 현재는 새로운 재료와 방법으로 주입 성형법의 크기 안정성이 더 높다.

9) 의치의 균열

의치 제작 시 응력이 발생되고 또 이 응력이 이완됨에 따라 체적변화가 일어날 수 있으나 임상적으로 크게 중요하지는 않다. 하지만 이 응력의 이완은 의치의 표면에 균열을 야기할 수 있고, 이로 인해 강도가 저하되고 결국 파절 발생의 초기 원인이 된다. 또한 미세한 균열이 많이 생기면 레진의 외관이 안개가 낀 것 같이 되어 심미성이 떨어진다.

균열(crazing)은 의치가 응력을 받았을 때 중합체 사슬들의 기계적 분리에 의해 생기며, 주로 인장응력 때문이다. 이 때의 균열은 레진의 표면에서 시작하여 인장응력에 직각으로 생기며 점점 내부로 전파된다. 또 용매에 의해 레진이 부분적으로 용해되면서 균열이 생길 수 있는데, 이 때의 균열은 방향성이 없다. 주로 오랫동안 알코올에 노출되었을 때 이런 현상이 생긴다.

가교제에 의해 균열의 발생빈도를 상당히 감소시킬 수 있다.

10) 열적 특성

의치상용 레진의 열전도도는 매우 낮아 차갑고 뜨거운 음식물이 구강 내에 들어와도 절연체의 역할을 해서 미각을 둔화시킨다.

열팽창계수는 큰 편이라 중합온도에서 실온으로 냉각될 때, 또 실온과 구강 내 온도의 차이가 의치의 체적안정성에 영향을 줄 수 있다. 무기 필러를 넣어주면 열전도도는 증가하고 열팽창계수는 감소한다.

레진의 유리전이온도(T_g) 이상이 되면 변형되기 쉽기 때문에 의치를 수리할 때는 열중합 레진보다 자가중합이나 광중합 레진을 이용하는 것이 좋다.

11) 생물학적 특성

단량체 휘발물질을 마시지 않도록 주의해야 한다. 동물실험결과 단량체는 호흡기, 심장기능과 혈압에 영향을 줄 수 있다. 손으로 레진 혼합물을 만지면 단량체는 생체 유분을 녹이기 때문에 피부를 통과하여 혈액으로 침투한다. 또한 손의 불순물이 레진에 묻어 비심미적인 결과를 초래할 수 있다. 따라서 손으로 만지지 않도록 주의하고, 환기가 잘되는 곳에서 사용해야 한다.

중합이 완전한 의치상용 레진은 독성이 거의 없다. 반면 중합이 완전하지 못하면 잔류 단량체에 의해 알러지

반응을 일으킬 수 있다. 잔류 단량체는 알러지 항원으로 여겨진다. 자가중합 레진은 열중합 레진보다 잔류 단량체가 더 많으므로 알러지 반응이 있었던 환자는 주의해야 한다. 메틸메타크릴레이트에 민감한 환자에게는 광중합 레진을 사용하는 것이 대안이 될 수 있다.

의치 표면의 잔류 단량체는 물에 17시간 담가놓으면 제거된다. 따라서 잔류 단량체에 의한 자극은 의치장착 후 바로 나타난다. 하지만 대부분의 의치 구내염 환자는 의치 장착 후 몇 개월에서 몇 년 후에 나타나는데, 이것은 대개 비위생적인 구강상태나 부정확한 의치에 의한 외상과 관련이 있다.

피부 테스트에 양성반응을 보인 것으로는 메틸메타크릴레이트 뿐 아니라 N,N-dimethyl-para-toluidine, 벤조일 퍼록사이드, 하이드로퀴논, 포름알데하이드, p-pheny- lenediamine, 색소 등이 있다. 프탈레이트(phthalate)계의 가소제는 독소(toxin)로 알려져 있어 이 성분을 함유한 재료는 생체적합성 평가를 해야 한다.

레진 표면의 기포는 구강위생 상태가 좋지 않을 경우 캔디다(Candida albicans)가 서식할 수 있다. 이것은 의치 구내염과 관련되어 있는데, 클로로헥시딘을 사용하면 캔디다를 제거할 수 있으나 의치 표면에 손상을 준다.

구강점막을 통해 순환계로 들어가는 잔류 단량체의 양은 극히 적다. 혈중 메틸메타크릴레이트의 반감기는 20~40분 정도로 메타크릴 산(methacrylic acid)으로 가수분해되어 배설된다.

5. 의치 관련 레진

1) 의치상 수리용 레진

의치의 사용도중 파절되면 수리용 레진(repair resin)을 사용하여 수리할 수 있는데, 수리용 레진은 자가중합, 광중합, 열중합형이 있다. 재료는 수리에 필요한 시간, 수리용 재료의 굴곡강도, 수리 중 체적안정성의 유지정도를 고려해서 선택한다.

비록 굴곡강도가 좀 낮아도 열중합 레진보다 자가중합 레진을 많이 사용하는데, 이는 열중합 레진을 사용할 경우 중합 도중 온도가 잔존 의치의 유리전이온도 이상 올라가면 의치가 변형될 수 있기 때문이다. 최근에는 광중합 레진의 사용도 증가하고 있다.

술식은 먼저 의치의 파절편을 제 위치에 맞춘 후 스티키왁스(sticky wax)나 모델링 컴파운드로 고정한다. 의치의 내면에 경석고를 부어 수리용 모형을 만들고, 모형에서 의치를 제거한다. 왁스나 컴파운드를 제거한 후 파절면을 삭제하여 수리용 레진이 충분히 들어갈 공간을 마련한다. 석고 모형에 분리제를 바르고 의치를 재위치시켜 고정한다.

이 때 열중합 레진을 사용할 경우, 의치와 모형을 완전히 플라스킹해야 한다. 중합은 의치의 변형을 막기 위해 74~77℃ 이하의 온도에서 8시간 이상 시행한다. 반면에 자가중합이나 광중합 레진은 플라스킹을 할 필요가 없어 간편하다.

수리할 부위에 단량체를 소량 발라주어 수리용 재료의 결합이 촉진되도록 하고, 자가중합 레진의 경우 단량체와 분말을 작은 붓으로 소량씩 번갈아 가면서 첨가한 후 압력 챔버에서 중합시킨다. 중합 시 표면은 공기와 접촉하므로 산소의 중합억제 효과에 의해 중합이 천천히 일어나나 재료의 내면에서는 반응이 급격히 진행되어 기포가 발생될 수 있다.

2) 재이장용 레진과 개상용 레진

처음 의치를 장착했을 때는 적합도가 만족스러웠다 할지라도, 연조직의 변화와 하부 치조골의 흡수로 인해 점차 의치의 유지력이 감소된다. 만약 교합이나 수직고경이 크게 바뀌지 않았다면 재이장이나 개상에 의해 유지력을 다시 회복할 수 있다.

재이장은 첨상이라고도 하며, 기존 의치의 조직면만 새로운 재료로 교체해주는 것이고, 개상은 인공치만 제외하고 의치상 전체를 교체해주는 것을 말한다.

(1) 재이장(relining)

의치의 재이장을 위해서는 기존의 의치를 인상용 트레이처럼 이용하여 연조직의 인상을 채득하거나 조직조절제로 기능인상을 채득한다(그림 16-4 B). 이 내면에 석고를 부어 모형을 제작한 후(그림 16-4 C), 모형에 부착된 의치를 플라스크 내에 의치 매몰하고 석고가 경화되면 상하함을 분리한다(그림 16-4 D). 의치로부터 인상재나 조직조절제를 제거하고(그림 16-4 E), 인상재가 차지했던 공간을 새로운 아크릴 레진으로 채운 후 통상의 가압 성형법으로 중합시킨다(그림 16-4 F).

열중합형인 경우 잔존 의치의 변형을 최소화하기 위해 중합 온도를 수리용 레진의 경우처럼 낮게 해야 한다. 따

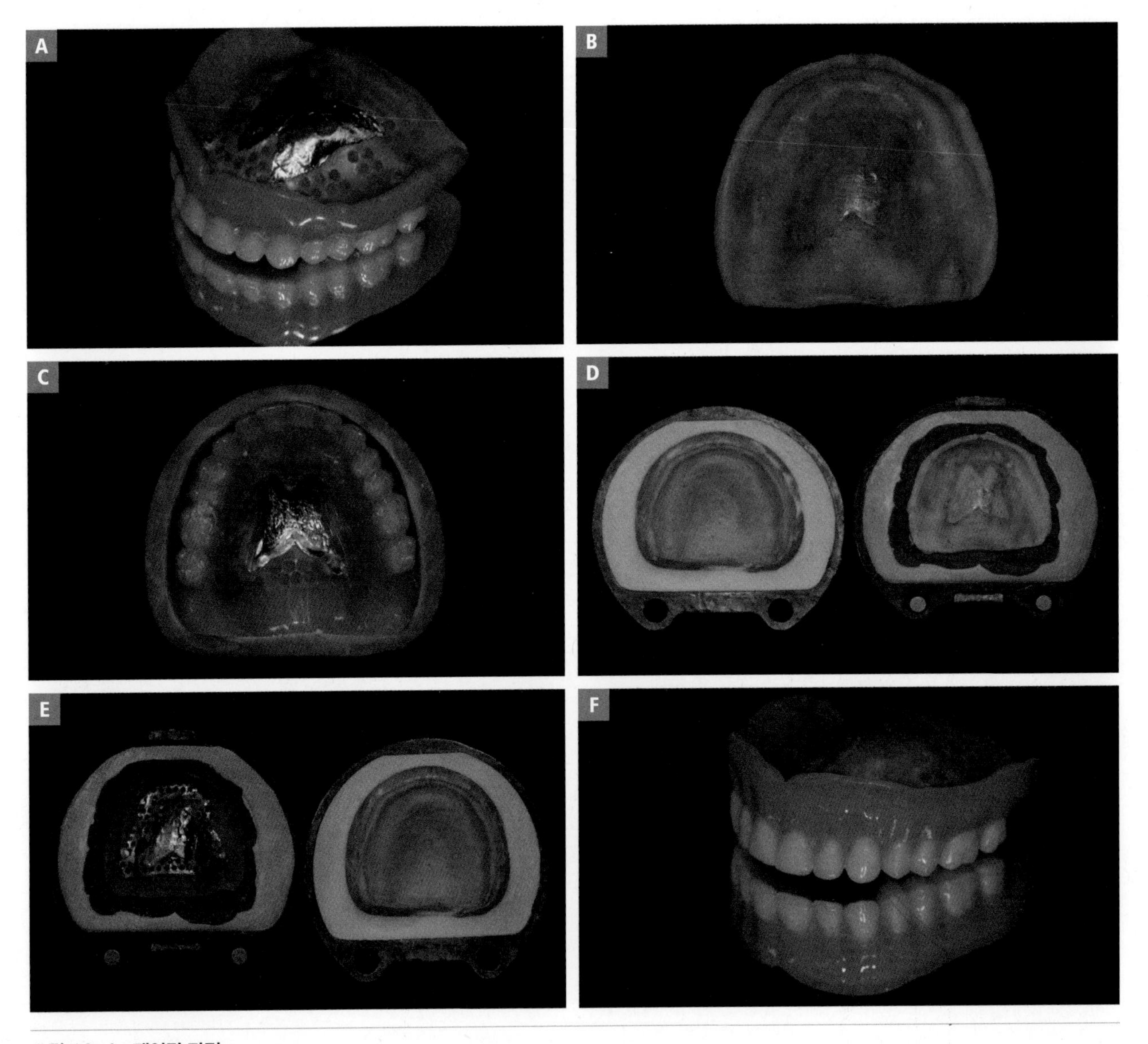

그림 16-4. 재이장 과정
A 재이장을 해야 할 의치, B 의치를 이용하여 연조직의 인상을 채득하거나 조직조절제로 기능인상을 채득, C 모형제작, D 의치 매몰, E 의치로부터 인상재 제거, F 인상재가 차지했던 공간을 재이장용 레진으로 채워 중합 후 플라스크에서 제거

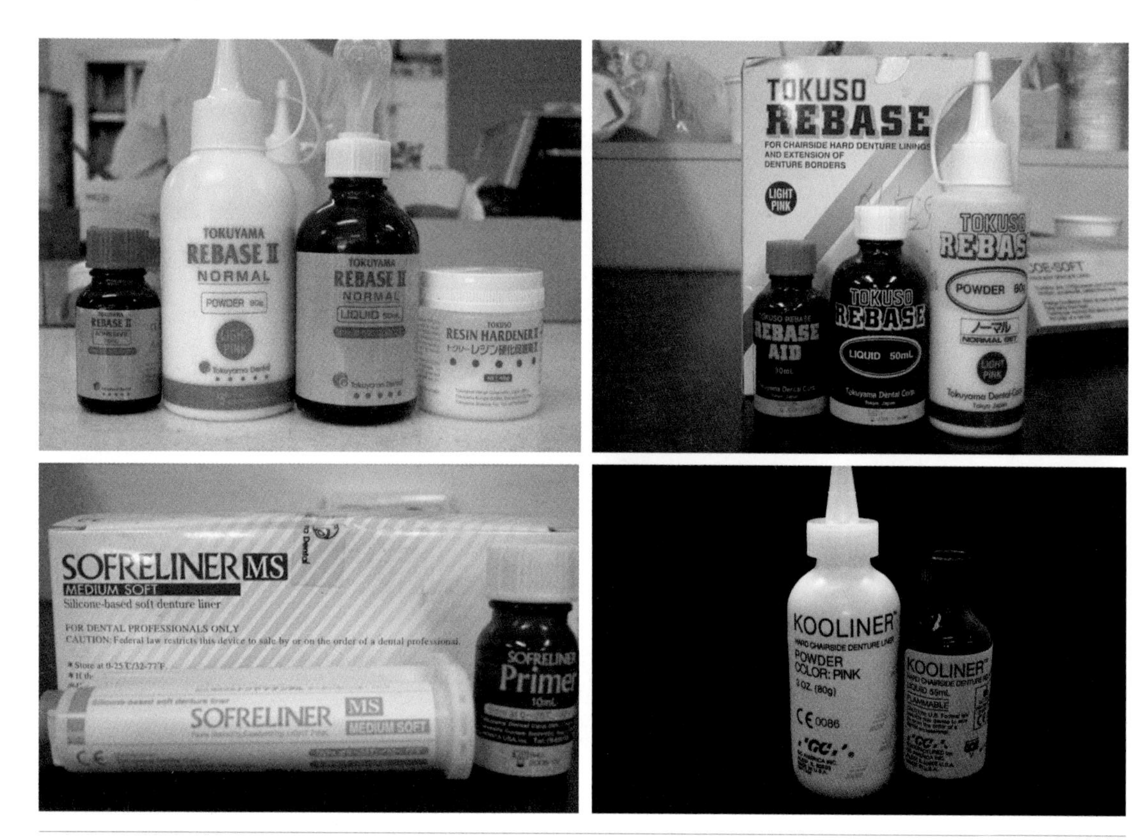

그림 16-5. 다양한 종류의 재이장용 레진

라서 대개 자가중합형 레진을 사용한다(그림 16-5). 자가중합형 레진을 사용할 때는 플라스킹 하는 대신 의치와 모형 사이의 수직, 수평관계를 올바로 유지할 수 있는 특수한 마운팅(mounting) 기구가 필요하다. 광중합형과 마이크로파중합 재이장 재료도 있다.

구강 내에서 직접 재이장을 할 수 있는 자가중합형 레진도 개발되었으나 이 재료는 구강 내에서 유동성을 증가시키기 위하여 가소제나 용매를 함유하거나 저분자량의 중합체 분말을 사용하기 때문에 다공성(porous)이고 쉽게 변색되며 미생물이 잘 붙어 악취가 나고 불결하기 때문에 임시 이장재로만 사용된다. 또한 중합 도중 발열반응으로 구강 조직에 화상을 입힐 수 있으므로 중간에 차가운 물에 식힌 후 다시 구강 내로 위치시키는 등 주의를 기울여야 한다.

재이장 재료의 요구조건은 의치상 수리용 레진과 비슷한데, ① 의치상 재료와 견고한 화학결합을 해야 한다. ② 재이장 재료의 강도가 충분해야 한다. ③ 재이장 도중 기존 의치의 변형이나 체적변화를 야기해서는 안된다. ④ 구강 내에서 재이장하는 경우는 가능한 빠른 시간 내에 끝나야 한다.

(2) 개상(rebasing)

재이장과 유사하지만 다른 점은 기존 의치의 교합관계만 유지하고 전체 의치상을 교체하는 것이다. 의치를 이용하여 인상을 채득한 후 모형을 제작한다. 이 모형과 의치를 수직, 수평관계를 올바로 유지시켜 줄 수 있는 기구에 마운팅하고, 교합면의 인덱스(index)를 제작한다. 의치를 제거하고 인공치를 의치로부터 분리한다. 제작된 인덱스에 인공치를 재위치시키고, 왁스로 의치상을 형성한다. 그 다음 플라스킹해서 통상의 가압 성형법으로 의치상을 중합시킨다.

3) 단기 연성 의치 이장재 (Short-term soft denture liner)

임상적으로 단기 연성 의치 이장재는 조직조절제와 임시 의치 이장용 재료로 구분된다. 조직조절제는 며칠 간격으로 계속 재료를 교체해줌으로써 가능한 빨리 구강점막을 건강한 상태로 회복시키기 위해 사용되고, 임시 이장용 재료의 목적은 보통 즉시의치(immediate denture)나 임플란트 치료를 위해 변형이 필요한 의치의 내면에 사용된다.

(1) 조직조절제(tissue conditioner)

조직조절제는 의치에 의해 염증이 생긴 구강점막을 치유하기 위해 부적합한 의치를 임시로 이장하는데 사용되며 사용기간은 보통 7일까지 가능하다(그림 16-6 A). 의치 내면을 삭제하여 조직조절제가 들어갈 공간을 형성한 후 조직조절제를 혼합하여 의치 내면에 담아 구강 내에 위치시킨다. 이 재료는 구강 내 해부학적 구조에 맞게 변형되며 그 상태에서 겔(gel)화 된다(그림 16-6 B).

조직조절제는 점탄성적인 성질이 있는데, ① 점성적인 면은 시간이 지나도 며칠 동안 지지조직에 맞게 형태가 변하여 구강점막에 적합하게 되고, ② 탄성적인 면은 저작력이나 이갈이에 의한 하중을 탄성적으로 흡수할 뿐 아니라 쿠션역할을 한다.

조직조절제는 근본적으로 가소성을 향상시킨 것으로 폴리에틸메타크릴레이트(polyethyl methacrylate)를 포함하는 분말과 에탄올 내에 방향성 에스테르(aromatic ester)가 녹아 있는 액으로 구성되어 있다. 용액에 아크릴 단량체(acrylic monomer)가 없는 것이 특징이다. 조직조절제는 며칠 내에 가소성을 잃기 시작하는데, 이는 알코올의 소실에 의해 딱딱해지기 때문이다. 그러므로 7일 이내에 새로운 재료로 교체해 주어야 한다.

조직조절제는 기존의 의치 내에 인상재로 사용되어 수

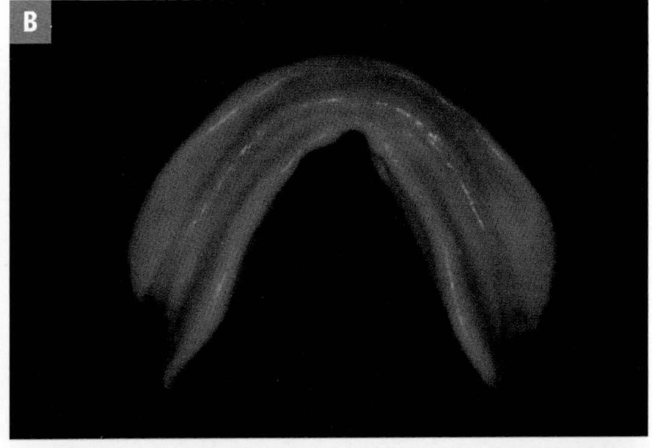

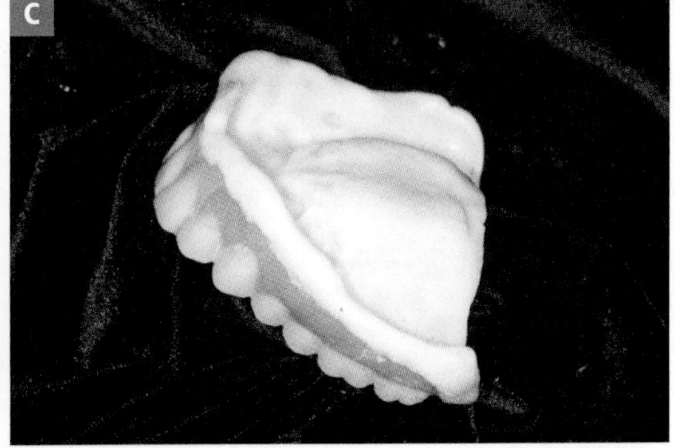

그림 16-6. A 조직조절제, B 하악에 적용된 예, C 상악에 적용하여 일주일정도 사용 후 기능인상재의 역할 예

일에 걸쳐 의치내면의 형태가 구강조직에 맞게 변하면 일종의 기능인상재(functional impression material)의 역할로 새로운 의치를 만드는데 사용할 수도 있다(그림 16-6 C).

(2) 임시 연성 의치 이장재 (temporary soft denture liner)

임시 연성 이장재는 7일 이상은 사용 가능하지만, 한정된 기간 동안 의치의 적합도, 유지력의 증가와 환자의 편안함을 위해 의치가 다시 제작되거나 영구적으로 재이장(relining)되기 전까지만 사용한다. 진료실에서 혼합하여 의치 내면에 담아 구강 내에서 중합시킨다.

분말은 폴리에틸메타크릴레이트와 가소제, 액은 메틸메타크릴레이트를 함유한다. 분말과 액으로 공급되는 것 외에 부가중합 실리콘으로 된 제품도 있다.

가소제가 들어있는 것은 가소제가 계속 용출되기 때문에 생체적합성 문제가 있다.

4) 장기 연성 의치 이장재 (Long-term soft denture liner)

장기 연성 이장재는 심한 이갈이나 전신쇠약 등으로 의치에 의해 만성염증이 생겼을 때 하부 지지조직에 가해지는 외상(trauma)을 감소시키기 위해 사용된다. 저작력에 의한 에너지 일부를 흡수하는 쿠션역할을 한다.

자가중합형 연성 이장재와는 달리 열중합 이장재는 좀 더 내구성이 높아 장기간 사용할 수 있지만, 이것 역시 시간이 흐름에 따라 성분이 분해되기 때문에 영구적이 아니다. 보통 1년 정도 사용할 수 있다고 보면 된다. 장기 연성 이장재는 재료의 연성(softness)과 탄성에 따라 단단함(stiff), 중간(medium), 연함(soft)으로 분류된다.

기공실에서 중합시키는 제품으로는 가소제를 첨가한 아크릴릭 레진(plasticized acrylics), 가소제를 첨가한 비닐 레진(plasticized vinyl acrylics), 실리콘, 폴리포스파진(polyphosphazine) 등이 있다.

물 흡수도와 용해도가 중요한 성질인데, 구강 내 환경에서 오래 있으면 물리적, 기계적 성질이 변하며 단단해진다. 타액에 노출되면 가소제와 다른 성분들이 용출되어 나온다. 흡수된 물은 연성 이장재와 의치상과의 결합을 약화시킨다.

연성 이장재의 문제점은 이장재의 두께가 증가할수록 의치상의 두께는 감소하여 의치상의 강도가 낮아진다는 것이다. 또한 이장재의 단량체나 접착제가 의치상 레진을 부분적으로 용해시켜 역시 강도의 감소를 야기한다. 연성 이장재는 맛과 냄새가 좋지 못하고, 세척이 잘 되지 않는다. 산소기포 발생형 및 차아염소산염(hypochlorite)형의 의치세척제는 연성 이장재 중, 특히 실리콘을 손상시킨다. 또, 한 가지 문제점은 이장재에 캔디다(Candida albicans)나 다른 미생물이 자랄 수 있다는 것이다. 변색도 잘 일어나므로 아직까지는 어떤 연성 이장재도 임시적로만 사용되고 영구적으로는 사용할 수 없다.

이 재료들이 임상에서 실패하는 주된 이유는 의치상과의 결합 저하와 연성 이장재 자체의 찢김(tearing) 때문이다. 강도와 결합력을 증진시키고 미생물의 성장을 억제할 수 있는 재료의 개발이 필요하다.

(1) 가소제를 첨가한 아크릴릭 레진 (plasticized acrylics)

찢김 강도와 Shore A 경도가 매우 높다.

열중합 레진은 분말과 액으로 공급되는데, 분말에는 아크릴 레진 중합체와 공중합체가 들어있고, 액에는 아크릴 단량체와 가소제가 들어있다. 중합 후 유리전이온도가 구강온도보다 낮기 때문에 유연한 레진이 된다.

가소제는 탄력성을 부여해주지만 용출되어 나오면 연성 이장재가 점점 단단해지고, 생체적합성이 의심되는 물질이라 주의해야 한다. 가소제의 함량이 높을수록 이 현상이 크게 나타나기 때문에 가능한 가소제의 함량을 낮추는 것이 바람직하다. 폴리메틸메타크릴레이트가 더 큰 측쇄(side chain)를 가진 메타크릴레이트, 즉, ethly, n-propyl, n-butyl 메타크릴레이트로 대치되면 유리전이온도는 점점 낮아진다. 결과적으로 가소제를 더 적게 넣을 수 있기 때문에 가소제의 용출에 따른 영향도 감소시킬 수 있다.

(2) 가소제를 첨가한 비닐 레진 (plasticized vinyl acrylics)

Plasticized poly (vinyl chloride), plasticized poly (vinyl acetate) 레진이 있으며, 이 역시 가소제가 점차 용출되고 딱딱해진다.

(3) 실리콘(silicone)

찢김강도와 Shore A 경도가 낮다. 가소제에 의해 탄성을 얻는 것이 아니기 때문에 다른 재료보다는 시간이 지나도 좀 더 안정적이다. 하지만 의치상 재료와의 결합력이 약하고 물흡수와 건조에 따른 체적변화가 심한 단점이 있다. 접착제가 필요하며 가압 성형법에 의해 의치내면에 적용된다.

(4) 폴리포스파진(polyphosphazine)

의치상과의 결합강도가 제일 높다.

6. 기타 보철용 레진

1) 악안면 보철재료

악안면 보철재료(maxillofacial materials)는 종양 수술, 사고, 선천적 기형 등으로 인한 악안면 부위의 결손부를 수복하는 재료로서 코, 귀, 눈, 안구 등 머리와 목 부위의 어떤 부분도 수복할 수 있다(그림 16-7). 악안면 결손 부위에 대한 보철물은 고대문명에서부터 사용되어 왔다. 16세기 Ambroise Paré라는 프랑스 외과의사가 그때까지 사용되어온 다양한 악안면 보철물에 대해 저술하면서 악안면 보철술이 정립되기 시작하였다. 제1차 및 제2차 세계대전으로 인하여 악안면 보철물에 대한 필요가 크게 늘어났고 치과의사가 악안면 보철물의 제작 및 재활 과정에 큰 역할을 하고 있다.

악안면 보철물은 술자의 기술도 중요하지만 재건에 사

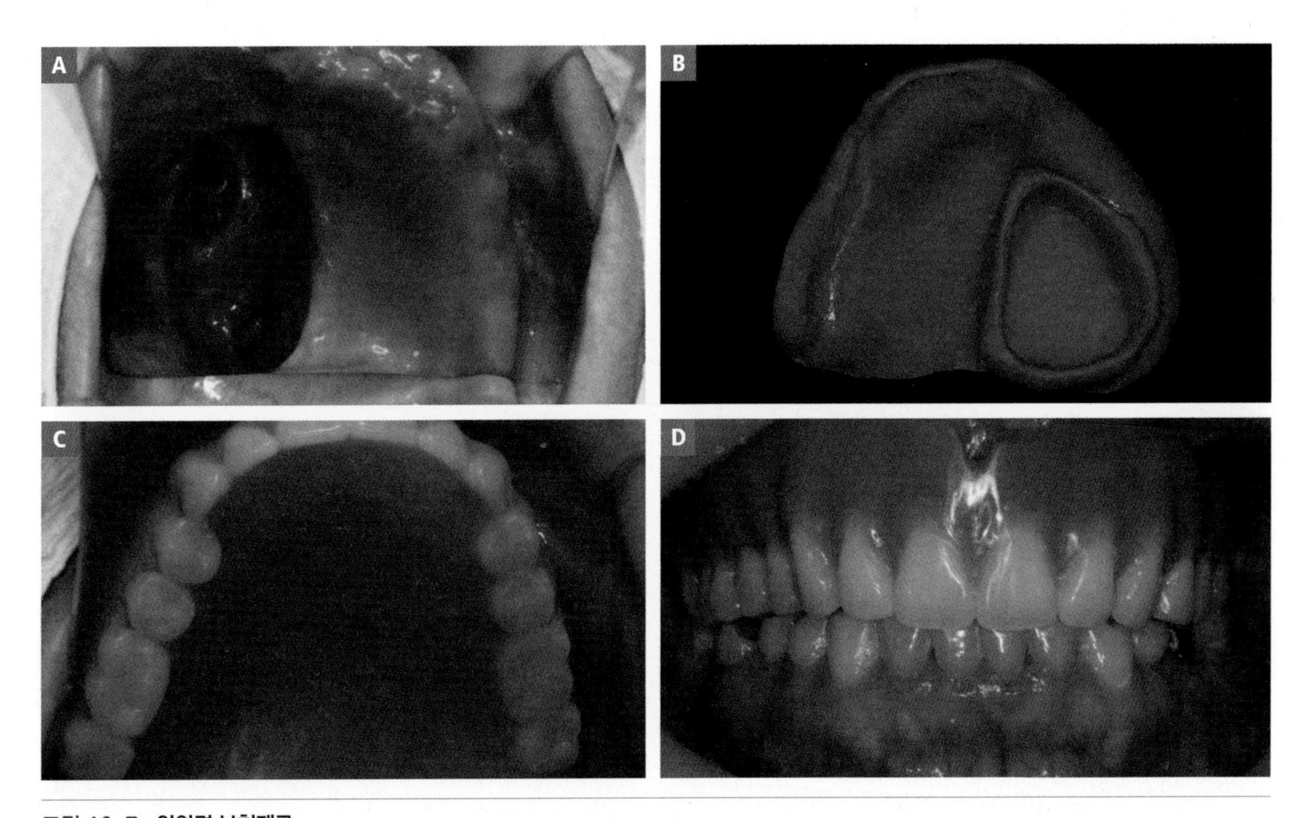

그림 16-7. 악안면 보철재료

A 상악동 부위 종양으로 인한 광범위한 제거 상태, **B** 의치 및 상악골 폐색장치 제작, **C,D** 구강내 시적상태(*사진 : 원광대학교 치과대학 보철학교실 범승균*).

용되는 재료의 성질에 의해 크게 좌우된다. 악안면 보철재료는 제작이 쉽고 경제적이어야 한다. 생체적합성이 있어야 하고, 강해야 할 뿐만 아니라, 색깔과 질감이 피부와 유사해야 하고, 온도변화나 화학물질에 대해 안정돼야 하며 찢김강도가 높아야 한다. 또한 쉽게 씻을 수 있고 환자가 쉽게 관리할 수 있어야 한다. 하지만 이러한 요구조건에 모두 부합하는 재료는 아직 없다.

처음에는 폴리메틸메타크릴레이트 레진이 사용되었는데, 이것은 조작하기가 쉽고 견고하며 위생적이지만 매우 단단해서 피부의 움직임에 따른 탄성이 없고, 피부와 같은 느낌이 없는 것이 큰 단점이다.

(1) 라텍스(latex)

천연 라텍스는 연성이 있고, 저렴하며 조작이 쉽고 피부와 외관이 유사한 재료이다. 그러나 약하고 사용도중 쉽게 변질되며 색상이 변하므로 더 이상 주된 악안면 보철재료로 사용되지 않는다.

최근에 개발된 합성 라텍스는 부틸아크릴레이트, 메틸메타크릴레이트, 메틸메타크릴아마이드(methyl methacrylamide)의 공중합체이다. 합성 라텍스는 거의 투명하여 색소를 악안면 보철물의 조직면에 스프레이 하여 자연스러운 피부색을 낼 수 있다. 그러나 기술적 과정에 시간이 많이 소요되고 수개월밖에 견디지 못하여 사용이 제한된다.

(2) 비닐 플라스티졸(vinyl plastisol)

비닐 플라스티졸은 가소제를 첨가하여 더 유연하게 만든 비닐 레진으로서, 가소제 내에 작은 비닐입자들이 분산되어 있는 점성의 용액이다. 색소를 첨가하여 피부색을 내고 가열하여 물성을 증가시킨다. 그러나 시간이 지남에 따라 보철물의 표면으로부터 가소제가 빠져나가 점차 딱딱해지고 자외선에 변색되므로 그 사용이 제한된다.

(3) 실리콘

열중합형(heat-vulcanizing)과 상온중합형(room temperature-vulcanizing) 실리콘이 최근 악안면 보철재료로 사용되고 있는데 각각 장단점이 있다.

열중합형 실리콘은 반고체 또는 퍼티(putty) 형태로 공급되며, 제분(milling) 과정이 필요하다. 주형(mold) 내에 압력을 가해 전입하고 180℃에서 30분간 중합시킨다. 색소는 재료와 함께 제분하여 넣으므로 자연스러운 내부 색감을 낼 수 있다. 강도와 색안정성이 가장 우수하고 상온중합형 실리콘보다 우수하지만 제분기계와 프레스가 필요하고 금속 몰드를 제작해야 하는 단점이 있다.

상온중합형 실리콘은 물리적, 기계적 성질이 좋고, 색상을 내기 편하고, 석고 몰드를 사용할 수 있어 제작이 쉽기 때문에 그 사용이 증가하고 있다. 이것은 투명하거나 불투명한 흰색으로 색소를 첨가한 후 촉매를 첨가하여 중합시킨다. 중합반응은 부가중합형 실리콘 인상재와 비슷

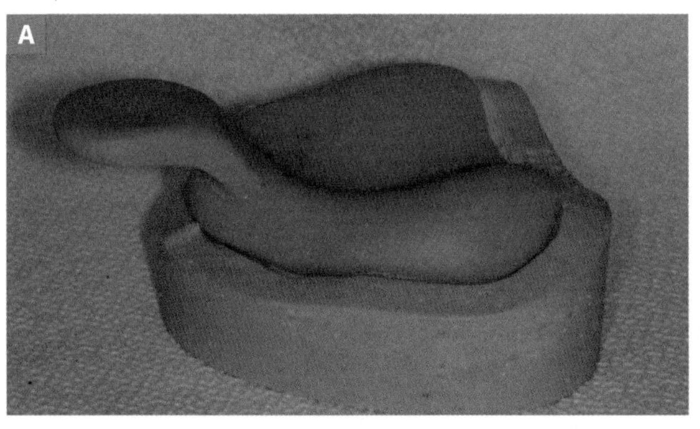

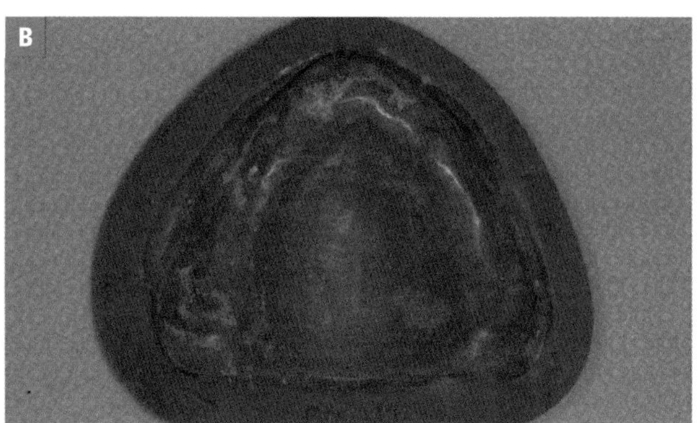

그림 16-8. A 개인트레이, B 기초상

하다. 보철물은 경석고 몰드에서 제작할 수 있으나 에폭시 레진이나 금속을 사용하면 더 견고하다. 특별한 기구의 필요없이 쉽게 제작할 수 있지만 열중합형 실리콘에 비해 약하며 색은 단색성(monochromatic)을 띠는 단점이 있다.

(4) 폴리우레탄(polyurethane)

폴리우레탄은 가장 최근에 악안면 보철재료로 도입되었다. 세 가지 성분을 정확하게 배합해야 하고, 석고나 금속 몰드를 이용하여 중합된다. 성분 중 하나가 독성이 있으므로 주의해야 한다. 매우 자연스럽게 보이나 빨리 변질된다.

2) 인상용 개인 트레이와 기초상

레진으로 제작하는 개인 트레이(individual tray)는 진단모형 상에서 각 개인에 맞게 제작하는 것으로 맞춤 트레이(customed tray)라고도 한다(그림 16-8 A). 치아 및 구강조직과 트레이 사이에 일정한 간격이 유지되므로 인상재가 균일하게 분포되어 더욱 정확한 인상을 채득할 수 있다.

주로 자가중합형 폴리메틸메타크릴레이트를 사용하는데, 초기 중합수축이 24시간까지 크게 일어나므로 레진 트레이를 제작한 지 최소한 2~9시간을 기다린 후 인상을 채득하는 것이 좋다. 만약 트레이를 제작하자마자 인상을 채득해야 한다면, 5분 정도 끓인 후 상온까지 식힌 다음 사용한다. 인상 채득 전 구강 내에서 적합도를 확인하고 조정해야 한다.

총의치의 제작에 사용되는 기초상(record base)도 같은 재료를 사용하는데, 필러의 함량이 더 높아 변형의 위험을 감소시켰다(그림 16-8 B).

광중합형 트레이 레진도 있는데, urethane dimetha- crylate 레진이 판(sheet)형이나 겔(gel) 형태로 공급된다. 광중합형은 강하고 제작이 쉬우며, 중합수축이 적어 크기 안정성이 있으므로 바로 사용가능하다. 하지만, 취성(brittle)이 있고, 연마시 잔가루가 많이 날리는 단점이 있다.

3) 임시 치관용 레진

주로 자가중합형을 사용하는데, 이는 자가중합형 의치상용 레진과 성분이 비슷하다(그림 16-9 A). 사용하기 쉽고 심미적이라 기존의 알루미늄 쉘(shell)과 폴리카보네이트 임시치관 대신 그 사용이 증가되어 왔다. 보통 환자의 진단모형 위에 얇은 폴리스티렌 판을 가열하여 진공형성하여 판형(template)을 제작한다(그림 16-9 B~G). 치아를 삭제한 후 분말과 액을 혼합하여 병상기가 되면 판형 내에 넣고 치아에 위치시키면 빠른 시간 내에 정확한 임시치관을 제작할 수 있다(그림 16-9 I~N). 제작 시 과도한 열이 발생해 치아와 주위 조직에 위해를 줄 수 있으므로 주의한다. 가끔 알러지 반응을 일으키는데, 이는 단량체나 3차 아민에 의한 것으로 생각된다.

화학중합형은 자동혼합(automixing) 시린지로도 공급된다. 광중합형도 있는데, 중합전 여분의 재료(flash)를 제거할 수도 있고, 여러 번 재삽입할 수도 있다. 빠르고 정확하게 제작할 수 있으며 메틸메타크릴레이트가 없어 알러지 반응을 일으킬 가능성이 낮다.

4) 치관용 경질레진 (Plastic facing for crown and bridge)

금속-세라믹이 나오기 전까지는 전치와 소구치부 등 외관에 노출되는 부분의 금속치관에는 아크릴 레진으로 전장(facing)하는 수밖에 없었다. 제작하기는 세라믹보다 편하지만 내구성과 내마모성이 떨어져 현재는 일부만 제외하고 세라믹 전장으로 대치되고 있다.

전장에 사용되는 아크릴 재료는 성분이나 물성이 레진 인공치와 비슷하다.

5) 교합 스플린트(Occlusal splint)

악관절 통증이나 심한 이갈이 환자에서 교합 스플린트

를 제작한다(그림 16-10). 주로 상악모형에 왁스로 제작하며 나머지는 의치를 제작하는 과정과 동일하다. 자가중합형도 있지만 주로 투명한 열중합 레진을 사용하여 중합한다. 최근에는 투명한 광중합형 레진도 도입되었는데, 플라스킹을 할 필요가 없어 제작이 쉽고 빠르다.

6) 패턴 레진

자가 중합형 아크릴 레진이 구강 내에서 직접 인레이 패턴(inlay pattern)을 제작하거나 주조용 포스트와 코어(core) 패턴을 제작하는데 사용된다(그림 16-11). 또한 스티키 왁스 대신 보철물의 각 부위를 고정시킬 때도 사용

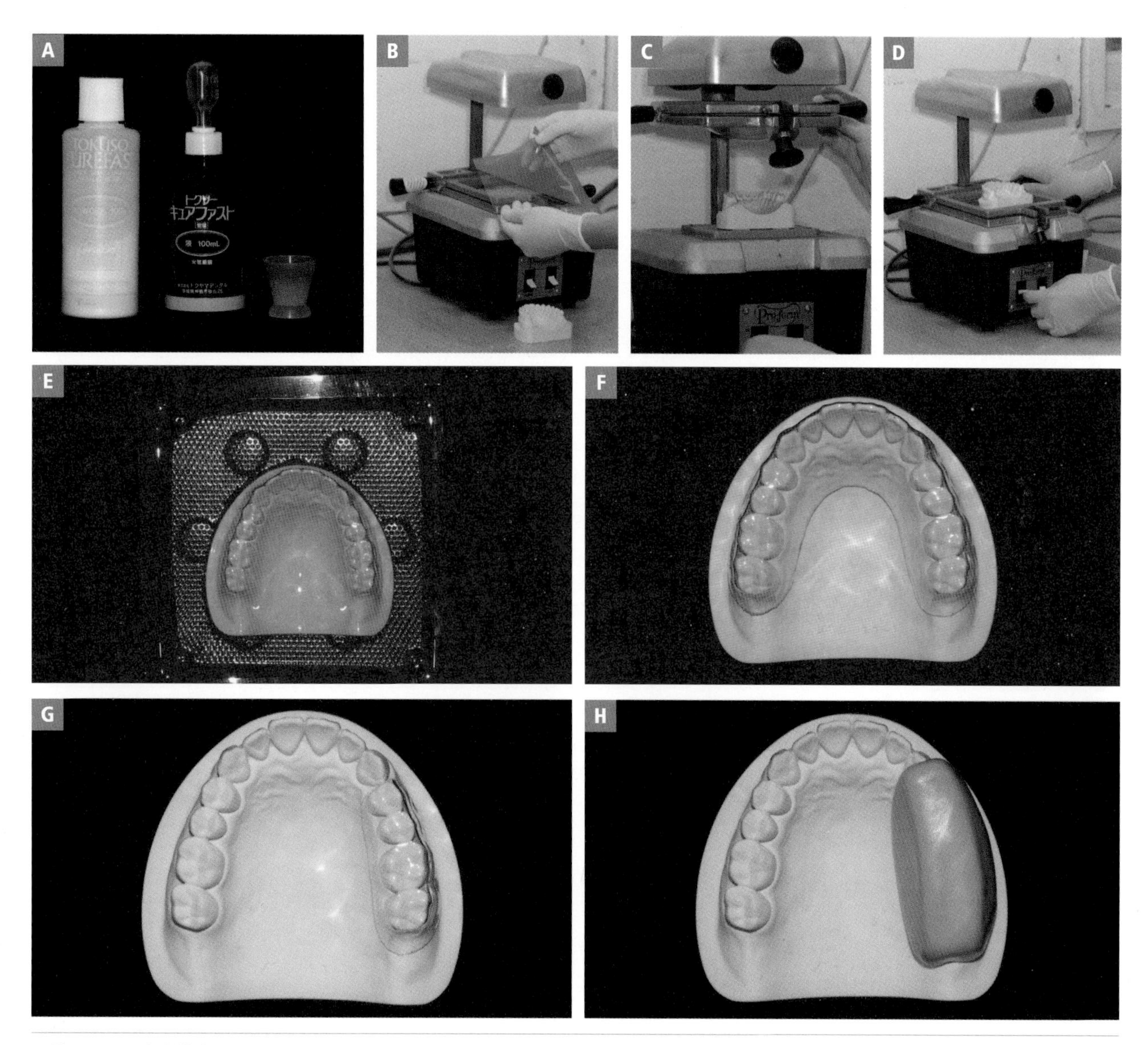

그림 16-9. 임시 치관 제작 방법 1

A 임시 치관용 레진, B 치아 삭제 전 진단모형을 제작하고, 폴리스티렌 판을 진공성형기에 위치시킨다, C 폴리스티렌 판을 가열하면 아래로 늘어진다, D 하부에서 진공으로 빨아들이고 폴리스티렌 판을 내리면 모형 위에 압착된다, E 모형위에 진공 압착된 폴리스티렌 판, F 치아에 맞게 자른다, G 임시 치관을 제작하려는 부위에 맞게 잘라 template를 만든다, H 폴리스티렌 판을 사용하지 않고 putty 고무인상재로도 template를 만들 수 있다.

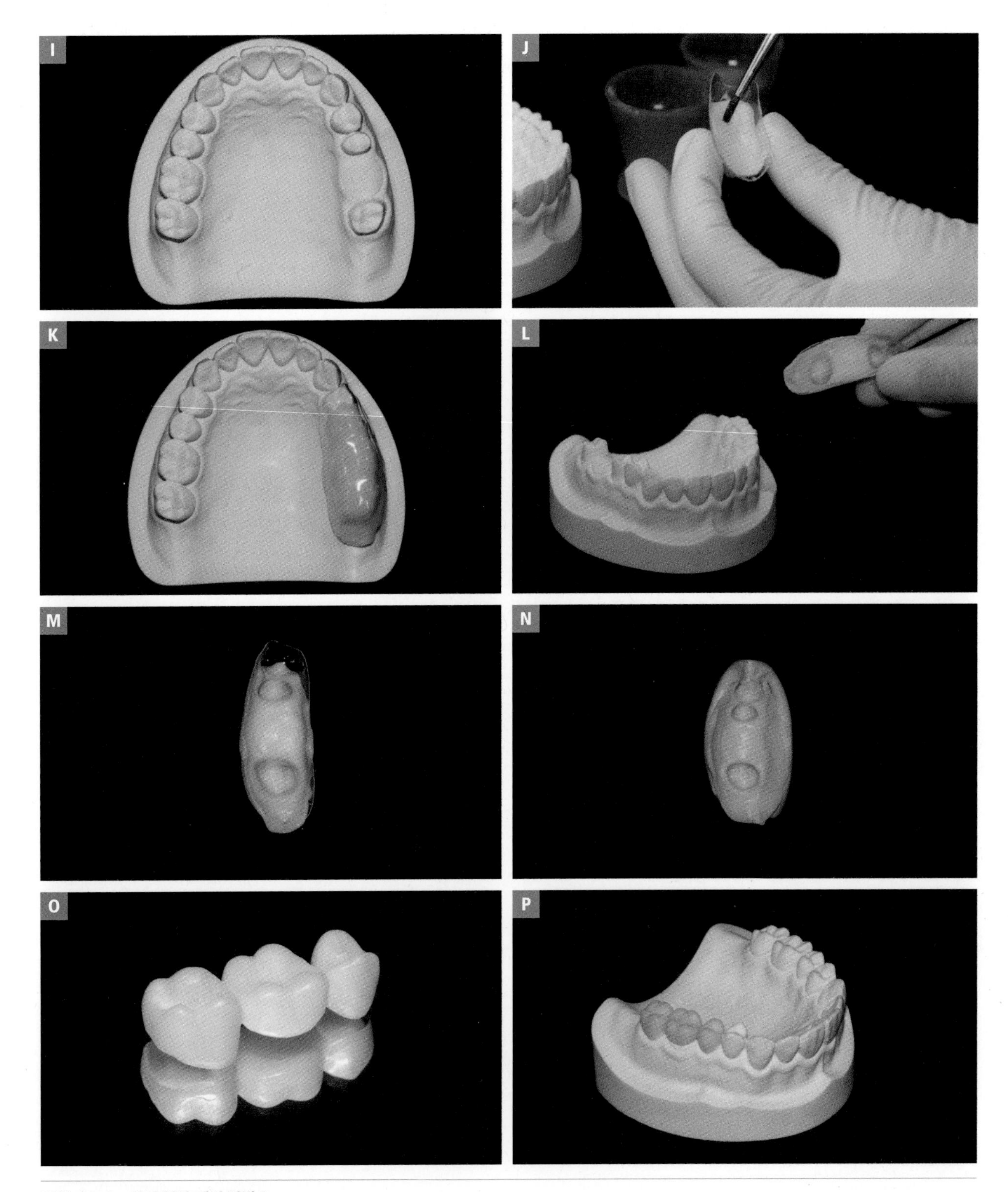

그림 16-9. 임시 치관 제작 방법 2

I 브리지의 경우 발치 후 지대치를 삭제한다, **J** 임시 치관용 레진을 혼합하여 template 안에 넣는다, **K** 구강내 지대치에 위치시킨다, **L** 초기 경화 후 제거, **M** 폴리스티렌 template 내에 형성된 임시 치관, **N** putty template 내에 형성된 임시치관, **O** template를 제거하고 다듬어 연마한 완성된 임시치관, **P** 구강내 지대치에 위치시키고, temporary 시멘트로 합착한다*(사진: 원광대학교 치과대학 보철학교실 김치윤)*.

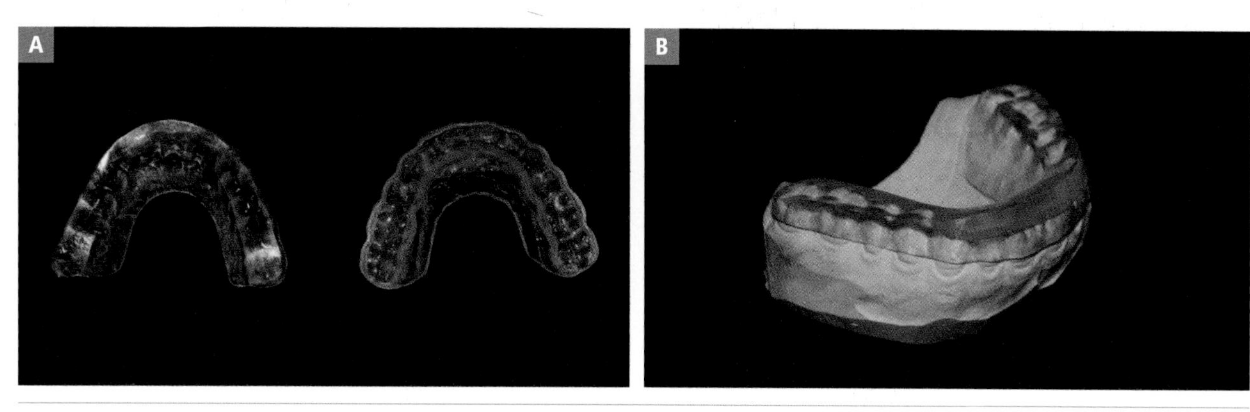

그림 16-10. A 아크릴릭 레진으로 제작된 스플린트, B 스플린트를 위치시킨 모형

될 수 있다.

이 재료는 체적안정성이 뛰어나고 사용하기 편하다. 소환(burn-out) 시 왁스보다 소환시간을 더 길게 해야 한다.

7. 레진 인공치

의치에 사용되는 인공치는 레진이나 세라믹으로 제작되며 자연치와 비슷한 색조를 갖도록 제작된다(표 16-3, 그림 16-12). 레진 인공치는 주로 아크릴 레진으로서 폴리메틸메타크릴레이트 성분이기 때문에 의치상 재료와 매우 비슷해서 화학결합을 할 수 있다. 단 가교제가 더 많이 들어있어 안정성과 물성이 더 뛰어나다. 인공치의 치경부는 가교정도가 감소되어 있어 의치상과의 화학결합이 용이하도록 되어있다.

인공치와 의치상과의 화학결합을 위해서는 인공치 하부에 왁스가 남아있지 않도록 하고, 레진 분리제를 바를 때 인공치에 묻지 않도록 주의해야 한다. 인공치 하부 표면을 약간 갈아내고 레진 전입 전 단량체 용액을 약간 바르면 결합을 촉진시킬 수 있다. 열중합 의치상용 레진과의 화학결합은 매우 효과적이나 자가중합형과는 결합력이 낮기 때문에 기계적 유지력도 얻도록 해야 한다.

레진 인공치의 낮은 마모저항성은 교합고경의 감소를 야기하는 등 단점이 되기도 하지만, 연마가 쉽고 교합관계가 스스로 조정(self-adjusting)되는 장점도 있다. 세라믹 치아보다 탄성계수가 낮고 연성이지만 파괴인성이 높아 떨어뜨렸을 때 세라믹 치아처럼 쉽게 깨지지 않는다. 열에 의한 변형온도가 낮기 때문에 왁스 작업도중 레진 인공치에 불꽃이 닿으면 안 된다. 항복강도 이하의 응력에서도 영구변형이 일어나 체적변화가 일어날 수 있다. 레진 인공치는 의치에서 치아 하나정도 교체할 때 세라믹

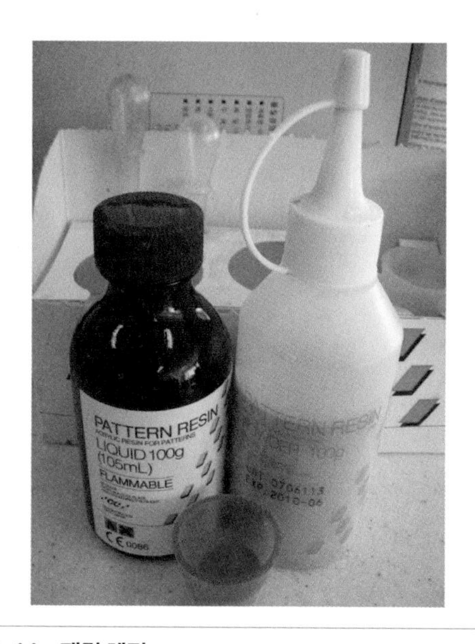

그림 16-11. 패턴 레진

표 16-3. 레진 인공치와 세라믹 인공치의 성질 비교

레진 인공치	세라믹 인공치
높은 탄성	높은 취성(brittle)
높은 파괴인성	깨지기 쉬움
연함 - 낮은 마모저항성	단단함 - 높은 마모저항성
타액에 불용성(insoluble) - 약간의 체적 변화	타액에 불활성(inert) - 체적 변화 없음
열에 의한 변형온도 낮음	열에 의한 변형온도 높음
항복강도 이하에서 영구변형 일어남	저작력에 영구변형 없음
의치상 레진과 화학결합	의치상 레진에 약한 결합력; 기계적 유지형태 필요
자연감	자연감
저작 시 조용함	저작 시 클릭 음(clicking sound)
쉽게 갈아내고 연마할 수 있어 교합조정 용이	표면 광택소(glaze)가 제거됨
가교정도가 낮으면 균열(crazing) 발생	교합면에 금이 갈 수 있음
열충격에 높은 저항성	열충격에 깨질 수 있음

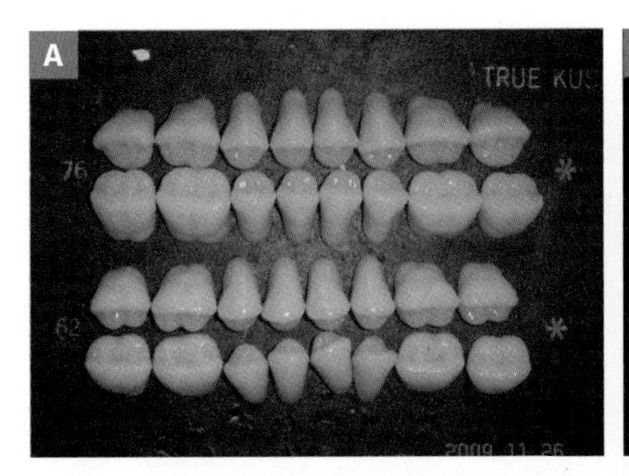

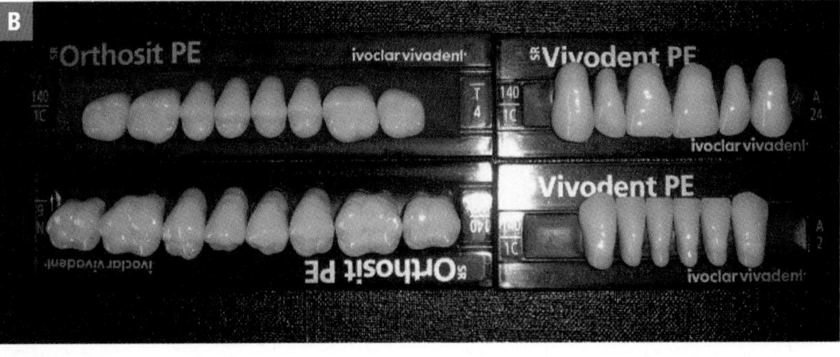

그림 16-12. 인공치의 종류 **A** 세라믹 인공치, **B** 레진 인공치

인공치보다 술식이 쉽다.

세라믹 인공치는 의치상 재료와 화학결합을 하지 않기 때문에 반드시 기계적 유지력을 얻어야 한다. 실란처리를 하면 화학결합도 얻을 수 있다. 열에 의한 변형온도가 높지만 갑자기 온도변화를 심하게 주면 금이 가거나 깨질 수 있다.

레진 인공치는 대합치가 자연치이거나 금 수복물일 때, 환자의 치조제 상태가 좋지 않을 때, 악간 거리(interocclusal distance)가 협소할 때 사용한다. 반면 세라믹 치아의 경우 상하악이 모두 의치일 때, 치조제 상태가 좋을 때, 악간 간격이 충분할 때 선택할 수 있다.

참고문헌

1. Berg E, Gjerdet NR(1985). The effects of pressure and curing temperature on porosity of two chemically activated acrylics. Dent Mater 1:204.
2. Carrotte PV, Johnson A, Winstanley RB(1998). The influence of the impression tray on the accuracy of impressions for crown and bridge work-an investigation and review. Br Dent J 185:580.
3. Craig RG, Koran A, Yu R(1980). Elastomers for maxillofacial applications. Biomaterials 1:112.
4. Cunningham JL, Benington IC(1999). An investigation of the variables which may affect the bond between plastic teeth and denture base resin. J Dent 27:129.
5. International Organization for Standardization(2008). ISO 20795-1: Dentistry - Base Polymers - Part 1: Denture base polymers, 1st ed., ISO, Geneva.
6. Kenneth J. Anusavice(2013), Phillip's Science of Dental Materials 12th ed., W.B. Saunders, St. Louis, Missouri.
7. Nogueria SS, Ogle RE, Davis EL(1999). Comparison of accuracy between compression- and injection-molded complete dentures. J Prosthet Dent 82: 291.
8. Powers JM & Sakaguchi RL(2012). Craig's Restorative Dental Materials, 13th ed., Tokyo, Japan.

디지털 시스템 17

학/습/목/표

❶ 디지털 치과에 대해 학습하고 이해한다.
❷ 치과용 CAD/CAM 시스템(절삭가공)에 대해 학습하고 이해한다.
❸ 3차원 프린터(적층가공)에 대해 학습하고 이해한다.

1. 서론

디지털 치과는 치과치료를 수행함에 있어서 기존의 치과에서 사용되는 기계 또는 전기 도구를 사용하지 않고 디지털 또는 컴퓨터제어 구성요소를 통합한 치과 기술 또는 장치를 사용하는 것을 의미한다. 예를 들면 2000년대 이전의 일반적인 치과에서는 필름 현상 방식의 엑스레이 기기를 사용하였고, 인상채득 및 보철물 제작 과정은 전문가 개개인의 수작업에 의존하였다. 디지털 및 정보화 산업 기술의 발전에 따라 치과의료기기의 디지털화가 이루어진 다음부터 치료와 기공의 전 과정에 걸쳐 디지털화되었다. 이러한 디지털 치과는 기계적 도구를 사용하는 것보다 더 효율적으로 치과 절차를 수행 할 수 있다. 디지털 치과용 의료기기는 치과용 진단기기(디지털 방사선 장비, 교합 및 턱관절 분석 진단장비, 치아색조채득장비 등), 치과용 치료기기(컴퓨터 기반 임플란트 시술장치, 치과용 레이저 등), 그리고 치과용 기공기기(치과용 CAD/CAM 시스템) 등으로 분류할 수 있다. 이들 중, 치과용 CAD/CAM 시스템은 치과 수복물 제작 과정에 디지털 시스템이 도입되면서 가장 각광받고 있는 분야이다.

치과용 CAD/CAM 시스템은 다음의 3가지 요소로 구성된다.

① 수복할 치아의 형상을 디지털 데이터로 변환하는 스캐너 또는 디지털 장비
② 스캔된 디지털 데이터를 처리하여 치아의 이미지를 컴퓨터에 나타내고, 또한 디지털화된 치아의 이미지에 적합한 수복물 형상을 산출하는 소프트웨어
③ 산출된 디지털 데이터에 따라서 재료 블록을 가공하여 최종 수복물을 가공하는 장비

치과용 CAD/CAM 시스템은 다음과 같은 장점을 갖는다.

① 수복물 제작 과정이 단순하고 정확한 절차에 따라서 진행된다.
② 가공 정밀도가 높다.
③ 컴퓨터 모니터 상에서 여러 관점에서 지대치를 관찰해볼 수 있다.

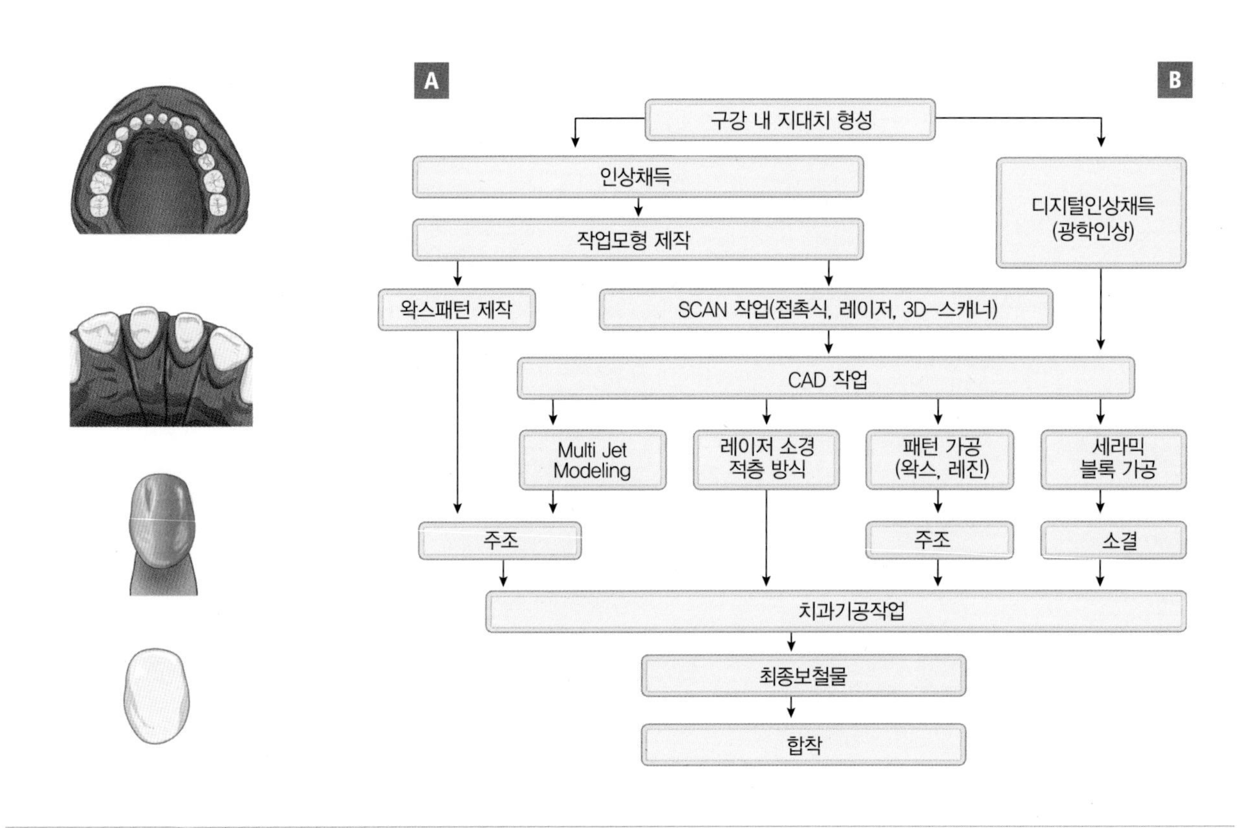

그림 17-1. 치과 보철물 제작 모식도 A 왁스소실법에 의한 기존 제작방식, B CAD/CAM 또는 3차원 프린터를 이용한 디지털 치과 제작방식

④ 컴퓨터 모니터 상에서 대합치를 관찰하면서 수복물을 설계할 수 있다.

⑤ 수정한 부분이 즉각적으로 도시되므로 피드백이 가능하다.

⑥ 종래의 인상재로 인상을 채득하는 과정에서 발생하는 문제점들로부터 벗어날 수 있다.

본 장에서는 치과용 CAD/CAM 시스템을 이용한 치과 수복물 제작 과정을 설명하고 각 단계별로 필요한 디지털 치과 의료기기에 대한 소개를 중점적으로 다루고자 한다.

2. 치아의 디지털 이미지화

치과에서 사용되는 보철물 제작 과정은 그림 17-1에 설명된 바와 같이 기존의 방식과 디지털 치과를 이용한 방식이 상이하다는 것을 알 수 있다. 기존의 보철물 제작 과정은 인상채득, 주모형(master cast) 제작, 납형제작, 매몰, 주조 및 마무리 과정 등의 여러 단계를 거쳐야만 보철물이 완성되고, 각 단계별로 체적의 변화가 보철물의 변형을 유발할 수 있는 다양한 외적 요소들이 존재한다. 이에 반하여 디지털 치과 보철물 제작 과정은 인상 후 주모형 제작까지는 기존의 치과 과정과 동일하고 제작된 주모형의 디지털 이미지를 모형용 스캐너를 이용하여 획득한 후, 치과용 CAD/CAM 시스템으로 치과 보철물을 제작한다. 구강 스캐너를 이용할 경우, 환자의 치아구조를 직접

이미지로 획득하여 곧바로 치과용 CAD/CAM 시스템으로 치과 보철물을 제작한다. 따라서 디지털 치과 의료기기의 디지털화 기술이 높아질수록 치과 보철물 제작의 전 과정이 간소화되고 더 빨리 진행됨을 알 수 있다.

그림 17-2는 디지털 치과 의료기기를 활용한 보철물 제작 과정 모식도이다. 일반적으로 ① 치과용 스캐너를 이용한 이미지 획득, ② CAD 소프트웨어를 활용한 보철물 이미지 제작, 그리고 ③ CAM용 밀링머신 또는 3차원 프린터를 이용한 보철물 제작으로 구성된다.

3. 치과용 스캐너

3차원 스캐너는 입체의 사물을 스캔 장비로 모델링 데이터를 만들어주는 장치이다. 이러한 스캐너의 원리는 물체를 스캐닝한 이미지들을 하나의 좌표계로 합친 후 정렬된 여러 데이터셋(Dataset)을 하나의 데이터로 합치는 머징(merging)과정을 거쳐 3차원 모델링 데이터를 생성하는 방식으로 구성되어 있다. 치과영역에서의 디지털 스캐너의 활용은 주로 인상채득이다. 디지털 인상채득은 일반 보철물 제작뿐만 아니라 임플란트 수술용 가이드 및 임플란트 보철물 제작에도 활용된다. 디지털화된 데이터는 영구적으로 보관 가능하고 언제든지 재제작이 가능하다는 장점이 있다. 치과영역에서는 스캔하는 방식에 따라 치과 진료실에서 환자의 구강으로부터 직접 지대치 형태에 대한 정보를 수집하는 구강 스캐너와 통상적으로 인상채득 후 제작된 석고 주모형을 스캔하는 모형용 스캐너로 크게 나눌 수 있다. 그리고 측정하는 원리에 따라 물체를 직접 닿게 하여 스캐닝한 후 대상물의 형상 정보를 추출하는 접촉식과 입체의 사물에 레이저나 광을 대상물에 투사한 후 스캔 장비를 이용하여 대상물의 형상 정보를 추출

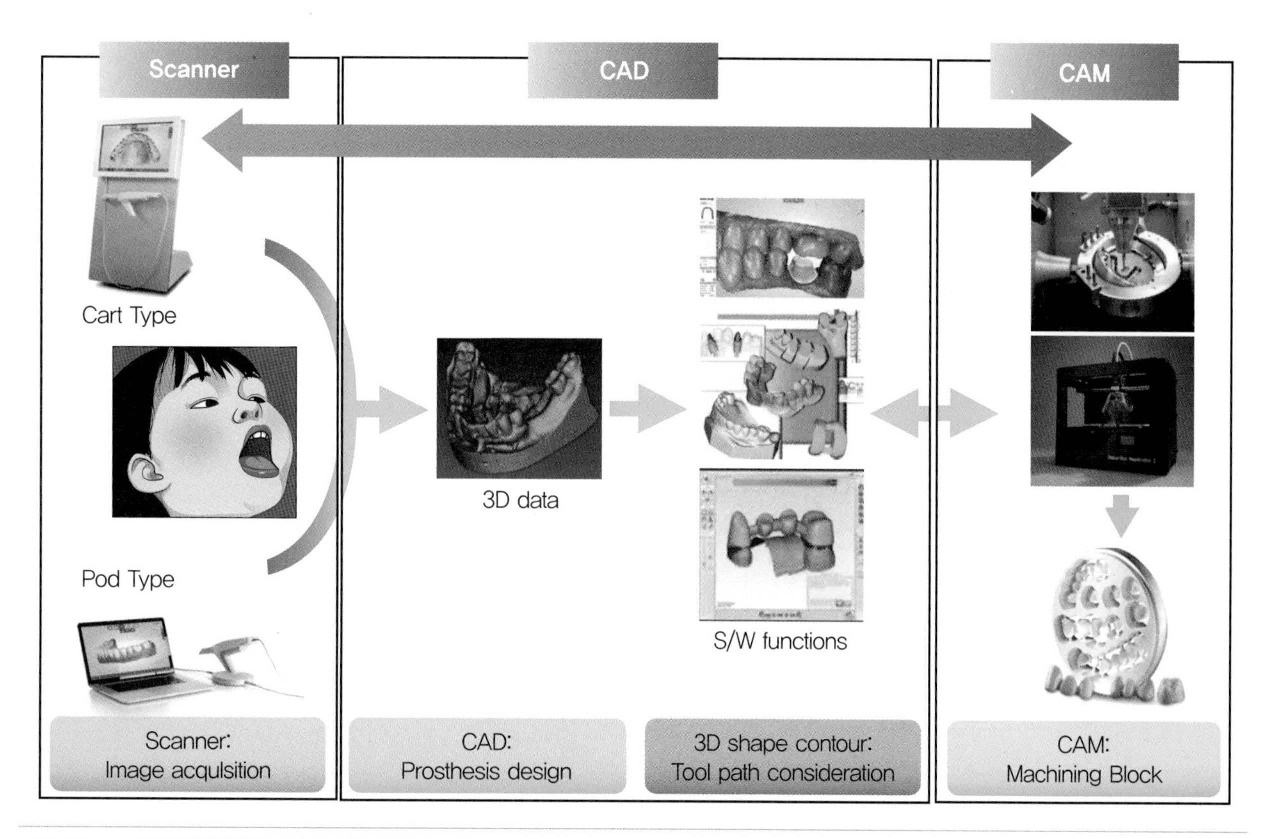

그림 17-2. 디지털 치과의료기기를 이용한 치과 보철물 제작 과정 모식도

한 뒤 3차원 모델링 데이터를 만들어주는 비접촉식 스캐너가 있다.

1) 모형용 스캐너

모형용 스캐너는 석고 주모형 제작 과정까지는 인상재료를 이용한 인상채득 방식을 따르고, 제작된 주모형의 3차원 모델링 데이터는 모형용 스캐너로 획득된다. 모형용 스캐너는 접촉식과 비접촉식 방식으로 구성되며 표 17-1에 각각의 장단점을 설명하였다. 접촉식 스캐너는 접촉 침(touch probe)을 측정 물체에 직접 접촉시켜 한 줄 씩 스캔하는 원리로 작동된다. 물체에 접촉하는 접촉 침의 위치에 대한 값과 스캐너의 3축이 제공하는 좌표값을 기계적으로 환산하는 좌표측정(Coordinate Measuring Machine, CMM) 방식을 이용하여 3차원적 구조를 데이터화한다. 접촉 침 직경이 작을수록 그리고 움직이는 속도가 느릴수록 정밀도는 높아지나, 스캔 속도가 너무 느려 치과 진료실과 같은 일반적인 환경에서 사용하기가 어렵다.

반면, 최근 치과에서 사용되는 대부분의 모형용 스캐너는 비접촉식으로서 광학 스캐너라고 불린다. 이러한 광학 스캐너는 레이저 또는 일반 광원으로부터 방출된 빛이 대상 물체 표면에서 반사되어 CCD (Charge-Coupled Device) 카메라 또는 광센서에 도달하면 삼각측량법(Triangulation)을 이용하여 물체의 거리를 인지하고 이를 바탕으로 물체 표면 형상 데이터를 획득하는 방식이다(그림 17-3).

비접촉식 광학 스캐너는 접촉식 스캐너에 비하여 빠른 스캔속도가 가장 큰 장점이고 복잡한 형상에 대해서도 보다 수월하게 측정할 수 있다. 특히, 치면열구, 교두, 그리고 얇은 변연부 등의 복잡하고 섬세한 부분을 모형 손상 없이 잘 재현할 수 있으므로 치과에서의 활용도가 매우 높다.

표 17-1. 접촉식과 비접촉식 모형용 스캐너 장단점 비교

	접촉식 모형용 스캐너	비접촉식 모형용 스캐너
장점	- 접촉침의 직경으로 정밀도 결정 - 정밀도 우수 - 빛 반사 방지용 스프레이가 필요 없음	- 스캔속도가 월등히 빠름 - 정밀도 범위를 선택할 필요가 없음
단점	- 스캔시간이 오래 걸림 - 접촉침의 직경크기가 제한적임	- 빛 반사 방지용 스프레이가 필요할 수 있음 - 정밀도가 접촉식에 비하여 상대적으로 낮음

2) 구강 스캐너

구강 스캐너는 치과 진료실에서 환자 구강 내 환경을 직접 스캔하여 지대치 형태의 정보를 직접 수집하는 인상채득 방법이다. 신속하고 간편한 치과용 디지털 인상채득으로 환자와 술자 간의 편의성을 증대시킨다는 장점이 있다. 기본적으로 구강 스캐너는 비접촉식 광원을 이용하고, 모형용 스캐너에서 사용되었던 삼각측량법 이외에 공초점 레이저(Confocal laser), 능동적 파면 추출(Active wave front sampling) 등의 다양한 방식으로 데이터 이미지를 획득하여 3차원 이미지를 형성한다. 또한, 데이터를 처리하여 이미지를 형성하는 방식에 따라 사진을 찍어 이어붙이는 방식(Stitch)과 동영상 촬영 기법을 활용한 렌더

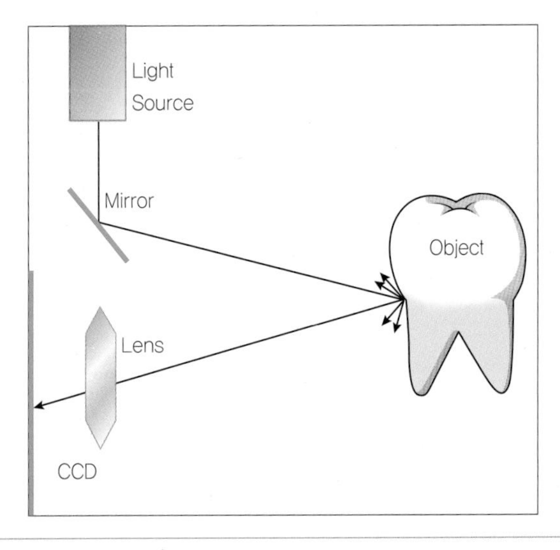

그림 17-3. 삼각측량법 원리 모식도

링(Rendering) 방식으로 구강 스캐너를 구분할 수 있다.

구강 스캐너는 치과 임상에서 바로 사용하기 때문에 스캔속도, 정확도, 스캐너 크기, 사용의 편리함, 소프트웨어와의 상호 운용성, 그리고 스캐너 팁의 소독방법 등이 평가된다. 특히, 스캔속도와 정확도는 구강 스캐너를 평가하는데 있어서 중요한 요소라고 볼 수 있다.

4. 상호운용성(Interoperability)

상호운용성(Interoperability)은 하나의 시스템이 동일 또는 다른 기종의 다른 시스템과 아무런 제약 없이 서로 호환되어 사용할 수 있는 성질을 말한다. 디지털 치과 의료기기에서의 상호운용성이란 치과용 CAD 소프트웨어와 CAM용 밀링기기 및 3차원 프린터 간의 제조공정에서 사용되는 파일, 파일 컨테이너 간의 유기적인 관계를 유지하고 시스템 간에 자유롭게 사용가능한 성질을 의미한다. 치과용 CAD와 CAM을 개발하는 수많은 제조사 간의 소프트웨어 연동, 디자인 과정 및 제조 공정의 불일치를 최소화하기 위하여 디지털 치과 의료기기의 상호운용성에 대한 표준 개발이 필수적이다. 현재 "ISO 18618:2018 - Dentistry -- Interoperability of CAD/CAM systems"이 발간되어 위에서 언급된 디지털 치과 의료기기의 상호운용성에 대한 가이드라인을 제공하고 있다.

5. 가공장비

가공센터와 기공소에서는 디지털 인상과 수복물의 설계된 데이터를 활용해서 직접 수복물을 제작한다. 디지털 치과 의료기기의 대표적인 가공장비로는 절삭가공 방식의 CAM용 밀링머신과 적층가공 방식의 3차원 프린터가 있다. 일반적으로 알려진 CAM용 밀링머신과 3차원 프린터의 원리는 아래에 설명되어 있다.

1) CAM용 밀링머신

CAM용 밀링머신은 가공축의 수에 따라서 분류되고 있다. 가공축의 수가 최종 제품의 질과 직접적으로 관련이 되지는 않지만, 그것은 제품형상의 기하학적인 복잡성에 크게 영향을 미칠 수 있다. 3축 장비는 가공축이 3개의 공간방향으로 움직일 수 있지만, 가공축의 수렴과 발산은 불가능하다. 3축 장비는 작동 중에 가공에 사용된 재료 블록을 180도 회전하는 것은 가능하다. 4축 장비는 3축 장비의 X축 방향에 A축을 추가하여 재료 블록을 한 방향으로 회전할 수 있도록 설계한 장비이다. 재료 블록의 회전이 가능하므로 수직적인 높이의 차이를 보이는 고정성 보철물과 같은 제품의 가공이 가능하다. 5축 장비는 3축 장비의 X축과 Y축 방향에 A축과 B축을 추가하여 재료 블록이 앞과 뒤 및 시계방향과 반시계방향으로 회전할 수 있도록 설계한 장비이다. 재료 블록의 회전이 가능하므로 공간을 허용하기 위해서 지대치가 수렴되는 것과 같은 기하학적으로 복잡한 형상의 가공을 가능하게 한다.

CAM용 밀링머신은 금속, 레진, 세라믹 및 왁스 등 다양한 재료를 가공할 수 있다. 금속은 대부분의 재료에 대해서 제한 없이 가공이 가능하고, 레진은 주조용의 패턴 및 장기간 장착이 요구되는 임시보철물 등의 가공에 사용된다. 세라믹은 장석계 포세린, 류사이트 강화 글라스-세라믹, 이규산리튬 강화 글라스-세라믹 및 지르코니아 등의 가공에 사용되며, 특히 지르코니아는 우수한 기계적 성질을 가지고 있어 고정성 국소의치나 임플란트의 지대주 등의 가공에 사용된다.

최근 지르코니아 세라믹으로 제작된 블록을 사용하여 프레임이나 크라운을 가공하는 all-ceramic 수복 방식이 보편화되면서 스캐너와 소형화된 가공장비를 갖춘 다양한 CAD/CAM 시스템이 도입되고 있다. 그림 17-4는 Lava 시스템(3M)에서 수복물을 제작하는 과정을 나타낸 것으로, 진료실에서 치아의 삭제, 수복물의 합착 및 교합조정 등이 이루어지고, 기공소에서 모형제작과 세라믹 전장 등이 이루어지며, 가공센터에서 모형의 스캔, 수복물 설계 및 가공이 이루어지는 것을 보여주고 있다.

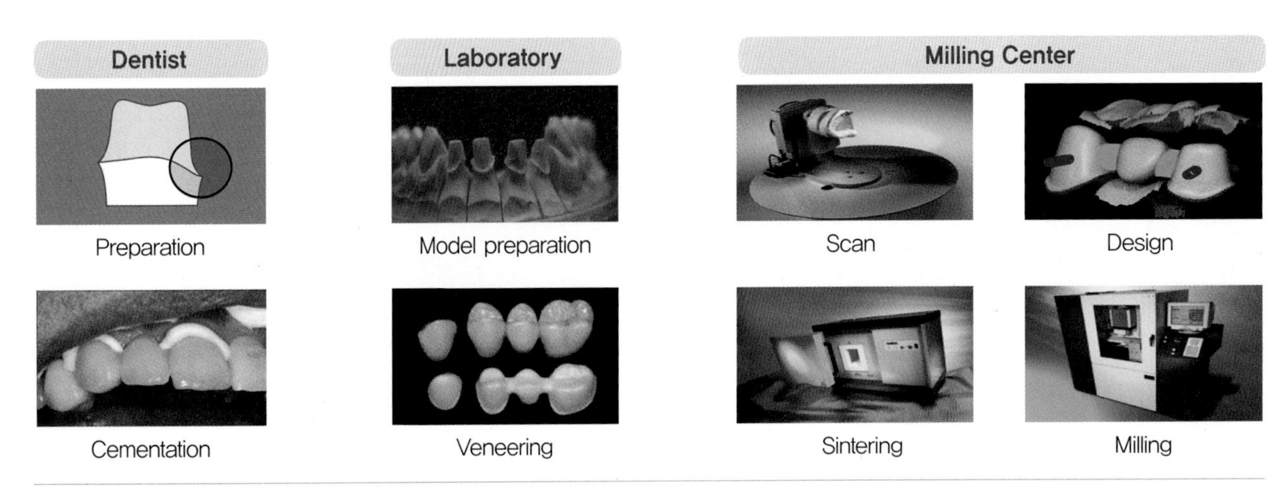

그림 17-4. Lava 시스템(3M)의 수복물 제작과정

2) 3차원 프린터

3차원 프린터는 컴퓨터에서 디자인한 물체의 3차원적 형상을, 잉크젯 프린터에서 잉크를 뿌려서 인쇄하는 것처럼, 잉크 대신 고분자 물질이나 플라스틱, 금속가루를 분사해서 제작하는 기기를 말한다. 기존의 공구를 사용해 자르거나 깎아서 형상을 제작하는 가공 방식에서는 공구의 간섭으로 인해 제작 가능한 형상에서 한계를 보였다. 그렇지만, 3차원 프린터는 재료를 한 층씩 적층해서 물체를 형성해가는 제작 방식이므로, 모델링한 대부분의 3차원 형상의 물체 제작이 가능하고, 기존의 공구를 사용한 가공방식에 비해서 빠르고 가격이 저렴한 점 등으로 인해서 최근 관심이 증가하고 있다.

3차원 프린팅 기술은 1981년 코다마 히데오가 마스크 패턴과 스캐닝 파이버 송신기로 UV 영역에서 중합되는 광경화성 열경화 고분자로 3차원 모형을 제작하여 처음 소개되었다. 이후, 1984년 3차원 Systems Corporation의 Chuck Hull은 자외선 레이저로 광 중합체를 경화시키면서 적층하는 방식의 입체석판인쇄술(Stereolithography, SLA) 제조시스템에 대해 소개하고, 그 과정을 "형성 될 물체의 횡단면 패턴을 만들어서 입체 물체를 생성하는 시스템"으로 정의했다. Hull이 제안한 STL 파일 포맷과 디지털 슬라이싱 및 적층 방식은 오늘날 많은 3차원 프린터 제조과정에 적용되고 있다. 3차원 프린터 또한 프린터 소재의 개발과 프린터 성능의 향상으로 인하여 치과 임상에서 치과용 CAD/CAM 시스템의 한계를 극복하는 새로운 디지털 치과용 의료기기로 각광받고 있다. 3차원 프린팅 기술은 치과진료 및 치과 수술용 생체재료 및 의료기기 제작에도 이용되고 있는데 주로, 치과용 임플란트, 최근 치과산업 분야에서 치과 교정용 모델, 금관, 임플란트 수술 가이드, 및 임시치관 제작 등에 사용되고 있다.

3차원 프린터에서는 제품 제작을 위해서 여러 가지 방식이 채용되고 있으며, 각각의 방식에 장단점이 있기 때문에 용도와 기능에 따라서 올바른 선택이 요구된다. 현재 적층방식(Additive Manufacturing, AM)에 대한 표준은 ISO/TC 261에서 개발 중이고, AM의 기본원리 및 일반사항은 ISO 17296에 설명되어 있다. 현재까지 소개된 3차원 프린팅 적층방식은 액층 광중합(Vat Polymerization), 소재압출(Material Extrusion), 소재분사(Material Jetting), 접착제분사(Binder Jetting), 분말소결(Powder Bed Fusion), 직접용착(Directed Energy Deposition), 및 판재적층(Sheet Lamination)으로 7종이 있다.

(1) 액층 광중합(vat photopolymerization) (그림 17-5)

액층 광중합 적층방식은 Vat 안에 있는 액상 광화성 수지가 광중합에 의해서 선택적으로 경화되는 적층 가공

방식으로 SLA (Stereolithography)와 DLP (Digital Light Processing) 장비가 해당된다. 빛에 반응하는 아크릴 레진이나 에폭시 계열의 광경화성 수지가 들어있는 수조에서 레이저 빔(통상적으로 UV 사용)을 조사하여 원하는 형상의 물체를 제작하는 방식이다. 레이저 빔에 의해서 한 층씩 경화가 이루어질 때마다 약 0.025~0.125 ㎜ 두께의 층이 형성되며, 이 과정은 원하는 3차원 형상의 제품이 완성될 때까지 반복된다. 완성된 3차원 제품은 최종 경화를 위하여 후경화(post-curing) 처리를 거쳐야 한다.

A SLA 방식 액층 광중합 적층방식 모식도

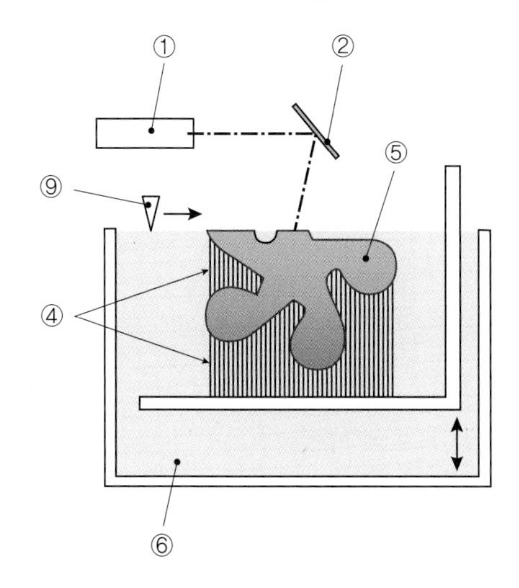

B DLP 방식 액층 광중합 적층방식 모식도

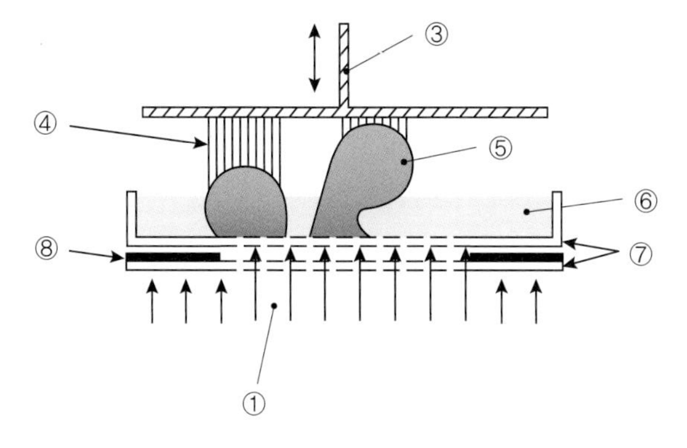

식별부호

① 레이저
② 초점용 경사면 거울
③ 제작대 및 엘리베이터
④ 지지대
⑤ 제품
⑥ 액상 광중합용 레진이 채워진 통
⑦ 투명판
⑧ 포토마스크
⑨ 재코팅 및 표면 평탄화 기구

그림 17-5. 액층 광중합의 두 가지 대표적인 원리 모식도

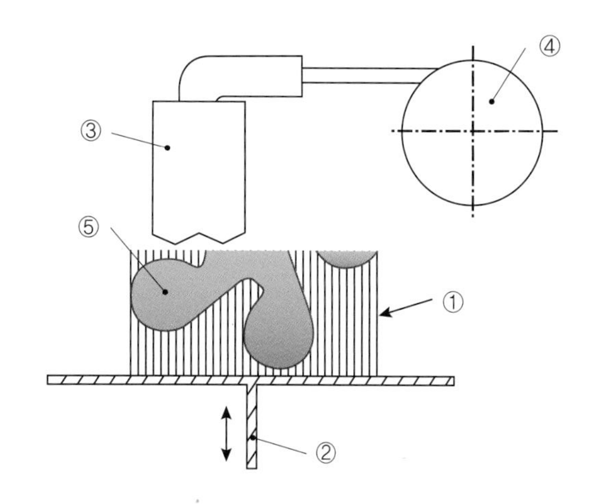

식별부호

① 지지대
② 제작대 및 엘리베이터
③ 가열 노즐
④ 재료 공급장치
⑤ 제품

그림 17-6. 소재압출 모식도

(2) 소재압출(material extrusion) (그림 17-6)

열가소성의 수지 또는 왁스 형태의 재료를 장비에 장착된 압출 헤드(extrusion head)를 통하여 연속적으로 압출하여 원하는 제품의 형상을 얻는 방식으로 FDM (Fused Deposition Modeling)과 FFF (Fused filament Fabrication) 장비가 여기에 해당된다. 온도조절이 가능한 용융압출헤드를 통과하면서 액상으로 연화되고, 한 층 한 층 적층이 되는 융합 과정을 거쳐서 3차원 형상의 제품이 완성된다.

(3) 소재분사(material Jetting) (그림 17-7)

소재분사 적층방식은 빌드업 재료의 작은 액상방울이 선택적으로 증착되는 방식으로 Polyjet과 MJM (Multi-Jet Modeling) 장비가 여기에 해당된다.

(4) 접착제분사(binder jetting) (그림 17-8)

분말상의 재료를 결합시키기 위하여 액상의 결합제가

선택적으로 증착되는 적층가공 방식으로 3차원P(Three Dimensional Printing) 및 CJP (Color Jet Printing) 장비가 여기에 해당된다. 프린터처럼 모형의 재료가 되는 광경화성 수지를 헤드로부터 제트 분사한 후 UV 램프로 경화시키는 방식으로 한 층 한 층 적층이 이루어진다.

식별부호

① 제작 및 지지재료용 재료 이송 시스템(특정 공정에 따라 선택 사항임)
② 분배장치(방사광 또는 열원)
③ 제작 재료의 액상방울
④ 지지대
⑤ 제작대 및 엘리베이터
⑥ 제품

그림 17-7. 소재분사 모식도

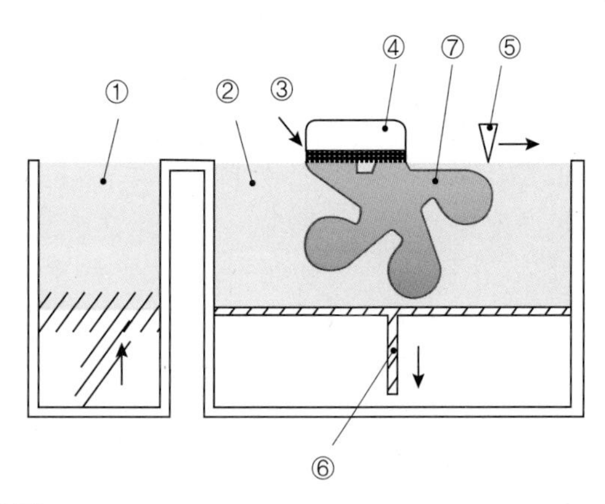

식별부호

① 분말 공급 시스템
② 분말 베드에 분산된 분말 재료
③ 액상 결합제
④ 결합제 공급 시스템과 연결된 분배 기기
⑤ 분말 분산 장치
⑥ 제작대 및 엘리베이터
⑦ 제품

그림 17-8. 접착제분사 모식도

(5) 분말소결(powder bed fusion) (그림 17-9)

분말 구역을 열에너지로 선택적으로 융해시켜 적층하

A 레이저 분말소결 적층방식

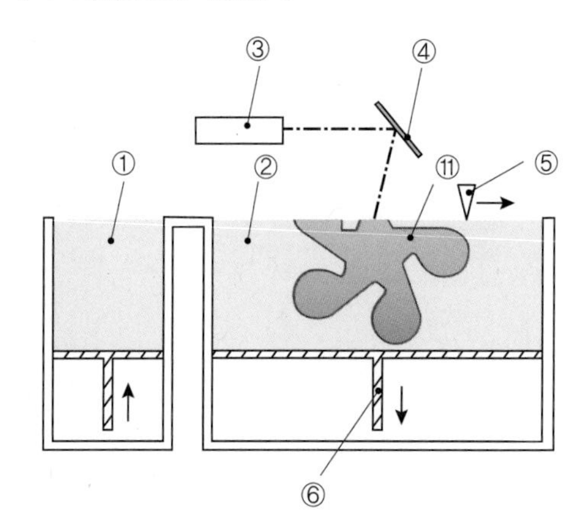

B 전자빔 분말소결 적층방식

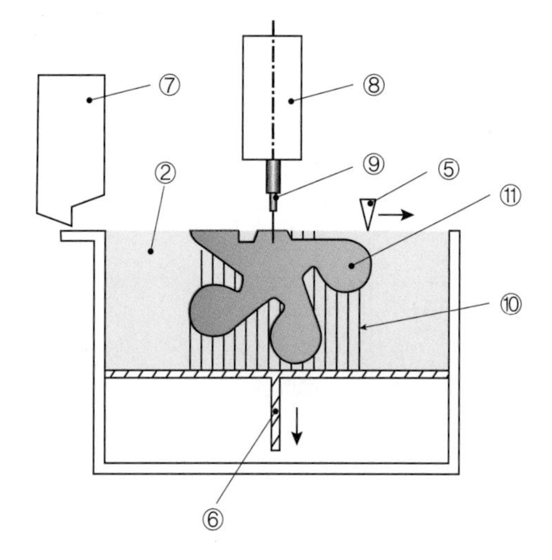

식별부호

① 분말 공급 시스템
② 분말 베드에 분산된 분말 재료
③ 레이저
④ 초점용 경사면 거울
⑤ 분말 분산 장치
⑥ 제작대
⑦ 원료공급 용기
⑧ 전자빔 건
⑨ 초점이 맞춰진 전자빔
⑩ 지지대
⑪ 제품

그림 17-9. 분말소결 모식도

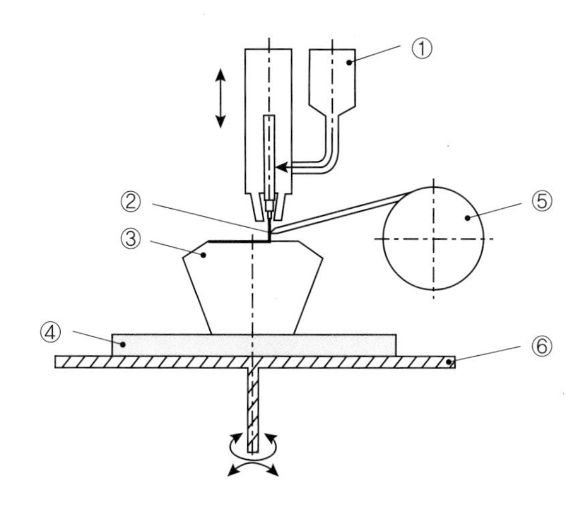

식별부호

① 분말 호퍼
② 지향성 에너지빔, 예를 들면, 레이저, 전자빔 또는 플라즈마 아크
③ 제품
④ 기판
⑤ 와이어(필라멘트) 코일
⑥ 제작대

비고1. 다축 기능(일반적으로 3-6축)은 노즐 및 제작대를 이동해야 가능하다.

그림 17-10. 직접용착 모식도

는 방식으로 SLS (Selective Laser Sintergin)과 DMLS (Direct Metal Laser Sintering) 장비가 여기에 해당된다. 이 방식은 크게 레이저(Laser)와 전자빔(Electron beam)의 두 가지 열에너지를 사용한다. 즉, 레이저 빔 또는 전자빔으로 소결제를 포함하는 분말상태의 재료를 녹여서 원하는 형상의 물체를 제작하는 방식이다. 조형판에 재료를 공급하고 리코팅 롤러로 평탄화를 시킨 다음 상단부에서 레이저 빔 또는 전자빔을 조사하여 한 층 한 층 적층하는 방식이다. SLS와 DMLS 간의 차이점은 SLS는 일반적으로 고분자, 세라믹 등의 재료를 이용한 적층공정에 주로 사용되고, DMLS는 금속에만 적용된다. 또한, SLM(Selective Laser Melting)은 SLS와 매우 유사하나, 분말을 소결하지 않고, 녹여서 적층가공하는 기술을 사용한다.

(6) 직접용착(directed energy deposition) (그림 17-10)

소재에 집중적으로 열에너지를 조사하여 녹이고 결합

A 연속 롤 방식 판재적층

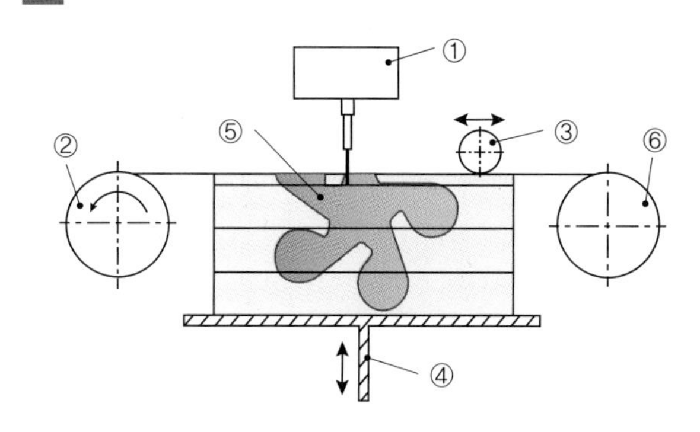

B 불연속 판재 방식 판재적층

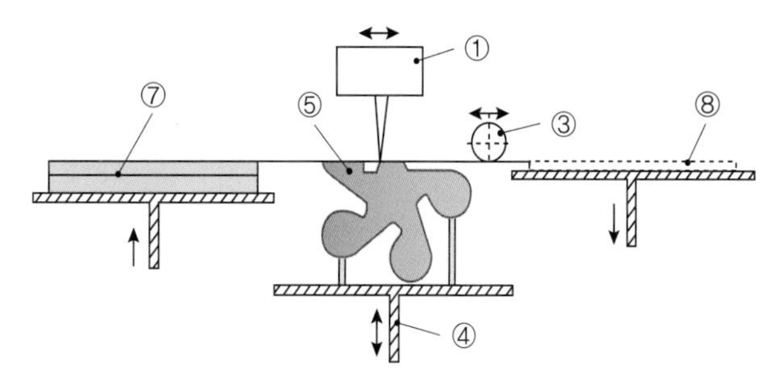

식별부호

① 절단 장치
② 과잉 재료 롤
③ 라미네이터 롤
④ 제작대 및 엘리베이터
⑤ 제품
⑥ 원재료 롤
⑦ 과잉 재료 스택
⑧ 원재료 스택

그림 17-11. 판재적층 모식도

시키는 방식의 적층 가공 공정으로 LENS (Laser Engineered Net Shaping)와 DMT (Direct Metal Transfer) 장비가 여기에 해당된다.

(7) 판재적층(sheet lamination) (그림17-11)

소재의 판재를 적층시켜 출력물을 제작하는 방식의 적층 가공 공정으로 LOM (Laminated Object Manufacturing)과 UAM (Ultrasonic Additive Manufacturing) 장비가 여기에 해당된다.

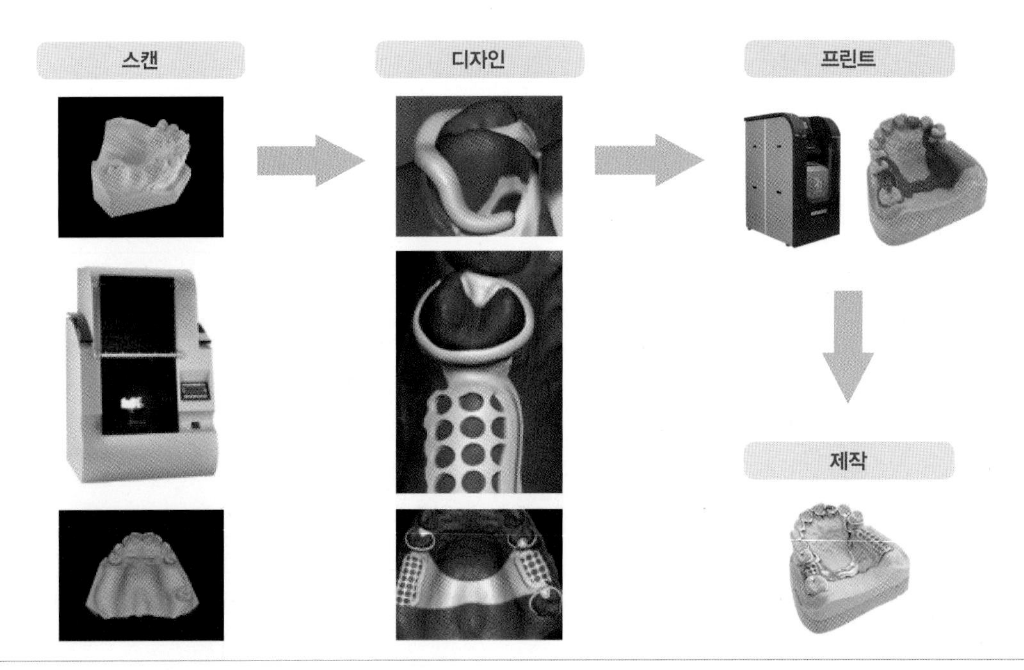

그림 17-12. Sensable Dental사가 개발한 Intellifit™ Digital Restoration System으로 국소의치의 프레임을 제작하는 과정을 보여주는 모식도

3) 3차원 프린터의 치과 응용

그림 17-12에서는 Sensable Dental사(USA)가 개발한 Intellifit™ Digital Restoration System으로 국소의치의 프레임을 제작하는 과정을 보여준다. 이 시스템에서는 3차원 가상 터치 방식을 도입하여서 사용자가, 왁스로 프레임을 직접 제작할 때와 마찬가지로, 3차원 디자인된 형상을 느낄 수 있게 하였다. 또한, 이 시스템에서는 고해상도의 광학 스캐닝 모듈과 회전이 가능한 정밀한 카메라가 장착된 3차원 스캐너를 사용하여 모형에 대한 디지털 정보를 얻고 있다.

결손된 치아를 금속을 사용하여 반영구적으로 수복하려고 할 때, 종래에는 왁스로 조각을 해서 패턴을 준비한 다음 이것을 매몰하고 주조하여 원하는 수복물을 제작하였다. 그렇지만, CAD/CAM 시스템과 3차원 프린터가 실용화되면서, 수복물 제작 과정은 금속을 중심으로 한 종래의 주조방식에서 벗어나, 다양한 방식이 도입되어 활용되고 있다.

■ 참고문헌

1. Beuer F, Schweiger J, Edelhoff D(2008). Digital dentistry: an overview of recent developments for CAD/CAM generated restorations. Br Dent J 204(9): 505-511.
2. Freedman, David H(2012). "Layer By Layer". Technology Review. 115(1): 50–53.
3. Hideo Kodama, "A Scheme for Three-Dimensional Display by Automatic Fabrication of Three-Dimensional Model," IEICE Transactions on Electronics(Japanese Edition), vol. J64-C, No. 4, pp. 237–41, April 1981.
4. Hideo Kodama, "Automatic method for fabricating a three-dimensional plastic model with photo-hardening polymer," Review of Scientific Instruments, Vol. 52, No. 11, pp. 1770–73, November 1981.
5. ISO 18618(2018), Dentistry -- Interoperability of CAD/CAM systems.
6. ISO/ASTM 52900(2015), Additive manufacturing — General principles — Terminology.
7. ISO17296-2(2015), Additive manufacturing — General principles — Part 2: Overview of process categories and feedstock.
8. May KB, Russell MM, Razzoog ME, Lang BR (1998). Precision of fit: the Procera AllCeram crown. J Prosthet Dent 80(4): 394-404.
9. Webber B, McDonald A, Knowles J(2003). An in vitro study of the compressive load at fracture of Procera AllCeram crowns with varying thickness of veneer porcelain. J Prosthet Dent 89(2): 154-160.

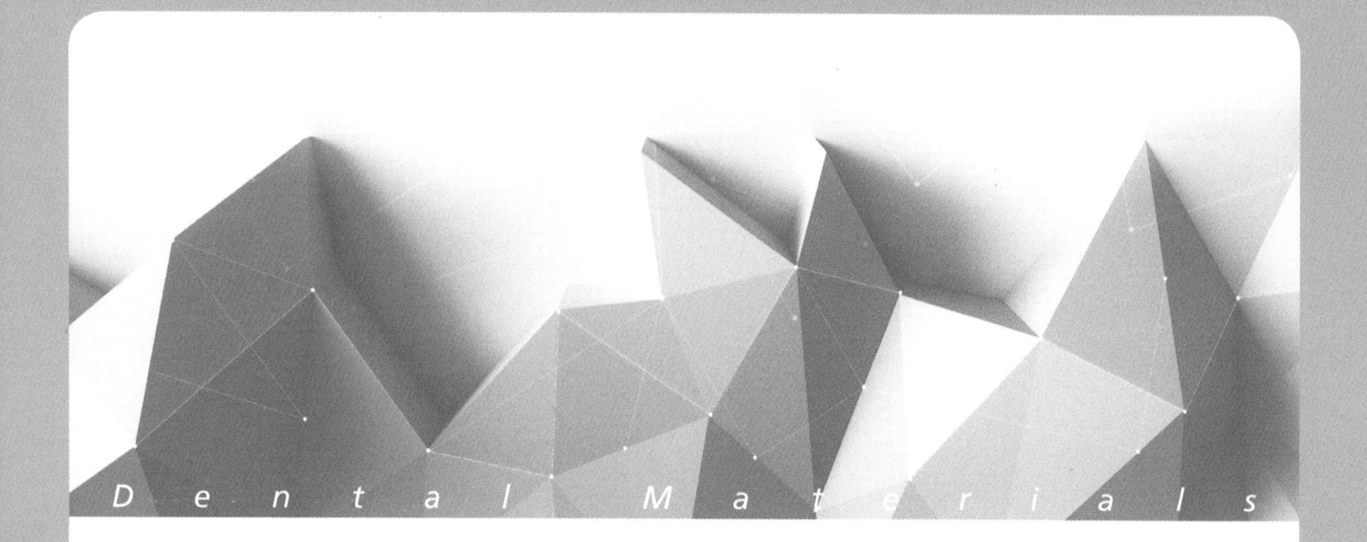

PART

Ⅵ

임플란트 및 조직공학

치과 임플란트 재료

18

학/습/목/표

❶ 임플란트의 개념 및 의의를 이해한다.
❷ 임플란트의 소재, 종류 및 구성에 대해 이해한다.
❸ 임플란트 표면과 치조골조직의 계면 반응, 특히 골유착 과정을 이해한다.
❹ 임플란트의 성공을 높이기 위한 표면처리 등의 발전방향을 이해한다.

1. 치과용 임플란트의 개념(의의)

임플란트란 이식체 또는 심는 물질이라는 뜻으로 어원은 'im'(안에, 내부에)과 'plant'(심다, 이식하다)의 복합어이다. 인체 내의 결손부위를 보완하기 위해 인체 내에 삽입되는 인공 보형물의 총칭이며, 의료기기 중에서는 이식용 의료기기로 분류된다. 치과용 임플란트는 치아가 필요한 턱뼈(Alveolar bone)에 직접적으로 인공치근(fixture)을 식립하고, 그 위에 인공치아를 만들어 주는 치료술식이다. 치과분야에서는 상실된 치아의 회복은 현대 치의학에서 중요하다. 치료를 통해 기능적, 생리적으로 안정된 치아 상태를 유지한다면 당연히 발치를 하지 않아야 하나, 심각한 염증이나 과도한 면역반응에 의해 주변 치아나 치주조직에 영향을 주는 경우는 발치 후 상실된 치아를 수복하는 심미적이고 기능적 대체가 요구된다. 가철성 의치는 빈번한 탈부착으로 불편함이 크고, 고정성 보철물은 이차우식이나 돌이킬 수 없는 치수염과 같은 어려운 문제들을 일으킬 수 있는 인접한 자연치아의 삭제 및 손상을 수반하며 이에 따른 잇몸 손상 및 치조골의 소실을 동반한다. 또한 수년마다 보철물을 교체해야 하는 불편함이 있다. 최근의 보철재료는 한 개의 치아 또는 전악궁을 대체하려는 목적으로 많이 사용되며, 많은 생체재료들이 자연치의 치근용으로 사용되고 있으며 계속 발전하고 있다.

치과용 임플란트는 상실된 치아를 대체하기 위해 티타늄 등의 금속재료와 세라믹재료 그리고 최근에는 폴리머재료를 이용해서 만들어지는 대표적인 인공치아이다.

임플란트 치료의 장점은 주변 치아의 손상 없이 인공치근을 이식하여 자연치아와 가장 유사한 기능 및 심미성을 회복할 수 있고, 잇몸손상과 치조골 소실 방비, 그리고 사후관리에 따라 반영구적으로 사용이 가능하다. 단점은 기존 치료에 비해 장기간의 치료기간이 필요하고 상대적으로 고가라는 점이다. 임플란트의 적절한 재료의 선택과 디자인은 물론이고 임플란트와 조직 사이의 계면에서 생물학적 작용의 이해와 평가, 기존에 있는 골의 질적 평가, 신중하고 정교한 외과적 수술법, 적절한 환자의 선택, 임플란트가 들어갈 공간, 하중분포, 보철물의 설계, 지속적인 환자 관리 등이 고려되어야 한다.

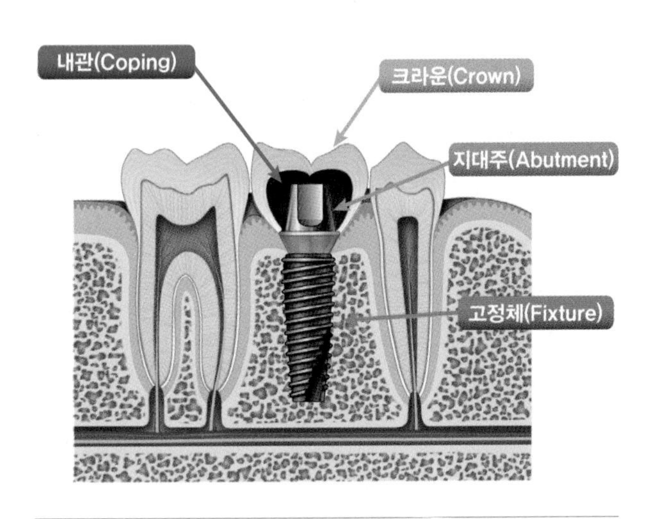

그림 18-1 치과용 임플란트의 전체 구성

이러한 지식은 수많은 임플란트 수술을 실패한 대가로 얻은 것이며 기존의 연구 결과로 볼 때 안정성과 효능성이 인정된 생체적합성 재료만이 인간의 임플란트로 사용될 수 있음을 확인하였으며, 지속적인 기술개발 및 기업 간 경쟁을 통해서 치료기간의 단축과 비용의 감소가 이루어지고 있다. 임플란트의 전체적인 구성은 크게 고정체(fixture), 지대주(abutment), 그리고 크라운(crown)의 세 가지로 이루어지며(그림 18-1), 본 장에서는 이 중 인공치근에 해당하는 고정체(임플란트)에 한정해서 설명하겠다.

2. 임플란트의 역사

오랜 세월동안 사람들은 매식(implantation)을 통해 결손치를 대체하려는 시도를 하였다. 상실된 치아를 대체하는 시술은 BC 2000년 고대 이집트에서 조각된 상아, 동물의 치아 또는 노예의 치아를 사용했다는 기록을 찾아볼 수 있다. AD 600년에 발굴된 Maya인의 유골 하악전치부에서 조개껍질의 치아 형태로 다듬어 심겨진 유골이 발견되었고 중세에도 빈민의 치아를 뽑아 부자인 사람에게 이식하는 동종 간의 치아이식의 사례들이나 동물의 치아를 뽑아 이식하는 이종 간의 사례들이 있었다. 18세기 초 Maggilolo는 스프링에 의해 지지 치아(pivot teeth)에 고정된 금치근을 제작하여 발치된 부위에 고정하였고, 이후 19세기 중반까지 다양한 금속재료 및 도재를 이용한 임플란트들이 시도되었고 1930년대 이후 다양한 재료 및 형태의 임플란트가 개발되었고 실제 환자에게 적용되었다. 1960년대 중반 스웨덴의 외과의사인 브레네막(Per-Ingvar Branemark) 교수는 뼈의 치유과정을 연구하던 중 토끼의 비골(fibula)에 티타늄(titanium) 재료를 매식한 후 이를 제거할 때 티타늄과 뼈가 단단히 부착되어 있는 것을 발견하고 골유착(osseointegration)이라는 개념을 정립하였다. 그리고 현재 임플란트의 초기 형태(Branemark system)를 환자(Larson)의 하악에 성공적으로 식립함으로써 임플란트 시대의 서막을 열었으며, 당시의 기술적 한계에도 불구하고 15년간 추적 임상증례에서 상악은 81%, 하악은 91%라는 획기적인 성공률을 보고하였다. 1960대 말, 스위스 베른대학의 안드레 슈뢰더(André Schroeder) 교수는 스트라우만(Straumann)사와 함께 플라즈마로 티타늄분말을 표면처리(Titanium Plasma Sprayed surface, TPS) 등과 같은 다양한 표면개질 임플란트의 프로토타입을 개발하여 지금의 골유착능 향상에 크게 기여하였고, 1980년 후반 ITI (International Team for Implantology foundation)를 설립하여 지금까지 임플란트의 발전에 지대한 영향을 주고 있다. 형태적으로는 임플란트의 말단부가 가늘어 지는 형태(taper form)가 개발되었고, 고정체 내부가 비어 골조직이 침투할 수 있는 hollow형태, 그리고 자연치와 같은 미세움직임이 내부에 포함된 IMZ (intra-mobile element) 임플란트가 소개되었다. 현재 hollow 형태나 IMZ 형태의 임플란트는 장기적인 임상결과가 좋지 않아 더 이상 사용되지 않는다.

3. 임플란트의 분류

1) 치과용 임플란트의 기본적인 분류

치과용 임플란트의 디자인은 지난 90년간 그 형태와 재료, 악골 내에 매식되는 정도, 및 수술방법에 따라 많은 시행착오를 거치며 발전되었다. 미국 치과의사협회지에 발표된 NIH (National Institute of Health)의 인공치아 이식에 관한 보고서에서는 크게 4종류로 분류하고 있다. 고정체가 골조직 내로 들어가는 골내 임플란트(endosseous system), 골외면과 접촉하는 골막하 임플란트(subperiosteal system), 골 관통형 임플란트(transosseous), 그리고 기타로 분류하며, 기타로 분류된 치과용 임플란트는 요즘 사용하지 않는 mucosal insert와 endodontic stabilizer등이 해당된다.

(1) 골내 임플란트

골내 임플란트는 최초의 형태이면서 현재까지 가장 보편적으로 사용된 임플란트로써 하악이나 상악의 치조골 또는 기저골에 식립되며 한쪽 피질골 만을 관통한다. 임상적인 제한이 적고 성공률이 높다는 점에서 가장 적절한 임플란트의 형태로 여겨진다. 골내 임플란트는 1800년대부터 치근형태와 같은(실린더형, 나사형, 빈원통형) 골내형(endosteal form), 칼날형(blades 또는 plates) 또는 staples형, ramus frames형 및 치내 안정장치(endodontic stabilizers) 등을 골에 위치시키는 장치로 개발되었다. 성공적인 외과적 수술과 적절한 수술 후 환자관리가 병행된다면 원통형 나사 임플란트(cylinder-shaped screw implant)는 15년 후에 높은 성공률을 보였다. 이러한 성공적인 결과에 힘입어 다양한 디자인과 성분을 가진 골내 임플란트가 개발되었으며 1960년대 중반에 브래네막 교수의 골유착이라는 개념과 함께 자연치근의 형태를 모방하는 나사

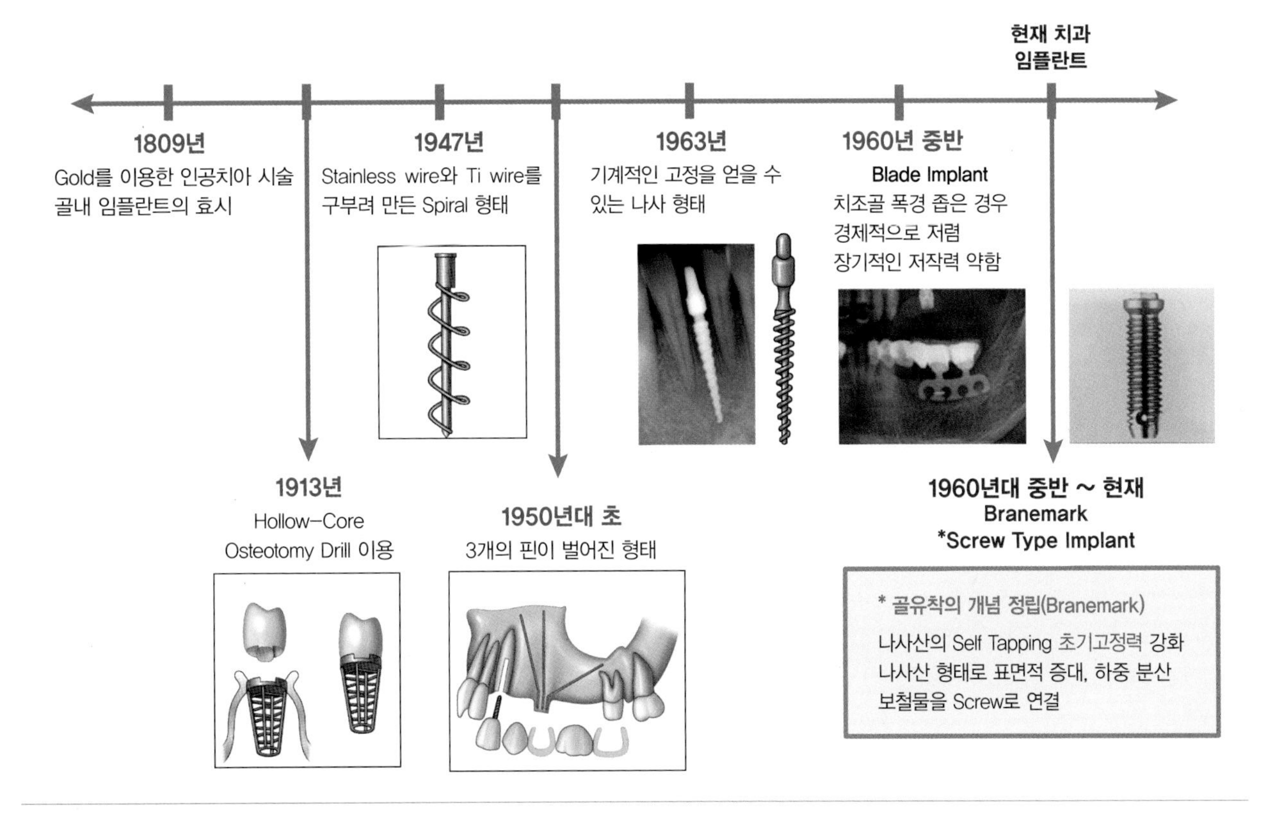

그림 18-2 골내 임플란트와 골막하 임플란트의 모식도

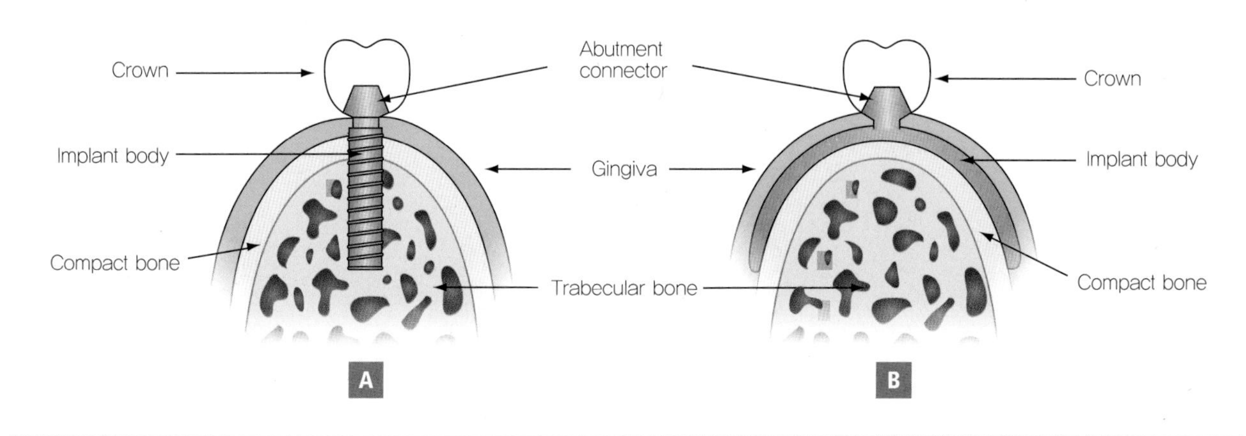

그림 18-3 치과용 임플란트가 존재하는 계면부의 모식도 A 골내 임플란트, B 골막하 임플란트

형(screw)이 사용되기 시작하였는데 원통형에 비해 골과 접촉하는 계면표면적이 커지고 힘을 분산하기 좋을 뿐 아니라 초기 임플란트의 안정된 고정에 유리한 장점이 있다. 이는 치조골 내에 식립되어 주로 직접적인 골유착에 의해 지지를 얻는 방식으로 현재 환자에게 시술하는 대부분의 임플란트로 발전하였다(그림 18-2) .

(2) 골막하 임플란트

골막하 임플란트는 골막하의 골표면을 따라 장착된다(그림 18-3). 각각의 금속구조물은 개개인 환자의 골구조 형태로 주조되어 상악골, 하악골을 따라 장착된다. 대부분의 구조물은 코발트 합금으로 제작되며 코발트 합금이나 티타늄으로 주조하여 제작하기도 한다. 1960년대에 주로 사용되었고 연조직을 가로질러 구강 내까지 확장된 4개의 독립된 지대치 포스트로 구성되어 있으며, 의치를 지대치 상부로 위치할 수 있는 금속성 상부구조물 위에서 제작한다. 이 디자인은 시술이 복잡하여 통증과 외상을 동반하고 장기간 성공률이 낮은 편이다. 무치악 상태를 수복하기 위하여 주로 사용된다.

(3) 골관통형, staple 및 ramus frame system

골관통형, staple 및 ramus frame system은 하악의 무치악을 치료하기 위해서 디자인되었고 하악골 융합부(anterior symphysis)와 하악지(ascending ramus)를 따라 골에 위치시킨다. 치내 안정장치는 근관치료를 받은 치아의 원심치수강을 통과하도록 설계되었고, 치관 · 치근의 비율을 향상시키는 원리에 의해 제작되었으나 시술이 복잡한 등 많은 문제점이 있어 실제 환자에 적용은 거의 되지 못했다.

2) 현재 사용되는 골내 임플란트의 분류

1960년대 중반 이후 지금까지 환자에게 적용되는 임플란트는 나사형태의 치근형 골내 임플란트가 주축을 이루고 있으며 치근형 임플란트는 외과적 술식에 따라 상피관통부가 임플란트의 본체가 연결된 non-submerged type의 일체형(one-piece) 형태와 상피관통부가 본체와 분리되어 2단계의 수술이 필요한 submerged type의 분리형(two-piece) 형태로 구분된다.

(1) 일체형과 분리형

임플란트의 형태에 따라 고정체와 지대주가 일체형으로 이루어진 일체형은 non-submerged surgery에 주로 사용되며 전치부에서 효과적이다. 고정체와 지대주가 분리되어 있는 구조를 가진 분리형은 submerged surgery와

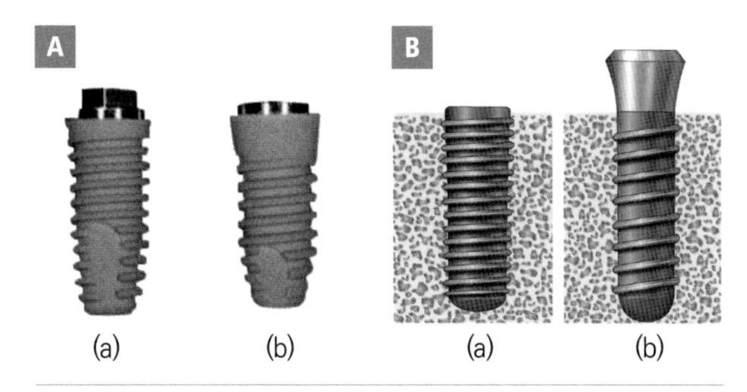

그림 18-4. A 외부결합형 고정체(a)와 내부결합형 고정체(b), B 뼈레벨 임플란트(a)와 조직레벨 임플란트(b)

non-submerged surgery에 모두 사용 가능하며 대부분의 임플란트 시술에 사용된다. 그리고 지대주(abutment)와의 결합방식, 임플란트의 술식(악골내에 매식되는 정도)에 따라 다양한 형태를 가진 제품이 개발되고 있다.

(2) 지대주(abutment)와의 체결 방식

지대주와의 체결 방식에 따라 골유착 임플란트의 초기 형태(Branemark system)인 고정체 상부에 있는 육각형 상부구조와 지대주와 결합이 이루어지는 외부결합형(external type)과 고정체 내부에서 지대주와 결합이 이루어지는 내부결합형(internal type)로 분류된다(그림 18-4 A). 외부결합형은 임플란트 상부로 약 0.7 mm 정도의 높이로 체결부가 노출되어 있다. 하지만 변연부 골소실이 발생한다는 단점과 교합력에 의한 응력이 결합부위에 집중되어 연결나사의 풀림현상이 종종 나타나는 문제점이 있는 것으로 알려져 있다. 외부결합형 임플란트의 초기 골흡수를 최소화하기 위해 고안된 내부결합형은 임플란트는 지대주의 연결부위가 임플란트 내부에 위치하여 교합력에 의한 응력분산이 잘 이루어져 외부결합형 임플란트에 비해 연결나사의 풀림현상도 낮은 장점이 있다. 단점으로는 임플란트의 식립각도로 인해 보철물 착탈이 제한적이라는 것과 교합력에 의해 지대주가 임플란트 내부로 강하게 밀착되는 과정에서 조금씩 가라앉아 교합이 낮아지는 현상(sinking)이 발생할 수 있다는 점이다(표 18-1).

표 18-1. Advantages and disadvantages of external hex abutment and internal hex abutment

	External hex abutment	Internal hex abutment
Advantage	1. Suitable for the two stage method 2. Anti-rotation mechanism and retrievability 3. Compatibility among different systems 4. Suited for multiple teeth restoration	1. Suited for one stage implant installation 2. Ease in abutment connection 3. wider area of connection 4. Suited for single tooth restoration 5. Lower center of rotation 6. Better force distribution 7. Reduced microgap because of usage of taper joint connection 8. Low profile
Disadvantage	1. Screw-loosening ↑ 2. Micro-movements 3. Higher center of roration 4. Micro gap 5. High profile	1. Thinner lateral fixture wall 2. Difficulty in adjusting divergences in angles between fixtures

(3) 연조직레벨(soft tissue level) 임플란트

임플란트 고정체가 식립되어지는 최종 위치가 잇몸에 맞춰지는 연조직레벨 임플란트는 비침습 방식(non-submerged type)으로 사용된다. 연조직레벨 임플란트는 내부결합형이면서 연조직까지 올라와 있는 형태로 외부결합형에서 나타난 골흡수의 문제를 해결하였고 1차 수술 후 잇몸을 봉합해야 하는 뼈 레벨 임플란트와 달리 수술로 인한 연조직 손상을 피하고 술자와 환자의 편의성을 크게 높였다(그림 18-4 B). 단점으로는 잇몸살 부위에 금속이 보이기 때문에 심미적인 부위에서 노출이 있고, 악간공간이 충분하지 않거나 골질이 좋지 않은 환자에게는 시술하기 어려운 문제 등이 있다.

4. 임플란트에 사용되는 재료

치과용 임플란트 재료의 일반적인 요구 조건은 ① 생물학적 적합성(biological compatibility) ② 기계적 적합성(mechanical compatibility), ③ 기능적 적합성 (functionally compatibility), 그리고 ④ 구조적 실용성(structural practicality)이다. 첫 번째인 생물학적 적합성은 주변조직과의 반응을 통해 임플란트 표면의 부식, 분해 등을 유발하지 않아야 하고, 기타 생물학적 불안전성을 야기하지 않아야 한다(ISO 10993). 두 번째인 기계적 적합성은 구강 내의 저작력에 충분히 견뎌야 하며, 반복적인 저작(피로강도)에도 견뎌야 한다. 또한 주변의 골조직과 유사한 탄성계수를 확보하여 골조직과의 계면을 따라 균일한 응력 분포를 갖기 위해서는 골과 유사한 탄성률을 가져야 한다. 금속은 높은 강도와 연성을 갖는 반면, 세라믹과 탄소는 부서지기 쉬운 재료이다. 연성은 높은 인장응력을 받는 임플란트 부위의 영구변형 가능성과 관련된다. 기타 구강위생 및 임상적인 심미성을 제공할 수 있어야 하며, 시술의 편리성과 실패 시 제거, 소독이 용이하여야 한다.

브레네막교수의 광범위한 연구결과로 티타늄은 임플란트 재료 중 표준재료가 되었다. 티타늄은 비중이 스테인리스 강이나 코발트-크롬 합금의 거의 반 정도로 가볍고 (4.5 g/cm^2) 용융점이 높아 주조가 어려워 선반 가공(milling)이 필요하다. 표면에 1/1,000초 내에 10Å 두께의 산화물 층, 즉 치밀한 부동태 피막을 형성할 수 있는 능력을 가지고 있어 뛰어난 생체적합성과 내식성을 가진다. 하지만 부동태 상태에서도 티타늄이 비활성인 것은 아니며 티타늄 산화물의 화학적 용해로 티타늄 이온이 방출될 수 있다.

순 티타늄은 산소가 침입형 고용체로써 침투시켜 그 양이 증가함에 따라 Grade 1에서 Grade 4까지 구분되며 강

표 18-2. 순수티타늄 임플란트와 티타늄합金 임플란트의 성분(wt%)(Wataha 1996)

	N	C	H	Fe	O	Al	V	Ti
cp Ti. Grade 1	0.03	0.10	0.015	0.02	0.18			balance
cp Ti. Grade 2	0.03	0.10	0.015	0.03	0.25			balance
cp Ti. Grade 3	0.05	0.10	0.015	0.03	0.35			balance
cp Ti. Grade 4	0.05	0.10	0.015	0.05	0.40			balance
cp Ti. Grade 5	0.05	0.08	0.012	0.25	0.13	5.5~6.5	3.5~4.5	balance

N: nitrogen, C: carbon, H: hydrogen, Fe: iron, O: oxygen, Al: aluminum, V: vanadium

도는 Grade 4가 가장 높고 임플란트 재료로 가장 많이 사용되며 생체친화성은 산소의 양이 증가하면서 감소하는 경향을 보인다(표 18-2).

동물 실험에서 가공된 표면이나 거친 표면 모두를 비교한 결과 뒤틀림 제거력과 골접촉률은 Grade가 낮은 순 티타늄이 우수하였다. 더 큰 강도가 요구되는 부위에는 순 티타늄보다 2-3배의 우수한 인장강도를 가진 α+β형 티타늄 합금인 Ti-6Al-4V (Grade 5)이 사용되고 있으나 V이온의 강한 세포독성과 Al의 신경독성 등이 보고되고 있어, 최근에는 니오븀, 탄탈륨, 지르코늄 등이 포함된 β-형 티타늄합금(19장 비귀금속합금 중 06 티타늄 및 티타늄합금 참조)의 개발도 활발히 이루어지고 있다(표 18-3).

1975년 Schulte와 Heimke가 개발한 알루미나(aluminum oxide) 임플란트(Tuebingen Implant)를 시작으로 지르코니아(zirconium oxide)가 등장함에 따라 전통적인 임플란트의 주재료였던 티타늄의 대체 물질로 세라믹 재료의 본격적인 임상적용 연구가 시작되었다(그림 18-5). 지르코니아의 골유착 등은 티타늄보다 조금 떨어지거나 기계적 특성, 적절한 연조직 반응과 심미성이 높고 금속에 알레르기가 있는 환자에게 사용할 수 있는 장점이 있다. 초기의 지르코니아 임플란트는 축성이 불가능한 재료 가공의 한계로 일체형 임플란트 시스템으로 제조되었고 재료의 파열로 인한 기술적 결함과 티타늄과 같은 표면처리가 용이하지 않은 문제가 있었지만 CAD/CAM system의 발달로 충분한 장기적인 임상시험을 통해 생물학적 안전성을 확보되면 그 영역을 넓혀나갈 수 있을 것이다. 현재는 전치부 임플란트 시술에 일부 사용된다.

그 외, 금속재료로는 우수한 생체적합성과 낮은 연성, 높은 탄성률, 그리고 뛰어난 내식성을 가진 탄탈륨(taltalium)은 낮은 가격에 백금과 유사하나, 백금 대비 강도가 높은 장점이 있어 초기 나선형 임플란트에서 일부 사용되었고, Co-Cr-Mo 합금, Ni-Cr-Mo-Be 합금인 Ticonium 등이 개발되었지만 티타늄보다 낮은 생체적합성으로 성공하지 못했다. 고분자 임플란트는 기계적인 성질이 약하고 생물학적 반응성이 좋지 않아 사용이 제한되는데, 최근 PEEK (Polyetheretherketone)와 같은 고기능성 슈퍼 엔지니어링 플라스틱 수지의 개발과 3D 프린팅 기술 혁신을 통해 치과용 임플란트 재료로서의 가능성이 높아졌다. 이 재료의 장점은 높은 피로강도와 탄성계수, 탁월한 내화학성 및 내멸균성, 응력 균열에 대한 우수한 내성 및 치수안정성이다. 그러나 이 재료의 임플란트에 대한 임상적 적용은 아직 초기 연구 단계에 있다.

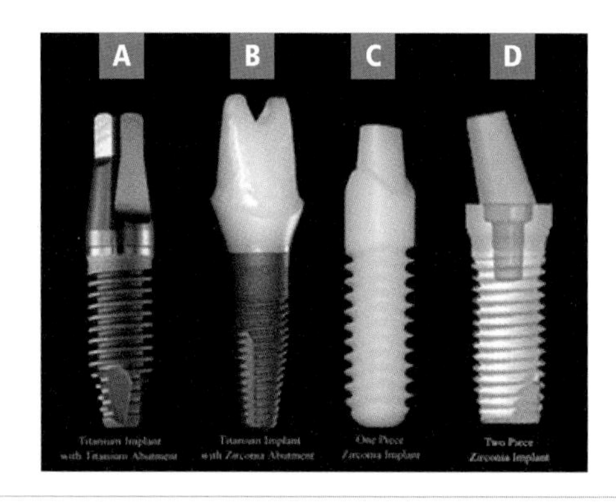

그림 18-5. A 티타늄 고정체와 지대주, B 티타늄 고정체와 지르코니아 지대주, C 일체형 지르코니아 고정체 및 D 분리형 지르코니아 임플란트

표 18-3. 순수티타늄 임플란트와 티타늄합금 임플란트의 물리적 성질(Wataha 1996)

	탄성계수(Gpa)	최대 인장강도(MPa)	신장률(%)	밀도(g/cm^3)	녹는점(°C)
cp Ti. Grade 1	100	240	24	4.5	1660
cp Ti. Grade 2	100	345	20	4.5	1660
cp Ti. Grade 3	100	450	18	4.5	1660
cp Ti. Grade 4	100	550	15	4.5	1660
cp Ti. Grade 5	100	900	12	4.5	1670

현재 사용되고 있는 티타늄(합금)과 세라믹 임플란트 재료는 성공적이지만 뼈와의 탄성계수의 차이가 여전히 큰 편이다. 볼프의 법칙(Wolff's law)에 의하면 뼈(망상골)의 내부 구성조직인 골소주(trabeculae)는 지속적으로 가해지는 응력에 반응한다. 즉 응력이 가해지면 두꺼워지고, 응력이 줄어들면 변형되거나 약해진다. 체내에서 뼈와 티타늄이 결합된 상태에서 탄성계수가 높은 티타늄이 교합응력의 대부분을 받게 되면 응력이 주어지지 않은 뼈가 약해지거나 소실되는 응력차폐현상(stress shielding phenomenon)이 나타나게 된다. 따라서 탄성계수가 뼈와 유사한 β-티타늄이나 복합재료 등 재료의 개발을 통해서 임플란트 주변 골의 응력차폐를 줄이려는 노력이 계속되고 있다.

5. 임플란트 표면과 조직의 계면 반응

임플란트는 골 내로 식립되면 생체와 지속적인 상호작용을 한다. 임플란트의 성공여부는 골조직과 점막조직에 존재하는 세포들과 상호작용이 얼마나 생리적으로 조화롭게 이루어지는가에 좌우되며 신생골의 생성을 통한 골유착의 성공과 실패를 결정한다. 저작력은 구강 내에서 임플란트 지대치와 경부(연결부)를 통하여 임플란트-조직계면에 전달되는데 이러한 하중은 관련된 조직에 분산되며 기능을 할 때의 안정도는 시간이 경과함에 따라 계면의 안정성과 서로 관계가 있다. 식립된 임플란트의 계면에서는 식립 시 생물학적 반응을 시작으로 섬유성 조직유착과 골조직 유착의 두 방향으로 진행된다.

1) 임플란트의 식립 시 계면에서의 생물학적 현상

임플란트의 식립 시 악골의 피질골 및 해면골에 동시에 접촉하면서 불가피한 손상을 주게 되는데 피질골에서 약 1 mm 두께 정도의 골괴사가 일어나며 골유착이 일어나는 수개월 동안의 골개조(bone remodeling)를 통해서 신생골로 대체되는 것으로 알려져 있다. 또한 식립 직후 임플란트와 골조직 사이에는 미세틈(micro-gap, 10-100 μm)과 거대틈(macro-gap, 0.2-2 mm)이 형성되어 혈액이 채워진다.

2) 섬유성 조직의 유착(Fibrous integration) 반응

일반적으로 임플란트 몸체의 주위에 섬유성 콜라젠과 섬유아세포 조직이 배열된 상태를 말한다. 임플란트 식립 후 표면에 부착한 단백질들이 너무 많이 변성되어 물질이 비자기(non-self)로 인식되면, 외부물질을 제거하기 위한 파괴적인 염증반응이 진행되며 섬유성 조직으로 둘러싸이게 되는데 이러한 이유로 율동적인 운동을 증가시켜 계면에서의 움직임이 발생시킨다. 따라서 섬유상조직의 형성은 임플란트의 골유착을 방해하며 식립체의 초기고정력을 잃어 실패하게 된다.

3) 골유착(Osseointegration) 반응

브레네막(1969)은 "골유착이란 광학현미경상에서 생활골과 하중을 전달하는 임플란트 사이에서 직접적 접촉"이라고 정의하였고 Meffert 등(1987)은 골유착을 접합성 골유착(adaptive osseointegration)과 생유착(biointegration)으로 나누어 정의하기도 하였다. 골유착은 섬유성 조직이 없는 직접적인 골과 티타늄이 유착된 계면(bone to biomaterial) 상태를 의미하며 임플란트 표면에 인접한 결합조직 골격을 통해서 조골세포가 임플란트 표면 주위로 이동하는 골전도와 골개조과정(bone remodeling)을 통해서 완성된다.

임플란트 표면에서의 성공적인 골유착은 1) 골계면을 따라서 더 큰 하중을 전달할 수 있고(응력분산) 2) 부착물의 계면 운동을 없애주거나 최소화하며 3) 치주 연조직

부위가 생역학적으로 안정한 안정적인 뼈와 임플란트 연결을 만들어 준다. 즉 임플란트 표면에 연조직이 형성되지 않고 새로운 뼈가 단단하게 고정되는 것이며 이러한 골유착 반응은 임플란트에 성공적인 지지력을 제공하였고, 이것은 성공적인 임플란트로 평가받기 위한 절대적인 조건이 되었다. 골유착은 뼈의 근접 근사치로 정의할 수 있으며, 뼈와 임플란트 사이의 공간은 섬유조직 없이 10 nm 미만이어야 한다(그림 18-6).

이러한 골유착과정은 크게 골 친화기, 골 전도기, 골 적응기의 세 단계로 나뉜다.

(1) 골 친화기(1개월 전후): 뼈의 형성에서 가장 중요한 단계(그림 18-7)
- 임플란트와 주변골 사이에 혈액이 둘러싸이고 단백질(fibrinogen 등)이 흡착
- 피브린 혈병(blood clot)이 형성, 혈소판(platelet)이 혈관생성 등을 위한 활성인자 (platelet derived growth factor) 분비
- 혈병의 분해와 함께 fibrin network이 형성
- 식립 1주 내에 조골세포가 이주하여 골화가 시작
- 임플란트 식립 시 압축된 골의 조기흡수가 일어나고 BMP가 유리
- 중간엽줄기세포의 조골세포(osteoblast)로의 분화, 조골세포가 유골(osteoid) 형성
- 조골세포가 골세포(osteocyte)로 분화하여 미성숙 골기질과 조합
- 무층골(woven bone)이 형성되어 임플란트 표면과 접촉(골유착)

(2) 골 전도기(2~3개월): 형성된 무층골이 더 강한 성숙골인 층판골(lamellar bone)로 치환되는 단계(골세포가 골기질을 일정한 장축으로 배열하고 밀도를 높임)

(3) 골 적응기(3~4개월 이후): 더 이상의 골 접촉의 증감 없이 부하에 반응하여 골 개조가 전 생애에 걸쳐 일어나는 단계

(4) 신생골 형성(12~18개월 이후): 골조직의 계면에서 창상치료가 12개월까지도 진행되고, 이후 18개월까지 골재형성과 기능 부하 사이에 평형상태가 이루어짐

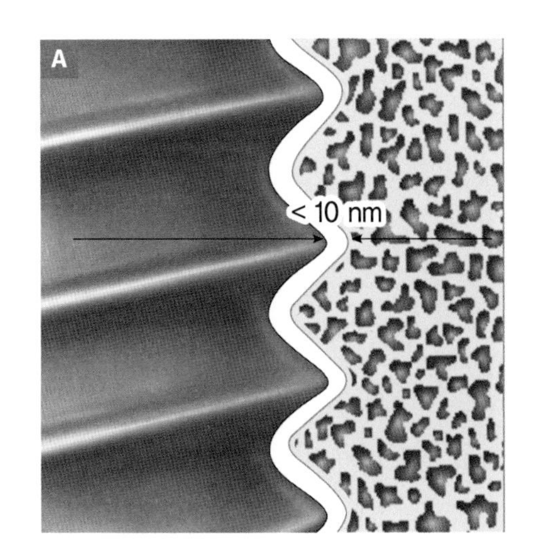

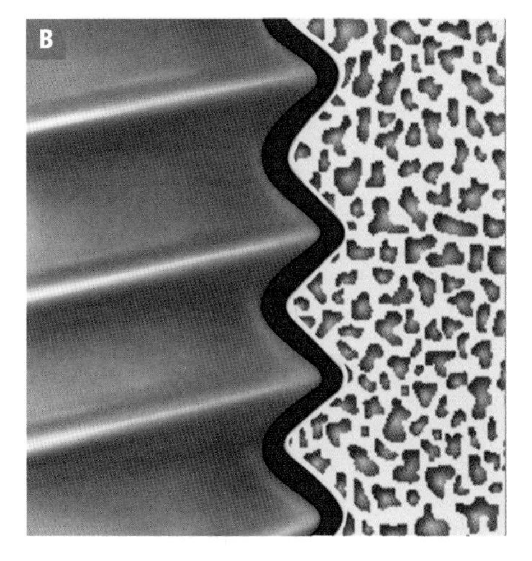

그림 18-6. A 티타늄 임플란트 표면과 치조골의 골유착(osseointegration), B 세라믹 코팅된 임플란트 표면과 치조골의 생유착(biointegration)

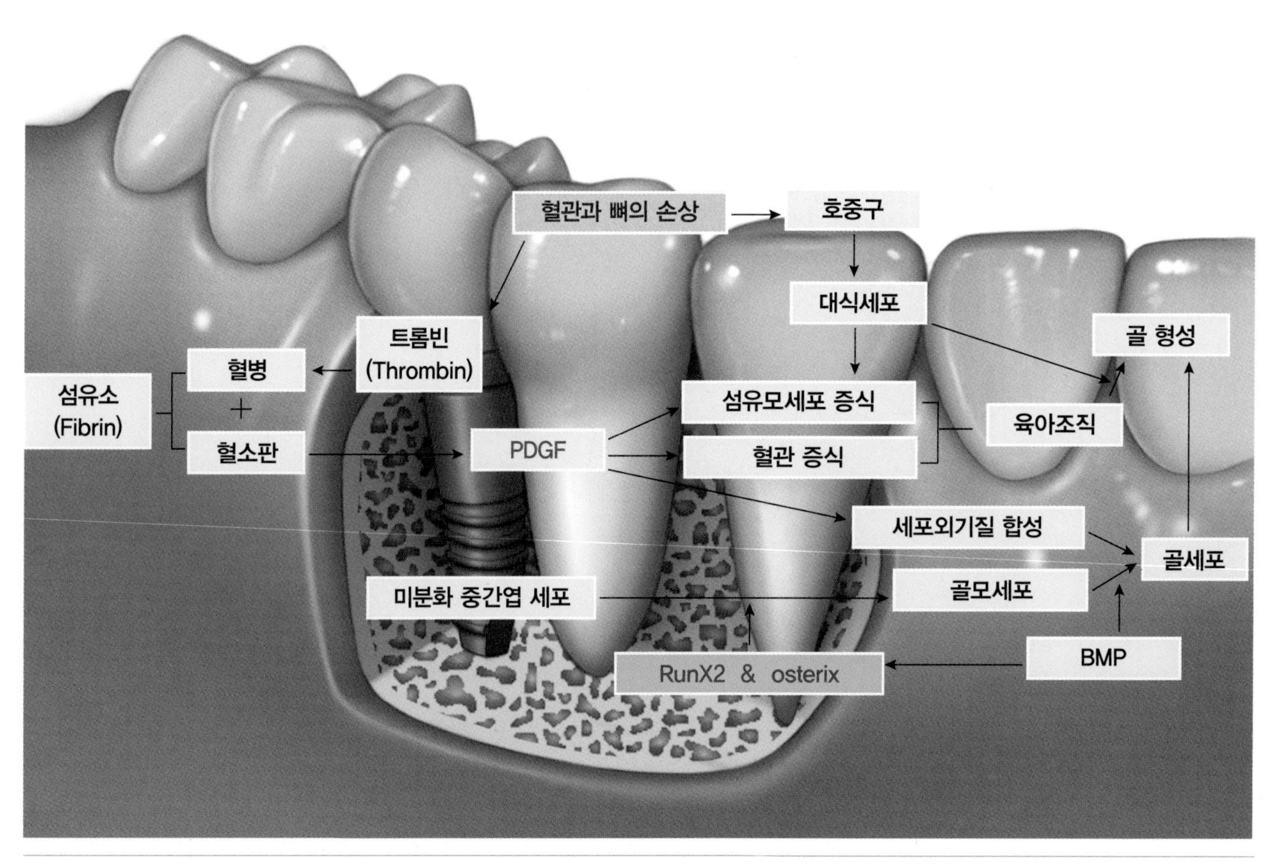

그림 18-7. 임플란트 식립 시 골 유착과정 중 초기 1개월 이내의 골 친화기 과정

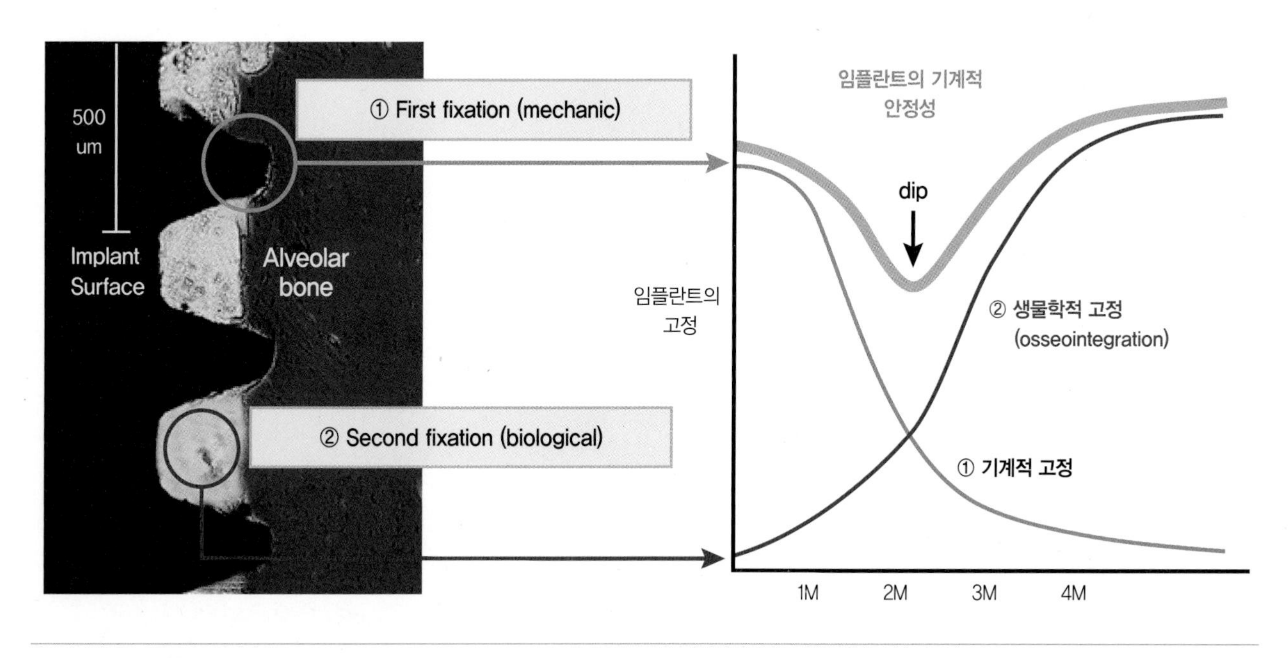

그림 18-8. 임플란트의 기계적 안정성

4) 임플란트의 기계적 안정성(Mechanical stability)

임플란트가 골에 완전히 고정되기 전에 미세동요가 발생하면 계면 부착이 파괴되어 임플란트의 실패 중 가장 큰 원인이 되는 것으로 알려져 있다. 이를 기계적 고정(초기 고정 또는 1차 고정)이라 하며, 이는 임플란트 나사산의 형태, 표면상태, 골질 등에 영향을 받고, 그 힘은 시간이 지남에 따라 서서히 줄어든다. 골질이 좋지 않은 경우는 골이식재를 이용하여 충분한 골양과 골질을 확보한 후에 임플란트를 식립한다. 이후 골유착 과정을 통해 고정되는 것을 생물학적 고정(2차 고정)이라 하며, 신생골 형성과 함께 서서히 증가한다. 즉 임플란트의 뼈에 대한 기계적 안정성은 기계적인 고정력과 생물학적 고정력의 합이 되며, 그림 18-8과 같이 2~3 주에서 1차 고정력이 약화되고 2차 고정력이 완성되지 않은 시기이므로 임플란트의 기계적인 안정성이 가장 취약한 시기(dip)가 나타난다.

6. 세대별 임플란트의 표면처리

임플란트 분야에서 가장 큰 관심은 빠른 골유착 유도로 치료기간을 단축시키는 것이다. 즉, 골형성에 관련된 생체물질(biomolecule)과 세포들이 임플란트 표면에 어느 정도로 친화성을 보이며 얼마나 많이 표면에 배열될 수 있는지에 따라 초기 골유착의 환경이 결정된다. 지금까지 표면처리를 통해 골유착을 향상시킨 방법으로 크게 거친 표면으로 표면적을 넓혀주는 생체역학적 결합(biomechanical interlocking)과 생체세라믹 또는 친수화 표면(표면에너지 증가)으로 생체친화성 및 생체반응성을 높여 주는 생화학적 결합(biochemical bonding)이 제시되었다. 성공적인 골유착은 임플란트의 이러한 물리화학적 · 생물학적 표면 특성으로 계면에 광화된 기질이 침착되는 "드노보(de novo) 골형성이 발생하여 표면에 대한 골의 결합강도(2차 고정력, 생물학적 고정력)를 높여 임플란트의 전체 고정력을 빠르고 안정적으로 만들어 줄 수 있다. 골유착에 대한 임플란트 표면처리의 목적은 안정적인 골 친화

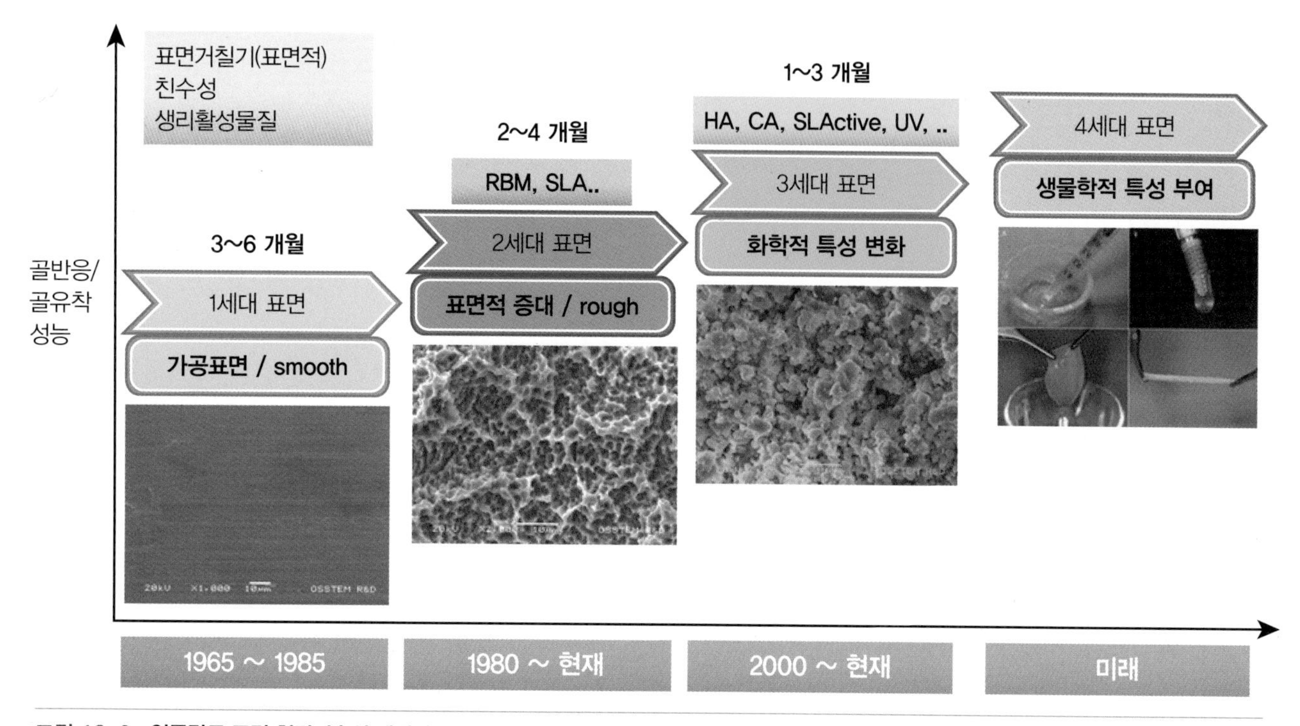

그림 18-9. 임플란트 표면 처리기술의 세대별 특성

기 단계를 확보하고 촉진하기 위한 것으로 발전과정에 따라 크게 4세대로 구분된다(그림 18-9).

1) 1세대 표면처리

단순 가공된 smooth한 표면(평균표면거칠기 값(Ra) 0.2 ㎛)을 가진 초기 Branemark 임플란트의 표면 형태이다. 이 방식은 가공된 재료의 표면을 그대로 사용하였는데 평균표면거칠기 값이 일정하지 않아서 초기 골융합 형성과정에서 시일이 6개월 이상으로 오래 걸리거나 실패의 확률이 높았고 이는 2세대 개발 후 단종 되었다.

2) 2세대 표면처리(그림 18-10)

기계적 가공한 티타늄 임플란트 표면은 십년 이상 동안 사용하였지만, 표면처리방법의 개선으로 임상적으로 빠른 시간 내에 치료가 가능하게 되었다. 초기 임플란트 표면에 대한 골유착의 진행속도와 생체안정성은 표면의 거친 정도(골과의 넓은 접촉 면적)에 따라 크게 영향을 미친다. plasma spray로 기계 가공한 티타늄분말을 임플란트 표면에 고온 융사된 TPS (Titanium Plasma Sprayed surface, Ra 1.5 ㎛)가 시초이며 표면적을 15% 이상 증가시킴으로써 거친 표면의 골유착 증대의 효과를 입증하였다. 골세포가 임플란트 표면에 더 잘 붙는 것을 관찰하였고, 골질이 너무 단단할 경우 표면의 티타늄 분말이 분리될 수 있고 두께 제어가 힘들다는 점과 코팅부위가 뼈에 노출 시 플라그의 침착 및 세척이 어려워 골손실이 발생하는 등의 단점이 보고되었다. 1987년 Zimmer 등에서 출시된 RBM (Resorbable Blast Media surface, Ra 1.2~1.8 ㎛)은 인산칼슘(calcium phosphate)을 분사하여 표면 거칠기를 형성시켰으며 골과의 융합성이 뛰어났으나, blasting 표면에 잔류하여 오염물질로 작용이 가능한 단점이 있다. 1997년 Straumann사에서 출시된 SLA (Sand-blasted with Large grit and Acid etched surface, Ra 2.5~3.0 ㎛)는 알루미나(Alumina) 입자로 blasting 한 후, 고온의 황산/염산(H_2SO_4/HCL) 용액으로 2차적 산처리(식각)한 표면으로 표면거칠기를 최대한 증가시킴으로써 250~500 ㎛의 큰 모래(grit) 표면 거칠기와 20~40 ㎛의 거대 다공성 표면을 형성시켜 골융합능을 향상시킨 현재 가장 많이 사용되는 표면처리이다. 충분한 세척(산 제거)이 이루어지지 않은 임플란트 표면에 잔류된 강산이 오염물질로 작용하거나 표면 균열의 문제를 일으킬 가능성이 있다. 그 외에 고온의 전해질 용액에 임플란트를 담가 전기화학적 자극을 가하여 임플란트 표면에 산화막을 형성시키는 anodized법은 초기 고정력은 증가하나 표면 박리와 전해액 잔류 위험, 그리고 임플란트 표면과의 낮은 결합력 등의 문제가 빈번하게 관찰되기도 하였다. 결과적으로 2세대 임플란트 표면처리는 표면의 형태적, 화학적(산부식) 처리 과정을 통해 표면적 증가시켜 평탄한 표면에 비해 임상적으로 불리한 골질에 대한 골형성의 촉진을 유도하여 초기고정

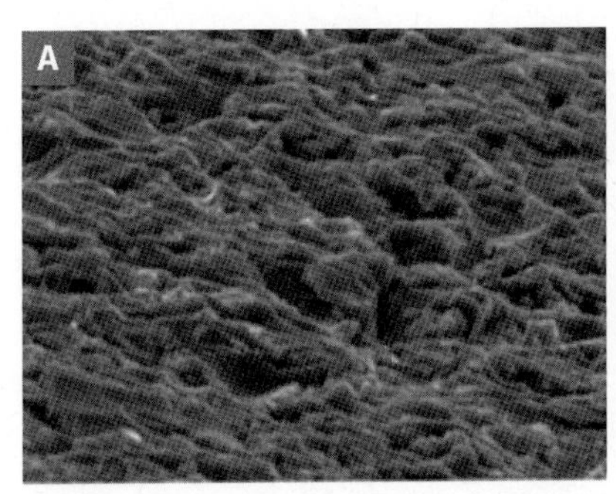

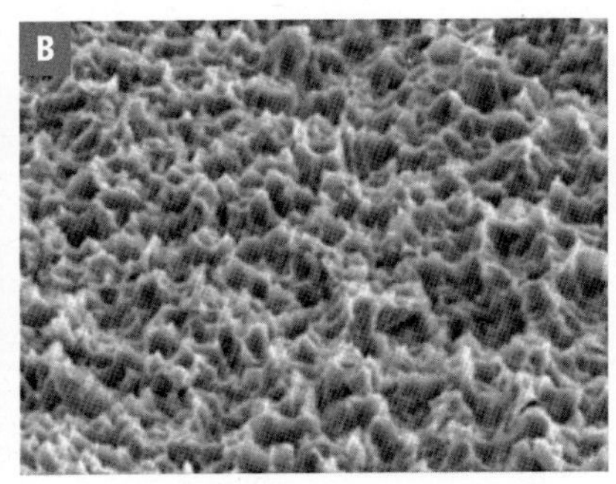

그림 18-10. 2세대 거친표면처리의 전자현미경 사진 A Alumina-blasted surface, B SLA surface, C Anodized surface

력을 향상시키는데 효과적이었다.

3) 3세대 표면처리

3세대는 2세대의 물리적 · 화학적 표면처리를 통해 확보된 표면 거칠기에 화학적인 표면처리를 추가하여 생체물질의 유도를 촉진시켜 골유착 성능을 향상시키는 방법으로써 골과의 생체활성이 높은 세라믹재료를 도포하거나 소수성 표면(hydrophobic surface)을 초친수성 표면(hydrophilic surface)으로 변화시켜 젖음성을 향상시키는 두 가지 방법으로 나눌 수 있다.

(1) 세라믹재료를 도포한 표면처리

2세대의 표면처리한 임플란트 표면에 사람의 뼈 및 치아의 주요 무기질 성분인 수산화인회석(hydroxyapatite, $Ca_{10}(PO_4)_6(OH)_2$)을 plasma spray법으로 티타늄 표면에 2~5 μm 정도의 Ca-P가 풍부한 층을 형성시켜 골과의 반응성에 기인하여 골질이 좋지 않을 경우 더 나은 골유착을 기대할 수 있었다. 수산화인회석은 깨지기 쉬운 단점이 있으나 표면 도포 재료로써 초기 골반응성이 우수한 것으로 보고되었으나 식립 5년이 경과한 후 수산화인회석이 용해되거나 임플란트 표면과 분리되면서 임플란트 주위의 염증을 야기하여 골소실을 일으키는 것이 보고되었다. 이러한 문제점이 개선된 고결정성 수산화인회석으로 이러한 현상이 개선된 제품(Zimmer사)을 출시하였으며 체내 단백질과 상호작용이 우수하다고 보고되고 있는 100 nm 이하의 인산칼슘(calcium phosphate) 나노결정을 침착시켜 결합력을 높인 코팅 기술이 개발되었다(NanoTite). 나노 크기의 세라믹스는 결정 입계상에 의한 파괴가 일어나기 전에 특이한 연성을 나타내어 취성을 지닌 세라믹스의 소성 변형이 가능하고, 낮은 결정립 성장 속도에 따른 저온 소결이 가능하다는 장점이 있다.

생체유리(bioglass)를 flame-spray법을 이용하여 티타늄 금속체에 도포하고 골 내에 매식하면 골과의 사이에 생체유리(SiO_2가 풍부한 층, Ca-P가 풍부한 층)와 골의 구조로 이루어진 화학적 결합층이 형성되는 것으로 보고되고 있어 임플란트 코팅 재료로써의 가능성이 크다고 보고되었다. 생체활성 세라믹재료의 부가적인 이점은 낮은 열 및 전기전도도, 뼈와 유사한 탄성계수, 생체 내 분해속도를 제어할 수 있다는 것이다. 임상적인 적용을 위해서의 골과의 결합강도와 생체유착성이 향상되지만 세라믹 재료가 생체 내에서 재흡수 될 때, 임플란트-뼈의 계면에서의 변화를 예측하기 힘들고 이는 임플란트의 미세 움직임이나 풀림의 발생을 일으킬 수 있어 금속과의 결합 강도와 장기 생체내 안정성에 대한 추가적인 연구가 필요하다.

(2) 초친수성 표면 임플란트

임플란트의 표면에서 조골세포에 의한 골유착은 식립 후 체액 내에 함유된 단백질을 비롯한 생체분자들의 흡착속도와 수용력이 중요한 요소로 작용한다. 되는 과정은 이어지는 생물학적 반응에 신호로 작용한다. 이는 조골세포가 임플란트 표면 표면 거칠기는 Ra 2.5~3.0 ㎛로 SLA 표면과 같으며 빠른 혈병형성으로 골유착을 촉진시키기 위해서 초친수성을 부여하여 혈액젖음성이 우수한 표면으로 개질하였다(그림 18-11). 스트라우만사에서 2005년 출시한 SLActive 모델은 넓은 표면적을 가진 SLA 표면을 만든 후 질소상태에서 세척을 시행하고 물과 반응하여 수산기(hydroxyl) 층의 형성 시 양극(positive charge)을 띄는

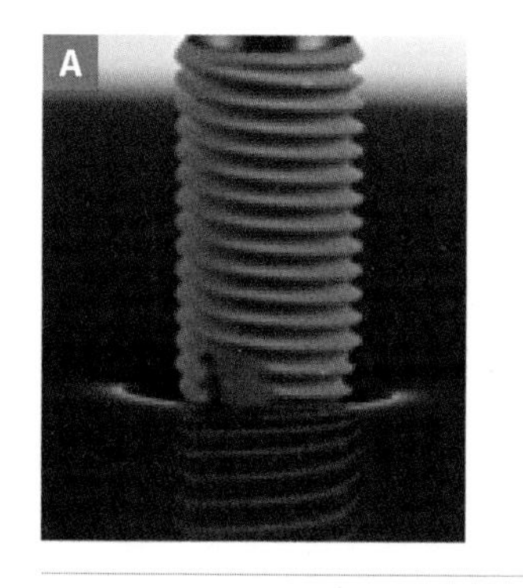

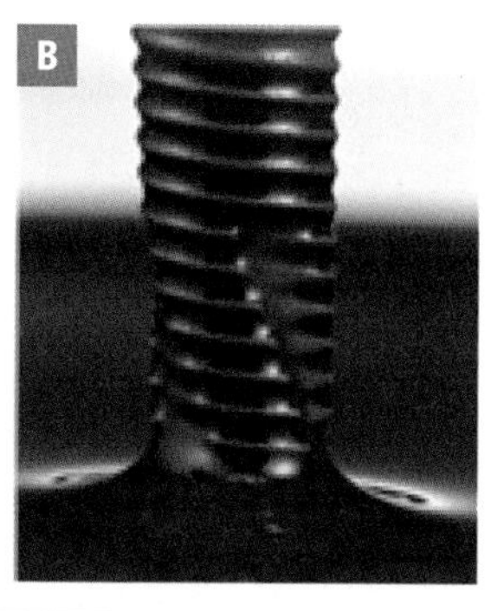

그림 18-11. 3세대 임플란트의 친수화 표면 처리에 따른 혈액젖음성 비교 A 소수성(hydrophobic) SLA 거친 표면 처리, B 거친 표면에 수산기(hydroxyl) 층을 형성시킨 친수화(hydrophilic) 표면

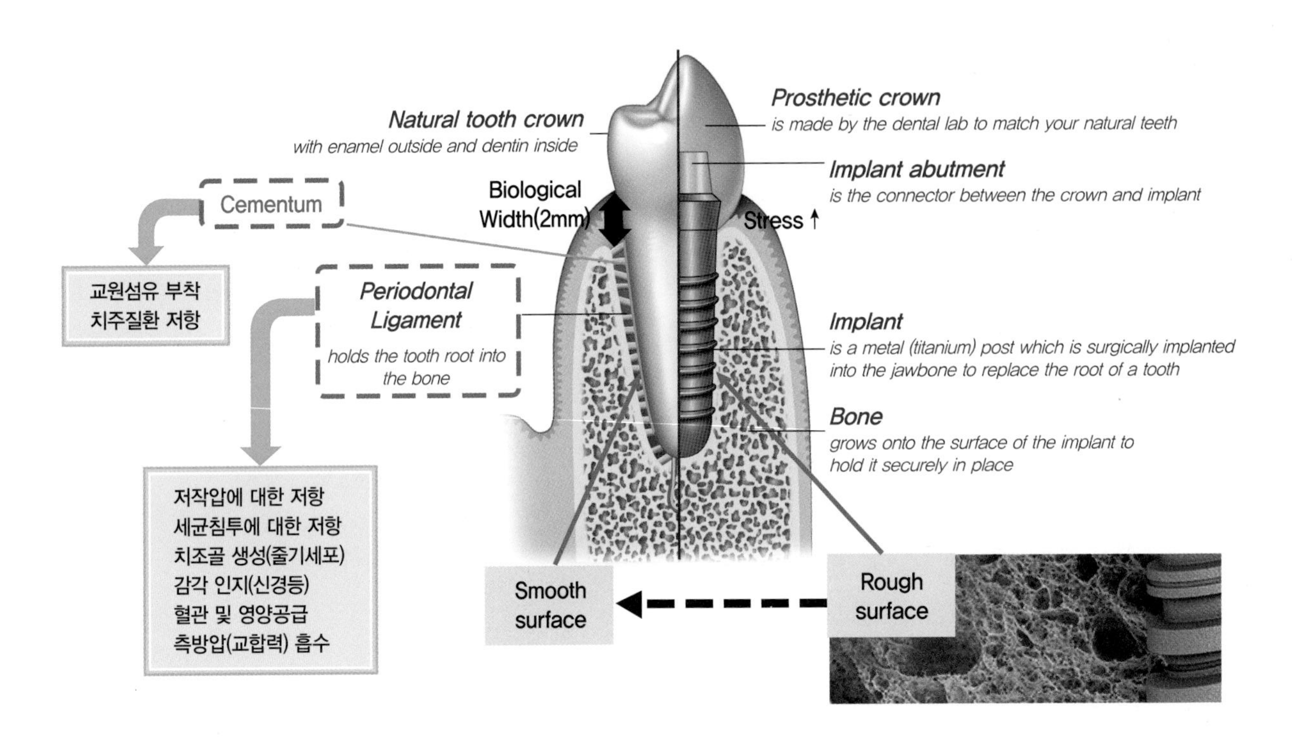

Dental Implant are most like natural teeth
Natural tooth crown
with enamel outside and dentin inside
Prosthetic crown
is made by the dental lab to match your natural teeth
Implant abutment
is the connector between the crown and implant
Cementum
Biological Width(2mm)
Stress ↑
교원섬유 부착
치주질환 저항
Periodontal Ligament
holds the tooth root into the bone
Implant
is a metal (titanium) post which is surgically implanted into the jawbone to replace the root of a tooth
Bone
grows onto the surface of the implant to hold it securely in place
저작압에 대한 저항
세균침투에 대한 저항
치조골 생성(줄기세포)
감각 인지(신경등)
혈관 및 영양공급
측방압(교합력) 흡수
Smooth surface
Rough surface

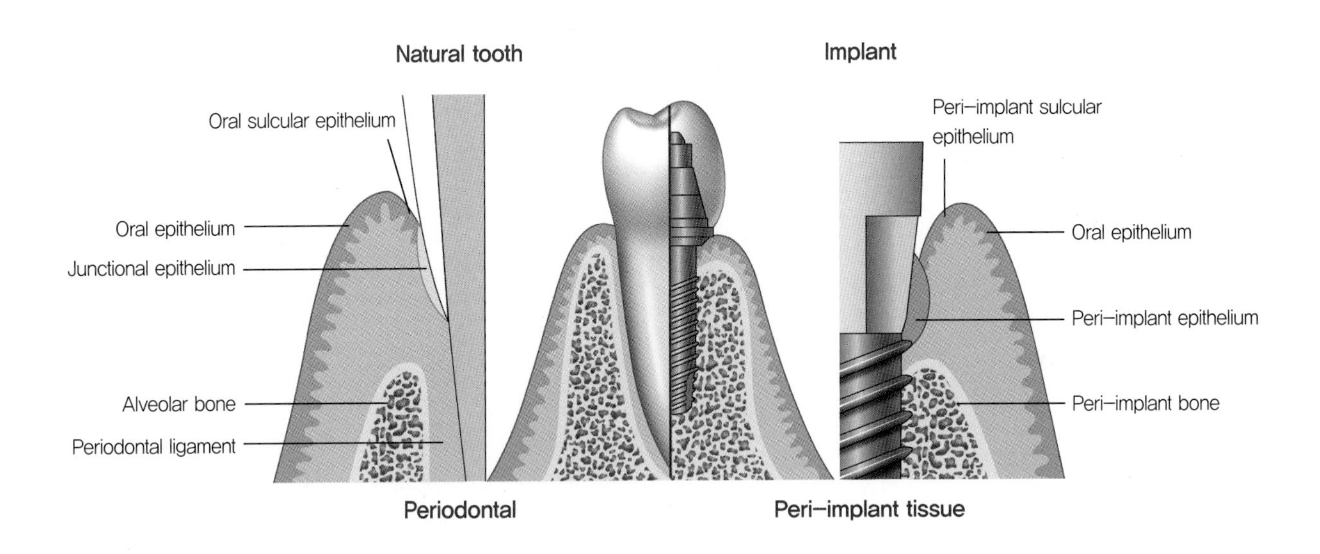

Natural tooth
Implant
Oral sulcular epithelium
Oral epithelium
Junctional epithelium
Alveolar bone
Periodontal ligament
Peri–implant sulcular epithelium
Oral epithelium
Peri–implant epithelium
Peri–implant bone
Periodontal
Peri–implant tissue

그림 18-12. **자연치아와 임플란트(인공치아)의 생물학적 차이점**

높은 표면에너지를 만드는 것이다. 이는 높은 친수성으로 조골세포의 흡착과 섬유소 네트워크 형성(fibrin network formation)을 향상시켰다. 또 다른 방법으로는 SLA 표면에 자외선(UV)을 이용한 광조사 처리로 소수성의 티타늄 표면에 있는 탄화수소 물질 등 흡착된 유기불순물을 제거함으로써 표면을 친수화(hydrophilic) 시키는 표면처리 시스템이 개발되었다.

4) 4세대 표면처리

4세대는 지금 연구개발 중인 생물학적 특성을 부여한 임플란트 표면이다. 세포의 반응을 유도하기 위한 단백질, 성장인자, 효소, 유도능이 있는 것으로 알려진 골형성단백질(Bone Morphogenetic protein2, BMP2) 등의 생체유기물을 이용하는 방법과 대부분의 세포 접착 단백질에 포함되어 있는 합성 펩타이드(Arg-Gly-Asp, RGD) 등 생체활성물질이 서방형 방출을 통해 임플란트 표면에 견고한 주변 골조직 성장 또는 유도를 돕는 것으로 알려져 있다. RGD와 같은 펩타이드는 세포외기질의 성분이나 성장인자와 효과는 비슷하지만 분자량이 작아 변성의 위험이 낮은 장점이 있어 많은 연구가 진행되었지만 임플란트 표면에 대한 균질한 도포, 방출 기간 및 투여량의 예측이 힘들어서 임상적 적용을 위해서는 많은 추가 연구가 필요하다. 하지만 미래의 재료로써의 활용 가능성은 매우 높다.

7. 임플란트(인공치아)와 자연치아의 생물학적 차이점

이식된 임플란트의 기능성과 심미성에서 자연치아와 구분이 힘들 정도로 성공적으로 보이며, 티타늄 임플란트 표면의 상피조직 부착 메커니즘도 자연치아와 유사하다. 임플란트의 자연치아에 대한 구조적 · 생물학적으로 가장 중요한 차이점은 인공치근(fixture)이 치주인대(periodontal ligament)와 백악질(cementum) 조직 없이 치조골(alveolar bone) 결합되어 있다는 것이다(그림 18-12).

치아와 치조골을 연결, 고정하는 치주인대는 혈관화된 조직으로 교합력의 압력을 분산시켜주는 완충작용과 이물질의 침투를 막아주는 역할을 수행하면서 치아와 주변 조직의 재생 및 항상성 유지를 담당한다. 치주인대가 없는 임플란트는 이러한 생물학적인 기능이 없이 뼈와 유착되어 생리적 이동 및 교정적 이동도 불가능하다. 최근에 임플란트에 치주인대를 접목시킨 새로운 개념의 임플란트에 대한 연구가 진행되고 있다. 대표적인 시도로는 조직공학(tissue engineering)적으로 줄기세포(stem cell)와 셀시트(cell-sheet engineering)법을 이용하여 치주인대를 임플란트 주변에 재생시키는 방법, 치주인대의 기능을 모사한 인공 치주인대를 개발하는 생체모방적 접근, 그리고 인공적으로 만든 치아싹(tooth germ)을 이용하여 발생학적으로 인공치아(biotooth)를 형성시키는 연구 등이며 임상적 적용을 위한 갈 길은 멀지만 새로운 치의학의 발전에 이바지할 것으로 기대한다.

참고문헌

1. 김태인, 양재호 등. 2013. 임플란트의 요점. Vol 1 진단과 치료계획; 치과임플란트의 발전과 역사, 대한치과이식임플란트학회, 군자출판사.
2. 황순정, 김인숙 등. "치과임플란트에 대한 조직반응과 골재생증진." 대한민국학술원 56.1 (2017): 35-161.
3. Adell R, Lekholm U, Rockler B and Branemark PI. "A 15-year study of osseointegrated implants in the treatment of the edentulous jaw." International Journal of Oral Surgery. 10.6 (1981): 387-416.
4. Branemark PI. "Osseointegration and its experimental background." The Journal of Prosthetic Dentistry. 50.3 (1983): 399-410.
5. Eisenbarth E, Velten D, Muller M, Thull R and Brme J. "Biocompatibility of β-stabilizing elements of titanium alloys." 25.26 (2004): 5705-5713.
6. Elias CN and Meirelles L. "Improving osseointegration of dental implants." Expert Review of Medical Devices. 7.2 (2010): 241-256.
7. Gaviria L, Salcido JP, Guda T and Ong JL. "Current trends in dental implants." Journal of the Korean Association of Oral and Maxillofacial Surgeons. 40.2 (2014): 50-60.

8. Jemat A, Ghazali MJ, Razali M and Otsuka Y. "Surface Modifications and Their Effects on Titanium Dental Implants." BioMed Research International. (2015):1-11.
9. Junker R, Dimakis A, Thoneick M and Jansen JA. "Effects of implant surface coatings and composition on bone integration: a systematic review." Clinical Oral Implants Research. 20.s4 (2009): 185-206.
10. Le Guehennec L, Soueidan A, Layrolle P and Amouriq Y. "Surface treatments of titanium dental implants for rapid osseointegration." Dental Materials. 23.7 (2007): 844-854.
11. Lemos CAA, Verri FR, Bonfante EA, Junior JFS and Pellizzer EP. "Comparison of external and internal implant-abutment connections for implant supported prostheses. A systematic review and meta-analysis." Journal of Dentistry. 70 (2018): 14-22.
12. Schliephake H and Scharnweber D. "Chemical and biological functionalization of titanium for dental implants." Journal of Materials Chemistry. 18. (2008): 2404-2414.
13. Simnon Z and Watson PA. "Biomimetic Dental Implants-New Ways to Enhance Osseointegration." 68.5 (2002): 286-8.
14. Sutter F, Schroeder A and Buser DA. "The New Concept of ITI Hollow-Cylinder and Hollow-Screw Implants: Part 1. Engineering and Design." International Journal of Oral and Maxillofacial Implants. 3.3 (1988): 81-108.
15. Wataha JC. "Materials for endosseous dental impalnts." Journal of Oral Rehabilitation. 23.2 (1996): 79-90.

치과 조직공학 19

학/습/목/표

❶ 3차원적인 조직재생을 위한 조직공학적 기본 원리를 이해한다.
❷ 조직공학에 에 사용되는 지지체의 종류와 특성을 이해한다.
❸ 조직공학에 활용되는 생물학적 소재의 종류 및 역할을 이해한다.
❹ 치의학에서 골재생을 위해 임상적으로 사용되는 골이식재의 종류와 특성을 이해한다.

1. 조직공학이란

조직공학(Tissue engineering)이라는 개념은 1980년대 후반 이 분야의 선구자로 활약했던 Harvard Medical School의 Joseph Vacanti와 MIT의 Robert Langer에 의하여 처음 사용되었다(그림 19-1). 조직공학의 정의는 '생명과학과 공학의 기본개념을 융합하여 생체조직을 만들어 이식함으로써 인체 장기나 조직의 기능을 복원, 유지 또는 향상시킴을 목적으로 새로운 치료법'을 말한다. 최근 조직공학과 관련된 재료공학, 약물 및 유전자 전달체 연구, 줄기세포 연구, 나노과학, 그리고 IT기술 등의 학문과 기술의 접목으로 조직공학은 그 대상 영역이 확대되고 임상에서 적용되는 사례가 많아져 조직공학 & 재생의학(Tissue Engineering & Regenerative Medicine)이라는 첨단의학의 한 분야로 발전하게 되었다.

그림 19-1. 소의 연골세포를 생분해성 귀 형태의 고분자 지지체에서 배양한 후 면역결핍 마우스(nude mouse)의 피하에 이식한 사진

현재 조직공학의 연구는 약 20여년 전 초보적인 3차원 지지체 제작기술과 세포배양기술을 이용하여 인체와 유사한 조직 또는 장기의 제작을 시도하며 시작되었다. 초기의 재생의학은 인간의 조직 및 장기를 대체할 수 있는 치료법의 개발이 가능할 것이라는 기대감과 함께 주목을 받았으나, 그 당시에는 조직의 형성과 필요한 지식과 기술의 부족으로 새로운 치료법의 개발과 응용에 한계가 있었다. 그러나 최근에는 연구자들의 꾸준한 노력과 함께 기존의 관련 분야 외에 줄기세포분야 및 컴퓨터 공학을 비롯한 기타 첨단기술의 발전과 이의 접목으로 보다 효과

적으로 조직들을 재생 혹은 제작할 수 있게 되었고, 혁신적이고, 성공적인 연구 결과들이 속속 보고되었다. 이에 따라 최근 재생의학 연구가 다시 급속도로 성장하고 있으며, 재생의학 연구의 결과물이 실제 환자 치료에 적용되는 사례가 급증하고 있으며, 산업화에도 긍정적으로 작용하여 보다 실질적이고 새로운 동력을 가지고 발전해가고 있다.

조직공학이란 생분해특성을 가진 생체적합 재료로 다공성의 3차원적인 지지체를 제작하고, 배양되거나 주변 조직으로부터 전이된 세포로부터 새로운 3차원적인 생체조직을 형성시키고, 분해특성의 지지체는 체내에서 완전 분해되어 최종적으로는 건강하고 새로운 생체조직을 재생시키는 새로운 치료법이다(그림 19-2). 최근, 재생의학(regenerative medicine)과 조직공학(tissue engineering)의 발전은 대체제로서의 조직이나 장기의 부족에 따른 한계를 극복할 수 있는 이상적인 방안으로 대두되고 있다. 조직공학기술은 환자에서 분리되고 배양된 특정 세포를 생체적합성/생분해성 재료로 제조된 지지체(scaffold)에 점착시키고, 생체활성인자(bioactive molecule)를 이용한 생화학적 자극 또는 생체반응기(bioreactor)를 이용한 물리적인 자극 등을 통해 조직화(tissue formation)된다. 즉, 공학적으로 제조된 인공장기는 우리 몸의 생체조직과 유사하여 자가 조직이식물의 대체제로 많은 가능성을 가지고 있다. 위와 같이, 전통적인 조직공학적 방법은 특정 조직에서 세포를 분리하고 대량 배양하여 충분한 세포수를 확보하고, 다공성 지지체에 고루 배양되어 진다. 세포가 배양된 지지체는 생체 내에 이식되어지며 손상된 조직이나 장기의 기능을 대체하게 되는데, 현재까지 인공혈관, 인

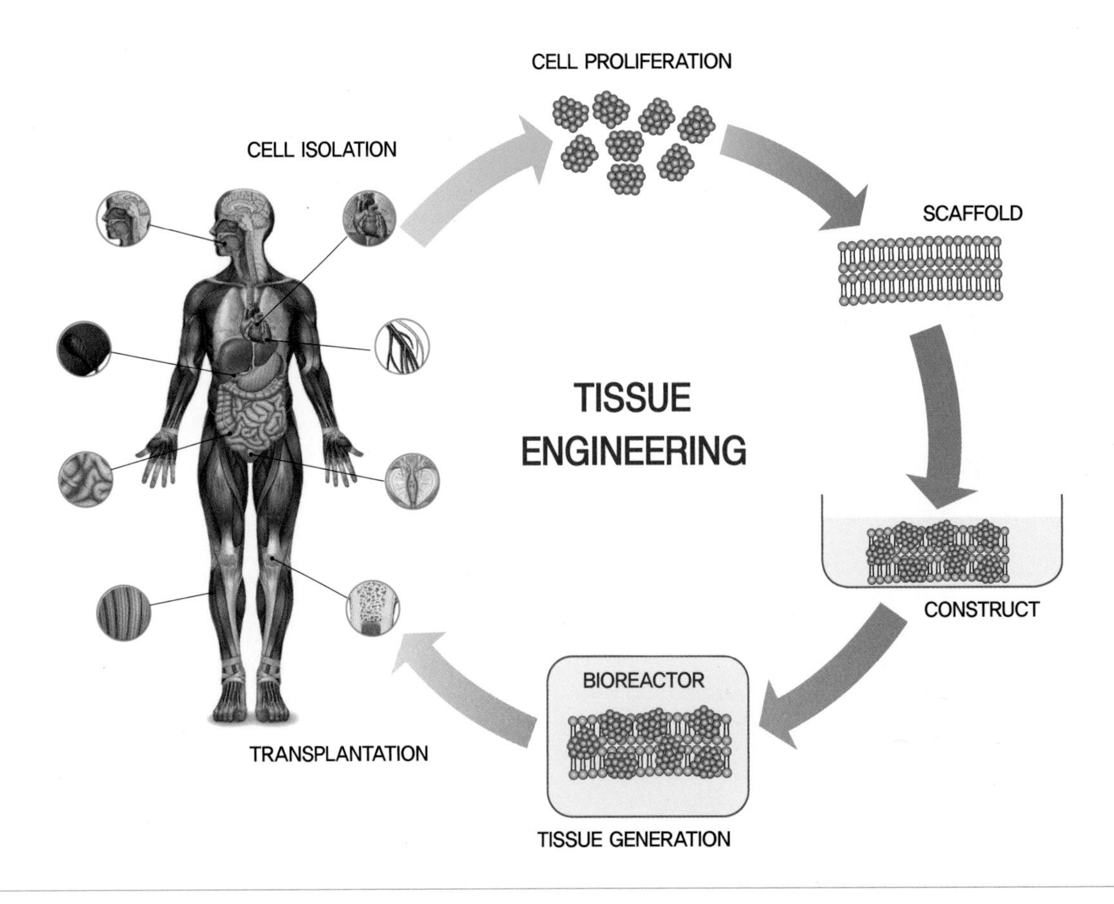

그림 19-2. 조직공학의 주요 개념도

공요도, 인공방광, 인공연골 등에 조직공학적 방법으로 임상에 시도되고 있으며, 이외 여러 조직과 장기에 대한 연구가 활발하게 진행 중에 있다.

2. 조직공학용 생체재료

인체의 모든 조직은 3차원적으로 세포와 세포에서 분비되어 형성 또는 재구성된 세포외기질(extracellular matrix)로 구성되어 있다. 세포외기질은 인체조직구성의 구조적인 기반이 되며 세포가 성장하고 분화하는데 필요한 생화학적 인자(biochemical factor)들을 저장하고 세포간 신호전달, 세포분화 사멸 및 생리활성 조절인자를 적절히 공급해 줌과 동시에 세포가 인식할 수 있는 물리적 환경을 제공한다. 세포외기질의 구성 성분은 교원질(collagen), 일라스틴(elastin) 등의 구조단백질, 파이브로넥틴(fibronectin), 라미닌(laminin) 등의 접착단백질, 오스테오폰틴(osteopontin), 오스테오칼신(osteocalcin) 등의 미네랄화 단백질 등의 다양한 단백질 성분과 콘드로이틴황산(chondroitin sulfate), 히알루론산(hyaluronic acid) 등의 다당류(polysaccharides)로 분류할 수 있다(그림 19-3). 따라서, 재생의학적 조직공학은 이물질이 없는 완전한 생체조직을 재건하기 위해서 각 조직의 세포의 특성과 세포외기질을 모방하는 전략을 취하며, 기본적인 요소에는 ① 세포(배아줄기세포, 성체줄기세포, 전구세포, 조직으로부터 분리 배양된 세포), ② 생분해성 다공성 지지체(소재 및 소재의 분해산물이 생체적합한 소재이며 재생하는 조직의 특성에 맞는 분해특성 및 기계적 특성을 가진 구조체), 그리고 ③ 성장인자(세포의 부착, 증식, 이동, 분화를 촉진 또는 조절)가 포함된다. 이 중 생분해성 지지체는 3차원적으로 만들어진 세포외기질의 모방체로서 조직공학에서 매우 결정적인 역할을 수행하는데, 지지체의 기능은 지지체의 다공성 구조 안에 파종된 또는 주변 조직으로

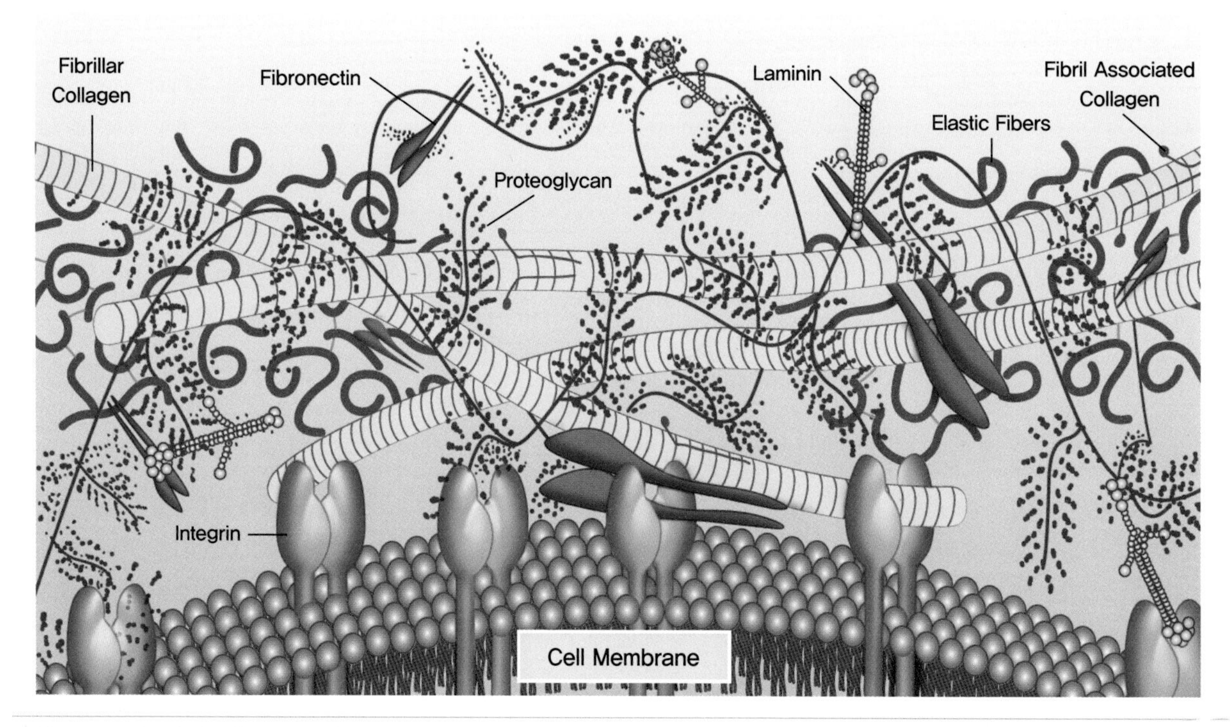

그림 19-3. 세포와 세포가 분비해서 형성 또는 재구성된 세포외기질 (extracellular matrix, ECM) 상호간의 반응 [조직공학과 재생의학 297P]

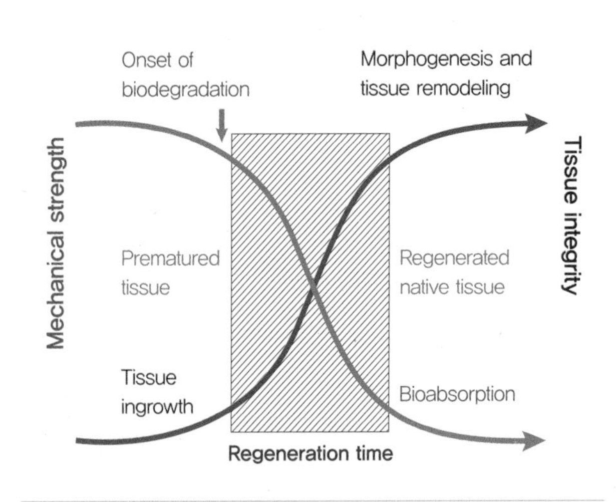

그림 19-4. 이상적인 조직공학용 지지체의 분해와 조직재생

부터 전이되는 세포를 성장 또는 분화시키거나 증식시키고 적절한 세포외기질을 잘 분비시켜 조직이 구성되는 것을 돕고, 생체내에서 수분 및 효소에 의해서 서서히 분해, 흡수되어 없어지게 된다. 최종적으로 재생된 조직은 인공적인 지지체가 남아있지 않고 세포와 세포외기질의 생체조직만으로 구성된다. 조직공학용 지지체로써 중요한 요건은 지지체의 생분해 시 중간 분해산물 또는 최종 분해산물이 세포나 주변조직에 영향을 주지 않아야 하며, 지지체의 이상적인 분해속도는 체내에서 원하는 조직이 형성되는 동안 충분한 기계적 강도를 유지하면서 서서히 분해되어 흡수되어야 한다. 지지체가 흡수된 공간은 재생된 조직이 대체하여 완전한 생체조직을 완성하게 된다(그림 19-4).

1) 조직공학용 생체재료(Biomaterials)

조직공학은 생체적합한 생분해성 지지체에 이식 또는 주변 조직에서 전도된 세포가 생체조직(engineered tissue)을 형성하는 동안 지지체는 체내에서 서서히 분해되고 최종적으로는 새로운 생체조직을 재생시키는 새로운 치료법이다. 이를 위해 생체적합성과 분해특성이 우수한 재료들을 기반으로 조직재생 능력을 효과적으로 유도할 수 있는 세포외기질을 모방한 지지체가 연구개발 되었다. 재생을 원하는 조직에 따라 요구되는 재료의 특성이나 지지체 구조의 차이는 있지만, 조직공학적 지지체로서의 기본적인 요구조건으로는 생체적합성, 적합한 기계적 물성, 생분해성, 다공성 등이 있다.

(1) 조직공학용 생체재료

생체재료의 중요한 기본조건은 생체적합성과 생체기능성이다. 조직공학에서 사용되는 생체재료에서는 그에 더해 생분해 특성이 중요하다. 특히, 체내에서 생분해되는 분해산물의 생체적합성과 세포적합성이 좋아야 한다. 지난 20여년간 조직공학에서 사용되고 있는 우수한 분해특성을 갖는 재료들은 크게 합성고분자와 천연고분자재료, 그리고 세라믹재료로 나눌 수 있다.

① 분해성 합성고분자

천연고분자는 우수한 생체적합성을 갖는데 비해 물성이 취약하고 분해특성의 조절이 어렵다는 단점이 있다. 반면, 생분해성 합성고분자는 인공적인 방법으로 만들어진 재료이며 분자의 구조, 분자량, 그리고 공중합체의 조성을 인위적으로 조절할 수 있어서 분해특성 및 기계적 특성도 용도에 맞게 변화시킬수 있는 장점이 있다. 조직공학에 사용되는 분해성 합성고분자는 수술용 봉합사 소재로 60년대 말에 이미 미국 식품의약국(Food and drug administration, FDA)의 승인을 받은 전술한 Polyglycolide (PGA)를 시작으로 polylactide (PLA)와 이 둘의 공중합체인 poly (lactide-co-glycolide) (PLGA) 그리고 polycaprolactone (PCL)과 같은 지방족 폴리에스테르(polyester)가 가장 널리 사용되고 있다(그림 19-5). PGA는 통상 체내에서 1-2개월 사이에 분해되며, PLA는 그 반복 단위의 메칠그룹 때문에 PGA에 비해 더욱 소수성을 띄어 분해에 수개월에서 1년까지도 걸린다. PLGA는 그 공중합비에 따라 PGA와 PLA 사이의 다양한 분해속도를 나타낸다. 한편, PCL은 분해속도가 더욱 느리지만 유리전이온도(Tg)가 낮아 상온 유연성이 우수한 편이다. 이들 합

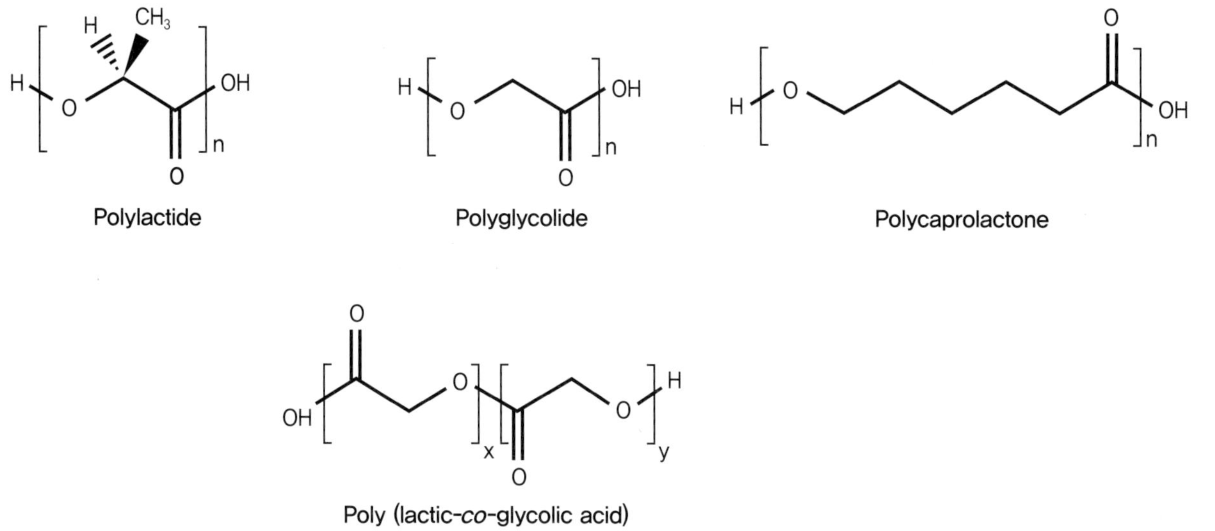

Polylactide

Polyglycolide

Polycaprolactone

Poly (lactic-*co*-glycolic acid)

그림 19-5. 대표적인 분해성 합성고분자의 구조

성고분자는 열가소성(thermoplasticity)으로, 가공성이 좋아 높은 다공성과 표면적을 가지는 3차원적 구조물로 제조되어 조직공학적 지지체로 널리 활용된다. 하지만 이들 합성고분자들은 기본적으로 가수분해(hydrolysis)에 의해서 분해되고 소수성(hydrophobic)이며 최종적으로는 이산화탄소와 물로 분해되지만 중간 분해생성물이 산성을 띄어 국부적인 염증 유발 및 세포괴사의 문제가 보고되고 있다.

② 분해성 천연고분자

천연고분자는 단백질(protein) 또는 다당류(polysaccharide)로써 인체내에서 일부 면역반응의 문제가 있지만, 친수성이면서 세포신호 성분을 갖고 있어 세포와 부착, 증식, 분열을 증진시키며, 생체조직을 구성하는 성분과 유사하여 생체적합성이 우수한 장점이 있다. 다른 소재에 비해 취약한 기계적 강도 및 면역반응 및 감염우려, 그리고 내열성이 좋지 않아 가공이 용이하지 않은 단점이 있지만 하이드로젤의 형태로 주사제로써의 사용가능성과 높은 생체적합성은 조직공학용 소재로써의 큰 장점이다.

대표적인 구조단백질인 교원질(collagen)은 동물 결합조직과 대부분의 세포외기질의 주성분으로 전신 단백질 성분의 30%를 차지하는 섬유상 고체로 다양한 폴리펩타이드로 구성되어 있으며 그 중 I형 교원질이 생물학적 활성화, 뛰어난 세포와의 접착성 및 세포의 분화-증식 유도, 성장인자와의 높은 결합력과 경조직의 석회화 유도 등의 역할로 오랫 동안 사용되어 왔다. 최근에는 교원질의 항원인식부위(telopeptide)를 제거하여 이식 후 생체 내에서 염증반응이나 면역반응을 거의 일으키지 않는 아텔로콜라겐(atelocollagen)이 생체적합성 재료로, 상처치유나 조직재생소재 및 무기물과의 복합소재로 많이 사용되고 있다. 또한 교원질을 화학처리하여 삼중나선(triple-helix) 구조를 변형시킨 단일나선(single-helix) 형태의 젤라틴(gelatin)도 지지체의 재료로 널리 사용되고 있다(그림 19-6).

다당류는 단당류(mono-)나 이당류(di-saccharide)가 반복하여 배당체결합(glycosidic binding)을 하고 있는 탄수화물 고분자를 일컫는다. 이들 다당류에는 셀루로오스(cellulose), 알지네이트, 히알루론산, 전분, 덱스트란, 해

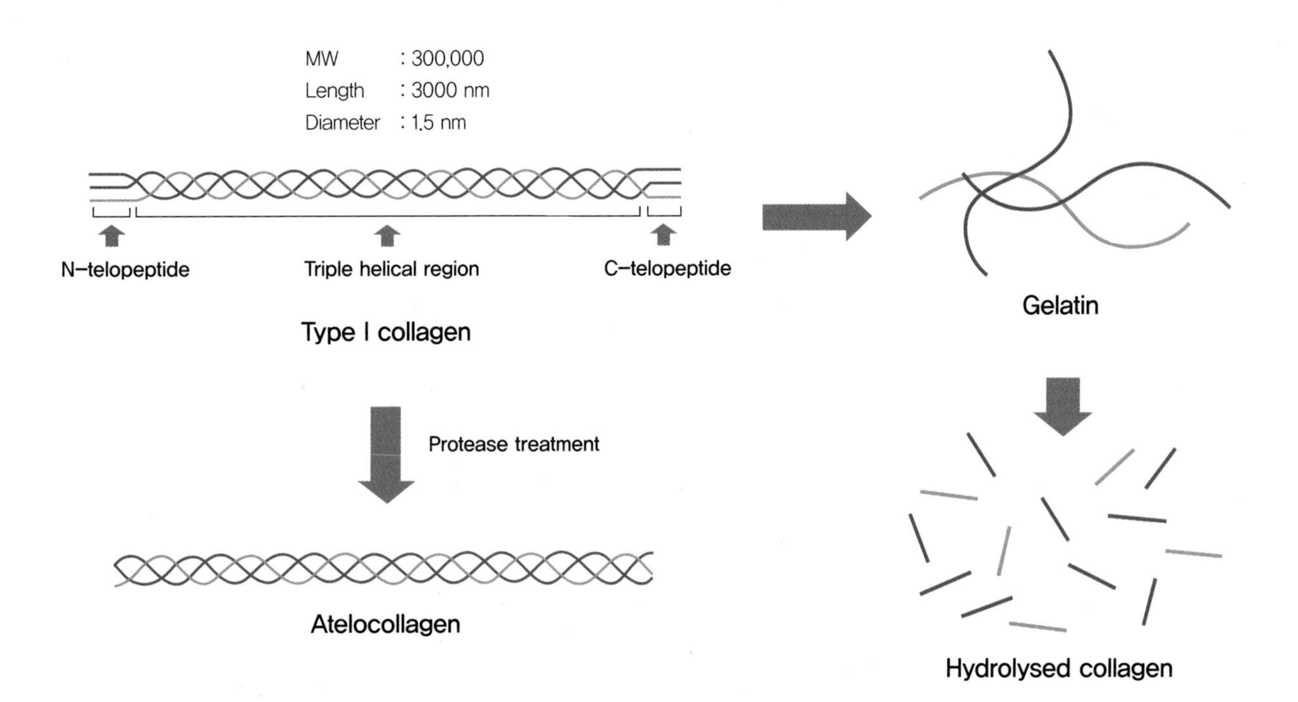

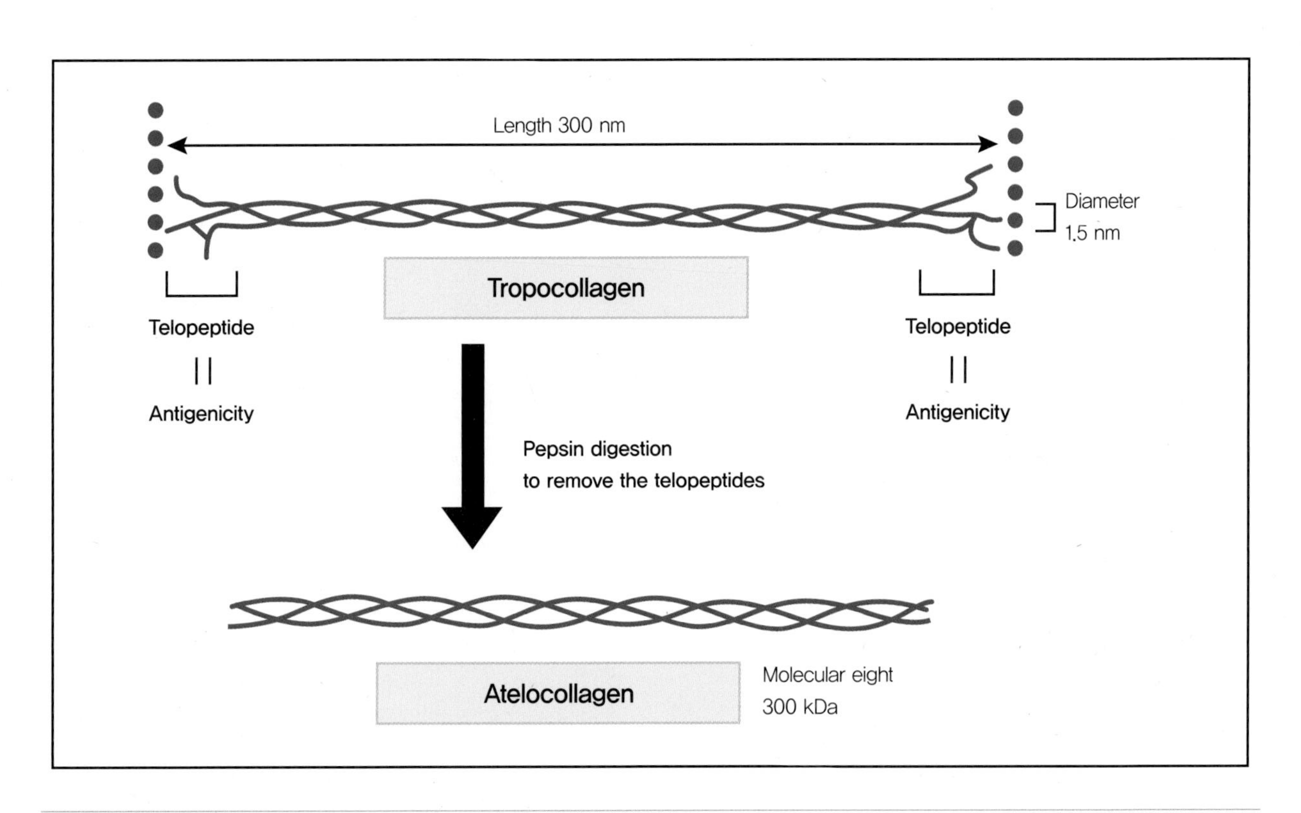

그림 19-6. 교원질(collagen) 기반으로 개발된 조직공학용 생체재료

파린, 키틴 및 키토산 등이 널리 사용된다. 주로 게의 껍질에서 추출한 키틴을 통해서 만들어지는 키토산은 세포외기질의 주 다당류 성분중 하나인 글리코사미노글리칸(glycosaminoglycan, GAGs)과 유사한 구조를 가지며 양전하를 띄기 때문에 음전하를 띄는 생체조직 표면에의 부착성이 양호하고 항균성을 가지고 있어 창상피복이나 인공피부 재생에 사용되고 있다. 알지네이트는 키토산과 반대로 음전하를 띄고 금속이온과 결합하여 겔을 형성하며, 세포외기질 다당류 성분인 히아루론산은 생체적합성이 매우 우수하고 세포침투성이 좋은 것으로 알려져 있다.

다당류는 단당류(mono-)나 이당류(di-saccharide)가 반복하여 배당체결합(glycosidic binding)을 하고 있는 탄수화물 고분자를 일컫는다. 이들 다당류에는 셀루로오스(cellulose), 알지네이트, 히알루론산, 전분, 덱스트란, 해 파린, 키틴 및 키토산 등이 널리 사용된다. 주로 게의 껍질에서 추출한 키틴을 통해서 만들어지는 키토산은 세포외기질의 주 다당류 성분중 하나인 글리코사미노글리칸(glycosaminoglycan, GAGs)과 유사한 구조를 가지며 양전하를 띄기 때문에 음전하를 띄는 생체조직 표면에의 부착성이 양호하고 항균성을 가지고 있어 창상피복이나 인공피부 재생에 사용되고 있다. 알지네이트는 키토산과 반대로 음전하를 띄고 금속이온과 결합하여 겔을 형성하며, 세포외기질 다당류 성분인 히아루론산은 생체적합성이 매우 우수하고 세포침투성이 좋은 것으로 알려져 있다.

③ 세라믹 재료

세라믹은 고온으로 열처리하여 만든 비금속의 무기질 고체재료이다. 뼈나 치아에 존재하는 무기질과 같은 조성을 만들 수 있어 구조적인 안정성을 보이며 생체적합성이 매우 우수하다. 특히 생체활성(bioactive)의 특성이 높은 생체활성유리(bioglass), 및 유리-세라믹은 골세포와의 높은 세포적합성(cytocompatibility) 및 뼈 조직과 밀접하게 결합하는 특성이 있어서 골재생 소재로 사용되고 있다.

표 19-1. 조직공학용 생체재료의 종류와 특성

Materials for scaffolds		Examples	Advantages	Disadvantages
Polymers	Natural	- Protein: collagen, fibrin, gelatin, silk fibroin - Polysaccharides: hyaluronic acid, chondroitin sulphate, cellulose, starch, alginate, agarose, chitosan, pullulan, dextran	- Biodegradability - Biocompatibility - Bioactivity - Unlimited source (some of them)	- Low mechanical strength - High rates of degradation - High batch to batch variations
	Synthetic	- Poly-glycolic acid (PGA) - Poly-lactic acid (PLA) - Poly-(ε-caprolactone) (PCL) - Poly-(lactide-co-glycolide) (PLGA) - Poly-hydroxyethylmethacrylate (Poly-HEMA)	- Biodegradability - Biocompatibility - Versatility	- Low mechanical strength - high local concentration of acidic degradatation products
Ceramics	Calcium-phosphate	- Coralline or synthetic hydroxyapatite (HA) - Silicate-substituted HA - β-Tricalcium phosphate dehudrate (DCPD) - Dicalcium phosphate dehydrate (DCPD)	- Biocompatibility - Biodegradability - Bioactivity Osteoconductivity	- Brittleness - Low fracture strength - Degradation rates difficult to predict
	Bioglasses and glass-ceramics	- Silicate bioactive glasses (45S5, 13-93) - Borate/borosilicate bioactive glasses (13-93B2, 13-93B3, Pyrex®)	- Osteoinductivity (subject to structural and chemical properties)	

④ 고분자-세라믹 복합재료

고분자-세라믹 복합재료는 뼈의 재생을 위해 지지체의 물리적, 기계적 및 생물학적 특성을 높일 수 있는 생체활성 세라믹과 생분해성 고분자 각각의 장점을 가질 수 있다. 생체활성 세라믹은 일반적으로 탄성계수가 매우 높고 충격에 약하기 때문에 탄성계수가 낮으며 충격에도 쉽게 부러지지 않는 고분자 재료와의 융합을 통해 골과 유사한 탄성계수를 지니게 할 수 있다. 고분자 지지체에 나노크기의 수산화인회석이 균일한 분산으로 형성된 나노 복합체는 천연 뼈와 같은 기계적 강도를 보인다는 연구결과가 보고되었다. 그 외에 수산화인회석 나노입자를 고분자 표면에 도입하는 기술, 인산칼슘에 PLA, PGA, PLGA와 같은 생분해성 고분자를 첨가하는 기술, 그리고 삼산화인회석에 하이드록시프리필셀룰로오스(hydroxypropylcellulose, HPC) 수용액을 피복하여 다공체가 갖는 취약점을 개선하려는 시도등 다양한 연구가 진행되고 있다.

각각의 재료는 고유한 물성이 다르기 때문에, 적용하고자 하는 조직에 따라 특성에 맞는 재료를 사용하여 지지체를 개발하는 것이 필요하다(표 19-1).

(2) 조직공학용 지지체(그림 19-7)

조직공학에서 특정 조직이나 장기에 따라 요구되는 지지체의 특성의 차이는 있지만, 이상적인 조직공학용 지지체는 적절한 분해속도를 가진 생체적합성 생분해성 소재로서 ① 영양소와 폐기물의 이송 및 세포와 세포외기질의 증식과 생성을 위한 서로 연결된 적절한 크기의 다공성 구조를 가지고 ② 조직이 재생되는 동안 안정적으로 지지할 수 있는 구조의 기계적 안정성을 가지며 ③ 세포와 잘 상호 반응할 수 있는 표면의 물리/화학적 특성이 요구된다.

① 전통적인 지지체 제조 방법

균일한 분포의 연결된 기공을 가진 다공성 구조를 가지는 것으로, 간재생에는 20 μm, 피부재생에는 20-150 μm, 뼈 재생에는 200-400 μm의 기공 크기가 적합한 것으로 보고되고 있다. 3차원 다공성 구조체를 제작하는 전통적인 기술은 용매 캐스팅/입자 침출, 열 유도 상분리, 가스 발포, 유화 동결건조, 용융 몰딩이 있으며, 제조방법마다 여러 가지 장단점을 가지고 있다.

② 진보적인 지지체 제조 방법

진보적인 기술로는 전기방사, 주입가능(injectable)한 하이드로젤과 3D 프린팅 기술 등이 주목받고 있다. 전기방사를 사용하면 세포외기질 나노구조와 유사한 탄성이 있는 망상 구조를 만들 수 있고, 또한 바이오 활성 물질과 함께 방사할 수도 있어 간엽성 줄기세포(mesenchymal stem cell, MSC)와 같은 세포를 지지하기 위한 인공 세포외기질 형태의 지지체 제작에 유용하다.

하이드로겔은 다량의 물을 흡수할 수 있는 가교된 친수성 고분자로 연-조직과 구조적으로 매우 흡사하며 특히 수술이 필요없이 세포와 같이 주사가능한 소재로써의 장점으로 최근 가장 많이 연구되고 있다. 하이드로겔 소재로는 알지네이트, 교원질, 젤라틴, 피브린, 키토산, 히알루론산과 같은 천연고분자가 주로 사용되고 있다. 가교제 없이 이온결합 혹은 수소결합에 의해 형성되는 알기네이트, 키토산, 히알루론산 겔은 무해하고, 주입도 가능하기 때문에 조직공학용 세포 캡슐화제로도 널리 검토되고 있으며, 외상 치유용 지지체에도 활용되고 있다. 합성 고분자 겔로는 poly (ethylene glycol) (PEG) 계인 Pluronic이 있지만, 생분해성이 없어 이를 해소하기 위해 효소분해성이 있는 펩타이드와 블록공중합 하거나 PLGA-b-PEG-b-PLGA나 PEG-b-PLLA-b-PEG와 같이 생분해성 고분자와의 블록공중합물을 만들기도 한다.

3D 프린팅에 사용할 수 있는 대부분의 분해성 고분자와 세라믹, 그리고 고분자/세라믹 복합재료인 PLGA/tricalcium phosphate (TCP), PCL/hydroxyapatite (HAp), 등 다양하며, 최근에는 바이오잉크(고분자 하이드로젤)와 세포를 이용한 프린팅도 시도되고 있다. 그 외에도 지지체를 사용하지 않는 cell sheet 기술과 세포를 3차원 세포집합체로 형성시켜 조직재생에 활용하는 오가노이드(organoid) 기술 등이 임상적용을 위해 연구개발되고 있다.

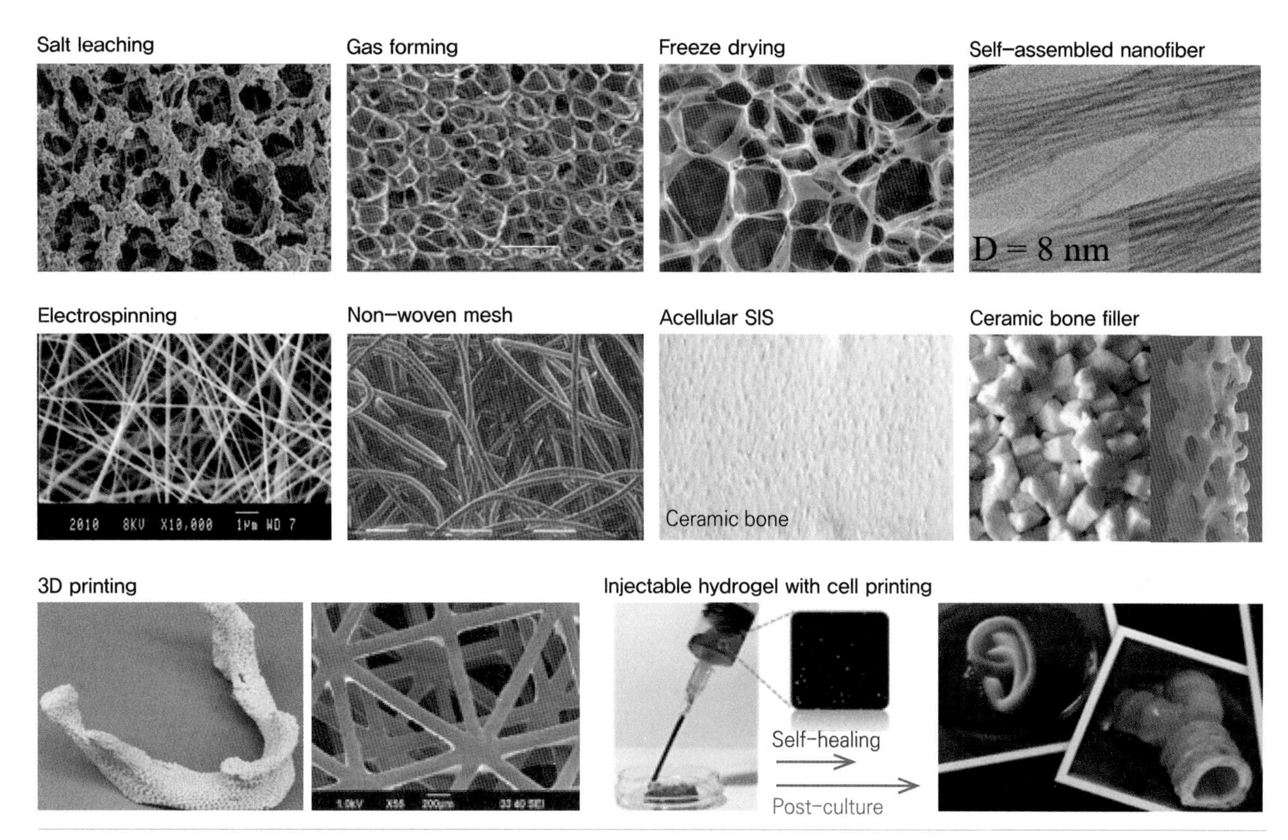

그림 19-7. 다양한 조직공학용 지지체의 제작 방법

③ 지지체의 표면처리

지지체 기질은 특정부위에 많은 양의 세포를 효율적으로 전달하는데 사용될 수 있으므로 지지체는 세포의 부착, 증식, 분화 및 이동을 위한 적절한 기질을 제공해야만 한다. 혈액 내의 부유형 세포(적혈구와 백혈구)들을 제외하고 대부분의 조직세포들은 접착의존성을 가진다. 우수한 지지체는 세포가 지지체의 표면에 순조롭게 잘 접착, 증식하는 재료이며 이를 위해서는 세포와 재료표면과의 상호작용의 제어가 필요하다. 세포배양을 통해 기관이나 조직을 생체이외에서 재구축하고자 하는 경우, 세포-재료간의 상호작용은 크게 두 가지로 나뉠 수 있다. 하나는 이온결합, 소수성 상호작용, 수소결합 등의 물리화학적인 비특이적 상호작용이며, 또 다른 하나는 접착, 증식, 활성화, 기능개질, 융합 등의 생리 특이적 상호작용이다. 이 세포-재료간의 상호작용을 제어함으로써 세포적합성을 향상시키는 노력이 많이 수행되어 왔다. 즉, 세포적합성은 재료 표면의 성질에 크게 좌우되는데, 젖음성(친수성/소수성), 표면화학, 표면전하, 표면거칠기 등이 영향을 미친다(그림 19-8).

3. 조직공학에 적용되는 생물학적 재료

조직공학은 생체재료와 세포를 사용하여 신체가 스스로 치유하는 것을 돕는 개념으로 시작되었다. 기술이 발전함에 따라, 조직공학의 목표는 이식 부위에서 조직 전구체(tissue progenitors)의 기능을 향상시킬 수 있는 적합

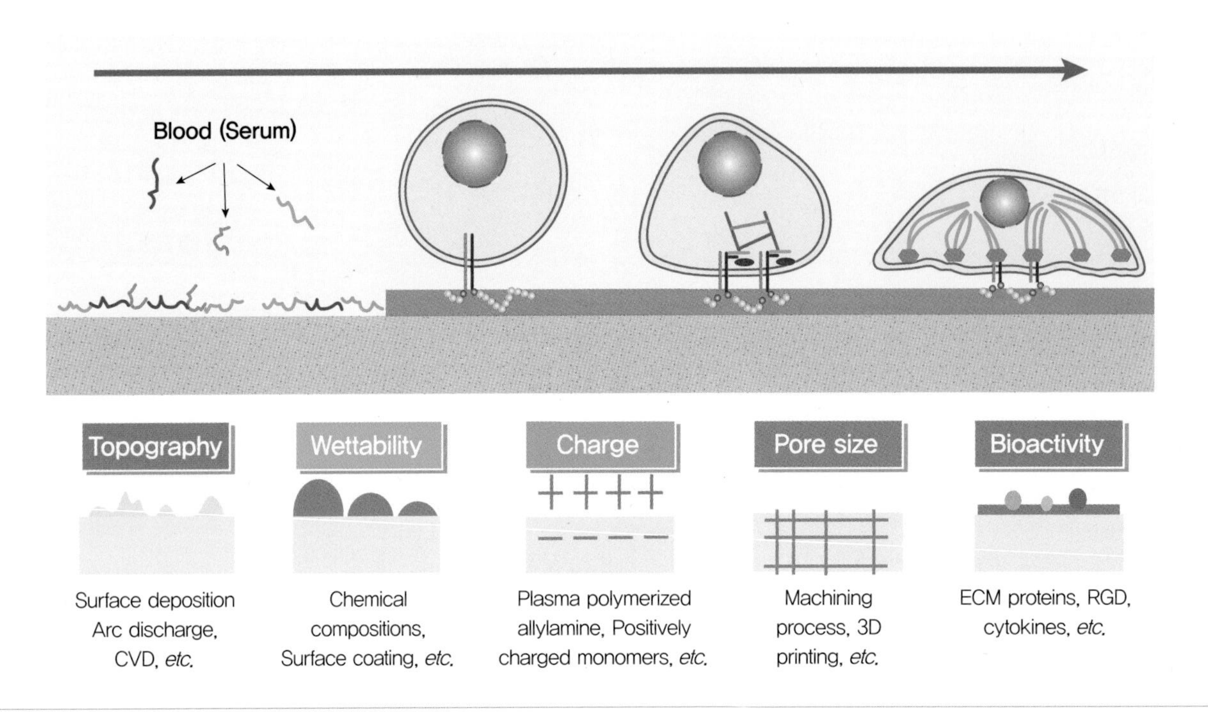

그림 19-8. 세포-생체 재료의 상호작용을 조절하기 위한 방법

한 미세환경을 부여하여 최적화된 신생 조직이 형성될 수 있는 기술로 발전하였다. 궁극적으로는 원하는 조직 또는 장기의 개발을 목표로 하며, 현재 다양한 기술들이 적용되고 있다.

1) 줄기세포(Stem cell)

줄기세포란 증식 및 다중 분화능을 가진 세포로써 이를 통해 조직을 재생하고하 하는 재생의학(regenerative medicine)분야가 조직공학과 함께 활발히 연구개발되고 있으며 일부는 임상적용되고 있다(그림 19-9). 줄기세포는 크게 배아줄기세포(embryonic stem cell), 역분화줄기세포(induced pluripotent stem cell) 그리고 성체줄기세포(adult stem cell)로 분류된다. 이 중 전분화능(pluripotency)을 가진 배아줄기세포는 윤리적인 문제, 면역거부반응, 암의 발생 가능성이 있고 성체 세포를 미분화 세포로 만든 전분화능 역분화줄기세포는 환자 유래 세포를 사용하여 면역거부의 가능성은 낮지만 역분화를 위해 바이러스를 이용하는 등 생체안전성 문제가 검증되지 않아 임상 적용을 위해서는 많은 시간이 소요될 것으로 보인다.

이와는 달리 분화의 방향성이 거의 정해져 있고 안전한, 다능성(multipotent) 성체줄기세포를 적용한 조직재생 또는 세포치료제 연구개발이 활발히 진행되고 있으며, 이미 2011년 부터 성체줄기세포인 골수유래 중간엽줄기세포(bone marrow-derived mesencymal stem cell), 지방유래 중간엽줄기세포(adipose-derived mesenchymal stem cell) 등의 성체줄기세포가 일부 임상에 적용되고 있다.

간엽줄기세포는 골수나 기타 결체조직에서 유래하는 성체줄기세포로서 조골세포(osteoblast), 연골(chondrocyte), 지방(adipocyte)로 분화되는 것으로 알려져 있다. 간엽줄기세포를 이용하여 골을 재생하는 가장 쉬운 방법은 골수를 바로 이식하는 것이다. 하지만 그 조성이 일정하지 않고 세포의 수가 불충분한 문제가 있어서 소량의

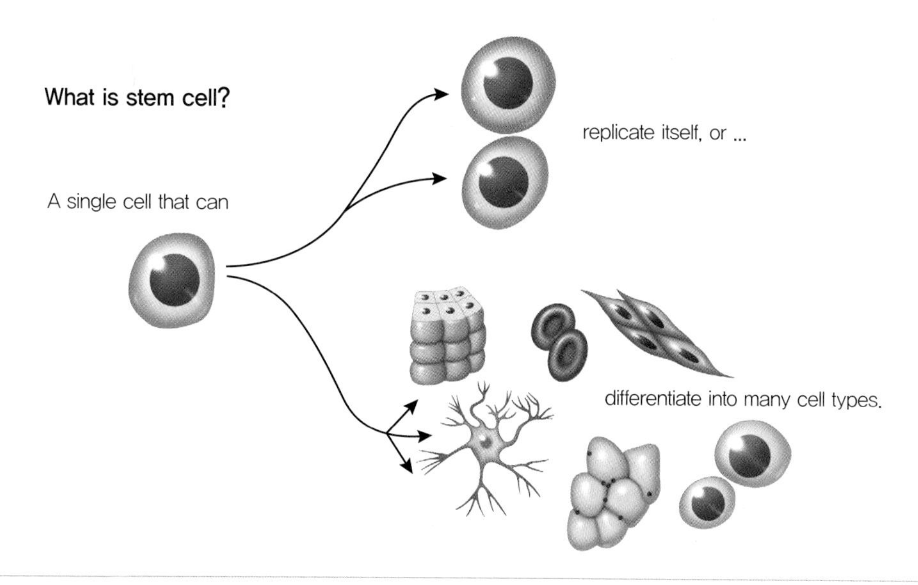

그림 19-9. 성체줄기세포의 증식과 분화

골수에서 세포를 배양, 증식시켜 지지체에 이식하는 조직공학적 방법으로 뼈나 연골 등의 조직을 재생할 수 있다. 실제 임상환경과의 유관성을 높인 대동물에서 체중 부하하는 모델을 이용하여 실험한 결과 중간엽줄기세포를 함유하는 세라믹 지지체가 지지체만을 이식하였을 경우보다 골 형성을 더 많이 하였음이 보고되었다. 또한 분해속도가 느린 인산계 세라믹은 흡수가 일어나지 않는 반면 분해속도가 빠른 자연 산호 지지체(natural corraline scaffold)를 이용한 경우 완전한 지지체의 흡수와 함께 골수강의 형성도 관찰되었다.

2) 생체활성인자(Bioactive factor)

지난 10년 동안 조직공학 분야에서는 분자 생물학적인 생체소재 즉 사이토카인(cytokine), 재조합 단백질(recombinant protein), 재조합 펩타이드(recombinant peptide), 성장인자(growth factor)와 같은 생체활성인자에 대한 활용에 대한 많은 연구가 진행되었다. 이러한 연구를 통해 성장인자중에서 다수는 유전자 재조합기술, 세포배양기술, 바이오공정기술을 바탕으로 대량생산이 가능해졌으며 조직재생의 목적으로 활용되고 있다. 생체활성인자는 우리 몸의 환경을 조절할 수 있는 중요한 인자로, 체내에 존재하는 줄기세포나 전구세포를 활성화시켜 보다 효과적으로 재생을 필요로하는 조직으로 세포를 유도하고 증식, 분화시켜 원하는 조직으로 재생하도록 유도한다. 성공적인 조직재생을 위해서는 세포의 활동에 유리한 생리활성적 미세환경(bioactive microenvironment)을 제공하는 것이 중요하며, 이러한 미세환경의 조성을 위해서는 생체활성인자의 역할이 매우 크다고 하겠다. 실제로, 우리 몸속에 있는 줄기세포의 수는 매우 한정되어 있고, 효과적인 조직재생을 위해서는 체내에 존재하는 줄기세포를 필요한 방향으로 유도하는 것이 필요하다. 또한 생체활성인자는 체내에 존재하는 줄기세포나 전구세포의 이동, 증식, 분화, 귀소성을 조절하여 구조적, 기능적인 정상조직을 재생하는데 도움을 준다. 예를 들어, 인공 골은 혈관연결이 없는 상태로 이식되므로 인공 골의 생존여부는 혈관이 자라 들어 올 때까지 주위조직에서의 확산에 의한 영양분의 공급과 노폐물의 제거가 원활하게 이루어지는지에 달려있다. 저산소환경(hypoxia) 하에서는 간엽줄기세포가 대거 괴사되며 인

표 19-2. 조직공학에 사용되는 생체성장인자의 종류

Growth factor	Abbreviation	Molecular weight (kDa)	Known activities	Representative supplier of rH growth factor
Epidermal growth factor	EGF	6.2	Proliferation of epithelial, mesenchymal, and fibro blast cells	Pepro Tech Inc. (Rocky Hill Nj, USA)
Platelet-derived growth factor	PDGF-AA PDGF-AB PDGF-BB	28.5 25.5 24.3	Proliferation and chemoattractant agent for smooth muscle cells; extracellular matrix synthesis and deposition	Pepro Tech Inc.
Transforming growth factor-α	TGF-α	5.5	Migration and proliferation of keratinocytes; extracellular matrix synthesis and deposition	Pepro Tech Inc.
Transforming growth factor-β	TGF-β	25.0	Proliferation and differentiation of bone forming cells; chemoattractant for fibroblasts	Pepro Tech Inc.
Bone morphogenetic protein	BMP-2 BMP-7	26.0 31.5	Differentiation and migration of bone forming cells	Cell Sciences Inc. (Norwood, MA, USA)
Basic fibroblast growth factor	bFGF/FGF-2	17.2	Proliferation of fibroblasts and initiation of angiogenesis	Pepro Tech Inc.
Vascular endothelial growth factor	$VEGR_{165}$	38.2	Migration, proliferation, and survival of endothelial cells	Pepro Tech Inc.

rH, recombinant human.

공 골의 생존여부는 오로지 산소와 다른 영양분이 주위 혈관에서 원활히 공급되는지에 달려있으므로 지지체에 혈관내피성장인자(vascular endothelial growth factor , VEGF)와 같은 혈관형성의 촉진인자를 포함시켜 빠른 신생혈관을 유도할 수 있을 것이다. 표 19-2에서는 조직공학에서 주로 사용되는 생체성장인자로 조직공학용 지지체와 함께 이식되어 주변 조직에 전달되어 직접적으로 생체 내에서의 여러가지 반응을 조절하게 된다.

4. 치과분야에서의 조직공학

치과분야에서의 조직공학은 골조직 재생과 관련된 연구가 활발히 이루어지고 있다. 주로 구강악안면 영역에서 감염, 외상, 낭종, 종양 등 다양한 원인에 의해 골결손부가 발생하며, 골결손부의 심미적 · 기능적 회복, 안정 및 치유를 증식시키기 위해 그리고 최근 치과임플란트 시술이 보편화되면서 골질이 좋지 않은 환자에 대한 임플란트의 성공률(초기고정률)을 높이기 위해 충분한 골조직을 확보하기 위한 골 이식술이 빈번히 사용된다.

1) 골이식재(Bone graft)

골 이식의 목적은 골의 생역학적 역할을 유지하기 위해 골의 형태학적 · 생리학적 기능을 복원하는 데 있다. 정형외과나 치과 임상에서 주로 사용되는 골재생용 이식재는 세포를 점착시키지 않고 주위 골조직에서 골전도나 골유도를 통해 신생골을 재생시키는 방법으로 조직공학에

표 19-3. 조직공학에서 주로 사용되는 골이식재의 분류

구분	정의	장점	단점
자가골	환자의 공여 위치로부터 이식골을 채취하여 치료를 요하는 다른 부위로 이식하는 형태	- 면역 거부 반응 없음 - 골 재생 능력 뛰어남 - 시술 성공률 높음	- 이식골 채취를 위한 부가적 수술 필요 - 골 채취량 제한적
동종골	다른 사람의 골에서 채취된 이식골	- 부가적 이차 수술 없음 - 이식 성공률 높은 편	- 면역 거부 반응, 질병 전염 가능성 있음 - 공급 제한적
이종골	사람 이외의 다른 종으로부터 채취된 이식골	- 채취 용이, 공급 원활	- 면역 거부 반응, 질병 전염 가능성 있음 - 골 재생 능력 떨어짐
합성골	인위적으로 합성하거나 자연에서 구할 수 있는 물질을 이용한 이식재	- 가격 저렴 - 재료 크기 제한 없음 - 적용 범위 다양	- 골 재생 능력 떨어짐 - 생체 적합성, 기계적 특성 등의 연구 필요

서 사용되는 생분해성 세라믹소재와 고분자소재를 기반으로한 지지체가 사용되고 있으며, 치과영역에서는 이식재라고 부른다. 골 이식 시 사용되는 이식재료들은 즉시 사용이 가능하고, 면역 반응을 일으키지 않으며, 빠른 골 생성 및 재혈관화를 촉진하고 골의 지지와 연속성을 유지하는 등의 기본적인 조건을 만족시켜야 한다. 특히 임플란트와 관련해서는 골유착을 증진시키면서 식립체(fixture)의 초기안정성을 제공할 수 있는 신생골 형성이 요구된다.

골이식재(bone graft)의 기본 골격으로는 주로 흡수성 바이오 세라믹이 적용되는데, 골재생을 위한 기본 조건은 ① 이식재가 골조직의 형성을 위한 충분한 강도가 유지되면서 분해, 흡수되어야 하고, ② 흡수 속도가 골조직의 성장속도와 일치되어야 하며(분해가 빠르면 골형성이 제대로 되지 않고, 너무 느리면 골형성을 방해한다), ③ 분해물질들이 신진대사에 의해 쉽게 제거될 수 있어야 한다.

치과분야에서의 골이식재는 골의 치유기전에 따라 골형성 재료(osteogenic material), 골전도성 재료(osteoconductive material), 골유도성 재료(osteoinductive material)로 분류할 수 있으며, 공여 종별에 따라서는 자가골(autograft), 동종골(allograft), 이종골(xenograft), 합성골(alloplastic material)로 분류할 수 있다(표 19-3).

(1) 골이식재에 대한 골조직 반응(골이식의 치유기전)

이식한 후 나타나는 치유기전은 이식골의 종류, 형태에 따라 다향하지만, 신생골이 형성되는 특징적 과정에 따라 세 가지로 나누어 생각할 수 있다. 즉, 이식된 골형성세포에 의한 능동적인 골형성 과정인 골생성현상 (골화: Osteogenesis)과, 간엽줄기세포 (mesenchymal cell)들을 조골세포나 조연골세포로 분화시켜 능동적으로 골을 유도하는 골유도현상(osteoinduction), 그리고 신생골이 숙주골에 바로 인접된 이식골 부위에서 형성되어 이식골체 내로 대치되며 진행되는 골전도현상 (osteoconduction)이다. 각각의 현상을 이해하면 다양한 골이식재의 치유기전을 이해하고 재생효과를 예측하는데 도움이 될 것이다(그림 19-10).

① 골형성(osteogenesis)

이식재 안에 살아남아 있는 조골세포(osteoblast), 분화되지 않은 골수의 간엽줄기세포, 활성 단백질과 일부 혈관조직이 직접 골형성을 일으킬 수 있는 능력을 가짐으로써 신생골이 스스로 형성되는 과정을 말한다. 이들 세포들이 증식하고 성숙하여 신생골 형성에 중추적인 역할을 담당하며, 형성된 신생골의 양은 살아 있는 이식세포의 수에 비례하며, 해면골과 골수이식을 시행한 경우에 골형

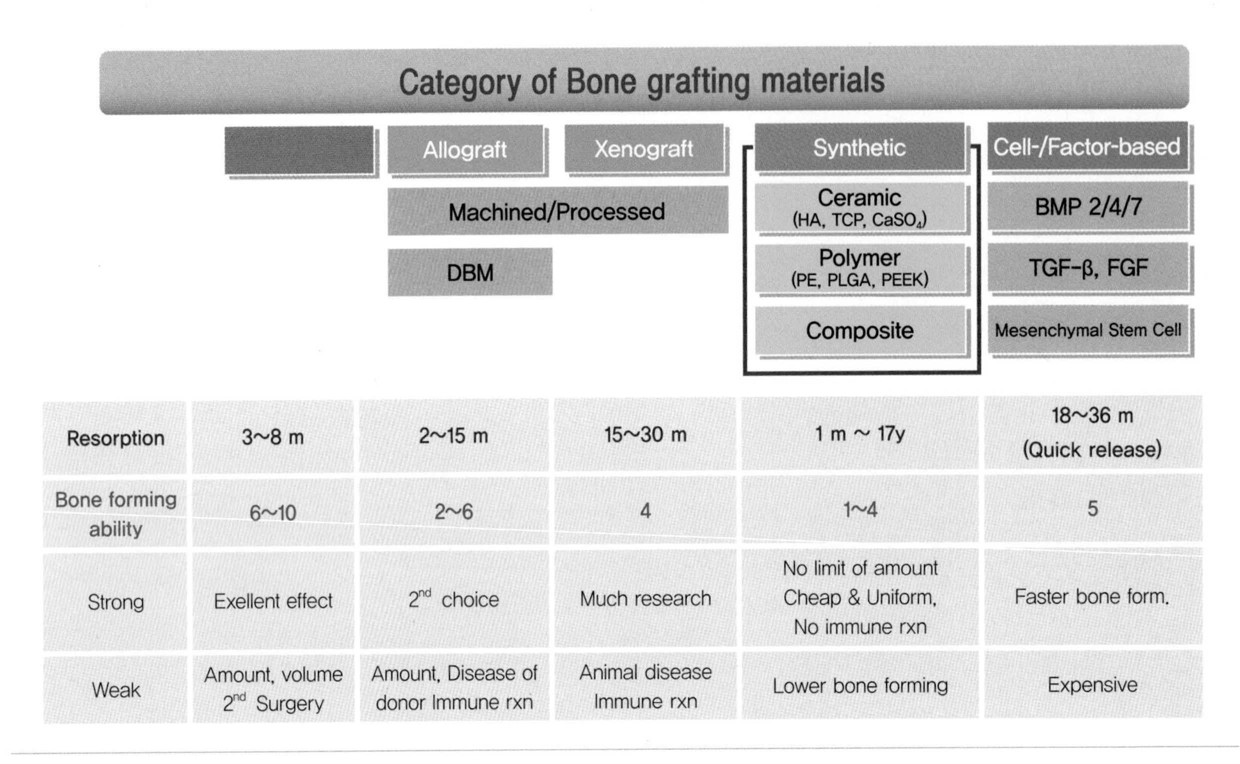

그림 19-10. 골이식재의 종류에 따른 골조직 반응

성 과정이 활발하게 나타난다. 자가골은 골형성 특징을 가진 유일한 이식재료이다. 골내막성 골아세포들(endosteal osteoblasts)은 이식 후 단순 확산에 의한 영양분 흡수 능력만으로 처음 3~5일은 생존할 수 있다.

② 골유도(osteoinduction)

골을 형성할 수 있게 유도하는 성질을 말하며 이식재 내의 골형성 단백질(bone morphogenic protein, BMP)과 같은 화학주성을 가진 물질이 주위에 있는 숙주의 미분화 간엽줄기세포들을 끌어들여 조골세포로 분화할 수 있게 하여 신생골을 형성하도록 하는 것이다. 이러한 골 유도와 관련이 있는 골의 국소적 조절인자로는 BMP (bone morphogenetic protein)가 대표적이며 이외에 TGF-β (transforming growth factor-β), , IGF (Insulin growth factor), FGF (fibroblast Growth Factor), PDGF (platelet derived growth factor), Interleukin-1, TNF-α (tumor necrosis factor-α), Interleukin-8 등이 있다.

③ 골전도(osteoconduction)

주변 골조직의 조골세포와 간엽줄기세포가 이식재 내

표 19-4. 공여부에 따른 자가골의 채취 형태 및 채취량

공여부	채취 형태	최대 채취량(ml)
장골(posterior)	블록 혹은 해면골	140
장골(anterior)	블록 혹은 해면골	70
경골	해면골	20~40
두개골	블록	40
하악골 상행지	블록	5~10
하악 이부	블록 혹은 해면골	5
상악 후구치 결절	해면골	2
기타	해면골	다양함

부 이동하여 신생골을 형성시키는 수동적 현상을 말한다. 모든 골이식재는 골전도성을 가지며 이식재는 다공성 구조의 매개체 역할만 하며 주변에 혈액 공급이 풍부한 골조직이나 분화된 간엽줄기세포가 있어야만 일어날 수 있다.

④ 골촉진(osteopromotion)

골 형성을 유도하는 특성은 갖지 않으면서 골유도를 향상시키는 것으로 골의 치유와 재생에 필요한 생물학적이나 역학적인 환경을 제공하여 골의 형성을 촉진하는 것이다. 예로서 혈소판이 보강된 혈장(platelet-rich plasma)을 들 수 있는데 혈소판에는 TGF-β, PDGF, IGF 등 여러 세포성장인자가 들어있어 간엽줄기세포를 동원하고 분화시키게 된다. 역학적인 인자로서 골이 재생되는 부위에 강한 물리적인 힘이 가하여진다고 하면 치유과정이 중단되지만 적절한 힘은 조직재생에 도움을 줄 수 있다. 간엽줄기세포에 대한 적절한 압박력은 연골모세포로의 분화를 촉진시키고 인장 스트레스는 신생골 형성을 촉진시키게 된다. 세포의 변형은 세포내 신호를 형성하여 세포의 증식과 골모세포로의 변화를 유도하게 된다.

(2) 공유 종별에 따른 골이식재의 분류 이상적 골이식 재료의 조건

임플란트 시술에서 고정체(fixture) 주위의 충분한 골양(수평/수직적)의 확보는 필수적이다 . 따라서 치조골결손/위축의 골재생 증진을 위해 다양한 골이식재가 사용되며, 골이식재의 선택은 조직공학/재생의학에서 중요한 관심의 대상이 되고 있다. 골이식재는 재료의 기원에 따라 자가골/자가치아골(autograft) 이식재, 동종골 이식재(allograft), 이종골 이식재(xenograft), 합성골 이식재(alloplast), 복합골 이식재(composite bone graft)로 분류한다. 골이식재는 이식편 표면에서 골형성, 골유도 또는 골전도를 통해 골재생을 증진시키는 생체재료이다 . 골형성물질은 이식재 자체가 골형성 능력을 가지고 있을 뿐만 아니라 골유도 능력과 골전도 능력을 가지고 있는 물질이며, 대표적인 예는 살아있는 자가골이다. 골유도물질(osteoinductive material)은 이식재 자체가 골형성 능력은 없지만 골유도와 골전도에 의해 이식재 표면에서 신생골을 형성하는 물질이며, BMP-함유 이식재가 이에 해당한다. 골전도물질(osteoconductive material)은 골전도에 의해 신생골의 증대를 가능케 하는 물질이며, 이종골이식과 합성골이식이 이에 해당한다.

① 자가골이식재

경조직 결손부 재건에서 자가골 이식이 가장 이상적인 방법이라고 알려져 있다. 골형성, 골전도 및 골유도 능력을 모두 보유하며, 면역 거부반응이 없고 빠른 치유를 보이는 장점을 가졌으나 채취량이 제한적이고 공여부에 이차 결손을 야기하는 것이 최대의 단점이다. 그러나 여건이 허락된다면 가능한 한 자가골 이식을 도입하는 것이 재건 성공에 필수적이다. 자가골 이식은 증례들에 따라 블록형 혹은 입자형으로 사용하며, 피질골 이식, 해면골 이식 및 피질해면골 복합이식으로 분류할 수도 있으며 혈행 함유 여부에 따라 유리 이식 혹은 혈행 함유골 이식으로 분류해 사용하기도 한다. 블록형 이식은 견고성이 있으므로 외형을 유지하거나 재건 부위의 안정성이 필요한 경우에 선택하여 사용하며, 특히 연속성이 상실된 골 결손부 재건, 온레이 이식과 임플란트 동시 식립 시에는 필수적으로 선택된다. 반면 입자형 이식은 골 입자들 사이로 신생 혈관의 침투가 용이하므로 골 치유속도가 빠른 장점이 있으나, 이식 후 입자들의 유동성이 가장 큰 단점이다. 따라서 골의 연속성이 유지되는 함몰성 결손부(filling defect) 재건에 주로 사용되며 골입자들의 유동성을 방지하기 위해 차단막, 석고, 조직 접착제 등과 같은 인공 재료들을 부가적으로 사용하는 경우가 많다.

해면골은 골형성 세포(osteogenic cells)들을 많이 포함하며 재혈관화가 신속히 이루어지기 때문에 피질골에 비해 신속한 골형성을 이룬다. 반면 피질골은 재혈관화가 이루어지기 전에 반드시 먼저 흡수가 발생해야 하며 흡수 단계에서는 오히려 강도가 감소될 수 있다. 그러나 피질골 내에 골형성 단백질이 포함되어 있어 골유도에 의한 치유를 도모할 수 있는 장점이 있다. 한편 임상에서는 피질골이나 해면골을 단독으로 사용하는 경우는 많이 않으며, 대개 피질골과 해면골을 복합적으로 사용하는 경우가 많다.

② 동종골이식재

동종골이식재는 사람의 사체(사망 24시간 이내)에서 채취한 신선한 골을 인간조직은행(tissue bank)에서 물리/화학적으로 처리하여 항원성이 없고 멸균된 분말 또는 블록 형태로 만들어 이식하는 골이식재이다. 동종골이식재에는 물리화학 처리 방법에 따라 동결건조 동종골이식재 (freeze-dried bone allograft)와 탈회동결건조 동종골이식재(demineralized freeze-dried bone allograft)의 2종류가 있다. 동결건조 동종골이식재는 피질골을 절취하여 부착 연고직을 제거하고 1차 분말(0.5~5 mm)을 만든 다음 세척-탈지-동결-건조 후 2차 분말(0.25~0.75 mm)로 만들어 사용하고, 탈회동결건조 동종골이식재는 2차 분말을 탈회한 후 세척하고 다시 동결-건조하여 사용한다(Langer et al. 2006). 동종골이식재는 생체적합성이 있고 이식 후 일정 기간이 지나면 흡수된다. 동결건조 동종골이식재는 이식 초기에는 골전도능이 있고 골유도능은 거의 없으나 장기간의 시일이 경과하면서 파골세포가 이식재를 흡수하면 이식재 함유 BMP가 방출되어 골모세포의 분화를 촉진하게 된다. 탈회동결건조 동종골이식재는 이식 초기부터 이식재 표면에서 BMP가 방출되므로 골유도능과 골전도능을 가지는 재료이다. 동결건조 동종골이식재는 탈회동결건조 동종골이식재에 비해 흡수가 느리게 진행되므로 골유도보다 구조적 안전성이 더 요구되는 부위의 시술에 유리하다. 탈회골기질에는 BMP-2, BMP-4, BMP-7, IGF-1, TGF-β 등 성장인자가 함유되어 있다. 동종골이식재의 골유도능은 이식재에 함유된 BMP의 함량에 따라 달라진다. BMP-2와 BMP-7는 남성의 골에 비해 여성의 골에 많으며 , BMP-2와 BMP-4는 치밀골에 비해 해면골에 많이 함유되어 있다 . 그러나 피질골이 해면골에 비해 항원성이 적고 골기질은 많기 때문에 피질골이 주로 이용된다.

③ 이종골이식재

이종골이식재는 소나 말(주로 소)에서 채취한 해면골을 화학처리 및 열처리 방법으로 유기질을 제거하여 항원성이 없는 소뼈이식재(칼슘과 인)가 널리 사용되고 있다. 소뼈이식재는 고온소결(sintering) 처리를 하지 않아 생체친화적이고 형태가 사람의 해면골과 유사한 다공성 구조하여 골전도성이 우수한 편이다. 소뼈이식재는 이식 후 서서히 흡수되기 때문에 재생된 골조직은 장기간 동안 기계적 안정성을 유지한다. 소뼈이식재는 생체분해성이지만 8년 또는 14년이 지난 후에도 완전히 흡수되지 않고 잔류하는 이식재가 관찰되었다는 보고가 있다.

④ 합성골이식재

합성골이식재로 쓰이는 생체활성(bioactive)의 특성을 가지는 세라믹 소재에는 인산칼슘계 생체세라믹인 수산화인회석과 인산삼석회, octacalcium phosphate과 생체유리(bioglass), 및 유리-세라믹 등이 있다. 이러한 소재들은 골친화성과 골전도성이 우수하며, 골조직-이식재 계면에서 직접적인 골접촉이 이루어진다.

A. 수산화인회석(HA)

뼈의 주요 무기 성분인 HA (hydroxyapatite, Ca_{10} $(PO_4)_6$ $(OH)_2$, Ca/P=1.67)은 합성골이식재 중에서 골재생용으로 사용된 최초의 세라믹 소재이며 골조직 결손부나 상악동 바닥의 골막 아래에 이식하면 이식재가 전부 또는 부분적으로 신생 골조직으로 둘러싸이게 된다 . 골조직 계면에는 50-200 nm 두께의 결합띠(bonding zone)가 관찰되며, 이 결합띠에는 교원질섬유가 거의 없고 인회석결정이 있으며 조골세포 표지단백질이 많이 함유되어 있다. 따라서 HA-골조직 계면에는 생체의 치밀골에 존재하는 결합선과 유사한 구조가 형성된다. HA 이식재는 제조방법에 따라 다양한 밀도, 다공성, 크기, 강도를 가진다 . HA에 대한 세포반응은 HA 과립의 크기, 형태(바늘 모양, 구형, 불규칙한 판 모양), 화학조성, 결정화도(crystalinity), 소결온도에 따라 달라진다. HA는 성공적으로 골조직과 융합되었음에도 불구하고 수년 후에 붕괴되는 현상이 관찰 되기도 하는데 동물실험에 의하면 HAP는 용해, 부식에 의한 파편화, 또는 파골세포에 의한 흡수 등 여러 가지 기전에 의해 붕괴될 수 있다. 분해속도가 느려서 완전한 신생골 재형성을 방해하는 단점이 있다.

B. 인산삼석회(β-TCP)

β-TCP (β-tricalcium phosphate, $Ca_3(PO_4)_2$, Ca/P=1.5)는 압축강도와 인장강도가 자연 해면골과 유사하고 골전도능이 우수한 골이식재이다. β-TCP는 흡수 과정에서 충분한 양의 칼슘과 인을 공급하므로 골형성에 유리한 환경을 제공한다. β-TCP는 구멍이 서로 연결되어 있는 다공성 구조이며 임상에서 과립형이 많이 사용된다. 골조직-TCP 계면을 보면 β-TCP는 골조직과 직접 결합하며 결합띠(결합면)에 해당하는 인회석 층이 형성되지 않고 이식 후 시간이 경과하면서 골조직-TCP 계면에서 β-TCP가 용해되거나 붕괴되면서 거친 계면을 가지게 되고 그 표층이 파편화되면서 서서히 제거된다. β-TCP는 염증세포나 거대세포(giant cell)의 관여 없이 파골세포에 의해 흡수되기도 하며 체내 분해속도가 너무 빨라 β-TCP 흡수속도가 골형성 속도에 비해 빨리 진행되므로 이식 후 형성된 골의 양은 흡수된 β-TCP의 양보다 작게 되는 단점이 있어서 분해속도를 조절하기 위해 HA와 혼합(biphasic calcium phosphate)하여 사용하는 경우가 많고, 최근에는 규소(Si) 화합물 등의 형태로 흡수속도를 1년 이상으로 늘인 소재가 개발되고 있다.

C. 옥타칼슘포스페이트(octacalcium phosphate)

OCP (octacalcium phosphate, $Ca_8H_2(PO_4)6.5H_2O$, Ca/P=1.33)는 HA의 전구체로 HA나 β-TCP보다 흡수가 빠른 골전도성 이식재이다. OCP는 중간엽 줄기세포로부터 골모세포 분화를 유도하는 효과가 우수하고 골모세포의 부착에 유리한 표면 구조를 가지고 있다. 또한 OCP 이식재는 생체에서 rhBMP의 운반체로 기능하여 골재생을 증진시킨다. 일반적으로 OCP이식재는 자연골과 유사한 세포외기질을 재생하는 목적으로 교원질과 복합하여 사용되며 HAP-아교질 복합이식재나 TCP-아교질 복합이식재에 비해 골재생능력이 높은 것으로 보고되고 있다.

D. 생체활성유리(bioglass)

Bioglass (CaO/P_2O_5=5:1)는 Silicon dioxide (SiO_2), Calcium oxide (CaO), Sodium oxide (Na_2O), Phosphorus pentoxide (P_2O_5)로 구성된 유리로써 Boric anhydride (B_2O_3)와 CaF_2를 첨가함으로써 골에 강한 결합력을 가진다. 생체 내 환경에서 Bioglass는 용출속도가 빠른 Na^+, $Ca2^+$ 교환을 통해 유리 네트워크의 용해 및 성장된 수화실리카겔층의 표면에 형성되는 결정성 탄산염인회석(calcium-deficient carbonate apatite)층이 골아세포가 분비하는 교원질섬유(collagen fibrils)와 결합하여 뼈와의 강한 결합이 이루어진다. Bioglass는 다양한 방법으로 제조가능하며 그 자체로는 기계적 물성(인성)이 낮아 조직공학적 골이식재로는 주로 고분자재료등과 같이 골형성촉진용 충진재로 활용된다.

이외에도 황산칼슘(calcium sulfate, $CaSO_4$), 탄산칼슘(calcium carbonate), calcium phosphate cement과 고분자 소재 등이 사용되고 있다.

⑤ 골이식재의 복합화

골이식재의 복합화는 주로 세라믹 재료로 구성된 이종골 및 합성골 이식재의 낮은 골유도능과 골전도능의 향상, 그리고 적절한 기계적물성 및 사용 편의성을 목적으로 한다. 천연고분자 재료로는 주로 아텔로콜라젠(atelocollagen), 글리세롤, 셀룰로오즈 등이 사용되고, 생물학적 기능성을 높이기 위해서는 BMP, 펩타이드 및 다양한 성장인자가 활용될 수 있다. 탈회골이식재는 무기물이 없는 교원질 기반의 골이식재로서 기계적 물성을 조절하기 위해서 세라믹 재료와 복합화하거나 기능성 향상을 위해서 성장인자를 복합화하고 있다(그림 19-11).

⑥ 3D 프린팅 골이식재

일반 골이식재는 구조적/기계적 특성(다공성, 강도)이 불완전하고 치조골 결손/위축 치조골의 국소적인 조건(수평/수직 결손)을 극복하지 못하여 임상적으로 골재

합성골이식재
- HA
: + BMP
- HA + TCP
: + Hyaluronate
- TCP
: + Poloxamer + Cellulose
: + PDGF
: + 이산화규소
: + 물
- Calcium Pyrophosphate
- PCL
이종골이식재
- HA (소, 돼지, 말)
: + BMP
: + 합성펩타이드
: + 산화칼슘
- HA + 콜라겐(소, 돼지)
- 무기질과립
골이식용복합재료
- DBM
: + CMC + Starch + 글리세롤
: + Starch
: + 상용 Poloxamer
: + 합성 Poloxamer
: + 합성 Poloxamer + 시트르산
- DBM + HA
- DBM + 콜라겐
: + BMP + CMC
- DBM + 비탈회골
: + CMC
- HA
: + BMP
- HA + 콜라겐
- HA + TCP + 콜라겐
- HA + 콜라겐(아텔로)
- TCP
: + BMP + Poloxamer + Cellulose

그림 19-11. 골이식용 생체재료의 복합화

생 증진 효과가 기대에 미치지 못하는 경우가 있다. 따라서 구조적/기계적 조건을 충족하고 골재생에 유리한 표면 특성과 자연골의 세포외기질과 거의 같은 구조를 가지면서 환자의 국소적인 조건에 적합한 형태와 크기를 가지는 환자맞춤형 골이식재를 사용하기 위해 3차원 (3D) 프린팅 공정을 활용하여 제조한 3D프린팅 골이식재가 개발되고 있다.

무기질의 재료를 층층이 쌓아 올려서 3D 구조를 구성하는 모델은 1980년대부터 연구가 진행되어 왔다. 재료를 깎거나 잘라 만들던 기존의 제품 생산 방식과 달리 3D 프린팅은 얇은 층을 한 층씩 무수히 쌓아 제작하기 때문에 적층 가공 기술이라고도 한다. 3D 프린팅 기술은 적층 방식과 사용되는 재료에 따라 구분되며, 적층 방식에 따라 압출, 분사, 광경화, 소결, 인발, 침전, 접합 등으로 구분되며, 활용 가능한 재료는 고분자, 금속, 종이, 목재, 식재료, 생체재료 등으로 다양하다. 최근 삼차원적으로 골재생에 유리한 다공성 구조(적정한 크기의 구멍과 구멍의 연결성)를 실현하기 위해 다양한 3D프린팅 기법이 소개되고 있고, 이와 같은 공정으로 다양한 복합원료(하이브리드)을 사용하여 다공성이면서 생체적합성이 좋고 생체활성이 높은 생분해성 지지체를 제조하여 활용한 연구에서 골재생에 성공하였다는 보고들이 있다.

3D프린팅 골이식재 제조에 사용되는 주원료는 생분해성 천연고분자(아교질), 생분해성 합성고분자(ε-polycaprolactone [PCL], polylactic acid [PLA], polyglycolic acid [PGA], poly(lactic-co-glycolic) acid [PLGA]), 생체세라믹(HAP, β-TCP, BCP), 금속(티타늄, 티타늄합금)이 이용되고 있다. 골재생에 성공적으로 사용된 3D프린팅 골이식재는 PCL+HAP지지체, BCP (β-TCP+HAP)지지체, calcium phosphate (CaPs)+아교질 지지체, OCP 지지체 등이 보고되었다. 최근 국내에서도 흡수성 고분자와 β-TCP를 주원료로 하여 제조된 국산 3D프린팅 골이식재가 소개되었다(그림 19-12).

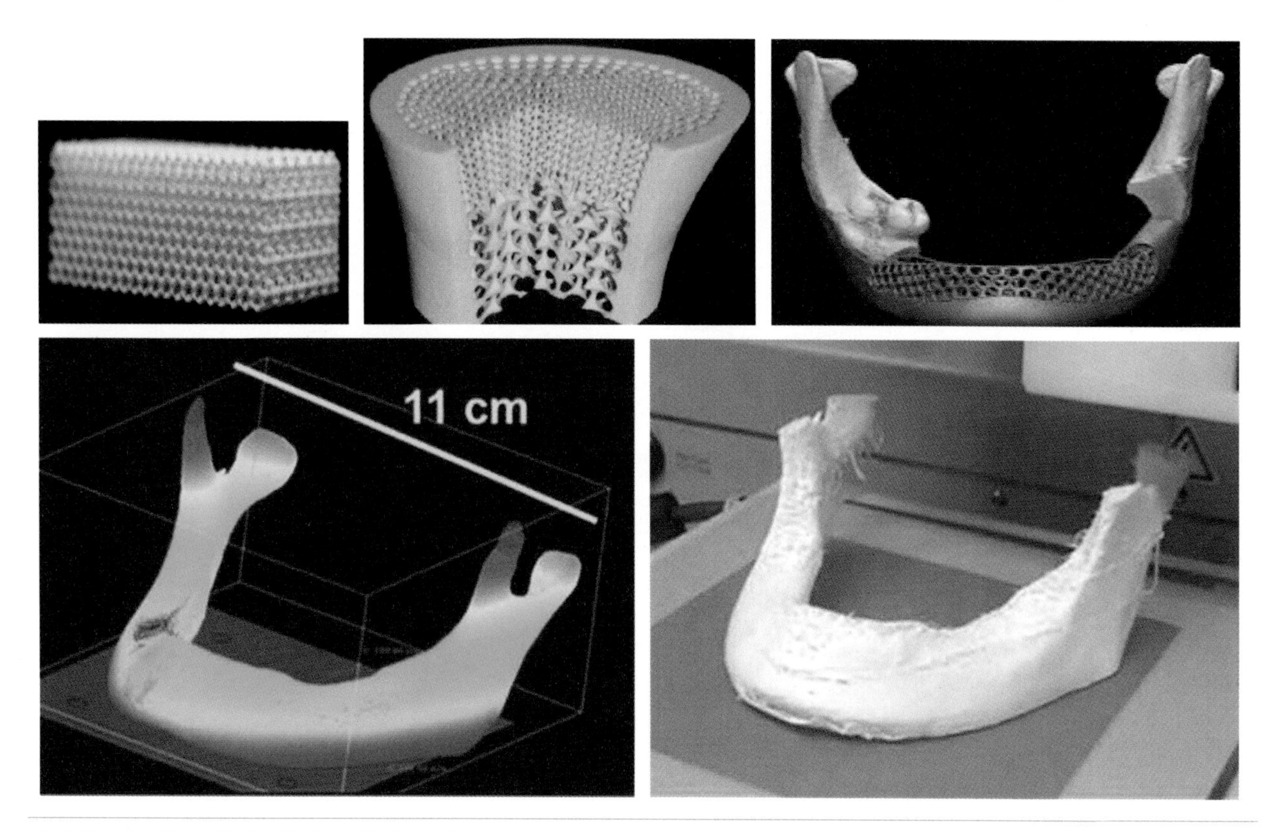

그림 19-12. 3D 프린팅 골이식재의 디자인 및 이식

2) 조직유도재생술 (Guided tissue regeneration, GTR)

조직유도재생술이란 조직반응의 차이를 이용하여 조직의 재생을 도모하는 술식으로 주변의 다른 조직이 빠르게 증식하여 결손부 기저부까지 증식하는 것을 막기 위해서 재생을 유도하는 부위와 다른 인접한 결체조직 구성성분을 분리시키는 차폐막을 위치시켜 그 결과 특정한 세포만을 재 분포시킬 수 있도록 하는 방법이다. 조직유도재생술은 주로 치주 질환 치료에서 치주 조직 결손 부위를 재생하기 위한 용도로 널리 사용하고 있다. 치주 조직을 구성하는 상피조직, 결합조직, 골 조직 등은 상처 후 치유되는 속도가 각각 다르며 이러한 원리를 이용한 재생 수술법으로 조직유도재생술이 효과적이다. 기본 원리는 결손된 골조직의 재생을 유도하기 위해 증식속도가 빠른 상피세포가 골 결손부의 기저부로 이동하는 것을 인위적으로 차단하여 골 주변으로 격리된 공간을 만들어 준 후, 상대적으로 증식 속도가 느린 골조직에서 골 형성능을 가진 세포의 분화와 이주를 유도하여 골 재생 목적을 활성화하려는 술식이며 현재까지 예지성 있는 방법으로 잘 알려져 있다. 그림 3은 골유도재생술에서 이식한 골이식재가 골조직으로 성숙하기 까지 연조직의 개입 없이 안정적인 공간을 확보하여 신생골 형성과 연조직의 치유를 촉진시키기 위해 쓰이는 차폐막으로서 크게 비분해성 차폐막과 분해성 차폐막으로 구분된다. 비분해성 차폐막 소재로써는 주로 폴리테트라플루오르에틸렌(polytetrafluoroethylene, PTEE)이나 티타늄 등이 사용되며, 골형성이 완전히 이루어지는 동안 조직의 완전 분리가 가능하지만 막 제거를 위한 2차 수술이 필요하다는 단점이 있다. 분해성 차폐막은 교원질이나 키토산 등 천연 고분자나 합성 고분

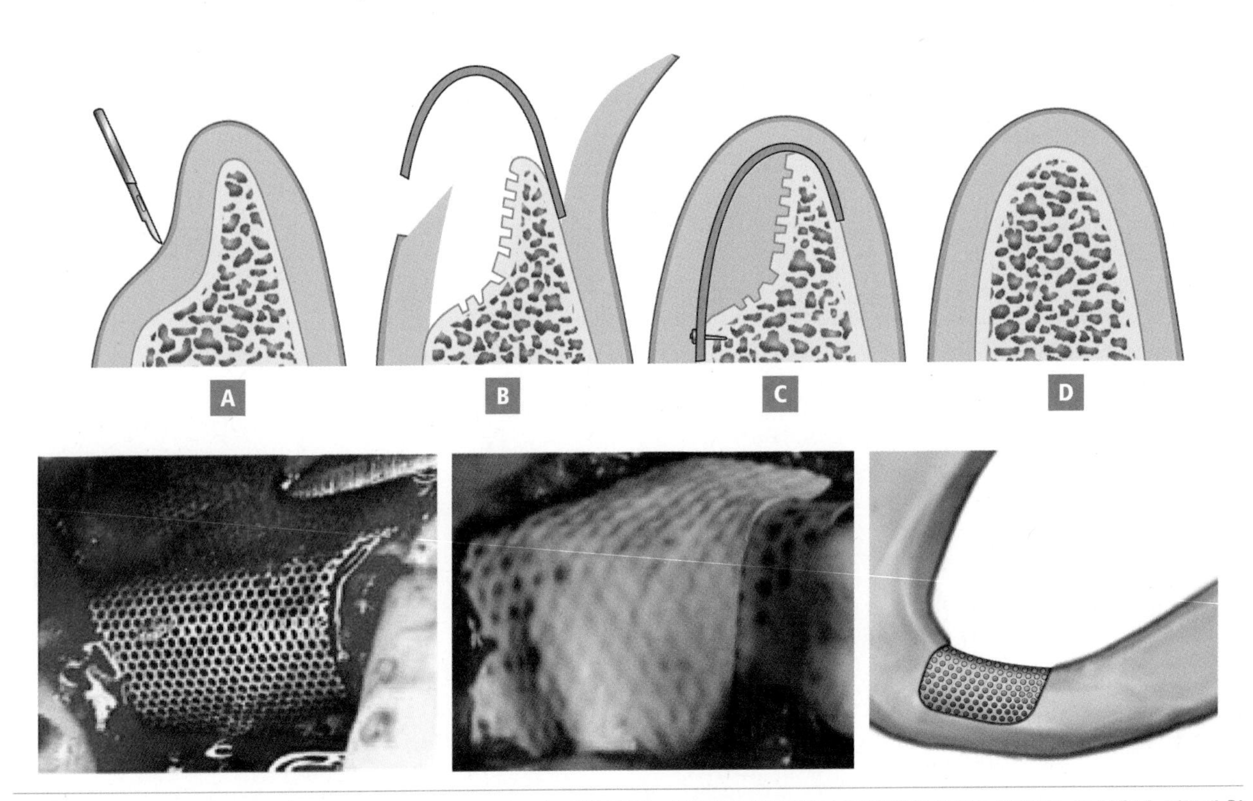

그림 19-13. 골유도재생술(guided bone regeneration, GBR): 강화 티타늄 차폐막을 사용하여 골조직 재생 부위를 분리하는데 사용됨. 새롭게 형성되는 골조직은 미립자 이식재를 첨가함으로써 강도를 보강할 수 있음. 차폐막은 치료중 변위를 방지하기 위해 결손부의 가장자리에 견고히 부착됨.

자가 사용되고 있는데 세포부착 및 증식이 우수하고 특히 막 제거를 위한 추가적인 외과적 과정이 필요없다는 장점이 있다. 하지만 골 조직이 완전히 이루어지기 전에 분해되어 골 형성을 방해할 수 있고, 기계적 강도가 약한 편이라 치유기간 중 함몰되는 경우가 있다. 최근에는 세라믹이나 고분자를 이용한 3D 프린팅 제품이 개발되고 있다(그림 19-13).

1990년대 초반 Vacanti 박사팀의 획기적인 조직공학기법 개발로 환자의 결손부 복구나 기능적 재건에 대한 긍정적인 전망을 가지게 되었고 십수년간의 노력을 통해 어느 정도의 성공을 거두었다. 하지만 기능성을 수반한 정상적인 인체조직의 재생에는 여전히 많은 한계점을 보이고 있다. 이를 극복하기 위해서 재료분야에서는 재생되는 조직에서의 신생혈관 형성유도, 산소공급, 분해되는 지지체의 생체적합성, 조직의 재생과 조화를 이루는 물리화학적, 분해특성 조절 등의 기술 확보와 생물학적으로는 줄기세포의 분화조절 및 성장활성인자의 발굴 및 적절한 역할 등의 분자생물학적 기술의 확보가 필요하다. 첨단소재, 나노바이오기술과 IT기술 등을 접목한 생체재료의 발전과 생물학적 적용기술의 발전을 토대로 밝은 조직재생의 미래를 기대한다.

참고문헌

1. 고인갑, 유지 등(2011). "재생의학과 조직공학: 기능성이 강화된 고분자 지지체를 이용한 인사이투 조직재생." Polymer Science and Technology 22.1(2011): 17-26.
2. 김우섭. "조직공학의 기본개념과 최신동향 및 미래전망." Journal of the Korean Medical Association 57.2(2014): 145-154.
3. 정건영, and 이기범. "재생의학을 위한 고분자 소재." Polymer Science and Technology 22.1(2011): 3-8.
4. Asa'ad, Farah, et al. "3D-printed scaffolds and biomaterials: review of alveolar bone augmentation and periodontal regeneration applications." International journal of dentistry 2016(2016).
5. Atala, Anthony. "Recent developments in tissue engineering and regenerative medicine." Current opinion in pediatrics 18.2(2006): 167-171.
6. Bauer, Thomas W., and George F. Muschler. "Bone graft materials: an overview of the basic science." Clinical Orthopaedics and Related Research® 371(2000): 10-27.
7. Choi, Byung Hyune, and So Ra Park. "Current status and future perspectives of stem cells and regenerative medicine." Hanyang Medical Reviews 32.3(2012): 127-133.
8. Degidi, Marco, et al. "Buccal bone plate in immediately placed and restored implant with Bio-Oss® collagen graft: a 1-year follow-up study." Clinical oral implants research 24.11(2013): 1201-1205.
9. Doppalapudi, Sindhu, et al. "Biodegradable polymers-an overview." Polymers for Advanced Technologies 25.5(2014): 427-435.
10. Dorozhkin, Sergey V. "Bioceramics of calcium orthophosphates." Biomaterials 31.7(2010): 1465-1485.
11. Jamjoom, Amal, and Robert E. Cohen. "Grafts for ridge preservation." Journal of functional biomaterials 6.3(2015): 833-848.
12. Jarcho, M. "Biomaterial aspects of calcium phosphates. Properties and applications." Dental Clinics of North America 30.1(1986): 25-47.
13. Kadiyala, Sudha, Neelam Jaiswal, and Scott P. Bruder. "Culture-expanded, bone marrow-derived mesenchymal stem cells can regenerate a critical-sized segmental bone defect." Tissue engineering 3.2(1997): 173-185.
14. Kent, John N., et al. "Hydroxylapatite blocks and particles as bone graft substitutes in orthognathic and reconstructive surgery." Journal of Oral and Maxillofacial Surgery 44.8(1986): 597-605.
15. Kochanowska, Iwona, et al. "Expression of genes for bone morphogenetic proteins BMP-2, BMP-4 and BMP-6 in various parts of the human skeleton." BMC musculoskeletal disorders 8.1(2007): 128.
16. Logeart-Avramoglou, Delphine, et al. "Engineering bone: challenges and obstacles." Journal of cellular and molecular medicine 9.1 (2005): 72-84.
17. Nigam, Rashi, and Babita Mahanta. "An overview of various biomimetic scaffolds: Challenges and applications in tissue engineering." Journal of Tissue Science & Engineering 5.2(2014): 1.
18. Obregon, Fabian, et al. "Three-dimensional bioprinting for regenerative dentistry and craniofacial tissue engineering." Journal of dental research 94.9_suppl(2015): 143S-152S.
19. Oryan, Ahmad, et al. "Bone regenerative medicine: classic options, novel strategies, and future directions." Journal of orthopaedic surgery and research 9.1(2014): 18.
20. Park, Jin-Woo, et al. "Bone formation with various bone graft substitutes in critical-sized rat calvarial defect." Clinical oral implants research 20.4(2009): 372-378.
21. Pietrzak, William S., et al. "BMP depletion occurs during prolonged acid demineralization of bone: characterization and implications for graft preparation." Cell and tissue banking 12.2(2011): 81-88.
22. Ramay, Hassna RR, and M. Zhang. "Biphasic calcium phosphate nanocomposite porous scaffolds for load-bearing bone tissue engineering." Biomaterials 25.21(2004): 5171-5180.
23. Rasperini, G., et al. "3D-printed bioresorbable scaffold for periodontal repair." Journal of dental research 94.9_suppl(2015): 153S-157S.
24. Saxena, Amulya K. "Tissue engineering and regenerative medicine research perspectives for pediatric surgery." Pediatric surgery international 26.6(2010): 557-573.
25. Szivek JA, Wojtanowski AM, Gonzales DA and Smith JL(2016). Stem cell infiltrated biomimetic inverse trabecular-pattered scaffolds accelerate bone growth during long segment repair in a sheep critical sized defect. Front. Bioeng. Biotechnol. Conference Abstract: 10th World Biomaterials Congress. doi: 10.3389/conf.FBIOE.2016.01.01623.
26. Szpalski, Caroline, et al. "Bone tissue engineering: current strategies and techniques—part I: scaffolds." Tissue Engineering Part B: Reviews 18.4(2012): 246-257.
27. Williams, D. J., and I. M. Sebastine. "Tissue engineering and regenerative medicine: manufacturing challenges." IEE Proceedings-Nanobiotechnology. Vol. 152. No. 6. IET Digital Library, 2005.
28. Yoshikawa, Hideki, and Akira Myoui. "Bone tissue engineering with porous hydroxyapatite ceramics." Journal of Artificial Organs 8.3 (2005): 131-136.

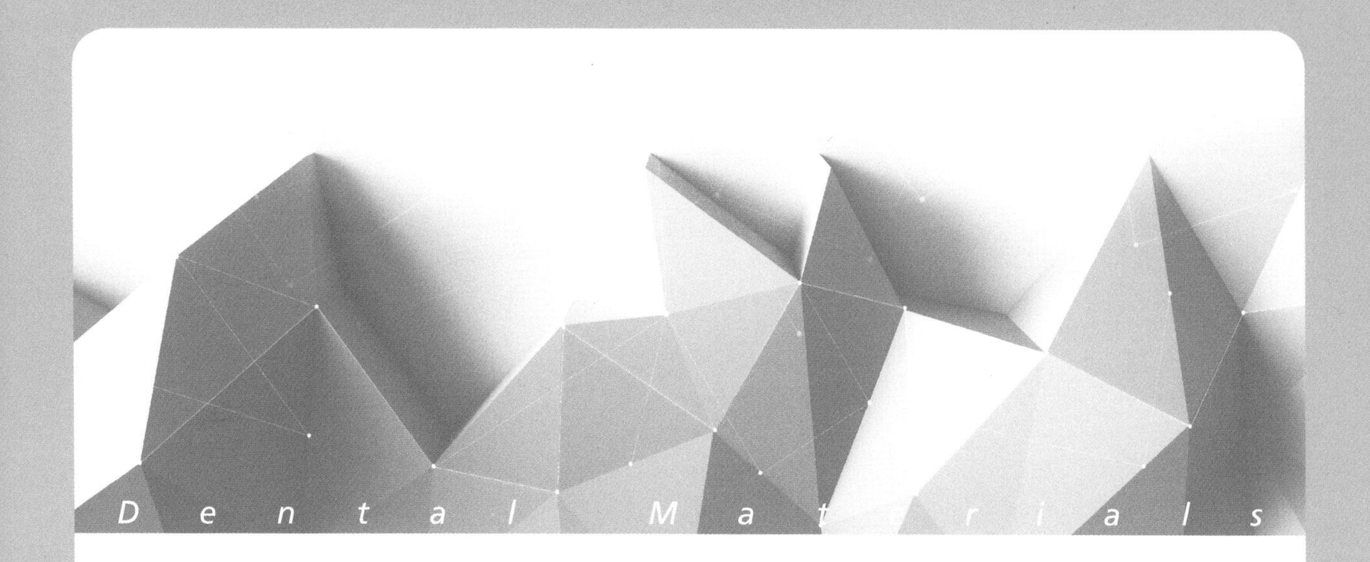

PART

VII

임상치의학 재료 및 기구

20. 치과교정 재료

21. 예방치과재료

22. 치과용 기구 및 장비

23. 한국산업표준 목록

치과교정 재료 20

학/습/목/표

❶ 치과교정용 재료의 종류와 용도를 안다.
❷ 각 재료의 재질에 따른 차이를 파악한다.
❸ 교정용 재료의 특성 소실과정을 이해한다.

치과 교정장치는 치아의 위치 이상 및 교합관계의 개선 등의 치료 용도로 제작된다. 이들 장치는 치아에 대한 교정력의 작용면에서 기능적 장치와 기계적 장치로 분류할 수 있으며, 환자에 적용면에서는 고정식 장치와 가철식 장치로 나눌 수 있다. 치과교정용 재료는 교정치료에 사용되는 재료의 총칭으로 본 장에서는 이들의 조성과 특성을 다룬다. 고정식 장치의 경우, 기계적 교정력이 교정용 와이어의 재료학적 특성에 의존하는 경우가 많으며 사용 방법에 따라 크게 의존한다. 고정식 장치에는 순측, 순측 치조부, 설측 등에 적용하는 호선장치, 고정식 확대장치 및 에지와이즈법, Begg법, Jarabak법, 바이오-프로그레시브법 또는 스트레이트 와이어법에 사용하는 멀티 브라켓 장치가 있으며, 교정용 선재, 브라 켓, 밴드, 고무링, 치아 접착제 등의 재료가 사용된다. 가철식은 임상상황에 따라 자가중합 아크릴 레진을 의치상과 같이 베이스로 하고 와이어나 스크류를 부착한 장치이다.

이러한 교정재료를 이해하는 데 있어서 가장 기본적인 것은 재료의 조성과 구조가 성질에 어떻게 영향을 미치는가 하는 원리를 이해하는 것이다. 또한 금속재료 이외에 다양한 종류의 세라믹 및 폴리머와 같은 새로운 재료들이 끊임없이 소개되기 올바른 재료의 선택을 위해서는 교정 재료에 대한 기초지식과 특성의 변화를 잘 이해하여야 한다.

1. 치과교정용 재료의 종류와 용도

1) 교정용 선재(Orthodonitic wire)

교정용 선재는 탄성선으로 치아의 이동, 치열의 교정에 사용되는 외에 설측호선장치의 주선, 상장치의 순측선 또는 클래스프 등에 사용된다. 선 재료의 필요성질은 다음 4가지를 들 수 있다.

① 기계적, 화학적 성질이 안정할 것
② 기공조작과 용접조작이 용이하고, 전기용접이 가능할 것
③ 가격이 쌀 것
④ 심미성이 좋고 가능하면 투명하고 변색이 없을 것

표 20-1. 교정용 선재의 조성의 예

	Co	Cr	Ni	Fe	Mo	Mn	W	Ti
A	46	20	22	-	3	-	3	기타
B	38	13	17	22	4	1	4	1
C	40	20	15	15	7	2	-	-
D	-	18	8	73	-	1	-	-
E	-	18	8	73	-	1	-	-
F	-	18	8	73	-	1	-	-
G	-	-	55	-	-	-	-	45

기계적 성질은 탄성한도가 높고 탄성률이 큰 선재가 사용되고 있는데, 교정력의 적용에는 선재의 굵기, 형상에 따라 역학적으로 탄성에너지가 크게 되도록 고려하고 있다. 교정용 선재의 단면형상은 둥근형, 각형 및 가는 선 3가닥 또는 5가닥을 엮은 다가닥 선재가 있다. 선재의 선택은 교정장치의 브라켓 슬롯 사이즈를 맞춰 행해진다. 일반적으로 직선형이지만 아치를 형성한 교정용 선재도 있다. 교정용 선재의 굵기는 단면형상에 따라 다양하다.

이들 조성은 표 20-1에 나타낸 것처럼 Mo, W을 함유한 Cr-Co-Ni계 합금과 18-8 스테인리스강 및 Ni-Ti 합금이다. 이들은 모두 인발하여 신선기에서 직선으로 가공경화된 상태로 공급된다.

2) 브라켓

브라켓은 교정용 선재를 유지시켜 치아에 교정력을 전달하기 위하여 치면에 붙이는 부가장치이다. 이들은 밴드에 용접하여 사용하는 것과 치면에 직접 접착하는 것 2종류가 있다. 형상은 치아의 종류, 에지와이즈법, Begg법, Jarabak법, 바이오 프로그레시브법, 스트레이트 와이어법, 설측 브라켓법 등의 교정 시스템 및 교정방법에 따라 차이를 볼 수 있으나 최근 많이 사용되고 있는 브라켓의 형상은 표준적인 교정용 선재에 맞추어 각 치아의 치축 경사부분, 순측, 볼 측면으로부터의 요철을 규정하여 교정용 선재를 굴곡하지 않고 사용할 수 있는 형상으로 제작되고 있다. 브라켓의 필요 성질은 구강 점막을 손상하지 않고 교정용 선재와의 저항이 적으며 주선을 결찰하기 쉬운 형상으로 디자인되고 있다. 재질은 치질과 접착할 수 있고 강하여 변형되지 않고 혹은 밴드와 용접할 수 있는 Ni-Cr 합금, 스테인리스강, 혹은 Co-Cr 합금으로 제작되고 있다. 그러나 최근에는 치관색에 가까운 플라스틱, 세라믹 브라켓도 개발되어 많이 이용되고 있다.

3) 밴드(Band)

밴드는 대환이라고도 부르며 악궁, 전치, 소구치, 대구치 등 각 치아의 종류마다 여러 단계의 사이즈로 시판되고 있다. 그러나 치질과의 접착제가 개발됨으로써 브라켓은 치면에 직접 접착할 수 있게 되어 밴드는 큰 교정력을 필요로 하는 부위, 주선을 유지하는 튜브를 용접 또는 융접하는 제1대구치 등에 주로 사용되고 있다. 재질은 스테인리스강, Ni-Cr 합금이다.

4) 기타 재료

기능적 교정장치에는 고무 링, 링 렛, 체인 고무줄, 고무실, 치간 이개용 고무링이 있고, 아크릴 레진, 천연고무, 폴리우레탄 고무, 열 경화형 실리콘 등을 재료로 하여 만들고 있다. 접착제로서 Bis-GMA계와 MMA계가 있고 중합방식은 화학 중합형, 광 중합형이 있다.

2. 치과교정용 선재

브라켓을 통해 생역학적 힘을 전달하여 치아이동을 위해 사용되는 교정용 선재는 교정치료에서 가장 중요한 재료이다. 교정치과의사는 바람직한 힘의 양과 탄성(작용) 범위 혹은 되돌이 힘(spring back), 조작성의 편리나 가소성, 장치를 조립하기 위한 납착, 용접의 필요성 등의 다양한 인자들을 고려하여 선재를 선택해야 한다. 환자에게 교정재료의 적용 시 부식으로 인한 금속 이온의 방출이 생체 위해성을 일으키는지 여부 또한 중요한 인자이다.

교정용 선재의 재료로는 스테인리스강, 코발트-크롬-니켈, 니켈-티타늄 및 베타 티타늄의 네가지의 합금을 주로 사용한다(표 20-2, 14장 금속수복재료 참조).

1) 다가닥 선재(Multistranded wire)

다가닥 선재는 그림 20-1과 같이 스테인리스강 선재로 구성되어 있으며 nitinol 계열의 선재가 나오기 전까지 교정치료의 초기에 주로 사용된 스테인리스강 선재로 가는 선재가 3~9가닥 꼬인 다양한 제품이 나오고 있으며, 3~6가닥은 원형의 형태로, 8~9가닥으로 된 것은 사각형태로 만들어지고 있다. 다가닥 선재 또는 twistflex wire라는 이름으로 불리는 이유는, 가는 여러 가닥의 선재를 꼬아서 하나의 선재를 구성하기 때문이며, 이로 인해 치아에 가해지는 힘을 줄이고 힘의 전달이 장기간 가능하여 치아의 레벨링(leveling)과 배열(alignment)에 적합하다.

2) 교정용 선재의 임상적인 특성

앞에서 고찰한 바와 같이 아주 이상적인 교정 선재용 합금은 없다. 표 20-3에 요약된 4개의 선재는 각각 특징적인 장점과 단점을 갖고 있다.

스테인리스강과 Elgiloy blue wire는 가장 싸고 뛰어난 성형성과 좋은 결합 특성을 갖고 있다. 그러나 높은 탄성계수 때문에 이 합금으로 만들어진 선재는 다른 두 티타늄을 함유한 선재 합금에 비해서 교정 치아에 힘의 전달력은 매우 높으나 탄성회복의 구간(elastic range)의 크기 즉 springback은 높지 않다. 스테인리스강과 Elgiloy blue

표 20-2. 중요 교정용 선재의 조성과 기계적 특성

교정용 선재	조성(wt%)	탄성계수(GPa)	항복강도(MPa)	Springback
Austenitic stainless steel	17~20% Cr, 8~12% Ni, 0.15% C (max), balance mainly Fe	160~180	1,100~1,500	0.0060~0.0094 (AR) 0.0065~0.0099 (HT)
Cobalt-chromium-nickel (Elgiloy Blue)	40% Co, 20% Cr, 15% Ni, 15.8% Fe, 7% Mo, 2% Mn, 0.15% C, 0.04% Be	160~190	860~1,000	0.0045~0.0065 (AR) 0.0054~0.0074 (HT)
β-titanium (TMA)	77.8% Ti, 11.3% Mo, 6.6% Zr, 4.3% Sn	60~70	690~970	0.0094~0.011
Nickel-titanium	55% Ni, 45% Ti, (approx. and may contain small amounts of Cu or other elements)	30~40	210~410	0.0058~0.016

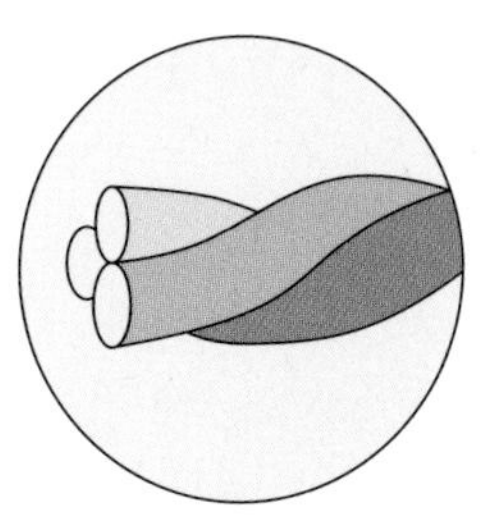
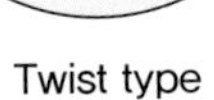

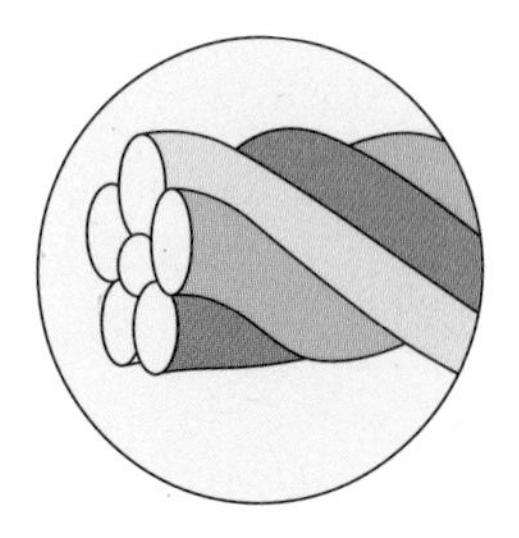

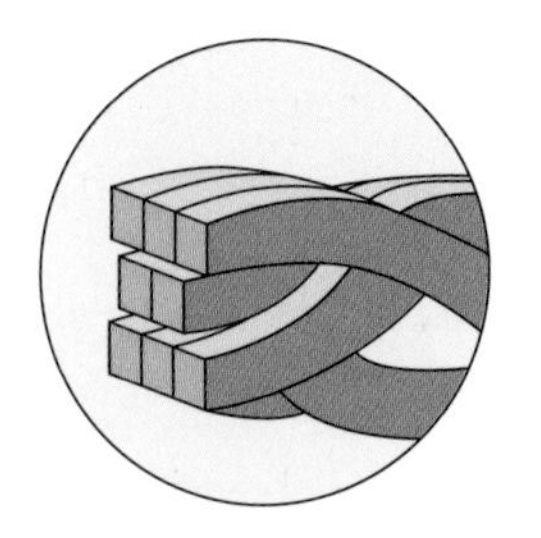

그림 20-1. **다가닥 선재들의 모식도**

표 20-3. **교정용 선재의 선택 시에 중요한 특징 요약**

Property	Stainless Steel	Cobalt-Chromium-Nickel (Elgiloy Blue)	β-Titanium (TMA)	Nickel-Titanium
Cost	Low	Low	High	High
Force delivery	High	High	Intermediate	Light
Elastic range (springnback)	Low	Low	Intermediate	High
Formability	Excellent	Excellent	Excellent	Poor
Ease of joining	Can be soldered. Welded joints must be reinforced with solder	Can be soldered. Welded joints must be reinforced with solder	Only wire alloy that has true weldability	Cannot be soldered or welded
Archwire-bracker friction	Lower	Lower	Higher	Higher
Concern about biocompatibility	Some	Some	None	Some

합금은 처리 과정 중에 die나 roller에 강하게 결합되지 않기 때문에, 이러한 합금으로 만들어진 교정용 선재는 매우 매끈한 표면을 갖고 있어서 상대적으로 낮은 호선-브라켓 마찰을 갖는다. 이들 두 합금은 상당한 양의 니켈을 함유하고 있어서 생체적합성과 관련되어 교정의사들이 염려하고 있다. 그러나 수십 년 동안 이러한 선재 합금을 광범위하게 임상적으로 사용해 본 결과 그러한 문제는 적은 것으로 밝혀졌다.

β-티타늄(TMA)으로 제작된 교정용 선재는 일반적으로 다른 세 종류의 선재합금으로 만들어진 것보다 비싸다. β-티타늄 선재는 스테인리스강 · Elgiloy blue 선과 니켈-티타늄 선재의 중간 정도의 힘 전달 정도, 탄성한계 및 되돌이 힘을 갖는다.

따라서, 교정의사는 환자를 치료할 때, 스테인리스강 또는 Elgiloy blue 선재 크기와 비교하여 브라켓에 더 꽉 맞게 선재를 넣기 위하여 β-티타늄 교정용 선재를 선택한다. β-티타늄 합금의 뛰어난 성형성 덕분에 교정의사들은 니켈-티타늄 합금에서는 할 수 없는 복잡한 loop를 만들 수 있다.

TMA의 welding이 잘 되는 성질은 복잡한 장치의 조합이 필요할 때 매우 유용하다. 최근의 임상연구에 따르면, 교정적인 공간폐쇄의 속도는 이온주입(ion-implanted) TMA 선재와 종래의(이온주입을 하지 않은) TMA 선재 사이에 큰 차이가 없으며, stainless steel arch 선재의 폐쇄 속도와도 비슷한 것으로 밝혀졌다. 이온주입 β-티타늄 교정용 선재의 임상적인 효과를 연구하기 위해서는 추가적인 임상연구가 필요하다.

니켈-티타늄 선재는 많이 사용되는 합금 중에서 가장 적은 힘 전달 정도와 넓은 범위의 탄성한계를 가지며, 특히 형상기억합금에서는 뛰어난 되돌이 힘 성질을 갖는다. 그러나 이들 선재는 비싸며, 성형성이 낮고, 납접이나 용접이 불가능하다. 그럼에도 불구하고, 니켈-티타늄 선재는 뛰어난 탄성한계와 되돌이 힘 때문에, 다양한 임상 증례에서 응용되고 있다. 호선-브라켓 사이의 마찰은 티타늄 함량이 높기 때문에 생기는 거친 표면 때문에, β-티타늄과 비슷하게 높다.

3) 교정용 선재의 전망

세라믹 브라켓에 맞는 심미적인 교정용 선재를 생산하기 위한 노력이 있어왔다. Silica core, silicon resin middle layer 및 착색에 저항성이 있는 outer layer를 갖는 투명한 비금속 교정용 선재(Optiflex, Ormco)가 소개되었다. 이 composite 선재는 조작하기는 어렵지만 상당한 탄력성이 있다. Bis-GMA와 TEGDMA로 만들어진 polymeric matrix에 매몰된 유리 섬유를 함유한 교정용 선재(Owens Corning, Toledo, OH, USA)도 개발되었다. 또한, Poly (n-butyl methacrylate)로 제작된 초고분자량(ultra-high molecular weight)의 polyethylene fiber로 이루어진 composite ligature 선재 또한 개발되었다. 그외 많은 비금속성 교정용 선재들이 개발 중에 있다.

3. 교정용 브라켓

교정력은 브라켓을 통해 치아에 전달되게 되는데, 브라켓은 본래 스테인리스강으로 제작되어졌으며, 브라켓 설계(design)와 제조기술의 발전으로 바닥 형태, 바닥-슬롯의 연결, 슬롯 크기가 변하게 되었다.

초기에는 스테인리스강 band에 접착된 슬롯(slot)을 이용했으며, 넓은 바닥(base) 표면 위에 슬롯이 결합되었고, 에폭시 레진을 이용하여 치아에 결합하였다.

다음 단계에서는 브라켓에 접착제를 사용해서 더 높은 결합 강도를 주기 위해 브라켓 바닥을 변형시켰다. 최근에는 바닥 표면을 줄이는 데 노력하고 있지만 초기에는 브라켓이 치아 협면의 근원심면을 전부 덮었다. 브라켓을 만들기 위해서는 두드려서 또는 기계적으로 형태를 만들었으나 후에 주입 주조틀(injection mold)을 이용하여 주로 브라켓을 만들었다. Twin, mini, single appliance 등과 같은 다양한 표준화된 브라켓 형태가 만들어지게 되었다(그림 20-2).

계속되는 연구로 금속 브라켓에 비해 크게 심미적 외양이 향상된 브라켓이 1980년대 중반에 소개되어 성인교정 환자들에게 많은 인기를 끌게 되었고, 최초의 투명 브라켓 재료들은 1960년대 부터 등장하였다.

초기의 심미적 브라켓들은 다결정성(polycrystalline) 혹은 단결정성(single crystalline) 알루미나(alumina)로 만들어졌다.

초기 세라믹 브라켓이 지닌 두꺼운 외형 때문에 몇몇 환자들이 불편하였으나, 가장 심각한 임상에서의 문제는 debonding시에 법랑질에 손상이 생기는 것이었다. 때때로 치료와 그에 따르는 debonding 동안에 브라켓 파절이 발생하였다. 표 20-4는 여러가지 세라믹 브라켓의 탈착력, 표면적, 전단결합강도의 예이다.

플라스틱 교정용 브라켓은 활성화된 교정용 선재로부터 힘이 전달될 때 폴리머의 낮은 탄성계수로 인해 변형이 일어날 수 있다. 1990년대에 브라켓의 설계를 변형시키고 새

표 20-4. 세라믹 브라켓의 전단 결합 강도

측정항목	브라켓 1	브라켓 2	브라켓 3
탈착력(N)	17.9	15.2	14.1
베이스의 표면적(mm^2)	1.6	1.4	1.8
평균 결합 강도(MPa)	11.4	10.9	7.8

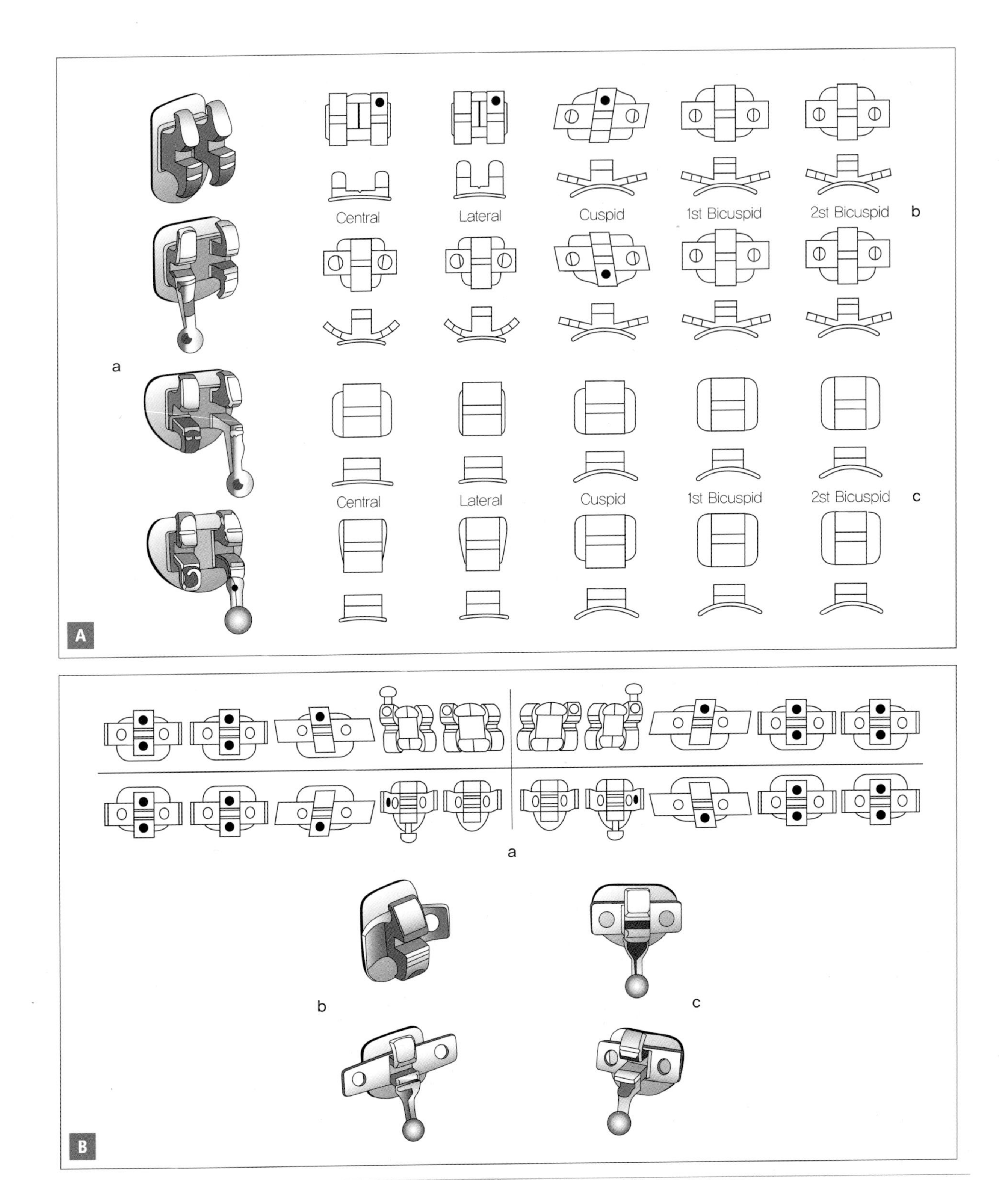

그림 20-2. 다양한 형태의 금속 브라켓 디자인 형태

A Straight wire appliance의 여러 형태. a: Roth prescription brack Formula-R bracket(Tomy). b: 수직 슬롯이 첨가된 브라켓 모식도(Mini master, AO). c: 윙이 하나뿐인 Tweed bracket(Mini tweed, AO). **B** Alexander bracket. a: Alexander prescription의 bracket system의 모식도. b: 치아의 회전조절을 용이하게 하기 위한 브라켓(Mini-wick, Ormco). c: 회전조절 날개가 부착된 Lewis bracket(Micor-arch, Tomy)

로 강화된 polycarbonate 브라켓을 사용하게 되었다.

브라켓이 발전하면서 self-ligating 브라켓이 등장하게 되었다. 이 브라켓은 치료 중 꾸준히 힘을 유지하고 마찰 저항을 최소화하며 최적의 3차원적인 치아 이동을 통제하는 장치를 개발해 내려는 노력의 산물이다.

이 장치의 특징은 elastomeric ligature를 쓰지 않음으로써 교차 감염을 줄이는 데 있다. 역학적인 면에서 치아의 이동을 다양하게 하기 위한 Tip-Edge 브라켓 같은 다양한 브라켓 디자인이 등장하고 있다.

1) 금속 브라켓(Metallic brackets)

스테인리스 브라켓은 수십년 동안 임상에서 성공적으로 사용되어 왔다. 그물(mesh) 모양의 금속바닥 형태는 법랑질에 적절한 결합강도를 부여하였고 이는 생체 내의 교정력을 높일 수 있었다. 초기 연구에서는 결합 강도를 증진시키는 최적의 그물 크기가 결정되었다. 그러나, 최근의 연구에서 볼 때 전통적인 브라켓 바닥과 밀집된 그물 형태를 지닌 브라켓 바닥 사이에 결합강도의 차이를 발견할 수 없었다. 이는 바닥크기가 임상에서 사용되는 적절한 크기보다 더 커졌기 때문으로 생각된다. 결합 강도 수준이 충분치 못한 경우에 결합을 장기간, 완벽하게 하려는 목적으로 세라믹 브라켓 바닥은 물론 plasma-coating된 금속 브라켓에서도 다양한 그물설계를 하였다. 이 결과 훨씬 더 큰 기계적 상호결합효과로 활성화된 결합 표면적이 상당히 증가했다.

최근에 브라켓 제조를 위해 쓰이는 AISI type 316L 오스테나이트계 스테인리스강에서 부식의 위험이 있었다. 이 합금은 크롬 16~18%, 니켈 10~14%, 몰리브덴 2~3%, 그리고 최대 0.03%의 탄소를 함유하고 있다. 여기서 'L'은 316 스테인리스강이 가지는 탄소함량(0.08 wt%)에 비해 낮은 탄소함량(0.03 wt% 이하) 임을 나타낸다. 316L 스테인리스강에는 AISI type 302와 304 스테인리스강 교정용 선재 합금에 비해 니켈이 약간 더, 크롬이 약간 덜, 그리고 탄소가 상당히 적게 포함되어 있다. 몰리브덴은 2 wt%가 함유되어 있으며, 302와 304 스테인리스강 교정용 선재 합금에는 함유되어 있지 않다. 또한 316L 스테인리스강 브라켓 합금은 임상적으로 잘 사용되며, 접착층 하방으로 변색은 재료의 부식과 구별된다.

이런 효과는 부식 부산물이 브라켓 바닥에서 접착제로 침투했기 때문이며 또한 법랑질 변색을 시킬 가능성이 있다. 스테인리스강의 부식 저항성은 부동태 표면을 형성하는 산화크롬막 때문이다. 티타늄과 그 합금의 부식 저항성은 산화티타늄의 부동태피막에 의해 얻어진다.

금속 브라켓의 부식 여부는 생물학적 안전성과 직결되므로 임상적으로 중요하다. 주된 관심사는 스테인리스강이 부식되는 동안 니켈 이온이 유리되는 것이다. 니켈은 오스테나이트 상(phase)을 안정시키기 위해서 모든 오스테나이트 스테인리스강 합금에 함유되어 있다. 교정용 브라켓의 대체품으로 316L 합금의 반정도의 니켈을 함유한 A2205 스테인리스강 합금을 최초로 제안되었다. A2205 스테인리스강 합금은 오스테나이트 및 delta-ferrite 상으로 구성된 이중 미세구조를 갖고 있으며, 316L 합금에 비해 더 단단하다.

316L 합금은 상당히 높은 부식 저항성을 가지고 있지만 pH(석출경화, precipitation-hardening) 17-4 스테인리스강 브라켓 합금과 비교했을 때 경도는 훨씬 낮았음이 밝혀졌다. 교정용 브라켓에 필요한 최적의 강도와 부식 저항성의 조합을 얻기 위해서는 좀 더 연구가 필요하다.

최근에 티타늄 브라켓이 등장하여 금속 브라켓의 새 지평을 열었다. 이 브라켓은 스테인리스강 브라켓과 비교하여 같거나 더 나은 기계적 성질 및 결합강도를 지니며, 부식 저항성이 더 우수하고 니켈이 유리되지 않는다.

2) 플라스틱 브라켓

최초의 플라스틱 브라켓은 unfilled polycarbonate로 제조되었으며, 1970년대 초에 소개되었다. 불행하게도, 이 브라켓은 archwire에서 발생되는 torque가 치아에 전달될 때 creep 변형이 발생하는 경향이 있었다. 포세린 강화 ·

유리섬유 강화 · 금속 슬롯 강화 polycarbonate 브라켓이 이 문제를 보완하기 위해 도입되었다.

접착을 위해 바닥면에 바르는 primer는 저분자량의 dimethacrylate, methyl methacrylate를 함유하고 있으며 표면을 기계적 상호결합이 발생되도록 촉진시킨다.

금속 슬롯이 강화된 polycarbonate 브라켓이 임상에서 치아에 필요한 힘을 만들어내는 동안, 슬롯 가장자리의 안전성에 대해 문제점이 보고되었다. 금속 슬롯의 일부는 표면이 거칠어서 archwire 브라켓의 미끄러짐 마찰에 상당히 영향을 줄 수 있다. 최근에 유용하게 쓰이는 polycarbonate 브라켓에 대한 결합강도, torque 전달도, 임상적 노화도, 크리프 등에 대한 연구가 요구된다.

3) 세라믹 브라켓

1980년대 말에 처음 소개된 세라믹 브라켓은 고순도의 알루미나로 만들어지고 다결정 혹은 단결정(sapphire)형태로 되어 있다. 다결정 지르코니아로부터 만들어진 세라믹 브라켓은 뒤이어 호주와 일본에서 소개되었다. 다결정 알루미나 브라켓은 처음에 평균 0.3 μm 크기의 알루미나 입자들과 적절한 결합제를 혼합한 뒤 이 혼합물이 브라켓의 형태로 만들어지게 된다. 이 혼합물은 1,800℃ 이상의 고온에서 결합제를 연소시키고 입자들은 소결시키게 된다. 다이아몬드 절삭 기구가 슬롯 부위를 가공하기 위해 사용된다. 절삭에 의한 스트레스를 완화시키고 제조과정에 따르는 표면의 불완전성을 제거하기 위해 열처리하게 된다. 소결은 약간의 투명성을 일으키는 결정입계(grain boundary)를 지닌 다결정 알루미나 미세구조를 만들어 낸다.

미세구조에서 각각의 결정입자가 클수록 포세린의 투과도는 증가한다. 그러나, 결정입자의 크기가 30 μm가 되면 재료는 실질적으로 더 약해진다. 슬롯의 가공 후 열처리는 물리적 성질을 감소시키는 결정입자의 성장을 막기 위해서 조심스럽게 조절되어야 한다.

단결정, 다결정 알루미나 모두에서 응력집중과 파절의 기시부로 작용하는 표면의 결함들을 제거함으로써 강도가 증가될 수 있다. 비교적 최근 등장한 지르코니아 세라믹 브라켓은 다결정 알루미나 브라켓보다 파절 저항치가 훨씬 높기 때문에 주목을 받아 왔다.

4) 설측 브라켓

교정환자의 심미성에 대한 관심증가는 기본적으로 지금까지의 교정치료에서와 같은 재료를 사용하면서 설면에 부착되는 새로운 기술을 선보이게 되었다. 설면에 부착되는 변형된 브라켓은 주목을 받고 있다. 설측교정에 적용되는 치료역학은 기본적인 순측 브라켓에서와 다르나 재료학적으로는 두 방법이 동일하다. 현재에 재료학적인 견지에서 설측 교정장치에 대한 자세한 정보는 밝혀진 바가 없다. 그러나 앞으로의 연구에 의하면 치아의 에나멜구조는 설면이나 순면에 차이가 없어 결합력도 유사할 것으로 생각된다.

4. 고무결찰과 탄성체인

교정영역에서 치아를 견인하거나 묶을 때 결찰 와이어(ligature wire)나 체인이나 링형태의 고무제품(elastomeric ligature 또는 module)을 사용한다. 교정용 고무 탄성체인은 치아의 견인에 사용되어 왔던 고무줄을 대체하는 제품으로 자리 잡았다. 최근에는 금속 결찰 와이어보다 고무링을 치아 브라켓에 선재를 결찰하기 위하여 더 많이 사용하고 있다. 이러한 인기에도 불구하고 교정용 탄성 고무제품에 있어서 탄성력의 감소는 문제가 되고 있다. 그러므로 호선과 브라켓 시스템에 있어서 재현성을 높이고 임상에서 요구되는 문제점들을 최소화시키기 위하여 자가결찰 교정장치(self-ligating bracket)에 대한 관심이 증대되고 있다. 또한 탄성체인에 있어서 치태부착률을 낮추기 위해 에나멜 경계부위의 탈회를 막기 위한 불소유리 고무탄성 ligature도 소개되었다.

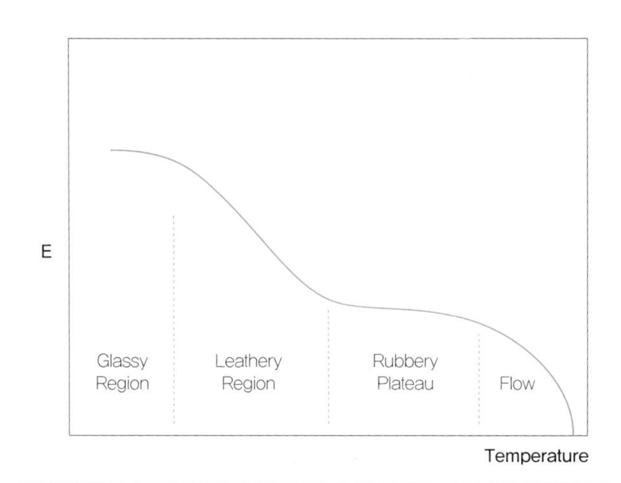

그림 20-3. 고분자의 온도와 elastic modulus(E)와의 일반적인 관계

고무와 같은 탄성을 보이는 고분자는 긴 사슬과 어느 정도의 연결 구조를 지니고 있다. 탄성력을 내기 위해서는 거대 분자사슬의 변형으로 나타난다. 그러나 사슬조각들의 부분적인 이동은 고분자의 배열 규칙내에서 이루어져야 하며, 사슬의 비가역적인 이동이 서로간의 한계를 넘으면 재료의 영구적인 변형을 야기하여 원래 형태로 돌아갈 수 없다.

이러한 중합체의 기계적인 특성과 구조에 대한 연구는 힘의 상실기전에 대한 정보를 제공한다. 유리전이 온도는 폴리머의 열에 대한 물리적 특성변화를 나타내는 것으로 유리전이는 고분자가 고체나 유리상태에서 고무와 같은 상태로 변화하는 온도의 범위에서 일어나는 현상이다. 따라서 유리전이 온도는 중합체의 강성과 관련이 있으며, 이는 입체적 간섭을 야기하는 가교결합의 수의 증가와 side-chains의 크기 증가에 기인한다(그림 20-3). 유리전이 온도 이하에서는 분자의 운동이 주로 진동형태이며, 아주 약간의 유연성만을 허용한다. 유리전이온도 이상에서는 고무와 같은 상을 허용하며 조화된 분자들 간의 운동이 일어난다. 유리전이온도가 높아질수록 중합체는 더욱 강성을 지니며, 강성이 큰 중합체의 형성은 더욱 강한 힘의 전달과 연관되어 탄성체인의 더욱 높은 힘의 적용과 연관된다.

몇가지 교정용 polyurethane 체인 제품들의 유리전이 온도는 15~20℃까지의 차이를 보여주고 있음이 밝혀졌고, 이는 구조나 조성에 있어서 잠재적인 차이를 나타낸다.

참고문헌

1. 고영무, 모웅남, 최한철(2003). 치과교정용 스테인리스강 선재의 신선 가동법이 내식성에 미치는 영향. 대한치과기재학회지 30:37-46.
2. 최한철(2003). 인발가공된 스테인리스강선의 표면특성에 미치는 Ni 코팅의 영향. 한국표면공학회지 36:398-405.
3. 최한철, 고영무(2003). 치과 및 의료용 스테인리스강선의 표면특성. 한국표면공학회지 36:339-346.
4. 황충주, 최병재 등(2003). 임상가를 위한 교정재료 및 임상술식, 대한나래출판사.
5. Brantley WA, Eliades T(2001). Orthodontic Materials, Thieme Stuttgart.
6. Hasegawa J, et al.(1996). Current Dental Materials Science, Ishiyaku Publishers Inc.
7. Kenneth J. Anusavice(2013), Phillip's Science of Dental Materials 12th ed ., W.B. Saunders.
8. Nanda R(1997). Biomechanics in Clinical Orthodontics, W.B. Sounders Co.
9. O'Brien WJ(2002). Dental Materials and Their Selection, 3rd ed., Quintessence book.
10. Park JB, Bronzino JD(2003). Biomaterials priciples and applications, CRC press.
11. 11. Ratner BD, Hottman A, Schoen FJ(2004). Biomaterials Science, Elsevier.

예방치과재료

21

학/습/목/표

❶ 예방치과재료의 종류를 열거할 수 있다.
❷ 치면열구전색재의 성질과 사용법을 설명할 수 있다.
❸ 불소바니쉬의 성분 및 사용법을 설명할 수 있다.

1. 서론

예방치과재료(preventive dental material)는 치아와 지지조직의 질환 또는 손상을 예방하기 위하여 사용된다. 예방치과재료로는 크게 불소화합물(fluoride), 치면열구전색재(pit and fissure sealant), 치약, 칫솔, 구강세정제, 구강보호대 등이 존재한다.

본 챕터에서는 불소바니쉬 (fluoride varnish, 임상에서 사용하는 불소화합물의 대표적인 종류) 및 치면열구전색재에 대해 주로 살펴보도록 하겠다(그림 21-1). 기타 불소화합물, 치약, 칫솔, 구강세정제, 구강보호대 등의 기타 예방치과재료는 예방치의학 교과서를 참고 하길 바란다. 간단히, 주로 불소화합물은 평활면의(치아끼리 접촉하는 매끈한 부분) 치아우식증을 예방하기 위하여 치면열구전색재는 교합면의 우식예방을 위하여 사용 된다. 불소화합물은 가글을 하거나 불소바니쉬를 이용하여 치면에 일정시간 도포하는 방식으로 사용된다. 현재 임상적으로 불소바니쉬를 많이 사용하고 있는데 그 이유는 불소화합물 제재 중 불소함량이 가장 높으며 레진 베이스인 물성의 특성상 치아표면에 비교적 오랫동안 유지시킬 수 있다는 장점이 있기 때문이다.

불소바니쉬 유지기간에 대해서는 제품에 따라 차이가 있지만, 대체로 도포 후 저 농도의 불소가 약 1~7일 동안 유지된다. 이는 불소젤과 같은 다른 고농도의 도포용 불화물이 10~15분 이후에 구강 내에서 급속하게 소실되는 것과 비교한다면 상대적으로 오랫동안 치아에 유지된다는 장점이 있다. 또한 특별한 장비나 전처치 없이 치면에 붓을 이용해 단순 도포하는 방식으로 적용하기 때문에 사용이 비교적 간편하여 실제 치과임상에서 널리 이용되고 있다.

이를 통해 법랑질/상아질 등의 치질 표면을 fluorapatite (hydroxyapatite에서 수산화기(OH)가 불소(F)로 치환된 형태의 것)로 만들어 강화시키거나 치아우식세균의 활동을 저해하여 우식의 진행을 막는다. 치면열구전색재는 구치의 교합면의 해부학적으로 좁고 깊은 열구(pit)나 소와(fissure)를 물리적으로 미리 봉쇄하여, 치아우식이 발생하기 쉬운 국속적 음식물 침착을 막는다. 이를 위해 Resin 및 글래스아이오노머(GI) 등의 치과재료를 사용한다. 불소는 법랑질과 백악질의 평활면에 발생하는 우식

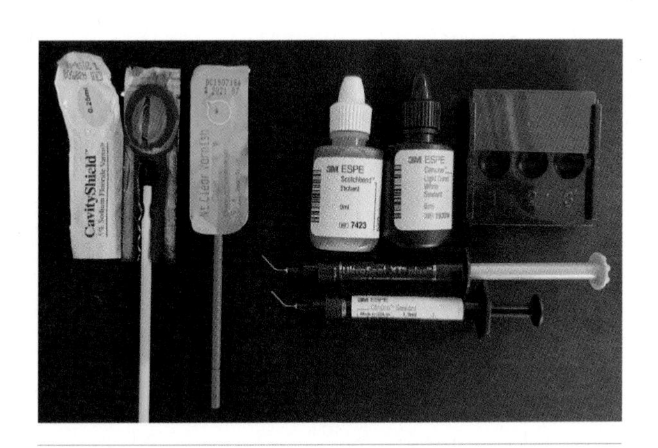

그림 21-1. 대표적인 치면열구전색재(오른쪽)와 불소바니쉬(왼쪽2개) 상품의 구성품 사진 불소바니쉬는 바를 수 있는 붓이 존재하고, 치면열구전색재는 경우에 따라 에칭을 하기도 하기에 인산을 제공하기도 한다.

병소의 수를 줄이는데 아주 효과적이다. 하지만 전체 치아우식증의 2/3이 발생하는 교합면의 소와와 열구의 우식증에 대해서는 효과적이지 못하기에 불소바니쉬 및 치면열구전색재를 동시에 사용하여 예방업무를 진행해야 한다. 우선 치면열구전색재에 대해서 자세살펴보고 다음으로 불소바니쉬에 대해서 이야기 하겠다.

2. 치면열구전색재

1) 치면연구전색재의 개요 및 성분

소와와 열구가 평활면에 비하여 8배 정도의 치아우식 발생한다. 소와열구 우식증의 원인은 특별한 해부학적인 구조가 큰 원인이다. 소와열구가 어느 정도 크기가 있는 경우 끼여있는 음식물이나 치아우식유발 세균들이 칫솔질에 의하여 충분히 청소가 된다. 하지만 소와열구의 크기가 작아, 음식물의 잔사와 세균의 덩어리가 열구에 부착되어 있는 경우 칫솔질로 청소가 되지 않아 치아우식이 쉽게 발생한다. 실제로 5~17세 아동에서 치아우식증의 80% 이상이 소와 열구에서 발생한다. 그러므로 소와 열구같이 해부학적으로 음식물이 잘 끼고, 청소가 제한적인 부위를 예방적으로 제거하거나 덮는 술식을 위해서 치면열구전색재가 사용된다. 다양한 임상시험 결과에 의하면 해당치아의 치면열구전색재의 존재 유무와 치아우식 예방능력과의 강한 상관관계가 나타나고 있어, 치면열구전색재의 임상적 유효성을 잘 말해주고 있다.

가장 흔하게 치면열구전색재로 사용되는 재료로는 Bis-GMA계열의 광중합 재료이다. 일반적인 광중합형 콤퍼짓 레진과 치면열구전색재 콤퍼짓 레진(실란트)의 차이점은 치면열구전색재로 사용되기 위해서 컴퍼짓 레진의 점조도를 낮추어 유동성을 증가시킨 점이다. 이는 깊고 얇은 소와 열구에 잘 흘러들어가서 치질과 접촉하여 물리적으로 결합하는데 기여한다. 이를 위해 유동성이 낮은 TEGDMA (triethylene glycol dimethacrylate) 또는 UDMA (urethane dimethacrylate)를 Bis-GMA에 섞는다. 치면열구전색재 또한 교합면에 존재하기에 저작 시 힘이 가해줄 수 있기에, (압축)강도 및 마모저항성을 증가시키기 위하여 fumed silica나 실라처리된 무기필러등의 필러를 첨가하기도 한다. 또한 법랑질 강화를 위한 불소방출능 또는 치면열구전색재의 쉬운 탐지를 위한 색상부여능 같은 기능성을 부여하기 위해, 불소화합물이나 무기필러 등의 기능성 물질을 첨가하기도 한다. 불소화합물 함유 치면열구전색재는 초반 24시간에 불소방출이 최대가 되며 그 이후 적은 양의 불소가 지속적으로 방출되게 된다. 무기필러로 인해 색이 핑크색등으로 된 경우 실란트의 위치 및 형태 손상을 쉽게 파악할 수 있다. 더 나아가서 광반응성 무기필러가 포함 된 경우, 빛 조사 시 5~10분 정도 초록 및 또는 핑크색으로 변하기에, 리콜 체크 시 실란트의 유무 및 형태이상을 쉽게 관찰할 수 있게 한다.

〈현재 임상에서 사용되는 실란트 재료〉 (표21-1)

① Bisphenol A-glycidyl methacylate (BIS-GMA) 계 resin (TEGDMA 또는 UDMA와 섞음)
- Sealant 전용
- Flowable composite resin

② Glass ionomer cement 계

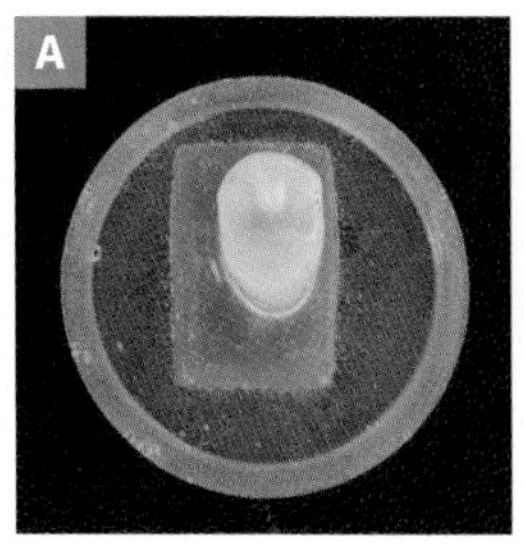

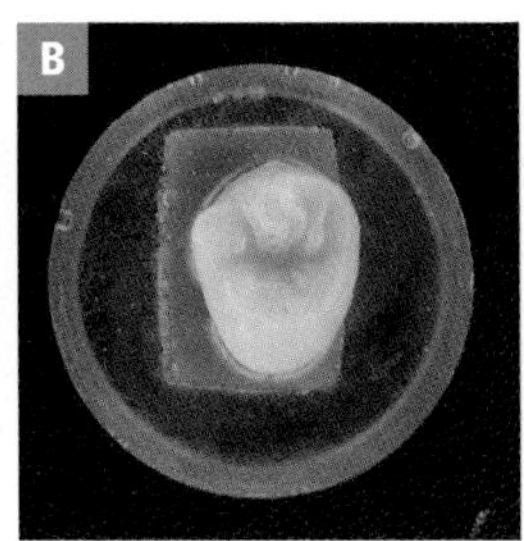

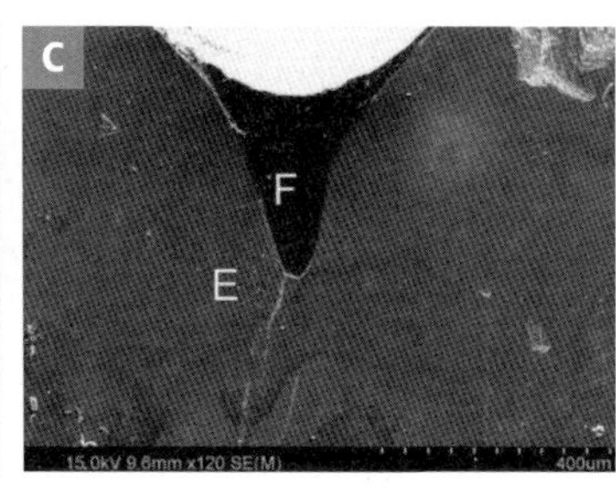

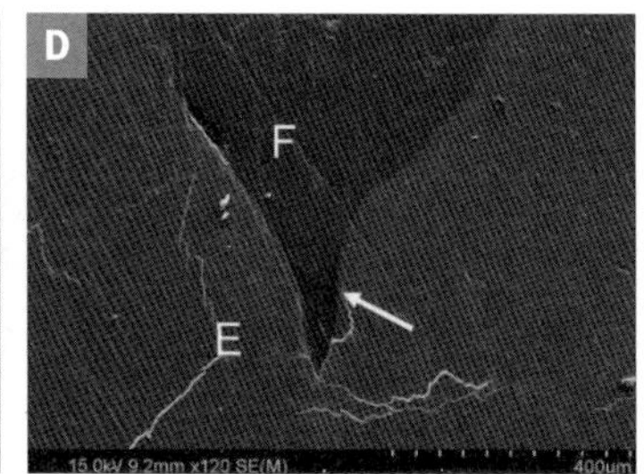

그림 21-2. 구치부 교합면에 적용된 예방용 실란트. 하지만 공기함입으로 실란트가 fit에 불완전하게 수복되어있는 모습 구치부 교합면에 적용된 예방용 치면열구전색재 (A (소구치) & B (대구치)). 공기함입으로 치면열구전색재가 fit에 불완전하게 (하얀색 화살표, C (저배율) & D (고배율) 전자현미경사진) 수복되어 있는 모습이 관찰됨. E 법랑질, F 치면열구전색재.

표 21-1. 현재 임상에서 사용되는 광중합형 실란트의 구성성분

종류	기질 (Matrix)	필러	광개시제 및 안정재	기타
기능	레진의 기질로 재료의 대다수의 부피를 담당	강도증가, 마모저항성 증가, 중합수축감소	빛 반응성 고분자의 중합 개시제, 안정재 등	불소방출 능 등 기능성 색상부여
구성 성분 예시	Bis-GMA, TEGDMA, UDMA, Acrylate ester 등	Silanated silica, Silanated titanium oxide 등	4-(Dimethylamino)-Benzene Ethanol, Camphorquinone 등	Sodium fluoride, Inorganic oxide 등
함량 예시	80~90%	5~10% (불소방출가능 필러의 경우 30~60% 함유)	≤ 0.5%	≤ 2%

2) 치면연구전색재의 중합

근래에는 Diketone (예로 camphorquinone)과 aliphatic/aromatic amine (예로 4 -(Dimethylamino)-Benzene Ethanol)을 이용한 광개시제를 첨가하여 빛으로 실란트를 중합한다. 광중합형 실란트는 빛이 투과되지 않은 용기에 담겨져 있으나 보통 1년의 유통기한을 가진다. 광중합형 실란트가 적용되고 20초 정도의 광조사를 거쳐 실란트의 중합 및 시술이 완료 된다. 많이 사용되진 않지만, 화학중합형 실란트도 시장에 존재한다. 화학중합형 실란트는 유기 아민 촉진제에 의해서 중합되는 기전을 사용하기에, 두 개의 용기에 나누어서 공급된다. 한 개의 용기에는 단량체와 벤조일 과산화물 개시제(benzoyl peroxide init-iator)가 들어 있으며 다른 한 개의 용기에는 5% 유기 아민 촉진제가 들어있는 희석된 단량체(diluted monomer)가 포함된다. 이 두가지 용기의 성분이 치아에 도포하기 전에 완전히 혼합되면, 벤조일 과산화물 개시제와 아민 촉진제가 반응하여 중합이 시작된다. 자세한 광중합 및 화학중합에 관한 사항은 앞 챕터의 복합레진(콤포짓트 레진)에 자세히 설명되어 있다.

3) 치면열구전색재의 성질

일반적으로 치면열구전색재가 갖추어야 할 요건으로 첫째, 법랑질 표면에 완전히 접착될 것(Adaptation) 둘째, 교합압에 대한 저항이 클 것(Resistance) 셋째, 균열이 없을 것(No crack) 넷째, 파절이나 탈락이 잘 되지 않을 것(No fracture) 다섯째, 마모나 교모가 잘 되지 않을 것(Hardness) 마지막으로 심미성이 양호 할 것(Esthetic) 등이다. 이를 위해 치면열구전색재가 갖추어야 할 바람직한 성질은 ISO 6874에 경화시간 및 광중합 중합깊이에 관해 서술되어 있다. 또한 이를 포함하여 시판되고 있는 BIS-GMA계 치면열구전색재의 물리적, 기계적인 성질은 아래의 표와 같다. 치면열구전색재에서 임상적으로 중요한 성질은 유지력과 효능이다. 열구내에서 전색재의 유지력은 전색재가 열구와 법랑질로 침투하여 레진 태그(tag)를 형성한 기계적인 결합에 의해서 얻어진다. 공기가 열구 기저부에 함입되거나 음식물 찌꺼기가 열구 기저부에 축적되어 있으면 열구에 전색재를 완전하게 충전하기가 불가능해진다(그림 21-2). 그러므로 법랑질 표면의 산부식은 충전될 부위를 깨끗하게 함으로써 전색재의 유지력 증가를 위한, 법랑질에 대한 전색재의 젖음성 증가, 법랑질-전색재와의 접촉면적 증가, 전색재의 침투 깊이 향상, 및 레진태그 형성 등이 될 수 있도록 한다. 이를 바탕으로 대표적인 BIS-GMA계 치면열구전색재의 성질은 표 21-2에 나타나 있다.

전색재는 중합반응이 일어나기 전에 열구내로 깊숙이 침투되어야 한다. 전색재가 소와 열구에 침투되는 속도인 침투율은 소와 또는 열구의 형태(길이(l)와 반경(r))와 전색재의 침투계수(PC)에 의해 결정된다. 침투율은 소와 연구의 길이가 짧을수록, 반경이 넓을 수록, 침투계수(PC)가 클수록 증가한다.

$$\text{침투율(rate)} = (r)(PC)/2(l)$$

침투계수(PC)는 법랑질과 전색재의 상호작용으로 전색재가 소와 열구 같은 빈공간을 파고들 수 있는 능력으로, 모세혈관 현상과 관련이 깊다. 이러한 침투계수는 법랑질 치아표면의 표면장력(γ), 전색재 자체의 점성(η) 및 법랑질에 대한 전색재의 접촉각(θ)과 관련이 있고, 공식으로 다음과 같이 표시된다.

표 21-2. 대표적BIS-GMA계 치면열구전색재의 성질

성질	대표적 광중합형 치면열구전색재
경화시간(초)	20~30
압축강도(MPa)	92~150
탄성계수(GPa)	2.1~5.2
누프경도(kg/mm^2)	20~25
물흡수도(mg/cm^3)	1.3~2.0
용해도(mg/cm^3)	0.2
침투계수, 22°C (cm/sec)	4.5~8.8
마모도(x10^{-4} mm^3/mm)	22~23
중합깊이(mm)	1.50이상

$$PC = \gamma\cos\theta/2\eta$$

침투계수를 증가시키기 위하여 인산을 이용한 산처리 또는 세척을 통해 치아표면의 표면장력을 증가시킨다. 또한 실란트의 점성이 낮고, 전색재가 치아표면가 만날 때의 접촉각이 낮을수록 침투계수가 증가한다. 문헌에 의하면 실란트의 침투계수는 0.6~12 cm/sec로 실로 매우 다양하다. 매우 좁은 직경의 교합면 소와 열구는 침투계수가 최소 1.3 cm/sec가 되어야 완벽히 수복되기 때문에 적절한 전처리가 필요하다.

정성적으로 전색재의 침투능을 평가하는 방법으로는, Hevinga 등이 제시한 기준에 따라 치면열구전색재의 필링 또는 미세누출로 인한 착색재의 침투가 전혀 없는 경우(score 0), 열구의 1/2 미만까지 침투한 경우(score 1), 1/2 이상 침투했으나 기저부의 끝까지는 미치지 않은 경우(score 2), 열구 기저부 끝까지 완전히 침투한 경우(score 3)로 분류하여 평가하는 방법이 있다(그림 21-3). 이를 위해서 전색재를 수복한 이후에 치아를 Cross-section하여 전색재가 법랑질 공간에 얼마자 침투되었는지 입체현미경 또는 전자현미경 등으로 확인하는 것이다. 또한 미세누출을 평가하는 방법으로 전색재가 적용된 치아를 methylene blue 용액에 담침시켜, 침투 깊이를 입체현

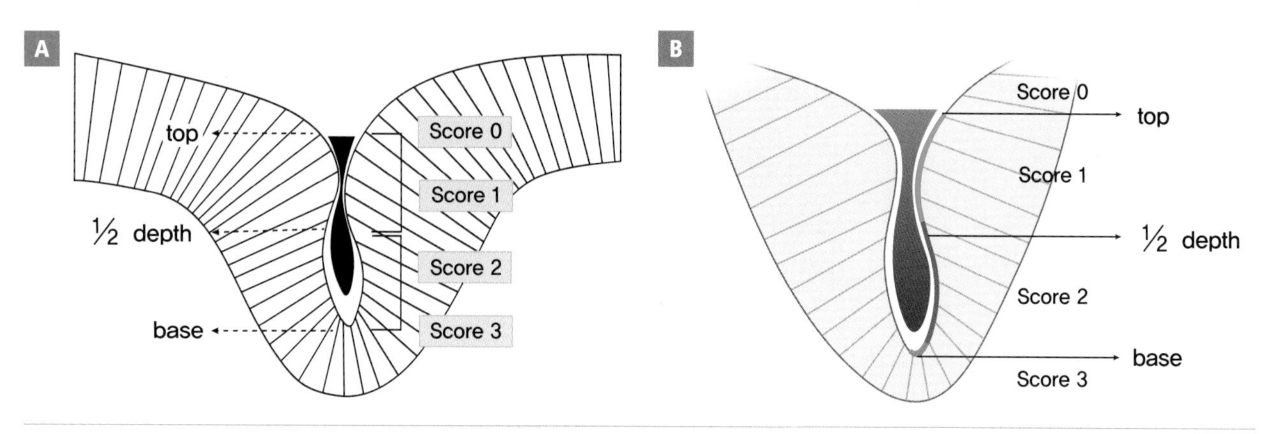

그림 21-3. 치면열구전색재(A) 또는 미세누출로 인한 착색재(B)의 열구 내 침투깊이에 따른 스코어링 시스템.

미경으로 측정하였고 위의 침투도 측정과 같은 기준에 의해 평가할 수 있다.

4) 치면열구전색재의 조작법

치면열구전색재의 성공적인 임상 적용은 ① 치질과의 밀접한 접착 ② 타액 및 기타 물질과의 성공적인 격리 ③ 장기간 전색재의 유지능이 좌우 한다. 이를 위해 휘발성인 단량체가 증발하면 전색재의 점성이 증가하여 법랑질에 대한 젖음력이 줄어듬으로 전색재는 철저하게 밀폐된 용기에 보관해야 한다.

치면열구전색을 치아에 적용하기 위하여 다음의 조작법을 순서적으로 실시한다. 시견 및 X-ray상에서 소와 열구가 존재하거나 특히 깊은 곳을 정하고 다음과 같은 임상술식을 적용한다.

(1) 치면세마(oral prophylaxis)
(2) 치아분리(isolation of tooth)
(3) 치면건조(dryness of tooth surface)
(4) 외형결정(outline form)
(5) 산부식(acid etching)
(6) 물세척(water irrigation)
(7) 치아분리(isolation of tooth)
(8) 치면건조(dryness of tooth surface)
(9) 전색재 혼합및 도포(mixing and application)
(10) 중합(polymerization)
(11) 교합검사 및 치면연마(bite check and polishing)
(12) 계속관리(recall check)의 순서로 실시한다.

전처치 용액으로 알려진 산부식액은 일반적으로 35%~40%의 인산(Phosphoric acid)이 함유된 젤타입의 재료다. 산부식을 하기 전에 퍼미스(pumice)로 법랑질 표면을 청결하게 하는 것이 원칙이다. 핀셋으로 작은 면구를 잡거나 미세한 솔을 이용하여 산부식액을 교합면의 중앙 열구부위에 도포한다(15~30초). 이때 해당 열구부위보다 넓게 산부식액을 도포하여 초기누출을 막는다. 이 때 절대로 산처리 부위를 기구 등으로 문대지 않는다. 그 이유는 산처리된 부위는 넓은 표면적을 가진 미세한 돌기가 생김으로 외력에 약하기에 쉽게 부서질 수 있기 때문이다. 그 이후 충분한 물세척을 통해 전색재와 치질의 접촉을 방해하는 잔유 물질(인산염 등)을 제거 한다. 그리고 산처리된 부위를 공기시린지(air syringe)로 15초간 건조시킨다. 습기는 열구와 전색재의 결합을 방해하므로 치면의 건조가 치면열구전색재의 성공여부를 좌우한다. 치면의 건조가 끝나면 교합면의 모습이 하얗게('white and dull') 나타나기에 이를 꼭 확인한다. 이러한 표면이 나타나지 않는 경우 산처리를 한번 진행한다. 불소화합물 처리가 기존에 진행된 치아의 경우에는 산처리 시간을 15~30초에서 30~60초 등으로 증가시킨다. 산처리된 치아가 타액에 의하여 오염이 되었다면 부식과 세척을 다시 해야 한다.

전색재를 도포하는 동안 면봉과 흡출기를 사용하여 습기를 차단한다. 교합면에 치면열구전색재를 도포할 때는 얇은 brush, 시린지 또는 ball applicator를 사용하다. 너무 많은 양의 전색재 도포는 낭비일 뿐이다. 특히 부식되지 않은 법랑질에 전색재를 도포하는 것은 초기미세누출을 야기하기에 피해야 한다. 또한 과도한 전색재 도포는 교합에 방해가 되기에 조심하여야 한다. 또한 전색재 적용 시 기구의 적용 시 과도한 움직임은 전색재 내의 기포함입을 유발하여 피해야 한다. 전색재 도포 후 가시광선으로 중합을 시킨다. 광원의 플라스틱 팁을 교합면에 수직으로 바짝 위치시키고 가시광선을 제조사의 지시에 따라 20~30초간 조사한다. 초기10초는 전색재 바로 위에서 중합시키고, 그 이후에 경화된 표면 전색재에 직접 대고 광중합을 시킨다. 이 때 광조사기의 현재 출력과 전색재 제조사의 추천 출력을 항상 확인하여, 올바른 광중합이 되도록 한다. 광조사가 끝난 후에서 24시간에 걸쳐 서서히 중합이 진행된다. 추진된다. 전색재가 경화되면 핀셋과 작은 면구를 사용하여 마무리 과정을 실시한다. 성공적인 경화가 되었다면 탐침 끝이 전색재를 눌렀을 때 상당한 저항감을 느낀다. 전색재가 불완전하게 도포되었거나 도포 된 부위에 기포가 있는지 조사하여야 한다. 이 때 필요하면 모든 과정을 다시 시행하여 전색재를 재도포를 통해 결함부위를 수정해야 한다. 만약 전색재 도포와 병행하여 불소화학물 처치를 하려면 전색재가 중합된 후에 시행해야 한다.

최종적으로 교합검사, 연마 및 계속관리를 통해 전색재를 점검해 나간다. 앞서 말한 바와 같이 과도한 전색재 적용은 교합을 방해한다. 환자에게 교합을 시켜 교합의 높낮이 및 좌우 방해가 있는지 교합지를 통해 확인하고 방해되는 전색재를 제거한다. 그 이후 마지막으로 연마를 통해서 공기 중 산소로 인한 레진 미중합층을 반듯이 제거한다. 이러한 미중합층을 제거하지 않을 시 미중합 Bis-GMA 등에서 타액효소등에 의해 분해되어 Bisphenol A의 형태로 구강내 타액으로의 방출 될 가능성이 높아진다. 단량체에 불순물 형태로 존재하는 Bisphenol A자체도 미중합시에 구강내 타액으로 방출 될 수 있다. 임상적으로 Bis-GMA 계열의 전색재를 시술받은 환자의 타액에서 그렇지 않은 환자에 비해 유의성 있게 높은 Bisphenol A가 초기에 검출되기도 하였다. Bis-DMA 단량체에서는 Bisphenol A가 실험실 상황에서도 esterase 효소에 의해 쉽게 분해되어 다량 발생하기에 치면열구전색재 및 복합레진의 구성성분으로 더 이상 쓰이지 않는다. Bisphenol A는 에스트로겐 호르몬과 구조가 비슷하여 환경호르몬 역할을 하며, 심하면 성장기 아동의 발생장애 및 내분비호르몬 분비 장애를 유발할 가능성이 있다. 하지만 중합된 Bis-GMA의 장기간 분해를 통한 bisphenol A의 방출 및 그로 인한 부작용에 대한 보고는 엇갈리고 있는 상황으로, 아직까지 명확한 상관관계는 과학적으로 증명되지 않고 있다. 최근에는 이러한 Bis-GMA계열 사용으로 인한 환경호르몬 방출을 막기위해 Bis-GMA free 단량체 등을 활용한 치아열구전색재 개발을 하고 있다.

화학중합형 전색재의 조작과정은 가시광선 중합형의 전색재와 거의 비슷하다. 이 전색재는 기저재(base)와 개시재(initiator)의 혼합이 필수적이다. 균일한 중합이 일어나도록 혼합을 잘해야 하며 공기의 혼합을 최소화한다. 일반적으로 혼합시간은 10~15초로 되도록 짧을수록 좋다. 그 이유는 전색재가 중합을 실시하면 열구와 부식된 법랑질에 침투가 잘 되지 않으므로 전색재를 즉시 도포하여야 한다. 대부분 제품의 경우 액형 전색재를 도포한 후 수 분내(3~5분)에 경화가 일어난다.

한편 우식부위를 삭제하지 않고 치면열구전색재를 도포한 후에 소와 열구 밑에 남아있는 치아우식증은 어떻게 될 것인가에 대해 중요한 관심거리가 되고 있다. 전색재를 도포한 후에 우식 상아질에 남아 있는 미생물을 5년 후에 배양한 결과 미생물이 전색재를 도포하기 전보다 훨씬 감소한다는 여러 연구 결과가 밝혀졌다. 계속적인 임상적인 관리를 유지하면서 의심되는 소와 열구에 전색재를 도포하는 것은 매우 합리적인 임상적 치료법으로 사료된다.

전색재의 사용은 임상적인 판단과 계속적인 관찰이 요구된다. 전색재의 실패양상은 전색재의 직접적인 손상, 치아와 전색재의 부착실패 및 열구 종말부에서 일어나는 전색재의 마모가 있다. 치면열구전색재는 넓고도 얕은 열구나 소와를 가진 치아와 교모가 심한 치아의 경우 강한 교합력에 노출되기에 사용이 제한되어야 한다. 또한 진전된 우식을 가진 치아나 충전된 치아, 한 치면에 2개 이상의 우식 와동이나 충전물을 가진 치아나 환자의 정신적 육체적 상태가 전색재 적용 과정 중 건조한 상태를 유지하기 어려운 환자에서 금기되어야 한다.

3. 불소바니쉬

전문가불소도포법(professional topical fluoride application)으로 불소화합물을 전달하기 위해 가장 많이 임상에서 활용하고 있는 불소바니쉬(fluoride varnish)는 국제표준 'ISO17730, Dentistry - Fluoride varnishes'에 있을정도로 활용도가 매우 높다(그림 21-4). 해당 문서에서는 불소바니쉬의 불소 함량에 대한 시험방법 및 기타 요구사항에 대해 규정하고 있다. 정의를 살펴보면 '주로 치아우식증을 예방하거나 상아질 지각과민증을 줄이기 위해서 치아와 수복물의 외면에 국소적으로 도포하기 위해 적용할 수 있는 액체형태의 불소 화합물을 포함하는 치과제품'으로 말하고 있다.

1) 불소바니쉬의 특징 및 효과

불소바니쉬는 전문가 불소도포를 위한 다양한 불소제재 중 불소함량이 가장 높으며 레진 베이스인 물성의 특성상 치아표면에 비교적 오랫동안 유지시킬 수 있다는 장점이 있다. 불소바니쉬는 치아에 도포된 후에는 얇은 막을 형성하여 치아에 오랫동안 잔류하면서 불소를 지속적으로 방출하기 위한 목적으로 개발되었는데, 유럽에서는 1964년 처음으로 소개되었으며 이후 많은 임상연구를 통해 안전하고 효과적인 불소도포법으로 인정받았다. 미국 질병관리본부(CDC)와 미국치과의사협회(ADA)에 따르면, 치아우식증 고위험, 중위험 어린이들의 치아우식증 발생을 예방하고 관리하는데 매우 효과적인 것으로 보고되었다. 또한 Cochran systematic review에 따르면, 불소바니쉬를 1년에 2~4회 반복 도포할 경우 치아우식증 발생이 약 46% 유의하게 감소함을 확인하였는데, 이러한 결과는 환자의 우식활성도, 불소 노출농도와 관련이 없으며 영구치와 유치에서 모두 효과적인 것으로 알려졌다.

불소바니쉬 유지기간에 대해서는 제품에 따라 차이가 있지만, 대체로 도포 후 저 농도의 불소가 약 1~7일 동안 유지된다. 이는 불소젤과 같은 다른 고농도의 도포용 불화물이 10~15분 이후에 구강 내에서 급속하게 소실되는 것과 비교한다면 상대적으로 오랫동안 치아에 유지된다는 장점이 있다. 또한 특별한 장비나 전처치 없이 치면에 붓을 이용해 단순 도포하는 방식으로 적용하기 때문에 사용이 비교적 간편하여 실제 치과임상에서 널리 이용되고 있다.

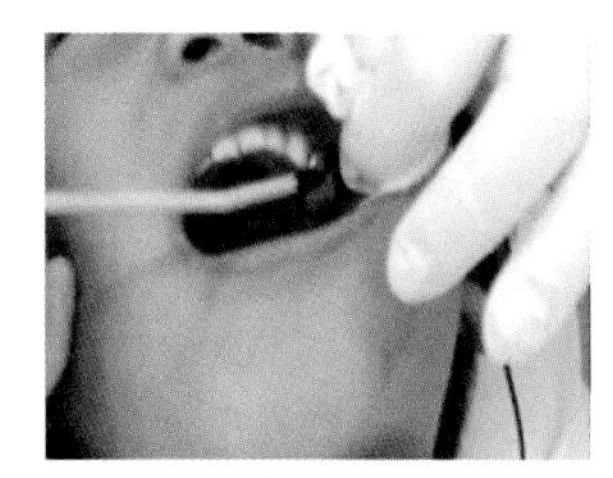
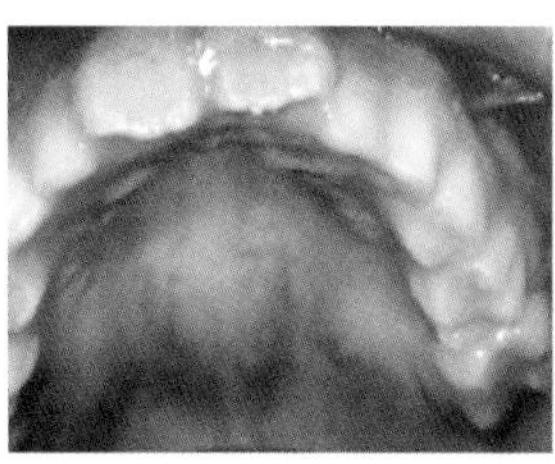
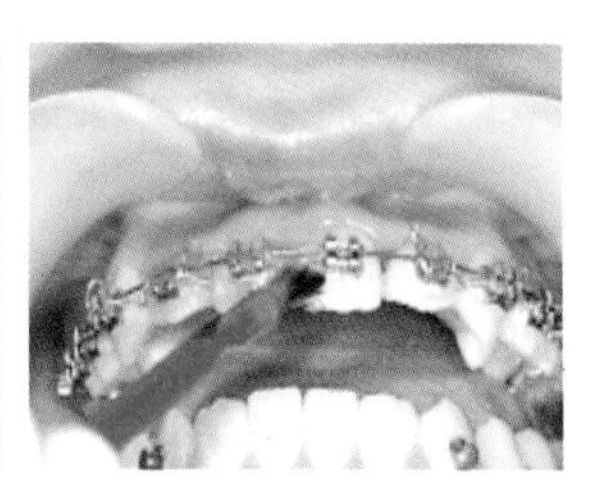

그림 21-4. 불소바니쉬를 붓을 이용하여 도포하는 임상사진. 치면에 노란색으로 보이는것이 불소바니쉬이다.

표 21-3. 국내 시판 중인 불소바니쉬 제품의 종류와 특성

제품명, 제조사	불소성분	필불소함량(ppm)	특징	기타성분
CavityShield, 3M ESPE	5% NaF	22,600	Yellowish, Natural rosin	Xylitol
Clinpro White Varnish, 3M ESPE	5% NaF	22,600	White	Tri-calcium phosphate, Xylitol
V-vamish, 베리콤	5% NaF	22,600	White	Tri-calcium phosphate, Xylitol
Enamel Pro Varnish, Permier	5% NaF	22,600	White, Rosin	Amorphous calcium phosphate
Mi Varnish, GC	5% NaF	22,600	Mikywhite, Rosin	Casein Phosphopeptide -Amorphous Calcium Phosphate
FluoroDose, Centirix	5% NaF	22,600	White	
Flor-Opal Varnish white, Ultradent	5% NaF	22,600	Clear, even distribution of fluoride	
LUMINOUS, 해림덴탈	5% NaF	22,600	Light curing	Calcium glycerol phosphate
Fluor Protector, Ivoclar vivadent	Difluoro silane	1,000	Clear, homogeneous solution	
Fluor Protector N, Ivoclar vivadent	Ammonium fluoride	7,700	Clearless, homogeneous solution	

2) 불소바니쉬 제품 출시 동향

전 세계적으로 다양한 제조사로부터 물성과 색상, 포함된 불소 제재 및 농도가 다른 형태의 불소바니쉬 제품이 소개되고 있으며, 국내에서도 다양한 종류의 제품들이 시판되고 있다. 불소 바니쉬는 3가지 세대로 보통 표현 된다.

제 1세대 불소 바니쉬인 Duraphat은 강한 냄새와 맛 그리고 접착성이 낮아 입안으로 많은양이 흘러내리는 불편함이 있었다. 이를 해결한게 제 2세대 제품들이다. 2세대 제품의 대표격인 Duraflor는 자일리톨을 첨가하여 맛도 달콤하고 향기로워 치아에 도포 시 아이들의 거부감을 낮추었고, 1세대인 Duraphat보다는 점도가 낮게하여 적용이 더 쉽도록 하였다. 하지만 다른 2세대 불소바니쉬인 Fluor Protector는 여전히 아이에게 바르면 맵다고 하여서 나중에 재도포 시 "매운 것 안할거야"라고 거부를 하는 경우가 많이 있었다. 현재 사용하고 3세대 불소 바니쉬는 Cavity Shield가 나오면서 시작되는데, 2세대와 가장 다른 점은 제공하는 방법이다. 3세대부터 현재 사용하고 있는 것들처럼 환자1명에게 바를 수 있는 양 만큼 낱개포장이 되어있고 불소바니쉬를 적용할 브러쉬와 함께 제공되기시작하였기에 튜브나 병에 담긴 형태로 제공되었던 2세대 제품과는 다르다. 또한 2세대 제품의 단점인 접착력이 낮은 것을 해결하기 위해 Colophonium (송진)이 포함되어 소나무의 송진처럼 접착성이 아주 좋게 개발하였다. 하지만 색상이 노란색이어서 치아에 도포하였을 때 비심

표 21-4. Cavity Shield와 Enamel Pro Varnish의 구성성분

Product name	ingredient	Wt %	Role
Cavity shield	Rosin	20~70	Adhesive
	Polyaminse resin	20~70	Adhesive
	Ethyl alochol	4~30	Solvent
	Sodium fluoride	1~10	Fluoride
	Flavor	1~5	Flavor
Enamel pro varnish	Rosin	50~70	Adhesive
	Ethyl alochol	10~30	Solvent
	Dibasic Sodium Phophate	1~10	Color & Mineralization
	Calcium Sulfate Dihydrate	1~10	Color & Mineralization
	Sodium Fluoride	1~10	Fluoride

미적이라는 단점이 있었다.

그래서 최근 국내외에서 출시되고 있는 제품들을 살펴보면, 기존 3세대 안에서도 사용되었던 제품들의 단점을 보완한 제품들이 판매되고 있다. 치아색과 유사한 하얀색 또는 투명한 색의 심미성을 고려한 제품들이 주로 소개되고 있으며, 또한 기존 제품들이 점도가 너무 높고, 흐름성이 낮아서 환자에게 불편감을 유발한다는 단점을 고려하여 흐름성을 높여서 치아 사이에 쉽게 흘러들어갈 수 있는 제품들이 출시되고 있다.

또한, 불소 외에 부가적인 효과를 얻기 위해서 항균효과가 있는 자일리톨(Xylitol), 재광화 제재로 알려진 3인산칼슘(Tri-calcium phosphate), 비정질 인산칼슘(Amorphous calcium phosphate)과 같은 칼슘, 무기인산 제재를 함유한 제품들이 출시되고 있다. 현재 국내에 시판중인 대표 불소바니쉬 제품 종류와 각 제품별 주요 특징들은 표 21-3에 소개하고 있다.

3) 불소바니쉬의 성분 및 작용기전

불소바니쉬의 작용기전을 간단히 살펴보면 바니쉬는 접착성을 지닌 레진 및 로진을 에탄올에 섞어서 점도 및 접착성을 조절하고 기능성 물질인 Sodium Fluoride, 항균성 물질(자일리톨) 또는 재광화제(3인산칼슘(Tri-calcium phosphate), 비정질 인산칼슘(Amorphous calcium phosphate)과 같은 칼슘-무기인산 복합체), 마지막으로 flavor 및 하얀 치아색을 만들 수 있는 무기물을 첨가한다(표 21-4). 치면에 바니쉬를 얇게 바르면 얼마 후 에탄올이 증발되면서 경화(Setting)가 되는것처럼 보인다. 그 후 치아에 접착된 레진에서 서서히 불소가 유리되면서 치면에 고농도의 불소가 유지된다. 불소바니쉬를 적용할 때 치면세마를 하게 되면 직접 치아표면에 닿을가능성이 높기 때문에 더 효과적이다. 바니쉬 적용 후 에탄올이 모두 증발하여 충분히 치아에 접착할 시간을 부여 하고 부착된 바니쉬를 오랫동안 유지하기 위해서 다음과 같은 주의사항이 필요하다.

(1) 1시간 정도는 물을 포함하여 아무것도 먹지 않는다. 침은 삼키셔도 무방하다.
(2) 1시간 이후에는 물과 부드러운 음식 섭취는 가능하며, 오늘 하루는 뜨거운 음료 및 탄산 음료는 먹지 않는다.
(3) 최소 4~6시간은 칫솔질을 하지 않는다.
(4) 칫솔질을 할 때 송진 성분이 칫솔에 달라 붙을 수 있으니, 일회용 또는 헌 칫솔을 사용한다.

4) 불소바니쉬의 총불소 함량(Total fluoride content) 측정

불소바니쉬에는 다양한 형태의 불소가 포함되어 있다. 일반적으로 대부분의 제품은 5% 불화나트륨(Sodium fluoride, NaF) 22,600 ppm을 함유하고 있으나 이외에도 다이플루오르실란(difluorosilane) 1,000 ppm, 플루오르화암모늄(Ammonium fluoride) 7,700 ppm의 불소화합물을 포

함한다. ISO 규격에서는 불소바니쉬의 불소 함량을 총불소 함량으로 정의하고 있으며, 이는 제품에 포함된 불소의 질량 백분율을 의미한다. 규정에서 바니쉬 내 불소 함량은 제품의 포장용기에 기재된 양의 20% 이상을 넘지 않아야 한다고 언급하고 있으며 이러한 요구조건을 확인하기 위해 다음과 같은 시험 방법을 제시하고 있다. 해당 시험 방법은 불소바니쉬에 함유된 불소를 불산(HF)으로 추출하여 불소이온을 특이성 전극을 이용해서 측정하는 방법이다.

(1) 표준 용액 준비 및 검정 곡선 제작

우선 각 제품의 불소 함량을 mol/L로 결정하기 위해 표준 불소용액의 검정곡선을 이용한다. 해당 과정에서 0.10 mol/L의 불화나트륨 용액을 표준 용액으로 이용하는데, 이를 순차적으로 희석(10^{-2}, 10^{-3}, 10^{-4}, 10^{-5} mol/L)시켜 TISAB용액(총이온 감도조절 완충용액)을 추가하여 혼합한 후 불소이온 전극을 해당용액에 넣고 불소농도를 측정한다. 희석시킨 용액 각각에 대해 해당 과정을 반복하여 표준 용액의 불소 이온 농도의 로그값 대비 밀리볼트(mV)의 검정곡선을 만든다.

(2) 평가 시료 준비 및 불소 농도 분석

시험할 불소바니쉬 시료 1~3방울(0.05~0.15 g)을 용기에 넣고 질량을 측정한다. 다른 불소 제재와 달리 불소바니쉬에 포함된 레진 성분을 용해시키기 위해 클로르포름 용액을 첨가한다. 불소를 희석하여 불소 함량을 측정하기 위해 TISAB용액을 첨가한 후, 클로르포름+레진 부분과 TISAB+불소 부분이 분리되도록 한다. 불소가 용해된 부분을 50%로 희석하여 불소이온 전극을 이용하여 불소 농도를 측정한다. 전위차가 안정된 상태에서 0.1 mV단위로 전위 측정값을 기록한 후 표준 용액의 검정곡선을 이용하여 샘플용액 내 불소이온 농도를 mol/L로 결정한다. 이러한 방법으로 시험한 각 제품의 결과와 시험 중 확인된 비정상적 특성, 시험 합격 및 불합격 여부를 시험보고서에 기록하도록 한다.

5) 불소바니쉬의 기타 요구사항

각 제조사는 불소바니쉬 제품을 치아에 적용하는 방법에 대한 사용설명서를 반드시 표기해야하며 바니쉬 제재가 변질되거나 부작용을 나타내지 않도록 보호할 수 있는 용기나 캡슐 형태로 공급해야 한다. 또한 각 제품 용기에는 제조사 이름, 주소, 공식판매처, 상품명, 불소유형, 총불소함량, 제조업체 추적코드, 권장되는 보관조건, 순질량(g) 및 순부피(ml), 유통기한, 위험경고(인화성) 등이 반드시 표기되어 있어야 한다.

6) 불소바니쉬의 안전성

불소바니쉬의 인체에 대한 안전성은 전 세계적으로 인정받고 있다. 최근 무작위임상시험(RCT) 결과에 따르면, 영유아나 어린이들에게 불소바니쉬를 적용했을 때 어떠한 부작용도 보고되지 않았다. 그 이유는 바니쉬의 경화시간이 빠르며 유해할 정도의 고농도불소를 함유하지 않기 때문에 급성 독작용에 대한 위험도 매우 낮은 것으로 확인되었다.

5% sodium fluoride varnish를 예를 들자면 원자가를 고려하면 불소는 2.26%가 포함되어 있다. 이는 22,600 ppm (22.6 mg/mL)의 불소로 환산된다. 보통 제품들이 두 가지 유형의 Dose가 있는데 유치열: 0.25 ml(총 5.65 mg 불소 포함), 혼합치열기: 0.40 ml(총 9.04 mg 불소포함)이 시판되고 있다. 불소바니쉬를 도포할 대상이 영구치열인 경우에는 유치열과 혼합치열의 두 가지 용량을 모두 사용하면 된다. Ekstrand 연구에 의하면 영 · 유아에서 상악 전치부에 바니쉬를 도포할 경우 최대 7 mg의 불소, 학령전 소아에서 유치열 전체에 바니쉬를 도포할 경우 최대 12 mg의 불소가 포함된 용량을 사용해도 아무런 유해 효과가 없다고 보고되고 있다. 참고로 불소 복용에서 최소치사량(Probable Toxic Dose, PTD)는 체중이 20 kg인 6세 아동은 100 mgF, 체중이 10 kg인 2세 아동은 50 mgF 이다. 즉 한 개의 바니쉬 Unit Dose를 한 아이에게 다 사용한다고

해도 5~10 mgF 밖에 안 되고 그것도 불소가 한번이 아닌 몇 일 동안 천천히 흡수되므로 고농도 불소에 대한 독성 문제는 해결될 수 있다. 불소 바니쉬가 toxic dose에 도달하려면 10배를 넘게 바르고 그것이 단기간에 흡수되어야 한다.

현재 불소바니쉬에 대한 국제표준은 불소함량 측정, 제조사 요구사항, 라벨링 방법 등에 대한 규격에 국한되어 있다. 불소바니쉬와 관련된 다양한 제조기술 개발 및 환경 변화와 치과전문가의 관심에 발맞추어 향후 지속적으로 국제표준을 개정해야 하며 그에 따라 제조사에 대한 요구조건을 강화할 필요가 있다. 특히, 최근에는 제품 내 불소 외에 다양한 유효 성분들을 혼합한 제품들이 개발되고 있는 시점에서 실제 작용 가능한 불소 농도를 정확히 측정하고 표기할 수 있도록 하고 기타 성분들의 안전성을 검증할 수 있는 적합한 요구조건 및 표준 규격을 마련할 필요가 있다. 이를 통해 효과적이고 안전한 불소바니쉬 제품이 개발되고 이용될 수 있을 것이다. 또한 치과 전문가는 불소바니쉬의 ISO 및 KS규격을 인지하고, 환자에게 적용할 제품을 스스로 선택하고 제조사에 필수 정보 표기를 요청함으로써 국민의 구강 건강 향상에 기여할 필요가 있다.

참고문헌

1. 권훈. (미래아동치과), 치과의 새로운 블루오션을 찾아라, 덴포라인 Clinical Insight (2007년 6월 12일).
2. 김백일 (연세대학교 치과대학 예방치과학교실), 불소바니쉬에 관한 국제 표준 규격, 치의신보Dailydental 2392 기획연재치과표준 22 (2016년 2월 12일).
3. Taylor CL, Gwinnett AJ, A study of the penetration of sealants into pits and fissures, J Am Dent Assoc 87(6) (1973) 1181–8.
4. Schmalz G , Preiss A, Arenholt-Bindslev D, Bisphenol-A content of resin monomers and related degradation products, Clin Oral Invest 3(3) (1999) 114–119.
5. Cheong HR, Im SG, Lee SH, Lee NY, Evaluation of Microleakage and Penetration Ability of Flowable Resin in Occlusal Fissure, J Korean Acad Pediatr Dent 44(1) (2–17) 89–98
6. Lee K, Kim S, Utilization of Resin Infiltration for Prolonging of Tooth Whitening Effects J Korean Acad Pediatr Dent 44(1) (2017) 1–10.
7. Gordon LM, Cohen MJ, MacRenaris KW, Pasteris JD, Seda T, Joester D, Estrogenicity of resin-based composites and sealants used in dentistry, Dent Mater 347(6233) (2015) 746–750.
8. Hevinga MA, Opdam NJ, Frencken JE, Bronkhorst EM, Truin GJ, Microleakage and sealant penetration in contaminated carious fissures, J Dent 35(12) (2007) 909–14.
9. Jun SK, Cha JR, Knowles JC, Kim HW, Lee JH, Lee HH, Development of Bis-GMA-free biopolymer to avoid estrogenicity, Dent Mater 36(1) (2020) 157–166.
10. Serrano, Rivas A, Novillo-Fertrell A, Pedraza, Soto AM, Sonnenschein C Estrogenicity of Resin-based Composites and Sealants Used in Dentistry Environ Health Perspect 104(3) (1996) 298–305.

치과용 기구 및 장비

22

학/습/목/표

❶ 치과용 기구의 종류를 이해한다.
❷ 치과용 장비들 각 특성을 이해한다.
❸ 치과용 기구와 장비 사용 시 안전에 관한 주의사항에 대하여 인지한다.

1. 진료용 기계 및 기구

치과용 기구 및 장비는 환자의 구강을 밝은 시야 하에서 복잡한 해부학적 형태의 경조직, 연조직에 대응하여 질환에 대한 의료를 실시할 수 있도록 하는 형상과 기능을 갖추고 있다. 최근에 이학, 공학의 발전, 특히 재료과학, 전자공학의 진보 및 공업수준의 향상은 신소재를 개발하고 각종 제어기술의 응용을 널리 가능케 하고 치과진료용 기기의 개선뿐만 아니라 진료시스템까지도 개혁해 왔다. 신소재에 의한 강한 영구자석의 개발은 마이크로 모터의 핸드피스를 가능케 하고 공업기술의 향상은 에어터빈 핸드피스의 출현을 가져왔고, 에어 모터 또는 기어비에 의하여 저속회전 또는 고속회전시키는 컨트라앵글 기어 핸드피스가 제품화되어 있다. 또한 초음파를 이용한 치구, 치석의 제거 혹은 근관확대, 그리고 레이저를 사용한 구강연조직질환에 대한 외과처치, 치아 경조직에의 응용이 진행되고 있다.

1) 치과환자용 의자

치과환자용 의자는 치과환자의 진료를 행하는 기본장비로써 치과환자용 의자와 치과용 유니트라 칭하는 치과

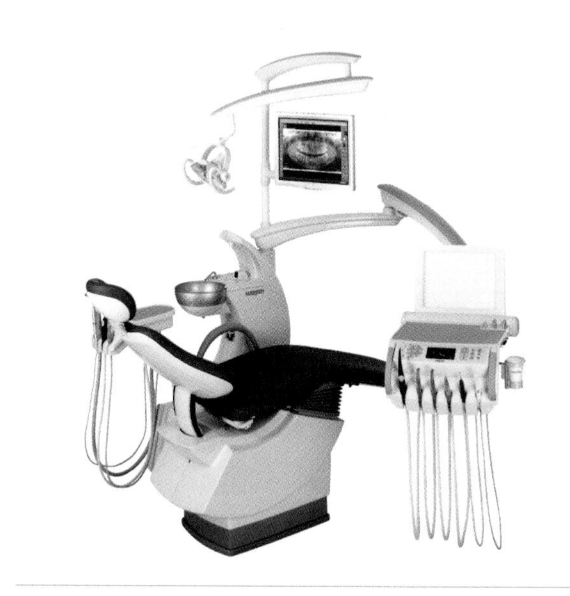

그림 22-1. 일반적 유니트체어 사진. 맥스퍼트

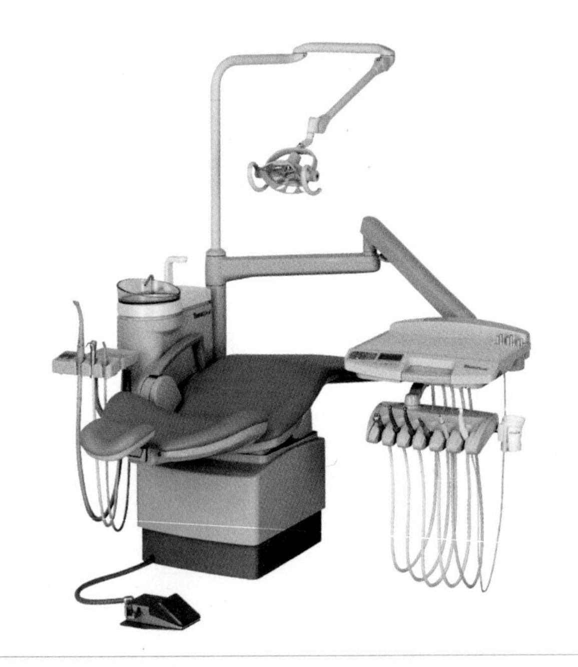

그림 22-2. **오버암형**

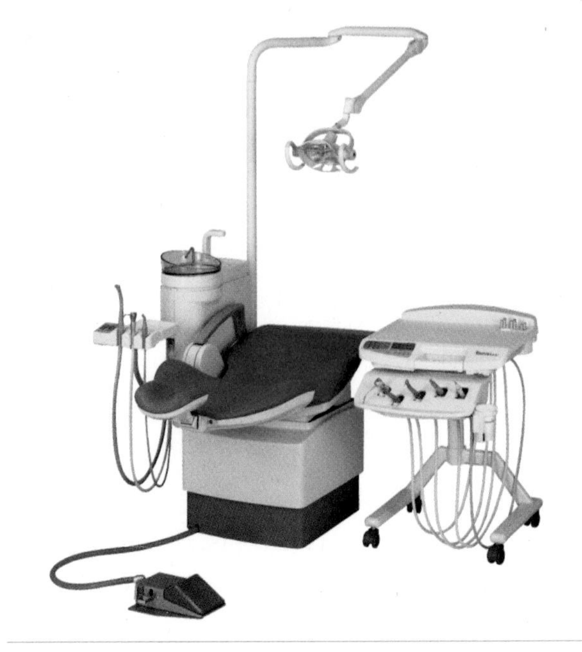

그림 22-3. **카트형**

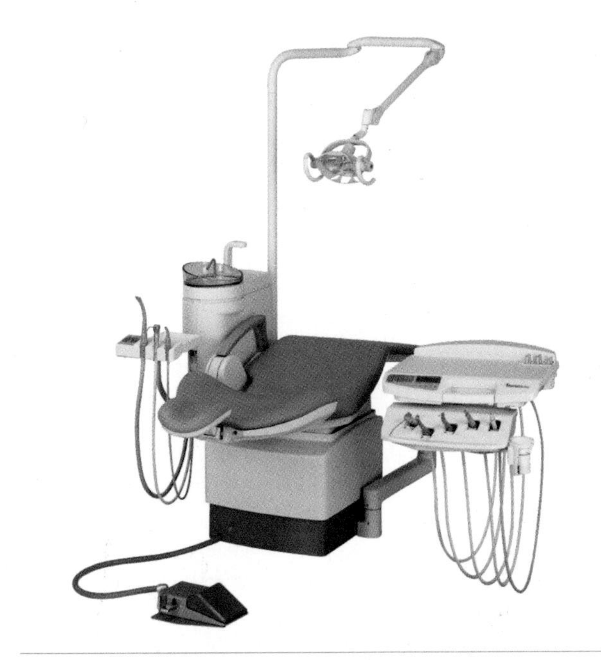

그림 22-4. **베이스마운트형**

진료에 사용하는 기구를 제어하는 장치가 일반화된 시스템으로 되어 있다. 치과환자용 의자와 치과의사 의자 및 치과용 유니트의 3가지로 되어 있다. 치과환자용 의자와 유니트가 연결된 방식에 따라 OVER ARM형, 카트형, 베이스마운트형 등으로 나뉜다(그림 22-1).

OVER ARM형은 치과환자용 의자의 좌측에 치과용 유니트의 전력 및 각종 액체 또는 기체의 공급, 배출을 하나로 정리하고, 의사 측에 에어터빈, 마이크로 모터, 시린지 등의 각종 진료기구를 장착한 브라켓 테이블을 환자의 신체 위에서 ARM으로 연결하고 있다. 구조적으로 브라켓 테이블의 안정성이 떨어지는 단점이 있다(그림 22-2). 카트형은 의사가 사용하는 진료기구와 브라켓 테이블을 이동 가능한 카트에 실어 환자가 사용하는 스핏톤과 어시스턴트가 사용하는 시린지, 흡인기 등을 환자의 좌우로 나누어 설치하고 있다. 전력 및 각종 액체 또는 기체의 공급, 배출은 별도로 되는데, 의사의 작업성을 향상시키고, 환자의 신체 위의 공간에 펼쳐져 있기 때문에 발생하는 심리적 압박감을 없앨 수 있다(그림 22-3). 베이스마운트형은 위 두 방식의 절충형으로 OVER ARM형에 비해 브라켓 테이블의 안정성이 높으면서도 환자용 의자에 붙어 있어서 카트형에 비해 단순한 것이 특징이다(그림 22-4).

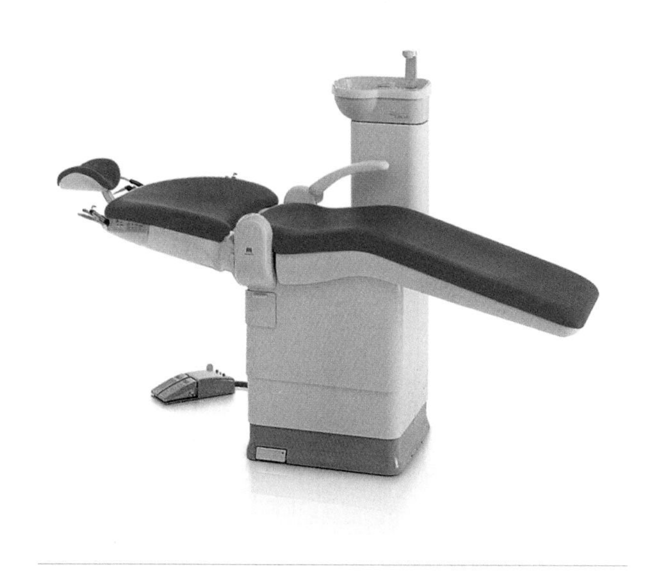

그림 22-5. 스페이스라인

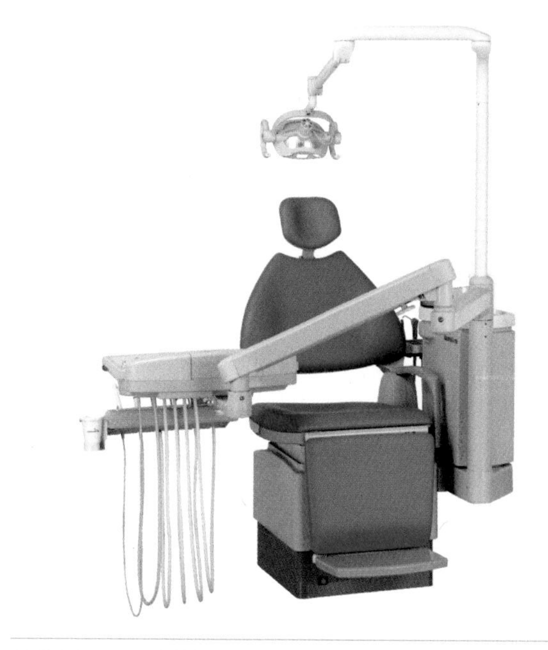

그림 22-6. 스텝방식

그 외에 스피톤 등의 치료용 유니트의 기구를 치료환자용 의자에 부착하며, 의사가 사용하는 진료기구를 치과환자용 의자의 백시트에 장착하여 환자에게 보이지 않게 하여 진료기구에 대한 심리적 압박감을 없앰과 동시에 전력 및 각종 액체 또는 기체의 공급, 배출을 일원화하여 단순화하는 등 다양한 방식의 치과환자용 의자와 유니트 형태가 있다(그림 22-5).

치과환자용 의자는 영구고정유무에 관계없이 치과치료를 위한 높이와 자세를 조절할 수 있고, 의자의 좌위 또는 수평위로 환자를 지지하고, 두부를 고정하는 장치를 갖춘 것이라고 정의된다. 치과환자용 의자의 구조는 시트, 헤드레스트, 백레스트, 레그레스트, 풋레스트로 구성되어 있고 환자가 편한 자세로 안정하게 앉거나 누울 수 있고, 의사가 안전하고, 인간공학적으로 양호한 진료자세를 얻을 수 있도록 설계, 제작되어 있다. 풋레스트 부분까지 3단으로 접히는 치과환자용 의자의 경우, 치과의사가 환자의 정면에 위치하는 것이 용이하여 환자 안면의 대칭성 관찰 등이 수월한 것이 특징이다(그림 22-6). 구성부품의 모서리나 각진 부분은 환자와 의사가 다치지 않도록 둥근 형체로 마무리 되어 있다. 헤드레스트는 환자의 두부경사, 방향 각도를 안정시키고 두부의 무게와 환자의 등을 들어 올리는 행동 같은 순간적인 움직임 및 의사에 의해 가해지는 부하에 견디고, 1분간 300 N의 힘에 대해 파괴 또는 변형되지 않도록 설계되어 있다. 암레스트는 수직방향으로 335 N, 수평방향 220 N의 힘으로 부하해도 파손이나 영구변형하지 않는 강도가 필요하다. 구동은 일반적으로 유압방식이며, 정밀한 이동을 위해 전기모터 및 기어방식을 채용하기도 한다.

2) 치과용 유니트

치과용 유니트는 전력 및 각종 액체나 기체를 치과용 기구 또는 장치에 공급하는 기계, 통상 기구 홀더나 제어기를 편리하게 적용할 수 있도록 부착되어 있으며, 치과환자용 의자 혹은 다른 치과기구가 상호 연결되어 있으며, 또한 치과진료 기능을 갖춘 치과기구로 구성되어 있다. 이들 기기는 스피톤, 라이트, 브라켓 테이블, 핸드피스, 시린지, 배타관, 구강 내로부터 액과 소편을 흡인하는 베큠 장치 등의 치과용 기구 또는 부속품을 보존 수납하는 장치와 이들에 전력물 및 공기를 공급하는 기구이다. 치과용 유니트의 설치는 스피톤 사용에 편리한 치과환자용 의자의 좌측에 위치하고 있었다. 그러나 최근에는 치과환자용 의자가 시스템화되어, 스피톤 및 보조자용 기구와 의사용 기구가 구별되어 치과용 유니트의 대부분이 본체로부터 의사에 가까운 위치에 놓여있다.

스피톤의 발은 양질의 glass로 제작되고, 오물을 뱉었을 때 환자 및 그 부근으로 튀지 않도록 만들어져 있으며, 통 세척 노즐에서 흘러나오는 물로 토출액이 세정되는 구조로 되어 있다. 또한 입헹굼용 물은 분수노즐 또는 컵을 사용한다. 컵은 정량의 물을 급수하는 오토 코크장치가 설치되어 있다. 라이트는 그림자 없이 구강 내를 조명하는 무영등이다.

전구는 석영 할로겐램프를 사용하며, 반사판에 따라 60~100 cm의 초점 거리를 설정하고 있다. 조도는 6,000~20,000 lx, 색온도는 3,000~6,000 K°이고, 자연광의 색조 조정도 할 수 있게 설정되어 있다. 또한 라이트의 위치는 암의 조정에 따라 자유롭게 조작할 수 있다.

브라켓 테이블은 진료용 기구 및 약품, 재료를 준비하는 트레이이며, 핸드피스, 시린지, 구강 내에서 액이나 작은 입자를 흡인하는 베큠 장치 등의 진료용 기구 및 치과환자용 의자와 유니트의 스위치가 장치되어 있다. 장치되어 있는 진료기구는 치과치료를 능률적으로 할 수 있도록 선정되어 있다. 의사측 장치 기구는 헤드 크기가 다른 2종류에서 에어터빈 핸드피스, 표준절삭 속도의 스트레이트 핸드피스와 컨트라앵글기어 핸드피스 혹은 근관치료, 지속절삭 등에 사용하는 감속 기어 컨트라앵글 핸드피스를 장치한 마이크로 모터 2개 및 세정용 시린지, 흡인구가 있다. 최근에는 초음파 스케일러, LED 광중합기 등 자주 사용되는 기구를 장착하기도 한다.

세정용 시린지는 3-way 시린지로도 불리는데 물, 공기 및 물-공기의 혼합에 의한 안개상의 세 가지로 세정할 수 있게 조작이 가능하다. 그 외에 근관확대, 형성, 충전 등 치내요법 또는 스케일링, 루트플래닝 등의 치주치료에 다목적으로 사용되는 초음파 치료용 핸드피스, 혹은 레진의 광중합용 라이트 등이 있다.

3) 에어터빈

에어터빈 핸드피스는 0.38 MPa의 압축공기를 38~40 L/min 유량으로 모터를 회전시킨다.

한국산업표준 KS P ISO 7785-1은 치과용 핸드피스 제1부분에서 고속 에어터빈 핸드피스에 대해 규정하고 있다.

이 규격에서는 청소 · 멸균방법에 견디는 재질로, 헤드의 치수, 척의 인반력 16 N 이상, 정적운반력 22 N · m 이상, 무부하 회전시 편심은 0.03 mm 이하, 회전속도는 매분 16만 회전 이상, 정지 토크는 0.05 N 이상은 안 되며 또한 냉각수, 냉각공기, 내공기압, 소음 레벨은 평균 80 dB을 넘지 않아야 하며, 내식성은 증기압 0.2 MPa, (132±2)℃ 3분간 고압증기멸균할 수 있는 오토클레이브를 10회 조작 반복한 후에 변화가 없어야 하는 등이 규정되어 있다. 각사 제품은 모두 규격을 뛰어 넘는 성능을 갖춰야 하며, 회전운동은 매분 30~50만 회전에 도달해야 하지만 5~7 N

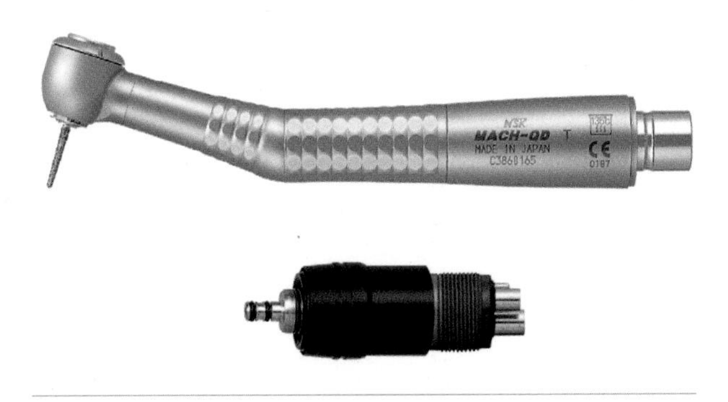

그림 22-7. 에어터빈

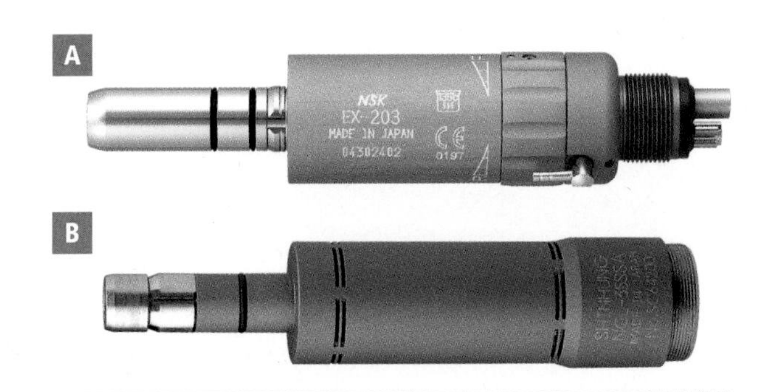

그림 22-8. A 에어모터, B 마이크로모터

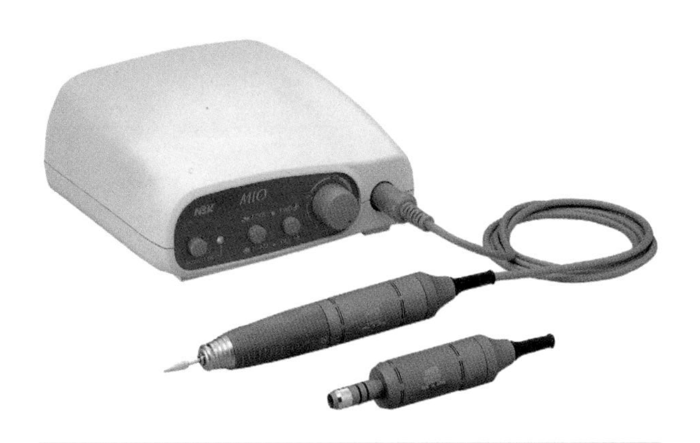

그림 22-9. 기공용모터사진

의 하중에서는 정지해야 한다. 따라서 소위 0.5~0.8 N에서 페더 터치하고, 회전속도가 저하되지 않도록 절삭 조작을 할 필요가 있다(그림 22-7).

4) 마이크로 모터 및 에어 모터

직경 15~20 mm의 소형 직류 모터 또는 같은 크기의 에어 모터에 스트레이트 핸드피스, 혹은 기어드앵글 핸드피스를 연결하여 사용한다. 마이크로 모터는 최고 회전 시 직류 21~30 V가 되는데, 전압을 변화시킴으로써 회전속도를 매분 2,000~40,000 회전으로 조절할 수 있다. 에어 모터는 3기압의 압축공기에 의해 모터를 매분 25,000 회전시킨다. 이들 모터는, 기어드앵글 핸드피스의 기어비를 바꿈으로써, 매분 16만 회전의 고속회전을 시킬 수도 있고 2,000 회전의 저속회전을 시킬 수도 있다.

치과용 핸드피스는 KS P ISO 7785-2 스트레이트 및 기어드앵글 핸드피스에 규격이 있다. 대부분은 고속 에어터빈 핸드피스와 일치하지만 정지 토크의 규정은 없고, 최고 회전속도에서 3분간 회전시킨 후, 핸드피스의 외장에 20℃이상 온도 상승이 없어야 한다는 것이 추가되어 있다. 에어 모터는 에어터빈보다도 모터가 큼으로써 토크가 크고, 회전기구 선택에 따라서 절삭능률이 향상된다(그림 22-8).

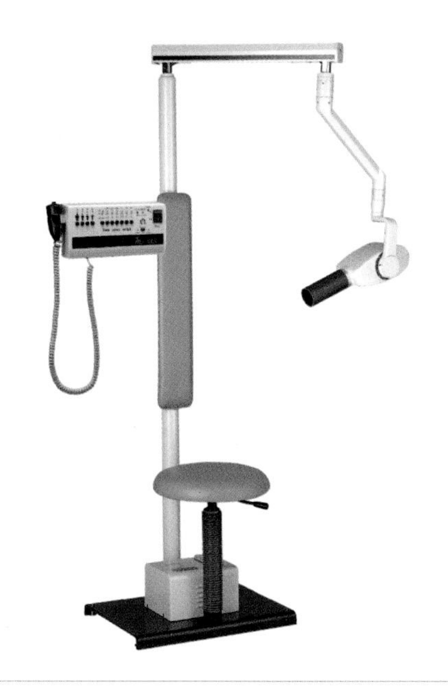

그림 22-10. 치과용엑스선

5) 전기 엔진

전기 엔진은 단상교류용 직권정류자전동기로서, 저항기, 제어기에 의해 기동, 정지, 또는 회전속도를 조정한다. 치과용 전기엔진의 구성은 전동기, 저항기, 제어기, 벨트암 및 벨트가 있고 치과용 유니트에 들어있다. 현재는 에어터빈, 마이크로 모터, 혹은 에어 모터가 회전절삭기구의 주류로 사용되고 있다. 회전속도는 매분 7,000~10,000회전하며, 토크가 크기 때문에 기공용으로 사용되고 있는 경우가 많다(그림 22-9).

6) 치과용 엑스선장치

치과용 엑스선장치는 구강영역질환의 진단에 불가결한 장치이다. 엑스선사진으로부터 얻을 수 있는 정보는 치아, 연골 등의 경조직의 형태뿐만 아니라, 농도 변화에 따라서는 연조직의 변화까지도 겸할 수 있는 경우도 있다. 일반적으로 25×35 mm의 치과용 필름으로 2~4치아의 엑

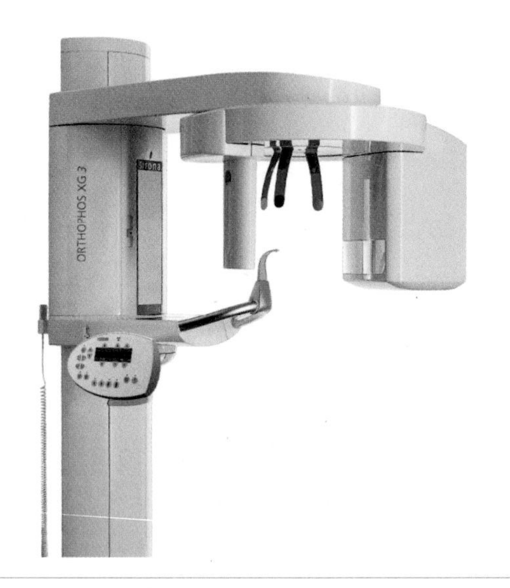

그림 22-11. 파노라마

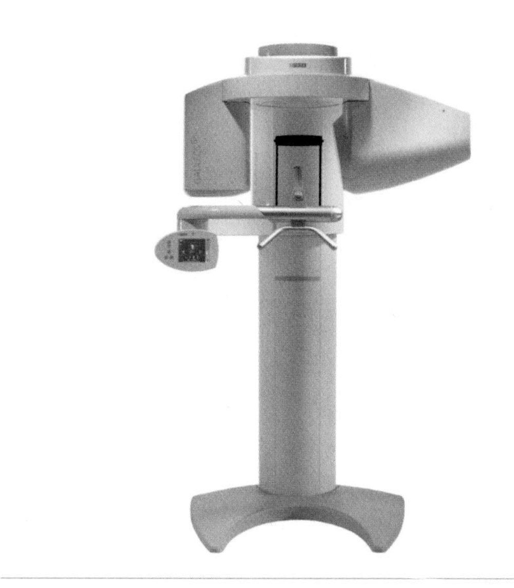

그림 22-12. CT

스선사진을 반영하는 치과용 엑스선장치가 사용되고 있다(그림 22-10). 치과용 파노라마 엑스선장치는 치열의 아치를 따라 필름의 각도를 이동시킴과 동시에 엑스선관구도 이동시켜 상하악의 악골 치아의 엑스선 사진을 촬영한다. 필름의 크기는 150×300 mm로 크고, 치열상호의 관련성에 대해서도 진단할 수 있다(그림 22-11). 또한 연관절, 연악골 내의 위치관계, 특히 임플란트 매식 위치 등의 진료는 다층단층엑스선장비가 필요하다. 치과용으로는 원추빔단층(conebeam CT) 엑스선장비가 많이 사용된다(그림 22-12). 또한 최근의 CCD카메라와 컴퓨터의 발달에 의해 필름이 불필요한 치과용 엑스선촬영 영상시스템이 실용화되었다. 구강 내 센서가 엑스선을 감지하면 영상이 모니터에 비춰진다. 엑스선량은 필름촬영에 비해 10~20% 정도 적으므로 안전성이 높다. 촬영한 영상은 디스크에 보관할 수 있고 필요에 따라 영상처리 및 편집이 가능하다.

7) 오토클레이브, 고압 증기 감균기

치과 치료에 있어서 감염증의 방지에 따른 진료용 기기의 감균 조작은 반복적으로 행해진다. 감균온도 및 시간은 132℃에서 3~5분 혹은 122℃에서 20~25분이다. 이 조건을 자동적으로 또는 확실히 행할 수 있도록 오토클레이브가 설계되어 있다. 고온의 증기에 의한 재료 및 기기의 손상을 방지하기 위해 에틸렌옥사이드(Ethylene oxide) 가스를 이용한 소독의 치과에서의 활용이 늘고 있다.

8) 레이저

레이저는 Light Amplification by Stimulated Emission of Radiation의 머릿글자 LASER로부터 명명되었다. 치과에서 레이저의 이용은 He-Ne가스, Ga-As반도체, Ga-Al-As반도체에 의한 파장 632.5~904 nm, 2~30 mW 출력의 소프트 레이저 및 Nd:YAG 고체 및 CO_2가스에 의한 파장 1,064, 10,600 nm, 0~100 W 출력의 하드 레이저가 있다. 소프트 레이저는 연조직의 침투성이 좋고 피부속 10~30

mm의 깊이까지 빛을 침투하여 작용되며, 상아질 과민증에 대해 효과가 있고 기타 연조직환자의 아프타, 헤르페스, 구각염, 나아가 발치 후의 지혈 등에 응용되고 있다. 하드 레이저는 외과적 처치 혹은 치아 경조직의 융해, 우식예방처치 등에 이용되고 있다.

(1) 초기 치과 레이저의 연구

Maiman이 처음으로 제작하였던 레이저는 펄스형 루비 레이저(pulsed ruby laser)이며 빛의 파장은 0.694 μm이었다. 초기 치과 레이저 연구의 대부분은 루비 레이저로 수행되었다. 이로 인해 레이저 치의학의 발달이 상당히 지연되었으며 두 번째로 개발된 레이저는 네오디뮴(neodymium) 레이저이며 레이저 치의학을 발달시키는 원동력이 되었다.

(2) 루비 레이저(ruby laser)

치과용 레이저 연구는 UCLA 치과대학의 Stern과 Sognnaes가 시작하였다. 대부분의 초기 치과 레이저의 연구는 치아 경조직(법랑질과 상아질) 및 수복재에 대하여 루비 레이저의 열 효과에 집중적으로 관심을 가졌다. 루비 레이저를 치아에 적용한 대부분의 실험들은 결과가 좋지 못하였으며 따라서 0.694 μm 파장이 치아 경조직에는 파괴적인 작용을 한 탓이라고 주장하였다. 또한 레이저 광의 산란 때문에 인접조직과 치아에 손상을 초래하여 치과의 도구로서는 바람직스럽지 못하다는 결론에 도달하였으며 1960년대 말까지는 대부분의 치과연구가들은 루비 레이저로 치아 경조직을 제거하는데 많은 양의 에너지가 필요하므로 구강조직에 심한 열 손상을 야기한다고 하였다.

(3) 이산화탄소 레이저(carbon dioxide laser)

1960년대부터 1980년대 초까지는 경조직에 더욱 효과적인 레이저를 찾기 위하여 연구했던 시기로 UCLA의 Stern과 Forsyth Dental Center의 Lobene이 이산화탄소 레이저에 관심을 두고 있었다. Lobene 등은 10.6 μm인 파장이 법랑질에 잘 흡수되었기 때문에 이산화탄소 레이저가 치면열구전색재, 포세린의 법랑질 접합 등에 적합하다고 하였다. 핀란드의 Kantola 등은 이산화탄소 레이저의 파장을 법랑질과 상아질에 노출시키면 화학적, 물리적 변형이 있음을 확인하였다. Melcer 등은 레이저를 임상에 적용하여 치아우식증 환자를 치료하는데 1,000명 이상의 환자를 성공적으로 치료하였으며 동물실험 결과, 이차 상아질이 형성되었으며 노출된 치수와 상아질을 멸균시킬 수 있다고 결론을 내렸다. 그러나 Stewart 등은 이산화탄소 레이저도 과도한 열을 발생하므로 치면열구전색재나 포세린의 법랑질 접합과 같은 곳에 사용하기는 부적합하다고 주장하였다. 초기의 이산화탄소 레이저 시스템의 또 다른 단점으로는 살아있는 경조직, 즉 골조직에 응용할 수 없다는 점이며 치질에 접착을 요구하는 술식에도 사용하기 곤란한 단점이 있다.

(4) 네오디뮴 레이저(neodymium laser)

1974년에 도큐대학의 야마모토는 네오디뮴 레이저를 살아있는 동물의 치아에 처음으로 실험하였는데 Nd:YAG 레이저가 실험실 검사나 생체실험에서 초기의 치아우식증을 예방하는데 효과적이라고 밝혔다. 미국의 Adrian이 네오디뮴 레이저를 치아에 사용함과 동시에 치과용 합금의 접합에 사용하는 것을 검토하기 시작하였다. 그러나 아직까지도 치아 경조직에 대한 효과에 대해서는 확실히 밝혀지지 않은 상태이다.

(5) 어븀 레이저(Er:YAG laser)

Erbium 레이저는 기존의 ruby 레이저나 CO_2레이저의 Thermal effects의 문제를 해결하기 위한 대체 레이저로써 1989년에 Hibst, Keller, kayano 등이 치과분야에 소개하였다.

Er:YAG 레이저는 2.94 μm의 파장을 가지며, 이는 조직내 함유된 물분자의 vibrational oscillation의 공명 주파수와 유사하여 매우 높은 수분흡수율을 가지며, 흡수된 에너지는 조직내 수분의 온도를 급상승 시켜 기화시킴으로써 그 압력에 의한 미세 폭발을 일으킨다. 이러한 조직 내 미세폭발에 의해 조직이 절제된다. Er:YAG 레이저는 치아우식 제거, 법랑질 삭제, 골 삭제의 경우 열적 손상이 적은 장점이 있는 반면 물과 함께 사용하므로 연조직 수술 시 지혈 효과가 낮고, 조직 내 microcrack을 유도하는 단점이 있다.

(6) 어븀크롬 레이저(Er,Cr:YSGG laser)

어븀크롬YSGG (Er,Cr:YSGG) (Erbium, Chromium doped Yttrium Scandium Gallium Garnet) 레이저는 2.78 μm 파장의 고체 레이저로서 물과 수산화인회석에 흡수가 잘 된다. 펄스 방식으로 조사되며 물과 공기의 분사와 함께 사용된다.

어븀크롬 YSGG레이저는 어븀 YAG레이저의 높은 수분흡수율(Er:Yag=12,500)과 CO_2레이저의 낮은 수분흡수율(CO_2=1,000)에 비하여 수분흡수율이 5,000으로 중간적 상태로 연조직에 있어서, 표피에서 원하는 깊이로 박피와 응고를 일으킬 수 있으면서 어느 정도의 열은 진피로 남겨 새로운 콜라겐 형성을 촉진할 수 있는 장점을 지닌다. 따라서 법랑질, 상아질, 골 등의 경조직 삭제뿐만 아니라 연조직 수술에 효과가 있는 것으로 보고되고 있다.

9) 광조사기

광조사기는 할로겐램프의 광원으로부터 글라스 파이버 케이블로 라이트가이드의 선단에 빛을 유도하여 조사한다. 광조사부는 램프의 열로 온도가 상승하므로 팬에 의해 공냉한다. 유리섬유 케이블에 접속되어 있으면 라이트 가이드의 조작에 제한이 가해져 코드리스로써 광조사기로 사용되는데 그 경우에는 전원인 전지의 무게가 더해진다. 광조사기는 진료용 광중합 콤포짓트 레진을 비롯하여 응용레진, 치관용 경질레진, 지대치축조용 레진, 실란트, 광중합용 글라스아이오노머 시멘트 등에 널리 사용되게 되었다. 이들 레진재료를 광중합시키기 위해서는 광증감제인 캄포르퀴논을 활성화시키는 흡수파장 473 nm을 피크로 한 파장 410~500 nm의 빛이 사용되고 있다. 광조사기의 분광파장은 350~500 nm이고 480~495 nm 부근에서 최대피크를 가지고 있다. 광조사기의 성능은 광강도의 경시적 변화 및 레진의 경화 깊이로 평가되는데 경화 깊이는 광중합레진매트릭스와 필러인 빛의 흡수, 산란에 영향을 받는다(그림 22-13).

그림 22-13. 할로겐 중합기

할로겐램프에 비해 광강도가 월등히 높은 플라즈마-아크 광조사기가 개발되어 중합시간을 단축시켰으며 LED를 활용한 광조사기의 개발은 효율 높은 광조사가 가능하게 되어 무선 광조사기가 널리 사용되게 되었다(그림 22-14).

10) 측색기

최근에 수복물의 색조 조화를 위해 육안이 아닌 기계를 이용한 측색법이 개발되어 사용이 급증하고 있다. 색 측정방식에 따라 색차계, 분광측색기 등으로 나뉘며 작은 영역만 측정이 가능하거나 단일 치아 전체를 한 번에 측정 가능한 기기가 있다. 전자의 경우 대부분이 접촉식이며, 후자의 경우 비접촉식의 형태를 가진다. 조명이나 치과의사의 상황에 따라 매번 달라질 수 있는 부정확한 육안 측색의 단점을 보완하여 수치화 된 색상정보를 기공실에 전달할 수 있는 장점이 있다(그림 22-15).

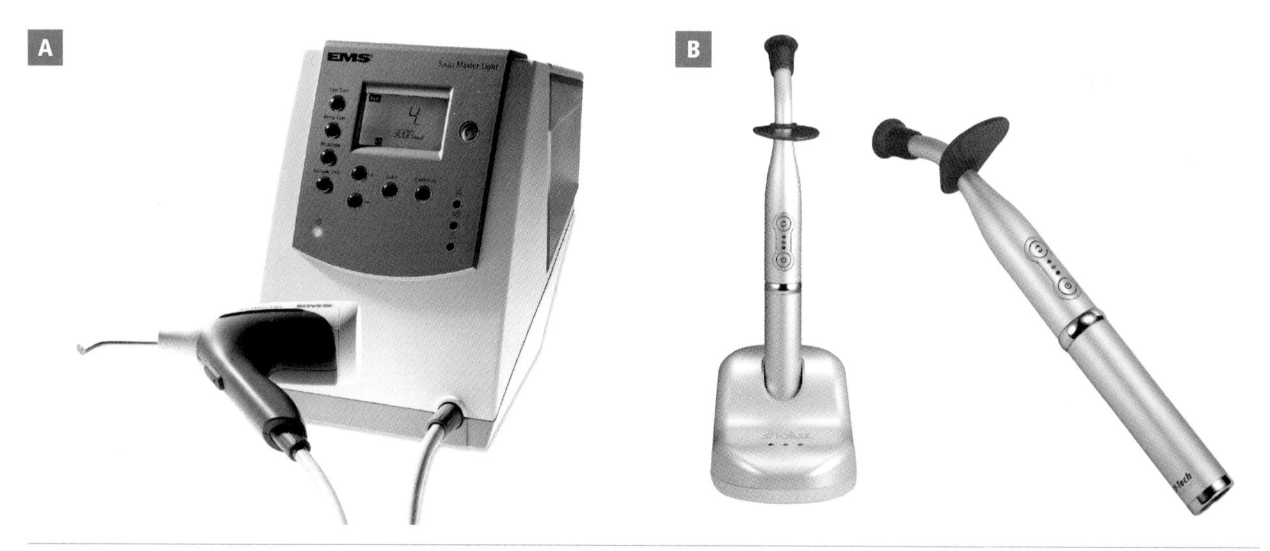

그림 22-14. A 플라즈마중합기, B LED 중합기사진

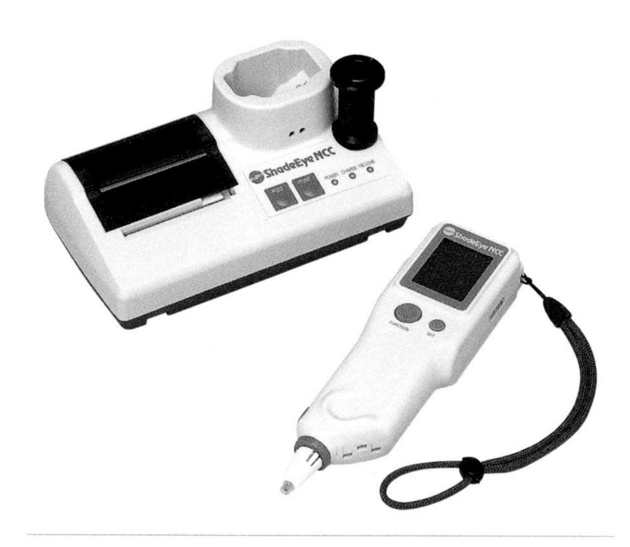

그림 22-15. 측색기

11) 수용기구

수용기구는 구강 내 진료에 불가결한 치경, 핀셋, 치아 재질의 절삭에 사용되는 치즐, 스푼엑스카베이터, 탐침(explorer) 등, 치석제거에 사용하는 스케일러 혹은 근관치료에 사용하는 파일, 리머, 기타 근관충전기, 브로치, 바브드브로치에서부터 구강외과용 메스, 발치겸자, 골줄 등 종류가 많고, 또한 형상, 크기가 다른 많은 종류가 있다. 치경은 평면, 요면이 있고, 치경 외경 13±0.5, 16±0.5, 19±0.5, 22±0.5, 25±0.5, 27±0.5, 32±0.5, 38±0.5 mm이며, 1-8의 번호로 불리고 있다. 요면경은 유효반경 100 mm로 되어 있다. 성능은 반사율 85% 이상, 경의 왜곡은 10% 이하, 자비에 의한 반사율의 저하가 있는 경우에도 80% 이상의 반사율을 갖는다. 재료는 경화와 경간이 황동인 경우와 SUS 304 18-8스테인리스강의 경우가 있다.

치과용 핀셋은 형상에 따라 메리엄 형태와 칼리지형으로 나뉘어 모양과 치수가 규정되어 있으며, 작업부 끝단의 경도, 부식 저항성 등의 요구사항이 규정되어 있다.

치과용 치즐은 전장 150 mm, 손잡이 길이 120 mm, 손잡이 구경은 6 mm라고 치수가 규정되어 있다. 도인부의 경도는 비커스 경도 Hv 600 이상으로 되어 있다. 각 치젤은 Ni도금 또는 Ni-Cr 도금을 행하고 경도시험, 도금시험이 규정되어 있다.

근관용 기구는 치과용 근관 리머, 치과용 근관K 파일, 치과용 근관H 파일, 치과용 근관은 나선형태의 기기, 치과용 근관 핑거 프라거 등이 있다. 치수는 침부 전체길이는 21, 25, 28 및 31 mm이며, 작업부 길이는 16 mm, 작업부 16 mm의 직경과 작업부 선단직경이 규정되어 있다. 선단직경의 굵기는 종류로 나타내고, 병부의 색상이 규정되어 있다.

12) 수술용 고무장갑

의과 및 치과에 있어서 수술에 사용하는 수술용 고무장갑은 포장멸균한 것과 미멸균한 것이 있다. 원료면에서는 천연고무 라텍스와 합성고무 라텍스 또는 고무계 고분자 용액으로 분류되어 있다. 수대는 형상에 의해 직지형 수대의 형상은 S, 곡지형 수대의 형상은 C로 분류되어 있다. 또한 수대표면의 마무리에 따라 형활한 표면은 표면마무리 P, 조면의 경우 표면마무리 T로 분류되어 있다. 수대의 치수는 손가락부는 67~121 mm까지 10단계이며, 최소 길이는 250~280 mm의 4단계로 나뉘어 호칭번호와 색상분류가 되어 있다. 수대의 강도는 1종 수대는 노화전과 노화 후의 측정을 하는데 천연고무 라텍스의 경우 인장강도 17 MPa, 신율 560% 이상, 합성고무 라텍스에서는 인장강도 12 MPa, 신율 490% 이상으로 규정되어 있다. 2종수대의 강도는 노화 전, 노화 후, 증기살균 1회 후, 2회 후의 인장강도는 17 MPa의 규격이 있다. 기타, 핀홀시험, 멸균처리 등에 대해서도 정해져 있다.

2. 기공용 기계 및 기구

1) 전기로

사용목적은 주조용 주형 중의 왁스 소각, 합금의 열처리가 주된 것이다. 가열속도가 완만하고, 가열온도의 최고점과 그 온도에서의 체류시간을 조절할 수 있는 것이 바람직하다. 최신의 시판품은 가열속도, 가열온도, 계류시간 등을 컴퓨터로 조절할 수 있게 되어 있다. 전기로를 선택할 때의 주의사항은 우선 발열체의 종류가 가열온도 1,100℃ 이하인 경우에는 니크롬 또는 칸탈이라도 좋지만, 최고온도가 1,100~1,500℃의 경우에는 실리코니트가 좋다. 두 번째로는 조절기의 정도를 확인한다. 세 번째로는 노 본체의 내열성 및 고온시의 강도 등에 주의한다(그림 22-16).

그림 22-16. 전기로

그림 22-17. 가압식 주조기

2) 주조기

치과의 주조법에서는 용탕을 주형 내부에 흘려 넣기 위해서 압력이 필요한데, 그 압력을 가하는 방법에 따라 원리적으로 크게 구별할 수 있다. 또한, 가열 열원으로 몇 가지 방법이 이용되고 있다.

(1) 가압식 주조법

① 증기압주조기

금속형의 압박뚜껑 안에 물에 적신 석면을 채워 금속을 가스불로 융해해 주조링 위에서 덮으면, 석면에 함유된 물이 증발하여 수증기로 되어 용탕에 압력을 가해 주조하는 원시적이며 간단한 방법이다.

이 주조법의 문제점은 합금과 링의 온도에 따라 발생하는 수증기의 양이 다르며, 주조압력의 시간이 짧다는 단점이 있으며, 대형 주조체나 유동성이 나쁜 합금의 주조에는 맞지 않다.

② 공기압주조기

컴프레셔에서 유도된 압착공기를 압력원으로 이용하는 방법으로 공기압주조기의 경우 압력계에 의해 주조압을 조절할 수 있다. 열원은 전열식을 이용하며, 진공용기 내의 카본도가니에서 융해하고, 주조할 때는 압착공기를 용기 내로 도입하여 가압하는 주조기이다. 이것을 개량하여 Ar gas 분위기 중에서 arc 융해하고 가압도 Ar gas에 의하는 주조기도 있다. Ar gas는 불활성 gas이므로, 융해 중 및 가압 중인 합금의 산화를 방지하는 작용이 있다(그림 22-17).

(2) 원심주조기

현재, 치과주조에 있어서 가장 널리 이용되고 있는 주조기이다. 회전방향에 따라 횡식과 종식으로 구별되며, 원심력의 동력원에 의해 스프링식, 전동식, 수동식으로 분류된다. 또한, 금속을 융해하는 접시가 따로 달려 있는 것과 직접 주조 링 위에서 융해하는 것도 있다(그림 22-18).

원심주조기는 저온주조가 가능하며, 매몰재와 주조링과의 사이에 극간이 있어도 주조할 수 있으며, 경우에 따라서는 링리스 주조도 가능하고, 나아가 주조조직이 치밀하는 등의 많은 이점이 있다. 단점은 융해한 금속이 튀거나 하여, 주위에 위험을 끼칠 가능성이 있으며, 그 방지책이 필요하다.

고용금속을 융해하기 위해 특별한 열원을 채용한 주조기로서는, 고주파원심주조기, Ar arc 원심주조기, Ar 융해 · 진공 · 가압흡인식 주조기가 시판되고 있다.

그림 22-18. 원심주조기

그림 22-19. 레진 가압 중합기

3) 중합기

레진 중합기는 가압중합법, 건열중합법, 광중합법, 사출성형법으로 크게 구별할 수 있다(그림 22-19).

① 가압중합법에는 석고형성형법과 가압부를 이용한 한천중에서의 성형법이 있다. 후자에는 질소가스욕, 글리세린욕, 수증기욕이 있고, 모두 가압부가 필요하다.

② 건열중합법에는 써머프레스기가 있고, 상하의 열전판에는 350 W의 니크롬선을 이용한 전열기를 내장하고 가압, 건열조작을 자동적으로 행하는 것, 또한 한 면에만 전열기를 내장한 것도 있다. 가정용 전자레인지로 알려져 있고, 마이크로웨이브를 응용하여, 플라스틱 플라스크를 이용하여 가압 중합하는 마이크로웨이브 중합기도 있다.

③ 광중합법은 광중합용 레진을 축성하여 가시광선을 이용한 광조사기로 중합시키는 것으로, 소형의치, 금속 등의 병용에 의한 치관수복용 레진의 중합에 이용되고 있다.

4) 전기 레이스(Lathe)

전기 레이스에는 여러 가지 형이 있고, 많은 경우에는 고속, 저속의 2단절 절환이 가능하도록 되어 있다. 공통적인 것은 교류전동기의 샤프트에 척을 장착하고, 여기에 각종 연마용구를 부착하여 회전시켜 사용한다.

연마용구로서는 카보나이트 휠, 연마포 및 연마브러쉬, 샤보이즈 휠, 펠트콘 등이 있다(그림 22-20).

5) 샌드블라스트

미세한 연마재를 소구경의 노즐로부터 분사시켜 주조체의 주조핀을 제거, 주조체 표면에 부착해있는 매몰재를 제거하여 표면연마를 한다. 연마재의 분사 압력은 3~15 kg/cm²이고, 분사되는 연마재가 자동 순환식으로 되어 있는 것과, 펜슬형의 것도 있다(그림 22-21). 연마재로는 글래스비즈 외에 탄화규소분말, 알루미나분말, 석영분말을 혼합하여 사용하는 것이 많다.

6) 포세린 소성로

포세린의 소성에는 진공장치가 있는 전기로가 사용된다. 형식에는 소구가 정면에 있는 횡형과 하면에 있는 종

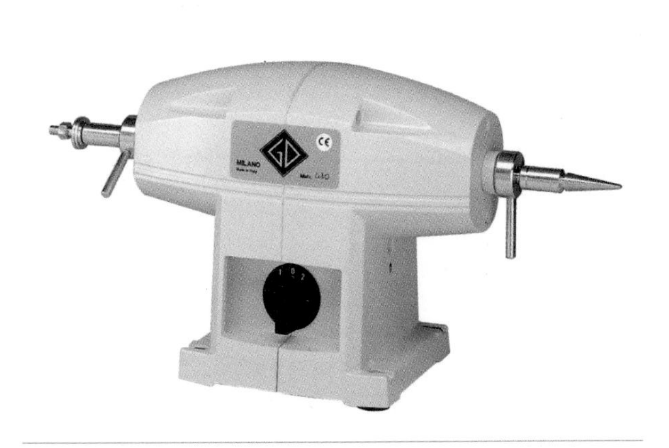

그림 22-20. 기공용 레이스

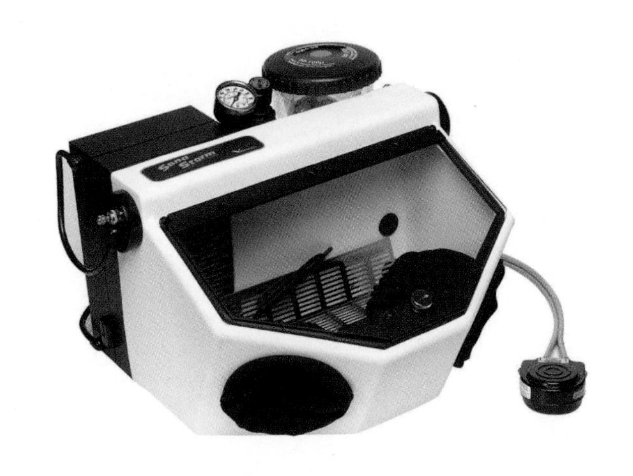

그림 22-21. 샌드 블라스트

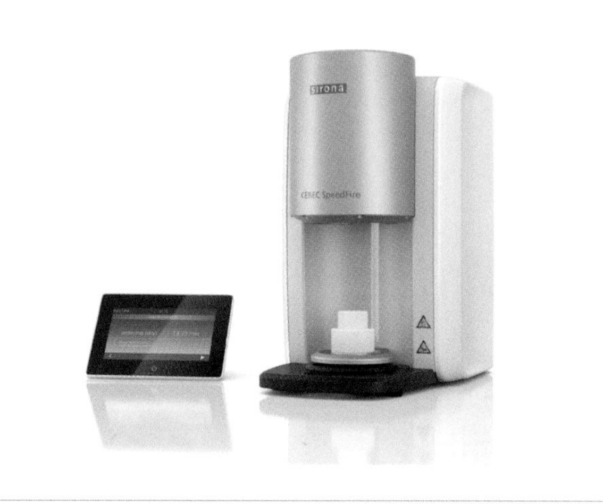

그림 22-22. 포세린 소성로

형이 있고, 현재는 소성온도 및 소성시간을 자동제어하는 장치가 장착되어 있어 종래처럼의 어려움은 없어졌다(그림 22-22). 각각 사용되는 노에 친숙해져 사용법을 익히는 것이 중요하며, 때때로 온도정도의 확인, 노내의 불순물을 청소하고 항상 최상의 상태에서 사용한다.

7) 매몰기

매몰재의 연화는 통상, 러버볼과 석정 스파츄라로 하는데 매몰재의 기포를 제거하기 위해 감압하는 것이 유효하다. 이것을 응용한 것으로 감압 하에서 기계적으로 혼화하는 연화기와 혼화로부터 매몰까지 감압에서 행하는 매몰기가 있다. 또한 진동을 가하는 것도 유효하므로 많은 경우 바이브레이터와 공동으로 사용되고 있다.

8) 초음파 세척기

20,000~30,000 Hz의 초음파를 이용하여 세정액에 진동을 주어 캐비테이션 효과에 의해 오염물질을 뺀다. 초음파로 심하게 진동하면 세정액이 세정물을 때려 오염물질을 단시간에 세척할 수 있으므로 연마 후의 기공물의 세척 등에 이용된다(그림 22-23).

9) 납접, 점용접기

치과납접은 납접기(그림 22-24)로 납접하고자 하는 금속에 적합한 납과 플럭스를 사용하여 시행한다. 납접방법

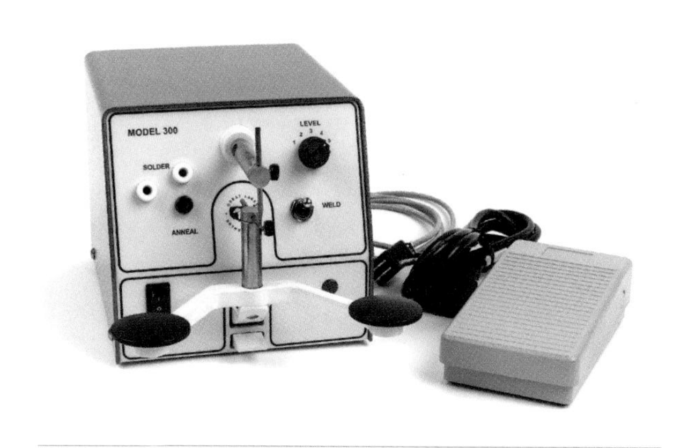

그림 22-24. 납접, 점용접기

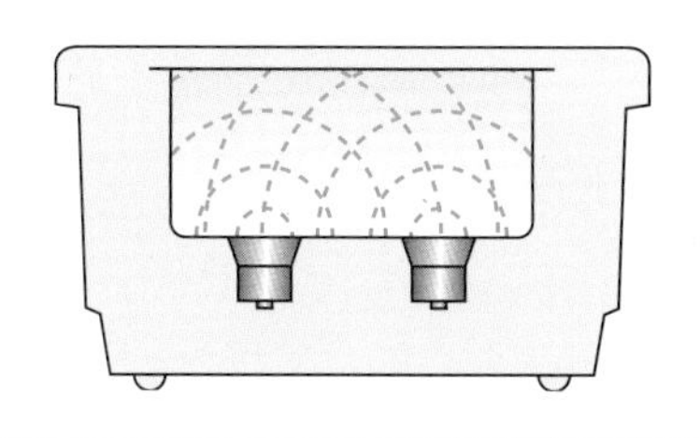
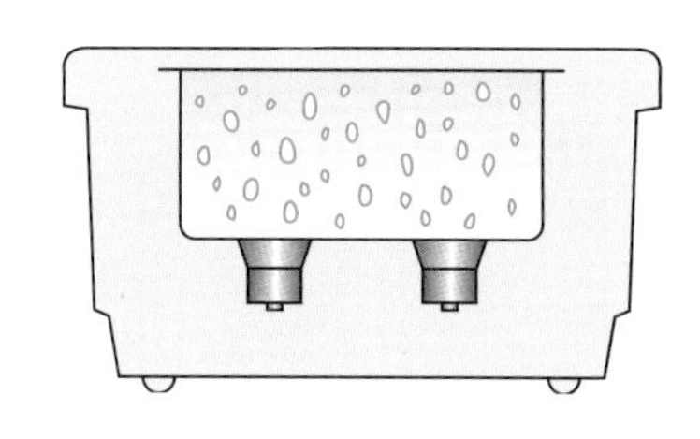
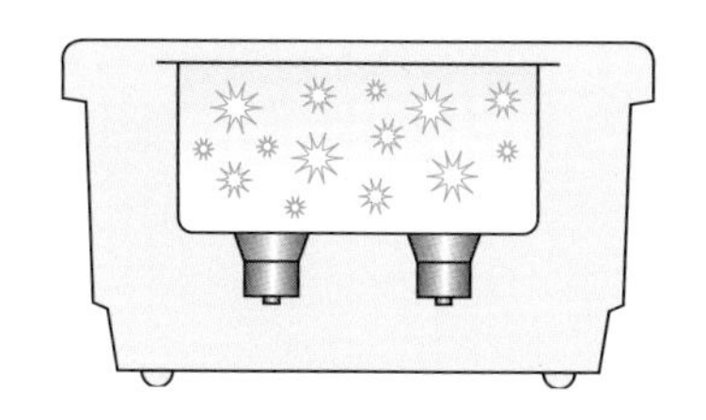

그림 22-23. 초음파 세척기의 작동 원리

의 가장 일반적인 것은 가열방식이다. 가열방식은 블로우 파이프 또는 토치에 의한 화염납접이 행해지고 있다. 최근 적외선 납접기가 사용되고 있다. 1,000 W의 할로겐램프를 열원으로 하여 적외선 에너지를 반사판에 의해 초점부에 반사 집중시켜 납접을 행하는 방법이다.

참고문헌

1. 신흥종합카탈로그, 통권 제16호, 신흥인터네셔널.
2. Crist BV(2000). Handbook of Monochromatic XPS Spectra,Wiley.
3. Childs KD, et al.(1995). Handbook of Auger Electron Spectroscopy, Physical Electronics Inc.
4. Hasegawa J, et al.(1996). Current Dental Materials Science, Ishiyaku Publishers Inc.
5. Willam A. Brantley, Theodore Eliades(2001). Orthodontic Materials, Thieme Stuttgart.
6. William J. O'Brien(2002). Dental Materials and Their Selection, 3rd ed., Quintessence Book.

한국산업표준 목록

23

KS규격번호	KS규격명	제정일	개정일	국제표준(최신버전)	SC
KS P 5101	치과용 니켈 크롬 합금판	1978.03	2016.02	해당없음	2
KS P 5102	치과진단용 X선 발생 장치	1979.12	2014.11	해당없음	-
KS P 5105	치과 주조용 금은 팔라듐 합금	1978.03	2017.09	해당없음	2
KS P 5106	치과주조용 주석합금	1975.06	2017.09	해당없음	2
KS P 5107	치과용 연성 충전기	1976.12	2018.11	해당없음	4
KS P 5109	치과용 치즐(끌)	1976.12	2018.11	해당없음	4
KS P 5203	치과용 이용합금	1975.12	2017.09	해당없음	2
KS P 5206	치과용 임시 충진재	1975.11	2017.09	해당없음	1
KS P 5208	치과용 금관 가위	1992.8	2014.11	해당없음	4
KS P 5209	치과용 스테인리스 강선	1977.12	2017.09	해당없음	1
KS P 5210	치과용 코발트 크롬 합금선	1977.12	2016.02	해당없음	2
KS P 5212	치과 주조용 14캐럿 금합금용 플러스메탈	1977.12	2016.02	해당없음	2
KS P 5301	의치상용 아크릴 수지	1975.3	2017.09	해당없음	2
KS P 5302	치과 주조용 왁스	1975.6	2017.09	해당없음	2
KS P 5305	치과용 시트 왁스	1975.12	2017.09	해당없음	2
KS P 5308	치과용 니켈 크롬 합금선	1980.11	2016.02	해당없음	2
KS P 5309	치과 주조용 은 합금	1980.11	2017.09	해당없음	2
KS P 5310	치과 가공용 금은 팔라듐 합금	1980.11	2017.09	해당없음	2
KS P 5311	치과용 금은 팔라듐 합금 땜납	1980.11	2017.09	해당없음	2
KS P 5312	치과 복원용 상온 중합 레진	1980.11	2017.09	해당없음	2
KS P 5318	치과 인상용 콤파운드	1988.12	2019.11	해당없음	2
KS P 5321	치과용 핸드피스의 커플링 치수	1999.11	2014.11	해당없음	4

KS규격번호	KS규격명	제정일	개정일	국제표준 (최신버전)	SC
KS P 5322-1	치과용 핸드 피스 제1부: 고속 에어터빈 핸드피스	1999.11	2014.11	해당없음	4
KS P 5322-2	치과용 핸드피스 제2부: 스트레이트 및 기어 앵글 핸드피스	1999.11	2014.11	해당없음	4
KS P 7109	치과용 전기 엔진	1979.11	2018.11	해당없음	6
KS P 7114	치과용 스피툰	1980.12	2016.02	해당없음	4
KS P 7115	치과용 카보런덤 포인트	1980.12	2017.09	해당없음	4
KS P 7116	치과용 왁스 스파튤라	1980.12	2016.02	해당없음	4
KS P 7117	치관용 가열 중합 레진	1991.1	2017.09	해당없음	2
KS P 7209	치과용 카보런덤 휠	1979.12	2018.11	해당없음	-
KS P 7408	치과용 뼈줄	1979.12	2018.11	해당없음	-
KS P 7409	치과용 브로치 홀더	1979.11	2018.11	해당없음	-
KS P 7412	치과 수술용 칼	1979.11	2018.11	해당없음	-
KS P 7415	치과용 점약침	1979.11	2018.11	해당없음	-
KS P 7418	치과용 크롬-코발트 주조용 합금	1985.7	2017.09	해당없음	2
KS P 7419	치과용-인산칼슘 시멘트	2012.1	2018.11	해당없음	-
KS P 7420	치과인상용 페이스트 산화아연 유지롤형	1985.7	2016.02	해당없음	-
KS P 7424	치과용 금합금 납	1993.12	2019.11	해당없음	-
KS P 7429	치주 포켓 프로브	1995.12	2016.02	해당없음	-
KS P 7436	치과용 러버댐 클램프	1995.12	2016.02	해당없음	-
KS P ISO 7176-21	치과 인상용 트레이	2005.6	2016.02	-	-
KS P 7448	치관용 상온 중합 레진	1999.11	2014.11	해당없음	-
KS P 8422	치과-골내 임플란트 연결 나사	2014.12	2014.12	해당없음	-
KS P 8423	치과-CAD/CAM 시스템의상호운용성	2014.12	2014.12	해당없음	-
KS P 8424	치과-상악동 거상용 엘리베이터	2014.12	2014.12	해당없음	-
KS P ISO /TR 15599	치과기공 절차의 디지털 체계화	2008.6	2019.11	2002.1	3
KS P ISO /TR 28642	치과-색상 측정 지침	2013.12	2019.11	2011.7	2
KS P ISO /TS17988	치과-치과용 아말감의 부식 시험법	2017.9	-	-	-

KS규격번호	KS규격명	제정일	개정일	국제표준 (최신버전)	SC
KS P ISO /TS13498	치과-골내 치과용 임플란트 시스템에서 임플란트 몸체 /연결부의 비틀림 시험	2013.4	2013.4	2011.7	8
KS P ISO /TS22595-1	치과-설비분야 장비 -제1부: 흡인장치	2009.1	2014.12	2006.9	6
KS P ISO 10139-1	치과-연성 의치 이장재 -제1부: 단기사용재료	2003.12	2019.11	2005.2	2
KS P ISO 10139-2	가철성 의치용 소프트 라이닝 재료 -제2부: 장기사용재료	2004.11	2014.12	2016.6	2
KS P ISO 10271	치과용 금속재료의 부식시험방법	2004.11	2014.12	2011.7	2
KS P ISO 10323	치과-디스크 및 휠과 같은 회전기구의 내경	2007.7	2014.12	2013.2	4
KS P ISO 10451	치과용 임플란트 시스템을 위한 기술서식 항목	2003.12	2018.11	2010.6	8
KS P ISO 10477	치과-고분자계 계속가공의치 재료	1999.11	2014.12	2004.9	2
KS P ISO 10637	치과용장비-대용적 및 중용적 흡입 시스템	2007.1	2018.11	1999.8	6
KS P ISO 10873	치과용-의치 접착제	2012.9	2018.06	2010.9	7
KS P ISO 11143	치과용 장비-아말감 분리기	2007.1	2018.06	2008.6	6
KS P ISO 11499	치과-일회용 국소 마취 카트리지	2005.12	2017.09	2014.5	4
KS P ISO 11609	치약-요구사항, 시험방법 및 표시	2004.11	2012.9	2010.8	7
KS P ISO 11953	치과용-임플란트-수동 토크기기의 임상적 성능평가	2012.9	2018.11	2010.5	8
KS P ISO 12836	치과-간접 치과 수복물을 위한 CAD/CAM 시스템용 디지타이징기기-정확도 평가 시험법	2018.11	-	-	-
KS P ISO 13017	치과-자성 어태치먼트	2018.06	-	-	-
KS P ISO 13078	치과-치과용 소환로-분리형 열전대를 이용한 온도 측정 시험방법	2019.11	-	-	-
KS P ISO 13116	치과-재료의 방사성 불투과성 측정 시험방법	2017.09	-	-	-
KS P ISO 13294	치과용 핸드피스-치과용 공기 모터	2007.1	2017.09	-	4
KS P ISO 13295	치과-회전기구용 맨드릴	1979.12	2017.09	2007.6	4
KS P ISO 13397-1	치주 치료용 큐렛, 치과용 스케일러 및 엑스카베이터 -제1부: 일반적인 요구사항	2002.12	2018.06	2007.10	4
KS P ISO 13397-2	치주 치료용 큐렛, 치과용 스케일러 및 엑스카베이터 -제2부: Gr형 치주 치료용 큐렛	2007.7	2018.06	2005.6	4
KS P ISO 13397-3	치주 치료용 큐렛, 치과용 스케일러 및 엑스카베이터 -제3부: 치과용 스케일러-H-형	2019.11	-	-	4
KS P ISO 13397-4	치주 치료용 큐렛, 치과용 스케일러 및 엑스카베이터 -4부: 치과용 엑스커베이터-디스코이드형	2002.12	2018.06	2097.12	4

KS규격번호	KS규격명	제정일	개정일	국제표준 (최신버전)	SC
KS P ISO 13397-5	치과-치주 치료용 큐렛, 치과용 스케일러 및 엑스카베이터-제5부: 자켓 스케일러	2019.11	-	-	4
KS P ISO 13504	치과-치과용 임플란트 식립과 처치에 사용되는 기구 및 관련 부속품에 대한 일반적인 요구사항	2018.11	-	-	-
KS P ISO 13897	치과용-아말감 캡슐	2007.1	2018.06	2003.3	6
KS P ISO 14233	치과용 레진계 다이재료	2004.11	2014.12	2003.3	2
KS P ISO 14356	치과-복제재료	2005.12	2014.12	2003.3	2
KS P ISO 14457	치과-핸드피스 및 모터	2017.09	-	-	-
KS P ISO 14801	치과-골내 임플란트의 피로시험	2008.9	2019.11	2016.1	8
KS P ISO 15087-1	치과용 엘리베이터 -제1부: 일반 요구사항	2007.7	2018.06	1999.11	4
KS P ISO 15087-2	치과용 엘리베이터 -제2부: 워윅(Warwick) 제임스 엘리베이터	2007.7	2018.06	2000.5	4
KS P ISO 15087-3	치과용 엘리베이터 -제3부: 크라이어(Cryer) 엘리베이터	2007.7	2018.06	-	4
KS P ISO 15087-4	치과용 엘리베이터 -제4부: 커플랜드(Coupland) 엘리베이터	2007.7	2018.06	2000.5	4
KS P ISO 15087-5	치과용 엘리베이터 -제5부: 베인(Bein) 엘리베이터	2007.7	2018.06	2000.5	4
KS P ISO 15087-6	치과용 엘리베이터 -제6부: 플러(Flohr) 엘리베이터	2007.7	2018.06	2000.5	4
KS P ISO 15098-1	치과용 핀셋-제1부: 일반 요구사항	2007.1	2018.06	1999.1	4
KS P ISO 15098-2	치과용 핀셋-제2부: 메리엄형태	2007.1	2018.06	2000.2	4
KS P ISO 15098-3	치과용 핀셋-제3부: 칼리지형	2003.12	2019.11	2000.2	4
KS P ISO 15841	치과-교정용 선재	2009.1	2017.09	2014.8	1
KS P ISO 15854	치과-주조용 왁스와 베이스플레이트 왁스	2008.9	2019.11	2005.7	2
KS P ISO 15912	치과-매몰재 및 내화성 다이 재료	2009.1	2019.11	2016.1	2
KS P ISO 16059	치과-자료 교환에 사용되는 코드화에 필요한 요소	2009.1	2014.12	2007.7	3
KS P ISO 16408	치과-구강 위생용품-구강양치액	2010.12	2019.11	2015.8	7
KS P ISO 16409	치과-구강 관리용품-수동 치간 칫솔	2009.1	2017.09	-	7
KS P ISO 16443	치과-치과 임플란트 시스템 및 관련 절차 용어	2017.09	-	-	-
KS P ISO 16498	치과-임상 사용을 위한 최소한의 치과 임플란트 데이터 세트	2019.11	-	-	-

KS규격번호	KS규격명	제정일	개정일	국제표준 (최신버전)	SC
KS P ISO 16635-1	치과-치과용 고무 방습기 술식 -제1부: 홀 펀치	2018.11	-	-	-
KS P ISO 16635-2	치과-치과용 고무방습기 -제2부: 클램프 겸자	2017.09	-	-	-
KS P ISO 16954	치과-치과용 유니트 수관 세균막 처리 효과 시험방법	2017.09	-	-	-
KS P ISO 17254	치과-치과 교정용 코일 스프링	2019.11	-	-	-
KS P ISO 17304	치과-중합수축: 폴리머계 수복재의 중합수축 측정법	2017.09	-	-	-
KS P ISO 17730	치과-불소 바니시	2017.09	-	-	-
KS P ISO 17937	치과-오스테오톰	2018.06	-	-	-
KS P ISO 1797-1	치과용 회전기구-생크 -제1부: 금속재 생크	2004.11	2014.12	-	4
KS P ISO 1797-2	치과용 회전기구-생크 -제2부: 플라스틱재 생크	2002.12	2012.09	1992.1	4
KS P ISO 18397	치과-동력 스케일러	2019.11	-	-	-
KS P ISO 18556	치과-구내용 와동 충전기	2019.11	-	-	-
KS P ISO 18739	치과-CAD/CAM 시스템 일련 과정에 관한 용어	2019.11	-	-	-
KS P ISO 1942	치의학 -용어	2010.12	2016.02	2009.12	3
KS P ISO 19429	치과-치과 임플란트의 명명 체계	2019.11			
KS P ISO 19490	치과-상악동 막 엘리베이터	2019.11			
KS P ISO 20127	치과-전동 칫솔-일반 요구사항과 시험 방법	2009.1	2014.12	2005.3	7
KS P ISO 20795-1	치과-베이스 폴리머 -의치상용 폴리머	2010.12	2014.12	2013.2	2
KS P ISO 20795-2	치의학-베이스 폴리머 -제2부: 교정용 베이스 폴리머	2011.11	2016.12	2013.2	2
KS P ISO 21530	치과용 장비 표면에 사용하는 재료 -화학 소독제에 대한 저항성 평가	2007.1	2018.06	2004.6	6
KS P ISO 21531	치과-치과용 기구의 그림기호	2010.12	2014.12	2009.2	4
KS P ISO 21533	치과-재사용 가능 카트리지형 치근막내 주사기	2007.1	2017.09	2003.6	4
KS P ISO 21563	치과-수성콜로이드 인상재	2019.11	-	-	-
KS P ISO 2157	치과용 회전기구-공칭 직경과 코드 번호 명칭	1993.12	2019.11	2016.4	4
KS P ISO 21606	치과-교정에 사용하는 탄성 보조재료	2009.1	2014.12	2007.5	1
KS P ISO 21671	치과-회전 연마기	2009.1	2014.12	2006.7	4

KS규격번호	KS규격명	제정일	개정일	국제표준 (최신버전)	SC
KS P ISO 21672-1	치과-치주 탐침 -제1부: 일반적 요구사항	2018.06	-	-	-
KS P ISO 21672-2	치과-치주 탐침-제2부: 명칭	2018.06	-	-	-
KS P ISO 22112	치과-치과 보철용 인공치	2009.1	2019.11	2005.11	2
KS P ISO 22254	치과-수동칫솔-칫솔모부위의굴곡저항성	2010.12	2014.12	2005.8	7
KS P ISO 22374	치과-치과용핸드피스 -전동식스케일러및스케일러팁	2010.12	2014.12	-	4
KS P ISO 22674	치과-고정식 및 가철식 수복물 및 장치 제작에 사용하는 금속재료	2009.1	2019.11	2016.1	2
KS P ISO 22794	치과-구강악안면외과의 골 충전 및 증대용 매식재료 -기술문서의 내용	2009.1	2014.12	2007.7	8
KS P ISO 22803	치과-구강악안면 수술에서 사용하는 조직 유도재생용 막-기술문서의 내용	2008.9	2019.11	2004.9	8
KS P ISO 24234	치과 아말감용 수은과 합금	2005.12	2019.11	2015.4	1
KS P ISO 27020	치과-교정용 브라켓과 튜브	2012.9	2018.06	2010.12	1
KS P ISO 28158	치의학-손잡이 고정형 치실	2011.11	2017.09	2010.6	7
KS P ISO 28319	치의학-레이저 용접	2011.11	2017.09	2010.5	2
KS P ISO 28399	치과-치아표면미백제	2013.12	2019.11	2011.1	7
KS P ISO 29022	치과-접착-노치에지 전단 접착강도 시험	2019.11	-	-	-
KS P ISO 3107	치과-산화아연/유지놀및산화아연/비유지놀시멘트	2008.9	2014.12	2011.2	1
KS P ISO 3630-1	치과-치근관 기구 -제1부: 일반 요구조건 및 시험법	1980.12	2018.11	2008.1	4
KS P ISO 3630-2	치근관 기구 -제2부: 확대기	2004.11	2014.12	2013.4	4
KS P ISO 3630-3	치근관 기구 -제3부: 콘덴서, 플러거 및 스프레더	1995.12	2018.11	2015.8	4
KS P ISO 3630-4	치의학-치근관기구 -제4장: 보조기구	2011.11	2017.09	2009.6	4
KS P ISO 3630-5	치과-치근관기구 -제5부: 근관형성기구	2013.12	2019.11	2011.9	4
KS P ISO 3823-1	치과 회전 기구-버 -제1부: 강철과 카바이드 버	2008.6	2019.11	2097.7	4
KS P ISO 3823-2	치과-버(Bur) 회전기구 -제2부: 마무리용 버	2007.1	2018.11	2003.5	4

KS규격번호	KS규격명	제정일	개정일	국제표준 (최신버전)	SC
KS P ISO 3950	치과-치아 및 구강영역 명명체계	2003.12	2019.11	2016.3	3
KS P ISO 3964	치과-핸드피스 연결부의 커플링 치수	2019.11	-	-	-
KS P ISO 4049	치과-폴리머계 수복 재료	2008.6	2017.09	2009.9	1
KS P ISO 4073	치과용 장비-진료실 내 치과장비 항목-확인 시스템	2007.1	2017.09	2009.7	6
KS P ISO 4823	치과-고무 인상재	2008.6	2019.11	2015.7	2
KS P ISO 6360-1	치과-회전기구 번호 코드 시스템 - 제1부: 일반 특성	2009.1	2014.12	2004.3	4
KS P ISO 6360-2	치과-회전기구의 번호 코드 시스템 -제2부: 형상	2009.1	2014.12	2004.1	4
KS P ISO 6360-3	치과-회전기구의 번호 코드 시스템 -제3부: 버와 커터의 세부 특성	2009.1	2014.12	2005.11	4
KS P ISO 6360-4	치과-회전 기구의 번호 코드 시스템 -제4부: 다이아몬드 기구의 세부 특성	2009.1	2014.12	2004.6	4
KS P ISO 6360-5	치과-회전기구의 번호 코드 시스템 -제5부: 근관 기구의 세부 특성	2009.1	2014.12	2007.11	4
KS P ISO 6360-6	치과-회전기구의 번호 코드 시스템 -제6부: 연마 기구의 세부 특성	2009.1	2014.12	2004.6	4
KS P ISO 6360-7	치과-회전기구의 번호 코드 시스템 -제7부: 맨드릴과 특수 기구의 세부 특성	2009.1	2014.12	2006.2	4
KS P ISO 6872	치과-세라믹 재료	2001.9	2019.11	2015.6	2
KS P ISO 6873	치과-석고제품	1979.11	2014.12	2013.3	2
KS P ISO 6874	치과-고분자계 치면 열구 전색제	2001.9	2019.11	2015.8	1
KS P ISO 6875	치과-환자용 의자	2018.11	-	-	-
KS P ISO 6876	치과-치근관 전색재	2003.12	2014.12	2012.5	1
KS P ISO 6877	치과-근관 충전 포인트	1996.12	2019.11	2006.3	1
KS P ISO 7405	치과-치과에서 사용되는 의료기기의 생체적합성 평가	2005.12	2014.12	2008.11	-
KS P ISO 7491	치과재료-색안정성 시험	2003.12	2019.11	2000.8	2
KS P ISO 7492	치과용 탐침	2008.6	2018.12	1997.2	4
KS P ISO 7493	치과 시술자용 의자	2007.1	2018.11	2006.5	6
KS P ISO 7494-1	치과용유니트 -제1부: 일반적 요구사항 및 시험방법	2007.1	2018.11	2011.8	6
KS P ISO 7494-2	치과용 단위체 -제2부: 물과 공기의 공급방법	2004.11	2019.11	2015.3	6

KS규격번호	KS규격명	제정일	개정일	국제표준 (최신버전)	SC
KS P ISO 7551	치근관 흡수 포인트	2003.12	2019.11	1996.12	1
KS P ISO 7711-1	치과용회전기구-다이아몬드 기구 -제1부: 치수, 요구사항, 표시 및 포장	2004.11	2018.11	1997.2	4
KS P ISO 7711-2	치과용 회전기구-다이아몬드 기구 -제2부: 디스크	2004.11	2014.12	2011.7	4
KS P ISO 7711-3	치과용 회전기구-다이아몬드 기구 -제3부: 그릿 크기, 명명 및 색 규약	2004.11	2014.12	2004.1	4
KS P ISO 7786	치과용 회전기구-마찰용기구	2004.11	2014.12	2001.3	4
KS P ISO 7787-1	치과-기공용 커터 -제1부: 기공용 스틸 커터	2004.11	2019.11	2016.4	4
KS P ISO 7787-2	치과-기공용 커터 -제2부: 기공용 카바이드 커터	2007.1	2019.11	2000.12	4
KS P ISO 7787-3	치과-기공용 커터 -제3부: 밀링머신용 카바이드 커터	2004.11	2019.11	1991.12	4
KS P ISO 7787-4	치과용 회전기구-커터 -제4부: 기공용 소형 카바이드 절삭기구	2007.1	2018.11	2002.3	4
KS P ISO 7885	치과-멸균된 일회용 치과 주사바늘	2003.12	2017.09	2010.2	4
KS P ISO 8282	치과용 장비-수은 및 합금 혼합기와 분배기	2003.12	2019.11	1994.9	6
KS P ISO 8325	치과용-회전 기구 시험 방법	2007.1	2018.11	2004.9	4
KS P ISO 9168	치과-공기구동형 치과용 핸드피스의 호스연결기	2012.9	2018.11	2009.7	4
KS P ISO 9173-1	치과-발치 겸자 -제1부: 일반 요구사항 및 시험방법	2007.1	2018.06	2016.1	4
KS P ISO 9173-2	치과-발치 겸자-제2부:명명	2012.9	2018.06	2010.4	4
KS P ISO 9173-3	치과-발치 겸자-제3부:디자인	2017.09	-	-	4
KS P ISO 9333	치과-납착 재료	2008.9	2019.11	2006.7	2
KS P ISO 9680	치과진료용 조명등	2007.1	2012.09	2014.1	6
KS P ISO 9687	치과용 장비-그래픽 기호	2008.6	2019.11	2015.1	6
KS P ISO 9693-1	치과-적합성 시험 -제1부: 금속-세라믹 시스템	2018.11	-	-	-
KS P ISO 9693-2	치과-적합성 시험 -제2부: 세라믹-세라믹 시스템	2019.11	-	-	-
KS P ISO 9873	치과-구내거울	2007.1	2018.11	1998.1	4
KS P ISO 9917-1	치과-수성 시멘트 -제1부: 분말/액산-염기 시멘트	2005.12	2014.12	2007.1	1

KS규격번호	KS규격명	제정일	개정일	국제표준 (최신버전)	SC
KS P ISO 9917-2	치과-수성 시멘트 -제2부: 레진강화형 시멘트	2004.11	2017.09	2010.4	1
KS P ISO 9997	치과-치과 카트리지용 주사기	2002.12	2018.11	1999.12	4
KS P ISO /TR 11175	치과용 임플란트-치과용 임플란트 개발을 위한 지침	2010.12	2016.02	-	8
KS P ISO /TR 14569-1	치과 재료-마모 시험 지침 -제1부: 칫솔질에 의한 마모	2003.12	2019.11	2007.5	2
KS P ISO /TR 15300	치과-치과용품 분류 및 코드화에 대한 OSI 임상체계 적용	2008.6	2019.11	2001.5	-
KS P ISO /TR 18130	치과-치과용 골내 임플란트의 임플란트 고정체 /임플란트 지대치 연결부에 대한 주기적 비틀림 부하를 사용한 나사 풀림 시험	2019.11	-	-	-
KS P ISO /TR 18845	치과-컴퓨터보조 밀링기기의 절삭가공 정확도 시험방법	2019.11	-	-	-
KS P ISO /TS 11405	치과재료의 치아구조 부착시험방법	2004.11	2019.11	2015.1	1
KS P ISO /TS13498	치과-골내 치과용 임플란트 시스템에서 임플란트 몸체 /연결부의 비틀림 시험	2013.4	2019.11	2011.7	8
KS P ISO /TS 14569-2	치과용 재료-마모 시험방법 안내 -제2부: 2체 및 3체 마모	2010.12	2014.12	2001.8	2
KS P ISO /TS 20746	치과-헤르찌안 압인 강도(HIT) 방법에 의한 치과용 아말감의 강도 측정	2019.11	-	-	-
KS P ISO /TS 22595-2	치과-설비실장비 -제2부: 콤프레서 시스템	2010.12	2014.12	2008.7	6
KS P ISO /TS 22911	치과-치과 임플란트 시스템의 전임상 평가 -동물 시험 방법	2010.12	2014.12	2016.7	8

찾아보기

한글

ㄱ

ㅈ

ㅎ

영어

A

B

C

D

E

F

G

Q

R

S

T

U

V

W

X

Z

기호

번호